AGATHA CHRISTIE

MISTÉRIOS DOS ANOS 50

Estes títulos estão publicados também na Coleção **L&PM** POCKET

Aventura em Bagdá
Título original: *They Came to Baghdad*
Tradução: Petrucia Finkler

Um destino ignorado
Título original: *Destination Unknown*
Tradução: Bruno Alexander

Punição para a inocência
Título original: *Ordeal by Innocence*
Tradução: Pedro Gonzaga

O Cavalo Amarelo
Título original: *The Pale Horse*
Tradução: Rogério Bettoni

AGATHA CHRISTIE

MISTÉRIOS DOS ANOS 50

Aventura em Bagdá

Um destino ignorado

Punição para a inocência

O Cavalo Amarelo

Texto de acordo com a nova ortografia
Capa: HarperCollins 2005. Ilustrações: modelo, © Conde Nast / Corbis; pistola, Ian McKinnell / Getty Images
Foto da autora: © Christie Archives Trust
Revisão: L&PM Editores
1ª edição: verão de 2014
2ª edição: primavera de 2014

CIP-Brasil. Catalogação na fonte
Sindicato Nacional dos Editores de Livros, RJ.

C479a

Christie, Agatha, 1890-1976
    Agatha Christie: Mistérios dos anos 50 / Agatha Christie; [tradução Petrucia Finkler]. Aventura em Bagdá / [tradução Bruno Alexander]. Um destino ignorado / [tradução Pedro Gonzaga]. Punição para a inocência / [tradução Rogério Bettoni]. O Cavalo Amarelo. – 2. ed. – Porto Alegre, RS: L&PM, 2014.
    696 p. ; 23 cm.

    Tradução de: *They Came to Baghdad. Destination Unknown. Ordeal by Innocence. The Pale Horse*
    ISBN 978-85-254-2945-2

    1. Ficção inglesa. II. Finkler, Petrucia. III. Alexander, Bruno. VI Gonzaga, Pedro V. Bettoni, Rogério. VI. Christie, Agatha, 1890-1976. Aventura em Bagdá. VII. Christie, Agatha, 1890-1976. Um destino ignorado. VIII. Christie, Agatha, 1890-1976. Punição para a inocência. IX. Christie, Agatha, 1890-1976. O Cavalo Amarelo. X. Título. XI. Título: Mistérios dos anos 50. XII. Aventura em Bagdá. XIII. Um destino ignorado. XIV. Punição para a inocência. XV. O Cavalo Amarelo.

13-05607   CDD: 823
                               CDU: 821.111-3

They Came to Baghdad © 1951 Agatha Christie Limited. All rights reserved.
Destination Unknown © 1954 Agatha Christie Limited. All rights reserved.
Ordeal by Innocence © 1958 Agatha Christie Limited. All rights reserved.
The Pale Horse © 1961 Agatha Christie Limited. All rights reserved.

AGATHA CHRISTIE is a registered trademark of Agatha Christie Limited in the UK and/or elsewhere. All rights reserved.
www.agathachristie.com

Todos os direitos desta edição reservados a L&PM Editores
Rua Comendador Coruja, 314, loja 9 – Floresta – 90220-180
Porto Alegre – RS – Brasil / Fone: 51.3225.5777 – Fax: 51.3221.5380

Pedidos & Depto. Comercial: vendas@lpm.com.br
Fale conosco: info@lpm.com.br
www.lpm.com.br

Impresso no Brasil
Primavera de 2014

SUMÁRIO

Aventura em Bagdá | 7
Um destino ignorado | 195
Punição para a inocência | 347
O Cavalo Amarelo | 529
Sobre a autora | 693

Aventura em Bagdá

Tradução de Petrucia Finkler

A todos os meus amigos em Bagdá

CAPÍTULO 1

I

O capitão Crosbie saiu do banco com aquele ar satisfeito de alguém que compensou um cheque e descobriu que havia um pouquinho a mais do que pensara em sua conta corrente.

O capitão com frequência aparentava estar satisfeito consigo mesmo. Era desse tipo de homem. Fisicamente, era baixo e atarracado, com o rosto vermelho e um bigode militar eriçado. Empertigava-se um pouco ao andar. Usava roupas talvez um tanto extravagantes, e adorava uma boa história. Era popular entre os homens. Era alegre, banal, mas gentil e solteiro. Nada de especial a seu respeito. Há montes de Crosbies no Oriente.

O capitão Crosbie caminhava pela Bank Street, rua assim chamada porque a maioria dos bancos da cidade se localizava ali. Dentro do banco estava fresco, escuro e um tanto embolorado. O ruído predominante era de uma grande quantidade de máquinas de escrever tilintando ao fundo.

Do lado de fora, na Bank Street, o dia estava ensolarado, cheio de redemoinhos de poeira, e os ruídos eram os mais terríveis e variados. Havia o barulho insistente das buzinas dos automóveis, os gritos dos vendedores dos mais diversos produtos. Havia discussões acaloradas entre pequenos grupos que pareciam prestes a matarem-se uns aos outros, mas eram de fato amigos íntimos; homens, meninos e crianças vendiam todo tipo de planta, guloseimas, laranjas, bananas, toalhas de banho, pentes, lâminas de barbear e outras mercadorias diversas, que eram carregadas sobre tabuleiros com rapidez pelas ruas. Havia também o ruído perpétuo e sempre renovado de gente pigarreando e cuspindo, e, acima de tudo isso, o gemido fino e melancólico dos homens conduzindo jumentos e cavalos em meio ao fluxo de veículos e pedestres, gritando: "*Balek – Balek!*".

Eram onze horas da manhã na cidade de Bagdá.

O capitão Crosbie parou um menino que passava correndo com os braços carregados de jornais e comprou um. Dobrou a esquina da Bank Street e entrou na Rashid Street, a principal avenida de Bagdá, que corta a cidade por uns seis quilômetros, sempre paralela ao rio Tigre.

Crosbie olhou de relance para as manchetes, enfiou o jornal debaixo do braço, andou por mais uns duzentos metros e depois dobrou em uma viela estreita, chegando a um grande *khan* ou largo. Do outro lado deste, abriu uma porta com uma placa de bronze e entrou em um escritório.

Um funcionário iraquiano todo arrumadinho deixou a máquina de escrever e foi ao seu encontro com um sorriso de boas-vindas.

— Bom dia, capitão Crosbie. O que posso fazer pelo senhor?

– O sr. Dakin está na sala dele? Que bom, vou entrar.

Passou por uma porta, subiu uma escada íngreme e seguiu por uma passagem suja. Bateu na porta dos fundos, e uma voz respondeu:

– Pode entrar.

Era uma sala alta, bastante vazia. Havia uma estufa a óleo com um prato de água em cima, um banco acolchoado longo e baixo com uma mesinha de centro em frente e uma escrivaninha grande em péssimo estado. A lâmpada elétrica estava acesa e a luz natural fora cuidadosamente excluída. Atrás da escrivaninha deteriorada se encontrava um homem quase maltrapilho, com o rosto cansado e derrotado – o rosto de alguém que não progrediu na vida, tem consciência disso e parou de se preocupar com o assunto.

Os dois homens, o alegre e autoconfiante Crosbie e o melancólico e cansado Dakin, olharam-se.

– Olá, Crosbie. Acaba de chegar de Kirkuk?

O outro assentiu com a cabeça. Fechou a porta com cuidado atrás de si. Era uma porta de aparência desgastada e pintura ruim, mas tinha uma qualidade inesperada: encaixava-se bem, sem deixar nenhuma fresta e nenhum vão embaixo.

Era, de fato, à prova de som.

Com o fechar da porta, a personalidade de ambos se transformou de maneira muito sutil. O capitão Crosbie se tornou menos assertivo e cheio de si. Os ombros do sr. Dakin ficaram menos caídos, e seus modos, menos hesitantes. Se alguém estivesse naquela sala ouvindo a conversa, ficaria surpreso ao descobrir que Dakin era o homem que detinha a autoridade.

– Alguma novidade, senhor? – perguntou Crosbie.

– Sim – Dakin suspirou. Tinha diante de si um documento que estivera ocupado em decodificar. Rabiscou mais duas letras e declarou: – Será em Bagdá.

Então riscou um fósforo, ateou fogo ao papel e ficou observando-o queimar. Quando ardia em cinzas, soprou-as com suavidade. As cinzas alçaram voo e se dispersaram.

– Pois é – disse. – Decidiram por Bagdá. Dia 20 do mês que vem. Temos de "manter sigilo total".

– Estão comentando no *souk*, já há três dias – ironizou Crosbie.

O homem alto sorriu um sorriso cansado.

– Confidencial! Nada é confidencial no Oriente, não é mesmo, Crosbie?

– Não, senhor. Se quiser saber minha opinião, nada é confidencial em lugar nenhum. Durante a guerra, muitas vezes percebi que um barbeiro em Londres sabia mais que o alto comando.

– Não faz muita diferença neste caso. Se a reunião foi marcada para Bagdá, logo isso vai ter de vir a público. E então a brincadeira... a nossa brincadeira em especial... vai começar.

– Acha que vai mesmo acontecer, senhor? – perguntou Crosbie, cético. – O tio Zé (era desse modo desrespeitoso que o capitão se referia ao chefe de uma grande potência europeia) tem intenção de comparecer?

– Acho que desta vez ele vem, Crosbie – respondeu Dakin, pensativo. – Sim, acho que sim. E se a reunião avançar... progredir sem nenhum incidente... bem, pode ser a salvação para... tudo. Se ao menos conseguissem chegar a algum tipo de entendimento... – ele se interrompeu.

Crosbie ainda parecia um pouco cético.

– Seria... perdoe-me, senhor... Acha *possível* chegarem a algum tipo de entendimento?

– No sentido a que está se referindo, Crosbie, provavelmente *não*! Se fosse apenas o encontro de dois homens representando duas ideologias totalmente diferentes, a coisa toda terminaria como de costume, com ainda mais desconfiança e desentendimentos. Mas há um terceiro elemento. Se aquela história fantástica de Carmichael for verdade...

De novo não concluiu a frase.

– Mas senhor, não pode ser verdade. É fantástica *demais*!

O outro ficou em silêncio por alguns instantes. Estava revendo de maneira muito vívida a imagem daquele rosto sério e angustiado, ouvindo a voz calma e indefinível descrevendo coisas fantásticas e inacreditáveis. Repetia para si mesmo, como fizera naquela ocasião: "Ou o melhor e mais confiável dos meus homens enlouqueceu, ou então... esse negócio é verdade...".

Falou com a mesma voz fina e melancólica:

– Carmichael acreditava. Tudo que ele conseguiu apurar confirma a hipótese. Queria ir até lá para descobrir mais, obter provas. Se foi ou não uma decisão sábia permitir que ele fosse, não sei. Se não retornar, resta apenas a minha versão do que Carmichael me contou, que, por sua vez, é uma versão do que alguém contou para *ele*. Isso é suficiente? Acho que não. Como você diz, é uma história tão fantástica... Mas, se ele mesmo estivesse aqui, em Bagdá, no dia 20, para contar a própria versão, a versão de uma testemunha ocular, e apresentar provas...

– Provas? – interrompeu Crosbie, com rispidez.

O outro assentiu.

– Sim, ele tem provas.

– Como sabe disso?

– Pela fórmula combinada. A mensagem chegou por intermédio de Salah Hassan.

Ele repetiu com todo o cuidado:

– *Um camelo branco com um carregamento de aveia vai passar pelo Estreito.*

Fez uma pausa e continuou:

– Carmichael conseguiu o que queria, mas não escapou incógnito. Estão na pista dele. Qualquer rota que escolher será vigiada, e o que é ainda mais perigoso, estarão esperando por ele... aqui. Primeiro na fronteira. E, se tiver êxito ao cruzar a fronteira, vão montar barreiras em torno das embaixadas e consulados. Olhe isso aqui.

Vasculhou entre os papéis sobre a escrivaninha e leu em voz alta:

– Um inglês viajando de carro da Pérsia para o Iraque foi morto a tiros, supostamente por bandidos. Um mercador curdo fazendo o percurso de descida pelas montanhas foi morto numa emboscada. Outro curdo, Absul Hassan, suspeito de ser um contrabandista de cigarros, foi morto pela polícia. O corpo de um homem mais tarde identificado como um motorista de caminhão armênio foi encontrado na estrada de Rowanduz. Todos eles, repare bem, com basicamente a mesma descrição. Mesma altura, peso, cabelo, porte, tudo isso corresponde à descrição de Carmichael. Não querem correr nenhum risco. Estão decididos a apanhá-lo. Uma vez que chegue ao Iraque, o perigo será ainda maior. Um jardineiro da embaixada, um serviçal do consulado, um oficial do aeroporto, gente na alfândega, nas estações de trem... todos os hotéis sendo vigiados... Um cerco bem apertado.

Crosbie ergueu as sobrancelhas.

– Acha que estão tão atentos assim?

– Não tenho dúvida. Até na nossa operação tem ocorrido vazamentos. Isso é o pior de tudo. Como posso ter certeza que as medidas que estamos adotando para trazer Carmichael de volta em segurança para Bagdá já não sejam do conhecimento do lado de lá? Como sabe, uma das manobras mais fundamentais do jogo é ter alguém na folha de pagamento do campo adversário.

– Há alguém de quem o senhor... desconfie?

Dakin balançou a cabeça negativamente, devagar.

Crosbie suspirou.

– Neste meio-tempo – disse – tocamos adiante?

– Sim.

– E Crofton Lee?

– Concordou em vir para Bagdá.

– Todo mundo está vindo para Bagdá – desabafou Crosbie. – Até mesmo o tio Zé, segundo o senhor. Mas se acontecer alguma coisa com o presidente... enquanto ele estiver aqui... a bolha vai estourar com força total.

– Nada pode acontecer – disse Dakin. – É aí que nós entramos. Para garantir que não aconteça nada.

Quando Crosbie já tinha saído, Dakin se curvou sobre a escrivaninha. Resmungou em voz baixa:

– Eles vieram para Bagdá...

No bloco de notas, desenhou um círculo e escreveu embaixo *Bagdá*, depois traçou uma linha pontilhada ao redor, esboçou um camelo, um avião, um navio a vapor, uma pequena locomotiva soltando fumaça; tudo convergindo para o círculo. Em seguida, no canto do bloco, desenhou uma teia de aranha. No meio da teia, escreveu um nome: *Anna Scheele*. Embaixo, pôs um enorme ponto de interrogação.

Então, apanhou o chapéu e saiu do escritório. Enquanto caminhava pela Rashid Street, um homem perguntou para o outro quem era aquele.

– Aquele? Ah, aquele é Dakin. De uma das companhias de petróleo. Um sujeito simpático, mas nunca dá certo em nada. É letárgico demais. Dizem que bebe. *Esse* nunca vai chegar a lugar nenhum. É preciso motivação para se dar bem nesta parte do mundo.

II

– Já terminou os relatórios da propriedade do Krugenhorf, srta. Scheele?
– Sim, sr. Morganthal.

A srta. Scheele, contida e eficiente, depositou os papéis em frente ao patrão.

Ele grunhiu enquanto lia.
– Satisfatório, acho eu.
– Com certeza está, sr. Morganthal.
– Schwartz já chegou?
– Está aguardando na recepção.
– Façam-no entrar agora mesmo.

A srta. Scheele apertou um dos seis botões do interfone.
– Vai precisar de mim, sr. Morganthal?
– Não, acho que não, srta. Scheele.

Anna Scheele deslizou sem fazer barulho ao sair da sala.

Era uma loira platinada, mas não era glamorosa. Os cabelos claros, finos como o linho, estavam puxados firmes para trás e presos em um coque junto ao pescoço. Os olhos azul-claros e inteligentes observavam o mundo por trás dos óculos reforçados. O rosto tinha traços delicados, mas inexpressivos. Tinha subido na vida não por seus encantos, mas por sua eficiência. Era capaz de memorizar qualquer coisa, por mais complicada que fosse, e reproduzia nomes, datas e horários sem precisar consultar qualquer anotação. Conseguia organizar a equipe de um grande escritório de tal maneira que ele funcionava como se fosse uma máquina bem lubrificada. Era a discrição em pessoa, e sua energia, embora controlada e disciplinada, jamais esmorecia.

Otto Morganthal, chefe da firma Morganthal, Brown e Shipperke, banqueiros internacionais, tinha consciência de que devia muito mais do que apenas dinheiro para Anna Scheele. Confiava nela completamente. Sua memória, experiência, discernimento e a cabeça sempre no lugar eram de um valor inestimável. Pagava-lhe um alto salário e teria aumentado ainda mais a quantia se ela pedisse.

Ela sabia não só dos detalhes dos negócios, mas também os da vida privada de Otto. Consultara a secretária a respeito da segunda sra. Morganthal, e ela não apenas havia aconselhado o divórcio, mas sugerido a exata quantia para a pensão. Não expressara qualquer comiseração ou curiosidade. Não era, diria ele, daquele tipo de mulher. Não achava que fosse dotada de qualquer sentimento e jamais lhe ocorreu imaginar que assuntos ocupariam os pensamentos dela. Teria ficado de fato atônito se tivessem lhe dito que ela se preocupava com qualquer coisa, melhor dizendo, qualquer outra coisa que não tivesse relação com Morganthal, Brown e Shipperke ou com os problemas de Otto Morganthal.

Portanto, foi com absoluta surpresa que a ouviu dizer enquanto se preparava para sair da sala:

— Gostaria de tirar três semanas de licença se fosse possível, sr. Morganthal. Começando na próxima terça-feira.

Fitando-a, respondeu desconfortável:

— Seria muito inconveniente... muito inconveniente.

— Não acho que seria tão complicado, sr. Morganthal. A srta. Wygate é plenamente capacitada para resolver tudo. Deixarei com ela as minhas anotações e instruções completas. O sr. Cornwall pode tratar da fusão da Ascher.

Ainda inquieto, ele perguntou:

— Não está doente, ou algo assim?

Não conseguia imaginar a srta. Scheele doente. Até os germes respeitavam Anna Scheele e ficavam fora do seu caminho.

— Ah, não, sr. Morganthal. Quero ir a Londres para visitar a minha irmã.

— Irmã?

Não sabia que ela tinha uma irmã. Nunca havia concebido a hipótese de a srta. Scheele ter qualquer familiar ou parente. Nunca mencionara ninguém. E lá estava ela, casualmente comentando sobre uma irmã em Londres.

Estivera em Londres com ele no outono anterior, mas naquela ocasião não mencionara ter uma irmã.

Sentindo-se ofendido, disse:

– Não sabia que tinha uma irmã na Inglaterra.

A srta. Scheele sorriu discretamente.

– Ah, pois tenho, sr. Morganthal. É casada com um inglês ligado ao Museu Britânico. Precisa se submeter a uma cirurgia muito séria. Pediu que fosse lhe fazer companhia. Gostaria de ir.

Em outras palavras, Otto Morganthal constatou, já estava decidida a ir.

Disse, rosnando:

– Está bem, está bem... Volte para cá assim que puder. Nunca vi o mercado financeiro tão volátil. Tudo por causa desse maldito comunismo. A guerra pode começar a qualquer momento. Chego a pensar que é a única solução. O país inteiro está crivado deles, crivado. E agora o presidente está determinado a participar dessa conferência idiota em Bagdá. É uma armadilha, na minha opinião. Estão querendo pegá-lo. Bagdá! O mais bizarro de todos os lugares!

– Ah, tenho certeza que estará muito bem protegido – disse a srta. Scheele, confortando-o.

– Pegaram o xá da Pérsia no ano passado, não pegaram? Pegaram o Bernadotte na Palestina. É loucura, é isso que é... loucura. – Mas enfim – acrescentou o sr. Morganthal com pesar –, o mundo inteiro está louco.

CAPÍTULO 2

I

Victoria Jones estava aborrecida sentada em um dos bancos do FitzJames Gardens. Estava inteiramente entregue a reflexões – ou, poderia-se dizer, lições de moral – sobre as desvantagens inerentes ao uso de talentos pessoais no momento errado.

Victoria era como todo mundo, uma moça com qualidades e defeitos. Pelo lado positivo era generosa, afetiva e corajosa. Seu pendor natural para a aventura poderia ser encarado como digno de mérito, ou o contrário, nestes tempos modernos em que a segurança é muito mais valorizada. Seu principal defeito era a tendência a contar mentiras, tanto em momentos oportunos quanto inoportunos. Para ela, a ficção exerce um fascínio superior à realidade, e isso lhe era sempre irresistível. Mentia com facilidade, fluência e fervor artístico. Se Victoria estivesse atrasada para alguma coisa (o que era frequente), não bastava murmurar uma desculpa sobre o relógio ter parado (o que na verdade era muito frequente) ou um ônibus ter sofrido um atraso inexplicável. A ela pareceria mais interessante propor a explicação falaciosa de que seu caminho fora dificultado por um elefante que havia fugido e se atravessara no caminho do coletivo, ou por uma batida policial relâmpago, na qual ela tivera uma participação importante auxiliando a polícia. Para Victoria, um mundo satisfatório seria aquele onde tigres andassem à espreita nas ruas do centro de Londres e bandidos perigosos infestassem os bairros da cidade.

Uma moça magra, com uma aparência agradável e pernas de primeira linha, os traços de Victoria poderiam na verdade ser descritos como comuns. Eram pequenos e delicados. Mas havia algo de picante nela, pois a "carinha de borracha", como um de seus admiradores a apelidara, era capaz de retorcer aqueles traços imóveis transformando-os em uma assombrosa imitação de praticamente qualquer pessoa.

Pois fora justamente esse talento que acaba de ser descrito que a levara à presente situação. Contratada como datilógrafa pelo sr. Greenholtz, da Greenholtz, Simmons e Lederbetter, na Graysholme Street, Victoria estava matando tempo em uma manhã tediosa entretendo as outras três datilógrafas e o contínuo com uma vívida performance da sra. Greenholz fazendo uma visita ao escritório do marido. Tranquila em saber que o sr. Greenholz havia saído para visitar clientes, Victoria se deixou empolgar.

– Por que diz que não podemos comprar aquele sofá da Knole, paiziiinho? – perguntava ela num tom de voz estridente e manhoso. – A sra. Dievtakis, ela tem um de cetim azul. Diz que é o dinheiro que está curto? Mas então como é que levou aquela moça loira para jantar e dançar... Ah! Acha que não estou sabendo... e se sai com aquela moça... então eu ganho o sofá, todinho encomendado em cor de ameixa com almofadas douradas. E quando diz que foi a um jantar de negócios, você é mesmo um tolinho... é sim... e chega em casa com marca de batom na camisa. Então eu ganho o sofá Knole e mando encomendar uma capa de peles... muito linda... como vison, mas sem ser de vison, e vou conseguir ela bem barata e vai ser um bom negócio...

A distração repentina da sua plateia, hipnotizada no começo, mas que agora parecera de súbito retornar ao trabalho de comum acordo, fez Victoria interromper o espetáculo e voltar-se para o sr. Greenholtz, parado no umbral da porta, observando a cena.

Victoria, sem conseguir pensar em nada relevante para dizer, exclamou apenas:

– Oh!

O sr. Greenholz grunhiu.

Arrancando o sobretudo, o sr. Greenholz seguiu para sua sala particular e bateu a porta. Quase que imediatamente a campainha dele emitiu dois toques curtos e um longo. Era o sinal para chamar Victoria.

– É para você, Jones – assinalou uma colega, sem necessidade; tinha os olhos iluminados com o deleite ocasionado pela desgraça alheia. As outras datilógrafas colaboraram com aquele sentimento proferindo:

– Acabou para você, Jones.

E:

– Vai para a lona, Jones.

O contínuo, uma criança desagradável, contentou-se em traçar uma linha com o indicador em frente à garganta, fazendo um barulho sinistro.

Victoria apanhou um bloco de notas e um lápis e voou para o escritório do sr. Greenholz com o máximo de confiança que conseguiu reunir.

– Chamou, sr. Greenholtz? – murmurou, encarando-o com o olhar límpido.

O sr. Greenholtz estava segurando três notas de uma libra e remexendo os bolsos à procura de moedas.

– Então aí está – observou. – Estou por aqui com você, mocinha. Vê alguma razão em particular por que, em vez de lhe dar um aviso prévio, eu não deveria lhe pagar o salário da semana e botá-la na rua agora mesmo?

Victoria (que era órfã) acabara de abrir a boca prestes a explicar como a agonia de sua mãe naquele momento, passando por uma operação séria, a havia desmoralizado de tal forma que ficara completamente aérea, e que agora aquele mísero salário dela era tudo com o que a mãe podia contar como sustento quando, ao lançar um olhar rápido para a expressão indignada do sr. Greenholtz, fechou a boca e mudou de ideia.

– Concordo inteiramente com o senhor – disse com sinceridade e simpatia. – Acho que está cem por cento *certo*, se entende o que quero dizer.

O sr. Greenholtz pareceu um pouco surpreso. Não estava acostumado a ter suas demissões tratadas com aquele espírito favorável e congratulatório. Para disfarçar a sua breve perplexidade, separou uma pilha de moedas na escrivaninha à sua frente. Então vasculhou mais uma vez os bolsos.

– Faltam nove centavos – resmungou sombrio.

– Não tem importância – disse Victoria, sendo gentil. – Aproveite para ir ao cinema ou comprar uns doces.

– Acho que não tenho sequer alguns selos.

– Não importa. Nunca escrevo cartas.

– Poderia mandar depois para você – sugeriu o sr. Greenholtz, sem muita convicção.

– Não se incomode. Que tal uma carta de referência? – pediu Victoria.

A cólera do sr. Greenholtz voltou.

– Por que raios eu deveria lhe dar uma carta de referência? – perguntou tomado pela ira.

– É de praxe – respondeu ela.

O sr. Greenholtz puxou uma folha de papel e rabiscou umas linhas. Empurrou com força para ela.

– Está bom assim para você?

A srta. Jones trabalhou dois meses para mim como estenodatilógrafa. A taquigrafia dela é inexata, e ela não sabe ortografia. Está saindo por perder tempo durante o horário de trabalho.

Victoria fez uma careta.

– Não serve como recomendação – assinalou.

– Não era esse o objetivo – disse o sr. Greenholtz.

– Acho – começou Victoria – que o senhor deveria ao menos dizer que sou honesta, sóbria e respeitável. Sou mesmo, entende. E talvez pudesse acrescentar que sou discreta.

– Discreta? – vociferou.

Victoria retribuiu o olhar dele com uma expressão inocente.

– Discreta – repetiu com a voz suave.

Ao lembrar-se de cartas de toda espécie que haviam sido ditadas para Victoria e datilografadas por ela, o sr. Greenholtz decidiu que a prudência era melhor do que o rancor.

Arrancou a carta da mão dela, rasgou e redigiu outra.

A srta. Jones trabalhou para mim por dois meses como estenodatilógrafa. Está saindo devido ao excesso de pessoal no escritório.

– Que tal assim?

– Poderia ser melhor – disse Victoria –, mas serve.

II

Então era com o salário de uma semana no bolso (menos nove centavos) que Victoria estava sentada meditando em um banco do FitzJames Gardens, cujos jardins se resumem a um canteiro triangular de arbustos lamentáveis, flanqueando uma igreja e à sombra de um armazém alto.

Sempre que não estivesse chovendo, Victoria tinha o hábito de comprar um sanduíche de queijo e outro de tomate com alface e consumir esse almoço singelo em uma dessas paisagens pseudorrurais.

Naquele dia, enquanto mastigava, dizia para si mesma, já pela milésima vez, que havia uma hora e um lugar para tudo... e que o escritório definitivamente não era lugar para se fazer imitações da mulher do chefe. Ela precisaria, no futuro, refrear aquela exuberância natural que a levava a tornar mais agradável o desempenho de um trabalho entediante. Nesse meio-tempo, estava livre de Greenholtz, Simmons e Lederbetter, e a perspectiva de conseguir um emprego em outro lugar a enchia de empolgação. Victoria sempre se alegrava quando estava prestes a começar um trabalho novo. Ficava pensando que não havia como adivinhar o que poderia acontecer.

Acabara de distribuir a última migalha de pão a três pardais atentos que imediatamente começaram a disputar a comida enfurecidos, quando percebeu um rapaz sentado na outra ponta do banco. Victoria já havia se dado conta vagamente da presença dele, mas com a cabeça cheia de ótimas resoluções para o futuro, não o havia observado com cuidado até então. Do que pôde divisar (pelo canto do olho) gostou bastante. Era um rapaz bonito, de um loiro quase angelical, mas com um queixo firme e olhos extremamente azuis que já andavam – assim preferiu imaginar – examinando-a com discreta admiração por um bom tempo.

Victoria não tinha inibições em fazer amizade com rapazes desconhecidos em lugares públicos. Considerava-se com uma capacidade excelente para julgar o caráter de alguém e muito habilidosa em controlar qualquer demonstração de falta de pudor por parte de homens desacompanhados.

Passou a sorrir abertamente para ele, e o rapaz respondeu como uma marionete quando se puxa a cordinha.

– Olá – disse o rapaz. – Bonito lugar este. Vem sempre aqui?

– Quase todos os dias.

– Que azar o meu nunca ter vindo aqui antes. Era o seu almoço que acabou de comer?

– Era.

– Acho que não come o suficiente. Eu morreria de fome se almoçasse apenas dois sanduíches. Que tal vir comigo e comer uma linguiça em Tottenham Court Road?

– Não, obrigada. Não conseguiria comer mais nada agora.

Ela chegou a esperar que ele fosse dizer: "Outro dia, quem sabe", mas não disse. Apenas deu um suspiro e então falou:

– Meu nome é Edward, e o seu?

– Victoria.

– Por que foi que sua família decidiu batizar você com o nome de uma estação de trem?

– Victoria não é apenas a estação de trem – assinalou a srta. Jones. – Há também a rainha Victoria.

– Hmm, é. E seu sobrenome?

– Jones.

– Victoria Jones – disse Edward, testando o som das palavras na língua. Balançou a cabeça. – Não combinam.

– Tem toda a razão – disse ela com vontade. – Se me chamasse Jenny seria bem melhor: Jenny Jones. Mas Victoria exige algo com um pouco mais de classe. Victoria Sackerville-West, por exemplo. É desse tipo de coisa que a gente precisa. Algo que encha a boca para falar.

– Poderia emendar alguma coisa no Jones – sugeriu Edward, interessado e compreensivo.

– Bedford Jones.

– Carisbrooke Jones.

– St. Clair Jones.

– Lonsdale Jones.

Aquela brincadeira agradável foi interrompida quando Edward consultou o relógio de pulso e disse numa exclamação horrorizada:

– Preciso correr de volta pro meu maldito patrão... hã... e você?

– Estou sem trabalho. Fui despedida hoje de manhã.

– Ah, que coisa, sinto muito – disse Edward com uma preocupação sincera.

– Bem, não desperdice a sua compaixão porque eu mesma não estou nada sentida. Primeiro porque vai ser fácil conseguir outro emprego e, segundo, porque foi muito divertido.

E atrasando ainda mais o retorno de Edward para com suas obrigações, ela fez um relato espirituoso da cena daquela manhã, refazendo sua imitação da sra. Greenholtz para o imenso deleite de Edward.

– É mesmo maravilhosa, Victoria – disse. – Deveria estar no palco.

Victoria aceitou aquele elogio com um sorriso realizado e observou que era melhor Edward se apressar se não quisesse ser demitido também.

– Sim, e para mim não seria tão fácil conseguir outro trabalho como no seu caso. Deve ser maravilhoso ser uma boa estenodatilógrafa – disse Edward com inveja na voz.

– Bem, na verdade não sou uma boa estenodatilógrafa – confessou com franqueza –, mas felizmente até mesmo a pior das estenodatilógrafas consegue emprego nos dias de hoje, ao menos em alguma instituição de ensino ou de caridade; não podem pagar muito bem, então empregam pessoas como eu. Prefiro empregos intelectuais. Aqueles nomes e termos científicos são tão assustadores por si só, que não conseguir escrevê-los corretamente não chega a ser vergonha nenhuma, porque ninguém consegue. Você trabalha em quê? Suponho que tenha servido nas forças armadas. Força Aérea?

– Bom palpite.

– Piloto de caça?

– Acertou de novo. Eles são bem razoáveis com a questão de conseguir empregos para nós e tudo o mais, mas veja bem, o problema é que não somos muito inteligentes. Digo, ninguém precisava ser um gênio na RAF. Fui colocado para trabalhar em um escritório com uma porção de arquivos e números onde precisava raciocinar um pouco e me dei mal. O negócio parecia de todo modo totalmente sem sentido. Então é isso. Deixa a gente um pouco pra baixo saber que não serve para nada.

Victoria assentiu compreensiva; Edward prosseguiu com amargura.

– Alienado. Fora do mundo. Estava tudo bem durante a guerra, dava pra segurar as pontas direitinho; ganhei uma condecoração militar, por exemplo, mas agora... bem, acho que é melhor riscar meu nome do mapa.

– Mas deve haver...

Victoria interrompeu-se. Sentiu-se incapaz de colocar em palavras a convicção de que aquelas mesmas qualidades que haviam conquistado condecorações para os seus proprietários deveriam encontrar uma posição digna em algum lugar no mundo de 1950.

– Fiquei bem deprimido – disse Edward. – Por não servir para nada, digo. Bem... melhor ir andando... Agora pergunto... se importaria... seria um abuso tremendo da minha parte... se ao menos pudesse...

No que Victoria arregalou os olhos com surpresa, gaguejando e corando, Edward mostrou uma pequena câmera.

– Gostaria demais de ter uma foto sua. É que viajo para Bagdá amanhã.

– Bagdá? – exclamou Victoria com uma decepção evidente.

– Pois é. Gostaria de não ter de ir mais. Hoje cedo estava todo empolgado; foi por isso que aceitei esse trabalho, na verdade... para dar o fora do país.

– Que tipo de trabalho é?

– Bem desagradável. Cultura... poesia, todo esse tipo de coisa. Meu patrão é o dr. Rathbone. Tem uma porção de títulos depois do nome, fica todo emotivo observando a gente através do seu pincenê. É intensamente dedicado à evolução intelectual e deseja espalhar isso pelos quatro cantos do mundo. Fica abrindo livrarias em lugares remotos... Está abrindo uma em Bagdá. Manda traduzir as obras de Shakespeare e Milton para o árabe, curdo, persa e armênio e tem todas para pronta entrega. Uma bobagem, eu acho, porque já temos o Conselho Britânico fazendo a mesma coisa em todos os lugares. Enfim, é isso. Rendeu um emprego para mim, então não deveria estar reclamando.

– Mas e o que é que você *faz*? – perguntou Victoria.

– Bem, trocando em miúdos, sou capacho e assistente faz-tudo do velho. Compro as passagens, faço reservas, preencho formulários de passaporte, confiro o empacotamento de todos aqueles manuaizinhos poéticos horrendos, corro daqui para lá, acolá e todo lugar. Já quando chegarmos lá, espera-se que eu confraternize... meio que como uma espécie de movimento glorificado de juventude... as nações todas unidas numa campanha pela educação.

O tom de Edward foi tornando-se cada vez mais melancólico.

– Francamente, é medonho, não?

Victoria não tinha condições de oferecer muito consolo.

– Então – continuou Edward –, se não fosse muito incômodo... uma de lado e outra olhando direto para mim... ah, isso é maravilhoso...

A câmera clicou duas vezes e Victoria demonstrou aquela complacência ronronante das moças que sabem ter causado uma forte impressão em um atraente membro do sexo oposto.

– Mas isso é muito injusto mesmo, ter de ir embora logo agora que conheci você – disse Edward. – Parte de mim tem vontade de mandar tudo para o espaço... mas presumo que não posso fazer isso, assim de última hora... não depois de todos aqueles formulários pavorosos, vistos e tudo o mais. Não seria muito correto, não é?

– Pode se revelar melhor do que você espera – disse Victoria, consolando-o.

– Nã-ão – balbuciou Edward, duvidando. – O mais engraçado é que – continuou – tenho a sensação de que há alguma coisa suspeita ali.

– Suspeita?

– Sim. Algo me cheira mal. Não me pergunte por quê. Não tenho motivo. É daquele tipo de sensação que a gente tem às vezes. Uma vez senti isso em relação ao meu combustível de bombordo. Comecei a remexer no maldito negócio e, pois bem, tinha uma anilha atravessada na bomba de engrenagem sobressalente.

Os termos técnicos que ele usou para se exprimir deixaram a história ininteligível para Victoria, mas pôde compreender a ideia geral.

– Acha que *ele* é um farsante, o Rathbone?

– Não consigo enxergar como isso seria possível. Digo, ele é tremendamente respeitável, culto e pertence a todas essas sociedades... tem intimidade com arcebispos e diretores de faculdades. Não, é apenas uma *sensação*... bem, o tempo dirá. Adeus. Gostaria que você estivesse vindo junto.

– Eu também – respondeu Victoria.

– O que vai fazer?

– Vou dar uma passada na agência St. Guildric na Gower Street e procurar outro emprego – disse Victoria lúgubre.

– Adeus, Victoria. *Partir, cést mourir un peu* – acrescentou Edward com forte sotaque britânico. – Esses franceses sabem do que estão falando. Nossos companheiros ingleses só sabem divagar sobre despedidas como sendo um doce sofrimento... que imbecis.

– Adeus, Edward, boa sorte.

– Não imagino que vá se lembrar de mim algum dia.

– Vou sim.

– É completamente diferente de qualquer garota que já conheci... queria ao menos...

O relógio deu a badalada do quarto de hora, e Edward disse:

– Que inferno... tenho que ir voando...

Batendo em rápida retirada, foi engolido pelas entranhas de Londres. Victoria, que ficara sentada no banco, absorta em reflexões, se concentrava em duas vertentes distintas de pensamento.

Uma ocupava-se da temática de Romeu e Julieta. Ela e Edward, sentia, estavam de certa forma na mesma posição daquele casal infeliz, embora talvez Romeu e Julieta houvessem expressado seus sentimentos em linguagem mais erudita. Mas a situação em que se encontravam, pensou, era a mesma. Conheceram-se, atração instantânea... frustração... dois corações apaixonados separados à força. A recordação de um versinho que sua antiga babá costumava recitar lhe veio à mente:

Jumbo disse eu amo você para Alice
Alice disse a Jumbo eu não acredito no que diz.
Se de fato me amasse como tanto diz
Não iria para a América me deixando infeliz.

Substitua América por Bagdá e eis a situação atual!

Victoria levantou-se por fim, espanou os farelos do colo e saiu caminhando decidida do FitzJames Gardens em direção à Gower Street. Victoria concluíra duas coisas: a primeira era que (como Julieta) amava aquele rapaz e queria ficar com ele.

A segunda conclusão a que Victoria havia chegado era de que, como em breve Edward estaria em Bagdá, a única coisa a fazer era ir para Bagdá também. Agora ocupava seus pensamentos com as possíveis alternativas para obter tal resultado. Victoria não tinha dúvidas que, de uma maneira ou de outra, isso iria acontecer. Era uma jovem com otimismo e força de vontade.

A partida é um doce sofrimento; como sentimento, essa ideia a atraía tão pouco quanto a Edward.

"De alguma forma", disse para si mesma, "preciso ir a Bagdá!"

CAPÍTULO 3

I

O Hotel Savoy deu boas-vindas à srta. Anna Scheele com a fervorosa cordialidade digna de um cliente antigo e valorizado; perguntaram sobre a saúde do sr. Morganthal e lhe asseguraram de que, se a suíte não estivesse do seu agrado, bastava lhes comunicar, pois Anna Scheele representava DÓLARES.

A srta. Scheele se banhou, vestiu-se e deu um telefonema para um número em Kensington, descendo depois pelo elevador. Passou pelas portas rotatórias e pediu um táxi. O veículo encostou, ela entrou e o instruiu a seguir para a Cartier na Bond Street.

No que o táxi saía da entrada do Savoy para pegar a Strand, um homenzinho moreno, que estava parado olhando a vitrine de uma loja, consultou de repente o relógio de pulso e acenou para outro táxi, que por conveniência vinha passando e o qual estivera curiosamente cego aos acenos de uma mulher agitada cheia de pacotes alguns segundos antes.

Esse segundo táxi seguiu pela Strand sem perder de vista o primeiro. Quando ambos foram detidos pelos semáforos que contornavam a Trafalgar Square, o homem no segundo carro olhou para fora da janela do lado esquerdo e fez um gesto rápido com a mão. Um automóvel que esperava numa rua lateral junto ao Admiralty Arch deu a partida no motor e apressou-se para entrar no fluxo do tráfego, logo atrás do segundo táxi.

O trânsito voltou a andar. Enquanto o táxi de Anna Scheele seguia a corrente de veículos entrando à esquerda na Pall Mall, o táxi que levava o homenzinho moreno dobrou à direita, continuando a circular a Trafalgar Square. O carro particular, um Standard cinza, estava agora logo atrás de Anna Scheele. Levava dois passageiros, um rapaz claro que parecia um pouco alheio ao volante e uma jovem muito bem vestida ao lado dele. O Standard seguiu o táxi de Anna Scheele ao longo da Piccadilly e subindo a Bond Street. Ali, parou por um momento junto ao meio-fio, e a moça desceu.

Ela agradeceu de maneira clara e convencional:

– Muito obrigada.

O carro seguiu adiante. A jovem continuou caminhando, olhando de vez em quando para alguma vitrine. Havia um bloqueio atrapalhando o trânsito. Ela passou tanto pelo Standard quanto pelo táxi de Anna Scheele. Chegou à Cartier e entrou.

Anna Scheele pagou a corrida e entrou na joalheria. Passou algum tempo olhando diversas joias. No final, escolheu um anel de safira com diamante. Preencheu um cheque de um banco de Londres para pagar pela peça. Ao ver o nome na folhinha, o assistente demonstrou uma dose extra de cordialidade.

– Fico feliz em saber que está de volta a Londres, srta. Scheele. O sr. Morganthal também veio?

– Não.

– Pensei que talvez fosse o caso. Recebemos uma safira estrela de altíssima qualidade... Sei que ele se interessa por safiras estrela. Teria interesse em vê-la?

A srta. Scheele expressou seu desejo de ver a pedra, admirou-a devidamente e prometeu mencioná-la ao sr. Morganthal.

Retornou para a Bond Street, e a jovem que estivera olhando brincos de pressão manifestou sua dificuldade em tomar uma decisão e saiu da joalheria também.

O Standard cinza que havia dobrado à esquerda na Grafton Street e descido até a Piccadilly estava mais uma vez retornando à Bond Street. A jovem não demonstrou nenhum sinal de reconhecê-lo.

Anna Scheele então chegava à galeria Arcade. Entrou em uma florista. Encomendou três dúzias de rosas de caule longo, um vaso cheio de violetas roxas grandes e lindas, uma dúzia de ramos de lilases brancos e um potinho de mimosas. Forneceu um endereço para a entrega.

– São doze libras e dezoito xelins, madame.

Anna Scheele pagou e saiu da loja. A moça que acabara de entrar perguntou o preço de um ramalhete de prímulas, mas decidiu não comprar.

Anna Scheele atravessou a Bond Street e seguiu pela Burlinton Street, dobrando na Savile Row. Ali entrou em um estabelecimento de um daqueles alfaiates que, ao mesmo tempo em que atendem essencialmente a clientela masculina, em raras ocasiões consentem em cortar um tailleur para certos indivíduos favorecidos do sexo feminino.

O sr. Bolford recebeu a srta. Scheele com a saudação concedida aos clientes importantes, e foram avaliar os tecidos para um traje.

– Felizmente, posso lhe oferecer nossa exclusiva qualidade tipo exportação. Quando vai retornar a Nova York, srta. Scheele?

– No dia 23.

– Podemos providenciar tranquilamente.

– Sim.

– E como vão as coisas na América? Estão muito tristes por aqui... muito tristes mesmo.

O sr. Bolford meneou a cabeça como um doutor ao descrever o paciente.

– Não há *coração* em nada, se entende o que quero dizer. E não aparece ninguém com o menor orgulho que seja em apresentar um trabalho bem-feito. Sabe quem vai cortar seu traje, srta. Scheele? O sr. Lantwick... já está com 72 anos de idade e é o único homem que tenho em quem de fato posso confiar para cortar o tecido para nossos melhores clientes. Todos os outros...

As mãos rechonchudas do sr. Bolford acenaram num gesto de desconsideração.

– Qualidade – disse ele. – Era por isso que este país era reconhecido. Qualidade! Nada malfeito, nada exagerado. Quando tentamos fazer algo de produção em massa, não somos bons, e isso é fato. Essa é a especialidade do *seu* país, srta. Scheele. O que *nós* devemos preservar, vou dizer mais uma vez, é a *qualidade*. Fazer as coisas com tempo, dedicação e apresentar um artigo que ninguém no mundo consiga igualar. Agora, que dia podemos marcar para a primeira prova? Daqui a uma semana? Às 11h30? Muito obrigado.

Abrindo caminho pelos os corredores repletos com a melancolia arcaica dos rolos de tecido, Anna Scheele emergiu mais uma vez na claridade do dia. Acenou para um táxi e retornou ao Savoy. Um táxi que estivera encostado no lado oposto da rua e que levava um homenzinho moreno seguiu pelo mesmo caminho, mas não entrou no Savoy. Deu uma volta até o Embankment e ali apanhou uma mulher baixa e rechonchuda, que havia saído há pouco da entrada de serviço do Savoy.

– E então, Louisa? Revistou o quarto dela?
– Revistei. Nada.

Anna Scheele almoçou no restaurante, numa mesa reservada junto à janela. O maître d'hotel perguntou atencioso sobre a saúde de Otto Morganthal.

Depois do almoço, Anna Scheele apanhou a chave e subiu para a suíte. A cama estava feita, toalhas limpas foram dispostas no banheiro e tudo estava novinho em folha. Anna foi conferir as duas malas ultraleves que constituíam sua bagagem; uma estava aberta, a segunda, trancada. Deu uma olhada rápida no conteúdo da que não havia sido trancada, então tirou as chaves da bolsa e abriu a outra. Tudo estava impecável, as roupas dobradas como ela havia arrumado, nada fora aparentemente tocado ou remexido. Uma maleta de couro estava disposta bem em cima. Uma pequena câmera Leica e dois rolos de filme estavam em um dos cantos. Os filmes permaneciam fechados e lacrados. Anna passou a unha embaixo da aba e puxou para cima. Então sorriu de leve. O fio de cabelo loiro quase invisível que pusera lá antes não estava mais. Com destreza polvilhou um pouco de pó de arroz sobre o couro brilhante da maleta e soprou. A pasta continuava limpa e lustrosa. Não havia nenhuma impressão digital. Mas naquela manhã, depois de aplicar um pouco de brilhantina para ajeitar suas mechas de cabelos finos, ela manuseara a pasta de documentos. *Deveria* haver impressões digitais ali, as suas próprias.

Sorriu novamente.

"Fizeram um bom trabalho", falou consigo mesma. "Mas não bom o suficiente..."

Com habilidade, preparou uma valise para pernoite e desceu para o lobby mais uma vez. Um táxi foi chamado, e ela mandou o motorista seguir para o número 17 em Elmsleigh Gardens.

Elmsleigh Gardens era uma praça calma, mas bastante descuidada em Kensington. Anna pagou o táxi e subiu correndo os degraus até a porta descascada. Apertou a campainha. Depois de alguns minutos, uma senhora idosa abriu a porta com uma expressão desconfiada que imediatamente se transformou em um sorriso luminoso de boas-vindas.

– Ah, como a srta. Elsie vai ficar feliz em vê-la! Está na biblioteca, nos fundos. A espera da sua visita é a única coisa que a mantém mais animada.

Anna seguiu rapidamente pelo corredor escuro e abriu a última porta. Era uma sala pequena, surrada e confortável, com poltronas grandes de couro desgastado. A mulher sentada sobre uma delas levantou-se com um pulo.

– Anna, minha querida.

– Elsie.

As duas beijaram-se afetuosamente.

– Está tudo arranjado – disse Elsie. – Vou para lá hoje à noite. Espero apenas...

– Anime-se – disse Anna. – Vai dar tudo certo.

II

O homenzinho de capa de chuva entrou em uma cabine telefônica na estação de High Street Kensington e discou um número.

– Companhia de Gramofones Valhalla?

– Sim.

– Aqui é Sanders.

– Sanders do Rio? Qual rio?

– Rio Tigre. Reportando sobre A.S. Chegou esta manhã de Nova York. Foi à Cartier. Comprou anel de safira com diamantes no valor de 120 libras. Foi à florista, Jane Kent... doze libras e dezoito xelins em flores para serem entregues em uma casa de saúde de Portland Place. Encomendou saia e blazer na Bolford and Avory's. Não há nenhum registro dessas firmas terem qualquer contato suspeito, mas uma atenção especial lhes será dedicada no futuro. O quarto de A.S. no Savoy foi revistado. Nada suspeito foi encontrado. Pasta de documentos na mala contendo papéis relacionados à fusão com Wolfensteins. Tudo nos conformes. Uma câmera e dois rolos de filmes aparentemente não utilizados. Possibilidade de filmes serem arquivos fotostáticos, portanto foram substituídos por outros, mas os originais foram analisados e confirmados como sendo filmes virgens comuns. A.S. pegou uma pequena valise e foi ao encontro da irmã em Elmsleigh Garden, número 17. A irmã dá entrada na clínica de Portland Place esta noite para fazer uma cirurgia. Isso foi confirmado pela casa de saúde e também na agenda de compromissos do cirurgião. A visita de A.S. parece perfeitamente nos conformes. Não demonstrou qualquer nervosismo ou conhecimento de estar sendo seguida. Entendemos que vai passar a noite na clínica. Manteve a reserva do quarto no Savoy. Tem uma passagem de volta para Nova York em um navio reservada para o dia 23.

O homem que se dissera chamar Sanders do Rio fez uma pausa e acrescentou uma informação em sigilo por conta própria.

– E se quer saber minha opinião, estão procurando chifre em cabeça de cavalo! Esbanjando dinheiro por aí, é *isso* que ela está fazendo. Gastar mais de doze libras em flores! Ora essa!

CAPÍTULO 4

I

O fato de não lhe ter ocorrido, por um momento sequer, a possibilidade de fracassar em seu objetivo demonstra bem a volatilidade do temperamento de Victoria. Versos poéticos sobre desencontros amorosos não serviam de consolo. Com certeza era uma infelicidade que quando tenha – bem, finalmente – se apaixonado por um rapaz atraente, esse rapaz estaria às vésperas de partir para um lugar a cinco mil quilômetros de distância. Teria sido muito mais fácil se ele estivesse a caminho de Aberdeen, Bruxelas, ou até mesmo Birmingham.

Que se tratasse de Bagdá, pensava Victoria, era muito azar! Mesmo assim, por mais complicado que fosse, pretendia chegar a Bagdá de qualquer jeito. Victoria caminhava decidida pela Tottenham Court Road tentando encontrar meios e maneiras. Bagdá. O que estava acontecendo em Bagdá? De acordo com Edward: "Cultura". Será que encontraria alguma maneira de se envolver com cultura? A Unesco? A Unesco mandava pessoas para lá e para todo o lugar, às vezes para os lugares mais fantásticos. Mas isso, refletiu Victoria, era geralmente para moças de categoria superior, com diplomas universitários, que começaram a trabalhar nessas coisas desde cedo.

Victoria, decidindo que era melhor se concentrar em uma coisa de cada vez, por fim dirigiu-se a uma agência de viagens e lá fez suas consultas. Parecia não haver nenhuma dificuldade em se viajar para Bagdá. Poderia ir por ar, por mar até Basrah, de trem por Marselha, cruzar de barco até Beirute e depois atravessar o deserto de automóvel. Poderia chegar via Egito. Poderia fazer o percurso inteiro de trem se estivesse determinada a proceder assim, mas a obtenção de vistos apresentava uma dificuldade no momento, ou era incerta, ou poderiam ter na verdade expirado quando a pessoa finalmente os recebesse. Bagdá ficava na zona esterlina, portanto dinheiro não era problema. Isto é, não no sentido usado pelo funcionário. Em resumo, não havia qualquer dificuldade para se chegar a Bagdá, contanto que se tivesse entre sessenta e cem libras em dinheiro.

Como Victoria naquele momento contava com apenas três libras (menos os nove centavos), outros doze xelins a mais, além de cinco libras na poupança do banco, o modo mais simples e direto de chegar lá estava fora de questão.

Fez algumas tentativas de encontrar vagas como aeromoça ou comissária, mas percebeu que essas posições eram altamente cobiçadas, pois havia lista de espera.

Na sequência, Victoria fez uma visita à agência St. Guildric, onde a srta. Spenser, sentada atrás de sua eficiente escrivaninha, a recebeu como uma daquelas pessoas destinadas a passar pelo escritório com certa regularidade.

– Minha nossa, srta. Jones, não me diga que já está sem emprego *de novo*. Achei que este último...

– Praticamente impossível – contestou Victoria com firmeza. – Não quero nem começar a lhe contar o que tive de suportar enquanto estava lá.

Um rubor risonho subiu às faces pálidas da srta. Spenser.

– Não... – começou ela... – Espero que não... Ele não me pareceu esse tipo de homem... mas concordo que era *mesmo* um pouquinho repulsivo... Espero que...

– Está tudo bem – declarou Victoria. Conjurou um sorriso pálido e corajoso. – Sei me cuidar.

– Ah, é claro, mas a questão é o *dissabor*.

– É – concordou Victoria. – Foi *mesmo* desagradável. E, no entanto... – sorriu bravamente mais uma vez.

A srta. Spenser consultou seus livros.

– A Assistência para Mães Solteiras de St. Leonard precisa de uma datilógrafa – disse a srta. Spenser. – Claro que não pagam muito bem...

– Existe alguma possibilidade – perguntou Victoria de maneira repentina – de um emprego em Bagdá?

– Em Bagdá? – exclamou a srta. Spenser com assombro.

Victoria constatou que era o mesmo que ter dito Kamchatka ou Polo Sul.

– Gostaria muito de poder ir até Bagdá – disse Victoria.

– Acho difícil... com um emprego de secretária, é isso?

– De qualquer jeito – respondeu a moça. – Como enfermeira, cozinheira ou cuidando de um lunático. De qualquer jeito mesmo.

A srta. Spenser meneou a cabeça.

– Receio que não possa lhe dar muitas esperanças. Uma senhora esteve aqui ontem com duas menininhas oferecendo uma passagem para a Austrália.

Victoria fez pouco caso da Austrália.

Levantou-se.

– Se ficar sabendo de alguma coisa. Mesmo que seja só a passagem de ida... já serve para mim.

Satisfez a expressão de curiosidade no olhar da outra explicando:

– Tenho... hã... parentes lá. E entendo que há um bocado de serviços que pagam bem. Mas, é claro, é preciso chegar lá primeiro.

– Pois é – repetiu Victoria para si mesma ao sair do escritório de St. Guildric. – É preciso chegar lá primeiro.

Foi um incômodo a mais para Victoria que, como de costume, assim que a atenção de alguém é subitamente voltada para um nome ou assunto específico, tudo parece de repente conspirar para impingir a ideia de Bagdá nos pensamentos dela.

Um breve parágrafo no jornal da noite que Victoria comprou dizia que o dr. Pauncefoot Jones, o conhecido arqueólogo, dera início a uma escavação na antiga cidade de Murik, situada a duzentos quilômetros de Bagdá. Um anúncio mencionava serviços de transporte para Basrah (e dali de trem até Bagdá, Mosul etc.). No jornal que forrava sua gaveta de meias, algumas linhas impressas sobre estudantes em Bagdá lhe saltaram aos olhos. *O ladrão de Bagdá* estava passando no cinema do bairro e, na livraria toda elitista e intelectual cuja vitrine ela sempre admirava, estava exposta de maneira proeminente uma nova biografia de Haroun el Rashid, califa de Bagdá.

Estava parecendo que o mundo inteiro decidira voltar o olhar para Bagdá no mesmo instante. E até aquela tarde, aproximadamente às 13h45, para todos os efeitos, ela mal havia ouvido falar em Bagdá e com certeza jamais pensara a respeito do lugar.

As perspectivas de chegar lá eram insatisfatórias, mas Victoria não estava pensando em desistir. Possuía uma imaginação fértil e a atitude otimista de que sempre há um meio de conseguir o que se quer.

Aproveitou a noite para fazer uma lista de possíveis estratégias:

Tentar o Ministério do Exterior?
Publicar um anúncio?
Tentar a embaixada iraquiana?
Que tal empresas de tâmaras?
Idem para empresas de remessas?
Conselho Britânico?
Balcão de informação da loja Selfridge's?
Central de Aconselhamento do Cidadão?

Foi forçada a admitir que nenhuma alternativa parecia muito promissora. Acrescentou à lista:

De algum jeito, arranjar cem libras.

II

O intenso esforço mental de concentração que Victoria exercera durante a noite e possivelmente a satisfação subconsciente de não mais precisar chegar ao escritório às nove da manhã em ponto fizeram com que ela dormisse além do planejado.

Acordou cinco minutos depois das dez horas e, no mesmo instante, pulou da cama e começou a se vestir. Estava acabando de pentear uma última vez sua cabeleira escura e rebelde quando o telefone tocou.

Victoria esticou a mão para pegar o aparelho.

Do outro lado da linha, estava a srta. Spenser, seriamente agitada.

– Que alívio que consegui achar você em casa, minha querida. Realmente, uma coincidência das mais incríveis.

– Pois não? – exclamou Victoria.

– Como dizia, de fato uma coincidência surpreendente. Uma tal sra. Hamilton Clipp, que vai a Bagdá dentro de três dias, quebrou o braço... e precisa de alguém para assisti-la na viagem... liguei para você assim que eu soube. É claro que não sei se ela chegou a se inscrever em alguma outra agência...

– Estou a caminho – disse Victoria. – Onde ela está?

– No Savoy.

– E qual é mesmo esse nome bobo que ela tem? Tripp?

– Clipp, querida. Como um clipe de papel, só que com dois "P"... Não consigo imaginar o porquê, mas, enfim, ela é americana – concluiu a sra. Spenser, como se aquilo explicasse tudo.

– Sra. Clipp no Savoy.

– Senhor e senhora Hamilton Clipp. Foi na verdade o marido quem telefonou.

– A senhorita é um anjo – disse Victoria. – Adeus.

Passou a escova apressadamente em seu tailleur e desejou que fosse um pouco menos surrado, penteou de novo o cabelo para deixá-lo com aparência menos exuberante e mais adequada ao papel de anjo da guarda além de viajante experiente. Então, apanhou a recomendação escrita pelo sr. Greenholtz e balançou a cabeça olhando para aquilo.

"Precisamos melhorar isto", pensou Victoria.

Pegou o ônibus nº 19, desceu no Green Park e entrou no Ritz Hotel. Uma rápida olhada por cima do ombro de uma mulher lendo no ônibus se provou vantajosa. Ao entrar na sala de leitura do hotel, Victoria redigiu algumas frases de elogios generosos em nome de Lady Cynthia Bradbury, que o jornal anunciara ter acabado de partir da Inglaterra para a África Ocidental... "*excelente com enfermidades*", escreveu Victoria, "*e muito capaz em todos os sentidos...*"

Saindo do Ritz, atravessou a rua e andou um pouco na Albermale Street até chegar ao Balderton's Hotel, conhecido por ser o ponto de encontro do alto clero e dos viúvos nobres e tradicionais do interior.

Em uma letra menos arrojada, e fazendo pequenos "ee" em estilo grego e bem desenhado, escreveu uma recomendação de um tal Bishop de Llangow.

Assim equipada, Victoria pegou o linha 9 e seguiu para o Savoy.

Na recepção, perguntou pela sra. Hamilton Clipp e informou que vinha através da agência St. Guldric. O atendente estava prestes a usar o telefone quando parou, olhou para o outro lado do saguão e disse:

– Aquele lá é o sr. Hamilton Clipp.

O sr. Hamilton Clipp era um americano altíssimo, tinha os cabelos finos e grisalhos, aspecto gentil e um modo de falar lento e pausado.

– Ora, srta. Jones, é melhor subir direto comigo e falar com a sra. Clipp. Ela ainda está na suíte. Acho que estava entrevistando alguma outra moça, mas talvez já tenha ido embora.

Um pânico gelou o coração de Victoria.

Chegaria assim tão perto e estaria ao mesmo tempo tão distante?

Subiram de elevador até o terceiro andar.

Enquanto andavam pelo corredor forrado de carpete bem grosso, uma jovem veio na direção deles. Victoria teve uma espécie de alucinação de que era ela própria quem se aproximava. Talvez, pensou, porque o tailleur sob medida da outra era precisamente o que ela mesma gostaria de estar vestindo. "E me serviria bem direitinho também. Somos do mesmo tamanho. Como gostaria de arrancar isso do corpo dela", pensou Victoria, regressando a um estado primitivo de selvageria feminina.

A moça passou por eles. Um pequeno chapéu de veludo usado meio de lado sobre os cabelos claros escondia parte das feições, mas o sr. Hamilton Clipp virou-se para olhar com ar de surpresa depois que ela passou.

– Ora essa – disse para si mesmo. – Quem diria? Anna Scheele.

Acrescentou em tom explicativo:

– Perdoe-me, srta. Jones. Fiquei surpreso ao reconhecer uma jovem que vi ainda em Nova York não faz nem uma semana, é secretária em um de nossos grandes bancos internacionais...

Enquanto falava parou diante de uma porta no corredor. A chave estava pendurada na fechadura e, com uma leve batidinha, o sr. Hamilton Clipp abriu-a e se pôs de lado para que Victoria entrasse no quarto primeiro.

A sra. Hamilton Clipp estava sentada em uma cadeira de espaldar alto próxima da janela e levantou-se num salto quando eles entraram. Era uma mulher baixa e miúda, com olhar afiado e um ar frágil. Seu braço direito estava engessado.

O marido apresentou Victoria.

– Bem, foi muitíssimo lamentável – exclamou a sra. Clipp sem fôlego. – Estávamos aqui com um itinerário completo, aproveitando Londres com todos os nossos planos organizados e minha passagem comprada. Estou indo fazer uma visita à minha filha casada que mora no Iraque, srta. Jones. Não a vejo há quase dois anos. E então, que faço eu? Levo um tombo. Na verdade aconteceu na Abadia de Westminster... escorreguei sobre alguns degraus de pedra... e fiquei estatelada no chão. Levaram-me correndo ao hospital e botaram tudo no lugar, e, considerando de modo geral a situação, não é assim *tão* desconfortável... mas como vê, estou um tanto desamparada, e não sei como conseguiria viajar. E George está amarrado por causa de uns negócios e não pode simplesmente sair daqui por pelo menos mais umas três semanas. Sugeriu que levasse uma enfermeira comigo... mas no fim das contas, depois de chegar lá não vou precisar de uma enfermeira o tempo todo, Sadie pode cuidar do que for necessário... e isso significaria pagar também a viagem de volta dela, então pensei em telefonar para as agências e ver se conseguiria arranjar alguém que estivesse disposta a me acompanhar apenas pela passagem de ida.

– Não sou *exatamente* uma enfermeira – disse Victoria, conseguindo dar a entender que essa era *praticamente* a função dela. – Mas tenho bastante experiência com enfermagem.

Aventura em Bagdá

Apresentou a primeira referência.

– Acompanhei Lady Cynthia Bradbury por mais de um ano. E, se precisar de alguma ajuda para correspondência ou como secretária, trabalhei como assistente do meu tio por alguns meses. Meu tio – disse Victoria cheia de modéstia – é o bispo de Llangow.

– Então seu tio é um bispo. Minha nossa, que interessante.

Os Clipp ficaram, pensou ela, decididamente impressionados. (E deveriam mesmo, depois de todo o trabalho que ela tivera!)

A sra. Hamilton Clipp entregou as cartas de referência para o marido.

– Parece mesmo maravilhoso – ela disse com louvor. – E bastante providencial. É a resposta às minhas preces.

Na verdade era o que Victoria também achava.

– Vai assumir alguma espécie de cargo por lá? Ou encontrar um parente? – indagou a sra. Hamilton Clipp.

No afã de forjar os testemunhos, Victoria havia esquecido por completo de que poderia precisar dar conta de seus motivos para viajar a Bagdá. Apanhada desprevenida, teve de improvisar no mesmo instante. Lembrou-se do parágrafo que lera no dia anterior.

– Vou encontrar o meu tio. Dr. Pauncefoot Jones – explicou.

– Ah, é? O arqueólogo?

– Esse mesmo.

Por um momento Victoria questionou se não estaria talvez se munindo com um número exagerado de tios conceituados.

– Tenho um interesse tremendo pelo trabalho dele, mas, é claro, não possuo nenhuma qualificação especial, então estava fora de questão que a expedição fosse pagar pela minha passagem. Não estão tão bem assim em termos de fundos. Mas, se conseguir chegar lá por minha própria conta, posso me juntar a eles e ajudar em alguma coisa.

– Deve ser um trabalho muito interessante – disse o sr. Hamilton Clipp –, e a Mesopotâmia é com certeza um campo excelente para a arqueologia.

– Receio – expressou Victoria, voltando-se para a sra. Clipp – que meu tio, o bispo, esteja na Escócia neste momento. Mas posso lhe dar o número da secretária dele. Ela está hospedada em Londres no momento. Pimlico 87693; é um dos ramais do Fulham Palace. Ela pode ser encontrada em qualquer horário das (os olhos de Victoria deslizaram até o relógio sobre a lareira) onze e meia em diante, se quiser telefonar e perguntar sobre mim.

– Ora, estou certa de que... – a sra. Clipp começou a falar, mas foi interrompida pelo marido.

– O tempo é muito curto, sabe. Este avião parte depois de amanhã. Agora, tem passaporte, srta. Jones?

– Tenho – Victoria ficou aliviada que, graças a uma viagem curta de férias à França no ano anterior, o passaporte dela estava em dia. – Trouxe comigo caso fosse necessário – acrescentou.

– Ora, isso é o que chamo de postura profissional – disse o sr. Clipp em tom de aprovação.

Se qualquer outra candidata estivesse concorrendo ao cargo, acabara de ser obviamente descartada. Victoria, com suas ótimas cartas de recomendação, seus tios e o passaporte em mãos havia alcançado com sucesso a linha de chegada.

– Vai precisar de todos os vistos exigidos – disse o sr. Clipp, pegando o passaporte dela. – Vou contatar o sr. Burgeon, da American Express, e ele vai providenciar tudo. Talvez fosse melhor telefonar de novo esta tarde, caso seja necessário assinar qualquer documento.

Victoria concordou em fazê-lo.

No que a porta do apartamento foi fechada atrás dela, ouviu a sra. Hamilton Clipp dizer para o sr. Hamilton:

– Que moça simpática e *íntegra*. Realmente tivemos sorte.

Victoria ao menos teve a dignidade de corar.

Retornou apressada para o apartamento e ficou grudada ao telefone, preparada para assumir os trejeitos graciosos e refinados de uma secretária de bispo, caso a sra. Clipp fosse buscar uma confirmação de sua capacidade. Porém era evidente que a sra. Clipp havia ficado tão impressionada com a retidão da personalidade de Victoria que não se incomodaria com aquelas burocracias. Afinal de contas, o contrato era apenas para alguns dias como acompanhante de viagem.

No devido tempo, os documentos foram preenchidos e assinados, os vistos necessários, obtidos, e Victoria foi solicitada a passar a última noite no Savoy, já de prontidão para ajudar a sra. Clipp a levantar-se às sete horas na manhã seguinte e partir para Airways House e o Aeroporto de Heathrow.

CAPÍTULO 5

O barco que deixara a zona pantanosa dois dias antes remava suave ao longo do Shatt al Arab. A corrente era rápida, e o velho que impelia o barco precisava se esforçar muito pouco. Os movimentos dele eram gentis e rítmicos. Seus olhos estavam semicerrados. Bem baixinho, cantava docemente uma cantiga árabe tristonha e sem fim:

*Asri bi lel ya yamali
Hadhi alek ya ibn Ali.*

Desta mesma forma, em inúmeras outras ocasiões, Abdul Suleiman, dos Árabes dos Pântanos, descera o rio até Basrah. Havia outro homem no barco, uma figura comumente vista por aqueles dias usando uma mistura patética de roupas ocidentais com orientais. Sobre o longo manto de algodão listrado, vestia uma túnica cáqui de segunda mão, velha, manchada e rasgada. Um cachecol de tricô em um vermelho desbotado aparecia espremido sob o casaco esfarrapado. Na cabeça, voltava a demonstrar a dignidade da vestimenta árabe com uma inevitável *cafia* preta e branca presa por um *egal* de seda negra. Os olhos dele, desfocados e arregalados, contemplavam exaustos a curva do rio. Em seguida, também se pôs a murmurar na mesma nota e tom. Era uma figura como milhares de outras no cenário da Mesopotâmia. Não havia nada que indicasse que era inglês e levava consigo um segredo que homens influentes de quase todos os países estavam lutando para interceptar e destruir, junto com o seu portador.

Sua mente, enevoada, recapitulou os acontecimentos das últimas semanas. A emboscada nas montanhas. O frio gelado da neve chegando sobre o desfiladeiro. A caravana de camelos. Os quatro dias em que seguiu penosamente a pé pela imensidão vazia do deserto na companhia de dois homens que levavam um "cinema" portátil. Os dias na tenda preta e a jornada com a tribo Aneizeh, cujos membros eram amigos antigos. Tudo muito difícil, crivado de perigos... escapando aqui e ali da barreira de agentes espalhados para procurar por ele e interceptá-lo.

"Henry Carmichael. Agente britânico. Idade em torno de trinta anos. Cabelos castanhos, olhos escuros, 1 metro e 75 centímetros. Fala árabe, curdo, persa, armênio, hindustâni, turco e vários dialetos das montanhas. Amigo das tribos selvagens. *Perigoso.*"

Carmichael nascera em Kashgar, onde o pai trabalhava como oficial do governo. Quando criança balbuciava uma língua que misturava trechos de vários dialetos e patoás; suas babás – e mais tarde seus tutores – haviam sido nativos de várias raças diferentes. Tinha amigos em quase todos os lugares selvagens do Oriente Médio.

Apenas nas cidades e povoados seus contatos ficavam devendo. Agora, aproximando-se de Basrah, sabia que chegara o momento crítico da missão. Mais cedo ou mais tarde, precisaria ressurgir na zona civilizada. Embora Bagdá fosse o seu destino final, julgara mais sábio não se aproximar por via direta. Em cada cidade do Iraque, uma rede de apoio lhe esperava, tudo fora decidido com todo o cuidado e organizado com muitos meses de antecedência.

Fora necessário deixar a cargo de seu próprio discernimento o lugar que escolheria, por assim dizer, como pista de aterrissagem. Não se comunicara com os seus superiores, embora houvesse canais indiretos através dos quais poderia ter feito isso. Era mais seguro assim. O plano mais fácil – com o avião lhe esperando no ponto de encontro combinado – fracassara, como já suspeitava que pudesse acontecer. Aquele ponto de encontro caíra em mãos inimigas. Vazamentos. Como sempre, aquele fatídico e incompreensível vazamento de informações.

E foi assim que a sua apreensão com relação ao perigo aumentou. Ali em Basrah, com a perspectiva de segurança, sentiu uma certeza instintiva de que o perigo seria ainda maior do que os terríveis riscos que correra em sua jornada. E a ideia de sucumbir nas últimas braçadas era algo que mal conseguia suportar.

Impulsionando os remos ritmicamente, o velho árabe resmungou sem virar a cabeça.

– Está chegando o momento, meu filho. Que Alá lhe traga o sucesso.

– Não se demore muito na cidade, meu pai. Retorne ao pântano. Não quero que nenhum mal lhe aconteça.

– Isso é Alá quem decide. Está nas mãos dele.

– Insha'Allah – repetiu o outro.

Por um instante teve o intenso desejo de ser um homem de sangue oriental e não ocidental. Não ter de se preocupar com as chances de sucesso ou de fracasso, não ficar calculando os riscos sem parar, perguntando-se repetidamente se tivera capacidade de planejar com sabedoria e premeditação. Jogar toda a responsabilidade para o Todo-Poderoso, o Onisciente. Insha'Allah, que eu tenha sucesso!

Só em dizer as palavras para si mesmo já sentiu a calma e o fatalismo nacionais tomando conta de si e ficou agradecido por aquilo. Dentro de poucos minutos, deveria saltar do porto seguro do barco, caminhar pelas ruas da cidade e expor-se ao juízo dos olhares perspicazes. Seria bem-sucedido apenas caso conseguisse *sentir-se* árabe além de aparentar.

O barco entrou suavemente no canal que corria perpendicular ao rio. Ali estava amarrado todo o tipo de embarcação, outros barcos também chegavam à frente e logo atrás deles. Era uma cena adorável, quase veneziana; os barcos com suas proas altas ornamentadas e as cores suaves e desbotadas da pintura. Havia centenas deles, enfileirados uns ao lado dos outros.

O velho perguntou com a voz mansa:

– É chegado o momento. Fizeram preparativos para você?

– Sim, meus planos estão todos definidos. Chegou a hora de partir.

– Que Deus alivie o seu caminho e aumente os anos da sua vida.

Carmichael ergueu a barra do manto listrado e subiu pelos degraus escorregadios de pedra em direção ao cais logo acima.

Em todo o entorno havia as figuras usuais dos embarcadouros. Menininhos, vendedores de laranjas, de cócoras junto às bandejas de mercadoria. Fatias grudentas de bolos e guloseimas, tabuleiros com cordões para botas, pentes baratos e tiras de elástico. Transeuntes contemplativos pigarreavam com rouquidão de vez em quando, passeando ao longo do cais, clicando as contas de seus terços árabes entre os dedos. Do lado oposto da rua, onde havia lojas e bancos, jovens *effendis* ocupados caminhavam a passos rápidos vestindo ternos europeus de tom levemente arroxeado. Havia europeus também, ingleses e estrangeiros. E em lugar nenhum percebeu qualquer interesse ou curiosidade, pois era apenas um dentre os cinquenta ou mais árabes que haviam acabado de aportar de barco no cais.

Carmichael andava por ali muito discreto, os olhos absorvendo a cena com a medida certa de deleite infantil ao examinar o ambiente ao redor. De quando em vez, puxava o pigarro e cuspia, sem muita violência; apenas para não destoar do quadro. Por duas vezes, assoou o nariz com os dedos.

E assim, o forasteiro chega à cidade, alcançando a ponta da cabeceira do canal; atravessou e dobrou a rua para entrar no *souk*.

Ali tudo era ruído e movimento. Homens tribais enérgicos passavam empurrando quem estava no caminho; jumentos carregados abriam frentes com seus tropeiros gritando numa balbúrdia cacofônica. *Balek – balek...* Crianças brigavam, soltavam gritinhos e corriam atrás dos europeus clamando esperançosos, *Baksheesh*, madame, *Baksheesh. Meskinmeskin...*

Ali os produtos do Ocidente e do Oriente estavam distribuídos igualmente, lado a lado, para venda. Panelas de alumínio, pires e xícaras, bules de chá, peças em cobre martelado, prataria da Amara, relógios baratos, canecas esmaltadas, bordados e tapetes com estampas alegres da Pérsia. Arcas do Kuwait chapeadas em bronze, casacos e calças de segunda mão e cardigãs infantis feitos em lã. Colchas de retalho feitas por artesãos locais, abajures de vidro pintado, pilhas de jarros e panelas de cerâmica. Toda a mercadoria barata da civilização era oferecida junto aos produtos nativos.

Tudo corria dentro da normalidade e como de costume. Depois de sua longa estada em lugares mais ermos, a algazarra e a confusão pareciam estranhas a Carmichael, mas tudo estava como deveria ser, não podia detectar uma nota sequer fora do tom, nenhum sinal de interesse por sua presença. Ainda assim, com o instinto de alguém que já por alguns anos sabia o que era viver sendo caçado, sentiu uma inquietação crescente, uma vaga sensação de ameaça. Não conseguia detectar nada de estranho. Ninguém olhara para ele. Ninguém, tinha quase certeza, o estava seguindo ou vigiando. Contudo, sentia aquela certeza indefinível de perigo.

Desembocou em uma passagem estreita e escura, mais uma vez à direita, então à esquerda. Ali, em meio a todas as bancas do mercado, deparou-se com a clareira de um *khan*, atravessou o portal e entrou no largo. Havia várias lojas em todo o entorno. Carmichael entrou em uma onde havia *ferwahs* pendurados – os casacos de pele de ovelha feitos no Norte. Ficou um tempo manuseando os casacos com hesitação. O proprietário da loja estava oferecendo café a um cliente, um homem alto e barbudo com ar refinado e um detalhe verde no seu tarbuche, indicando que era um hadji que completara a peregrinação a Meca.

Carmichael ficou lá parado dedilhando o *ferwah*.

– *Besh hadha*? – perguntou ele.

– Sete dinares.

– Muito caro.

O hadji disse:

– Vai mandar entregar os tapetes no meu *khan*?

– Sem falta – respondeu o mercador. – Parte amanhã?

– Ao romper do dia, para Kerbela.

– É a minha cidade, Kerbela – comentou Carmichael. – Agora faz quinze anos que não vejo a tumba dos Hussein.

– É uma cidade sagrada – disse o hadji.

O lojista disse por cima do ombro para Carmichael:

– Há outros *ferwahs* mais baratos na sala interna.

– Preciso é de um *ferwah* branco do Norte.

– Tenho um assim na sala mais ao fundo.

O mercador indicou a porta embutida na parede interna.

O ritual seguira de acordo com o padrão; uma conversa que poderia ser ouvida em qualquer dia, em qualquer *souk*, mas a sequência fora exata – as palavras-chave estavam todas lá: Kerbela, *ferwah* branco.

Porém, quando Carmichael cruzou para atravessar a sala e entrar no recinto interno, ergueu os olhos para o rosto do comerciante e viu no mesmo instante que aquele rosto não era o que esperava encontrar. Embora tivesse visto o homem apenas uma única vez antes, sua memória afiada não estava falhando. Havia uma semelhança, uma semelhança muito próxima, mas não era o mesmo homem.

Ele parou. Perguntou, com tom de leve surpresa:

– E onde, então, está Salah Hassan?

– Era meu irmão. Morreu faz três dias. Os negócios dele passaram para mim.

Sim, aquele era provavelmente um irmão. A semelhança era muito grande. E era possível que o irmão também fosse empregado pelo departamento. Sem dúvida as respostas haviam sido corretas. Todavia, foi com a percepção aumentada que Carmichael passou para a mal iluminada câmara interna. Ali também havia mercadorias empilhadas sobre estantes, bules de café, açúcar, artefatos de bronze e cobre, prata antiga da Pérsia, montanhas de bordados, *abas* dobrados, bandejas esmaltadas de Damasco e jogos de cafezinho.

Um *ferwah* branco estava dobrado com todo o cuidado sobre uma pequena mesa de centro. Carmichael foi até ali e apanhou o casaco. Embaixo, encontrou uma muda de roupas europeias, um terno usado, um pouco extravagante. A carteira contendo dinheiro e suas credenciais já estava no bolso da lapela. Um árabe desconhecido entrara na loja, mas o sr. Walter Williams da Messrs Cross e Co., agência de importação e remessas, emergiria e compareceria a vários compromissos já organizados para ele com antecedência. Havia, é claro, um verdadeiro sr. Walter Williams, tudo fora feito com o máximo cuidado, um homem com um passado comercial conhecido e respeitável. Tudo de acordo com o plano. Com um suspiro aliviado, Carmichael começou a desabotoar a jaqueta de exército desgastada. Estava tudo bem.

Se a arma escolhida houvesse sido um revólver, a missão de Carmichael teria fracassado naquele exato instante. Mas há vantagens no uso de uma faca, perceptivelmente mais silenciosa.

Na prateleira em frente estava um bule enorme de café, e havia sido polido recentemente a pedido de um turista americano que voltaria para buscá-lo. Aquela superfície reluzente e arredondada refletiu o brilho da lâmina; o cenário inteiro, distorcido, mas visível, estava refletido lá. O homem se esgueirando por entre os artigos pendurados atrás de Carmichael, a longa adaga curva que acabara de puxar de baixo de sua vestimenta. No instante seguinte, aquela adaga teria sido enterrada em suas costas.

Como um relâmpago, Carmichael girou o corpo. Lançou-se num mergulho raso e, agarrando-se às pernas do homem, derrubou-o. A adaga voou, atravessando a sala. Carmichael se desenredou com rapidez, saltou sobre o corpo do sujeito e passou correndo pela sala externa onde, de relance, pode ver a expressão malévola e de espanto do comerciante e a surpresa plácida no rosto do gordo hadji. Num instante estava na rua, atravessando o *khan*, de volta ao *souk* lotado, virando primeiro em uma direção, depois em outra, e de novo caminhando, sem demonstrar nenhum sinal de pressa em um país onde andar apressado pareceria incomum.

E caminhando assim, quase que sem rumo, parando aqui e ali para examinar um pedaço de pano e sentir alguma textura, seu cérebro estava trabalhando numa velocidade furiosa. O mecanismo fora desmontado! Mais uma vez estava sozinho em território hostil. E tinha uma desagradável consciência do significado do que acabara de ocorrer.

Não eram apenas os inimigos no seu encalço que ele precisava temer. Tampouco eram os inimigos guardando os pontos de entrada para a civilização. Havia inimigos a temer dentro do próprio sistema. Pois tinham conhecimento dos códigos, as senhas vieram prontas e corretas. O ataque fora calculado para o exato instante em que tivesse sido acalentado por uma ilusão de segurança. Talvez não fosse tão surpreendente que houvesse traição interna. Sempre deve ter sido o objetivo inimigo conseguir infiltrar um ou mais integrantes de seu regimento no sistema. Ou, talvez, comprar algum homem que precisavam. Comprar um homem era mais fácil do que se pensava; era possível comprar alguém com outras coisas além de dinheiro.

Bem, não importa como havia se armado, aquilo acontecera. Era um fugitivo, contando apenas com seus próprios recursos. Sem dinheiro, sem a ajuda de uma nova personalidade e com sua aparência agora conhecida. Quem sabe naquele exato momento estivesse sendo discretamente seguido.

Não virou para olhar para trás. De que serviria? Aqueles que o seguissem não seriam novatos nesse jogo.

Continuou seu passeio calmamente e sem rumo. Por trás do jeito desinteressado, estava analisando várias possibilidades. Por fim, deixou o *souk* para trás e atravessou a pontezinha sobre o canal. Seguiu andando até enxergar a grande placa com brasão sobre a entrada e os dizeres: Consulado Britânico.

Examinou toda a extensão visível da rua. Ninguém parecia estar prestando atenção nele. Pelo menos parecia que nada seria mais fácil do que entrar no Consulado Britânico. Pensou por um instante em uma ratoeira, uma ratoeira armada com um pedaço de queijo tentador. Aquilo também parecia a coisa mais fácil e simples para o rato.

Bem, precisava correr aquele risco. Não via nenhuma alternativa.

Entrou porta adentro.

CAPÍTULO 6

Richard Baker estava sentado na sala de espera do Consulado Britânico esperando até que o cônsul estivesse disponível.

Desembarcara do *Indian Queen* naquela manhã e passara com sua bagagem pela alfândega. Ela consistia quase que inteiramente em livros. Pijamas e camisas estavam espalhados entre os volumes quase que como uma lembrança de última hora.

O *Indian Queen* chegara no horário previsto e Richard, que havia se permitido uma margem de dois dias em seu planejamento, já que os cargueiros pequenos como o *Indian Queen* frequentemente sofriam atrasos, agora tinha em mãos dois dias sobrando antes que precisasse seguir, via Bagdá, para seu destino final em Tell Aswad, local da antiga cidade de Murik.

Já havia planejado o que fazer durantes aqueles dias a mais. Um monte que diziam conter relíquias antigas em um local próximo da orla marítima do Kuwait há muito já aguçara sua curiosidade. Aquela era uma oportunidade que caíra do céu para investigar o lugar.

Dirigiu até o Airport Hotel e indagou quanto aos métodos para se chegar ao Kuwait. Um avião sairia às dez horas da manhã seguinte, lhe informaram, e poderia retornar um dia depois. Portanto, tudo correria às mil maravilhas. Havia, claro, as formalidades inevitáveis, como visto de saída e visto de entrada para o Kuwait. Para resolver isso, teria de recorrer ao Consulado Britânico. O cônsul geral de Basrah, o sr. Clayton, ele conhecera alguns anos antes na Pérsia. Seria agradável, pensou ele, encontrá-lo mais uma vez.

O consulado possuía diversas entradas. Um portão principal para carros. Outro portão menor, que levava do jardim até a estrada que ficava ao longo do Shatt al Arab. A entrada social do consulado ficava na rua principal. Richard entrou, apresentou seu cartão para o empregado de plantão, foi informado de que o cônsul geral estava ocupado no momento mas logo estaria disponível, e foi encaminhado para uma pequena sala de espera, à esquerda da passagem em linha reta que conectava a entrada com o jardim.

Já havia várias pessoas aguardando na sala de espera. Richard mal olhou para elas. Em todo o caso, raramente se interessava por membros da espécie humana. Um fragmento de cerâmica antiga era sempre mais excitante para ele do que um ser humano qualquer nascido em algum lugar do século XX.

Deixou que os seus pensamentos se ocupassem prazenteiros com alguns aspectos das inscrições cuneiformes de Mari e os movimentos das tribos benjaminitas em 1750 a.C.

Seria difícil assinalar o que o acordou para a vívida sensação do tempo presente e de seus companheiros humanos. Primeiro captou uma inquietação, o sentimento de tensão. Embora não pudesse ter certeza, pensou que a percepção lhe chegara através das narinas. Nada que pudesse diagnosticar em termos concretos; mas lá estava, inconfundível, e o transportava de volta aos tempos da última guerra. A uma ocasião em particular, quando ele e mais dois saltaram de paraquedas de um avião e tiveram de esperar nas horas frias do amanhecer pelo momento de cumprirem seu dever. Um momento em que a moral estava baixa, quando todos os riscos da empreitada foram claramente percebidos, um momento de terror, de talvez não se encontrarem preparados, uma retração da carne. Aquele mesmo odor, um amargo quase imperceptível no ar.

O cheiro do *medo*...

Por alguns instantes, aquilo foi registrado apenas inconscientemente. Boa parte de sua mente ainda se esforçava, obstinada, para manter o foco no período a.C. Mas a fisgada do presente era forte demais.

Alguém naquela pequena saleta estava sentindo um medo mortal...

Olhou ao redor. Um árabe com uma túnica cáqui esfarrapada deslizava os dedos preguiçosamente sobre as contas de âmbar que tinha nas mãos. Um cidadão inglês robusto, com um bigode grisalho – do tipo caixeiro-viajante – anotava números em uma pequena caderneta e parecia absorto e importante.

Um homem magro de aparência cansada, com a pele escura, que estava reclinado para trás em posição de repouso, o rosto plácido e desinteressado. Um homem que parecia ser um funcionário iraquiano. Um persa de idade avançada usando mantos esvoaçantes e claros. Todos pareciam bastante despreocupados.

O clicar das contas de âmbar encontrou um ritmo. Aquilo lhe pareceu estranhamente familiar. Richard agitou-se para ficar mais atento. Estivera quase adormecendo. Curto... longo... longo... curto... aquilo era Morse – sem sombra de dúvida, uma mensagem em código Morse. Tinha familiaridade com Morse, parte de seu trabalho durante a guerra fora ligado à transmissão de mensagens. Sabia interpretar com facilidade. *CORUJA*. F-L-O-R-E-A-T--E-T-O-N-A. Que diabos! Sim, era isso mesmo. Estava sendo repetido. *Floreat Etona*. Transmitido por pulsos (ou, melhor dizendo, estalidos) por um árabe esfarrapado. Alô, o que seria isso? "CORUJA. Eton. CORUJA."

Era seu apelido da época de estudante em Eton – para onde fora mandado com um par de óculos exageradamente grandes e pesados.

Olhou para o árabe do outro lado da sala, reparando em cada detalhe de sua indumentária: o manto listrado, a velha túnica cáqui, o cachecol maltrapilho de tricô feito à mão e com vários pontos soltos. Uma figura tal qual se via às centenas no cais do porto. Seus olhos encontraram os dele num vazio, sem o menor sinal de reconhecimento. Porém as contas continuavam clicando.

Faquir aqui. Fique a postos. Problema.

Faquir? *Faquir*? É claro! Faquir Carmichael! Um garoto que nascera ou que vivera em alguma parte absurda do mundo... Turquestão, Afeganistão?

Richard pegou seu cachimbo. Deu uma boa examinada, olhando dentro do fornilho e depois dando batidinhas com ele no cinzeiro adjacente: *Mensagem recebida.*

Depois daquilo, as coisas aconteceram muito depressa. Mais tarde, Richard sofria para tentar relembrar a ordem dos acontecimentos.

O árabe com a jaqueta militar rasgada levantou-se e atravessou a sala em direção à porta. Tropeçou enquanto ia passando por Richard, estendeu a mão e agarrou-se nele para se equilibrar. Quando se endireitou, pediu desculpas e seguiu em direção à porta.

Foi tão surpreendente e aconteceu tão rápido que pareceu a Richard mais como uma cena de cinema do que da vida real. O caixeiro-viajante corpulento deixou cair a caderneta e deu um puxão para tirar algo do bolso do casaco. Devido a sua adiposidade e ao fato de o casaco ser apertado, levou um ou dois segundos para conseguir retirar o objeto, e foi naquela fração de tempo que Richard agiu. No que o homem ergueu o revólver, Richard derrubou-o da mão do sujeito. A arma disparou e uma bala se enterrou no chão.

O árabe passara pela soleira e voltara-se na direção do escritório do cônsul, porém parou de maneira repentina, deu meia-volta e disparou apressado na direção contrária, saindo pela mesma porta por onde havia entrado, rumo à avenida movimentada.

O *kavass*, segurança do consulado, correu para o local, e Richard continuava segurando o braço do homem corpulento. Quanto aos outros ocupantes da sala, o funcionário iraquiano estava dançando nervoso mexendo os pés, o homem magro e escuro tinha os olhos fixos na cena e o velhinho persa contemplava o vazio sem se perturbar.

Richard disse:

– Que diabos está fazendo, brandindo um revólver dessa maneira?

Houve apenas um instante de pausa, e então o homem corpulento respondeu num tom queixoso com sotaque cockney:

– Desculpe, meu velho. Foi só um acidente. Falta de jeito.

– Conversa. Você ia atirar naquele camarada árabe que acabou de sair correndo.

– Não, não, meu velho, não ia atirar nele. Só ia lhe dar um susto. Reconheci o sujeito de repente, é o mesmo homem que me logrou com umas antiguidades. Foi só por diversão.

Richard Baker era uma alma fastidiosa que detestava chamar a atenção por qualquer motivo que fosse. Seu instinto lhe dizia para aceitar a explicação que o homem dera. Afinal de contas, o que poderia provar? E será que o velho Faquir Carmichael ficaria agradecido se fizesse um estardalhaço em cima da questão? Presumiu que, se o antigo colega estivesse metido em algum esquema ultrassecreto de intriga internacional, não ficaria.

Richard relaxou a pressão no braço do outro. Pôde perceber que o camarada estava suando.

O *kavass* falava de um jeito nervoso. Era inaceitável, dizia ele, trazer armas de fogo para dentro do Consulado Britânico. Não era permitido. O cônsul ficaria furioso.

– Peço desculpas – disse o gordo. – Um acidentezinho à toa, só isso.

Enfiou um dinheiro na mão do oficial, que recusou, empurrando as notas de volta com força, indignado.

– Melhor eu sair daqui – disse o grandalhão. – Não vou esperar para falar com o cônsul – num rompante, forçou Richard a pegar um cartão. – É o meu cartão e estou hospedado no Airport Hotel se forem criar caso, mas na verdade foi puro acidente. Só uma brincadeira, se é que me entende.

Relutante, Richard observou o homem deixar a sala caminhando com uma arrogância incômoda e depois sair à rua.

Esperava ter feito a coisa certa, mas era difícil saber o que fazer quando a pessoa se encontrava tateando no escuro como ele.

– O sr. Clayton está disponível agora – disse o *kavass*.

Richard acompanhou o homem pelo corredor. O círculo de luz natural ao fundo foi aumentando. A sala do cônsul ficava à direita, bem no final da passagem.

O sr. Clayton estava sentado atrás da escrivaninha. Era um sujeito quieto, grisalho, com a expressão pensativa.

– Não sei se vai se lembrar de mim – falou Richard. – Nós nos conhecemos em Teerã há dois anos.

– É claro. O senhor estava com o dr. Pauncefoot Jones, não estava? Vai se encontrar com ele novamente este ano?

– Sim. Estou a caminho, mas tenho uns dias sobrando e gostaria muito de dar uma passada pelo Kuwait. Não há nenhuma dificuldade, suponho?

– Ah, não. Há um avião que parte amanhã de manhã. Leva apenas em torno de uma hora e meia. Vou telegrafar para Archie Gaunt, é o residente lá. Vai receber o senhor. E podemos lhe acomodar aqui esta noite.

Richard protestou discretamente.

– Ora... não quero incomodá-lo e a sua senhora. Posso ir para um hotel.

– O Airport Hotel está cheio. Ficaríamos felicíssimos em recebê-lo. Sei que minha esposa gostaria de encontrá-lo novamente. Neste momento... deixe-me ver... temos o Crosbie da Companhia de Petróleo e um rapazote do dr. Rathbone, que está aqui tratando de liberar umas caixas de livros na alfândega. Vamos até lá em cima para encontrar Rosa.

Levantou-se e acompanhou Richard, passando pela porta e chegando ao jardim banhado pelo sol. Um lance de escadas levava até a ala de acomodações do consulado.

Gerald Clayton empurrou uma porta trabalhada em ferro no topo da escada e levou o convidado por um corredor longo e com pouca iluminação, com o piso repleto de tapetes atraentes e belos exemplos de mobiliário em ambos os lados. Foi agradável encontrar aquela área escura e fresca depois de enfrentar o brilho ofuscante do sol lá fora.

Clayton chamou:

– Rosa, Rosa – e a sra. Clayton, de quem Richard se lembrava como tendo uma personalidade alegre e uma vitalidade exuberante, saiu de um quarto ao fundo.

– Lembra-se de Richard Baker, minha querida? Ele foi nos encontrar em Teerã com o dr. Pauncefoot Jones.

– É claro – respondeu a sra. Clayton, com um aperto de mão. – Fomos aos bazares juntos e o senhor comprou uns tapetes adoráveis.

Para a sra. Clayton era uma diversão, quando não estava ela própria comprando algo, encorajar os amigos e conhecidos a procurarem pechinchas nos *souks* locais. Tinha um conhecimento maravilhoso de preços e era excelente na arte de pechinchar.

– Uma das melhores compras que já fiz – comentou Richard. – E devo o fato inteiramente à sua consultoria.

– Baker quer voar para o Kuwait amanhã – comentou Gerald Clayton. – Disse que poderíamos acomodá-lo aqui esta noite.

– Mas se for algum incômodo – começou Richard.

– É claro que não é incômodo nenhum – garantiu a sra. Clayton. – Não vai poder ficar com o melhor dos quartos de hóspedes, porque o capitão Crosbie está usando, mas podemos lhe deixar bem acomodado. Não vai querer comprar uma bela arca do Kuwait, vai? Porque chegaram umas lindas ao *souk* agora mesmo. Gerald não me deixou comprar outra para pôr aqui, embora fosse ser muito útil para guardar os cobertores de reserva.

– Já tem três, minha querida – disse Clayton, com suavidade. – Agora, se me dá licença, Baker. Preciso retornar ao escritório. Parece ter havido alguma confusão na antessala. Alguém disparou um revólver, pelo que entendi.

– Um dos xeques daqui, suponho – disse a sra. Clayton. – São tão instáveis e têm adoração por armas de fogo.

– Pelo contrário – respondeu Richard. – Foi um cidadão inglês. Sua intenção parecia ser dar um tiro à queima-roupa num árabe.

Acrescentou com modéstia:

– Consegui empurrar o braço dele.

– Então participou de tudo – falou Clayton. – Não havia me apercebido disso. Ele pescou um cartão no bolso. – Robert Hall, da Achilles Works de Enfield, parece que esse é o nome dele. Não sei o que queria comigo. Não estava bêbado, estava?

– Disse que foi uma brincadeira – comentou Richard num tom seco –, e que o revólver disparou por acidente.

Clayton ergueu as sobrancelhas.

– Caixeiros-viajantes não costumam portar armas carregadas no bolso – disse.

Clayton, pensou Richard, não era nada bobo.

– Talvez eu devesse ter impedido que ele fosse embora.

– É difícil saber como proceder nessas circunstâncias. O homem em quem ele atirou não ficou ferido?

– Não.

– Provavelmente foi melhor deixar a coisa por isso mesmo, então.

– Fico me perguntando o que estaria por trás disso.

– Sim, sim... também me pergunto.

Clayton pareceu um pouco distraído.

– Bem, preciso voltar – disse e saiu apressado.

A sra. Clayton levou Richard até o estar íntimo, uma sala grande na área interna com almofadas e cortinas verdes, e pediu que escolhesse entre café ou cerveja. Escolheu cerveja, e ela veio deliciosamente gelada.

Perguntou por que estava indo ao Kuwait, e ele explicou.

Ela perguntou por que ainda não havia se casado, e Richard respondeu que achava que não se casaria, ao que a sra. Clayton retorquiu animada: "Bobagem". Afirmou que arqueólogos se revelavam maridos esplêndidos e quis saber se haveria alguma jovem que se juntaria à equipe da escavação durante a temporada. Uma ou duas, respondeu Richard, além da sra. Pauncefoot Jones, é claro.

A sra. Clayton perguntou esperançosa se as moças que viriam eram simpáticas, e Richard disse que não sabia dizer, pois não as havia conhecido ainda. Elas eram muito inexperientes, disse.

Por algum motivo, aquilo fez a sra. Clayton rir.

Então um homem baixo e parrudo com jeito rude entrou e foi apresentado como capitão Crosbie. O sr. Baker, disse a sra. Clayton, era arqueólogo e escavara artefatos fascinantes de milhares de anos atrás. O capitão Crosbie disse que jamais conseguiria entender como os arqueólogos eram capazes de dizer com tanta especificidade a idade das coisas. Achou a vida inteira que deviam ser os maiores mentirosos do mundo, riu o capitão Crosbie. Richard olhou para ele com uma expressão cansada. Não, disse o capitão, mas como *era* que os arqueólogos sabiam dizer a idade de alguma coisa? Richard disse que aquilo levaria um bom tempo para explicar, e a sra. Clayton rapidamente o levou dali para ver o quarto.

– Ele é muito boa pessoa – disse a sra. Clayton –, mas nem tanto, sabe. Não tem a menor *noção* de cultura.

Richard achou seu quarto bastante confortável, e seu apreço pela sra. Clayton como anfitriã aumentou ainda mais.

Tateando o bolso do casaco, tirou um pedaço de papel sujo dobrado. Olhou para aquilo com surpresa, pois sabia muito bem que não estava lá no início da manhã.

Lembrou-se de como o árabe havia se agarrado a ele quando tropeçara. Um homem com dedos ágeis poderia ter deslizado aquilo para dentro do bolso sem que ele percebesse.

Abriu o papel. Estava sujo e parecia ter sido dobrado e desdobrado várias vezes.

Em seis linhas de uma caligrafia bastante ilegível, o major John Wilberforce recomendava um tal Ahmed Mohammed como trabalhador esforçado e competente, capaz de dirigir um caminhão e fazer pequenos consertos, e perfeitamente honesto... Era, de fato, o estilo usual de uma "missiva" ou carta de recomendação dada a alguém no Oriente. A data era de dezoito meses antes, o que, de novo, não é incomum, pois essas missivas eram guardadas com todo o cuidado por seus portadores.

Franzindo o cenho, Richard recapitulou os eventos da manhã com seu estilo preciso e ordenado.

Faquir Carmichael, agora ele estava bem seguro disso, temia por sua vida. Era um homem perseguido e correra para o consulado. Por quê? Em busca de segurança? Mas, em vez disso, o que encontrou foi uma ameaça ainda mais instantânea. O inimigo ou um representante do inimigo estivera esperando por ele. Aquele caixeiro-viajante deve ter recebido ordens bem expressas, para estar disposto a se arriscar atirando em Carmichael dentro do consulado e na presença de testemunhas. Deve ter sido muito urgente. E Carmichael fizera um apelo a seu antigo companheiro de colégio e conseguira passar esse documento de aparência inocente para o amigo. Deveria ser, portanto, muito importante e, se os inimigos de Carmichael chegarem a lhe alcançar e descobrirem que não mais possui aquele documento, sem dúvida vão somar dois e dois e procurar qualquer outra pessoa, ou pessoas, a quem imaginassem que Carmichael poderia ter repassado o papel.

Mas o que, então, Richard Baker deveria fazer com aquilo?

Poderia entregar para Clayton, como representante da Sua Majestade Britânica.

Ou poderia ficar de posse dele até chegar o momento em que o próprio Carmichael pedisse de volta.

Depois de refletir por alguns minutos, decidiu-se pela segunda opção.

Mas primeiro tomou certas precauções.

Rasgou a metade de uma folha de papel em branco de uma carta antiga e sentou-se para redigir uma carta de referência para um motorista de caminhão usando meio que os mesmos termos, porém alterando a ordem das palavras – se a mensagem fosse um código, isso resolveria aquela parte –, embora fosse possível, claro, que houvesse alguma mensagem escrita em algum tipo de tinta invisível.

Depois, borrou seu próprio bilhete com poeira da sola dos sapatos, esfregou-o nas mãos, dobrou e desdobrou, até dar-lhe uma aparência aceitável de antiguidade e sujeira.

Então, amarrotou o papel e enfiou no bolso. Ficou encarando o original por algum tempo, enquanto considerava e rejeitava várias possibilidades.

Por fim, com um leve sorriso, dobrou-o e desdobrou-o até obter um retângulo pequeno. Tirando da mala uma barra de massa de modelar (sem a qual jamais viajava), primeiro embrulhou o pequeno volume em uma tira de tecido impermeável que recortou do nécessaire, depois o envolveu com a massa de modelar. Feito isso, rolou e amassou até tornar a superfície lisa. Sobre esta, aplicou uma impressão em relevo, rolando um sinete cilíndrico que tinha consigo.

Estudou o resultado com austera satisfação.

Exibia um belo desenho cinzelado do Deus Sol Shamash armado com a espada da justiça.

– Vamos torcer para que seja um bom sinal – disse consigo.

À noite, quando foi examinar o bolso do casaco que usara pela manhã, o papel amarfanhado havia desaparecido.

CAPÍTULO 7

Vida, pensou Victoria, finalmente a vida! Sentada em sua poltrona no terminal aéreo, viu chegar o momento mágico em que as palavras "Passageiros para o Cairo, Bagdá e Teerã, tomem seus lugares no ônibus, por favor" foram anunciadas.

Nomes mágicos, palavras mágicas. Isentas de glamour para a sra. Hamilton Clipp, que, pelo que Victoria pôde apreender, passara boa parte da vida saltando de barcos para aviões e de aviões para trens, com breves intervalos em hotéis caros entre um trecho de viagem e outro. No entanto, para Victoria, era uma mudança maravilhosa das frases tão repetitivas que sempre ouvia: "Anote, por favor, srta. Jones. Esta carta está cheia de erros. Vai precisar datilografar de novo, srta. Jones. A chaleira está fervendo, docinho, pode preparar o chá, sim. Sei onde pode conseguir fazer a permanente mais maravilhosa". Acontecimentos maçantes e triviais de todos os dias! E agora: Cairo, Bagdá, Teerã, todo o romantismo do glorioso Oriente (ainda por cima com Edward ao final)...

Victoria retornou à terra a tempo de ouvir a patroa, a quem já diagnosticara como uma tagarela incorrigível, concluir uma série de comentários dizendo:

– ...e nada *limpo* de verdade, se é que me entende. Sou sempre muito, muito cuidadosa com tudo o que como. A imundície das ruas e dos bazares é inacreditável. E aqueles trapos anti-higiênicos que as pessoas usam. E alguns dos banheiros... ora, nem daria para chamar aquilo de banheiro!

Victoria escutava diligentemente todos aqueles comentários deprimentes, mas seu próprio senso de glamour permanecia inalterado. Sujeira e germes não significavam nada para alguém tão jovem. Chegaram a Heathrow, e ela auxiliou a sra. Clipp a descer do ônibus. Já estava também cuidando dos passaportes, das passagens, dinheiro etc.

– Nossa – disse a senhora –, é mesmo um alívio tê-la comigo, srta. Jones. Não sei nem como faria se tivesse de viajar sozinha.

Uma viagem aérea, pensou Victoria, era bem semelhante a uma excursão animada da escola. Professoras atentas e gentis, porém firmes, estavam sempre a postos para lhe guiar a cada passo do caminho. As aeromoças em uniformes elegantes e com a autoridade das governantas que têm de lidar com crianças retardadas explicavam com toda a gentileza exatamente o que cada um deveria fazer. Victoria quase esperou que elas fossem introduzir suas observações com um "E agora, crianças".

Cavalheiros de aparência cansada, presos em suas escrivaninhas, estendiam mãos fatigadas para conferir os passaportes e faziam perguntas íntimas sobre joias e dinheiro. Tinham êxito em induzir uma sensação de culpa naqueles que eram interrogados. Victoria, sugestionável por natureza, sentiu uma vontade súbita de descrever seu único e mísero broche como sendo uma tiara de diamantes avaliada em dez mil libras, só para ver a expressão no rosto do rapaz entediado. A lembrança de Edward a impediu.

Passadas as várias etapas, sentaram-se para aguardar mais uma vez em uma sala grande que dava acesso direto ao aeródromo. Lá fora, o rugido de um avião aquecendo o motor completava o cenário de modo muito apropriado. A sra. Hamilton Clipp estava toda contente, ocupada em fazer comentários sobre os companheiros de viagem.

– Aquelas duas criancinhas não são uma fofura só? Mas que provação viajar sozinha com duas crianças. Britânicos, imagino que eles sejam. A mãe deles está usando um tailleur muito bem cortado. No entanto, parece um pouco cansada. Aquele homem é muito bonito... tem uma aparência latina, eu diria. Mas que xadrez gritante que aquele homem está vestindo... diria que é de péssimo gosto. Acho que está viajando a negócios. Aquele mais para lá, um holandês, estava logo na nossa frente durante a fila da imigração. Aquela família ali eu diria que ou é turca ou é persa. Não parece haver nenhum americano. Acho que eles viajam mais pela Pan American. Acho que aqueles três homens juntos conversando são ligados ao petróleo, não acha? Simplesmente adoro ficar observando as pessoas e deduzindo coisas sobre elas. Meu marido diz que tenho verdadeira tara pela natureza humana. A mim parece natural nos interessarmos pelas criaturas que nos rodeiam. Não acha que aquele casaco de vison ali deve chegar a custar uns três mil dólares?

A sra. Clipp suspirou. Tendo concluído o processo de avaliação de seus companheiros de viagem, tornou-se inquieta.

– Gostaria de saber por que estão nos fazendo esperar deste jeito. Já deram a partida no motor do avião quatro vezes. Continuamos todos aqui. Por que não dão andamento nas coisas? Com certeza não estão cumprindo o horário.

– Gostaria de uma xícara de café, sra. Clipp? Vi que há um bufê no fundo da sala.

– Ora, não, obrigada, srta. Jones. Já tomei café antes de sair, e meu estômago está muito indócil agora para que me arrisque a tomar mais. Mas o que estamos esperando? É isso é que desejo saber.

A pergunta dela pareceu ser respondida antes mesmo que as palavras terminassem de lhe escapar pelos lábios.

A porta que dava acesso ao corredor do departamento de alfândega e imigração se abriu com rapidez e um homem alto entrou causando o mesmo efeito de uma rajada de vento. Funcionários da companhia aérea rondavam o sujeito. Dois imensos sacos de lona lacrados foram trazidos por um oficial da companhia de aviação British Overseas Airways Corporation, ou BOAC.

A sra. Clipp sentou-se com entusiasmo.

– Esse certamente é algum figurão – assinalou.

"E ele tem *consciência* disso", pensou Victoria.

Havia um quê de sensacionalismo calculado cercando o viajante tardio. Vestia uma espécie de capa de viagem cinza-escura com um capuz avantajado nas costas. Na cabeça usava o que seria em essência um sombreiro largo, mas em tom cinza-claro. Tinha cabelos cacheados e grisalhos, bem compridos, e um belíssimo bigode também prateado, com as pontas enroscadas para cima. O efeito era o de um bandido charmoso dos palcos ou do cinema. Victoria, que não gostava de homens teatrais que faziam pose, olhou-o com desaprovação.

Reparou com desgosto que os oficiais da companhia estavam todos em volta dele.

– Sim, Sir Rupert.

– É claro, Sir Rupert.

– O avião vai partir imediatamente, Sir Rupert.

Rodopiando sua capa volumosa, Sir Rupert saiu pela porta que levava ao aeródromo. A porta bateu atrás dele com veemência.

– Sir Rupert – murmurou a sra. Clipp. – Quem seria ele, me pergunto?

Victoria meneou a cabeça, embora tivesse a vaga sensação de que o rosto e o aspecto geral não lhe fossem desconhecidos.

– Alguém importante do governo de vocês – sugeriu a sra. Clipp.

– Acho que não – respondeu Victoria.

Os poucos membros do governo que algum dia ela chegara a ver causavam a impressão de serem homens ansiosos em se desculpar por estarem vivos. Apenas nas tribunas é que davam vazão àquele ar pomposo e didático.

– Agora, então, por favor – disse a elegante aeromoça com ares de professora de jardim de infância. – Tomem seus assentos no avião. Por aqui. O mais rápido que puderem, por favor.

A atitude dela insinuava que um bando de crianças preguiçosas havia abusado da paciência dos mais velhos fazendo-os esperar.

Todo mundo se enfileirou na pista do aeródromo.

O grande avião os aguardava, o motor fremindo como um gigantesco leão ronronando satisfeito.

Victoria e uma das aeromoças ajudaram a sra. Clipp a bordo e a acomodaram em seu assento. Victoria sentou-se ao lado dela no corredor. Só depois de a sra. Clipp estar confortavelmente resguardada e Victoria ter apertado o cinto de segurança é que a garota teve a chance de observar que na frente delas estava o tal figurão.

As portas se fecharam. Poucos segundos depois, o avião começou a se mexer devagar no solo.

"Estamos mesmo partindo", pensou Victoria em êxtase. "Ai, não é assustador? Suponhamos que não consiga levantar voo... Realmente, não consigo entender como é que *consegue*!"

O avião demorou séculos taxiando ao longo do aeródromo, depois se virou lentamente e parou. O ruído do motor aumentou para um rugido feroz. Foram distribuídos goma de mascar, açúcar e bolas de algodão.

Mais e mais alto, mais e mais acirrado. Então, novamente a aeronave andou para a frente. Primeiro, tímida, depois mais veloz... e mais veloz... estavam investindo rente ao chão.

"Não vai subir nunca", pensou Victoria, "vamos todos morrer."

Mais rápido, mais macio, sem trepidação e sem sobressaltos, eles saíram do chão e deslizaram céu acima, dando uma volta, retornando por cima do estacionamento e da estrada principal, para cima, sempre mais alto... um trenzinho tolo apareceu soltando fumaça lá embaixo... casas de bonecas... carros de brinquedo pelas ruas... Voaram ainda mais alto e – de repente – a terra lá embaixo não interessava mais, deixara de ser humana ou viva... era apenas um mapa imenso e esticado, com suas linhas, círculos e pontos.

Dentro do avião, as pessoas soltaram os cintos de segurança, acenderam cigarros, abriram revistas. Victoria estava em um novo mundo... um mundo com apenas tantos metros de comprimento e bem poucos de largura, habitado por umas vinte ou trinta pessoas. Nada mais existia.

Espiou de novo pela janelinha. Abaixo dela havia nuvens, um calçamento de nuvens fofas. O avião estava no sol. Abaixo das nuvens, em algum lugar, estava o mundo que ela outrora conhecera.

Victoria se recompôs. A sra. Hamilton Clipp estava falando. Victoria removeu a bola de algodão dos ouvidos e se inclinou com toda atenção na direção dela.

No assento em frente, Sir Rupert se levantou, arremessou o chapéu de feltro cinza de abas largas no compartimento acima, puxou o capuz sobre a cabeça e relaxou na poltrona.

"Bobalhão pomposo", pensou Victoria, com uma implicância sem motivo.

A sra. Clipp estava instalada com uma revista aberta à sua frente. Em certos intervalos cutucava Victoria, quando, ao tentar virar a página com apenas uma mão, a revista escorregava.

Victoria olhou ao redor. Chegou a conclusão que uma viagem aérea era algo muito entediante. Abriu uma revista e deu de cara com um anúncio que dizia: "Quer melhorar sua eficiência como estenodatilógrafa?", sentiu um calafrio, fechou a revista, reclinou-se no assento e começou a pensar em Edward.

Aterrissaram no Aeródromo de Castel Bonito em meio a uma tempestade. Victoria no momento se sentia levemente enjoada e precisou reunir todas as forças para cumprir suas tarefas *vis-à-vis* à sua patroa. Os passageiros foram levados abaixo de chuva para a casa de repouso. O magnífico Sir Rupert, percebeu Victoria, foi recebido por um militar de uniforme com insígnias vermelhas e levado às pressas em um carro oficial para a residência de algum poderoso da Tripolitânia.

Receberam quartos privativos. Victoria ajudou a sra. Clipp com sua toalete e a deixou descansando de camisola sobre a cama até a hora da refeição da noite. Victoria se retirou para o quarto, deitou-se e fechou os olhos, grata por ser poupada da visão daquele piso que subia e afundava.

Acordou uma hora mais tarde com a saúde e o ânimo recuperados e foi assistir a sra. Clipp. Em seguida, uma aeromoça bem mais peremptória informou que os carros estavam esperando para transportá-los até o local da refeição noturna. Depois do jantar, a sra. Clipp começou a conversar com alguns companheiros de viagem. O homem que usava o casaco xadrez berrante pareceu ter gostado de Victoria e lhe relatou extensivamente todos os detalhes da fabricação dos lápis de grafite.

Mais tarde, foram transportados de volta aos aposentos e informados sucintamente que deveriam estar prontos para partir às cinco e meia da manhã seguinte.

– Não vimos muita coisa de Tripolitânia, vimos? – comentou Victoria bastante triste. – Viagens aéreas são sempre assim?

– Ah, sim, diria que são. É de um sadismo absoluto a maneira como nos acordam de manhã. Depois de fazerem isso, em geral nos deixam plantados no aeródromo por uma ou duas horas. Em Roma, lembro de terem nos chamado às três e meia. O café foi no restaurante às quatro da manhã. E no fim das contas ficamos esperando no aeroporto e fomos partir só às oito da manhã. Ainda assim, o melhor de tudo é que nos levam até nosso destino imediatamente, sem ficar perdendo tempo no caminho.

Victoria suspirou. Poderia ter tirado proveito de uma boa perda de tempo. Queria conhecer o mundo.

– E sabe do que mais, minha querida – continuou a sra. Clipp, toda animada –, sabe aquele homem interessante? O britânico? Esse que está causando aquela comoção toda. Descobri quem ele é. É Sir Rupert Crofton Lee, o grande viajante. Já ouviu falar dele, é claro.

Sim, agora Victoria se lembrava. Vira diversas fotos nos jornais há mais ou menos uns seis meses. Sir Rupert era uma ilustre autoridade a respeito do interior da China. Era uma das poucas pessoas que já haviam estado no Tibete e em Lhasa. Viajara pelas regiões desconhecidas do Curdistão e da Ásia Menor. Seus livros venderam muito bem, pois haviam sido escritos em linguagem mordaz e inteligente. Se Sir Rupert fazia claramente sua própria publicidade, era por um bom motivo. Não fazia nenhuma afirmação que não fosse justificada. A capa com o capuz e o chapéu de abas largas eram, agora Victoria lembrava, uma moda pessoal adotada por ele.

– Isso não é emocionante? – indagou a sra. Clipp com o entusiasmo de um caçador de leões, enquanto Victoria ajustava as cobertas sobre as suas formas recumbentes.

Victoria concordou que era muito emocionante, mas ponderou consigo que preferia os livros de Sir Rupert à sua personalidade. Considerava-o o que as crianças chamavam de "exibido"!

O dia começou bem na manhã seguinte. O céu havia clareado e o sol estava brilhando. Victoria ainda estava decepcionada por ter visto tão pouco de Tripolitânia. Ainda assim, estava previsto que o avião chegaria ao Cairo pela hora do almoço, e a partida para Bagdá não ocorreria antes da manhã do dia seguinte; portanto, ao menos teria tempo de conhecer um pouquinho do Egito durante a tarde.

Estavam sobrevoando o mar, mas as nuvens logo bloquearam a visão das águas azuis embaixo deles, e Victoria se acomodou no assento com um bocejo. À sua frente, Sir Rupert já estava dormindo. O capuz havia caído da cabeça, que pendia para frente, cabeceando a intervalos regulares. Victoria observou com um leve deleite malicioso que ele tinha um princípio de furúnculo na parte de trás do pescoço. O motivo de ela se comprazer com aquele fato era difícil de explicar... Quem sabe aquilo conferia ao grande homem um aspecto mais humano e vulnerável. Era como os outros mortais, afinal de contas... sujeito às pequenas moléstias carnais. Poderia se dizer que Sir Rupert mantivera aqueles modos olimpianos e não chegara sequer a registrar a presença de seus colegas de viagem.

"Fico imaginando... quem ele pensa que *é*?", refletiu Victoria. A resposta era óbvia. Era Sir Rupert Crofton Lee, uma celebridade, e ela era Victoria Jones, uma estenodatilógrafa medíocre e sem a menor importância.

Na chegada ao Cairo, Victoria e a sra. Hamilton Clipp almoçaram juntas. Esta última então anunciou que tiraria um cochilo até às seis da tarde e sugeriu que Victoria talvez fosse gostar de conhecer as pirâmides.

— Já mandei pedir um carro para você, srta. Jones, pois sei que, devido às normas do seu governo, não vai poder trocar nenhum dinheiro aqui.

Victoria, que de qualquer forma não tinha nenhum dinheiro para trocar, mas estava devidamente agradecida, expressou o sentimento com alguma efusão.

— Ora, isso não foi nada. Tem sido muito, muito gentil comigo. E tudo é mais fácil para quem viaja com dólares. A sra. Kitchin, aquela senhora com as duas crianças bonitinhas, também está ansiosa para fazer o passeio, então sugeri que fossem juntas... caso esteja de acordo?

Contanto que visse o mundo, Victoria estava de acordo com tudo.

— Está bem, então é melhor que saiam logo.

A tarde nas pirâmides foi devidamente aprazível. Victoria, embora com afeição razoável por crianças, poderia ter aproveitado melhor sem os rebentos da sra. Kitchin. As crianças sempre tendem a ser um pouco incômodas durante um passeio turístico. A mais nova ficou tão agitada que as duas mulheres encerraram a expedição mais cedo do que gostariam.

Victoria se jogou na cama com um bocejo. Desejava muito poder passar uma semana no Cairo... quem sabe subir o Nilo. "E de onde sairia o dinheiro, minha menina?", perguntou para si mesma, esmaecendo. Já era um milagre que estivesse sendo transportada para Bagdá sem ter de pagar nada.

E o que, indagou uma voz fria e interna, vai fazer da vida uma vez que tiver aterrissado em Bagdá com apenas poucas libras no bolso?

Victoria desconsiderou aquela pergunta. Edward deverá conseguir um emprego para ela. Ou, se isso falhar, ela mesma vai conseguir um. Por que se preocupar?

Seus olhos, ofuscados pela luminosidade do sol, fecharam-se suavemente.

Despertou com o que pensou ser uma batida na porta. Disse: "Entre", mas como não houve resposta, levantou-se da cama, foi até a porta e abriu.

Porém a batida não fora no quarto dela, mas na porta seguinte logo adiante no corredor. Outra das inevitáveis aeromoças, de cabelos escuros e toda elegante em seu uniforme, estava batendo na porta de Sir Rupert Crofton Lee. Ele abriu no exato momento que Victoria espiava o corredor.

– O que foi agora?

Soava irritado e sonolento.

– Sinto muito em perturbá-lo, Sir Rupert – balbuciou a aeromoça –, mas se importaria de me acompanhar ao escritório da BOAC? Fica apenas três portas adiante neste corredor. É só um pequeno detalhe sobre o voo para Bagdá amanhã.

– Ah, tudo bem.

Victoria se recolheu para o quarto. Estava menos sonolenta. Consultou o relógio. Eram apenas quatro e meia. Mais uma hora e meia até que a sra. Clipp fosse requisitar seus serviços. Decidiu sair e dar uma caminhada por Heliópolis. Caminhar, ao menos, não custava nada.

Passou pó de arroz no nariz e calçou os sapatos. Pareciam tão apertados. A visita às pirâmides abusara de seus pés.

Saiu do quarto e caminhou pelo corredor em direção ao saguão principal do hotel. Três portas mais adiante, passou pelo escritório da BOAC. Enquanto ia passando, a porta foi aberta, e Sir Rupert saiu. Caminhava rápido e a alcançou em poucos passos. Seguiu em frente com a capa balançando, e Victoria imaginou que estivesse irritado com alguma coisa.

A sra. Clipp estava com um humor um pouco petulante quando Victoria apresentou-se para o serviço às seis horas.

– Estou preocupada com o excesso de bagagem, srta. Jones. Entendi que estava pago para o trajeto completo, mas parece que só foi pago até o Cairo. Vamos seguir amanhã com a Iraqi Airways. Meu bilhete está certo até o destino final, mas não o excesso de bagagem. Quem sabe consegue descobrir se é isso mesmo? Por que talvez eu precise trocar mais um cheque de viagem.

Victoria concordou em pesquisar o assunto. Primeiro não conseguiu achar o escritório da BOAC e finalmente o localizou no final do corredor... do outro lado do saguão... e era um escritório bem grande. O outro, supôs, fora uma salinha menor usada apenas durante o horário da sesta. Os temores da sra. Clipp a respeito de seu excesso de bagagem se revelaram legítimos, o que deixou aquela senhora muito aborrecida.

CAPÍTULO 8

No quinto andar de um bloco comercial no centro financeiro de Londres ficam os escritórios da empresa Valhalla Gramophone. O homem sentado atrás da escrivaninha daquele escritório estava lendo um livro sobre economia. O telefone tocou, e ele atendeu. Anunciou em uma voz calma e imparcial:

– Valhalla Gramophone.

– Aqui é Sanders.

– Sanders do Rio? Que rio?

– Rio Tigre. Reportando-se a respeito de A.S. Nós a perdemos.

Houve um momento de silêncio. Então, a voz calma falou de novo, com um tom bem mais duro.

– Ouvi direito o que acabou de relatar?

– Perdemos Anna Scheele.

– Não diga nomes. Isso é um erro muito grave da sua parte. Como foi que aconteceu?

– Ela foi para aquela clínica de saúde. Já informei isso antes. A irmã estava passando por uma cirurgia.

– E daí?

– Correu tudo bem na operação. Esperávamos que A.S. fosse retornar ao Savoy. Havia mantido uma suíte reservada. Não retornou. A clínica permaneceu vigiada o tempo todo, e tínhamos certeza de que ela não havia deixado o lugar. Havíamos entendido que continuava lá dentro.

– E não está?

– Acabamos de descobrir. Ela saiu de lá *dentro de uma ambulância* no dia seguinte à cirurgia.

– Ela os enganou deliberadamente?

– É o que parece. Poderia jurar que não sabia que estava sendo seguida. Tomamos todas as precauções. Estávamos num total de três pessoas e...

– Suas desculpas pouco importam. Para onde foi que a ambulância a levou?

– Para o University College Hospital.

– O que descobriu com o hospital?

– Que uma paciente foi levada para lá acompanhada de uma enfermeira. A enfermeira devia ser Anna Scheele. Não fazem a menor ideia de onde ela foi depois de deixar a paciente lá.

– E a paciente?

– A paciente não sabe de nada. Estava sob efeito de morfina.

– Então Anna Scheele saiu caminhando do University College Hospital vestida de enfermeira e pode estar agora em qualquer lugar?

– Pois é. Se voltar ao Savoy...

O outro interrompeu.

– Não vai voltar para o Savoy.

– Será que deveríamos verificar com outros hotéis?

– Sim, mas duvido que consigam alguma coisa. É isso que ela espera que vocês façam.

– Que outras instruções o senhor tem?

– Verifique com os portos: Dover, Folkestone etc. Averigue com as companhias aéreas. Em especial, verifique todas as reservas de avião para Bagdá para os próximos quinze dias. A passagem não deve estar no nome dela. Investigue todos os passageiros que se enquadrem na faixa etária.

– A bagagem dela ainda está no Savoy. Talvez ela vá buscar.

– Não vai fazer nada desse tipo. *Você* talvez seja um idiota... ela não! A irmã sabe de alguma coisa?

– Estamos em contato com a enfermeira especial dela na clínica. Aparentemente a irmã acha que A.S. está em Paris para tratar dos negócios do Morganthal, hospedada no Ritz Hotel. Ela acredita que a A.S. está voando de volta para os Estados Unidos no dia 23.

– Em outras palavras, A.S. não contou nada para ela. Não faria isso. Confira aquela lista de passagens aéreas. É nossa única esperança. Ela precisa chegar a Bagdá... e de avião seria o único modo de chegar a tempo e, Sanders...

– Pois não?

– *Chega de falhas*. É a sua última chance.

CAPÍTULO 9

O jovem sr. Shrivenham da Embaixada Britânica apoiava-se em um e outro pé e olhava para cima enquanto o avião zunia sobre o aeródromo de Bagdá. Uma considerável tempestade de poeira estava em andamento. Palmeiras, casas e seres humanos estavam encobertos por um nevoeiro denso e marrom. Havia começado sem aviso.

Lionel Shrivenham observou com tom de profunda angústia:

– Aposto dez para um que não conseguem descer aqui.

– E vão fazer o quê? – perguntou o amigo Harold.

– Seguir para Basrah, imagino. Lá está limpo, ouvi dizer.

– Está recebendo alguma espécie de figurão, não é?

Shrivenham lamentou-se novamente.

– Que azar o meu. O novo embaixador sofreu um atraso para chegar aqui. Lansdowne, o conselheiro, está na Inglaterra. Rice, o conselheiro oriental, está de cama por causa de uma virose gástrica, com uma febre altíssima e perigosa. Best está em Teerã, e cá estou eu, sozinho para dar conta de tudo. Uma função sem fim em torno desse sujeito. Não sei por quê. Até a turma que é toda confidencial está em alas. É um desses que viajam o mundo inteiro, sempre montado num camelo em algum lugar inacessível. Não entendo por que é tão importante, mas ao que tudo indica é sem dúvida alguém especial, e cabe a mim satisfazer até o menor desejo dele. Se acabar aterrissando em Basrah, provavelmente vai ficar enlouquecido. Não sei que providências seria melhor tomar. Um trem esta noite? Ou conseguir que a RAF o traga de avião para cá amanhã?

O sr. Shrivenham suspirou novamente, enquanto o seu senso de prejuízo e responsabilidade se aprofundava. Desde a sua chegada há três meses em Bagdá, havia sofrido de um azar permanente. Bastava um imprevisto a mais para arruinar o que poderia ter sido uma carreira brilhante.

O avião deu mais uma volta lá em cima.

– É evidente que o piloto acha que não consegue – disse Shrivenham, então acrescentou com excitação: – Opa... creio que está descendo.

Poucos momentos depois, o avião já havia taxiado tranquilamente para sua posição, e Shrivenham estava a postos para saudar o convidado VIP.

Seu olhar nada profissional registrou a presença de uma "garota muito bonita" antes de arremessar-se à frente para cumprimentar a figura com ares de bucaneiro em uma capa esfuziante.

"Uma roupa bem fantasiosa", ele pensou consigo reprovando o figurão, enquanto dizia em voz alta:

— Sir Rupert Crofton Lee? Meu nome é Shrivenham, sou da embaixada.

Sir Rupert, pensou ele, tinha modos um pouco grosseiros; o que talvez fosse compreensível depois do desgaste de sobrevoar a cidade em círculos sem saber se uma aterrissagem seria possível ou não.

— Que dia mais asqueroso – prosseguiu Shrivenham. – Tivemos muitas destas tempestades este ano. Ah, já pegou as malas. Então, se puder me acompanhar, senhor, está tudo preparado...

Ao deixarem o aeródromo de carro, Shrivenham disse:

— Cheguei a pensar que seriam levados para algum outro aeroporto. Não parecia que o piloto seria capaz de aterrissar. Esta tempestade de poeira levantou muito de repente.

Sir Rupert inflou as bochechas com ar importante enquanto comentava:

— Isso teria sido desastroso... muito desastroso. Se meu itinerário ficasse a perigo, meu rapaz, posso lhe garantir que as consequências teriam sido graves e de um alcance extremo.

"Quanta soberba", pensou Shrivenham, desrespeitoso. "Esses VIPs acham que seus assuntos insignificantes fazem o mundo girar."

Em voz alta, concordou com todo o respeito:

— Imagino que sim, senhor.

— Faz alguma ideia de quando o embaixador vai chegar a Bagdá?

— Ainda não há nenhuma definição.

— Seria uma pena se nos desencontrássemos. Não o vejo... deixe-me pensar, sim, desde a Índia em 1938.

Shrivenham preservou um silêncio respeitoso.

— Vejamos, Rice está aqui, não está?

— Está, senhor, é o conselheiro oriental.

— Camarada competente. Sabe muito. Será um prazer encontrá-lo novamente.

Shrivenham tossiu.

— Na verdade, Rice está de licença de saúde. Foi internado no hospital para observação. Um tipo violento de gastroenterite. Algo um pouco pior do que o habitual mal-estar de Bagdá, aparentemente.

— O que foi? – Sir Rupert virou a cabeça num gesto brusco. – Uma gastroenterite forte... ora. Deu de repente?

— Anteontem, senhor.

Sir Rupert franzia o cenho. Os modos grandiloquentes e afetados haviam desaparecido. Era um homem bem mais simples... e de certo modo, um homem preocupado.

— Agora me pergunto – disse. – Sim, me pergunto...

Shrivenham olhou para ele, indagando educadamente.

– Fico pensando – disse Sir Rupert – se não seria um caso de verde de Scheele...

Desconcertado, Shrivenham permaneceu quieto.

Estavam se aproximando da ponte Feisal, e o carro saiu para a esquerda em direção à Embaixada Britânica.

Subitamente, Sir Rupert inclinou-se para frente.

– Pare apenas por um instante, pode ser? – disparou, ríspido. – Isso, no lado direito. Onde estão todas aquelas panelas.

O carro deslizou para o acostamento da direita e parou. Era uma loja pequena de artefatos nativos, amontoada até em cima com panelas rústicas de argila branca e jarros d'água.

Um europeu baixo e parrudo que estivera parado conversando com o proprietário saiu dali e foi em direção à ponte no que o carro se aproximou. Shrivenham achou que fosse o Crosbie da I e P, a quem havia encontrado uma ou duas vezes.

Sir Rupert saltou do carro e foi a passos largos até a pequena banca. Pegando uma das panelas, começou uma rápida conversa em árabe com o proprietário. O fluxo do diálogo era rápido demais para Shrivenham, cujo árabe era ainda lento, esforçado e claramente limitado em termos de vocabulário.

O proprietário estava sorridente, suas mãos se abriam em um gesto largo, gesticulava e explicava em detalhes. Sir Rupert manuseou diferentes vasilhames, aparentemente fazendo perguntas sobre eles. Por fim, selecionou uma jarra de bico estreito, atirou algumas moedas para o homem e voltou para o carro.

– Uma técnica interessante – comentou Sir Rupert. – Fabricam da mesma maneira há milhares de anos, têm o mesmo formato das jarras de um dos distritos montanhosos da Armênia.

Seu dedo escorregava pela pequena abertura, dando volta atrás de volta.

– É um negócio bem rústico – disse Shrivenham, nada impressionado.

– Ah, não têm valor artístico! Mas é interessante em termos históricos. Está vendo estas indicações de uma alça? Muitos indícios históricos são obtidos pela observação das coisas simples do dia a dia. Tenho uma coleção delas.

O carro entrou pelos portões da Embaixada Britânica.

Sir Rupert pediu para ser levado direto para o quarto. Shrivenham se divertiu ao reparar que, tendo terminado sua palestra sobre o pote de cerâmica, Sir Rupert despreocupadamente o esquecera no carro. Shrivenham fez questão de levar o objeto para cima e dispô-lo de forma meticulosa sobre a mesa de cabeceira de Sir Rupert.

– Seu jarro, senhor.

– Hein? Ah, obrigado, meu garoto.

Sir Rupert parecia distraído. Shrivenham o deixou a sós depois de repetir que o almoço ficaria pronto em breve e aguardavam seu pedido de bebidas.

Quando o rapaz saiu do quarto, Sir Rupert foi até a janela e abriu a pequena tira de papel que fora escondida na boca do jarro. Alisou o bilhete. Havia duas linhas de escrita. Leu e releu com cuidado, depois riscou um fósforo e pôs fogo.

Então, chamou um criado.

– Pois não? Desfaço as malas para o senhor?

– Ainda não. Quero falar com o sr. Shrivenham... aqui em cima.

Shrivenham chegou com uma expressão levemente apreensiva.

– Há alguma coisa que possa fazer pelo senhor? Há algo errado?

– Sr. Shrivenham, ocorreu uma mudança drástica nos meus planos. Posso contar com sua discrição, é claro?

– Ah, sem dúvida alguma, senhor.

– Faz algum tempo que não venho a Bagdá, na verdade não venho aqui desde a guerra. Os hotéis ficam quase todos na outra margem, não ficam?

– Isso mesmo. Na Rashid Street.

– Que dá fundos para o Tigre?

– Sim. O Babylonian Palace é o maior deles. Seria mais ou menos o hotel oficial.

– O que sabe sobre um hotel chamado Tio?

– Ah, muita gente vai lá. A comida é bastante boa e é gerenciado por um personagem fantástico chamado Marcus Tio. Ele é quase uma instituição em Bagdá.

– Quero que reserve um quarto para mim lá, sr. Shrivenham.

– Está dizendo... não vai ficar hospedado na embaixada?

Shrivenham pareceu nervoso e apreensivo.

– Mas... mas... está tudo organizado, senhor.

– O que foi organizado pode se desorganizar – vociferou Sir Rupert.

– Claro, claro, senhor. Não tive a intenção de...

Shrivenham não completou a frase. Teve a sensação de que no futuro alguém iria culpá-lo por aquilo.

– Tenho certas negociações um tanto delicadas para fazer. Descobri que não poderão ser conduzidas daqui da embaixada. Quero que me reserve um quarto esta noite no Tio Hotel e desejo deixar a embaixada de maneira relativamente discreta. Melhor dizendo, não quero chegar ao Tio em um carro da embaixada. Também vou precisar de um lugar marcado no avião que vai ao Cairo daqui dois dias.

Shrivenham pareceu ainda mais desalentado.

– Mas entendi que o senhor ficaria por cinco dias...

– Não é mais o caso. É imperativo que eu chegue ao Cairo assim que a minha negociação aqui for concluída. Não seria seguro permanecer por mais tempo.

– Seguro?

Um sorriso súbito transformou o rosto de Sir Rupert. A atitude que Shrivenham estivera equiparando à de um sargento prussiano foi deixada de lado. O homem de repente deixou transparecer todo o seu charme.

– Segurança não figura em geral entre as minhas preocupações, concordo – explicou. – Mas, neste caso, não é apenas a minha própria segurança que preciso levar em consideração; minha segurança inclui a segurança de muitas outras pessoas também. Logo, tome essas providências para mim. Se a passagem aérea for difícil, peça prioridade. Até a hora de sair daqui à noite, ficarei no meu quarto.

E acrescentou quando, surpreso, o queixo de Shrivenham caiu:

– Para fins oficiais, estou doente. Um resquício de malária.

O outro assentiu.

– Portanto, não vou precisar de comida.

– Mas certamente poderíamos mandar aqui para cima...

– Jejuns de 24 horas não são nada para mim. Já passei fome por mais tempo que isso em algumas de minhas expedições. Faça apenas o que lhe peço.

No andar de baixo, Shrivenham foi saudado pelos colegas e resmungou ao responder às várias perguntas.

– Coisas de capa e espada – dizia. – Não consigo entender sua eminência o grandiloquente Sir Rupert Crofton Lee. Se é genuíno, ou é um papel que ele faz. A capa rodopiando e o chapéu de bandido e todo o resto. Um camarada que leu um dos livros dele me falou que, embora faça um pouco o tipo que fica se vangloriando, ele fez *mesmo* todas aquelas coisas e foi a todos aqueles lugares... mas não sei... Gostaria que Thomas Rice estivesse de pé e bem disposto para ajudar. O que me faz lembrar, o que é verde de Scheele?

– Verde de Scheele? – repetiu o amigo, franzindo a testa. – Tem algo a ver com papel de parede, não é? Venenoso. É uma forma de arsênico, acho.

– Eu, hein! – exclamou Shrivenham, com o olhar parado. – Pensei que era uma doença. Algo como uma disenteria tipo amebíase.

– Ah, não, é algo mais na linha de produtos químicos. O que as esposas usam para dar cabo dos maridos, ou vice-versa.

Shrivenham reincidiu em seu silêncio estarrecido. Certos fatos desagradáveis estavam começando a ficar claros para ele. Crofton Lee havia sugerido de fato que Thomas Rice, o conselheiro oriental da embaixada, estava sofrendo não de gastroenterite, mas de envenenamento por arsênico. Acrescentando-se que Sir Rupert chegara a insinuar que sua própria vida estivesse em perigo e decidira não ingerir qualquer comida ou bebida preparada nas cozinhas da Embaixada Britânica, o conjunto de informações abalou o cerne da decorosa alma britânica de Shrivenham. Não sabia o que pensar de tudo aquilo.

CAPÍTULO 10

I

Victoria, inspirando e engasgando-se com a poeira quente e amarela, ficou com uma impressão desfavorável de Bagdá. Do aeroporto até o Tio Hotel, seus ouvidos foram assaltados pelo barulho contínuo e incessante. Buzinas de carros retumbando com persistência enlouquecedora, vozes gritando, apitos assoviando, depois mais clamores ensurdecedores e sem sentido de buzinas de automóvel. Somada aos altos e incessantes ruídos das ruas, havia uma corrente fina e contínua de som, que era a voz da sra. Clipp falando sem parar.

Victoria chegou ao Tio Hotel em condição de torpor.

Uma pequena passagem levava da fanfarra da Rashid Street em direção ao Tigre. Subiram um curto lance de escadas e lá, na entrada do hotel, foram recebidas por um jovem corpulento com um sorriso imenso que, ao menos metaforicamente, as recebeu de coração aberto. Aquele, Victoria concluiu, era o Marcus, ou mais exatamente, o sr. Tio, o dono do Tio Hotel.

As palavras de boas-vindas dele foram interrompidas por ordens gritadas aos vários subalternos com relação ao destino da bagagem delas.

– E ei-la aqui de novo, sra. Clipp; mas e o seu braço... por que está enrolado com essa coisa esquisita?... (Seus tontos, não carreguem aquela pela alça! Imbecis! Não arrastem o casaco no chão!)... Mas minha querida, que dia este para sua chegada... pensei que aquele avião nunca conseguiria aterrissar. Ficou dando voltas e mais voltas. Marcus, eu disse para mim mesmo... não é você que vai se arriscar a voar num avião... toda essa pressa, e para quê? ... E trouxe uma mocinha com a senhora; sempre é bom receber uma nova jovem aqui em Bagdá; porque o sr. Harrison não veio lhe receber... esperava que ele viesse ontem... mas, minha querida, precisa beber alguma coisa já.

Mais tarde, um tanto atordoada, com a cabeça caindo um pouco sob o efeito de um uísque duplo que lhe fora empurrado por Marcus com autoridade, Victoria estava parada em um quarto de pé-direito alto, todo branco, com uma enorme cama com detalhes em metal, uma penteadeira muito sofisticada com o mais moderno design francês, um guarda-roupa vitoriano e duas poltronas coloridas estofadas. Sua modesta bagagem repousava a seus pés, e um homem muito velho com o rosto macilento e suíças brancas acabava de sorrir e assentir para ela ao colocar as toalhas no banheiro e perguntar se gostaria que lhe esquentassem a água para um banho.

– Quanto tempo levaria?
– Vinte, trinta minutos. Vou lá e faço agora.

Com um sorriso paternal, ele se retirou. Victoria sentou-se na cama e passou a mão para experimentar a textura dos cabelos. Sentiu-os entupidos de areia e o rosto estava dolorido e empoeirado. Olhou para seu reflexo no vidro. A poeira havia transformado seu cabelo do preto para um castanho avermelhado. Puxou para o lado uma ponta da cortina e vislumbrou uma sacada larga que dava para o rio. Mas não havia nada para se ver no Tigre, a não ser uma névoa grossa e amarela. Uma presa fácil para a depressão profunda, Victoria disse para si mesma:

– Que lugar detestável.

Então se levantou, cruzou para o outro lado do patamar da escada e bateu na porta da sra. Clipp. As circunstâncias exigiam que oferecesse cuidados intensivos e prolongados antes que pudesse atender a sua própria limpeza e reabilitação.

II

Depois de tomar um banho, almoçar e tirar um cochilo prolongado, Victoria saiu do quarto, foi até a varanda e contemplou o Tigre com ar de aprovação. A tempestade de poeira havia se acalmado. Em vez da névoa amarela, uma luz pálida e clara estava surgindo. Do outro lado do rio, via-se a silhueta delicada das palmeiras e casas dispostas de forma irregular.

O som de vozes no jardim logo abaixo chegou aos ouvidos de Victoria.

A sra. Hamilton Clipp, aquela alma simpática e tagarela infatigável, havia feito amizade com uma inglesa; uma daquelas britânicas castigadas pelo clima e com idade indeterminada, do tipo que sempre se encontra em qualquer cidade estrangeira.

– ...e o que eu faria sem ela, de fato não sei – dizia a sra. Clipp. – Não imagina o quanto é amável. E muito bem relacionada. É sobrinha do bispo de Llangow.

– Bispo de quê?
– Ora, de Llangow, acho que era isso.
– Um disparate, não existe tal pessoa – disse a outra.

Victoria franziu a testa. Reconheceu na outra o tipo de mulher da elite inglesa que não se deixaria enganar com a menção de bispos espúrios.

– Ora, então, quem sabe eu tenha entendido o nome errado – desconversou a sra. Clipp com dúvidas. – Mas... – continuou ela – é certamente uma moça muito encantadora e competente.

A outra disse: "Há!", com ar descompromissado.

Victoria resolveu passar o mais longe possível daquela senhora. Algo lhe dizia que inventar histórias para satisfazer o interesse daquele tipo de mulher não seria nada fácil.

Victoria voltou ao quarto, sentou-se na cama e se entregou a especulações sobre sua presente condição.

Estava hospedada no Tio Hotel que, tinha quase certeza, não era nada barato. Trazia consigo quatro libras e dezessete xelins. Comera um almoço reforçado pelo qual ainda não havia pagado e o qual a sra. Clipp não tinha a menor obrigação de pagar. Tudo que a sra. Clipp lhe havia prometido eram as despesas de viagem até Bagdá. O trato estava concluído. Victoria chegara a Bagdá. A sra. Hamilton Clipp recebera os cuidados habilidosos de uma sobrinha de bispo, ex-enfermeira de hospital e secretária competente. Tudo aquilo terminara, para a satisfação mútua de ambas as partes. A sra. Hamilton Clipp partiria no trem noturno para Kirkuk... e era isso. Victoria entreteve esperançosa a possibilidade de que a sra. Clipp fosse insistir em oferecer um presente de despedida em forma de dinheiro vivo, mas, embora relutante, abandonou a ideia como sendo improvável. A sra. Clipp não tinha a menor noção de que Victoria estava passando por tamanho aperto financeiro.

Então o que deveria fazer? A resposta veio imediatamente. Encontrar Edward, claro.

Com uma sensação de contrariedade, deu-se conta de que não tinha conhecimento do sobrenome de Edward. Edward – Bagdá. Muito parecido, refletiu ela, com a história da empregada sarracena que chega à Inglaterra sabendo apenas o nome de seu amante, "Gilbert", e "Inglaterra". Uma história romântica, mas com certeza inconveniente. Era verdade que nos tempos das cruzadas ninguém na Inglaterra, lembrou ela, tinha qualquer sobrenome. Por outro lado, a Inglaterra era bem maior que Bagdá. Ainda assim, a Inglaterra era bem pouco povoada naquela época.

Victoria teve de arrancar os pensamentos à força daquelas especulações interessantes e retornou aos fatos nus e crus. Precisava encontrar Edward imediatamente e Edward precisava lhe conseguir um emprego, também imediatamente.

Não sabia o sobrenome de Edward, mas ele havia viajado para Bagdá como secretário de um tal dr. Rathbone, e era presumível que o dr. Rathbone fosse um homem de importância.

Victoria empoou o nariz, ajeitou o cabelo e começou a descer as escadas em busca de informações.

O sorridente Marcus, passando pelo corredor de seu estabelecimento, acenou para ela com alegria.

– Ah, é a srta. Jones! Vai me acompanhar em um drinque, não vai, minha querida? Gosto muito das senhoras inglesas. Todas as senhoras inglesas de Bagdá são minhas amigas. Todas ficam muito felizes no meu hotel. Venha, vamos até o bar.

Victoria, que não era nada avessa à hospitalidade gratuita, consentiu com alegria.

III

Sentada em um banco e bebendo gim, começou sua busca por informações.

– Conhece um tal dr. Rathbone que acabou de chegar a Bagdá? – ela perguntou.

– Conheço todo mundo em Bagdá – respondeu Marcus Tio, exultante. – E todo mundo conhece o Marcus. Isso é verdade, o que estou lhe contando. Ah! Tenho muitos amigos.

– Estou certa que sim – disse Victoria. – Conhece o dr. Rathbone?

– Na semana passada recebi o marechal da Aeronáutica que comanda todo o Oriente Médio e estava de passagem. Ele me disse: "Marcus, seu pilantra, não lhe vejo desde 1946. Não emagreceu nenhum grama". Ah, ele é um homem muito bom. Gosto muito dele.

– E o sr. Rathbone? É um homem de bem?

– Gosto, sabe, de pessoas que sabem se divertir. Não gosto de gente azeda. Gosto de pessoas alegres, jovens e encantadoras... como você. Ele me diz, aquele marechal: "Marcus, você gosta demais das mulheres". Mas eu respondi: "Não é verdade, meu problema é que gosto demais do Marcus...".

Marcus rolou de tanto rir, parando só para chamar:

– Jesus... Jesus!

Victoria ficou espantada, mas aparentemente o nome de batismo do atendente do bar era Jesus. Victoria de novo concluiu que o Oriente era um lugar estranho.

– Mais um gim com laranja e outro uísque – Marcus intimou.

– Não acho que eu...

– Sim, sim, vai sim... são bem, bem fraquinhos.

– Sobre o dr. Rathbone – insistiu Victoria.

– Aquela sra. Hamilton Clipp com quem chegou aqui, que nome estranho esse, ela é americana, não é? Também gosto dos americanos, mas gosto mais dos ingleses. As pessoas americanas sempre parecem muito preocupadas. Mas às vezes, sim, são bem-humoradas. O sr. Summers... conhece ele?... bebe tanto quando vem para Bagdá, que passa três dias dormindo e não acorda. É demais aquilo. Não faz bem.

– Por favor, me ajude – pediu Victoria.

Marcus pareceu surpreso.

– Mas claro que vou lhe ajudar. Sempre ajudo meus amigos. Conte para mim o que precisa... e em seguida seu problema vai ser resolvido. Bife especial... ou peru bem cozido com arroz, passas e ervas... ou franguinhos novos bem pequenos.

– Não quero nenhum franguinho novo – disse Victoria. – Ao menos não agora – acrescentou com prudência. – Quero encontrar esse dr. Rathbone. Dr. *Rathbone*. Acaba de chegar a Bagdá. Com um... com um... secretário.

– Não conheço – respondeu Marcus. – Não está hospedado no Tio.

A implicação era clara de que qualquer um que não se hospedasse no Tio não existia para Marcus.

– Mas existem outros hotéis – persistiu Victoria –, ou quem sabe ele tenha uma casa?

– Ah, sim, existem outros hotéis. Babylonian Palace, Sennacherib, Zobeide Hotel. São bons hotéis, sim, mas não são como o Tio.

– Tenho certeza que não – Victoria lhe assegurou. – Mas não sabe se o dr. Rathbone está ficando em algum deles? É algum tipo de sociedade que ele gerencia... algo a ver com a cultura... e livros.

Marcus ficou sério ao ouvir a palavra cultura.

– É disso que precisamos – disse. – Deve haver muita cultura. Arte e música são muito bons, muito bons mesmo. Eu mesmo gosto de sonatas de violino, contanto que não sejam muito longas.

Enquanto concordava completamente com ele, em especial na parte final do discurso, Victoria percebeu que não estava avançando nem um pouco em relação ao seu objetivo. Conversar com Marcus, pensou, era muito divertido, e Marcus era uma pessoa encantadora com seu entusiasmo infantil pela vida, mas conversar com ele a remetia aos esforços de Alice nos vários lugares do País das Maravilhas, tentando encontrar um caminho que levasse à colina. Todos os assuntos sempre levavam de volta ao ponto de partida: Marcus!

Ela recusou outro drinque e pôs-se de pé com tristeza. Sentia-se levemente embriagada. Os coquetéis não eram nada fraquinhos. Saiu do bar para o terraço, e estava junto ao parapeito contemplando a outra margem do rio quando alguém atrás dela falou.

– Com licença, mas seria melhor entrar e vestir um casaco. Diria que pode parecer verão para quem acabou de chegar da Inglaterra, mas fica muito frio depois que o sol se põe.

Era a inglesa que estivera conversando com a sra. Clipp mais cedo. Tinha a voz grossa de quem tem o hábito de treinar e chamar cachorros. Usava um casaco de peles, tinha uma manta sobre os joelhos e bebericava um uísque com soda.

– Ah, muito obrigada – disse Victoria, que estava prestes a escapar dali com pressa, quando suas intenções foram derrotadas.

– Devo me apresentar. Sou a sra. Cardew Trench – a implicação era bem clara: da *família* dos Cardew Trench. – Creio que tenha chegado com a... como é mesmo o nome dela... sra. Hamilton Clipp.

– Sim – respondeu Victoria –, cheguei.

– Ela me disse que era sobrinha do bispo de Llangow.

Victoria recobrou o fôlego.

– Foi mesmo? – indagou, deixando transparecer ter achado uma pitada de graça.

– Entendeu mal, suponho?

Victoria sorriu.

– Os americanos tendem a entender errado alguns dos nossos nomes. Soa um pouco parecido com Llangow. Meu tio – emendou Victoria, improvisando – é o bispo de Languao?

– Languao?

– Isso... no Arquipélago do Pacífico. É um bispo colonial, é claro.

– Oh, um bispo colonial – comentou a sra. Cardew Trench, seu tom de voz baixando pelo menos três semitons.

Como Victoria antecipara, a sra. Cardew Trench era de uma ignorância magnífica com relação a bispos coloniais.

– Está explicado – acrescentou ela.

Victoria pensou orgulhosa que estava tudo muito bem explicado para uma desculpa esfarrapada inventada de última hora!

– E o que é que *você* está fazendo nessas partes? – perguntou a sra. Cardew Trench com aquela simpatia inexorável que disfarça uma tendência natural à curiosidade.

"Procurando por um rapaz com quem conversei por alguns breves momentos numa praça pública em Londres" dificilmente seria uma resposta que Victoria poderia oferecer. Explicou então, lembrando-se do parágrafo que lera no jornal e sua declaração para a sra. Clipp:

– Estou aqui para encontrar meu tio, o dr. Pauncefoot Jones.

– Ah, agora *sei* quem você é – a sra. Cardew Trench ficou evidentemente satisfeita em conseguir "rotular" Victoria. – É um homenzinho encantador, embora bastante distraído... ainda assim suponho que seja de se esperar. Ouvi uma palestra dele em Londres no ano passado, uma apresentação excelente, no entanto não consegui entender uma só palavra sobre o assunto. Sim, ele passou por Bagdá faz uns quinze dias. Acho que mencionou que algumas moças viriam mais adiante durante a temporada.

Já com seu status estabelecido, Victoria apressou-se em lascar a pergunta:

– Saberia dizer se o dr. Rathbone está por aqui? – perguntou.

– Acabou de chegar – respondeu a sra. Cardew Trench. – Creio que lhe pediram para fazer uma preleção no Instituto na próxima quinta-feira. Sobre "Relações mundiais e fraternidade", ou algo do gênero. Tudo bobagem se quer saber minha opinião. Quanto mais tentamos unir as pessoas, mais desconfiadas elas ficam umas das outras. Toda essa música, poesia e traduções de Shakespeare ou Wordsworth para o árabe, o chinês e o hindustâni. "Uma prímula à margem do rio" etc., que sentido faz isso para pessoas que nunca viram uma prímula?

– Onde está hospedado, a senhora sabe?

– No Babylonian Palace Hotel, acredito. Mas seu quartel-general é perto do museu. O Ramo de Oliveira... que nome ridículo. Cheio de mocinhas de calças e óculos e com o pescoço encardido.

– Conheci ligeiramente o secretário dele – disse Victoria.

– Ah, sim, como é mesmo o nome dele, Edward Qualquercoisa... um bom rapaz... bom demais para aquele negócio de cabeludos... saiu-se bem durante a guerra, ouvi dizer. Mesmo assim, trabalho é trabalho, suponho. Um menino bem bonito... Imagino que aquelas mocinhas dedicadas façam um alvoroço por causa dele.

Uma pontada devastadora de ciúmes atravessou Victoria.

– O Ramo de Oliveira – ela repetiu. – Onde disse mesmo que ficava?

– Passando da entrada para a segunda ponte. Numa das ruas que cortam a Rashid Street... num lugar bem escondido. Não fica longe do Bazar do Cobre.

– E como está a sra. Pauncefoot Jones? – continuou a sra. Cardew Trench. – Virá logo para cá? Ouvi dizer que a saúde dela não anda boa?

No entanto, estando de posse da informação que desejava, Victoria não correria mais nenhum risco inventando coisas. Consultou o relógio de pulso e exclamou:

– Ai, minha nossa... prometi acordar a sra. Clipp às seis e meia para ajudar a prepará-la para a viagem. Preciso correr.

A desculpa era verdadeira, embora Victoria tenha substituído sete horas por seis e meia. Subiu com pressa e muito animada para o andar de cima. No dia seguinte entraria em contato com Edward no Ramo de Oliveira. Mocinhas dedicadas com o pescoço encardido, pois sim! Parecia a coisa *menos* atraente do mundo... Entretanto, Victoria refletiu apreensiva que os homens eram menos críticos de pescoços sujos do que as inglesas higiênicas de meia-idade... especialmente se as donas dos tais pescoços estivessem olhando para esse indivíduo do sexo masculino pasmadas de admiração e adoração.

A noite passou com relativa rapidez. Victoria fez a refeição cedo na sala de jantar ao lado da sra. Hamilton Clipp, esta última falando desenfreadamente sobre todos os assuntos debaixo do sol. Encorajou Victoria a aparecer para uma visita mais adiante... e Victoria anotou o endereço com cuidado, porque afinal de contas nunca se sabe... Acompanhou a sra. Clipp até a estação Bagdá Norte, acomodou-a com segurança em seu compartimento e foi apresentada a uma conhecida também viajando para Kirkuk que assistiria a sra. Clipp com sua toalete na manhã seguinte.

O motor proferiu guinchos melancólicos tal qual uma alma aflita, e a sra. Clipp empurrou um gordo envelope nas mãos de Victoria, dizendo:

– É só uma lembrancinha, srta. Jones, de nossa agradável companhia, a qual espero que aceite com meus *mais* sinceros agradecimentos.

Victoria disse com a voz exultante:

– Mas é de fato *muita* gentileza sua, sra. Clipp – o motor deu seu quarto e último gemido supremo e estridente de angústia, e o trem partiu devagar da plataforma.

Victoria tomou um táxi da estação de volta ao hotel, já que não fazia a mínima ideia de como voltar de qualquer outra forma, e não parecia haver ninguém por ali a quem pudesse perguntar.

No seu retornou ao Tio, subiu correndo para o quarto e, ansiosa, abriu o envelope. Dentro, havia alguns pares de meias de náilon.

Victoria, em qualquer outra circunstância, teria ficado lisonjeada; meias de náilon estavam geralmente fora do alcance de sua carteira. No momento, entretanto, dinheiro era o que tinha esperanças de receber. A sra. Clipp, no entanto, fora extremamente delicada em deixar para ela uma nota de cinco dinares. Victoria desejava de coração que ela não tivesse sido assim tão delicada.

Contudo, no dia seguinte, encontraria Edward. Victoria tirou a roupa, entrou na cama e em cinco minutos dormia um sono pesado, sonhando que esperava por Edward em um aeródromo, mas ele era impedido de se unir a ela por uma moça de óculos, que o agarrava com firmeza pelo pescoço enquanto o avião começava a se mover lentamente...

CAPÍTULO 11

Victoria acordou, e a manhã era de um sol intenso. Já vestida, foi até a ampla varanda junto à sua janela. Sentado em uma cadeira um pouco mais distante e de costas, estava um homem com cabelos grisalhos e crespos, que desciam sobre a nuca musculosa de um bronzeado rubro. Quando o homem virou de perfil, Victoria reconheceu, com a clara sensação de surpresa, Sir Rupert Crofton Lee. A *razão* de ter ficado tão surpresa, não saberia dizer. Talvez por ter presumido que um VIP assim como Sir Rupert teria ficado hospedado na embaixada e não em um hotel. Não obstante, lá estava ele, fitando o Tigre com uma espécie de intensa concentração. Chegou até a observar que ele tinha um binóculo pendurado na lateral da cadeira. Era possível, pensou ela, que se interessasse por passarinhos.

Um rapaz que Victoria certa época achava atraente era um entusiasta de pássaros, e ela o acompanhara em várias caminhadas de fim de semana e acabava tendo de ficar imóvel, paralisada em bosques úmidos e ventos cortantes, durante o que pareciam horas a fio, até finalmente ouvir o tom de voz em êxtase lhe mandando apontar as lentes do binóculo para algum passarinho insosso, empoleirado em algum galho distante e cuja aparência, ao menos no que Victoria podia avaliar, ficava muito aquém dos encantos de um sabiá comum ou um pintassilgo.

Victoria fez o trajeto até o térreo, encontrando com Marcus Tio no terraço entre os dois prédios do hotel.

– Eu vi que Sir Rupert Crofton Lee está hospedado com vocês – ela disse.

– Ah, sim – concordou Marcus, abrindo o sorriso –, é um bom homem, muito bom.

– O senhor o conhece bem?

– Não, esta é a primeira vez que o vejo. O sr. Shrivenham da Embaixada Britânica o trouxe para cá na noite passada. O sr. Shrivenham também é um homem muito bom. *Ele* eu conheço *muito* bem.

Seguindo para o café da manhã, Victoria se perguntava se haveria alguém a quem Marcus não consideraria uma pessoa muito boa. Parecia praticar uma caridade extensiva.

Depois do café, Victoria saiu à procura do Ramo de Oliveira.

Como crescera em Londres, não fazia ideia das dificuldades inerentes à procura de qualquer endereço específico em uma cidade como Bagdá até começar sua busca.

Ao encontrar Marcus de novo na saída, perguntou se poderia explicar a ela onde ficava o museu.

– É um museu muito bom – disse ele, sorridente. – É mesmo. Cheio de coisas interessantes e muito, muito velhas. Não que eu já tenha estado lá. Mas tenho amigos, amigos arqueólogos que ficam aqui sempre quando passam por Bagdá. O sr. Baker... sr. Richard Baker, conhece? E o professor Kalzman? E o dr. Pauncefoot Jones, e o sr. e a sra. McIntyre, todos ficam no Tio. São meus amigos. E me contam sobre o que tem no museu. Muito, muito interessante.

– Onde fica e como faço para chegar lá?

– Siga reto pela Rashid Street... um bom tempo... passe a curva que leva para a ponte Feisal e depois a Bank Street, conhece a Bank Street?

– Não conheço nada – respondeu Victoria.

– E então há mais outra rua, também descendo para uma ponte, e o museu fica naquela, à direita. Pergunte pelo sr. Betoun Evans, ele é o conselheiro inglês lá... um homem muito bom. E a esposa dele também é muito boa pessoa, ela veio para cá como sargento de transportes durante a guerra. Ah, ela é muito boa pessoa.

– Não quero ir ao museu – explicou. – Estou procurando um lugar... uma sociedade... uma espécie de clube chamado Ramo de Oliveira.

– Se está procurando azeitonas – disse Marcus –, lhe consigo belas azeitonas; de muito boa qualidade. São reservadas especialmente para mim, para o Tio Hotel. Está vendo só, vou mandar umas para a sua mesa esta noite.

– É muita gentileza sua – disse Victoria e fugiu em direção à Rashid Street.

– Para a esquerda – Marcus gritou logo atrás dela –, não para a direita. Mas é um caminho muito longo até o museu. Seria melhor tomar um táxi.

– Um táxi saberia dizer onde fica o Ramo de Oliveira?

– Não, eles não sabem onde fica *nada*! Diga ao motorista esquerda, direita, pare, siga... sempre orientando para que lado ir.

– Nesse caso, é melhor que eu vá caminhando – respondeu Victoria.

Chegou à Rashid Street e dobrou à esquerda.

Bagdá era completamente diferente da imagem que fizera do lugar. Uma via pública principal lotada com um tropel de pessoas, carros apitando violentamente, gente gritando, produtos europeus à venda nas vitrines das lojas, cusparadas vigorosas em todo o lugar, sem contar com o prodigioso pigarrear que as precedia. Nem sombra das figuras misteriosas do Oriente; a maioria das pessoas vestia roupas ocidentais gastas ou rasgadas, túnicas antigas do exército e da aeronáutica; as eventuais figuras que se misturavam à multidão usando robes pretos e véus passavam quase despercebidas dentre o estilo de roupa híbrido europeu. Mendigos lamuriosos se aproximavam dela; mulheres com bebês imundos nos braços. A calçada sob seus pés era irregular com eventuais buracos.

Seguiu seu caminho sentindo-se de repente estranha, perdida e distante de casa. Ali não havia o glamour da viagem, apenas confusão.

Chegou enfim à ponte Feisal, passou e seguiu adiante. Mesmo sem querer, ficou intrigada com a mistura curiosa de itens nas vitrines das lojas. Ali havia sapatos e casaquinhos de bebê, pasta de dente, cosméticos, lanternas elétricas, xícaras e pires de porcelana – lado a lado no mostruário. Aos poucos, um certo fascínio se apoderou dela, o fascínio pelo sortimento de mercadorias oriundas de todas as partes do mundo para atender aos desejos excêntricos e variados de uma população heterogênea.

Encontrou o museu, mas não o Ramo de Oliveira. Para alguém acostumada a se movimentar em uma cidade como Londres, lhe pareceu inacreditável não haver ninguém a quem pudesse *perguntar*. Não falava árabe. Aqueles comerciantes que falavam com ela em inglês enquanto passava, empurrando seus artigos variados, ficavam sem expressão nenhuma quando ela pedia indicação de como chegar ao Ramo de Oliveira.

Se ao menos pudesse "perguntar a um policial", mas, ao observar os policiais balançando os braços e tocando seus apitos, compreendeu que não encontraria ali sua solução.

Entrou em uma livraria com títulos em inglês na vitrine, mas a menção de Ramo de Oliveira obteve como resposta apenas um cortês dar de ombros e um balanço negativo com a cabeça. Lamentavelmente, ninguém fazia a menor ideia.

E então, enquanto descia a rua, começou a ouvir o som de marteladas e uns tinidos prodigiosos; espiando por uma viela longa e escura, lembrou-se de que a sra. Cardew Trench havia dito que o Ramo de Oliveira ficava perto do Bazar de Cobre. Eis que pelo menos chegara ao Bazar de Cobre.

Victoria mergulhou nele e, por três quartos de hora, esqueceu completamente do Ramo de Oliveira. O Bazar de Cobre deixou-a fascinada. Os maçaricos, o metal derretendo e as demonstrações das habilidades dos artesãos foram uma revelação para a inglesinha urbana acostumada a ver apenas produtos bem-acabados colocados à venda. Passeou a ermo pelo *souk*, saiu do Bazar do Cobre, chegou às mantas listradas e brilhantes para cavalos e aos acolchoados bordados de algodão. Ali, as mercadorias europeias eram imbuídas de um ar totalmente distinto; sob a escuridão e o frescor das arcadas, ganhavam o aspecto exótico de algo que vinha do outro lado do oceano, algo raro e estranho. Fardos de tecidos de algodão estampado, baratos e em cores alegres eram uma festa para os olhos.

De vez em quando, com os gritos de *Balek, Balek*, passava por ela um jumento ou mula de carga aos empurrões, ou homens levando grandes carregamentos equilibrados nas costas. Menininhos se aproximavam apressados com seus tabuleiros pendurados no pescoço.

– Veja, senhora, elástico, *bom* elástico, elástico inglês. Pente, pente inglês?

Os produtos eram empurrados para cima dela, quase na altura do nariz, com súplicas veementes implorando que comprasse. Victoria caminhava como se estivesse sonhando. Estava de fato conhecendo o mundo. A cada esquina daquele vasto mundo de arcadas e vielas, se deparava com algo totalmente inesperado: uma passagem só de alfaiates sentados costurando, com belos retratos de modelos de alfaiataria europeus; uma fileira de relógios e bijuteria barata. Rolos de veludo e brocados com trabalhos riquíssimos em metal; depois mais uma esquina aleatória, e já se encontrava caminhando por um corredor de roupas ocidentais de segunda mão, baratas e de má qualidade, umas jardineirazinhas esquisitas e desbotadas e coletes compridos e desajeitados.

Então, vez ou outra via de relance os grandes pátios, tranquilos e abertos para o céu.

Chegou a um vasto panorama de calças masculinas, com mercadores distintos que usavam turbantes e ficavam sentados de pernas cruzadas no meio de seus pequenos recessos quadrados.

– *Balek!*

Um jumento bem carregado que chegava por trás fez com que Victoria saísse para o lado e entrasse em uma passagem estreita, a céu aberto, que fazia um zigue-zague passando por casas altas. Caminhando por ali chegou, muito por acaso, ao objetivo de sua busca. Por uma abertura, espiou um pequeno largo que, do outro lado, exibia uma porta aberta com os dizeres O RAMO DE OLIVEIRA sobre uma placa enorme, acrescidos de um passarinho absurdo de gesso segurando um galhinho irreconhecível no bico.

Contentíssima, Victoria atravessou o pátio apressada e entrou pela porta. Ela se viu em uma saleta mal iluminada com mesas cobertas de livros e periódicos, com mais livros dispostos ao redor nas estantes. Lembrava um pouco uma livraria, exceto que havia pequenos grupos de cadeiras agrupados aqui e ali.

Daquela escuridão, saiu uma moça, que se aproximou dela e disse em um inglês muito cuidadoso:

– Em que posso lhe ajudar, sim, pois não?

Victoria olhou para ela. Usava calças de veludo cotelê e uma camisa de flanela laranja e tinha os cabelos pretos e úmidos num corte curto e sem graça. Tinha um rosto levantino melancólico, com enormes olhos tristes e escuros e um nariz pesado.

– Este é... seria este... é... o dr. Rathbone está?

Era enlouquecedor ainda não saber o sobrenome de Edward! Até a sra. Cardew Trench o chamara de Edward Qualquercoisa.

– Sim. Dr. Rathbone. O Ramo de Oliveira. Deseja se juntar a nós? Sim? Seria muito bom.

– Bem, quem sabe. Eu... poderia falar com o dr. Rathbone, por favor?

A moça sorriu de um jeito cansado.

– Não incomodamos. Tenho um formulário. Explico tudo para você. Depois assina o nome. São dois dinares, por favor.

– Ainda não tenho certeza se quero me associar – disse Victoria, alarmada com a menção dos dois dinares. – Gostaria de falar com o dr. Rathbone, ou o secretário dele. O secretário dele também serve.

– Eu explico. Explico tudo para você. Todos somos amigos aqui, amigos juntos, amigos para o futuro... lendo ótimos livros educativos, recitando poemas, uns para os outros.

– O secretário do dr. Rathbone – disse Victoria em alto e bom tom. – Ele me pediu especificamente que perguntasse por ele.

Um mau humor recalcitrante tomou conta da fisionomia da moça.

– Hoje não – insistiu. – Eu explico...

– Por que hoje não? Ele não está aqui? O dr. Rathbone não está aqui?

– Sim, dr. Rathbone está aqui. Está lá em cima. Não perturbamos.

Uma espécie de intolerância anglo-saxônica contra estrangeiros se apoderou de Victoria. Lamentavelmente, em vez de o Ramo de Oliveira estreitar laços internacionais de amizade, parecia estar tendo o efeito oposto no que dizia respeito a ela.

– Acabei de chegar da Inglaterra – declarou, e sua entonação era quase a mesma usada pela própria sra. Cardew Trench – e tenho uma mensagem muito importante para o sr. Rathbone, a qual preciso entregar pessoalmente. Por favor, me leve até ele *rápido*! Sinto muito perturbá-lo, mas preciso vê-lo. – *Imediatamente!* – acrescentou, para encerrar a discussão.

Diante de um bretão autoritário decidido a conseguir o que deseja, os obstáculos quase sempre se desfazem. A mulher alterou sua atitude e mostrou o caminho pelo fundo da sala, subindo um lance de escadas e seguindo por uma galeria que dava para o pátio interno. Ali, parou diante de uma porta e bateu. Uma voz masculina disse: "Entre".

A guia de Victoria abriu a porta e fez um gesto convidando a visitante a entrar.

– É uma senhora da Inglaterra para o senhor.

Victoria entrou na sala.

De trás de uma grande escrivaninha coberta de papéis, um homem levantou-se para cumprimentá-la.

Era um homem de idade com aparência imponente, tinha uns sessenta anos, uma testa alta e abobadada e os cabelos brancos. A benevolência, a gentileza e o charme eram as qualidades mais evidentes de sua personalidade. Um produtor de espetáculos daria para ele, sem hesitar, o papel de um grande filantropo.

Cumprimentou Victoria com um sorriso caloroso e a mão estendida.

– Então acaba de chegar da Inglaterra – disse. – É sua primeira visita ao Oriente, não?

– É.

– Gostaria de saber o que está achando de tudo... Em algum momento vai ter de me contar. Agora, deixe-me ver, já nos conhecemos de algum lugar, ou não? Sou tão míope, e não me disse seu nome.

– Não me conhece – disse Victoria –, mas sou amiga de Edward.

– Amiga de Edward – repetiu o dr. Rathbone. – Ora, isso é esplêndido. Edward sabe que está em Bagdá?

– Ainda não – respondeu Victoria.

– Bem, então ele terá uma agradável surpresa quando retornar.

– Retornar? – indagou Victoria com a voz falhando.

– Sim, Edward está em Basrah neste momento. Tive de enviá-lo para tratar de uns caixotes de livros que chegaram para nós. Têm ocorrido uns atrasos demasiado frustrantes na alfândega... simplesmente parece que não conseguimos fazer o desembaraço. O toque pessoal é o que falta, e Edward é muito bom nesse tipo de coisa. Sabe bem quando ativar seu charme e quando é preciso intimidar e não vai descansar até conseguir liberar a mercadoria. Aquele é pertinaz. Uma qualidade admirável em um jovem. Tenho muita estima por Edward.

Seus olhos brilharam

– Mas, suponho que não precise fazer elogios rasgados a Edward para a senhorita, minha jovem?

– Quando é... quando é que Edward vai voltar de Basrah? – perguntou ela, desanimada.

– Bem... isso não sei dizer, não vai voltar até ter concluído o trabalho... e não há como apressar muito as coisas neste país. Diga onde está hospedada e vou me certificar de que ele entre em contato assim que retornar.

– Estava pensando – Victoria falava com um tom desesperado, consciente de seus apuros financeiros. – Estava pensando se... se eu poderia fazer algum trabalho aqui?

– Isso vou apreciar muito – disse o dr. Rathbone, afetuoso. – Sim, é claro que pode. Precisamos de todos os trabalhadores, toda a ajuda que pudermos conseguir. Especialmente de garotas inglesas. Nosso trabalho está indo esplendidamente bem... esplendidamente mesmo... porém ainda há muito a ser feito. Ainda assim, estão todos entusiasmados. Temos já trinta ajudantes voluntários, *trinta*, todos afiadíssimos! Se sua intenção for sincera, pode ser *muitíssimo* valiosa para nós.

A palavra *voluntário* não caiu nada bem aos ouvidos de Victoria.

– Realmente preferia uma posição remunerada – disse.

– Oh, minha nossa! – dr. Rathbone ficou surpreso. – Isso é bem mais difícil. Nosso quadro de funcionários é bem pequeno e, para o momento, com toda a ajuda voluntária, está bastante adequado.

– Não tenho condições de não arranjar um emprego – explicou Victoria. – Sou uma estenodatilógrafa competente – acrescentou sem pestanejar.

– Tenho certeza de que é competente, minha cara jovem, a senhorita irradia competência, se me permite dizê-lo. Mas conosco é uma questão de libras. Mas, mesmo que consiga emprego em outro lugar, espero que possa nos ajudar em seu tempo livre. A maioria de nossos funcionários tem outro emprego regular. Estou certo de que vai achar muito inspirador nos auxiliar aqui. Precisa haver um fim para toda a selvageria no mundo, para as guerras, a falta de entendimento, as desconfianças. Um ponto de encontro, é disso que todos precisamos. O drama, a arte a poesia... as grandes expressões do espírito... sem lugar para as picuinhas da inveja ou do ódio.

– N-não – Victoria atreveu-se hesitante, lembrando de seus amigos que eram atrizes ou artistas e cujas vidas pareciam atormentadas pela inveja mais trivial e por aversões de uma virulência peculiar.

– Já mandei traduzir *Sonho de uma noite de verão* para quarenta idiomas diferentes – declarou o dr. Rathbone. – Quarenta grupos diferentes de jovens, todos sendo expostos ao mesmo exemplo maravilhoso de literatura. *Jovens*, eis o segredo. Não vejo utilidade nenhuma para quem não é jovem. Uma vez que a mente e o espírito estejam com os músculos enrijecidos é tarde demais. Não, é o jovem que precisa se reunir. Veja aquela garota lá de baixo, Catherine, a mesma que lhe acompanhou até aqui. Ela é síria, de Damasco. Vocês duas têm provavelmente a mesma idade. Normalmente jamais se encontrariam, não teriam nada em comum. Mas no Ramo de Oliveira, você, ela e muitas outras, russas, judias, iraquianas, turcas, armênias, egípcias, persas, todas se encontram, apreciam umas às outras, leem os mesmos livros e conversam sobre filmes e música (temos palestrantes excelentes que vêm aqui); todas vocês descobrindo e se emocionando ao encontrar pontos de vista diferentes... ora... é assim que o mundo deve ser.

Victoria não conseguia deixar de pensar que o dr. Rathbone era levemente exagerado em seu otimismo ao presumir que todos aqueles elementos divergentes que fossem se encontrar gostariam necessariamente uns dos outros. Ela e Catherine, por exemplo, não gostaram nem um pouco uma da outra. E Victoria tinha fortes suspeitas de que quanto mais elas se conhecessem, mais a antipatia iria aumentar.

— Edward é esplêndido – disse o dr. Rathbone. – Ele se dá bem com todo mundo. Talvez melhor com as meninas do que com os rapazes. Os estudantes homens por aqui tendem a ser muito difíceis no primeiro momento... desconfiados... quase hostis. Mas as garotas adoram Edward, fariam qualquer coisa por ele. Ele e Catherine se dão particularmente bem.

— Verdade – concordou Victoria, com frieza. Sua repulsa por Catherine crescendo em intensidade.

— Bem – disse o dr. Rathbone, sorrindo –, venha nos ajudar quando puder.

Era uma despedida. Apertou a mão dela calorosamente. Victoria saiu da sala e desceu as escadas. Catherine estava parada junto à porta conversando com uma moça que acabara de entrar com uma pequena mala de mão. Era uma garota bonita e morena, e, por um instante, Victoria pensou já tê-la visto antes em algum lugar. Mas a jovem olhou para ela sem qualquer sinal de reconhecimento. As duas estavam falando animadamente em alguma língua que Victoria desconhecia. Pararam quando ela apareceu e permaneceram em silêncio, encarando-a. Teve de passar por elas para chegar à porta e forçou-se a dizer um "Adeus" educado para Catherine ao sair.

Encontrou seu caminho de volta à Rashid Street saindo pela viela sinuosa e fez o trajeto de volta ao hotel, os olhos indiferentes à balbúrdia à sua volta. Procurou evitar ficar remoendo sua condição (sem um tostão em Bagdá), fixando os pensamentos no dr. Rathbone e na proposta geral desse Ramo de Oliveira. Edward chegou a dizer em Londres que havia algo "suspeito" nesse trabalho. O que seria suspeito? O dr. Rathbone? Ou o próprio Ramo de Oliveira?

Victoria mal podia acreditar que havia qualquer coisa suspeita em relação ao dr. Rathbone. Pareceu-lhe um daqueles entusiastas equivocados que insistem em enxergar o mundo através de suas próprias lentes idealistas, sem se preocupar com a realidade.

O que Edward *quis* dizer com o comentário de que algo cheirava mal? Fora muito vago. Talvez nem ele mesmo soubesse.

Será que o dr. Rathbone poderia ser uma fraude colossal?

Victoria, recém-exposta ao jeito charmoso e envolvente do velho, meneou a cabeça. A atitude dele com certeza se transformara, mesmo que muito sutilmente, com a ideia de lhe pagar um salário. Deixou claro que preferia que as pessoas trabalhassem de graça.

Mas isso, pensou Victoria, era um indicativo de bom senso.

O sr. Greenholtz, por exemplo, teria achado a mesma coisa.

CAPÍTULO 12

I

Victoria chegou de volta ao Tio com os pés doloridos e foi saudada com entusiasmo por Marcus, que se encontrava sentado no gramado do terraço de frente para rio, conversando com um homem de meia-idade magro e um tanto maltrapilho.

– Venha tomar um drinque conosco, srta. Jones. Um martíni... *sidecar*? Este é o sr. Dakin. Srta. Jones, da Inglaterra. Então, minha querida, o que vai tomar?

Victoria disse que aceitaria um *sidecar* "e um pouco daquelas nozes deliciosas", sugeriu esperançosa, lembrando-se que nozes eram nutritivas.

– Gosta de nozes. Jesus!

Ele fez o pedido num árabe apressado. O sr. Dakin disse, com a voz triste, que tomaria uma limonada.

– Ah – gritou Marcus –, mas isso é ridículo. Ah, aqui está a sra. Cardew Trench. Conhece o sr. Dakin? O que vai tomar?

– Gim com limão – disse a sra. Cardew Trench, assentindo para Dakin sem prestar muita atenção. – Parece estar passando calor – acrescentou para Victoria.

– Estive caminhando por aí, visitando os pontos turísticos.

Quando as bebidas chegaram, Victoria comeu um prato grande de pistache e também algumas batatinhas fritas.

Em seguida, um homem baixo e atarracado veio subindo os degraus, e o hospitaleiro Marcus acenou para ele. Foi apresentado a Victoria como sendo o capitão Crosbie, que esbugalhou os olhos ligeiramente protuberantes para ela, o que levou Victoria a deduzir que era vulnerável ao charme feminino.

– Acaba de chegar? – perguntou.

– Ontem.

– Achei mesmo que não a havia visto antes por aqui.

– É muito simpática e bonita, não é mesmo? – perguntou Marcus, alegre. – Ah, sim, muito bom receber a srta. Victoria. Vou dar uma festa para ela, uma festa muito boa.

– Com franguinhos? – perguntou ela esperançosa.

– Sim, sim... e foie gras, foie gras de Estrasburgo e quem sabe caviar... e então vamos servir um prato com peixe... muito bom... peixe do Tigre, mas tudo com molho e cogumelos. E então depois vai ter peru recheado do jeito que fazemos na minha casa... com arroz e passas e temperos... e tudo preparado *tão bem*! Ah, vai ser muito bom... mas vai precisar comer muito, não só uma colherinha. Ou se preferir, pode comer um bife, um bife bem grande e *tenro*... vou cuidar disso. Vamos fazer um jantar bem longo, daqueles que duram horas. E vai ser muito bom. Eu mesmo não como, só bebo.

– Isso seria encantador – disse Victoria com a voz fraca. A descrição daquele banquete a deixou quase tonta de fome. Ficou se perguntando se Marcus realmente queria dar a festa e, se fosse o caso, quando aquilo iria acontecer.

– Achei que tivesse ido para Basrah – disse a sra. Cardew Trench para Crosbie.

– Voltei ontem – respondeu Crosbie.

Olhou para a varanda acima.

– Quem é o bandido? – perguntou. – O camarada com a roupa fantasiosa e o chapelão.

– Aquele, meu caro, é Sir Rupert Crofton Lee – disse Marcus. – O sr. Shrivenham o trouxe da embaixada para cá ontem à noite. É um homem muito gentil, um viajante muito distinto. Anda de camelo pelo Saara e escala montanhas. É muito desconfortável e perigoso esse tipo de vida. Eu mesmo não gostaria de viver assim.

– Ah, então se trata desse camarada? – disse Crosbie. – Li o livro dele.

– Vim no mesmo avião que ele – comentou Victoria.

Os dois homens olharam para ela com interesse, ou ao menos assim lhe pareceu.

– É terrivelmente convencido e cheio de si – ela menosprezou.

– Conheci a tia dele em Simla – disse a sra. Cardew Trench. – A família inteira é assim. Tão inteligentes quanto todo mundo diz, mas não conseguem deixar de se exibir por causa disso.

– Está lá sentado a manhã inteira sem fazer nada – falou Victoria com sutil desaprovação.

– Está com problemas de estômago – explicou Marcus. – Hoje não vai poder comer nada. Uma tristeza.

– Não consigo entender – disse a sra. Cardew Trench – como é que você tem esse tamanho todo, Marcus, sem comer nada.

– É a bebida – disse Marcus. Suspirou profundamente. – Bebo muito além da conta. Hoje à noite, minha irmã e o marido vão chegar. Vou beber e beber até quase de manhã.

Ele suspirou mais uma vez e então soltou o seu urro de sempre.

– Jesus! Jesus! Traga mais uma rodada.

– Não para mim – apressou-se Victoria, e o sr. Dakin também recusou, terminando a limonada e saindo de fininho, enquanto Crosbie subia para o quarto.

A sra. Cardew Trench balançou o copo de Dakin com a unha.

– Limonada como sempre? – indagou. – Mau sinal, isso.

Victoria perguntou por que isso seria um mau sinal.

– Quando um homem bebe apenas se estiver sozinho.

– Sim, minha querida – concordou Marcus. – É isso mesmo.

– Ele bebe mesmo, então? – perguntou Victoria.

– É por isso que nunca subiu na vida – explicou a sra. Cardew Trench. – No máximo consegue segurar o emprego e só.

– Mas é um homem muito bom – declarou o caridoso Marcus.

– Pff – chiou a sra. Cardew Trench. – É escorregadio como um peixe. Fica se arrastando e perdendo tempo por aí... não tem energia nenhuma, nenhuma fome de vida. Apenas mais um inglês que veio se acabar no Oriente.

Agradecendo a Marcus pelo drinque e novamente recusando o segundo, Victoria subiu para o quarto, retirou os sapatos e deitou-se na cama para refletir com seriedade. As três libras e qualquer coisa que restavam de seu capital já estavam destinadas, imaginou, a Marcus para pagar pela estadia e alimentação. Contando com o temperamento generoso dele, e se conseguisse subsistir basicamente com bebidas alcoólicas acompanhadas de nozes, azeitonas e batatinhas fritas, poderia resolver a questão puramente alimentar para os próximos dias. Quanto tempo teria até que Marcus lhe apresentasse a conta e por quanto tempo permitiria que ela adiasse o pagamento? Não fazia ideia. Imaginava que ele não fosse descuidado com os negócios. Ela deveria, claro, encontrar algum lugar mais barato para morar. Mas como descobriria para onde ir? Deveria encontrar um emprego, rápido. Mas onde as pessoas poderiam se candidatar? E que tipo de emprego procuraria? A quem poderia perguntar sobre isso? Como era terrivelmente incapacitante ser jogado quase sem dinheiro em uma cidade estrangeira onde não se sabia os macetes. Com um conhecimento melhor do terreno, Victoria sentia-se confiante (como sempre) de que saberia se virar. Quando Edward retornaria de Basrah? Talvez (horror dos horrores) tivesse se esquecido dela. Por que raios ela havia descambado para Bagdá desta maneira tão estúpida? No fim das contas, quem era e o que representava Edward? Apenas mais um rapazinho com sorriso cativante e um jeito atraente de falar as coisas. E qual... qual... *qual* era o sobrenome dele? Se tivesse essa informação, poderia mandar um telegrama... não, não daria certo, ela sequer sabia onde ele estava hospedado. Não sabia de nada... esse era o problema... aquilo era o que estava restringindo os seus movimentos.

E não havia ninguém a quem poderia recorrer para pedir conselhos. Não para Marcus, que era gentil, mas nunca ouvia ninguém. Não para a sra. Cardew Trench (que desde o princípio já tivera suas desconfianças).

Não para a sra. Hamilton Clipp, que evadira para Kirkuk. Não para o dr. Rathbone.

Precisava arranjar dinheiro… ou um emprego… *qualquer* emprego. Cuidando de crianças, colando selos em um escritório, atendendo em um restaurante… Caso contrário, a mandariam para o consulado, seria repatriada à Inglaterra e nunca veria Edward de novo…

Naquele ponto, consumida pelas emoções, Victoria adormeceu.

II

Acordou algumas horas mais tarde e, tendo decidido que não valia a pena se sujar por pouco, desceu até o restaurante e consumiu, com determinação, a sequência inteira de pratos do menu – que era bem generoso. Depois de terminar, sentia-se quase uma jiboia, mas definitivamente muito mais animada.

"De nada adianta ficar me preocupando", pensou Victoria. "Vou deixar tudo para amanhã. Pode aparecer alguma coisa, pode ser que eu consiga pensar em alguma coisa, ou Edward pode acabar voltando."

Antes de dormir, foi dar um passeio no terraço junto ao rio. Como, para a sensibilidade dos habitantes de Bagdá, a temperatura era a de um inverno ártico, não havia ninguém lá fora, exceto um dos garçons, que estava debruçado sobre o parapeito olhando a água lá embaixo, mas ele deu um salto quando Victoria apareceu e foi embora constrangido, apressando-se a voltar para o hotel pela porta de serviço.

Victoria, para quem aquela parecia uma noite corriqueira de verão com um vento um pouco mais gelado, estava encantada pelo Tigre visto assim, sob a luz da lua, com a margem mais distante parecendo misteriosa e oriental com sua orla de palmeiras.

– Bem, de qualquer forma, cheguei até aqui – disse Victoria, tratando de se animar –, e vou conseguir me virar de algum jeito. Há de aparecer alguma coisa.

Com esse pronunciamento otimista ela foi se recolher, e o garçom voltou para o terraço com total discrição e retomou a tarefa de amarrar uma corda cheia de nós de forma que pendesse até a borda do rio.

Em seguida, outra figura surgiu das sombras e se juntou a ele. O sr. Dakin disse em voz baixa:

– Tudo em ordem?

– Sim, senhor, nada suspeito para relatar.

Tendo cumprido sua tarefa a contento, o sr. Dakin retirou-se para as sombras, trocou o paletó branco de garçom pelo seu próprio, de um azul indefinível com risca de giz, e foi vagueando pelo terraço, com sua silhueta destacada contra o brilho da água, até junto aos degraus que davam acesso à rua lá embaixo.

– Está fazendo bastante frio à noite agora – comentou Crosbie, saindo do bar e descendo para se juntar a ele. – Suponho que não sinta o frio tanto assim, já que vem de Teerã.

Ficaram lá parados por alguns momentos, fumando. A menos que levantassem a voz, ninguém poderia escutar o que diziam. Crosbie perguntou baixinho:

– Quem é a garota?

– Aparentemente uma sobrinha daquele arqueólogo, Pauncefoot Jones.

– Ah, certo, então acho que está tudo bem. Mas chegar no mesmo avião que Crofton Lee...

– Com certeza também é melhor não darmos nada por garantido.

Os homens fumaram em silêncio por alguns instantes.

Crosbie disse:

– Acha mesmo que é recomendável mudar o negócio da embaixada para cá?

– Acho que é sim.

– Apesar de o plano inteiro ter sido esquematizado nos mínimos detalhes.

– Estava esquematizado nos mínimos detalhes em Basrah... e lá deu errado.

– Ah, eu bem sei. A propósito, Salah Hassan foi envenenado.

– Sim... imaginei que isso fosse possível. Houve algum sinal de tentativa de aproximação do consulado?

– Desconfio que possa ter havido. Houve um tumulto qualquer lá, um camarada puxou um revólver.

Ele fez uma pausa, então continuou:

– Richard Baker o agarrou e o desarmou.

– Richard Baker – repetiu Dakin, pensativo.

– Você o conhece? Ele é...

– Sim, sei quem é.

Houve um silêncio, então Dakin falou:

– Improviso. É com isso que estou contando. Se tivermos tudo tão bem esquematizado como disse... e nossos planos forem de conhecimento comum, então fica fácil para o outro lado esquematizar em cima da gente também. Duvido muito que o Carmichael fosse se atrever a sequer chegar perto da embaixada... e mesmo se chegasse...

Ele chacoalhou a cabeça.

– Aqui, só você, eu e Crofton Lee estamos por dentro do que está acontecendo.

– Vão saber que o Crofton Lee veio da embaixada para cá.

– Ah, é claro. Isso era inevitável. Mas qualquer demonstração que queiram fazer frente ao nosso improviso vai ter de ser improvisada também. Precisamos decidir com urgência e organizar tudo sem demora. Tem de vir, por assim dizer, de *fora*. Não existe a possibilidade de alguém já instalado no Tio há seis meses esperando. O Tio não fez parte do esquema até agora. Ninguém nunca sugeriu a ideia de usarmos o Tio como ponto de encontro.

Consultou o relógio.

– Vou subir agora e falar com o Crofton Lee.

A mão erguida de Dakin sequer precisou bater na porta de Sir Rupert. Ela se abriu silenciosamente para permitir que ele entrasse.

O viajante tinha apenas um pequeno abajur de cabeceira aceso e pusera sua cadeira ao lado dele. Ao sentar-se de novo, depositou com suavidade uma pequena pistola automática sobre a mesa ao alcance da mão. Disse:

– E então, Dakin? Acha que ele vem?

– Acho que sim, Sir Rupert. Nunca foi apresentado a ele, não é? – acrescentou.

O outro fez que não.

– Não. Estou ansioso para conhecê-lo hoje à noite. Aquele rapaz, Dakin, deve ser de muita bravura.

– Ah, sim – disse o sr. Dakin com um tom monótono. – Bravura ele tem.

Ele pareceu um pouco surpreso com a necessidade de precisar explicitar o óbvio.

– Não me refiro apenas à coragem – continuou o outro. – Há coragem de sobra durante a guerra... é magnífico. Quero dizer...

– Imaginação? – sugeriu Dakin.

– É. Ter a audácia de acreditar em algo que é o ápice da improbabilidade. Arriscar a vida para descobrir que uma história que parecia ridícula na verdade não tem nada de risível. Isso exige algo que os rapazes modernos geralmente não têm. Espero que ele venha.

– Acho que virá – disse o sr. Dakin.

Sir Rupert lançou-lhe um olhar ríspido.

– Vocês têm tudo bem costurado?

– Crosbie está na varanda, e eu vou ficar vigiando as escadas. Quando o Carmichael chegar até você, é só bater na parede que eu entro.

Crofton Lee assentiu.

Dakin saiu do quarto sem fazer ruído. Seguiu para a esquerda, então passou para a varanda e caminhou até o outro extremo. Ali também uma corda com nós estava pendurada sobre o parapeito, chegando ao chão à sombra de um eucalipto e alguns arbustos de olaia.

O sr. Dakin voltou, passando pela porta de Crofton Lee e entrando no seu quarto mais adiante. O quarto dele tinha uma segunda porta, que dava acesso a uma passagem por trás dos outros e se abria a poucos pés do topo da escada. Com essa porta aberta sem dar na vista, o sr. Dakin se acomodou para sua vigília.

Umas quatro horas mais tarde, uma *gufa*, aquela embarcação primitiva do Tigre, desceu suavemente pela corrente do rio e encostou no banco de terra da margem logo abaixo do Tio Hotel. Poucos minutos depois, uma figura delgada subiu pela corda e se pôs de cócoras entre as olaias.

CAPÍTULO 13

A intenção de Victoria fora deitar-se, dormir e abandonar todos os problemas até o outro dia de manhã, mas já tendo cochilado a maior parte da tarde, descobriu-se num estado devastador de insônia.

Enfim, acendeu a luz, terminou de ler uma matéria de revista que começara no avião, cerziu as meias, experimentou as meias novas de náilon, escreveu vários anúncios classificados diferentes procurando emprego (perguntaria no dia seguinte onde publicá-los), escreveu três ou quatro tentativas de cartas para a sra. Hamilton Clipp, cada uma delas estabelecendo um conjunto mais engenhoso de circunstâncias inesperadas que resultaram em uma situação de "dificuldade" em Bagdá, esboçou um ou dois telegramas pedindo ajuda para seu único parente vivo, um cavalheiro velho, rabugento e desagradável do norte da Inglaterra, que jamais ajudara quem quer que fosse na vida; testou um novo estilo de penteado e, finalmente, com um bocejo súbito, decidiu que estava de fato caindo de sono e pronta para a cama e o repouso.

Foi naquele momento que, sem qualquer aviso, a porta do quarto se abriu, um homem se esgueirou por ela, girou a chave na fechadura atrás dele e pediu com tom urgente:

– Pelo amor de Deus, me esconda em algum lugar, depressa...

As reações de Victoria nunca foram lentas. Num piscar de olhos, percebera a respiração laboriosa, a voz que se extinguia, a forma como o homem segurava desesperado um velho cachecol vermelho de tricô amassado contra o peito. E levantou-se de imediato em resposta àquela aventura.

O quarto não se prestava muito a esconderijos. Havia o guarda-roupa, uma cômoda com gavetas, uma mesa e a penteadeira bastante pretensiosa.

A cama era grande, quase de casal, e lembranças de brincadeiras de esconde-esconde durante a infância incitaram uma rápida reação em Victoria.

– Rápido – ela disse.

Derrubou os travesseiros e ergueu o lençol e o cobertor. O homem ficou atravessado em cima do colchão. Victoria puxou o lençol e o cobertor sobre ele, jogou os travesseiros por cima e sentou-se de lado da cama.

Quase que imediatamente ouviram uma batida baixa e insistente na porta.

Victoria gritou:

– Quem é? – com uma voz fraca e assustada.

– Por favor – disse uma voz masculina do outro lado. – Abra, por favor. É a polícia.

Victoria atravessou o quarto enquanto fechava o penhoar. Ao fazer isso, percebeu que o cachecol tricotado vermelho do homem estava caído no chão, apanhou e enfiou a peça em uma gaveta, só então girou a chave, abrindo um pequeno vão na porta do quarto, e espiou para fora com uma expressão de alarme.

Um rapaz de cabelos escuros e terno risca de giz cor de malva estava parado do lado de fora, atrás dele havia um homem com uniforme de policial.

– Qual é o problema? – perguntou ela, deixando que um tremor transparecesse na voz.

O rapaz abriu um sorriso brilhante e falou com um inglês bem passável.

– Sinto muito, senhorita, em perturbá-la a uma hora destas, mas um criminoso escapou. Ele fugiu para este hotel. Precisamos procurar em todos os quartos. É um homem muito perigoso.

– Minha nossa! – Victoria caiu para trás, escancarando a porta. – Entrem, *por favor*, e procurem. Que coisa assustadora. Vejam no banheiro, por favor. Ah! E no guarda-roupa... e, pensando bem, *será* que se importariam de olhar *embaixo* da cama? Ele pode ter se escondido aí a noite toda.

A revista foi muito rápida.

– Não, ele não está aqui.

– Têm certeza de que ele não está embaixo da cama? Não, ah que bobagem minha. Não poderia estar lá de jeito nenhum. Tranquei a porta quando fui me deitar.

– Obrigado, senhorita, e boa noite.

O rapaz fez uma mesura e se retirou com seu assistente uniformizado. Victoria, seguindo-o até a porta, disse:

– Melhor trancar de novo, não é? Para garantir.

– Sim, isso seria melhor, com certeza. Obrigado.

Victoria trancou de novo a porta e ficou parada ali por alguns minutos. Ouviu os oficiais baterem da mesma forma na porta do outro lado do corredor, ouviu-a se abrir, uma troca de palavras e a voz indignada e rouca da sra. Cardew Trench, então a porta se fechou. Foi reaberta alguns minutos depois, o som dos passos deles seguindo adiante no corredor. A próxima batida veio de um ponto bem mais adiante.

Victoria virou-se e caminhou pelo quarto até a cama. Enfim compreendia que era possível que tivesse feito uma idiotice tremenda. Levada pelo espírito romântico e pelo som de seu próprio idioma, fora impulsiva ao prestar ajuda a um provável malfeitor extremamente perigoso. Sua tendência a tomar partido da caça contra o caçador às vezes trazia consequências desagradáveis. Ah, bem, pensou ela, agora não adianta, já estou enfiada até o pescoço!

De pé, ao lado da cama, disse de maneira curta e seca:

– Levante-se.

Ele não se mexeu, e Victoria então foi ríspida, embora sem levantar a voz:

– Já foram embora. Pode se levantar agora.

Mas ainda assim, não havia sinal de movimento debaixo da leve corcunda de travesseiros. Com impaciência, Victoria arrancou todas as almofadas de cima da cama.

O rapaz estava do mesmo jeito que o havia deixado. No entanto, seu rosto agora era de um acinzentado estranho e os olhos permaneciam fechados.

Então, com súbita falta de ar, Victoria reparou em outra coisa... uma mancha vermelha brilhante infiltrando-se no cobertor.

– Ai, *não* – disse Victoria, quase implorando. – Ai, não... isso *não!*

E como que em reconhecimento àquele apelo, o homem ferido abriu os olhos. Encarou-a, fitou-a como se visse de muito, muito longe algum objeto que não tinha certeza de estar enxergando.

Seus lábios se entreabriram; o som era tão tênue que Victoria mal conseguiu ouvir.

Ela se abaixou.

– O quê?

Dessa vez, escutou. Com dificuldade, muita dificuldade, o rapaz pronunciara duas palavras. Se chegou a ouvi-las corretamente ou não, Victoria não sabia. Pareceram-lhe bastante disparatadas e sem sentido. O que ele disse foi: "*Lucifer, Basrah...*".

As pálpebras tombaram e tremeram sobre os olhos arregalados e ansiosos. Disse uma palavra mais... um nome. Então o pescoço contraiu-se um pouco para trás, e ele ficou imóvel.

Victoria permaneceu ali parada, seu coração batia violentamente. Estava agora cheia de intensa piedade e raiva. O que deveria fazer agora, ela não fazia ideia. Precisava chamar alguém, conseguir que alguém viesse. Estava sozinha ali com um homem morto e mais cedo ou mais tarde a polícia exigiria uma explicação.

Enquanto seu cérebro estudava a situação, um ruído leve fez com que virasse a cabeça. A chave caíra da porta do quarto e, enquanto olhava para a chave no chão, ouviu o som da fechadura girando. A porta se abriu, e o sr. Dakin entrou, fechando-a com cuidado atrás de si.

Caminhou até ela dizendo baixinho:

– Bom trabalho minha querida. Você pensa rápido. Como ele está?

Com a voz embargada, Victoria disse:

– Acho que ele... que ele *morreu*.

Viu o rosto do outro se alterar, vislumbrou apenas um relance de raiva intensa, e então a expressão era idêntica à que vira no dia anterior; só que agora lhe parecia que a indecisão e a languidez do homem haviam desaparecido, dando lugar a algo bem diferente.

Ele se abaixou e soltou a túnica rasgada com delicadeza.

– Uma estocada muito precisa que atravessou o coração – declarou Dakin ao se endireitar. – Era um moleque corajoso... e muito inteligente.

Victoria conseguiu falar.

– A polícia veio. Disseram que era um criminoso. Era um criminoso *mesmo*?

– Não. Não era criminoso.

– E eles... eles eram da polícia?

– Não sei – respondeu Dakin. – Pode ser que sim. É tudo a mesma coisa.

Então perguntou a ela:

– Ele disse alguma coisa... antes de morrer?

– Disse.

– E o que foi?

– Disse Lucifer... e então Basrah. E depois de uma pausa, disse um nome, um nome que parecia francês... mas pode ser que eu tenha entendido errado.

– Soava parecido com o quê?

– Acho que era Lefarge.

– Lefarge – repetiu Dakin, pensativo.

– O que significa tudo isso? – perguntou Victoria e acrescentou com certo desalento: – E o que eu devo fazer?

– Precisamos tirá-la dessa história o mais que pudermos – afirmou Dakin. – Quanto ao que tudo isso significa, vou voltar e conversar com você mais tarde. A primeira coisa a fazer é chamar Marcus. Este é o hotel dele, e

Marcus tem muito bom senso, embora as pessoas nem sempre percebam isso ao conversar com ele. Vou procurá-lo. Não deve ter ido para a cama ainda. São só uma e meia da manhã. Raramente vai para a cama antes das duas horas. Apenas atente para sua aparência antes que eu o traga para cá. O Marcus é muito suscetível a donzelas em perigo.

Ele saiu do quarto. Como em um sonho, ela foi até a penteadeira, escovou os cabelos para trás, maquiou-se, deixando o rosto com uma palidez que lhe caía bem, e desmoronou sobre uma cadeira assim que ouviu passos se aproximando. Dakin entrou sem bater. Atrás dele vinha a corpulência de Marcus Tio.

Dessa vez Marcus estava sério. Nem sinal do habitual sorriso no rosto.

– Agora, Marcus – disse o sr. Dakin –, você deve fazer o que for preciso para resolver isso. Foi um choque terrível para essa pobre moça. Esse camarada entra de supetão e desaba; ela tem muita bondade no coração e o escondeu da polícia. E agora ele está morto. Talvez não devesse ter feito isso, mas garotas têm o coração mole.

– É claro que ela não gostou da polícia – falou Marcus. Ninguém gosta da polícia. *Eu* não gosto da polícia. Mas preciso me dar bem com eles por causa do meu hotel. Quer que eu ajeite tudo com eles oferecendo dinheiro?

– Só queremos tirar o corpo daqui sem dar na vista.

– Isso seria muito bom, meu caro. Também não quero um cadáver no meu hotel. Mas não é, como se diz, tão fácil assim!

– Acho que poderia ser arranjado – disse Dakin. – Tem um médico na sua família, não tem?

– Sim, Paul, marido da minha irmã, é médico. É um rapaz muito bom. Mas não quero criar problemas para ele.

– Não vai criar nenhum problema – declarou Dakin. – Ouça Marcus. Vamos tirar o cadáver do quarto da srta. Jones e passar para o meu, do outro lado do corredor. Isso vai tirar *ela* da jogada. Então uso o seu telefone. Em dez minutos, um rapaz vindo da rua entra no hotel. Está muito bêbado e apertando a cintura com a mão. Chama por mim aos gritos. Cambaleia até o meu quarto e desaba. Saio, chamo por você e peço para conseguir um médico. Você aparece com o seu cunhado. Ele manda chamar uma ambulância e entra nela com esse meu amigo bêbado. Antes de chegarem ao hospital, meu amigo está morto. Foi esfaqueado. Fica tudo certo para você. Ele havia sido esfaqueado na rua antes de entrar no seu hotel.

– Meu cunhado retira o cadáver... e o jovem que fez o papel do bêbado, ele vai embora sem chamar a atenção pela manhã, quem sabe?

– Essa é a ideia.

– E nenhum corpo é encontrado no meu hotel? E a srta. Jones, ela não precisa se preocupar ou se incomodar? Acho, meu caro, que é uma ideia muito boa.

– Que bom, então só precisa garantir que o caminho esteja livre, vou levar o corpo até o meu quarto. Aqueles seus criados passam a noite toda rondando os corredores. Vá até o seu quarto e crie algum tumulto. Faça com que todos eles fiquem correndo de um lado para o outro buscando coisas para você.

Marcus assentiu e saiu do quarto.

– Você é uma moça forte – disse Dakin. – Consegue me ajudar a carregá-lo pelo corredor até meu quarto?

Victoria concordou. Com esforço, os dois levantaram o corpo flácido, carregaram-no pelo corredor deserto (ao longe se ouvia Marcus levantando a voz em um ataque de fúria) e o deitaram sobre a cama de Dakin.

Dakin falou:

– Você tem uma tesoura? Então corte a parte de cima do cobertor, onde ficou manchado. Não acho que a mancha tenha chegado até o colchão. A túnica absorveu a maior parte do sangue. Virei ao seu encontro dentro de mais ou menos uma hora. Espere um minuto, dê um bom gole deste meu cantil.

Victoria obedeceu.

– Boa menina – disse Dakin. – Agora volte para o seu quarto. Apague a luz. Como já disse, volto dentro de uma hora.

– E vai me explicar o que significa tudo isso?

Ele a encarou por um bom tempo de um modo muito peculiar, mas não respondeu à pergunta.

CAPÍTULO 14

Victoria ficou deitada na cama com a luz apagada e os ouvidos atentos na escuridão. Ouviu um bêbado brigando em voz alta. Escutou uma voz dizendo: "Acho que eu vou ter que cuidar de você, meu velho. Já brigou com um camarada lá fora". Ouviu sinos badalando. Escutou outras vozes. Ouviu uma boa dose de comoção. Depois houve um intervalo de silêncio; exceto pelo som longínquo de música árabe tocando no gramofone do quarto de alguém. Quando lhe pareceu que haviam se passado horas, escutou o leve rangido da porta se abrindo e sentou-se na cama acendendo a luz da cabeceira.

– Muito bem – disse Dakin, com aprovação.

Puxou uma cadeira para o lado da cama dela e sentou-se. Ficou ali, encarando-a com a mesma consideração de um médico fazendo um diagnóstico.

– Conte para mim o que está acontecendo – exigiu Victoria.

– Suponhamos – começou Dakin – que você me conte primeiro tudo sobre você. O que está fazendo aqui? Por que veio a Bagdá?

Se foi em razão dos eventos daquela noite ou se foi por que havia algo na personalidade de Dakin (Victoria concluiu mais tarde que teria sido mais por este último motivo), Victoria, pela primeira vez, não se lançou em uma narrativa inspirada e mirabolante sobre a sua presença em Bagdá. Pura e simplesmente, de maneira bem direta, contou tudo a ele. Seu encontro com Edward, sua determinação em chegar a Bagdá, o milagre que foi a sra. Hamilton Clipp, e sua própria penúria financeira.

– Entendo – disse Dakin, quando ela terminou de contar.

Ele ficou em silêncio por um momento antes de se pronunciar.

– Talvez eu preferisse que você ficasse fora disso. Não tenho certeza. Mas a questão é: não há *como* ficar fora disso! Já está metida nesta história, quer queira, quer não. E como está metida, pode muito bem trabalhar para *mim*.

– Tem um trabalho para mim? – Victoria sentou-se mais ereta na cama, as bochechas resplandeciam de ansiedade.

– Talvez. Mas não o tipo de trabalho que está pensando. Este é um trabalho sério, Victoria. E é perigoso.

– Ah, mas isso não tem problema – disse ela com alegria. E acrescentou hesitante: – Não é *desonesto*, é? Porque embora saiba que conto uma quantidade tremenda de mentiras, não gostaria de fazer qualquer coisa que fosse desonesta.

Dakin sorriu de leve.

– Por mais estranho que possa parecer, sua capacidade de inventar mentiras convincentes com muita rapidez é uma de suas qualificações para o trabalho. Não, não é desonesto. Pelo contrário, estaria afiliada a uma causa a favor da lei e da ordem. Vou delinear o cenário para você, apenas de uma maneira geral, mas de forma que possa entender direito o que está fazendo e exatamente os perigos que a tarefa envolve. Parece ser uma jovem sensata, e não creio que tenha refletido muito sobre a política mundial, o que não tem importância, porque como Hamlet afirma com muita sabedoria: "Não há nada que seja bom ou mau, é o pensamento que os faz assim".

– Sei que todo mundo diz que vai acontecer outra guerra mais cedo ou mais tarde – disse Victoria.

– Exato – concordou Dakin. – Por que todo mundo diz isso, Victoria?

Ela franziu a testa.

– Ora, porque a Rússia, os comunistas... a América... – ela parou.

– Está vendo – disse Dakin. – Essas não são as suas próprias opiniões ou palavras. Foram retiradas de jornais e de conversas casuais ou do rádio. Há dois pontos de vista divergentes dominando duas partes do mundo, isso é bem verdade. E são representados de maneira espontânea na cabeça das pessoas em geral como "a Rússia e os comunistas" e "a América". Agora, a única esperança de futuro, Victoria, está na paz, na produção, em atividades construtivas e não destrutivas. Portanto, tudo depende daqueles que detêm esses dois pontos de vista divergentes, seja concordando em divergir e cada um deles se contentando com suas respectivas esferas de atividade; ou senão encontrando um princípio comum para um acordo, ou pelo menos tolerância. Em vez disso, o oposto está acontecendo, há uma cunha sendo inserida nesse vão o tempo todo, forçando dois grupos já mutuamente desconfiados cada vez mais para longe um do outro. Certos fatores levaram uma ou outra pessoa a acreditar que essa ação está vindo de uma terceira facção, ou grupo, que trabalhe clandestinamente e até agora ignorada pelo mundo em geral. Sempre que se tem uma chance de um acordo ser alcançado ou há qualquer sinal de suspeição diminuída, ocorre algum incidente que mergulha um dos lados de volta na desconfiança, ou o outro em um medo histérico e definitivo. Essas coisas não são *acidentais*, Victoria, são criadas deliberadamente para provocar um efeito calculado.

– Mas por que acha isso e quem está fazendo essas coisas?

– Um dos motivos que nos levam a essa conclusão tem a ver com dinheiro. O dinheiro, veja bem, não está vindo de onde se espera. Dinheiro, Victoria, é sempre a grande pista para o que está acontecendo no mundo. Assim como um médico lhe aperta o pulso em busca de indícios sobre o seu estado de saúde, também o dinheiro é o fluido vital que alimenta todas as grandes causas e movimentos. Sem ele, um movimento não tem como ganhar frentes. Neste caso, há grandes quantias de dinheiro envolvidas e, embora isso esteja sendo camuflado com muita esperteza e talento, há definitivamente algo de errado com relação à origem do dinheiro e para onde ele se destina. Muitas greves não oficiais e várias ameaças a governos na Europa que estão demonstrando sinais de recuperação são encenadas e materializadas pelos comunistas, trabalhadores diligentes pela causa deles... Mas os fundos para essas medidas *não* vêm de fontes comunistas; e ao tentarmos rastrear o dinheiro, constatamos que vem de instâncias muito estranhas e improváveis. Da mesma forma, uma crescente onda de medo do comunismo, um pânico quase histórico, está ascendendo na América e em outros países, e ali também os fundos não estão vindo do lugar apropriado... não é dinheiro do capitalismo, embora naturalmente passe por mãos capitalistas. Um terceiro ponto: enormes somas de dinheiro parecem estar saindo completamente de circulação. Como se, colocando de maneira simples, você gastasse seu salário todas as semanas em coisas como pulseiras, mesas ou cadeiras, e essas coisas então desaparecessem ou sumissem de circulação e da vista de todos. No mundo inteiro está surgindo uma grande demanda por diamantes e outras pedras preciosas. As pedras trocam de mãos mais de uma dúzia de vezes até que por fim desaparecem e não podem ser rastreadas.

"Isso, claro, é apenas um vago esboço. A questão é que, em algum lugar, um terceiro grupo de pessoas cujo objetivo é ainda obscuro, como fomentar greves e desentendimentos, está envolvido com transações de dinheiro ou joias, camufladas com muita inteligência para seus próprios fins. Temos motivos para acreditar que em todos os países há agentes desse grupo, alguns já estabelecidos há muitos anos. Alguns estão em posições muito altas e respeitáveis, outros fazendo papéis mais humildes, mas todos trabalhando com um fim desconhecido em mente. Em suma, muito parecido com as atividades da Quinta Coluna no começo da última guerra, só que, desta vez, é em escala mundial."

– Mas quem são essas pessoas? – perguntou Victoria.

– Achamos que não são de nenhuma nacionalidade em especial. O que querem, eu acho, é um mundo melhor! A ilusão de que se poderia impor à força o tão sonhado milênio sobre a raça humana é uma das mais perigosas que existem. Aqueles que se propõem apenas a encher os próprios bolsos de dinheiro podem causar pouco dano, a mera ganância derrota seus próprios objetivos. Mas a crença em um superestrato de seres humanos – em super-homens que vão governar o que resta de um mundo decadente –, isso, Victoria, é a mais maligna de todas as crenças. Pois quando alguém diz: "Eu não sou igual aos outros homens", já perdeu as duas qualidades mais valiosas que um dia lutamos para alcançar: a humildade e a fraternidade.

Ele pigarreou.

– Bem, não vou passar um sermão. Deixe-me apenas explicar o que sabemos. Há vários centros de atividade. Um na Argentina, um no Canadá; certamente um ou mais nos Estados Unidos e, imagino, embora não possamos confirmar, um na Rússia. E agora chegamos a um fenômeno interessantíssimo.

"Nos dois últimos anos, 28 jovens cientistas promissores de várias nacionalidades foram desaparecendo gradualmente e sem alarde de sua área de atuação. A mesma coisa aconteceu com engenheiros da construção civil, com aviadores, eletricistas e muitos outros ofícios com demanda de habilidades específicas. Esses desaparecimentos têm uma coisa em comum: todos os envolvidos eram jovens, ambiciosos e sem vínculos próximos com ninguém. Além daqueles de que ficamos sabendo deve haver muitos, muitos mais, e estamos começando a inferir algumas coisas sobre o que podem estar planejando."

Victoria ouvia tudo, as sobrancelhas franzidas.

– Poderíamos dizer que seria impossível nos dias de hoje que qualquer coisa estivesse acontecendo em qualquer país sem o conhecimento do resto do mundo. Não estou falando, claro, de atividades clandestinas; elas podem acontecer em qualquer lugar. Falo de algo em grande escala de produção moderna. E ainda assim, há partes obscuras do mundo, fora das rotas comerciais, isoladas por montanhas e desertos, em meio a povos que ainda têm o poder de barrar o acesso de estranhos, as quais nunca são conhecidas ou visitadas, senão por algum viajante solitário e excepcional. Lá poderiam acontecer coisas que jamais chegariam ao conhecimento do mundo aqui fora, ou chegariam apenas como um boato obscuro e absurdo.

"Não vou especificar o local. É possível chegar lá pela China, e ninguém sabe o que se passa no interior da China. Pode-se chegar lá pelo Himalaia, mas a jornada até o local, salvo para os iniciados, é árdua e longa para se percorrer. Pessoal e maquinário despachados de todos os pontos do planeta chegam lá depois de serem desviados de seus destinos aparentes. A mecânica de tudo isso não precisa ser detalhada.

"Mas um homem ficou interessado em seguir uma certa pista. Era um homem incomum, um homem que tinha amigos e contatos por todo o Oriente. Nascera em Kashgar e sabia um bom número de dialetos e línguas locais. Desconfiou e seguiu uma trilha. O que ouviu era tão incrível que, quando retornou à civilização e relatou tudo, não acreditaram nele. Admitiu que tivera uma febre e foi tratado como um homem que apenas sofrera um delírio.

"Apenas duas pessoas acreditaram na história dele. Uma era eu. Jamais vou me opor a acreditar em coisas impossíveis... por tantas vezes acabam se provando verdadeiras. A outra..." – ele hesitou.

– Sim? – disse Victoria.

– A outra foi Sir Rupert Crofton Lee, um grande aventureiro e um homem que havia viajado ele próprio por essas regiões remotas e tinha alguma noção das possibilidades que oferecem.

"Em suma, Carmichael, esse era o nome do meu agente, decidiu se aventurar e descobrir por si só. Foi uma missão arriscada e desesperada, mas estava mais bem equipado do que qualquer outra pessoa para levá-la até o fim. Isso foi há nove meses. Não tivemos notícias dele até poucas semanas atrás, quando então algumas notícias chegaram até nós. Estava vivo e conseguira o que fora buscar. Provas definitivas.

"No entanto, o outro lado estava ciente da existência dele. Era vital para eles que jamais conseguisse retornar com as provas. E já tivemos amplas demonstrações de como o sistema inteiro foi penetrado e infiltrado pelos agentes inimigos. Até no meu próprio departamento acontecem vazamentos.

E alguns desses vazamentos, que o céu nos ajude, acontecem num nível hierárquico bem alto.

"Todas as fronteiras foram vigiadas à procura dele. Vidas inocentes foram sacrificadas por engano em seu lugar; eles não têm a vida humana em muita conta. Mas, de um jeito ou de outro, conseguiu escapar ileso... até hoje à noite."

– Então esse era quem... era *ele*?

– Sim, minha querida. Um rapaz muito corajoso e indomado.

– Mas e as provas? Eles conseguiram pegar?

Um sorriso meio preguiçoso apareceu no rosto cansado de Dakin.

– Acho que não conseguiram. Não, conhecendo Carmichael, tenho quase certeza de que não conseguiram. Mas morreu sem poder nos dizer onde essas provas estão e como podemos recuperá-las. Acho que provavelmente tentou nos dizer alguma coisa quando estava morrendo, algo que fosse nos dar uma pista.

Ele repetiu devagar:

– Lucifer... Basrah... Lefarge. Ele esteve em Basrah... tentou se apresentar ao consulado e por pouco escapou de levar um tiro. É possível que tenha deixado as provas em algum lugar em Basrah. O que preciso, Victoria, é que vá até lá e tente descobrir.

– Eu?

– Sim. Não tem experiência. Não sabe o que está procurando. Mas ouviu as últimas palavras de Carmichael, e elas podem fazer algum sentido para você quando chegar lá. Quem sabe... não pode ter sorte de principiante?

– Adoraria ir para Basrah – disse Victoria, com ansiedade.

Dakin sorriu.

– A ideia lhe agrada porque o seu rapaz está lá, não é? Está certo. É uma boa camuflagem também. Nada como um romance genuíno como camuflagem. Vá para Basrah, fique de olhos e ouvidos abertos e preste atenção ao seu redor. Não posso lhe dar nenhuma instrução de como proceder nessas coisas... prefiro mesmo não dizer nada. Parece ser uma moça com engenhosidade suficiente por si só. O que as palavras Lucifer e Lefarge significam, presumindo que tenha ouvido direito, eu não sei. Tendo a concordar com você que Lefarge deve ser um nome. Fique alerta quanto a esse nome.

– Como vou chegar a Basrah? – perguntou Victoria com ar profissional. – E que dinheiro vou usar?

Dakin puxou a carteira e lhe entregou um maço de notas.

– Este é o dinheiro que vai usar. E quanto ao meio de chegar a Basrah, puxe conversa com aquela pata choca da sra. Cardew Trench amanhã de manhã, diga que está ansiosa para conhecer Basrah antes de partir para a tal escavação arqueológica onde está fazendo de conta que vai trabalhar. Peça uma sugestão de hotel. Ela vai lhe dizer de primeira que deve ficar no consulado e vai mandar um telegrama para a sra. Clayton. É provável que encontre Edward lá. Os Clayton deixam a casa sempre aberta, todo mundo que passa por lá fica hospedado com eles. Além disso, não posso lhe dar outra dica, exceto uma. Se... hã... alguma coisa desagradável acontecer, se for questionada sobre o que sabe e quem lhe passou o serviço que está prestando... não tente nenhuma atitude heroica. Conte tudo de uma vez.

– Muito obrigada – agradeceu Victoria. – Sou uma covarde sem igual frente à dor, e se alguém aqui fosse me torturar, temo que não fosse capaz de segurar a língua.

– Não se darão ao trabalho de torturar você – disse o sr. Dakin. – A menos que entre algum elemento sádico. A tortura é muito antiquada. Basta uma pinicada com uma agulha e responde todas as perguntas com a mais pura verdade, sem ao menos perceber que está fazendo isso. Vivemos numa era científica. Por isso não queria que ficasse com ideias grandiosas sobre confidencialidade. Não contará a eles nada que já não saibam. Vão estar de olho em mim depois do que aconteceu hoje... não há como evitar. E também em Rupert Crofton Lee.

– E quanto a Edward? Conto para ele?

– Isso é com você. Em teoria, não deve comentar com ninguém sobre o que está fazendo. Praticamente ninguém! – as sobrancelhas dele se erguerem com ar zombeteiro. – Pode colocá-lo em perigo também. Há esse aspecto da coisa. Ainda assim, suspeito que tenha uma boa ficha com a Força Aérea. Não suponho que o perigo fosse preocupá-lo. Duas cabeças são muitas vezes melhor do que uma. Então ele acha que há algo cheirando mal nesse tal "Ramo de Oliveira" onde está trabalhando? Isso é interessante... interessantíssimo.

– Por quê?

– Porque nós também achamos – disse Dakin.

Depois acrescentou:

– Apenas mais duas dicas de despedida. Primeiro, espero que não fique chateada com o que vou dizer, mas evite contar muitas mentiras diferentes. É mais difícil de lembrar e de manter a farsa. Sei que é quase uma virtuose, mas se atenha ao que é mais simples; é o meu conselho.

– Vou me lembrar disso – respondeu Victoria com a devida humildade. – E qual a outra dica?

– Apenas que espiche bem as orelhas a qualquer menção de uma moça chamada Anna Scheele.

– Quem é ela?

– Não sabemos muito sobre ela. Seria muito bom se soubéssemos um pouco mais.

CAPÍTULO 15

I

– É claro que deve ficar no consulado – disse a sra. Cardew Trench. – Que bobagem, minha querida... não pode se hospedar no Airport Hotel. Os Clayton vão adorar. Conheço os dois há anos. Vou mandar um telegrama e poderá viajar no trem desta noite. Eles conhecem o dr. Pauncefoot Jones muito bem.

Victoria teve a gentileza de ficar ruborizada. O Bispo de Llangow, também conhecido como Bispo de Languao, era uma coisa, um dr. Pauncefoot Jones de carne e osso era bem outra.

"Imagino", pensou Victoria cheia de culpa, "que poderia ser mandada para a prisão por conta disso – falsidade ideológica ou algo do tipo."

Depois, tratou de se alegrar ao refletir que era apenas caso a pessoa tentasse obter dinheiro através de afirmações falsas que os rigores da lei eram acionados. Se isso era verdade ou não, Victoria não sabia, era ignorante a respeito da lei como a maioria das pessoas comuns, mas soava mais animador.

A viagem de trem tinha todo o fascínio de uma novidade – na opinião de Victoria, o trem não se qualificava como expresso –, mas já começara a ficar mais consciente de sua impaciência ocidental.

Um carro consular foi ao seu encontro na estação, e Victoria foi levada ao consulado. O veículo passou pelos enormes portões, entrou em um jardim agradabilíssimo e encostou junto a um lance de escadas levando a uma varanda que circundava a casa. A sra. Clayton, uma mulher sorridente e cheia de energia, saiu por uma porta de tela para cumprimentá-la.

– Estamos tão felizes em recebê-la – anunciou. – Basrah é realmente linda nesta época do ano, e você não deveria deixar o Iraque sem conhecer a cidade. Por sorte não há muita gente hospedada aqui no momento; há ocasiões em que não sabemos a quem recorrer para conseguir encaixar todo mundo, mas não há ninguém agora exceto o jovem ajudante do dr. Rathbone, que é uma graça. Aliás, por pouco não encontra Richard Baker. Ele partiu antes de eu receber o telegrama da sra. Cardew Trench.

Victoria não fazia ideia de quem era Richard Baker, mas lhe pareceu muito bom que ele já houvesse partido.

– Ele passou alguns dias no Kuwait – continuou a sra. Clayton. – Esse é um lugar que precisa visitar; antes que se acabe. Diria que isso vai acontecer logo. Todos os lugares terminam arruinados mais cedo ou mais tarde. O que gostaria primeiro: de um banho ou de um café?

– Um banho, por favor – respondeu Victoria, agradecida.

– E como está a sra. Cardew Trench? Este é o seu quarto e o banheiro fica logo ali. É uma antiga amiga sua?

– Oh, não – disse Victoria, falando a verdade. – Acabei de conhecê-la.

– E suponho que tenha revirado você do avesso nos primeiros quinze minutos? Ela é terrível com fofocas, como imagino que já tenha percebido. Tem uma mania e tanto de saber tudo sobre todo mundo. Mas é ótima companhia e uma jogadora de bridge de primeira. Tem certeza mesmo de que não gostaria de um café ou outra coisa antes?

– Não, obrigada.

– Bom... então vejo você depois. Tem tudo de que precisa?

A sra. Clayton saiu pairando como uma abelhinha contente, enquanto Victoria foi tomar um banho na banheira e dar um trato no rosto e nos cabelos com a atenção meticulosa de uma mocinha que em breve encontrará o rapaz por quem se apaixonou.

Victoria torcia para encontrar-se com Edward a sós, se possível. Não achava que ele fosse fazer algum comentário sem discernimento; felizmente ele a conhecia por Jones e era provável que a adição do nome Pauncefoot não lhe causasse surpresa. A surpresa ficaria por conta da própria presença dela no Iraque, e por isso Victoria esperava conseguir pegá-lo a sós, nem que fosse por apenas um ou dois segundos.

Com este objetivo em mente, assim que pôs um vestido de verão (para ela o clima de Basrah lembrava o mês de junho em Londres), saiu com calma pela porta de tela e posicionou-se na varanda, onde poderia interceptar Edward quando ele retornasse do que quer que estivesse fazendo – enfrentando os oficiais da alfândega, ela presumiu.

O primeiro a chegar foi um homem alto e magro com uma expressão pensativa e, enquanto ele subia os degraus, Victoria se esgueirou pelo canto da varanda. Ao fazer isso, na verdade viu Edward entrando pela porta do jardim que dava para a curva do rio.

Fiel à tradição de Julieta, Victoria se inclinou sobre o parapeito da sacada e deu um longo assobio.

Edward (que estava mais atraente do que nunca, pensou Victoria), virou o pescoço num movimento brusco, olhando ao redor.

– Psst! Aqui em cima – chamou Victoria em voz baixa.

Edward ergueu a cabeça, e uma expressão de espanto absoluto surgiu em seu rosto.

– Meu Deus – exclamou. – É a Charing Cross!

– Shhh. Espere por mim. Vou descer.

Victoria debandou veloz pela varanda, desceu os degraus e seguiu para o canto da casa, onde Edward, obediente, esperava parado, ainda com a expressão aturdida em seu rosto.

– Não posso estar bêbado tão cedo assim – disse Edward. – É *você* mesmo?

– Sim, mim mesma – afirmou Victoria, feliz e com erros gramaticais.

– Mas o que está fazendo aqui? Como foi que chegou? Achei que nunca mais fosse vê-la de novo.

– Também achei.

– É realmente como se fosse um milagre. Mas *como* conseguiu vir para cá?

– De avião.

– Naturalmente que de avião. Não poderia ter chegado tão rápido de nenhuma outra forma. Mas estou falando de que oportunidade abençoada e maravilhosa a trouxe para Basrah.

– O trem – respondeu ela.

– Está fazendo isso de propósito, sua pestinha. Deus, como estou feliz em ver você. Mas como foi que chegou aqui... sério?

– Vim com uma senhora que quebrou o braço... uma tal sra. Clipp, ela é americana. Ofereceram o emprego a mim um dia depois que conheci você, e você tinha falado sobre Bagdá, e eu estava um pouco cansada de Londres, então pensei, bem, por que não conhecer o mundo?

– Você é uma brincalhona incorrigível, Victoria. Onde está essa tal dona Clipp? Aqui?

– Não, foi encontrar a filha perto de Kirkuk. O serviço era apenas para acompanhá-la na viagem de vinda.

– Então o que está fazendo agora?

– Ainda estou vendo o mundo – respondeu Victoria. – Mas esse passatempo tem me exigido o uso de alguns subterfúgios. É por isso que precisava falar com você antes de nos encontrarmos em público, digo, não quero que faça nenhuma referência indelicada ao fato de que eu era uma estenodatilógrafa desempregada da última vez que me viu.

– De minha parte, é qualquer coisa que diz ser. Estou pronto para receber instruções.

– A ideia é – disse Victoria – que sou a srta. Pauncefoot Jones. Meu tio é um arqueólogo famoso que está fazendo umas escavações em algum lugar mais ou menos inacessível aqui perto, e em breve irei me encontrar com ele.

– E nada disso é verdade?

– Naturalmente que não. Mas rende uma boa história.

– Ah, sim, excelente. Mas suponhamos que você dê de cara com velho Pompomfoot Jones?

– Pauncefoot. Não acho que haja muita chance. Até onde entendi, uma vez que os arqueólogos comecem a escavar, ficam escavando feito loucos e não param.

– Igualzinho aos terriers. Digo, faz sentido o que está dizendo. Ele tem uma sobrinha de verdade?

– Como é que vou saber? – disse Victoria.

– Ah, então não está se fazendo de impostora de ninguém em particular. Isso é mais fácil.

– Sim, afinal de contas, um homem pode ter montes de sobrinhas. Ou, se passar por algum aperto, poderia dizer que sou apenas uma prima, mas que sempre o chamei de tio.

– Você pensa em tudo – admirou-se Edward. – Realmente é uma garota incrível, Victoria. Nunca conheci ninguém assim. Achei que levaria anos até poder encontrá-la de novo e, quando isso acontecesse, teria esquecido completamente de mim. No entanto, agora está aqui.

A expressão de admiração e humildade com que Edward a olhava causou uma intensa satisfação em Victoria. Se ela fosse um gato, teria ronronado.

– Mas vai querer um emprego, não vai? – perguntou Edward. – Digo, não herdou nenhuma fortuna ou algo parecido?

– Longe disso! Sim – disse ela devagar –, gostaria de um emprego. Para dizer a verdade, fui até o seu negócio do Ramo de Oliveira, falei com o dr. Rathbone e pedi um emprego a ele, mas ele não foi muito receptivo... melhor dizendo, não para um trabalho assalariado.

– O velho mendigo é bem sovina com o dinheiro dele – disse Edward. – Imagina que todo mundo vai trabalhar pelo amor ao projeto.

– Acha que é um farsante, Edward?

– N-não. Não sei exatamente o que eu acho. Não vejo como poderia fazer qualquer coisa que não fosse certinha... não ganha dinheiro nenhum com aquela função toda. Até onde pude ver, todo aquele tremendo entusiasmo *tem* de ser genuíno. Mas mesmo assim, sabe, não acho que ele seja nenhum tolo.

– É melhor entrarmos – disse Victoria. – Podemos conversar mais tarde.

II

– Não fazia ideia de que você e Edward se conheciam – exclamou a sra. Clayton.

– Ah, somos velhos amigos – riu Victoria. – Só que, na verdade, perdemos contato um com o outro. Não sabia que o Edward estava aqui, neste país.

O sr. Clayton, que era o homem calmo de aspecto ensimesmado que Victoria vira subindo as escadas, perguntou:

– Como foram as coisas esta manhã, Edward? Algum progresso?

– Parece um trabalho sempre morro acima, senhor. As caixas de livros estão aqui, todas conferidas e corretas, mas as formalidades necessárias para o desembaraço parecem não terminar nunca.

Clayton sorriu.

– É novato nas táticas de adiamento usadas no Oriente.

– O oficial específico que precisam sempre parece ter folgado naquele dia – reclamou Edward. – Todos são muito simpáticos e solícitos... só que nada parece ir adiante.

Todos riram, e a sra. Clayton disse, consolando-o:

– No final vai conseguir liberá-los. O dr. Rathbone foi muito sábio ao enviar alguém para cá pessoalmente. Caso contrário, as caixas ficariam retidas aqui por meses.

– Desde a questão da Palestina, estão muito desconfiados de bombas. E também de literatura subversiva. Suspeitam de tudo.

– O dr. Rathbone não está enviando bombas para cá disfarçadas de livros, eu espero – disse a sra. Clayton, rindo.

Victoria pensou ter visto um súbito tremor no olhar de Edward, como se o comentário da sra. Clayton tivesse aberto uma nova linha de pensamento.

Clayton disse, com um quê de reprovação:

– O dr. Rathbone é um homem muito culto e reconhecido, minha querida. É membro de várias sociedades importantes, conhecido e respeitado em toda a Europa.

– Isso tornaria ainda mais fácil para ele contrabandear bombas – assinalou a sra. Clayton com humor irreprimível.

Victoria pôde constatar que Gerald Clayton não gostou nada daquela sugestão jocosa.

Fez cara feia para a esposa.

Como tudo parava no horário em torno do meio-dia, Edward e Victoria saíram juntos depois do almoço para passear nos lugares turísticos. Victoria ficou encantada com o rio Shatt al Arab e suas margens cercadas de tamareiras. Adorou a visão veneziana dos barcos árabes com suas proas altas ancorados no canal da cidade. Então passearam no *souk* e deram uma olhada nos baús para noivas feitos no Kuwait, recheados de peças em bronze trabalhado e outras mercadorias atrativas.

Foi só quando começaram a fazer o caminho de volta ao consulado, e Edward se preparava para atacar o departamento de alfândega mais uma vez, que Victoria perguntou de repente:

– Edward, qual é o seu nome?

Edward encarou-a.

– O que está dizendo, Victoria?

– Seu sobrenome. Não percebeu ainda que eu não sei qual é?

– Não sabe? Não, suponho que não saiba. É Goring.

– Edward Goring. Não faz ideia de como me senti uma idiota entrando naquele Ramo de Oliveira e querendo perguntar por você sem saber mais nada, só o nome Edward.

– Havia uma garota morena lá? De cabelo chanel mais longo?

– Sim.

– Aquela é a Catherine. Ela é muito simpática. Se tivesse dito Edward, ela saberia num instante.

– Apostaria que sim – disse Victoria, circunspecta.

– É uma moça formidável. Não achou?

– Ah, muito...

– Não é muito bonita na verdade; de fato não há muito para se ver ali, mas é muito compreensiva.

– É mesmo? – a voz de Victoria agora era quase glacial; mas Edward aparentava não perceber nada.

– Realmente não sei o que teria feito sem ela. Ela me colocou a par de tudo e me ajudou quando eu poderia ter cometido alguma idiotice. Tenho certeza de que serão grandes amigas.

– Não creio que teremos a oportunidade.

– Ah, sim, vão ter. Vou conseguir um emprego para você naquele lugar.

– Como vai conseguir isso?

– Não sei, mas vou dar algum jeito. Dizer pro velho Chacoalhabones sobre a datilógrafa e et cetera que você é.

– Ele logo vai descobrir que não sou – disse ela.

– Enfim, vou conseguir ajeitar você no Ramo de Oliveira de algum jeito. Não vou permitir que saia por aí borboleteando sozinha. Para depois ficar sabendo que está a caminho de Burma ou das profundezas da África. Não mesmo, jovem Victoria, vou ficar de olho. Não vou correr o risco de você fugir de mim. Não confio na senhorita um centímetro. É muito fã de sair por aí para correr o mundo.

"Seu tolinho adorado", pensou Victoria, "não sabe que nem uma tropa de cavalos selvagens poderia me expulsar de Bagdá!"

Em voz alta, ela disse:

– Bem, *seria* muito divertido conseguir um emprego no Ramo de Oliveira.

– Não diria divertido. É de uma dedicação tremenda. Bem como de uma patetice absoluta.

– E ainda acha que há algo de errado com essa história?

– Ah, aquela foi só uma ideia louca que eu tive.

– Não – declarou Victoria, pensativa –, não acho que foi só uma ideia louca. Acho que é verdade.

Edward se voltou rápido para ela.

– Por que está dizendo isso?

– Algo que ouvi... de um amigo meu.

– Quem foi?

– Só um amigo.

– Garotas como você têm amigos demais – rosnou Edward. – É um demônio, Victoria. Sou louco por você, e você não se interessa nem um pouco.

– Ah, sim, me interesso sim – disse Victoria. – Só um pouquinho.

Depois, disfarçando sua prazerosa satisfação, perguntou:

– Edward, tem alguém chamado Lefarge ligado ao Ramo de Oliveira ou alguma outra coisa?

– Lefarge? – Edward pareceu perplexo. – Não, acho que não. Quem é ele?

Victoria deu continuidade a seu interrogatório.

– Ou alguém chamado Anna Scheele?

Dessa vez a reação de Edward foi bem diferente. Voltou-se para ela de um jeito abrupto, agarrou-a pelo braço e disse:

– O que sabe sobre Anna Scheele?

– Ai, Edward, me solta! Não sei nada sobre ela. Só queria saber se você sabia de algo.

– Onde foi que ouviu o nome dela? Foi a sra. Clipp?

– Não, não foi a sra. Clipp... ao menos acho que não, mas na verdade ela falava tão depressa e de um jeito tão interminável sobre tudo e todos que provavelmente não lembraria se tivesse mencionado esse nome.

– Mas o que a levou a pensar que essa Anna Scheele tivesse algo a ver com o Ramo de Oliveira?

– Ela tem?

Edward falou devagar:

– Não sei... É tudo tão... tão vago.

Estavam parados do lado de fora da porta do jardim do consulado. Edward consultou o relógio.

– Preciso ir lá fazer meu trabalho – disse. – Gostaria de saber falar um pouco de árabe. Mas precisamos nos encontrar, Victoria. Há muitas coisas que quero saber.

– Há muitas coisas que quero lhe contar – disse ela.

Alguma tenra heroína de outra era mais sentimental poderia ter procurado deixar seu amado fora de perigo. Mas não Victoria. Os homens, na opinião dela, eram destinados ao perigo da mesma forma que as fagulhas sempre ascendiam ao céu. Edward não gostaria que ela o mantivesse de fora. E, refletindo bem, tinha quase certeza de que o sr. Dakin também não tivera a intenção de que ela deixasse Edward de fora.

III

Ao pôr do sol naquela tarde, Edward e Victoria caminharam juntos pelo jardim do consulado. Em consideração à insistência da sra. Clayton de que o tempo estava invernal, Victoria pôs um casaco de lã sobre o vestido de verão. O pôr do sol estava magnífico, mas nenhum dos jovenzinhos reparou nele. Estavam conversando sobre coisas mais importantes.

– Tudo começou de um modo muito simples – disse Victoria –, com um homem invadindo o meu quarto no Tio Hotel e levando uma facada.

A maioria das pessoas talvez não fosse concordar que aquele era um começo muito simples. Edward fitou-a e disse:

– Levando o *quê*?

– Uma facada – respondeu Victoria. – Ao menos acho que foi facada, mas pode ter sido um tiro também, só não digo isso porque então eu teria ouvido o barulho do tiro. Enfim – concluiu –, estava morto.

– Como foi que invadiu o seu quarto se estava morto?

– Ai, Edward, não se faça de idiota.

Por vezes sem rodeios, por vezes hesitante, Victoria foi contando a história. Por alguma razão misteriosa, nunca conseguia relatar acontecimentos verdadeiros de maneira dramática. Sua narrativa era indecisa e incompleta, e falava com ar de quem expunha uma clara e evidente invencionice.

Quando chegou ao final, Edward olhou para ela perplexo e disse:

– Está se sentindo bem Victoria, não está? Digo, não tomou uma insolação ou... teve um delírio, ou algo parecido?

– É claro que não.

– Porque parece ser uma coisa impossível de ter acontecido.

– Bem, aconteceu – disse Victoria, sentida.

– E toda aquela história melodramática sobre poderes mundiais e instalações secretas e misteriosas no coração do Tibete ou do Baluchistão. Quer dizer, tudo isso simplesmente *não pode* ser verdade. Coisas desse tipo não *acontecem*.

– É o que as pessoas sempre dizem um pouco antes de acontecerem.

– Jure por deus, Charing Cross ... não está inventando tudo isso?

– Não! – gritou Victoria, exasperada.

– E veio para cá à procura de alguém chamado Lefarge e alguém chamado Anna Scheele...?

– De quem você mesmo já ouviu falar – Victoria assinalou. – Já ouviu falar *dela*, não ouviu?

– Ouvi o nome... sim.

– Como? Onde? No Ramo de Oliveira?

Edward ficou em silêncio por alguns instantes, depois disse:

– Não sei se significa alguma coisa. Foi só... esquisito...

– Vá em frente. Conte.

– Veja bem, Victoria. Sou muito diferente de você. Não sou tão esperto. Só sinto de um jeito meio estranho que, de alguma forma, as coisas não se encaixam... não sei explicar *por que* acho isso. Você vai recolhendo pistas pelo caminho e fazendo deduções baseadas nelas. Não sou esperto o suficiente para isso. Apenas sinto de um jeito vago que as coisas... bem... não se encaixam... mas não sei por quê.

– Às vezes me sinto assim também – afirmou Victoria. – Como Sir Rupert na sacada do Tio.

– Quem é Sir Rupert?

– Sir Rupert Crofton Lee. Estava no avião que chegou aqui. Muito metido e todo exibido. Uma celebridade. *Você* conhece bem o tipo. E quando o vi sentado tomando sol na sacada do Tio, tive a estranha sensação que acaba de mencionar, de que *algo* estava errado, mas não sabia dizer o quê.

– Rathbone pediu para ele dar uma palestra no Ramo de Oliveira, acho que foi isso, mas ele não pôde. Tomou um avião de volta ao Cairo, ou Damasco, ou outro lugar qualquer ontem de manhã, creio.

– Bem, continue com a história sobre Anna Scheele.

– Ah, Anna Scheele. Na verdade não foi nada. Foi só uma das meninas.

– Catherine? – perguntou Victoria instantaneamente.

– Pensando bem, acredito que *tenha* sido Catherine.

– É óbvio que foi Catherine. É por isso que não quer me falar a respeito.

– Que bobagem, isso é um grande absurdo.

– Certo, e o que *foi* então?

– Catherine disse para uma das outras: "Quando Anna Scheele chegar, poderemos prosseguir. A partir de então receberemos nossas ordens dela... e só dela".

– Isso é de uma importância terrível, Edward.

– Lembre-se, não tenho sequer certeza de que era esse o nome – Edward a preveniu.

– Não achou esquisito na hora?

– Não, é claro que não achei. Pensei que fosse apenas uma mulher que estava chegando para organizar as coisas. Uma espécie de abelha rainha. Tem certeza de que não está imaginando tudo isso, Victoria?

Retraiu-se de imediato diante do olhar que ela lhe lançou.

— Tudo bem, tudo bem — consertou apressado. — Mas precisa admitir que a história toda soa muito esquisita. Parece demais com filmes de suspense... um homem que invade um quarto, pronuncia uma única palavra que não quer dizer nada... e depois morre. Isso não parece *real*.

— Você não viu o sangue — disse Victoria, estremecendo um pouco.

— Deve ter lhe causado um choque tremendo — disse Edward, sendo compreensivo.

— Causou — disse ela. — E ainda por cima, *você* aparece para me perguntar se estou inventando tudo isso.

— Me desculpe. Mas você *é* muito boa em inventar histórias. O bispo de Llangow e todo o resto!

— Ah, isso foi apenas meu *joie de vivre* juvenil — comentou Victoria. — Isso aqui é sério, Edward, sério de verdade.

— Esse homem, esse Dakin... é esse o nome dele? ...passou a impressão de saber do que estava falando?

— Sim, foi bem convincente. Mas, olhe aqui, Edward... como é que sabe...

Um aceno vindo da sacada interrompeu a conversa.

— Entrem, vocês dois, os drinques estão esperando.

— Já vamos — gritou Victoria.

A sra. Clayton, observando os dois se dirigindo para a escada, disse ao marido:

— Há qualquer coisa no ar! Essas crianças formam um casalzinho simpático... É bem provável que não tenham um tostão furado. Posso lhe dizer o que acho, Gerald?

— Claro, querida. Sempre me interesso em ouvir suas ideias.

— Acho que a menina veio até aqui para participar dessa escavação do tio pura e simplesmente por causa daquele rapaz.

— Acho muito difícil, Rosa. Ficaram tão atônitos ao darem de cara um com o outro.

— Pfff! — exclamou a sra. Clayton. — *Isso* não quer dizer nada. *Ele* ficou atônito, eu diria.

Gerald Clayton balançou a cabeça olhando para a esposa e sorriu.

— Ela não faz o tipo arqueológico — disse a sra. Clayton. — Em geral são moças dedicadas e de óculos... e na maioria das vezes têm as mãos úmidas.

— Minha querida, não pode generalizar dessa forma.

— E são intelectuais e tudo o mais. Essa garota é uma cretina afável com uma boa dose de bom senso. *Bem* diferente. Ele é um bom rapaz. Pena que esteja envolvido com todas essas bobagens de Ramo de Oliveira... mas suponho que seja difícil conseguir um emprego. O governo deveria dar um jeito de oferecer trabalho para esses meninos.

– Não é tão fácil, minha querida, eles tentam. Mas entenda, esses meninos não têm instrução, não têm experiência e, em geral, não têm muito o hábito da concentração.

Victoria foi dormir naquela noite num torvelinho de emoções contraditórias.

O objetivo de sua busca fora atingido. Edward fora encontrado! Teve um arrepio por conta da reação inevitável. Não interessava o que fizesse, a sensação de anticlímax persistia.

Em parte era a incredulidade de Edward que fazia tudo que aconteceu parecer forçado e irreal. Ela, Victoria Jones, uma datilografazinha de Londres, chegara a Bagdá, vira um homem ser assassinado praticamente diante de seus olhos, tornara-se uma agente secreta ou algo tão melodramático quanto e, por fim, reencontrara o homem que amava em um jardim tropical, com direito a palmeiras balançando e à grande possibilidade de não ficar muito longe de onde diziam situar-se o Jardim do Éden original.

Um fragmento de uma rima infantil lhe veio à memória.

Quantas milhas até a Babilônia?
Três vezes vinte mais dez,
Posso chegar lá com luz de vela?
Pode ir e voltar de vez.

Mas ela não estava voltando de vez... ainda estava na Babilônia. Quiçá não voltaria nunca... ela e Edward na Babilônia.

Algo que queria ter perguntado a Edward, lá no jardim. O Jardim do Éden... ela e Edward... Perguntar a Edward... mas a sra. Clayton chamou, e o assunto lhe fugira da mente... Mas precisava se lembrar, porque era importante... Não fazia sentido... Palmeiras... o jardim... Edward... donzela Sarracena... Anna Scheele... Rupert Crofton Lee... De alguma forma nada se encaixava... E se ao menos conseguisse lembrar...

Uma mulher vindo em direção a ela no corredor de um hotel... uma mulher em um terno bem cortado... era ela própria... mas quando a mulher chegou perto, viu que o rosto era de Catherine. Edward e Catherine... que absurdo! "Venha comigo", ela dissera para Edward, "Vamos encontrar M. Lefarge..." E de repente, lá estava ele, usando luvas infantis amarelo-limão e com uma barbicha preta pontuda.

Edward agora desaparecera, e ela estava só. Precisava voltar da Babilônia antes que as velas se apagassem.

E somos a favor da escuridão.

Quem disse isso? Violência, terror... mal... sangue sobre uma túnica cáqui esfarrapada. Ela estava correndo... correndo... seguindo por um corredor de hotel. E estavam atrás dela.

Victoria acordou assustada.

IV

– Café? – perguntou a sra. Clayton. – Como prefere os seus ovos? Mexidos?

– Perfeito.

– Parece bastante abatida. Não está se sentindo bem?

– Não, não dormi bem na noite passada. Não sei por quê. É uma cama muito confortável.

– Ligue o rádio, sim, Gerald? Está na hora do noticiário.

Edward entrou bem na hora de soarem os bipes.

"*Na Câmara dos Comuns ontem à noite, o primeiro ministro deu novos detalhes sobre os cortes nas importações em dólares.*"

"*Um comunicado do Cairo anuncia que o corpo de Sir Rupert Crofton Lee foi retirado do Nilo.* (Victoria baixou a xícara de café num movimento brusco, e a sra. Clayton exprimiu uma exclamação.) *Sir Rupert deixara o hotel após chegar de avião de Bagdá e não retornara ao local naquela noite. Estava desaparecido havia 24 horas quando seu corpo foi encontrado. A morte se deve a um ferimento por facada no coração, e não por afogamento. Sir Rupert era um viajante renomado, famoso por viagens pela China e Baluchistão e era autor de diversos livros.*"

– Assassinado! – exclamou a sra. Clayton. – Acho que o Cairo agora é o pior lugar do mundo. Estava sabendo de alguma coisa, Gerry?

– Sabia que estava desaparecido – disse o sr. Clayton. – Parece que recebeu um bilhete, entregue em mãos, e deixou o hotel com muita pressa, a pé, sem dizer para onde estava indo.

– Viu só – disse Victoria para Edward depois do café da manhã, quando estavam a sós. – É *tudo* verdade. Primeiro esse Carmichael e agora Sir Rupert Crofton Lee. Agora me arrependo de tê-lo chamado de exibido. Soa tão ofensivo. Todas as pessoas que sabem ou desconfiam desse esquema estranho estão sendo eliminadas uma por uma. Edward, acha que *eu* serei a próxima?

– Pelo amor de Deus, não fique tão animada com essa ideia, Victoria! Sua capacidade dramática é forte demais. Não vejo por que alguém iria eliminar você quando de fato não *sabe* de nada... mas, por favor, tome cuidado, tome muito cuidado mesmo.

– Nós *dois* vamos tomar cuidado. Já arrastei você para essa história.

– Ah, isso não tem problema. Alivia a monotonia.
– Pode ser, mas tome cuidado.
Ela teve um arrepio súbito.
– É lamentável... ele estava bem vivo... Crofton Lee, digo... e agora está morto também. É assustador, realmente assustador.

CAPÍTULO 16

I

— Encontrou o seu rapaz? – perguntou o sr. Dakin.
Victoria assentiu.
– Descobriu mais alguma coisa?
Bastante pesarosa, Victoria balançou a cabeça negativamente.
– Bem, anime-se – disse o sr. Dakin. – Lembre-se, neste jogo, os resultados são poucos e esparsos. Poderia ter encontrado *algo* por lá... a gente nunca sabe, mas não estava de modo nenhum contando com isso.
– Posso continuar tentando? – perguntou Victoria.
– Quer continuar?
– Quero sim. Edward acha que pode me conseguir um emprego no Ramo de Oliveira. Se ficar de ouvidos e olhos bem abertos, posso descobrir alguma coisa, não posso? Eles sabem alguma coisa sobre Anna Scheele lá.
– Isso é muito interessante, Victoria. Como foi que ficou sabendo?
Victoria repetiu o que Edward havia lhe contado; sobre o comentário de Catherine de que quando "Anna Scheele chegar" receberiam ordens dela.
– Muito interessante – disse o sr. Dakin.
– Quem *é* Anna Scheele? – perguntou Victoria. – Digo, deve saber *alguma coisa* sobre ela... ou é apenas um nome?
– É mais do que um nome. É a secretária de confiança de um banqueiro americano, diretor de uma instituição bancária. Ela saiu de Nova York e foi para Londres uns dez dias atrás. Desde então, está desaparecida.
– Desaparecida? Não está *morta*?
– Se estiver, o corpo dela não foi encontrado.
– Mas *pode* estar morta?
– Ah, sim, pode estar morta.
– Ela estava... a caminho de Bagdá?
– Não faço ideia. Daria a entender pelos comentários dessa moça, Catherine, que ela estaria. Ou, melhor dizendo, *está*... já que no momento não há motivo para acreditar que não esteja viva.

– Talvez eu possa descobrir mais no Ramo de Oliveira.

– Talvez possa... mas preciso lhe alertar mais uma vez para que seja muito cautelosa, Victoria. A organização contra a qual está lutando é impiedosa. Preferiria mil vezes não encontrar o seu cadáver flutuando no Tigre.

Victoria sentiu um calafrio e murmurou:

– Como o de Sir Rupert Crofton Lee. Sabe que, naquela manhã que estava aqui no hotel, havia algo esquisito com ele... algo que me surpreendeu. Quem me dera conseguisse lembrar o que foi...

– Esquisito... de que jeito?

– Bem... diferente – depois, em resposta ao olhar inquiridor, meneou a cabeça frustrada. – Vou lembrar de novo, quem sabe. Enfim, não suponho que tenha alguma importância de fato.

– Qualquer detalhe pode fazer diferença.

– Se Edward me conseguir o emprego, ele acha que posso arranjar um quarto como os das outras meninas, numa espécie de pensionato ou internato, e não ficar mais aqui.

– Levantaria menos suspeitas. Os hotéis de Bagdá são muito caros. Seu rapaz parece ter a cabeça no lugar.

– Quer conhecê-lo?

Dakin chacoalhou a cabeça com vigor enfático.

– Não, diga para manter distância de mim. Infelizmente, devido às circunstâncias da noite da morte de Carmichael, está destinada a se tornar suspeita. Mas Edward não está nem ligado àquela ocorrência, nem a mim de jeito nenhum... e isso é valioso.

– Faz tempo que estou para lhe perguntar – disse Victoria. – Quem na verdade esfaqueou Carmichael? Foi alguém que o seguiu até aqui?

– Não – disse Dakin, devagar. – Não teria sido possível.

– Não teria?

– Ele chegou de *gufa*... um daqueles barcos nativos... e não estava sendo seguido. Sabemos disso porque eu tinha uma pessoa vigiando o rio.

– Então foi alguém... do hotel?

– Sim, Victoria, e digo mais, alguém de uma ala particular do hotel... pois eu mesmo estava vigiando as escadas e ninguém subiu por elas.

Ele observou a expressão perplexa dela e disse baixinho:

– Isso de fato nos deixa com poucas alternativas. Você, eu, a sra. Cardew Trench, Marcus e suas irmãs. Dois funcionários idosos que estão no hotel há anos. Um homem de Kirkuk chamado Harrison, sobre o qual não se sabe nada. Uma enfermeira que trabalha no Hospital Judaico... Pode ser qualquer uma dessas pessoas... E, no entanto, é provável que não seja nenhuma delas por um motivo muito simples.

– E qual é?

– Carmichael estava em alerta. Sabia que o momento-chave de sua missão se aproximava. Era um homem com um instinto muito afiado para o perigo. Como foi que aquele instinto falhou?

– Aqueles policiais que vieram – começou Victoria.

– Ah, eles vieram *depois*... chegaram da rua. Devem ter recebido um sinal, suponho. Mas não foram eles que deram a facada. Isso deve ter sido feito por alguém que Carmichael conhecia bem, em quem confiava... ou, talvez, alguém que julgasse insignificante. Se ao menos eu soubesse...

II

As conquistas trazem consigo seu próprio anticlímax. Chegar a Bagdá, encontrar Edward, penetrar nos segredos do Ramo de Oliveira: tudo aquilo parecera um plano fascinante. Agora que atingira seus objetivos, Victoria, em seus raros momentos de questionamento pessoal, por vezes se perguntava que raios estava fazendo! O arrebatamento do reencontro com Edward veio e se foi. Ela amava Edward, e Edward a amava. Estavam, na maior parte dos dias, trabalhando sob o mesmo teto; mas analisando com olhar imparcial, que raios os dois estavam fazendo?

De um jeito ou de outro, seja por força de vontade e determinação, ou engenhosidade persuasiva, Edward fora fundamental em conseguir que lhe oferecessem um emprego com um salário esquálido no Ramo de Oliveira. Passava a maior parte do tempo em uma saleta escura com uma lâmpada ligada, datilografando em uma máquina defeituosa as várias notificações, cartas e manifestos sobre a programação sem sal das atividades do Ramo de Oliveira. Edward tivera um pressentimento de que havia algo errado com o Ramo de Oliveira. O sr. Dakin parecera concordar com aquele ponto de vista. Ela, Victoria, estava lá para descobrir o que pudesse, mas até onde podia constatar, não havia nada a ser descoberto! As atividades do Ramo de Oliveira deixavam escorrer o mel da paz internacional. Vários encontros eram organizados, regados a laranjada e alguns comes deprimentes servidos como acompanhamento. Nessas ocasiões, Victoria deveria se comportar como uma semianfitriã, apresentando pessoas e promovendo o bem-estar geral entre as várias nacionalidades que estavam sempre mais inclinadas a encarar umas às outras com animosidade e deglutir as gororobas com apetite voraz.

Até onde Victoria podia ver, não havia nada velado, nenhuma conspiração, nada de círculos secretos. Tudo estava nos conformes, insípido tal qual leite aguado e desesperadamente maçante. Vários rapazes de pele morena arriscavam carícias hesitantes, outros lhe emprestavam livros que ela folheava e achava um tédio só. Àquela altura, já deixara o Tio Hotel e se alojara com outras funcionárias de nacionalidades variadas em uma casa na margem oeste do rio. Dentre essas jovens, estava Catherine, e lhe parecia que Catherine a vigiava sempre com desconfiança; mas se aquilo se devia a alguma suspeita de que estivesse espionando as atividades do Ramo de Oliveira, ou se era por uma questão bem mais delicada que dizia respeito às afeições de Edward, Victoria era incapaz de decidir. Preferia bem mais a segunda opção. Todo mundo sabia que Edward conseguira o emprego para Victoria, e vários pares de olhos escuros e invejosos olhavam para ela sem nenhuma afeição.

O fato era, Victoria concluiu a contragosto, que Edward era por demais atraente. Todas aquelas meninas ficaram apaixonadas por ele, e o jeito simpático e atencioso com que tratava todas elas não ajudava em nada. De comum acordo, os dois decidiram não demonstrar nenhum sinal de intimidade especial. Se quisessem descobrir qualquer coisa que valesse a pena, ninguém poderia suspeitar que estivessem trabalhando juntos. O tratamento que Edward dedicava a ela era o mesmo que a qualquer outra das moças, com um toque adicional de frieza.

Embora o Ramo de Oliveira em si parecesse tão inócuo, Victoria tinha a clara sensação de que o chefe fundador da instituição se encontrava em outra categoria. Uma ou duas vezes, percebeu o olhar frio e pensativo do dr. Rathbone recaindo sobre ela e, embora houvesse rebatido com sua expressão de animalzinho inocente, sentira uma palpitação súbita de algo parecido com o medo.

Certa ocasião, quando fora chamada à presença dele (para dar explicações sobre um erro de datilografia), a situação foi muito além do olhar.

– Espero que esteja feliz trabalhando conosco – ele disse.

– Ah, sim, estou, senhor – respondeu Victoria, e acrescentou: – Sinto muito por cometer tantos erros.

– Não nos incomodamos com os erros. Uma máquina carente de alma não teria utilidade para nós. Precisamos de juventude, generosidade de espírito, amplitude de perspectivas.

Victoria se esforçou para parecer ávida e generosa.

– Precisa *amar* esse trabalho... amar o objetivo pelo qual está trabalhando... desejar ansiosa um futuro glorioso. Sente essas coisas, minha criança?

– É tudo tão novo para mim – disse Victoria. – Sinto que ainda não consegui absorver tudo.

– Reúnam-se... reúnam-se... os jovens do mundo todo precisam se juntar. Isso é o mais importante. Aprecia suas noites de debate aberto e companheirismo?

– Ah! Sim – respondeu Victoria, que as odiava.

– Entendimento no lugar da dissensão... fraternidade no lugar do ódio. Devagar e sempre o movimento cresce... sente isso, não sente?

Victoria lembrou das picuinhas sem fim, os dissabores violentos, as discussões intermináveis, sentimentos de mágoa e desculpas formais que eram exigidas; e mal sabia o que o velho esperava que ela respondesse.

– Às vezes – falou com cautela – as pessoas são difíceis.

– Eu sei... eu sei...

Dr. Rathbone suspirou. A testa nobre e abobadada formou um sulco, imersa em perplexidade.

– Que história foi essa que ouvi sobre Michael Rakounian ter batido em Isaac Nahoum e cortado o lábio dele?

– Estavam apenas tendo uma pequena discussão – respondeu Victoria.

O dr. Rathbone meditou pesaroso.

– Fé e paciência – murmurou. – Fé e paciência.

Victoria murmurou uma anuência obediente e virou-se para ir embora. Então, lembrando-se de que havia esquecido sua folha datilografada, voltou mais uma vez. A expressão que captou nos olhos do dr. Rathbone a assustou um pouco. Era um olhar penetrante e desconfiado, e ficou inquieta pensando no quanto estaria sendo vigiada de perto e o que o dr. Rathbone de fato achava dela.

As instruções do sr. Dakin foram muito precisas. Deveria obedecer a certas regras para se comunicar com ele se houvesse qualquer coisa a relatar. Ele lhe dera um lenço cor-de-rosa desbotado. Caso tivesse algo a reportar, deveria dar uma caminhada ao longo da orla do rio perto de sua hospedaria, como tantas vezes fazia quando o sol estava se pondo. Havia uma passagem estreita, de talvez uns quatrocentos metros, em frente às casas de lá. Em um determinado ponto, um enorme lance de escadas dava acesso à margem do rio, onde era constante a presença de barcos amarrados. Havia um prego enferrujado no topo de um dos pilares de madeira. Ali, deveria prender um pedacinho do lenço cor-de-rosa se quisesse se comunicar com Dakin. Até então, Victoria refletiu amargurada, não sentira necessidade de nada do tipo. Estava apenas executando um trabalho mal pago de modo desleixado. Edward, ela via em raros intervalos, já que estava sempre sendo enviado pelo dr. Rathbone para algum lugar distante. Naquele momento, acabara de retornar da Pérsia. Durante a ausência dele, ela tivera uma entrevista breve e um tanto insatisfatória com Dakin. Suas instruções haviam sido para ir até o Tio Hotel e perguntar se não havia esquecido um cardigã. Enquanto recebia a resposta negativa, Marcus apareceu e imediatamente a levou para a margem do rio para tomar um drinque. Durante o processo, Dakin chegara da rua como quem não queria nada e fora chamado por Marcus para se juntar a eles e, na sequência, enquanto Dakin bebericava a limonada, Marcus fora chamado para resolver alguma coisa, e os dois ficaram a sós, um diante do outro, na mesinha pintada.

Muito apreensiva, Victoria confessou sua total falta de sucesso, mas Dakin foi indulgente e reconfortante.

— Minha querida menina, sequer sabe o que está procurando, ou mesmo se há algo a ser encontrado. De modo amplo e geral, qual é sua opinião sincera do Ramo de Oliveira?

— É totalmente confuso – Victoria declarou devagar.

— Confuso, sim. Mas não fraudulento?

— Não sei – respondeu ela, devagar. – As pessoas acreditam tanto no ideal da cultura, se é que me entende.

— Está dizendo que, onde quer que haja alguma coisa envolvendo cultura, ninguém verifica as garantias de idoneidade da mesma forma que faria caso fosse uma instituição de caridade ou financeira? Isso é verdade. E vai encontrar verdadeiros entusiastas por lá, não tenho dúvida. Mas a organização está sendo usada?

— Acho que há um bocado de atividade comunista acontecendo – disse Victoria, hesitante. – Edward acha isso também... está fazendo com que eu leia Karl Marx e deixe o livro jogado em qualquer lugar só para observar as reações dos outros.

Dakin assentiu.

— Interessante. Alguma reação até agora?

— Não, ainda não.

— E Rathbone? *Ele* é genuíno?

— Acho que é – Victoria pareceu hesitar.

— É ele que me preocupa, sabe? – disse Dakin. – Por que ele *aparece* muito. Suponhamos que haja uma conspiração comunista em processo; estudantes e jovens revolucionários têm muito pouca chance de entrar em contato com o presidente. A polícia vai dar conta de bombas que sejam jogadas nas ruas. Mas Rathbone é diferente. É um dos mandachuvas, um homem ilustre com uma bela ficha pública de atividades beneficentes. Poderia estar em contato bem próximo com visitantes ilustres. Provavelmente está. Gostaria de saber mais sobre Rathbone.

Sim, Victoria pensou consigo, tudo era centralizado em Rathbone. Na primeira conversa em Londres, semanas atrás, os comentários vagos de Edward sobre algo "cheirar mal" naquela história tivera origem com o empregador. E deve ter havido algum incidente, Victoria concluiu então, alguma palavra que despertara a inquietação de Edward. Pois acreditava que era assim que a mente funcionava. Uma dúvida ou desconfiança vagas não eram jamais apenas um pressentimento... eram sempre baseadas de fato em alguma causa. Se conseguisse fazer Edward refletir sobre aquele momento, fazer um esforço de memória; juntando esforços poderiam chegar ao fato ou incidente que despertara a desconfiança dele. Da mesma forma, pensou Victoria, ela mesma deveria tentar lembrar-se do que tanto a surpreendera quando fora até a sacada do Tio e depara-se com Sir Rupert Crofton Lee sentado ao sol. Era verdade que esperava que estivesse hospedado na embaixada e não no Tio Hotel, mas aquilo não era suficiente para explicar a forte sensação de que era quase impossível ele estar sentado ali! Repassaria mil vezes os acontecimentos daquela manhã, e Edward precisava ser encorajado a repassar e relembrar os primeiros dias de sua parceria com o dr. Rathbone. Diria isso a ele na próxima vez em que estivessem a sós. Mas conseguir falar com Edward a sós não era tarefa fácil. Para começar, passara uns tempos na Pérsia e, agora que havia retornado, comunicações particulares no Ramo de Oliveira estavam fora de questão, pois o slogan da última guerra ("*Les oreilles enemies vous écoutent*") estava praticamente escrito nas paredes. Na residência armênia onde era uma hóspede pagante, a privacidade era igualmente impossível. De fato, pensou Victoria: "Considerando o tanto que consigo ver Edward, poderia ter ficado na Inglaterra!"

A prova de que isso não era verdade veio logo em seguida.

Edward chegou para falar com ela trazendo algumas folhas de manuscritos e disse:

– O dr. Rathbone quer que isso seja datilografado o mais rápido possível, por favor, Victoria. Dedique um cuidado especial à *segunda página*, há alguns nomes árabes bastante complicados nela.

Victoria, com um suspiro, inseriu uma folha de papel na máquina de escrever e deu a largada no seu estilo atropelado de sempre. A letra do dr. Rathbone não apresentava nenhuma dificuldade particular de leitura, e Victoria estava mesmo se parabenizando por ter cometido menos erros do que o normal. Pôs a primeira página de lado, foi começar a próxima... e de imediato compreendeu o significado da injunção de Edward para que fosse minuciosa com a segunda página. Um bilhete diminuto, escrito com a letra dele, estava preso no topo da folha.

Amanhã de manhã, em torno das onze horas, saia para uma caminhada ao longo do Tigre, passando a Beit Melek Ali.

O dia seguinte era sexta-feira, a folga semanal. O estado de espírito de Victoria se elevou com rapidez mercurial. Usaria seu pulôver verde-esmeralda.

E precisava lavar os cabelos. A casa onde estava morando não dava condições de que ela mesma lavasse a cabeça.

— E está precisando de uma boa lavada – murmurou em voz alta.

— O que foi que disse? – Catherine, trabalhando em uma pilha de circulares e envelopes na mesa ao lado, levantou o olhar com desconfiança.

Victoria rapidamente amassou o bilhete de Edward na mão e comentou despreocupada:

— Meu cabelo precisa ser lavado. A maioria desses salões de cabeleireiros parece tão terrivelmente suja, não sei aonde ir.

— Sim, são sujos e também são caros. Mas conheço uma menina que lava muito bem os cabelos e as toalhas dela são limpas. Vou levar você lá.

— É muita gentileza sua, Catherine – disse Victoria.

— Vamos amanhã. É nossa folga.

— Amanhã não – disse Victoria.

— Por que não amanhã?

Um olhar suspeito foi lançado para ela. Victoria sentiu aumentar seu incômodo e desagrado habituais com Catherine.

— Prefiro sair para dar uma caminhada... tomar um pouco de ar. A gente fica tão entocada aqui.

— E onde é que vai caminhar? Não há nenhum lugar para se caminhar em Bagdá.

— Vou encontrar um – respondeu Victoria.

— Seria melhor ir ao cinema. Ou talvez haja alguma palestra interessante para se assistir?

— Não, quero mesmo dar uma volta. Na Inglaterra, nós gostamos de sair para caminhar.

— Só porque são ingleses vocês são orgulhosos e cheios de si. Que diferença faz ser inglês? Quase nenhuma. Aqui, nós cuspimos nos ingleses.

— Se começar a cuspir em mim, pode ter uma surpresa – disse Victoria, cismada como de costume com a facilidade com que as fúrias passionais pareciam surgir no Ramo de Oliveira.

— Você faria o quê?

— Experimente para ver.

— Por que lê Karl Marx? Não consegue entender nada. É burra demais. Acha que chegariam sequer a aceitá-la como membro do Partido Comunista? Não tem educação política suficiente.

— E por que não posso ler o livro? Foi escrito para pessoas como eu, trabalhadores.

— Não é uma trabalhadora. Você é burguesa. Não sabe nem datilografar direito. Olha só os erros que comete.

– Algumas das pessoas mais inteligentes cometem erros de ortografia – contestou Victoria com dignidade. – E como posso trabalhar se você não para de falar comigo?

Crepitou uma linha na máquina com uma velocidade estonteante... e ficou então um tanto desapontada ao descobrir que por ter pressionado sem querer a tecla de maiúsculas, produzira uma linha de pontos de exclamação, números e parênteses. Removendo a folha da máquina, substituiu por outra e se dedicou com total diligência até completar a tarefa e levar o resultado para o dr. Rathbone.

Dando uma olhada rápida no documento, este murmurou:

– Shiraz fica no *Irã*, não no Iraque... e de qualquer maneira não se escreve Iraque com k... *Wasit*... e não Wizle... hã... obrigado, Victoria.

Então, no que ela estava saindo da sala, ele a chamou de volta.

– Victoria, está feliz aqui?

– Ah, sim, dr. Rathbone.

Os olhos escuros sob as sobrancelhas massivas buscavam alguma coisa. Ela sentiu uma inquietação aumentando.

– Temo que não estejamos lhe pagando muito bem.

– Isso não importa – disse Victoria. – Gosto do trabalho.

– Gosta mesmo?

– Ah, sim – respondeu ela. – A gente sente – acrescentou – que este tipo de coisa vale realmente a pena.

A expressão límpida dela encontrou o olhar escuro e penetrante e não titubeou.

– E consegue... sobreviver?

– Ah, sim... encontrei um lugar bom e bem barato... com algumas armênias. Estou muito bem.

– Há uma escassez no momento de estenodatilógrafas em Bagdá – disse o dr. Rathbone. – Acho que poderia conseguir uma posição melhor do que a que tem aqui.

– Mas não quero nenhuma outra.

– Poderia ser mais *inteligente* procurar por outra.

– Inteligente? – Victoria hesitou um pouquinho.

– Foi isso que eu disse. É só uma advertência... um conselho.

Havia uma ameaça sutil no tom de voz dele.

Victoria arregalou os olhos ainda mais.

– Não estou compreendendo, dr. Rathbone – disse.

– Às vezes é mais sábio não se envolver com coisas que não se entende.

Naquele momento, ela teve certeza da ameaça, mas continuou a olhar para ele com uma inocência infantil.

– Por que veio trabalhar aqui, Victoria? Por causa do Edward?

Victoria ruborizou-se de irritação.

– É claro que não – declarou indignada. Estava muitíssimo aborrecida.

O dr. Rathbone balançou o queixo.

– Edward tem o caminho dele para seguir. Serão necessários muitos e muitos anos até que esteja em uma posição que possa ser de alguma utilidade para você. Eu pararia de pensar no Edward se fosse você. E, como já disse, há bons empregos disponíveis no presente, com um bom salário e boas perspectivas... e que lhe ajudariam a se integrar com pessoas do seu tipo.

Seguia observando-a muito de perto, pensou Victoria. Seria um teste? Ela alegou com uma ansiedade afetada:

– Mas me interesso tanto pelo Ramo de Oliveira, dr. Rathbone.

Ele deu de ombros, e ela o deixou, mas ainda podia sentir os olhos dele cravados em sua espinha enquanto saía da sala.

Estava um tanto perturbada com aquela conversa. Acontecera alguma coisa que provocara as suspeitas dele? Adivinhara que poderia ser uma espiã plantada no Ramo de Oliveira para descobrir seus segredos? A voz e a atitude dele deixaram-na com um receio desagradável. A sugestão de que fora trabalhar ali para ficar perto de Edward a deixara enfurecida na hora, e negara enfaticamente, mas então percebeu que era mais seguro que o dr. Rathbone pensasse que a ida dela para o Ramo de Oliveira fora por causa de Edward do que ele ter o menor pressentimento que o sr. Dakin havia influenciado a questão. De qualquer modo, graças ao seu rubor idiota, Rathbone provavelmente achava mesmo que era pelo Edward... então tudo na verdade se dera da melhor maneira possível.

Contudo, foi dormir naquela noite com um aperto desagradável de medo em seu coração.

CAPÍTULO 17

I

Revelou-se bastante simples a escapada de Victoria para passear sozinha na manhã seguinte sem maiores explicações. Perguntara sobre o Beit Melek Ali e descobrira que era uma casa imensa construída diretamente no rio, bem adiante na Margem Oeste.

Até então, Victoria tivera pouquíssimo tempo para explorar o seu entorno e ficou agradavelmente surpresa quando chegou ao final da passagem estreita e se descobriu na margem do rio. Virou para a direita e percorreu o caminho devagar seguindo o contorno da margem alta. Por vezes, o percurso era precário; a beirada fora carcomida e nem sempre restaurada ou reconstruída. Em frente aos degraus de uma das casas, se alguém desse apenas um passo em falso em uma noite escura, acabaria dentro do rio. Victoria olhou para a água lá embaixo e espremeu-se pelo beiral. Depois, por um tempo, o caminho era largo e pavimentado. As casas à sua direita sugeriam um ar agradável de mistério. Não davam uma pista sequer sobre seus ocupantes. Ocasionalmente, a porta central se encontrava aberta e, ao espiar para dentro, Victoria ficava fascinada pelos contrastes. Em uma dessas ocasiões, olhou para dentro de um pátio com um chafariz funcionando, rodeado de estofados e cadeiras ao ar livre, palmeiras altas se erguendo até o céu e um jardim mais atrás que parecia o pano de fundo de um cenário teatral. A casa seguinte, com uma aparência externa muito parecida, se abria para um ambiente desordenado, com corredores escuros e cinco ou seis crianças imundas vestindo farrapos brincando. Então chegou aos jardins de palmeiras em grupamentos espessos. À esquerda, passou por degraus irregulares que levavam ao rio, e um barqueiro árabe sentado em uma embarcação a remo primitiva gesticulava e chamava, perguntando, era evidente, se ela queria atravessar para o outro lado. Naquela altura, calculou, deveria estar no ponto exatamente oposto ao Tio Hotel, embora fosse difícil distinguir as diferenças na arquitetura vista por aquele lado, e as construções do hotel se pareciam bastante com o resto. Chegou por fim a uma estrada que atravessava o jardim das palmeiras e chegava a duas casas altas com sacadas. Além dali, havia uma casa enorme construída lá dentro do rio com um jardim e uma balaustrada. O percurso até a margem passava por dentro do que deveria ser a Beit Melek Ali, ou a Casa do Rei Ali.

Em poucos minutos, Victoria havia passado pela entrada e chegado a uma parte mais miserável. O rio ficava escondido atrás de plantações de palmeiras, que eram protegidas por arame farpado enferrujado. À direita, havia casas se desmoronando cercadas de muros feitos com tijolos de barro, pequenas choupanas com crianças brincando no chão e nuvens de moscas sobrevoando montanhas de lixo. Uma estrada levava no sentido contrário ao rio, e um carro estava parado lá, um carro um tanto velho e combalido. Ao lado do veículo, estava Edward.

– Que bom – exclamou ele –, conseguiu chegar. Entre.

– Para onde estamos indo? – perguntou Victoria, entrando no automóvel com alegria. O motorista, que parecia ser uma trouxa animada de andrajos, virou-se e sorriu feliz para ela.

– Vamos para a Babilônia – declarou Edward. – Está mais do que na hora de passarmos um dia juntos.

O carro deu a partida com uma sacudida horrenda e saiu corcoveando enlouquecido sobre as pedras brutas do calçamento.

– Para a Babilônia? – gritou Victoria. – Parece tão encantador. Para a Babilônia mesmo?

O carro deu uma guinada para a esquerda, e lá foram eles deslizando por sobre a estrada bem pavimentada de largura imponente.

– Sim, mas não espere grande coisa. A Babilônia... se é que me entende... não é mais o que era.

Victoria cantarolou baixinho.

Quantas milhas até a Babilônia?
Três vezes vinte mais dez,
Posso chegar lá com luz de vela?
Pode ir e voltar de vez.

– Costumava cantar isso quando era bem pequena. Sempre me fascinou. E agora estamos realmente indo para lá!

– E voltaremos à luz de velas. Ou ao menos deveríamos. Na verdade nunca se sabe neste país.

– Este carro dá a impressão de que pode estragar a qualquer instante.

– Provavelmente vai mesmo. Com certeza deve haver mil problemas com ele. Mas esses iraquianos são inacreditáveis, amarram tudo com barbante, ficam repetindo Insha'Allah, e daí volta a funcionar.

– É Insha'Allah para tudo, não é?

– É, nada como depositar a responsabilidade no Todo-Poderoso.

– A estrada não é muito boa, não é? – Victoria deu um salto descolando-se do assento. A estrada bem-pavimentada era ilusória e não conseguia cumprir sua promessa. A pista ainda era larga, mas agora estava ondulada e cheia de sulcos.

– Fica pior mais adiante – gritou Edward.

Eles seguiam ricocheteando bem felizes. A poeira subia em nuvens ao redor. Grandes caminhões recheados de árabes seguiam pelo meio da pista surdos a qualquer intimidação da buzina.

Passaram por jardins murados, por grupos de mulheres, crianças, jumentos, e, para Victoria, tudo era novidade e parte do encanto de estar indo para a Babilônia com Edward ao seu lado.

Em duas horas, chegaram à Babilônia abalados e moídos. O amontoado inexpressivo de tijolos de barro destruídos e queimados era de certa forma uma decepção para Victoria, que esperava algo como colunas e arcos que se assemelhassem às imagens que já vira de Baalbek.

Porém, pouco a pouco seu desapontamento foi diminuindo, à medida que escalavam os montes e colinas de tijolos queimados acompanhando seu guia. Ela escutava apenas com atenção parcial às profusas explicações, mas quando estavam seguindo pela via processional até a porta de Ishtar, com os relevos quase imperceptíveis de animais inacreditáveis no alto das paredes, teve uma sensação súbita da grandiosidade do passado e o desejo de saber mais sobre aquela cidade vasta e orgulhosa que agora jazia morta e abandonada. Em seguida, tendo cumprido com suas obrigações para com a antiguidade, os dois sentaram-se junto do Leão da Babilônia para comer o almoço que Edward trouxera. O guia se afastou sorrindo indulgente e reafirmando que deveriam visitar o museu depois.

— Temos mesmo? — perguntou Victoria, sonhadora. — Coisas que são rotuladas e enfiadas em caixas de vidro por algum motivo não parecem nem um pouco reais. Fui uma vez ao Museu Britânico. Foi medonho e um suplício para os pés.

— O passado sempre é monótono — disse Edward. — O futuro é muito mais importante.

— Isto aqui não é monótono — declarou Victoria, acenando com o sanduíche em direção ao panorama de tijolos em ruínas. — Há uma sensação de... grandiosidade neste lugar. Como dizia aquele poema de William Ernest Henley: *"Quando você era o rei da Babilônia e eu era uma escrava cristã"*? Quem sabe fomos mesmo. Você e eu, digo.

— Não acho que tenha havido nenhum rei da Babilônia na época em que já existiam cristãos — disse Edward. — Acho que a Babilônia parou de funcionar em algum momento entre 500 e 600 a.C. Um ou outro arqueólogo sempre aparece para dar palestras sobre esses assuntos... mas nunca gravo nenhuma data... digo, nada antes da época dos gregos e romanos mesmo.

— Teria gostado de ser um rei da Babilônia, Edward?

Edward inspirou profundamente.

— Sim, teria.

— Então diremos que você foi. Está numa nova encarnação agora.

— Eles entendiam o *verdadeiro* significado de ser um rei naquela época! — exclamou Edward. — É por isso que podiam governar o mundo e reformar tudo.

— Não sei se teria gostado muito de ser uma escrava — disse Victoria meditativa —, cristã ou não.

— Milton tinha razão — disse Edward. — "É melhor reinar no inferno do que servir no céu." Sempre admirei o satã de Milton.

— Nunca li Milton — desculpou-se Victoria. — Mas fui assistir a *Comus* em Sadlers Wells e foi muito bonito, e Margot Fonteyn dançava como uma espécie de anjo congelado.

– Se tivesse sido uma escrava, Victoria, eu a libertaria e a levaria para meu harém... bem ali – acrescentou apontando com um gesto vago para uma pilha de detritos.

Um brilho surgiu no olhar de Victoria.

– Falando em haréns – começou ela.

– Como está se entendendo com Catherine? – perguntou Edward, apressado.

– Como sabia que eu estava pensando em Catherine?

– Bem, estava não estava? Honestamente, Viccy, quero muito que se torne amiga de Catherine.

– Não me chame de Viccy.

– Tudo bem, Charing Cross. Quero que fique amiga de Catherine.

– Como os homens são idiotas! Sempre querendo que as garotas deles sejam amigas umas das outras.

Edward sentou-se ereto num movimento enérgico. Estivera antes reclinado com as mãos atrás da cabeça.

– Está entendendo tudo errado, Charing Cross. Enfim, suas referências com relação aos haréns são simplesmente bobas...

– Não, não são. Do jeito que aquelas meninas ficam olhando e desejando você! Isso me deixa furiosa!

– Esplêndido – disse Edward. – Adoro quando fica furiosa. Mas voltando a Catherine. O motivo pelo qual quero que seja amiga dela é que tenho quase certeza de que ela é o melhor caminho para chegarmos a todas as coisas que queremos descobrir. Ela sabe de algo.

– Acha isso mesmo?

– Lembra quando a ouvi dizer algo sobre Anna Scheele?

– Havia me esquecido disso.

– Como tem se saído com o Karl Marx? Algum resultado?

– Ninguém me fez qualquer proposta nem me convidou para entrar no clube. Catherine ontem me disse que o partido não me aceitaria porque não tenho formação política suficiente. E ter de ler toda aquela coisa enfadonha... honestamente, Edward, não tenho cabeça pra isso.

– Não tem consciência política? – Edward riu. – Pobre Charing Cross. Bem, bem, Catherine pode ser frenética, com todo conhecimento, intensidade e consciência política, mas minha preferência ainda recai sobre uma datilógrafa londrina que não sabe soletrar uma palavra de três sílabas.

Victoria de repente franziu a testa. As palavras de Edward a fizeram relembrar o curioso colóquio que tivera com o dr. Rathbone. Contou a Edward sobre o episódio. Pareceu muito mais incomodado do que ela esperava.

– Isso é sério, Victoria, sério mesmo. Faça o esforço de me contar com exatidão o que ele falou.

Victoria fez o melhor que pôde para relembrar as palavras exatas que Rathbone usara.

– Mas não estou entendendo – disse – por que isso o deixou tão chateado.

– Hein? – Edward parecia absorto. – Você não está entendendo... Minha querida, não compreende que isso demonstra que estão sabendo de você? Estão lhe advertindo. Não estou gostando, Victoria... não estou gostando nada disso.

Ele fez uma pausa e então declarou, com sobriedade:

– Os comunistas, sabe, são muito impiedosos. Faz parte das crenças deles não pararem por nada. Não quero que acabe levando uma pancada na cabeça e sendo jogada no Tigre, minha querida.

Que esquisito, pensou Victoria, estar sentada em meio às ruínas da Babilônia discutindo a probabilidade de, em um futuro próximo, levar uma pancada na cabeça e ser jogada no rio Tigre. Quase fechando os olhos, pensou, sonhadora: "Em breve vou acordar e descobrir que estou em Londres, tendo um sonho maravilhoso e melodramático sobre a perigosa Babilônia. Quem sabe...", pensou ela, fechando totalmente os olhos, "eu estou em Londres... e o despertador vai tocar muito em breve e vou levantar e me dirigir para o escritório do dr. Greenholtz... e não vai haver nenhum Edward...".

E, com aquele pensamento, abriu os olhos de novo, apressada, para se certificar de que Edward estava realmente ali (e o que era mesmo que estava prestes a perguntar para ele em Basrah, quando foram interrompidos, e ela esquecera?) e não se tratava de sonho nenhum. O sol resplandecia forte com um brilho ofuscante e nada londrino, as ruínas da Babilônia estavam pálidas e tremeluziam contrastando com o fundo de palmeiras escuras, e, sentado de costas um pouco inclinado na sua direção, estava Edward. O cabelo dele crescia de uma forma extraordinária, fazendo um pequeno redemoinho no pescoço... e que pescoço bonito... um tom marrom rubro, bronzeado do sol... sem nenhuma manchinha... tantos homens tinham os pescoços cheios de cistos ou espinhas onde os colarinhos roçavam... um pescoço como o de Sir Rupert, por exemplo, com um furúnculo se formando.

Subitamente, abafando uma exclamação, Victoria sentou-se de um salto, e seus devaneios tornaram-se coisa do passado. Estava extremamente excitada.

Edward virou para ela com uma expressão inquiridora.

– O que houve, Charing Cross?

– Acabo de me lembrar – disse Victoria –, sobre Sir Rupert Crofton Lee.

Como Edward ainda mantivesse a falta de expressão no olhar indagador, Victoria deu continuidade a fim de esclarecer o que dizia; o que, verdade seja dita, ela não fez muito bem.

– Era um furúnculo – disse –, no pescoço dele.

– Um furúnculo no pescoço? – Edward estava perplexo.

– Sim, no avião. Ele estava sentado na minha frente, sabe, e aquela coisa meio capuz que ele usava caiu para trás, e eu vi... o furúnculo.

– E por que ele não poderia ter um furúnculo? É dolorido, mas muita gente tem.

– Sim, sei, claro que tem. Mas a questão é que naquela manhã, na sacada, ele *não* tinha.

– Não tinha o quê?

– Não tinha o furúnculo. Ai, Edward, faça um esforço para entender. Dentro do avião, ele tinha um furúnculo e, no balcão do Tio, não tinha um furúnculo. O pescoço dele estava bem liso e sem cicatrizes... como o seu agora.

– Bem, suponho que tenha sumido.

– Ah, não, Edward, não poderia ter sumido. Era apenas um dia depois, e estava apenas começando a estourar. Não poderia ter sumido... não assim completamente sem deixar vestígio. Então entende o que isso significa... sim, deve significar que... o homem no Tio Hotel não era Sir Rupert.

Ela balançou o queixo com veemência. Edward ficou encarando-a.

– Você é louca, Victoria. Deve ter sido Sir Rupert. Não viu nada mais de diferente nele.

– Mas você não está enxergando, Edward, em nenhum momento olhei para ele com atenção... apenas reparei no seu... bem, pode-se chamar de efeito geral. O chapéu... a capa... e aquele ar de mosqueteiro. Ele seria um homem bem fácil de imitar.

– Mas teriam percebido na embaixada...

– Não ficou na embaixada, ficou? Foi se hospedar no Tio. Um dos secretários assistentes ou alguém do pessoal de lá que foi ao encontro dele. O embaixador está na Inglaterra. Além disso, ele tem se ausentado da Inglaterra por muito tempo.

– Mas por quê...

– Por causa de Carmichael, é claro. Carmichael estava a caminho de Bagdá para encontrá-lo... para contar a ele o que descobrira. Só que nunca haviam se encontrado antes. Então Carmichael não tinha como saber que aquele não era o homem certo... e não estaria alerta para o perigo. É claro que foi Rupert Crofton Lee (o falso) quem esfaqueou Carmichael! Ai, Edward, tudo se encaixa.

– Não acredito em uma palavra disso. É loucura. Não se esqueça que o Sir Rupert foi morto depois no Cairo.

– Foi ali que tudo aconteceu. Agora sei. Ai, Edward, que desastre. Vi tudo acontecer.

– Viu acontecer... Victoria, está louca?

– Não, não estou nem um pouco louca. Apenas escute, Edward. Bateram na minha porta... no hotel em Heliópolis... ao menos achei que tivesse sido na minha porta e fui olhar, mas não era... era na porta ao lado, a de Sir Rupert Crofton Lee. Era uma das aeromoças ou comissárias, ou como quer que se chamem. Ela perguntou se ele não se incomodaria de dar uma passada no escritório da BOAC... mais adiante no corredor. Saí do meu quarto em seguida. Passei por uma porta que tinha um cartaz onde estava escrito BOAC, a porta foi aberta, e ele saiu. Achei então que ele acabara de receber alguma notícia que o fez mudar o jeito de caminhar. Não está vendo, Edward? Era uma armadilha, o substituto estava esperando, pronto, e assim que ele entrou deram-lhe uma bordoada na cabeça, e o outro saiu e assumiu o papel. Acho que devem tê-lo mantido preso em algum lugar no Cairo, talvez no hotel, como um inválido, o mantiveram entorpecido e então o mataram no momento exato em que o impostor chegara de volta ao Cairo.

– É uma história magnífica – disse Edward. – Mas, sabe, Victoria, sendo bem franco, está inventando isso tudo. Não há nenhuma corroboração desses fatos.

– Há o furúnculo...

– Ah, às favas com o furúnculo!

– E há duas outras coisas.

– O quê?

– O cartaz da BOAC na porta. Não estava lá depois. Lembro bem de ter ficado confusa quando descobri que o escritório da BOAC ficava do outro lado da entrada do hotel. Isso é uma coisa. E há outra. Aquela aeromoça, a que bateu na porta dele. Já a encontrei depois... aqui em Bagdá... e sabe do que mais, foi no Ramo de Oliveira. No primeiro dia que fui lá. Entrou e foi falar com Catherine. Na hora pensei que já a conhecia de algum lugar.

Depois de um momento de silêncio, Victoria disse:

– Portanto, precisa admitir, Edward, que não é tudo fantasia da minha cabeça.

Edward disse devagar:

– Sempre voltamos ao Ramo de Oliveira... e a Catherine. Victoria, deixe essa raiva de lado, precisa se aproximar mais de Catherine. Faça elogios, amacie, converse sobre ideias bolchevistas com ela. De um jeito ou de outro, fique íntima para saber quem são os amigos dela, que lugares frequenta e com quem tem contato fora do Ramo de Oliveira.

– Não vai ser fácil – disse ela –, mas vou tentar. E o sr. Dakin. Será que devo contar tudo isso para ele?

– Sim, é claro. Mas espere um ou dois dias. Pode ser que a gente tenha mais fatos em que nos basearmos – suspirou Edward. – Vou levar Catherine ao Le Select para o show de cabaré uma noite dessas.

E desta vez Victoria não sentiu nenhuma pontada de ciúmes. Edward falara aquilo com uma determinação austera que descartava qualquer antecipação de prazer na missão que se propusera a cumprir.

II

Animadíssima com suas descobertas, Victoria não precisou se esforçar para cumprimentar Catherine com uma efusão de cordialidade no dia seguinte. Fora muito gentil da parte de Catherine, disse, ter lhe sugerido um local para lavar os cabelos. Os cabelos estavam precisando demais de uma boa lavada. (Isso era inegável, Victoria retornara da Babilônia com os cabelos escuros agora cor de ferrugem por causa da areia.)

– Estão com uma aparência terrível, é verdade – disse Catherine, examinando os cabelos da outra com certa satisfação maliciosa. – Saiu então durante aquela tempestade de poeira ontem à tarde?

– Aluguei um carro e fui conhecer a Babilônia – disse Victoria. – Foi muito interessante, mas no caminho de volta, levantou uma tempestade de poeira que quase me cegou e me engasgou.

– É interessante a Babilônia – disse Catherine –, mas deveria ir com alguém que entenda do lugar e possa lhe explicar tudo com propriedade. Quanto ao seu cabelo, vou levar você até essa moça armênia hoje à noite. Ela vai lavar com o xampu cremoso. É o melhor que há.

– Não sei como consegue manter o seu cabelo tão lindo – comentou Victoria, olhando com o que parecia ser um ar de admiração para a pesada edificação de cachos gordos e sebentos na cabeça de Catherine.

Um sorriso apareceu no rosto geralmente azedo da moça, e Victoria constatou que Edward estava certo ao sugerir alguma adulação.

Quando saíram do Ramo de Oliveira naquela noite, as duas moças estavam amicíssimas. Catherine serpenteou por dentro e por fora de vielas e passagens estreitas e, por fim, bateu em uma porta pouco promissora, sem qualquer sinalização de que algum cabeleireiro trabalhava ali. Entretanto, foram recebidas por uma jovem simples, mas de aparência competente, que falava em um inglês lento e cuidadoso e que conduziu Victoria para uma pia imaculadamente limpa, com torneiras brilhantes e vários tubos e loções organizados ao redor. Catherine partiu, e Victoria entregou seus cabelos, que pareciam uma vassoura, aos cuidados hábeis da srta. Ankoumian. Logo seus cabelos eram uma massa de espuma cremosa.

– E agora se puder, por favor...

Victoria se inclinou de frente sobre a pia. A água escorria sobre os cabelos e gorgolejava ao descer pelo ralo.

De repente, seu nariz foi assaltado pelo aroma adocicado e um tanto doentio que ela associava vagamente a ambientes hospitalares. Um pano embebido de líquido foi apertado com firmeza contra o nariz e a boca. Ela lutou com todas as forças, se revirando e retorcendo, mas uma pressão firme manteve o pano no lugar. Começou a sufocar, a cabeça rodava, um zumbido alto tomou conta dos seus ouvidos...

E depois disso, tudo era uma densa e profunda escuridão.

CAPÍTULO 18

Quando Victoria recuperou a consciência, teve noção da longa passagem de tempo. Foram surgindo memórias confusas... solavancos dentro de um carro... palavreados e discussões altas em árabe... luzes que lhe ofuscavam os olhos... um ataque horrível de náusea... depois, lembrou-se vagamente de estar deitada numa cama e de alguém ter levantado o seu braço... a fisgada aguda e agonizante de uma agulha... depois, mais sonhos confusos e escuridão e, ao fundo, uma crescente sensação de urgência...

Agora finalmente, ainda indistinta, voltara a ser ela mesma: Victoria Jones... E algo acontecera a Victoria Jones... há muito tempo... meses, quem sabe anos... no fim das contas, talvez fosse apenas uma questão de dias.

A Babilônia... o brilho do sol... poeira... cabelos... Catherine. Catherine, claro, sorrindo, seu olhar astuto sob os cachos largos como linguiça... Catherine a levara para lavar os cabelos e então... o que aconteceu? Aquele cheiro horrível... ela ainda conseguia sentir... nauseabundo... clorofórmio, é claro. Empurraram clorofórmio sobre seu rosto e a levaram embora... para onde?

Com cuidado, Victoria tentou sentar-se. Parecia estar deitada em uma cama – uma cama muito dura – a cabeça doía e sentia-se tonta... ainda estava grogue, uma tontura terrível... aquela agulhada, a injeção hipodérmica, haviam lhe drogado... ainda estava semidrogada.

Bem, pelo menos não a mataram. (Por que será?) Então estava tudo bem. O melhor a fazer, pensou Victoria ainda entorpecida, é voltar a dormir. E tratou de fazê-lo.

Quando acordou novamente, sentiu a cabeça muito mais desanuviada. Com a luz do dia, podia ver com mais clareza onde se encontrava.

Estava num quarto pequeno, mas muito alto, pintado de um azul-acinzentado pálido e deprimente. O piso era de chão batido. O único móvel do quarto parecia ser a cama sobre a qual estava deitada, com um tapete sujo jogado por cima dela, e uma mesa guenza, com uma bacia esmaltada rachada em cima e um balde de zinco embaixo. Havia uma janela com uma espécie de treliça de madeira pelo lado de fora. Victoria levantou-se da cama com todo o cuidado, sentindo-se esquisita e com dor de cabeça, e aproximou-se da janela. Conseguia enxergar bem através da treliça, e o que viu era um jardim com palmeiras atrás. O jardim era bem bonito, pelos padrões orientais, embora não fosse merecer a consideração de uma dona de casa suburbana da Inglaterra. Tinha uma porção de cravos cor de laranja brilhantes, alguns eucaliptos empoeirados e algumas tamargueiras mirradas.

Uma criancinha com o rosto tatuado de azul e montes de pulseiras rolava por ali com uma bola e cantava numa lamúria aguda e nasal muito parecida com gaitas de fole ao longe.

Victoria em seguida voltou a atenção para a porta, que era grande e maciça. Sem muita esperança foi até ela e testou. Estava trancada. Voltou e sentou-se na lateral da cama.

Que lugar era aquele? Não era Bagdá, isso era certo. E o que faria a seguir?

Um ou dois minutos depois, teve consciência de que a última pergunta não se aplicava ao seu caso. Era mais uma questão de: o que alguém faria com ela? Com uma sensação de inquietude na boca do estômago, lembrou-se da insistência do dr. Dakin para que contasse tudo o que sabia. Mas talvez já tivessem arrancado tudo dela enquanto estava sob o efeito da droga.

Ainda assim, Victoria retornava a esse ponto com uma alegria inabalável: estava *viva*. Se conseguisse manter-se viva até que Edward pudesse encontrá-la... O que Edward faria quando descobrisse que ela desaparecera? Será que procuraria o sr. Dakin? Bancaria o herói sozinho? Ameaçaria e meteria medo em Catherine, forçando-a a contar? Será que chegaria a desconfiar de Catherine? Quanto mais Victoria tentava evocar a imagem reconfortante de Edward em ação, mais essa imagem se desvanecia e se tornava uma espécie de abstração sem rosto. Será que Edward era esperto o suficiente? No fim das contas era isso que importava. Edward era adorável. Edward tinha glamour. Mas será que tinha cérebro? Por que, evidentemente, na situação em que se encontrava, seria necessário ter massa cinzenta.

O sr. Dakin, por exemplo, teria o cérebro necessário. Mas teria o ímpeto? Ou simplesmente riscaria o nome dela de seu livro de registros mental, cortando com um traço de fora a fora e escrevendo ao lado com a letra bem bonita: RIP.* Afinal, para o sr. Dakin, ela era apenas uma em meio à multidão. Decidiram arriscar, e se a sorte lhes falhasse, seria uma pena. Não, não vislumbrava o sr. Dakin armando um esquema de resgate. Afinal, ele havia lhe advertido.

E o dr. Rathbone havia lhe advertido. (Advertido ou ameaçado?) E, com sua recusa em sentir-se intimidada, a ameaça foi levada a cabo sem demora...

Mas ainda estou viva, repetia ela, determinada a se concentrar no lado positivo das coisas.

Ouviu passos se aproximando lá fora e o rangido de uma chave grossa em uma fechadura enferrujada. A porta balançou sobre as dobradiças e escancarou-se. No vão, surgiu a figura de um árabe. Carregava uma bandeja velha de lata com alguns pratos.

Aparentou estar de bom humor, exibindo um sorriso largo, fez alguns comentários incompreensíveis em árabe, depositou a bandeja, abriu a boca, apontou para dentro da garganta e partiu, voltando a trancar a porta.

Victoria se aproximou da bandeja com interesse. Havia uma tigela grande de arroz, algo que parecia folhas de repolho enroladas e um pedaço grande de pão árabe. Além disso, havia uma jarra d'água e um copo.

Victoria começou bebendo um copo grande de água e então se atirou no arroz, no pão e nas folhas de repolho que estavam recheadas de uma carne desfiada de gosto bem peculiar. Quando terminou tudo que havia na bandeja, sentiu-se muito melhor.

Esforçou-se como pôde para analisar as coisas de maneira clara. Fora sedada com clorofórmio e raptada. Há quanto tempo? Quanto a essa questão, tinha apenas uma ideia nebulosíssima. Baseando-se em suas memórias sonolentas de estar dormindo e acordando, julgou que houvessem se passado alguns dias. Fora retirada de Bagdá... para onde? Isso também não havia como saber. Devido à sua ignorância da língua árabe, não lhe era sequer possível fazer perguntas. Não conseguia distinguir um lugar, um nome ou uma data.

Seguiram-se várias horas de monotonia.

Naquela noite, o carcereiro reapareceu com outra bandeja de comida. Dessa vez, veio acompanhado de duas mulheres. Vestiam preto enferrujado e tinham os rostos encobertos. Não entraram no quarto, mas ficaram de pé do lado de fora da porta. Uma segurava um bebê nos braços. Ficaram ali dando risadinhas. Através da fina espessura do véu que lhes cobria os olhos, sentiu que a estavam avaliando. Era estimulante e muito engraçado para elas ter uma europeia aprisionada lá.

---

* Abreviação do latim, *requiescat in pace*: descanse em paz. (N.T.)

Victoria falou com elas em inglês e francês, mas recebeu apenas risinhos como resposta. Era esquisito, pensou, ser incapaz de se comunicar com pessoas de seu próprio sexo. Pronunciou devagar e com dificuldade uma das poucas frases que aprendera:

– *El hamdu lillah.*

A simples expressão foi recompensada com uma alegre enchente de frases em árabe. Assentiam firmes com a cabeça. Victoria moveu-se em direção a elas, mas, rapidamente, o criado árabe – ou o que quer que ele fosse – deu uns passos para trás e barrou o caminho. Fez sinal para que as duas fossem embora e também saiu, fechando e trancando a porta de novo. Antes de fazê-lo, pronunciou uma só palavra repetidas vezes.

– *Bukra... Bukra...*

Era uma palavra que Victoria escutara antes. Queria dizer *amanhã*.

Victoria sentou-se na cama para pensar. Amanhã? Amanhã, alguém estaria vindo ou alguma coisa aconteceria. Amanhã seu aprisionamento terminaria (ou será que não?)... ou se fosse terminar, poderia ser esse o fim dela também! Juntando tudo, Victoria não gostou muito daquela ideia sobre o dia seguinte. Seus instintos indicavam que seria muito melhor se no dia seguinte ela estivesse em outro lugar.

Mas seria possível? Pela primeira vez, dedicou toda a atenção àquele problema. Primeiro foi até a porta e examinou-a bem. Era certo que não poderia tentar nada ali. Não era do tipo de fechadura para se cutucar com um grampo de cabelo... se é que de fato teria sido capaz de abrir *alguma* fechadura com um grampo, do que duvidava muito.

Restava a janela. A janela, logo descobriu, era uma ideia muito mais promissora. O trabalho em treliça da abertura estava nos estágios finais de decrepitude. Admitindo que fosse capaz de arrebentar a madeira apodrecida o suficiente para se espremer por ali à força, dificilmente conseguiria fazê-lo sem provocar muito barulho, o que não falharia em chamar a atenção. Ainda por cima, o quarto onde estava ficava no andar de cima; isso significava que precisaria arranjar algum tipo de corda, ou então pular – com a certeza de torcer um tornozelo ou causar alguma outra lesão. Nos livros, pensou, fazem uma corda com tiras de lençóis. Olhou muito insegura para a colcha grossa de algodão e o cobertor puído. Nenhum dos dois parecia adequado para o propósito. Não possuía nada com que cortar as tiras da colcha e, embora pudesse quem sabe rasgar o cobertor, seu estado de decomposição era um obstáculo a qualquer possibilidade de confiar seu peso a ele.

– Droga – disse Victoria.

Estava mais e mais enamorada pela ideia de fuga. Até onde pôde avaliar, seus carcereiros eram pessoas simples, para quem o mero fato de que estava trancafiada em um quarto já denotava uma absoluta limitação. Não estavam contando com a possibilidade de ela escapar pelo simples motivo de que era uma prisioneira e não teria como. Presumiu que a pessoa que enfiara a seringa nela e a levara para lá não se encontrava agora no local... disso tinha certeza. Estavam esperando por ele ou ela, ou eles, "*bukra*". Fora deixada em algum local remoto sob a guarda de pessoas simples que obedeciam a ordens, mas não apreciariam sutilezas e não estariam, presumia-se, atentas para as faculdades inventivas de uma jovem europeia sob o medo de extinção iminente.

– Vou dar o fora daqui de algum jeito – disse Victoria para si mesma.

Aproximou-se da mesa e serviu-se da nova leva de comida. Era melhor se fortalecer. Havia arroz de novo, algumas laranjas e uns pedacinhos de carne em um molho laranja claro.

Victoria comeu tudo e depois tomou um gole de água. Ao devolver o jarro à mesa, esta pendeu de leve para o lado e um pouco de água caiu no chão. Naquele ponto, imediatamente formou-se uma poça de lama líquida. Vendo aquilo, uma ideia foi logo surgindo na imaginação sempre fértil da srta. Victoria Jones.

A questão era, será que a chave fora deixada do lado de fora da fechadura da porta?

O sol estava se pondo. Muito em breve estaria escuro. Victoria foi até a porta, ajoelhou-se e espiou pelo buraco imenso da fechadura. Não viu luz nenhuma. Agora o que precisava era algo com que pudesse cutucar... um lápis ou a ponta de uma caneta tinteiro. Que incômodo terem sumido com a bolsa dela. Olhou ao redor franzindo a testa. O único talher da mesa era uma colher grande. Aquilo não adiantava para sua necessidade imediata, embora pudesse ser útil mais tarde. Victoria sentou-se para arquitetar um plano. Em seguida, soltou uma exclamação, tirou o sapato e deu um jeito de arrancar a palmilha de couro. Enrolou bem apertada. Era razoavelmente dura. Voltou para a porta, agachou-se e cutucou com firmeza dentro do buraco. Felizmente, a imensa chave estava encaixada com folga na fechadura. Depois de uns três ou quatro minutos, cedeu aos seus esforços e caiu do buraco para o lado de fora da porta. Quase não fez barulho ao tombar no chão batido.

Agora, pensou ela, preciso correr, antes que a luz desapareça de vez. Apanhou o jarro e derramou um pouco d'água, com todo o cuidado, em um ponto na base do umbral, o mais próximo possível de onde julgava que a chave poderia ter caído. Então, usando a colher e os dedos, escavou e raspou na área lamacenta que resultara ali. Aos poucos, com novas aplicações da água do jarro, escavou uma canaleta rasa embaixo da porta. Deitando-se, tentou espiar por ela, mas não foi fácil enxergar alguma coisa. Arregaçando as mangas, descobriu que conseguia passar a mão e parte do braço por baixo da abertura. Tateou em volta, explorando o terreno com os dedos e, por fim, a ponta de um deles tocou em algo metálico. Localizara a chave, mas não conseguia esticar o braço o suficiente para agarrá-la e puxar para perto. O próximo procedimento foi despegar o alfinete de segurança que prendia uma alça rasgada da roupa. Dobrando o metal para fazer um gancho, cravou ali uma fatia do pão árabe e deitou de novo para continuar a pescaria. Quando estava prestes a praguejar de tão frustrada, o alfinete em forma de anzol prendeu-se na chave, ela conseguiu puxá-la ao alcance dos dedos e então passá-la pela canaleta lamacenta para o lado de dentro da porta.

Victoria sentou-se sobre os calcanhares repleta de admiração por sua própria engenhosidade. Agarrando a chave na mão enlameada, levantou-se e encaixou-a na porta. Aguardou por um momento até ouvir que havia um bom coro de vira-latas latindo na vizinhança e, então, girou a chave. A porta cedeu ao seu empurrão e abriu uma fresta. Victoria espiou com cautela pela abertura. A porta dava para outra salinha, com uma porta aberta ao fundo. Victoria esperou um instante, depois saiu pé ante pé e foi até o outro lado. A sala de lá tinha uns buracos imensos no telhado e um ou dois no piso. A porta ao final dava para o topo de uma escadaria de degraus grosseiros, feitos com tijolos de barro afixados na lateral da casa, que dava acesso ao jardim.

Era tudo que Victoria precisava. Voltou na ponta dos pés para o seu local de detenção. Era bem pouco provável que alguém fosse chegar perto dela mais uma vez naquela noite. Esperaria até escurecer e que o vilarejo ou povoado mais ou menos se acomodasse para dormir, só então sairia.

Reparou em mais uma coisa. Um pedaço de tecido preto rasgado e disforme estava amontoado perto da porta externa. Pensou que devia ser algum retalho velho que seria útil para cobrir suas roupas ocidentais.

O quanto teve de esperar, Victoria não sabia. Pareceram-lhe horas intermináveis. No entanto, no fim, os vários ruídos dos seres humanos do local foram morrendo. O distante retumbar de canções árabes em um gramofone ou fonógrafo parou, o vozerio e a cusparada cessaram, e não se ouvia mais a risada cortante e distante de mulheres nem o choro de crianças.

Enfim ouvia apenas o ruído de uivos ao longe, que imaginou serem de chacais, e as explosões intermitentes de cachorros latindo, que, já sabia, continuariam por toda a noite.

– Bem, lá vamos nós! – disse Victoria pondo-se de pé.

Depois de alguns momentos de reflexão, trancou a porta da sua prisão pelo lado de fora e deixou a chave na fechadura. Em seguida, tateou o caminho pela outra sala, apanhou o montinho de tecido preto e saiu no topo da escadaria de barro. A lua brilhava, mas ainda estava baixa no céu, oferecendo luz suficiente para que Victoria enxergasse o caminho. Desceu as escadas, mas parou a quatro degraus do chão. Ali, estava na mesma altura do muro de barro que cercava o jardim. Se terminasse de descer a escada, teria de passar pela lateral da casa. Podia ouvir roncos que vinham dos quartos do andar de baixo. Talvez fosse melhor continuar pelo topo do muro. O muro era largo o suficiente para se caminhar.

Escolheu a segunda opção e prosseguiu com rapidez e de maneira um tanto precária até chegar ao canto da mureta. Ali, do lado de fora, ficava o que parecia ser um jardim de palmeiras e, em um dos pontos, a parede estava se desmanchando. Victoria achou um jeito de chegar lá, saltando por uma parte, escorregando para descer por outra e alguns instantes mais tarde já abria caminho entre as palmeiras em direção a uma abertura no muro mais distante. Chegou a uma rua estreita de natureza primitiva, pequena demais para permitir a passagem de um carro, mas adequada para os jumentos. Ficava entre dois muros de tijolos de barro. Victoria correu por ali o mais rápido que pôde.

Agora cães começavam a ladrar furiosos. Dois vira-latas amarronzados saíram rosnando na direção dela. Victoria pegou um punhado de pedregulhos e tijolos e atirou neles. Os dois ganiram e fugiram dali. Victoria seguia a toda a velocidade. Dobrou uma esquina e entrou no que era evidentemente a rua principal. Estreita e repleta de sulcos profundos, a via atravessava o vilarejo de casas de tijolos de barro, todas numa palidez uniforme sob o luar. Palmeiras espreitavam por trás dos muros, cães rosnavam e latiam. Victoria encheu os pulmões de ar e correu. Os cachorros continuaram a latir, mas nenhum ser humano demonstrou interesse naquele possível saqueador noturno. Logo chegou a uma área ampla com um córrego lamacento e uma ponte decrépita em arco. Mais adiante, a estrada ou trilha parecia levar ao espaço infinito. Victoria continuou correndo até perder o fôlego.

O vilarejo ficara para trás agora. A lua estava alta no céu. À esquerda, à direita e à frente, via apenas o solo descampado e pedregoso, sem cultivo algum e sem o menor sinal de ocupação humana. Parecia plano, mas na verdade tinha um contorno suave. Victoria não conseguia entrever nenhum ponto de referência e não fazia a menor ideia de para onde levava aquele caminho. Também não entendia de estrelas o suficiente para saber nem ao menos para que ponto cardeal estaria se dirigindo. Havia algo de aterrorizante naquele deserto ermo e imenso, mas era impossível voltar. Só lhe restava seguir adiante.

Parou por alguns momentos para recuperar o fôlego e, olhando por cima do ombro para confirmar que sua fuga não fora descoberta, seguiu, caminhando num passo firme de seis quilômetros por hora rumo ao desconhecido.

O amanhecer enfim veio e encontrou Victoria exausta, com dores nos pés e quase beirando a histeria. Ao reparar na luminosidade do céu, verificou que estava seguindo mais ou menos para o sudoeste, mas como não sabia onde estava, a informação era de pouca utilidade para ela.

Um pouco para o lado da estrada havia uma espécie de morrinho ou colina compacta. Victoria saiu da trilha, foi até a colina e escalou-a até o topo por uma das laterais íngremes.

Dali era possível sondar o terreno em todo seu entorno, e o sentimento de pânico retornou. Pois, não importava para onde olhasse, não havia nada... O cenário era lindo com a luminosidade da manhã. O chão e o horizonte cintilavam com tons suaves de creme e rosa-pastel com desenhos sombreados. Era lindo, mas aterrorizante.

"Agora entendo o significado", pensou Victoria, "quando alguém diz que está sozinho no mundo..."

Havia um resto de grama raquítica em certos trechos escuros aqui e ali, além de alguns espinheiros ressecados. Mas, fora isso, não havia nada plantado e nenhum sinal de vida. Havia apenas Victoria Jones.

Também não havia sinal do povoado de onde escapara. A estrada pela qual havia seguido se estendia para trás sobre um aparente descampado infinito. Parecia inacreditável que tivesse caminhado tão longe a ponto de perder o vilarejo totalmente de vista. Por um momento, acometeu-se de pânico e desejou retornar. De um jeito ou de outro queria recuperar o contato com a humanidade...

Então conseguiu se controlar. Tivera a intenção de escapar e escapara, mas era bem provável que suas agruras não terminariam simplesmente porque conseguira interpor vários quilômetros entre ela e os carcereiros. Um carro, mesmo velho e bamboleante, faria aqueles quilômetros em pouco tempo. Assim que a sua fuga fosse descoberta, alguém sairia à sua procura. E como é que iria se esconder? Simplesmente não havia lugar nenhum para se esconder. Ainda carregava o retalho preto e resgado que afanara de lá. Hesitante, agora se enrolava entre suas dobras, repuxando o pano sobre o rosto. Não fazia ideia de sua aparência, pois não tinha nenhum espelho. Se tirasse os sapatos e as meias europeias e andasse com os pés descalços quem sabe poderia evitar ser detectada. Uma mulher árabe virtuosa de véu, não importava o quão pobre e maltrapilha, tinha total imunidade, disso ela sabia. Seria o cúmulo dos maus modos para um homem abordá-la. Mas aquele disfarce seria suficiente para enganar os olhares ocidentais que a estariam procurando de automóvel? De qualquer maneira, era sua única esperança.

Estava cansada demais para continuar naquele momento. Sentia uma sede terrível também, mas era impossível fazer qualquer coisa para resolver isso. Decidiu que o melhor seria deitar-se ao lado daquele morrinho. Poderia ouvir um veículo se aproximando e, se conseguisse permanecer abaixada rente à ravina causada pela erosão lateral do morro, poderia ter alguma noção de quem estivesse no carro.

Poderia se abrigar dando a volta por trás do outeiro para não ser vista da estrada.

Por outro lado, o que precisava mesmo era voltar à civilização, e a única maneira que concebia de fazer isso era parando um carro com europeus dentro e pedindo uma carona.

Mas precisava se certificar que esses europeus seriam os europeus certos. E como diabos ela conseguiria se certificar disso?

Refletindo sobre a questão, Victoria inesperadamente caiu no sono, esgotada pela longa caminhada e exaustão geral.

Quando acordou, o sol brilhava a pino. Ela se sentia quente, com o corpo duro, tonta, e a sede era agora um tormento avassalador. Victoria gemeu, mas, ao mesmo tempo em que o som era emitido pelos lábios ressecados e doloridos, de repente enrijeceu o corpo e escutou atenta. Ouviu o som baixinho, mas bem distinto, do motor de um carro. Com todo o cuidado, levantou a cabeça. O carro não estava vindo do vilarejo, mas sim se dirigindo para lá. Isso significava que não estava perseguindo ninguém. Até o momento era apenas um pontinho preto bem ao longe no caminho. Ainda deitada e o mais escondida possível, Victoria observou o veículo chegar mais perto. Como desejou ter um par de binóculos naquele instante!

Desapareceu por alguns minutos em uma depressão do relevo, depois reapareceu, transpondo uma elevada não muito distante dali. O motorista era árabe e ao lado dele estava um homem com roupas de estilo europeu.

– Agora – pensou Victoria –, tenho de decidir.

Seria aquela a sua chance? Deveria correr para a estrada e fazer sinal para o carro parar?

Quando estava prestes a fazer isso, uma sensação súbita de enjoo a impediu. Suponha, apenas suponha que aquele fosse o inimigo?

Afinal de contas, como poderia saber? O trajeto era com certeza bastante desértico. Nenhum outro carro passara ali. Nenhum caminhão. Nem mesmo uma caravana de asnos. Esse carro tinha como objetivo quem sabe o povoado que abandonara na noite passada...

E o que faria então? Era uma decisão terrível para se tomar assim tão rápido. Se fosse o inimigo, seria o seu fim. Mas se não fosse o inimigo, poderia ser sua única esperança de sobrevivência. Porque se continuasse vagando a ermo, provavelmente morreria de sede e insolação. O que deveria fazer?

E no que se pôs de cócoras, paralisada de indecisão, o comportamento do carro que se aproximava mudou. Diminuiu a velocidade e, com uma guinada, saiu da estrada e cortou caminho pelo solo pedregoso seguindo para a colina na qual ela estava agachada.

Eles a viram! Estavam procurando por ela!

Victoria desceu arrastando-se pela ravina e rastejou dando a volta por trás do monte, distanciando-se do carro que se aproximava. Ouviu o motor desligar e a batida de uma porta, indicando que alguém descera do veículo.

Então alguém falou qualquer coisa em árabe. Depois daquilo, nada aconteceu. De repente, sem qualquer aviso enxergou o homem. Estava dando a volta no morrinho e já subira até a metade. Os olhos estavam colados no chão e de tempos em tempos se curvava para apanhar alguma coisa. O que quer que estivesse procurando não parecia ser uma garota chamada Victoria Jones. Além disso, ele era, sem dúvida nenhuma, inglês.

Com uma interjeição de alívio, Victoria se esforçou para ficar de pé e foi até ele. O homem levantou a cabeça e encarou-a com surpresa.

– Ah, por favor – disse Victoria. – Estou tão aliviada que o senhor apareceu.

Ele ainda a fitava.

– Como assim, quem – começou ele. – É inglesa? Mas...

Com um ataque de riso, Victoria jogou longe o tecido que a envolvia.

– É claro que sou inglesa – disse. – E, por favor, pode me levar de volta a Bagdá?

– Não estou indo a Bagdá. Acabo de vir de lá. Mas que raios está fazendo sozinha aqui no meio do deserto?

– Fui raptada – explicou ela, sem fôlego. – Fui num lugar lavar os meus cabelos e me sedaram com clorofórmio. E quanto acordei estava numa casa árabe num vilarejo mais para lá.

Ela gesticulava na direção do horizonte:

– Em Mandali?

– Não sei o nome. Fugi ontem à noite. Caminhei a noite toda e depois me escondi atrás dessa colina, caso vocês fossem inimigos.

Seu salvador a fitava com uma expressão muito estranha no rosto. Era um homem de uns 35 anos, cabelos claros e ar um pouco arrogante. O modo de falar era acadêmico e preciso. Agora colocara um pincenê e a encarava através das lentes com uma expressão de desgosto. Victoria compreendeu que aquele homem não acreditara em uma só palavra do que dissera.

Imediatamente, ela respondeu com uma indignação furiosa.

– É a mais pura verdade – garantiu. – Cada palavra que eu disse!

O estranho a olhava mais incrédulo do que nunca.

– Bastante excepcional – disse ele, com um tom frio.

O desespero tomou conta de Victoria. Como era injusto que, enquanto sempre conseguia fazer uma mentira parecer plausível, quando dizia a verdade nua e crua, faltava-lhe o poder de fazer com que acreditassem nela. Fatos verdadeiros, ela sempre narrava mal e sem convicção.

– E se não estiver trazendo nada para beber, vou morrer de sede – disse. – Vou morrer de sede de qualquer maneira se me deixar aqui e for embora sem mim.

– Naturalmente eu não sonharia em fazer uma coisa dessas – falou o estranho com ar severo. – É muitíssimo impróprio para uma inglesa ficar vagando sozinha em lugares ermos. Minha nossa, seus lábios estão rachados... Abdul.

– Sahib?

O motorista apareceu pelo lado do monte. Ao receber as instruções em árabe, correu para o carro e retornou um pouco depois com uma garrafa térmica grande e um copo de baquelita.

Victoria bebeu a água com sofreguidão.

– Ufa! – ela disse. – Assim é melhor.

– Meu nome é Richard Baker – apresentou-se o inglês.

Victoria respondeu.

– Me chamo Victoria Jones – disse.

E então, no esforço de recuperar o terreno e substituir seu descrédito por uma atenção respeitosa, acrescentou:

– Pauncefoot Jones. Estou indo encontrar meu tio, dr. Pauncefoot Jones, na sua escavação.

– Que coincidência extraordinária – surpreendeu-se Baker, olhando para ela. – Eu também estou a caminho do sítio arqueológico. Fica a apenas vinte quilômetros daqui. Sou a pessoa certa para fazer o seu resgate, não sou?

Afirmar que Victoria ficou desconcertada seria um eufemismo. Ficou completamente pasma. Tanto assim que foi incapaz de dizer qualquer coisa. Mansa e em silêncio, seguiu Richard até o carro e entrou.

– Suponho que seja a antropóloga – disse Richard, ao acomodá-la no banco traseiro e remover vários apetrechos. – Ouvi dizer que viria para cá, mas não esperava que chegasse tão no início da temporada.

Ficou parado por um momento separando e organizando uma série de cacos que retirara dos bolsos, os quais, agora Victoria compreendia, eram o que ele fora recolher na superfície da colina.

– Um pequeno Tell bem promissor – declarou, gesticulando em direção ao morrinho. – Mas não há nada fora do normal até onde pude constatar. Na maioria, peças assírias mais recentes; um pouco de pártico, algumas bases anelares bem boas do período cassita – ele sorriu e acrescentou: – Fico contente que, apesar de suas desventuras, seus instintos arqueológicos a levaram a examinar um Tell.

Victoria abriu a boca, mas então fechou de novo. O motorista apertou a embreagem, e eles deram a partida.

O que, no fim das contas, poderia dizer? Verdade que seria desmascarada assim que chegassem à casa expedicionária... mas seria infinitamente melhor ser desmascarada lá e confessar arrependimento por suas invenções do que confessar ao sr. Richard Baker no meio do nada. O pior que poderiam fazer com ela seria mandá-la para Bagdá. E, de qualquer jeito, pensou Victoria, incorrigível como sempre, quem sabe antes de chegar lá poderia pensar em alguma saída. Sua imaginação fértil começou a trabalhar na mesma hora. Um lapso de memória? Viajara com uma garota que pedira que ela... Não, de fato, já podia antecipar que teria de enfrentar a situação. Mas preferia mil vezes confrontar a verdade dos fatos diante do dr. Pauncefoot Jones, seja lá que tipo de homem ele fosse, do que do sr. Richard Baker, com seu jeito arrogante de erguer as sobrancelhas e sua óbvia incredulidade frente à história exata e verdadeira que ela lhe contara.

— Não vamos passar por dentro de Mandali — disse o sr. Baker, virando-se no banco dianteiro. — Vamos pegar uma bifurcação na estrada dentro do deserto a mais ou menos uma milha daqui. Às vezes é um pouco difícil de acertar o local exato sem ter nenhum ponto de referência.

Em seguida, disse algo para Abdul e o carro saiu bruscamente da estrada e seguiu rumo ao deserto. Sem nenhum ponto de referência em particular para guiá-los, até onde Victoria pôde constatar, Richard Baker dirigia Abdul com gestos; o carro ora ia pela direita... ora pela esquerda. Na sequência, Richard exclamou com satisfação:

— Agora estamos no caminho certo — disse.

Victoria não conseguia enxergar caminho nenhum. Porém, em seguida vislumbrou aqui e ali alguns rastros quase apagados de pneus.

Em dada ocasião, cruzaram uma estrada levemente mais demarcada e, assim que passaram, Richard exclamou algo e mandou Abdul parar.

— Eis aqui uma curiosidade interessante para a senhorita — comentou com Victoria. — Já que é sua primeira vez neste país, nunca viu isso antes.

Dois homens avançavam na direção do carro seguindo pela estrada que interceptava a deles. Um dos homens carregava um banco baixo de madeira nas costas, e o outro, um grande objeto de madeira mais ou menos do tamanho de um piano.

Richard acenou, e eles o cumprimentaram com visível animação. Richard ofereceu cigarros, e uma atmosfera festiva e jovial parecia estar surgindo.

Richard voltou-se para ela.

– Gosta de cinema? Então vai assistir uma sessão.

Falou com os dois homens, e eles sorriram prazenteiros.

Acomodaram o banquinho e chamaram Victoria e Richard para sentarem-se ali. Depois montaram a engenhoca arredondada sobre algum tipo de suporte. Havia dois buracos para os olhos e, no que entendeu, Victoria gritou:

– É como aquelas atrações dos píers. *O que o mordomo viu.*

– Isso mesmo – disse Richard. – É uma forma primitiva da mesma coisa.

Victoria posicionou os olhos nos buraquinhos envidraçados, um dos homens começou a dar corda com a manivela, e o outro entoava uma espécie de canto monótono.

– O que ele está dizendo? – Victoria perguntou.

Richard traduziu enquanto a cantoria continuava:

– Aproxime-se e prepare-se para muitas maravilhas e alegrias. Prepare-se para testemunhar as maravilhas da antiguidade.

Uma ilustração de coloração grosseira retratando negros colhendo trigo emergiu sob o olhar de Victoria.

– Fellahin na América – anunciou Richard, traduzindo.

Então:

– A esposa do grande xá do mundo ocidental – e apareceu a imperatriz Eugênia, sorrindo com afetação e enroscando um longo cacho de cabelo nos dedos. Um retrato do palácio do rei em Montenegro, outro da Grande Exposição.

Uma estranha e variada coleção de figuras foram se seguindo, nenhuma relacionada à outra e às vezes anunciadas com os termos mais incomuns.

O Príncipe Consorte, Disreali, fiordes noruegueses e patinadores na Suíça completavam aquela estranha e breve janela para tempos antigos e distantes.

O apresentador terminou a demonstração com as seguintes palavras:

– E assim lhe trouxemos as maravilhas e prodígios da antiguidade em outras terras e lugares distantes. Permita que o seu donativo seja generoso para ficar à altura dos prodígios que acaba de testemunhar, pois todas essas coisas são verdadeiras.

Chegara ao fim. Victoria sorria abertamente, estava encantada.

– Isso realmente foi *maravilhoso*! – exclamou. – Não teria acreditado se me contassem.

Os proprietários do cinema ambulante estavam sorrindo orgulhosos. Victoria levantou-se do banco, e Richard, que estava sentado na outra ponta, foi arremessado para o chão em uma posição um tanto indigna. Victoria desculpou-se, mas não estava desagradada. Richard recompensou os homens do cinema, e, com cortesias de despedida, expressando preocupação pelo bem-estar uns dos outros e também invocando as bênçãos de Deus sobre cada um, separaram-se. Richard e Victoria entraram novamente no carro, e os homens saíram em sua marcha pelo deserto.

– Para onde estão indo?

– Viajam pelo país inteiro. Eu os conheci na Transjordânia, na estrada do Mar Morto para Amã. Na verdade estão rumando para Kerbela, seguindo, claro, por estradas não muito frequentadas para fazerem shows em vilarejos remotos.

– Talvez alguém lhes ofereça uma carona?

Richard riu.

– É bem provável que não aceitassem. Ofereci uma carona uma vez para um velho que estava caminhando de Basrah para Bagdá. Perguntei quanto tempo ele achava que demoraria, e respondeu que levaria uns dois meses. Convidei-o a entrar, assim chegaria lá mais tarde na mesma noite, no entanto me agradeceu e recusou. Dois meses depois seria perfeito para ele. O tempo não significa nada neste lugar. Uma vez que a gente consiga enfiar isso na cabeça, pode encontrar uma curiosa satisfação com essa ideia.

– Sim. Posso imaginar.

– Os árabes têm uma dificuldade extraordinária em compreender nossa impaciência ocidental em fazer as coisas com pressa, e nosso costume de chegar direto ao ponto durante uma conversa lhes cai como algo extremamente mal-educado. Deveríamos sempre fazer sala e propor observações gerais durante mais ou menos uma hora; ou se preferirmos, não é preciso dizer nada.

– Seria muito estranho se fizéssemos isso nos escritórios em Londres. As pessoas desperdiçariam tempo demais.

– Sim, mas então voltamos à questão: o que é o tempo? E o que é o desperdício?

Victoria meditou sobre aqueles pontos. O carro ainda parecia estar seguindo rumo ao nada com a mais absoluta confiança.

– Onde fica esse lugar? – perguntou por fim.

– Tell Aswad? Fica bem no meio do deserto. Daqui a pouco já vai ver o zigurate. Neste meio-tempo, olhe para sua esquerda. Lá... onde estou apontando.

– São nuvens? – perguntou Victoria. – Não é possível que sejam *montanhas*.

– Sim, é isso mesmo. As montanhas cobertas de neve do Curdistão. Só é possível enxergá-las quando o dia está muito claro.

Como em um sonho, uma sensação de contentamento tomou conta de Victoria. Se ao menos pudesse andar assim de carro para sempre. Se ao menos não fosse uma mentirosa tão miserável. Encolheu-se como uma criança ao pensar no desagradável desenlace diante dela. Como seria o dr. Pauncefoot Jones? Alto, com uma longa barba grisalha e o olhar carregado e severo? Não importava, mesmo que o dr. Pauncefoot Jones ficasse muito aborrecido, ela já contornara Catherine, o Ramo de Oliveira e o dr. Rathbone.

— Aí está — disse Richard.

Apontou adiante, Victoria conseguiu discernir uma espécie de pústula no horizonte longínquo.

— Parece estar a quilômetros de distância.

— Ah, não, são apenas poucos quilômetros agora. Vai ver.

E de fato a pústula foi se transformando com rapidez espantosa, primeiro em um borrão, depois em um morro e, por fim, em um Tell grande e imponente. Em um dos lados havia uma construção longa e ampla de tijolos.

— A casa expedicionária — declarou Richard.

Encostaram com um floreio em meio aos latidos dos cães. Criados vestidos de branco se aproximaram com sorrisos abertos para recebê-los.

Após uma troca de saudações, Richard declarou:

— Ao que tudo indica não estavam lhe esperando tão cedo. Mas vão preparar sua cama. E vão lhe trazer água quente agora mesmo. Imagino que queria se lavar e descansar um pouco. O dr. Pauncefoot Jones está lá em cima do Tell. Vou subir para encontrá-lo. Ibrahim vai cuidar da senhorita.

Saiu para o outro lado, e Victoria seguiu o sorridente Ibrahim para casa. No primeiro momento, assim que saiu do sol parecia escuro lá dentro. Passaram por uma sala de estar com algumas mesas bem grandes e umas poucas poltronas desgastadas, e ela então foi levada pelo contorno do pátio interno, chegando a um quartinho com uma janela diminuta. Tinha uma cama, uma cômoda rústica, uma mesa com a bacia e o jarro em cima, além de uma cadeira. Ibrahim sorriu balançando o queixo e trouxe um jarro grande com água quente de aspecto lamacento e uma toalha áspera. Então, com um sorriso constrangido, retornou com um espelho pequeno, o qual prendeu cuidadosamente na parede com um prego.

Victoria estava agradecida pela oportunidade de se lavar. Estava apenas começando a perceber o quanto estava exausta e incrustada de sujeira.

— Suponho que simplesmente esteja com uma aparência terrível — disse para si mesma ao se aproximar do espelho.

Por alguns momentos ficou encarando o reflexo sem compreender.

Aquela não era ela... aquela não era Victoria Jones.

E então entendeu que, embora seus traços ainda fossem os mesmos traços delicados de Victoria Jones, os cabelos agora eram louros platinados!

CAPÍTULO 19

I

Richard encontrou o dr. Pauncefoot Jones nas escavações, agachado ao lado do capataz e dando suaves batidas com um palitinho sobre uma área da parede.

O dr. Pauncefoot Jones saudou o colega de um jeito bastante natural.

– Olá, Richard, meu garoto, então já voltou. Achei que chegaria na terça-feira. Não sei por quê.

– Hoje é terça-feira – disse Richard.

– É mesmo? – perguntou dr. Pauncefoot Jones sem expressar interesse. – Desça um pouco aqui e me diga o que acha disto. Já estão aparecendo paredes em perfeitas condições, e escavamos apenas um metro de profundidade. Parece que há uns poucos traços de tinta aqui. Venha ver o que acha. Parece-me muito promissor.

Richard saltou para dentro da trincheira, e os dois arqueólogos se divertiram de modo altamente técnico por um quarto de hora.

– A propósito – disse Richard –, eu trouxe uma garota.

– Ah, trouxe? Que tipo de garota?

– Disse que é sua sobrinha.

– Minha sobrinha? – O dr. Pauncefoot Jones se esforçou para interromper a contemplação das paredes de tijolo de barro e desviar os seus pensamentos. – Acho que não tenho nenhuma sobrinha – pronunciou-se, hesitante, como quem poderia ter tido uma, mas esquecera-se da existência da moça.

– Veio para trabalhar com você aqui, pelo que entendi.

– Ah.

A expressão do rosto de Pauncefoot Jones suavizou-se.

– É claro. Deve ser a Veronica.

– Victoria, acho que foi o que ela disse.

– Sim, sim, Veronica. Emerson me escreveu de Cambridge falando sobre ela. Uma moça muito capaz pelo que entendi. Antropóloga. Não consigo imaginar por que alguém desejaria ser antropólogo, você consegue?

– Ouvi dizer que havia uma antropóloga que estaria vindo para cá.

– Por enquanto não temos nada na linha dela. Claro que estamos apenas começando. Na verdade, havia entendido que só chegaria daqui uns quinze dias ou mais, mas não li a carta dela com muita atenção e depois a perdi, então não lembro do que ela havia dito. Minha esposa chega na semana que vem... ou na outra... agora, o que foi que fiz com a carta *dela*? E achei então que a Venetia chegaria junto com ela... mas é claro, posso ter entendido tudo errado. Bem, bem, creio que podemos achar alguma utilidade para ela aqui. Há uma porção de peças de cerâmica aparecendo.

– Não há nada de esquisito a respeito dela, há?

– Esquisito? – o dr. Pauncefoot Jones o examinou com atenção. – De que jeito?

– Bem, ela não passou por um colapso nervoso ou algo do gênero?

– Emerson disse algo, me lembro bem, que ela andava trabalhando muito. Coisa de diploma, colação de grau ou algo assim, mas não acho que tenha mencionado nada sobre colapso nervoso. Por quê?

– Bem, eu a encontrei na beira da estrada, vagando sozinha no deserto. Foi naquele pequeno Tell, na verdade, o mesmo que a gente passa a mais ou menos uma milha antes de sair da estrada...

– Lembro – disse Pauncefoot Jones. – Sabe que uma vez recolhi alguns artefatos Nuzu naquele Tell. Realmente extraordinário, encontrar algo assim tão ao sul.

Richard recusou-se a desviar o assunto para tópicos arqueológicos e prosseguiu com firmeza:

– Ela contou uma história das mais extraordinárias. Disse que foi a um lugar para lavar os cabelos, e eles a sedaram com clorofórmio, a raptaram e a levaram para Mandali, aprisionando-a numa casa, e ela fugiu na calada da noite... a ladainha mais disparatada que já ouvi na vida.

O dr. Pauncefoot Jones chacoalhou a cabeça.

– Não parece nem um pouco plausível – disse. – O país está perfeitamente calmo e bem policiado. Está mais seguro do que nunca.

– Exato. É óbvio que ela inventou aquilo tudo. Foi por isso que perguntei se ela tivera um colapso nervoso. Talvez seja uma daquelas histéricas que afirmam que os párocos estão apaixonados por elas ou que doutores as atacam. Pode nos trazer muitos problemas.

– Ah, suponho que ela vá se acalmar – disse Pauncefoot Jones, otimista. – Onde está agora?

– Deixei-a lá embaixo para se lavar e pentear os cabelos – hesitou. – Ela não tem nenhum tipo de bagagem com ela.

– Não tem? Isso é muito embaraçoso. Acha que ela espera que eu vá emprestar-lhe meus pijamas? Tenho apenas dois conjuntos e um deles está muito rasgado.

– Vai ter de se virar o melhor que puder até que a camionete saia na semana que vem. Devo confessar que fico tentando imaginar o que estaria inventando... completamente sozinha e no meio do nada.

– As garotas de hoje são incríveis – disse dr. Pauncefoot Jones, com ar distraído. – Aparecem onde menos se espera. Causam um grande incômodo quando queremos nos concentrar em alguma coisa. Este lugar é bem longe de tudo, poderia pensar que estaríamos livres de visitantes, mas ficaria surpreso com a quantidade de carros e pessoas que aparecem quando menos se precisa delas. Minha nossa, os homens pararam de trabalhar. Deve ser a hora do almoço. É melhor voltarmos para a casa.

II

Victoria, aguardando com certa agitação, descobriu que o dr. Pauncefoot Jones era o oposto do que imaginara. Era um homem baixo e rotundo, com a cabeça quase calva e os olhos brilhantes. Para seu absoluto assombro, foi cumprimentá-la de braços abertos.

– Bem, bem, Venetia... digo, Victoria – falou. – Esta é uma surpresa e tanto. Tinha na minha cabeça que só chegaria no mês que vem. Mas estou muito contente em vê-la. Contentíssimo. Como anda o Emerson? Não está passando muito trabalho com a asma, espero?

Victoria reagrupou seus sentidos, que estavam dispersos, e disse, com cautela, que a asma não andava tão ruim.

– Ele abafa demais o pescoço – disse o dr. Pauncefoot Jones. – É um grande equívoco. Já disse isso a ele. Todos esses camaradas acadêmicos envolvidos com as universidades ficam absorvidos demais com a saúde. Não deveríamos pensar no assunto... é a melhor maneira de nos mantermos fortes e saudáveis. Bem, espero que consiga se acomodar... minha esposa chega na próxima semana... ou na outra... tem estado adoentada, sabe. Realmente *preciso* encontrar a carta que ela enviou. Richard me disse que sua bagagem foi perdida. Como vai administrar isso? Não tenho como enviar uma camionete à cidade antes da semana que vem.

– Espero que eu consiga dar um jeito até então – disse Victoria. – De fato, vou ter de dar um jeito.

O dr. Pauncefoot Jones deu uma boa risada.

– Richard e eu não temos como lhe emprestar muita coisa. Escova de dentes tudo bem. Há uma dúzia delas nas despensas... e algodão, se servir de alguma coisa, e... deixe-me ver... talco... algumas meias de reserva e lenços. Temo não haver muito mais do que isso.

– Vou ficar bem – disse Victoria e sorriu feliz.

– Nem sinal de um cemitério para você – o dr. Pauncefoot Jones advertiu. – Estão surgindo alguns muros bonitos... e quantidades de cacos de cerâmica das trincheiras mais afastadas. Pode ser que encontre algumas juntas. Vamos mantê-la ocupada de um jeito ou de outro. Não me lembro se trabalha com fotografia?

– Entendo um pouco – disse Victoria, cautelosa, aliviada com a menção de algo que de fato tinha algum conhecimento prático.

– Ótimo, que bom. Sabe revelar negativos? Sou bem à moda antiga... ainda uso chapas. O quarto escuro é bastante rudimentar. Vocês jovens que estão acostumados com todo tipo de equipamento em geral consideram essas condições primitivas um tanto perturbadoras.

– Não vou me importar – respondeu Victoria.

Das despensas da expedição, retirou uma escova de dentes, pasta, esponja e um pouco de talco.

A cabeça dela ainda estava num redemoinho enquanto tentava entender exatamente qual era a sua situação. Havia ficado claro que fora confundida com uma garota chamada Venetia. Alguém que estava vindo trabalhar na expedição e que era antropóloga. Victoria nem sequer sabia o que era um antropólogo. Se houvesse um dicionário por ali, daria uma olhada. A outra, presumia-se, não era esperada por pelo menos mais uma semana. Muito bem, então por uma semana, ou até a data que o carro ou caminhão fosse para Bagdá, Victoria faria o papel dessa Venetia Fulaninha, mantendo a farsa da melhor maneira possível. Não temia o dr. Pauncefoot Jones, que parecia encantadoramente disperso, mas estava preocupada com Richard Baker. Não gostava do modo especulativo com que olhava para ela e tinha a sensação de que, a menos que fosse cuidadosa, não demoraria muito ele enxergaria a verdade por trás da máscara. Felizmente durante um breve período fora secretária datilógrafa no Instituto de Arqueologia em Londres e possuía uma gama de frases superficiais e outras expressões soltas que agora lhe seriam úteis. Mas precisaria munir-se de muito cuidado para não cometer nenhuma gafe verdadeira. Por sorte, pensou Victoria, os homens se achavam sempre tão superiores que qualquer gafe que cometesse seria tratada menos como uma circunstância suspeita do que como mais uma prova do quanto as mulheres eram ridiculamente desnorteadas!

Aquele intervalo lhe daria uma trégua que sabia ser bastante necessária. Pois, do ponto de vista do Ramo de Oliveira, seu completo desaparecimento seria muito desconcertante. Escapara do cárcere, mas o que acontecera com ela após a fuga seria difícil de rastrear. O carro de Richard não passara por Mandali, então ninguém adivinharia que estava agora em Tell Aswad. Não, do ponto de vista deles Victoria pareceria ter sumido de vez. Poderiam concluir – era grande a possibilidade de concluírem – que ela morrera. Que se perdera no deserto e morrera de exaustão.

Bem, deixe que pensem assim. Era lamentável, claro, que Edward também fosse pensar isso! Muito bem, Edward teria de se manter firme. De qualquer modo não precisaria padecer por muito tempo. Bem quando estivesse se torturando de remorso por tê-la mandado cultivar alguma relação com

Catherine, lá estaria ela de volta... devolvida de repente aos seus braços... retornando dos mortos... Só que loira, em vez de morena.

Aquilo a levou de volta ao mistério de por que *eles* (quem quer que fossem) haviam pintado o cabelo dela. Deveria haver, pensou Victoria, algum motivo... mas não conseguia, por mais que tentasse, compreender que motivo seria esse. Daquele jeito, em breve ficaria com uma aparência muito peculiar, quando o cabelo começasse a crescer preto nas raízes. Uma falsa loira platinada, sem pó de arroz e sem batom! Seria possível uma situação mais lamentável do que aquela para uma garota? Deixa para lá, pensou Victoria, estou viva, não estou? E não vejo motivos para não me alegrar bastante... pelo menos por uma semana. Era de fato muito divertido estar numa expedição arqueológica para ver como era. Tomara que conseguisse fazer bem sua parte e não acabasse se entregando.

Descobriu que seu papel não era assim tão fácil. Referências sobre pessoas, publicações, estilos arquitetônicos e categorias de cerâmica deveriam ser tratadas com cautela. Felizmente, sempre se aprecia um bom ouvinte, e Victoria era uma ouvinte excelente para os dois cavalheiros e, tateando o caminho com prudência, começou a pegar o jargão com relativa facilidade.

Às escondidas, lia com furor quando a deixavam sozinha na casa. Havia uma boa biblioteca de publicações arqueológicas. Victoria foi rápida em adquirir um conhecimento superficial da matéria. Jamais sonhara, mas achou aquela vida muito encantadora. Traziam-lhe chá logo cedo de manhã, depois saía para a escavação. Auxiliava Richard no trabalho com a câmera. Juntava pedaços e colava potes de cerâmica. Observava os homens trabalhando, apreciava a habilidade e a delicadeza dos peões que manejavam as picaretas... deliciava-se com as músicas e a risada dos garotinhos que corriam para esvaziar suas cestas de terra no monturo. Virou mestre nos períodos históricos, aprendeu sobre os vários níveis que a escavação estava explorando e familiarizou-se com o trabalho realizado na temporada anterior. A única coisa que a aterrorizava eram os sepultamentos que poderiam vir a encontrar. Nada do que lera lhe dava a menor ideia do que esperariam dela como uma antropóloga em plena atividade! "Se chegarmos a encontrar ossos ou uma tumba", dizia para si mesma, "vou ter que arranjar um resfriado violento... não, um ataque gravíssimo de fígado... e ficar de cama."

Mas nenhuma tumba apareceu. Em vez disso, as muradas de um palácio foram sendo lentamente desencavadas. Victoria estava fascinada e não precisou demonstrar nenhuma aptidão ou habilidade especial.

Richard Baker ainda a olhava com ar zombeteiro às vezes, e ela pressentia sua crítica velada, mas o comportamento dele era agradável e amistoso e era genuíno em sua apreciação pelo entusiasmo da moça.

– Tudo é novidade quando acabamos de chegar da Inglaterra – disse um dia. – Lembro-me do quanto eu estava emocionado na minha primeira temporada.

– Quanto tempo faz?

Ele sorriu.

– Bastante tempo. Quinze... não, dezesseis anos atrás.

– Deve conhecer bastante bem este país.

– Ah, não trabalhei apenas aqui. Na Síria... e na Pérsia também.

– Fala árabe muito bem. Se estivesse vestido como um deles poderia se passar por árabe?

Ele meneou a cabeça.

– Ah, não... isso exige bem mais esforço. Duvido que algum inglês um dia tenha sido capaz de se passar por árabe... por um período efetivo de tempo, digo.

– Lawrence?

– Não acho que Lawrence algum dia tenha se passado por árabe. Não, o único homem que conheço que é praticamente indistinguível do produto nativo é um camarada que na verdade nasceu por estas partes. O pai dele era cônsul em Kashgar e outros lugares remotos. Falava todos os tipos mais absurdos de dialetos quando criança e, acredito eu, conseguiu mantê-los também depois de adulto.

– O que aconteceu com ele?

– Perdi de vista depois de terminarmos o colégio. Fomos colegas de escola. Costumávamos chamá-lo de Faquir, porque era capaz de sentar-se perfeitamente imóvel e entrar numa espécie de transe. Não sei o que anda fazendo agora... embora na verdade talvez tenha um palpite bem forte.

– Nunca mais se encontraram depois do colégio?

– Pode parecer estranho, mas encontrei com ele há poucos dias... Foi em Basrah. O negócio todo foi bastante esquisito.

– Esquisito?

– Pois é. Não o reconheci. Estava vestido como um árabe, de *cafia*, manto listrado e um casaco antigo do exército. Tinha um cordão daqueles com contas de âmbar, do tipo que eles seguram às vezes, e estava clicando as contas entre os dedos do jeito tradicional... só que... veja bem... estava na verdade usando um código do exército. Morse. Estava clicando uma mensagem... para *mim*!

– O que a mensagem dizia?

– Meu nome... melhor dizendo, meu apelido, e o dele, e depois um sinal para ficar de sobreaviso, à espera de perigo.

– E houve perigo?

– Sim. No que ele levantou e foi em direção à porta, um caixeiro-viajante, um tipo calmo e discreto, arrancou um revólver do bolso. Empurrei o braço do sujeito para cima... e Carmichael escapou.

– Carmichael?

Ele olhou rápido para o lado por causa do tom de voz dela.

– Esse era o nome verdadeiro dele. Por quê? Você o conhece?

Victoria pensou consigo: "Se eu dissesse: 'Ele morreu na minha cama', soaria estranho demais".

– Sim – respondeu devagar. – Eu o conhecia.

– *Conhecia*? Ora... ele está...

Victoria assentiu.

– Sim – disse. – Está morto.

– Quando ele morreu?

– Em Bagdá. No Tio Hotel. – E completou apressada: – Foi tudo... abafado. Ninguém ficou sabendo.

Ele balançou o queixo devagar.

– Entendo. Foi um negócio desse tipo então. Mas você... – ele olhou para ela. – Como soube?

– Acabei me envolvendo... por acidente.

Ele a examinou por um bom tempo.

Victoria perguntou de repente:

– Seu apelido na escola não era Lucifer, era?

Ele pareceu surpreso.

– Lucifer, não? Eu era conhecido por Coruja, pois sempre precisei usar óculos lustrosos.

– Não conhece ninguém que se chame Lucifer... em Basrah?

Richard balançou a cabeça.

– Lucifer, Filho da Manhã... o anjo decaído.

Acrescentou:

– Ou ainda uma marca antiga de fósforos de cera, cujo mérito, se me recordo bem, era de que não se apagava com o vento.

Ele observava as reações dela enquanto falava, mas Victoria estava franzindo a testa.

– Gostaria que me contasse – disse ela em seguida – exatamente o que aconteceu em Basrah.

– Já contei.

– Não. Estou falando de onde estava quando tudo isso aconteceu?

– Ah, entendo. Na verdade estava na sala de espera do consulado. Estava esperando para falar com Clayton, o cônsul.

— E quem mais estava lá? Esse caixeiro-viajante e Carmichael? Alguém mais?

— Havia dois outros, um homem magro e moreno, talvez francês ou sírio, e um velho... diria que era persa.

— E o caixeiro-viajante tirou o revólver do bolso, você o deteve, e Carmichael escapou dali... como?

— Primeiro ele foi saindo em direção ao escritório do cônsul. Fica do outro lado de uma passagem que tem um jardim...

Ela o interrompeu.

— Eu sei. Fiquei hospedada lá por um ou dois dias. Para ser franca, foi logo depois de você partir.

— Ah, foi, é?

Mais uma vez ele a observava bem de perto... mas Victoria continuava sem aperceber-se disso. Enxergava apenas o longo corredor do consulado com a porta aberta no final... abrindo-se para árvores verdejantes e a luz do sol.

— Bem, como ia dizendo, Carmichael saiu primeiro para aquele lado. No entanto, depois deu meia-volta e disparou na direção contrária para a rua. Foi a última vez que o vi.

— E o caixeiro-viajante?

Richard deu de ombros.

— Pelo que entendi, contou alguma história truncada sobre ter sido atacado e roubado por um homem na noite anterior e imaginou haver reconhecido o assaltante como sendo aquele árabe no consulado. Não fiquei sabendo de mais nada sobre o caso porque peguei um avião para o Kuwait.

— Quem estava hospedado no consulado naquele momento? – perguntou Victoria.

— Um camarada chamado Crosbie... um desses ligados ao petróleo. Ninguém mais. Ah, sim, creio que havia mais alguém que viera de Bagdá, mas não cheguei a conhecê-lo. Não me lembro do nome.

"Crosbie", refletiu Victoria. Lembrava-se do capitão Crosbie, a silhueta baixa e parruda, a conversa em staccato. Uma pessoa bem comum. Uma alma decente sem muita classe. E Crosbie já estava de volta em Bagdá na noite em que Carmichael fora até o Tio. Teria sido porque vira *Crosbie* no final da passagem, delineado contra a luz do sol, que Carmichael virara tão subitamente e fugira para a rua, em vez de tentar chegar ao escritório do cônsul?

Estava considerando tudo isso perdida em algum estado absorto. Sobressaltou-se com sentimento de culpa quando olhou para cima e deu de cara com Richard Baker, observando-a com total atenção.

— Por que quer saber tudo isso? – perguntou.

— Estou só interessada.

– Mais alguma pergunta?

Victoria indagou:

– Conhece alguém de nome Lefarge?

– Não... acho que não. Homem ou mulher?

– Não sei.

Ela ficou cismada com Crosbie. Crosbie? Lucifer? Será que Crosbie era o equivalente de Lucifer?

III

Naquela noite, depois de Victoria dar boa-noite aos dois e se recolher para dormir, Richard disse ao dr. Pauncefoot Jones:

– Será que eu poderia dar uma olhada naquela carta de Emerson? Gostaria de conferir o que ele dizia exatamente sobre essa moça.

– É claro, meu caro amigo, é claro. Está em algum lugar por aí. Anotei algumas coisas na parte de trás dela, disso me lembro. Falou muitíssimo bem de Victoria, se me recordo direito... afirmava que era bastante perspicaz. Parece ser uma garota encantadora... encantadora até demais. Muito corajoso da parte dela ter criado tão pouco caso sobre o extravio da bagagem. A maioria das garotas teria insistido para ser levada a Bagdá no dia seguinte para comprar uma roupa nova. É o que chamo de espírito esportivo. A propósito, como foi que conseguiu perder *toda* a bagagem?

– Foi sedada com clorofórmio, raptada e aprisionada em uma casa de nativos – respondeu Richard, impassível.

– Minha nossa, ah, sim, você me contou isso. Agora me lembro. Tudo *tão* improvável. Isso me lembra... do que é mesmo que isso me lembra? Ah, sim! De Elizabeth Canning, é claro. Recorda-se de como ela apareceu com a história mais absurda depois de ter passado quinze dias desaparecida? Um conflito de evidência muito interessante... tinha algo a ver com ciganos, se estou me lembrando do caso certo. E era uma moça tão simplezinha, não parecia provável que houvesse algum homem envolvido na história. Agora, nossa querida Victoria... Veronica... *nunca* consigo acertar o nome dela... é uma graça de pequena. É bem provável que *haja* um homem no caso dela.

– Seria mais bonita se não pintasse os cabelos – Richard declarou, seco.

– Ela pinta? Como você entende dessas coisas.

– Sobre a carta de Emerson...

– É claro... é claro... não faço ideia de onde a coloquei. Mas procure por onde quiser... estou ansioso para encontrá-la de qualquer maneira por causa daquelas anotações que fiz logo atrás... e o esboço daquela conta feita com arame enrolado.

CAPÍTULO 20

Na tarde do dia seguinte, o dr. Pauncefoot Jones proferiu uma interjeição desgostosa ao escutar o ruído de um carro que lhe chegava tênue aos ouvidos. Em seguida, avistou o veículo fazendo curvas pelo deserto na direção do Tell.

– Visitantes – disse ele, escorrendo veneno. – E, além disso, no pior momento possível. Quero fiscalizar a aplicação de celulose sobre aquela roseta pintada no canto nordeste. Devem ser alguns idiotas chegando de Bagdá com um monte de conversas fúteis e esperando que lhes mostremos todas as escavações.

– Mas para isso temos Victoria – disse Richard. – Está ouvindo, Victoria? Cabe a você organizar uma visita personalizada.

– O mais provável é que fale tudo errado – disse Victoria. – Na realidade sou muito inexperiente, sabe.

– Acho que está se saindo muito bem – declarou Richard, contente. – Aquelas observações que fez esta manhã sobre os tijolos plano-convexos poderiam ter saído direto do livro do Delongaz.

Victoria mudou levemente de cor e resolveu ter mais cuidado em parafrasear sua erudição dali em diante. Às vezes o olhar penetrante por trás daquelas lentes a deixava desconfortável.

– Vou fazer o que posso – concordou obediente.

– Empurramos todas as tarefas insólitas para você – disse Richard.

Victoria sorriu.

De fato, suas atividades nos últimos cinco dias não deixaram de lhe causar surpresa. Revelara chapas fotográficas com água filtrada por lã de algodão e à luz de uma lamparina escura rudimentar, contendo uma vela que sempre se apagava no momento mais crucial. A mesa do quarto escuro era um caixote e, para trabalhar, tinha de se agachar ou ajoelhar-se; o quarto escuro em si era o que Richard havia descrito como uma amostra modernizada do famoso Oriente Próximo medieval. Receberiam melhoramentos ao longo da temporada, o dr. Pauncefoot Jones já lhe assegurara... mas no momento, todo e qualquer centavo era necessário para pagar os trabalhadores e garantir resultados.

No início, as cestas cheias de pedaços quebrados de cerâmica provocaram-lhe apenas surpresa e escárnio (embora ela tenha tido o cuidado de não demonstrar). Todos aqueles cacos grosseiros; para que poderiam servir?

Depois, conforme ia encontrando rejuntes, colando-os e escorando-os dentro de caixas de areia, começou a se interessar. Aprendera a reconhecer formatos e tipos. E, por fim, passou a tentar reconstruir na sua própria mente como e para que aqueles vasos haviam sido utilizados mais de três mil anos atrás. Na pequena área onde desencavaram algumas casas particulares de qualidade inferior, ficava imaginando como teriam sido as construções originais e as pessoas que viviam nelas, com seus desejos, posses, ocupações, suas esperanças e seus medos. Como Victoria possuía uma imaginação fértil, a imagem surgia com muita facilidade na cabeça dela. No dia em que encontraram um pequeno pote de cerâmica fincado na parede com meia dúzia de brincos de ouro dentro, ficou enfeitiçada. Provavelmente era o dote de uma das filhas, dissera Richard, sorridente.

Louças recheadas de grãos, brincos de ouro guardados para um dote, agulhas feitas de osso, almofarizes e pilões, pequenas estatuetas e amuletos. Toda a rotina diária, os medos e esperanças de uma comunidade de pessoas simples e desimportantes.

– É isso que acho tão fascinante – Victoria dizia para Richard. – Entenda, sempre pensei que a arqueologia era só para sepulturas reais e palácios. Reis da Babilônia – acrescentou ela, com um sorrisinho estranho. – Mas o que mais gosto disso tudo é que tem a ver com as pessoas comuns e cotidianas... pessoas como eu. O meu Santo Antônio que encontra as coisas para mim quando as perco; e um porquinho chinês da sorte que tenho; e uma tigela de cozinha excelente, azul por dentro e branca por fora, que costumava usar para fazer bolos. Essa quebrou, e a nova que comprei não chega aos pés da antiga. Entendo por que as pessoas remendavam com betume as tigelas e pratos favoritos com tanto esmero. A vida é igualzinha na verdade, não é? Tanto antigamente quanto agora.

Estava refletindo sobre o assunto enquanto observava os visitantes subindo pela lateral do Tell. Richard foi recebê-los, Victoria seguiu logo atrás.

Eram dois franceses interessados em arqueologia, que estavam fazendo uma excursão pela Síria e o Iraque. Depois dos cumprimentos civis, Victoria os levou para conhecer as escavações, recitando feito um papagaio tudo que estava se passando ali; mas como era incapaz de resistir, em se tratando de Victoria, adicionava também vários rebuscamentos inventados por ela, só para tornar as coisas mais interessantes, como teimava em afirmar para si mesma.

Reparou então que o segundo homem estava com uma coloração muito pálida e se arrastava para acompanhá-los sem demonstrar muito interesse. Em seguida, pediu que mademoiselle o desculpasse, mas se retiraria para a casa. Não se sentia bem desde cedo, e o sol o estava deixando pior.

Partiu na direção da casa expedicionária, e o outro, em voz baixa e adequada, explicou que infelizmente o companheiro não estava bem do *estomac*. A tal barriga de Bagdá como costumavam dizer, não era isso? Não deveria mesmo ter saído naquele dia.

A visita foi concluída, e o francês ficou conversando com Victoria; ao final, o dr. Pauncefoot Jones, com ar decidido e hospitaleiro, sugeriu que os convidados tomassem um chá antes de partir.

Ao convite, no entanto, o francês recusou. Não deveriam se arriscar a partir depois que escurecesse, nesse caso jamais encontrariam o caminho de volta. Richard Baker concordou logo com isso. Foram buscar o amigo adoentado na casa, e o carro foi embora com velocidade máxima.

– Suponho que seja só o começo – grunhiu o dr. Pauncefoot Jones. – Teremos visitantes todos os dias de agora em diante.

Pegou um pedaço grande de pão árabe e lambuzou com uma camada grossa de geleia de damasco.

Richard foi para o quarto depois do chá. Tinha cartas para responder e outras a escrever antes de sua viagem a Bagdá no dia seguinte.

De repente, franziu a testa. Para quem olhasse de fora, não era um homem que se diria organizado, mas mesmo assim tinha um jeito próprio de arrumar roupas e papéis que nunca variava. Agora constatava que todas as gavetas haviam sido remexidas. Não foram os criados, disso tinha certeza. Deveria ter sido, então, aquele visitante doente que inventara um pretexto para ir até a casa e, com toda a frieza, vasculhara seus pertences. Nada estava faltando, tratou logo de assegurar-se disso. Seu dinheiro estava intocado. O que, então, estavam procurando? A expressão foi ficando mais grave à medida que considerava as implicações.

Foi até a Sala Antika e examinou a gaveta onde guardava os selos e timbres de impressão. Deu um sorriso austero... nada fora tocado ou removido dali. Foi até a sala de estar. O dr. Pauncefoot Jones estava no pátio com o capataz. Apenas Victoria estava ali, enroscada com um livro.

Richard disse sem nenhum preâmbulo:

– Alguém andou revistando meu quarto.

Victoria olhou para cima, atônita.

– Mas por quê? E quem?

– Não foi você?

– Eu? – Victoria estava indignada. – É claro que não! Por que ia querer mexericar nas suas coisas?

Ele a encarou com severidade. Depois disse:

– Deve ter sido aquele maldito visitante... O que fez de conta que estava doente e desceu até a casa.

– Roubou alguma coisa?

– Não – disse Richard. – Não levaram nada.

– Mas por que raios alguém ia querer...

Richard a interrompeu para dizer:

– Achei que talvez *você* soubesse o motivo.
– Eu?
– Bem, pelo que consta, coisas muito estranhas aconteceram com *você*.
– Ah, aqui... sim – Victoria pareceu bem assustada. Foi falando devagar: – Mas não vejo por que revistariam o *seu* quarto. Não tem relação nenhuma com...
– Com o quê?
Victoria não respondeu no primeiro momento. Parecia perdida em pensamentos.
– Sinto muito – disse por fim. – O que disse? Não estava escutando.
Richard não repetiu a pergunta. Em vez disso, indagou:
– O que está lendo?
– Não se tem muita escolha em termos de literatura leve por aqui. *História de duas cidades, Orgulho e preconceito* e *O moinho à beira do Floss*. Estou lendo *História de duas cidades*.
– Nunca leu isso antes?
– Nunca. Sempre achei que Dickens seria empolado.
– Que ideia!
– Estou achando emocionante.
– Em que parte está?
Ele espiou por cima do ombro dela e leu em voz alta.
– "E as tricoteiras contam Um."
– Acho-a muito assustadora – disse Victoria.
– Madame Defarge? Sim, é uma boa personagem. Mas sempre me pareceu muito duvidoso se seria realmente possível escrever nomes em tricô. Porém, claro, não faço tricô.
– Ah, mas acho que seria – disse Victoria considerando a questão. – Avesso e direito... Há os pontos trabalhados... e fazendo o ponto errado a intervalos regulares, deixando cair um que outro. Sim... é possível... camuflado, claro, de forma que pareceria feito por alguém com péssimas habilidades no tricô e que comete muitos erros...

De repente, como um vívido relâmpago, dois pontos se uniram em sua mente e a afetaram com a força de uma explosão. Um nome... uma memória visual. O homem agarrado ao cachecol vermelho tricotado à mão... O cachecol que ela depois apressadamente atirara dentro de uma gaveta. E somado àquele nome. *Defarge* – não era Lefarge – *Defarge*, Madame Defarge.

Foi chamada de volta por Richard que falava com cordialidade:
– Aconteceu alguma coisa?
– Não... não, isto é, acabei de lembrar de uma coisa.
– Entendo.

Richard ergueu as sobrancelhas com seu ar mais arrogante.

Amanhã, pensou Victoria, todos iriam a Bagdá. Amanhã, sua folga terminaria. Por mais de uma semana contara com segurança, paz, tempo para se reorganizar. E desfrutara daquele tempo – desfrutara enormemente. Talvez seja uma covarde, pensou Victoria, quem sabe é isso. Falava de maneira tão animada sobre aventuras, mas não gostara nem um pouco quando a aventura aconteceu. Odiou ter de lutar contra o clorofórmio, o lento sufocar, e sentira medo, um medo horrível, naquele quarto lá em cima quando o árabe esfarrapado dissera "*Bukra*".

E agora teria de retornar para aquilo tudo. Porque fora contratada pelo sr. Dakin e recebia do sr. Dakin e precisava fazer valer aquele dinheiro demonstrando coragem! Talvez tivesse até de voltar ao Ramo de Oliveira. Sentiu um breve calafrio ao lembrar do dr. Rathbone com seu olhar escrutinador e escuro. Ele a advertira...

Mas talvez não tivesse de voltar. Talvez o sr. Dakin dissesse que seria melhor não... agora que sabiam a respeito dela. Mas teria de voltar ao seu alojamento e pegar suas coisas porque lá, enfiado de maneira despreocupada dentro da mala, estava o cachecol vermelho de tricô... Havia enfiado tudo dentro das malas quando partira para Basrah. Assim que pusesse aquele cachecol nas mãos do sr. Dakin, quem sabe sua missão estaria completa. Talvez ele dissesse para ela, como nos filmes: "Oh! Bom trabalho, Victoria".

Ergueu a cabeça e deparou-se com Richard Baker observando-a.

– A propósito – disse ele –, conseguiria buscar o seu passaporte amanhã?

– Meu passaporte?

Victoria considerou a proposta. Era característico dela que ainda não houvesse definido seu plano de ação no que dizia respeito à expedição arqueológica. Como a verdadeira Veronica (ou Venetia) chegaria em breve da Inglaterra, uma retirada bem planejada seria necessária. No entanto, se ela simplesmente escolheria desaparecer ou confessaria seu engodo com o devido arrependimento, o que pretendia fazer ainda não havia se apresentado como um problema a ser resolvido. Victoria sempre preferia adotar a atitude otimista de acreditar que a solução apareceria.

– Bem – temporizou ela –, não tenho certeza.

– É necessário, entende, para a polícia deste distrito – explicou Richard. – Eles registram o número, nome, idade, alguma marca ou sinal que a identifique etc., enfim, aquelas coisas de sempre. Como não temos o passaporte, acho que deveríamos pelo menos enviar seu nome e uma descrição para eles. A propósito, qual é seu sobrenome? Sempre a chamei de "Victoria".

Victoria contra-atacou com galhardia.

– Ora, convenhamos – disse. – Sabe meu sobrenome tão bem quanto eu.

– Não é bem verdade – disse Richard. O sorriso curvando-se para cima com um quê de crueldade. – Eu *sei* o seu sobrenome. Estou achando que é *você* quem não sabe.

Por trás das lentes aqueles olhos a espreitavam.

– É claro que sei meu próprio nome – disparou Victoria.

– Então a desafio a me dizer... agora.

O tom dele ficou curto e grosso de repente.

– Não adianta mentir – disse. – Acabou a brincadeira. Foi muito esperta esse tempo todo. Leu sobre o assunto e exibiu frações muito reveladoras de conhecimento... mas esse é o tipo de impostura que não pode sustentar por muito tempo. Espalhei armadilhas e caiu em todas. Citei uma porção de porcarias absolutas e as aceitou.

Ele fez uma pausa.

– Você *não* é Venetia Savile. Quem é você?

– Eu lhe disse meu nome na primeira vez que nos conhecemos – disse Victoria. – Meu nome é Victoria Jones.

– A sobrinha do dr. Pauncefoot Jones?

– Não sou sobrinha dele... mas meu nome *é* Jones.

– Também me contou uma porção de outras coisas.

– Sim, contei. E era tudo *verdade*! Mas pude ver que não acreditava em mim. E aquilo me deixou enfurecida, porque embora eu conte mentiras às vezes, na verdade com muita frequência, o que acabara de lhe contar não era mentira. E assim, só para me deixar mais convincente, disse que meu nome era Pauncefoot Jones... Já havia alegado isso antes por aqui e sempre funcionou de uma maneira estupenda. Como eu poderia adivinhar que estava na verdade a caminho deste local?

– Deve ter sido um leve choque para você – disse Richard, austero. – Reagiu muito bem... não deixou transparecer nada.

– Não por dentro – disse Victoria. – Estava *tremendo* inteira. Mas senti que se esperasse para explicar depois de chegar aqui... bem, de qualquer forma, eu estaria em segurança.

– Segurança? – ele considerou a palavra. – Olhe aqui, Victoria, aquela lenga-lenga inacreditável que contou sobre ter sido sedada com clorofórmio *era* mesmo verdade?

– É claro que era verdade! Não vê que se eu quisesse inventar uma história teria inventado uma bem melhor que essa e *ainda por cima* teria contado melhor!

– Conhecendo-a mais de perto agora, posso constatar o poder disso! Mas precisa admitir que, para quem escuta pela primeira vez, a história é absurdamente improvável.

– Mas *agora* está disposto a considerá-la possível. Por quê?

Richard disse devagar.

– Porque se, como diz, estava envolvida na morte de Carmichael... bem, então pode ser verdade.

– Foi ali que tudo começou – disse Victoria.

– É melhor me contar toda a história.

Victoria o encarou com seriedade.

– Estou decidindo – falou – se posso confiar em você.

– É exatamente o contrário! Não entende que tive graves suspeitas de que você se plantou aqui sob um nome falso a fim de arrancar informações de *mim*? E talvez seja isso *mesmo* o que está fazendo.

– Quer dizer que sabe algo sobre Carmichael que *eles* gostariam de saber?

– Quem exatamente são *eles*?

– Vou ter de lhe contar tudo – declarou Victoria. – Não há outra saída... e, se for um deles, já sabe de tudo, então não faz diferença.

Ela contou sobre noite da morte de Carmichael, a conversa dela com o sr. Dakin, a viagem até Basrah, o emprego no Ramo de Oliveira, a hostilidade de Catherine, sobre o dr. Rathbone e sua advertência e o desenlace final, incluindo desta vez o enigma do cabelo tingido. A única coisa que deixou de fora foi o cachecol vermelho e Madame Defarge.

– Dr. Rathbone? – Richard se deteve naquele ponto. – Acha que *ele* está envolvido nesse negócio? Por trás disso? Mas minha cara menina, ele é um homem muito importante. É conhecido no mundo inteiro. Rios de patrocínio são enviados de todos os lugares do mundo para os projetos dele.

– E será que ele não teria de ser tudo isso? – perguntou ela.

– Sempre o considerei um imbecil pomposo – disse Richard, com ar meditativo.

– Essa também é uma ótima camuflagem.

– Sim... sim, suponho que seja. Quem era esse Lefarge de que me indagou a respeito?

– Apenas mais um nome – disse Victoria. – Tem Anna Scheele também – completou.

– Anna Scheele? Não, nunca ouvi falar dela.

– Ela é importante – disse Victoria. – Mas não sei exatamente como ou por quê. É tudo uma confusão.

– Apenas repita para mim – pediu Richard. – Quem foi o homem que lhe envolveu nisso tudo?

– Edwar... ah, está se referindo ao sr. Dakin. É do petróleo, acho.

– É um sujeito com o ar cansado, curvo, e com um olhar bastante aéreo?

– Sim... mas, na verdade não é. Aéreo, digo.

— Ele não bebe?

— As pessoas dizem que sim, mas não creio que beba.

Richard reclinou-se para trás e ficou olhando para ela.

— Phillips Oppenheim, William Le Queux e uma sequência de ilustres imitadores a partir deles? Isso é real? *Você* é real? E é a heroína perseguida ou a aventureira do mal?

Victoria disse de modo bem prático:

— A verdadeira questão aqui é: o que vamos dizer para o dr. Pauncefoot Jones a meu respeito?

— Nada – declarou Richard. – Não será necessário.

CAPÍTULO 21

Saíram para Bagdá logo cedo. O ânimo de Victoria estava curiosamente abatido. Sentiu quase um nó na garganta ao olhar para trás e ver a casa expedicionária. Entretanto, o desconforto ocasionado pelos loucos solavancos da camionete na estrada era muito eficiente em desviar os pensamentos dela de qualquer coisa que não fosse a tortura do momento. Parecia estranho estar viajando de novo por algo que lembrava uma estrada, passando por burricos e caminhões empoeirados. Levaram quase três horas para chegar aos arrabaldes de Bagdá. O caminhão os deixou no Tio Hotel e então seguiu com o cozinheiro e o motorista para fazer as compras necessárias. Um maço grande de correspondências estava à espera do dr. Pauncefoot Jones e de Richard. Marcus apareceu de repente, maciço e sorridente, deu as boas-vindas a Victoria com sua simpatia radiante de costume.

— Ah, faz um bom tempo que não a vejo. Não vem mais ao meu hotel. Faz mais de uma semana... duas semanas. E por que isso? Almoça aqui hoje? Tem tudo de que precisa? Os franguinhos? Um bife grande? Só não o peru recheado especial com temperos e arroz, porque para isso precisa me avisar um dia antes.

Ficou claro que, pelo menos do que dizia respeito ao Tio Hotel, o sequestro de Victoria não fora percebido. E talvez Edward, seguindo o conselho do sr. Dakin, não tivesse ido até a polícia.

— Sabe me dizer se o sr. Dakin se encontra em Bagdá, Marcus? – ela perguntou.

— O sr. Dakin... ah, sim, um homem muito bom... Claro, é seu amigo. Esteve aqui ontem; não, anteontem. E o capitão Crosbie, você o conhece? É amigo do sr. Dakin. Chega hoje de Kermanshah.

– Sabe onde fica o escritório do sr. Dakin?

– Claro que sei. Todo mundo conhece a Iraqi Iranian Oil Co.

– Bem, gostaria de ir agora para lá. De táxi. Mas quero me certificar de que o táxi saiba aonde vai me levar.

– Eu mesmo digo a ele – disse Marcus, obsequioso.

Ele a acompanhou até a entrada de carros e gritou com seu jeito usual e impetuoso. Um servente assustado chegou correndo. Marcus mandou que encontrasse um táxi. Então Victoria foi acompanhada até o carro e Marcus dirigiu-se ao motorista. Depois, deu um passo para trás e acenou com a mão.

– E quero um quarto – disse Victoria. – Será que me consegue um?

– Sim, sim. Vou lhe dar um quarto lindo e vou mandar preparar o bife grande hoje à noite, tenho... muito especial... um pouco de caviar. E antes disso vamos tomar um drinquezinho.

– Ótimo! – exclamou Victoria. – Ah, Marcus, pode me emprestar algum dinheiro?

– É claro, minha querida. Aqui está. Pegue o quanto quiser.

O táxi deu a partida com uma buzinada violenta, e Victoria caiu para trás no assento, agarrada a um sortimento de moedas e notas.

Cinco minutos depois, Victoria entrou nos escritórios da Iraqi Iranian Oil Co. e perguntou pelo sr. Dakin.

O sr. Dakin ergueu o olhar por detrás da mesa onde estava escrevendo quando Victoria foi introduzida. Levantou-se e apertou a mão dela de um jeito formal.

– Srta. ...hã... srta. Jones, não é mesmo? Traga um café, Abdullah.

Assim que a porta à prova de ruído se fechou atrás do funcionário, ele disse baixinho:

– Não deveria ter vindo até aqui, sabe.

– Foi preciso desta vez – disse Victoria. – Há algo que preciso lhe contar imediatamente... antes que qualquer outra coisa aconteça comigo.

– Aconteça com você? Alguma coisa aconteceu com você?

– Não está sabendo? – perguntou Victoria. – Edward não lhe disse nada?

– Até onde sei, ainda está trabalhando no Ramo de Oliveira. Ninguém me contou coisa alguma.

– Catherine – exclamou Victoria. – Aquela raposa da Catherine! Aposto que encheu os ouvidos de Edward com alguma história qualquer, e o tosco acreditou nela.

– Bem, vamos aos fatos, então – disse o sr. Dakin. – Hã... se me permite dizê-lo – seu olhar viajou discretamente para a cabeça loira de Victoria. – Fica melhor morena.

– Isso é apenas parte da história – disse ela.

Houve uma batida na porta e o funcionário entrou com duas xícaras de cafezinho adoçado. Quando o rapaz saiu, Dakin falou:

– Agora não tenha pressa e conte-me tudo o que aconteceu. Ninguém consegue nos ouvir aqui.

Victoria mergulhou na narrativa de suas aventuras. Como sempre, quando falava com Dakin, tratava de ser tanto coerente quanto concisa. Concluiu a história com uma explicação sobre o cachecol vermelho que Carmichael deixara cair e a ligação com Madame Defarge.

Então, olhou ansiosa para Dakin.

Ao entrar, ele lhe parecera ainda mais encurvado e cansado. Agora via um novo brilho aparecendo em seus olhos.

– Eu deveria ler Dickens com mais frequência – disse.

– Então acha que estou certa? Acha que *foi* Defarge que ele disse... e acha que alguma mensagem foi tricotada no cachecol?

– Eu acho – disse Dakin – que esta é a primeira descoberta real que estamos fazendo... e foi graças a você. Mas o mais importante é o cachecol. Onde está?

– Com todo o resto das minhas coisas. Enfiei tudo em uma gaveta naquela noite; e depois, quando fiz as malas, lembro de ter enrolado tudo junto de qualquer jeito sem separar coisa alguma.

– E nunca chegou a mencionar para ninguém... para ninguém *mesmo*... que aquele cachecol pertencia a Carmichael?

– Não, porque esqueci completamente do assunto. Enrolei tudo com algumas outras coisas quando fui para Basrah e desde então não abri aquela mala.

– Então deve estar seguro. Mesmo que tenham revistado as suas coisas, não dariam nenhuma importância a um velho cachecol de lã... a menos que tivessem recebido alguma dica sobre isso, o que, até onde posso avaliar, é impossível. Tudo que temos que fazer agora é pegar todas as suas coisas e enviar para... a propósito, tem algum lugar para ficar?

– Reservei um quarto no Tio.

Dakin aquiesceu.

– É o melhor lugar para você.

– Tenho de... quer que eu... volte para o Ramo de Oliveira?

Dakin a examinou com atenção.

– Tem medo?

Victoria empurrou o queixo para a frente.

– Não – declarou, com ar desafiador. – Volto, se preferir.

– Não acho que seja necessário... ou mesmo inteligente. Não importa como tenham ficado sabendo, presumo que alguém de lá estava ciente das suas atividades. Assim sendo, não haveria como descobrir mais nada; portanto, é melhor manter distância.

Ele sorriu.

– Caso contrário pode acabar ruiva da próxima vez que eu lhe vir.

– Isso é o que mais quero entender – alardeou Victoria. – Por que tingiram o meu cabelo? Por mais que raciocine não enxergo nenhum sentido nisso. E você?

– Apenas o motivo um tanto desagradável de que seu cadáver seria mais difícil de identificar.

– Mas se quisessem me transformar em cadáver, por que não me mataram logo?

– É uma questão muito interessante, Victoria. É a resposta que mais me interessa.

– E não faz ideia?

– Não tenho nenhuma pista – disse Dakin com um sorriso apagado.

– Falando em pistas – disse ela –, lembra-se de eu dizer que havia algo com Sir Rupert Crofton Lee que não parecia direito naquela manhã no Tio?

– Lembro.

– Não o conhecia pessoalmente, conhecia?

– Não o conhecia antes disso, não.

– Achei que não. Porque, veja, aquele *não* era Sir Rupert Crofton Lee.

E ela mergulhou mais uma vez em uma animada narrativa, começando com o princípio de furúnculo no pescoço de Sir Rupert.

– Então foi assim que conseguiram – disse Dakin. – Não estava entendendo *como* Carmichael poderia ter baixado tanto a guarda para acabar morto naquela noite. Chegou em segurança até Crofton Lee... Crofton Lee o esfaqueou, mas ele deu um jeito de escapar e invadir seu quarto antes de desmoronar. E agarrou-se ao cachecol, literalmente... com uma determinação fatal.

– Acha que foi porque estava vindo lhe contar isso que me sequestraram? Mas ninguém sabia de nada, exceto Edward.

– Acho que sentiram que precisariam se livrar de você com rapidez. Estava começando a entender muito do que está se passando no Ramo de Oliveira.

– O dr. Rathbone me advertiu – disse Victoria. – Foi mais... mais uma ameaça do que uma advertência. Acho que percebeu que eu não era quem fingia ser.

– Rathbone – disse Dakin, seco – não é bobo.

– Fico aliviada de não precisar voltar para lá – declarou Victoria. – Fingi ser corajosa ainda agora... mas na verdade estou paralisada de medo. Só que, se eu não for até o Ramo de Oliveira, como faço para contatar Edward?

Dakin sorriu.

– Se Maomé não vai à montanha, a montanha vai a Maomé. Escreva um bilhete para ele agora. Diga apenas que está no Tio e peça para que ele pegue suas roupas e sua bagagem e leve tudo para você. Vou consultar o dr. Rathbone esta manhã sobre um de seus saraus no clube. Fica fácil eu repassar um bilhete para o secretário... assim não há perigo de sua inimiga Catherine fazer com que a mensagem se perca. Quanto a você, volte para o Tio e fique por lá... e, Victoria...

– Pois não?

– Se acabar num aperto... de qualquer tipo... faça o melhor que puder por si mesma. Na medida do possível estaremos vigiando, mas seus adversários são perigosos, e infelizmente está sabendo de muita coisa. Assim que sua bagagem chegar ao Tio Hotel, suas obrigações para comigo estão terminadas. Entenda isso.

– Vou direto para o Tio agora – disse Victoria. – Vou apenas tentar comprar um pó, batom e corretivo no caminho. Afinal de contas...

– Afinal de contas – disse o sr. Dakin –, não se pode encontrar um rapaz completamente desarmada.

– Não fazia muita diferença com Richard Baker, mas gostaria que ele soubesse que posso ficar bem bonita se me arrumar – disse Victoria. – Já com *Edward*...

CAPÍTULO 22

Com os cabelos loiros ajeitados com esmero, o nariz empoado e os lábios bem pintados, Victoria sentou-se na sacada do Tio, mais uma vez no papel de uma Julieta moderna esperando por seu Romeu.

E, no devido tempo, seu Romeu chegou. Apareceu no pátio coberto de relva, olhando de um lado para outro.

– Edward – disse Victoria.

Edward olhou para cima.

– Ah, aí está você, Victoria!

– Suba até aqui.

– Certo.

No momento seguinte, ele surgiu na sacada deserta.

– É mais tranquilo aqui em cima – disse Victoria. – Daqui a pouco vamos descer e deixar que Marcus nos ofereça drinques.

Edward a encarava com perplexidade.

– Victoria, você fez alguma coisa diferente com o cabelo?

Victoria deu um suspiro frustrado.

– A próxima pessoa que falar em cabelo vai levar uma bordoada na cabeça.

– Acho que gostava mais do jeito que era antes – confessou Edward.

– Diga isso para Catherine!

– Catherine? O que ela tem a ver com isso?

– Tudo – respondeu Victoria. – Você me disse para me aproximar dela, e fiz isso, mas não imagino que faça a mínima ideia do que acarretou!

– Onde esteve esse tempo todo, Victoria? Andei muito preocupado.

– Ah, andou, é? Onde acha que eu estava?

– Bem, Catherine me deu seu recado. Disse que você pediu a ela que me avisasse que havia viajado para Mosul de repente. Que era algo muito importante, que tinha acontecido uma coisa boa e que eu receberia notícias suas no devido tempo.

– E acreditou nisso? – perguntou Victoria, numa tom quase compadecido.

– Achei que havia encontrado uma pista ou algo assim. Era natural que não pudesse dizer muita coisa para Catherine...

– Não lhe ocorreu que Catherine estivesse mentindo, e que eu levara uma pancada na cabeça?

– Quê? – Edward fitou-a.

– Fui drogada com clorofórmio... passei fome...

Edward lançou um olhar impulsivo ao redor deles.

– Meu Deus! Jamais sonhei... olhe aqui, não me agrada ficarmos conversando aqui fora. Todas essas janelas. Por que não vamos para o seu quarto?

– Tudo bem. Trouxe minha bagagem?

– Trouxe, deixei com o carregador.

– Porque quando a gente não muda de roupas por quinze dias...

– Victoria, *que diabos* andou acontecendo? Já sei... estou com o carro aqui. Vamos para Devonshire. Nunca esteve lá, esteve?

– Devonshire? – Victoria o fitou com surpresa.

– Ah, é só o nome de um lugar não muito longe de Bagdá. É bem bonito nesta época do ano. Vamos. Faz tempo que não ficamos juntos a sós.

– Desde a Babilônia. Mas o que o dr. Rathbone e o Ramo de Oliveira iriam dizer?

– Às favas com o dr. Rathbone. Estou mesmo cheio daquele velho imbecil.

Desceram correndo as escadas e saíram para onde o carro de Edward estava estacionado. Edward dirigiu para o sul cortando Bagdá por uma larga avenida. Então pegou uma saída; sacolejaram e bambolearam entre bosques de palmeiras e sobre pontes de canais. Por fim, com uma estranha imprevisibilidade, chegaram a uma pequena mata, cercada e cortada por canais de irrigação. As árvores do bosque, na maioria amendoeiras e damasqueiros, estavam apenas começando a florir. Era um local idílico. A uma curta distância do bosquezinho, ficava o Tigre.

Desceram do carro e caminharam juntos em meio às árvores em flor.

– Isso é encantador – disse Victoria, suspirando profundamente. – É como estar de volta à Inglaterra na primavera.

O ar era suave e quente. Em seguida, os dois sentaram sobre um tronco caído, com botões cor-de-rosa pendendo sobre as suas cabeças.

– Agora, querida – disse Edward. – Conte o que andou acontecendo com você. Fiquei terrivelmente abatido.

– Ficou? – ela sorriu sonhadora.

Então ela contou para ele. Sobre a cabeleireira. Sobre o cheiro do clorofórmio e sua luta para se soltar. De quando acordou enjoada. De como escapara, de seu encontro fortuito com Richard Baker, de como alegara ser Victoria Pauncefoot Jones a caminho das escavações e de como, quase por milagre, sustentara o papel de uma estudante de arqueologia recém-chegada da Inglaterra.

Naquele ponto, Edward deu uma gargalhada alta.

– Você é maravilhosa, Victoria! As coisas que é capaz de pensar... e inventar.

– Eu sei – disse ela. – Meus tios. O dr. Pauncefoot Jones e antes dele... o bispo.

E, com isso, de repente lembrou-se do que estivera prestes a perguntar para Edward em Basrah, quando a sra. Clayton os interrompera chamando-os para tomar um drinque.

– Já queria lhe perguntar isso antes – disse. – Como foi que soube do bispo?

Sentiu a mão que segurava a dela de repente enrijecer. Ele falou muito rápido, rápido demais:

– Ora, você me contou, não foi?

Victoria olhou para ele. Era estranho, pensou depois, que um único lapso infantil fosse capaz de causar tanto estrago.

Pois ele fora pego completamente de surpresa. Não tinha nenhuma desculpa preparada... Sua fisionomia ficou de repente desarmada e desmascarada.

E, olhando para ele, tudo se alterou e se acomodou dentro de um esquema, exatamente como num caleidoscópio, e ela enxergou a verdade. Talvez não tivesse sido tão repentino assim. Talvez, em seu subconsciente, aquela pergunta de como é que Edward soubera do bispo já andasse incomodando-a e preocupando-a e, devagar, foi chegando à única e inevitável resposta... Edward não ficara sabendo sobre o bispo de Llangow através dela, e as únicas outras pessoas que poderiam ter contado a ele teriam de ser o sr. ou a sra. Hamilton Clipp. Mas eles não poderiam ter visto Edward depois da chegada dela em Bagdá, pois Edward estava em Basrah na época, então deve ter ficado sabendo disso através deles *antes* que ele próprio tivesse saído da Inglaterra. Devia saber o tempo todo, então, que Victoria estava viajando para lá com eles... E aquela coincidência maravilhosa não fora, no fim das contas, coincidência nenhuma. Fora tudo planejado e intencional.

E ao deparar-se com a expressão desmascarada de Edward, entendeu de repente o que Carmichael quisera dizer com Lucifer. Compreendeu o que ele vira naquele dia ao olhar para o corredor do jardim do consulado. Vira aquele mesmo rosto lindo e jovial, para o qual ela estava olhando naquele exato momento... pois era um rosto lindo.

Lucifer, Filho da Manhã, como caíste?

Não o dr. Rathbone... *Edward*! Edward, fazendo um papel menor, o papel do secretário, mas controlando, dirigindo, usando Rathbone como fachada... E Rathbone, advertindo-a para fugir enquanto podia...

Enquanto olhava para aquele rosto lindo e malévolo, todo aquele amor de bezerra adolescente se desfez, e soube que o que sentira por Edward jamais fora amor. Fora o mesmo sentimento que vivenciara por algumas horas por Humphrey Bogart e mais tarde pelo Duque de Edimburgo. Fora pura atração. E Edward nunca chegara a *amá-la*. Exercera seu charme e seu glamour deliberadamente. Ele a conquistara naquele dia usando seu charme sedutor com tanta facilidade, tamanha naturalidade, que ela caíra feito um peixe na rede. Fora uma tremenda idiota.

Era extraordinário o quanto poderia passar pela cabeça de alguém no espaço de poucos segundos. Não era necessário organizar os pensamentos. Estava tudo ali. Conhecimento completo e instantâneo. Talvez porque, de fato, lá no fundo, a pessoa já soubesse daquilo o tempo todo...

E ao mesmo tempo, algum instinto de autopreservação, tão rápido quanto todos os processos mentais de Victoria, manteve em seu rosto a expressão de admiração tola e irracional. Pois sabia, instintivamente, que corria um grande perigo. Havia apenas uma coisa que poderia salvá-la, apenas uma cartada que poderia arriscar. Apressou-se em colocá-la em prática.

– Você sabia o tempo todo! – disse. – Sabia que eu estava vindo para cá. Deve ter arranjado tudo. Ai, Edward, você é *maravilhoso*!

O rosto dela, aquele rosto plástico e impressionável, demonstrava um só sentimento; uma quase enfastiada adoração. E observou a reação... o sorriso tênue de desprezo, o alívio. Quase pôde sentir Edward dizendo para si mesmo, "A tolinha! Ela engole qualquer coisa! Posso fazer o que quiser com ela".

– Mas *como* conseguiu fazer isso? – perguntou. – Deve ser muito poderoso. Deve ser bem diferente do que finge ser. Você é, como disse outro dia... é o Rei da Babilônia.

Viu o orgulho iluminar o rosto dele. Viu o poder, a força, a beleza e a crueldade que estiveram disfarçadas por trás da fachada de um rapaz modesto e agradável.

"E eu sou apenas uma escrava cristã", pensou Victoria. E acrescentou com rapidez e ansiedade, como seu toque artístico final (e o preço que aquilo lhe custou ao orgulho ninguém jamais vai saber):

– Mas você me *ama*, não ama?

O desprezo dele mal podia ser disfarçado agora. Que tolinha – todas essas mulheres são tão tontas! É tão fácil fazê-las pensar que as ama, e isso é tudo que importa para elas! Não têm nenhuma noção da grandeza da construção de um novo mundo, elas só choramingam por amor! São escravas e você as usa como escravas para atingir seus objetivos.

– É claro que amo você – ele disse.

– Mas qual a *razão* de tudo isso? Conte pra mim, Edward. Me ajude a compreender.

– É um novo mundo, Victoria. Um novo mundo que vai emergir da imundície e das cinzas do antigo.

– Conte tudo.

Ele contou e, mesmo sem querer, ela foi quase que levada, levada por aquele sonho. Tudo que é ruim e ultrapassado deve se destruir mutuamente. Os homens gordos e velhos que se agarram aos seus lucros, impedindo o progresso. Os fanáticos e burros comunistas, tentando estabelecer um paraíso marxista. É preciso haver uma guerra total... destruição total. E então... o novo paraíso e a nova Terra. O pequeno agrupamento selecionado de seres mais elevados, os cientistas, os especialistas em agricultura, os administradores... os rapazes como Edward... os jovens Siegfrieds de um Novo Mundo. Todos jovens, todos acreditando em seu destino como super-homens. Quando a destruição tivesse acontecido, *eles* assumiriam seus lugares e tomariam o poder.

Era loucura... mas era uma loucura construtiva. Era o tipo de coisa que, em um mundo despedaçado e em processo de desintegração, poderia acontecer.

– Mas pense – disse Victoria – na quantidade de pessoas que precisarão ser mortas primeiro.

– Não está entendendo – disse Edward. – Não faz diferença.

Não faz diferença... aquele era o credo de Edward. E de repente, sem nenhum motivo, lhe veio a lembrança daquela tigela de três mil anos de idade, remendada com betume. Certamente aquelas coisas *faziam* diferença... os pequenos detalhes do dia a dia, a família para quem se cozinha uma refeição, as quatro paredes que cingem uma casa, aqueles um ou dois itens que constituem nossos bens mais preciosos. Todas as milhares de pessoas comuns do planeta cuidando de suas vidas, trabalhando a terra, fabricando potes, criando filhos, rindo, chorando, levantando cedo de manhã e indo para a cama à noite. *Elas* eram as pessoas que importavam, não esse Anjos de fisionomia malévola querendo construir um mundo novo e sem nem se preocupar com quem acabariam ferindo para fazê-lo.

E, com todo o cuidado, tateando no escuro, pois ali em Devonshire sabia que poderia estar a um passo da morte, ela disse:

– Você é *fantástico*, Edward. Mas e *eu*? O que *eu* posso fazer?

– Você quer... ajudar? Acredita na ideia?

Porém foi prudente. Nada de conversões repentinas. Aquilo seria um pouco demais.

– Acho que simplesmente acredito em *você*! – respondeu. – Qualquer coisa que *você* me disser para fazer, Edward, eu faço.

– Boa menina – ele disse.

– Por que armou tudo para que eu viesse para cá já de início? Deve haver algum motivo.

– É claro que há. Lembra que tirei uma foto sua naquele dia?

– Lembro – disse Victoria.

("Sua trouxa, como ficou lisonjeada, como sorriu feito uma tola!", pensou ela consigo)

– Fiquei abismado com seu perfil... com o quanto era parecida com uma certa pessoa. Tirei a foto para me certificar.

– Com quem me pareço?

– Uma mulher que tem nos causado uma boa dose de problemas: Anna Scheele.

– Anna Scheele.

Victoria fitou-o tomada de assombro. Esperava ouvir qualquer coisa, menos aquilo.

– Está dizendo que... ela se parece *comigo*?

– De lado a semelhança é muito singular. Os traços do perfil são quase exatamente os mesmos. E há mais um detalhe extraordinário, você tem uma marquinha minúscula de uma cicatriz no lábio superior, do lado esquerdo...

– Eu sei. Foi de quando caí em cima de um cavalinho de metal quando era criança. Tinha uma ponta afiada para fora e fez um corte bem profundo ali. Não aparece muito quando aplico pó em cima.

– Anna Scheele tem uma marca no mesmo exato lugar. Esse detalhe é preciosíssimo. Vocês são iguais em altura e porte... Ela é uns quatro ou cinco anos mais velha que você. A verdadeira diferença era o cabelo; você é morena, e ela, loira. E seu estilo de penteado é bem diferente. Seus olhos são de um azul mais escuro, mas isso não importaria se usasse óculos escuros.

– E foi por isso que quis que eu viesse a Bagdá? Porque eu me parecia com ela.

– Foi, achei que a semelhança poderia... ser útil.

– Então arranjou a coisa toda... Os Clipp... quem são os Clipp?

– Não são importantes... fazem apenas o que mandamos.

Algo no tom de Edward causou um leve calafrio na espinha de Victoria. Foi como se ele houvesse dito com indiferença desumana: "Eles nos devem obediência".

Havia uma nuance religiosa envolvendo aquele projeto maluco. "Edward", pensou ela, "é seu próprio Deus. *Isso* é o mais aterrorizante."

Em voz alta, falou:

– Você disse que Anna Scheele era a chefe, a abelha rainha no *seu* esquema?

– Precisava dizer algo que despistasse você. Já ficara sabendo de coisas demais.

"E se não fosse pela minha semelhança com Anna Scheele, aquele teria sido meu fim", pensou Victoria.

– E quem é ela na verdade?

– É a secretária de confiança de Otto Morganthal, o banqueiro americano. Mas ela é mais do que isso. Tem um cérebro financeiro dos mais extraordinários. Temos motivos para acreditar que rastreou muitas das nossas operações financeiras. Três pessoas têm apresentado perigo para nós: Rupert Crofton Lee, Carmichael – bem, esses dois já foram apagados. Resta ainda Anna Scheele. A chegada dela em Bagdá está prevista para daqui a três dias. Nesse meio-tempo, ela desapareceu.

– Desapareceu? Onde?

– Em Londres. Aparentemente, sumiu da face da terra.

– E ninguém sabe onde ela está?

– Pode ser que Dakin saiba.

Mas Dakin não sabia. Victoria sabia, mas Edward não... então *onde* estaria Anna Scheele?

Ela perguntou:

– Não fazem mesmo a menor ideia?

– Temos uma suposição – disse Edward, devagar.

– E?

— É essencial que Anna Scheele esteja aqui em Bagdá para a convenção. Isso, você sabe, vai acontecer daqui a cinco dias.

— Já está tão em cima assim? Não fazia ideia.

— Estamos vigiando todas as entradas no país. Com certeza, não virá para cá usando seu próprio nome. E não está chegando em um avião a serviço do governo. Temos nossos próprios meios de verificar isso. Então investigamos todas as reservas particulares. Há uma passagem reservada pela BOAC no nome de Grete Harden. Já rastreamos o histórico dessa Grete Harden e tal pessoa não existe. É um nome inventado. O endereço fornecido é falso. Estamos achando que Grete Harden é Anna Scheele.

Acrescentou:

— O avião dela vai pousar depois de amanhã em Damasco.

— E depois?

Os olhos de Edward de repente miraram os dela.

— Depois depende de você, Victoria.

— De mim?

— Vai tomar o lugar dela.

Victoria falou devagar:

— Como Rupert Crofton Lee?

Foi quase um sussurro. No decorrer daquela substituição, Rupert Crofton Lee morrera. E quando Victoria tomasse o lugar dela, presumia-se que Anna Scheele, ou Grete Harden, acabaria morta.

Edward estava esperando uma resposta... e se por algum motivo Edward duvidasse de sua lealdade, então ela, Victoria, morreria... e morreria sem a possibilidade de alertar ninguém.

Não, precisava concordar e agarrar-se a alguma chance de informar o sr. Dakin.

Deu um suspiro profundo e disse:

— Eu... eu... oh, mas Edward, não poderia fazer isso. Seria desmascarada. Não sei imitar o sotaque americano.

— Anna Scheele praticamente não tem sotaque. De qualquer forma, você estaria sofrendo de laringite. Um dos melhores médicos desta parte do mundo vai afirmar isso.

"Eles têm gente em todos os lugares", pensou Victoria.

— O que eu teria de fazer? – perguntou.

— Voar de Damasco para Bagdá como Grete Harden. Ficar imediatamente de cama. Receber alta de um médico de alta reputação bem a tempo de participar da convenção. Lá, apresentaria para eles os documentos que vai levar com você.

Victoria perguntou:

– Os documentos verdadeiros?

– Claro que não. Vamos substituir por nossa versão.

– O que os documentos vão revelar?

Edward sorriu.

– Detalhes convincentes da mais estupenda conspiração comunista dentro da América.

Victoria pensou: "Como planejaram tudo tão bem".

Em voz alta, disse:

– Acha que consigo mesmo dar conta disso, Edward?

Agora que estava interpretando um papel, era muito fácil para Victoria fazer qualquer pergunta aparentando ansiosa sinceridade.

– Tenho certeza que sim. Já reparei que interpretar um papel lhe traz tamanha satisfação que fica praticamente impossível duvidar de você.

Victoria disse em tom meditativo:

– Ainda me sinto como uma tremenda imbecil quando penso nos Hamilton Clipp.

Ele riu com ar de superioridade.

Victoria, com a expressão ainda firme em sua máscara de adoração, disse com rancor em pensamento: "Mas *você* foi um tremendo imbecil também ao deixar escapar aquilo sobre o bispo lá em Basrah. Se não tivesse deixado, jamais teria enxergado quem realmente *é* ".

De repente, perguntou:

– E o dr. Rathbone?

– Que quer dizer com: "E o dr. Rathbone"?

– É só uma figura de fachada?

Os lábios de Edward se curvaram num prazer perverso.

– Rathbone tem que andar na linha. Sabe o que anda aprontando esses anos todos? Apropriando-se de maneira muito inteligente de uns três quartos dos patrocínios que são enviados para ele de todas as partes do mundo para seu uso pessoal. Desde as fraudes de Horatio Bottomley que não vejo uma falcatrua armada com tanta esperteza. Ah, sim, Rathbone está inteiramente em nossas mãos... Podemos denunciá-lo a qualquer momento, e sabe disso.

Victoria sentiu uma gratidão súbita pelo velho com sua cabeça nobre e abobadada e a alma mesquinha e gananciosa. Poderia ser um vigarista, mas tivera compaixão; tentara ajudá-la a escapar a tempo.

– Tudo conspira para nossa Nova Ordem – disse Edward.

Ela pensou consigo, "Edward, que parece tão sensato, é na verdade um louco! A gente fica louco, quem sabe, ao tentar se colocar no papel de Deus. Sempre dizem que a humildade é uma virtude cristã... agora entendo o porquê. A humildade é o que nos mantém equilibrados e humanos..."

Edward levantou-se.

– Hora de nos mexermos – declarou. – Temos de levá-la para Damasco e deixar tudo preparado para depois de amanhã.

Victoria ergueu-se com alacridade. Uma vez que estivesse longe de Devonshire, de volta a Bagdá com suas multidões, no Tio Hotel com Marcus gritando, sorrindo e servindo drinques para ela, a ameaça iminente e persistente de Edward seria afastada. O papel dela era fazer um jogo duplo; continuar ludibriando Edward através de sua devoção doentia, e ao mesmo tempo, secretamente, contra-atacar os planos dele.

Ela falou:

– Acha que o sr. Dakin sabe onde Anna Scheele se encontra? Talvez eu pudesse descobrir isso. Ele poderia deixar escapar alguma pista.

– Improvável... e de qualquer forma, você não vai mais ver Dakin.

– Ele me pediu para encontrá-lo esta noite – disse Victoria, fingindo, enquanto sentia um frio gelado percorrer sua espinha. – Vai achar estranho se eu não aparecer.

– A esta altura não importa mais o que ele acha – afirmou Edward. – Nossos planos estão feitos.

Acrescentou:

– Não será vista em Bagdá novamente.

– Mas, Edward, todas as minhas coisas estão no Tio! Reservei um quarto.

O cachecol. O precioso cachecol.

– Não vai precisar de suas coisas por um bom tempo. Tenho um guarda-roupa esperando por você. Venha.

Entraram de novo no carro. Victoria pensou, "Deveria saber que Edward nunca seria tão tolo a ponto de me deixar contatar o sr. Dakin depois de ter descoberto tudo. Acredita que estou enfeitiçada por ele... sim, *acho* que ele tem certeza disso... mas, mesmo assim, não vai correr nenhum risco".

Disse:

– Não vão fazer nenhuma busca por mim se... eu não aparecer?

– Vamos cuidar disso. Oficialmente vai se despedir de mim na ponte e viajar para ver alguns amigos na margem oeste.

– E na realidade?

– Espere e verá.

Victoria ficou sentada em silêncio enquanto cabeceavam nos solavancos da estrada acidentada, contornando jardins de palmeiras e passando sobre as pequenas pontes de irrigação.

– Lefarge – murmurou Edward. – Gostaria de saber o que Carmichael quis dizer com isso.

O coração de Victoria deu um pulo de ansiedade.

— Ah – disse. – Havia esquecido de contar. Não sei se significa alguma coisa. Um M. Lefarge esteve nas escavações um dia desses em Tell Aswad.

— Quê? – Edward quase parou o carro de tanta empolgação. – Quando foi isso?

— Cerca de uma semana atrás. Disse que vinha de algum sítio arqueológico da Síria. De um M. Parrot, pode ser?

— Apareceram dois homens chamados André e Juvet enquanto você estava lá?

— Ah, sim – disse Victoria. – Um deles estava mal do estômago. Foi até a casa para se deitar.

— Eram dois dos nossos – disse Edward.

— Por que foram até lá? Para procurar por mim?

— Não... eu não fazia ideia de onde você estava. Mas Richard Baker estivera em Basrah ao mesmo tempo que Carmichael. Estávamos achando que Carmichael poderia ter passado algo para Baker.

— Ele comentou que as coisas dele haviam sido revistadas. Encontraram alguma coisa?

— Não... agora preste atenção, Victoria. Esse homem, Lefarge, esteve lá antes ou depois dos outros dois?

Victoria refletiu de maneira convincente, enquanto decidia que movimentos imputar ao mítico M. Lefarge.

— Foi... sim, no dia *anterior* à visita dos outros dois – ela respondeu.

— E o que ele fez?

— Bem – disse Victoria –, foi até a escavação... com o dr. Pauncefoot Jones. E depois Richard Baker levou-o até a casa, para examinar algumas coisas na Sala Antika.

— Foi até a casa com Richard Baker. Os dois conversaram?

— Suponho que sim – respondeu Victoria. – Digo, ninguém fica olhando coisas em silêncio absoluto, fica?

— Lefarge – murmurou Edward. – Quem *é* esse Lefarge? Por que não temos nenhum registro dele?

Victoria ansiava por dizer: "Ele é irmão do sr. Harris", mas se conteve. Estava satisfeita com sua invenção de um M. Lefarge. Podia enxergá-lo com toda clareza em sua imagem mental... um homem jovem, magro, com aparência um pouco tuberculosa, de cabelos escuros e bigodinho. Na sequência, quando Edward perguntou, ela o descreveu para ele com cuidado e precisão.

Estavam percorrendo os arredores de Bagdá. Edward entrou em uma rua lateral cheia de casarões modernos, construídos em estilo pseudoeuropeu, com sacadas e jardins em todo o entorno. Em frente de uma das casas, um ônibus grande de turismo estava estacionado. Edward encostou logo atrás, os dois desceram e subiram os degraus da porta da frente.

Uma mulher magra e morena veio recebê-los, e Edward conversou com ela rapidamente em francês. O francês de Victoria não era bom o suficiente para entender tudo o que fora dito, mas lhe pareceu em suma ser algo explicando que esta era a moça, e a transformação deveria ser efetuada de imediato.

A mulher virou-se para ela e disse num francês educado:

– Acompanhe-me, por favor.

Levou Victoria para um quarto onde, aberto sobre a cama, encontrava-se o hábito de uma freira. A mulher fez sinal para ela, e Victoria se despiu, vestindo então a roupa de baixo rígida de lã e as dobras medievais e volumosas de tecido escuro. A francesa ajustou o capuz. Victoria enxergou seu reflexo de relance no espelho. Seu pequeno rosto pálido, sob aquele gigantesco – seria um véu? – com as dobras brancas sob o queixo, parecia estranhamente puro e etéreo.

A francesa jogou um rosário de contas de madeira sobre a cabeça dela. Depois, arrastando os pés nos sapatos imensos e grossos, Victoria foi levada ao encontro de Edward.

– Ficou muito bem – disse com aprovação. – Mantenha o olhar baixo, especialmente quando houver homens por perto.

A francesa se juntou a eles em poucos minutos, vestida de maneira similar. As duas freiras saíram da casa e entraram no ônibus, que agora tinha um homem alto e moreno de roupas europeias no assento do motorista.

– Agora depende de você, Victoria – disse Edward. – Faça exatamente o que mandarmos.

Havia um ar de ameaça cortante por trás daquelas palavras.

– Você não vem, Edward? – Victoria reclamou queixosa.

Ele sorriu para ela.

– Vai me ver dentro de três dias – declarou. E, depois, retomando seus modos persuasivos, murmurou: – Não me desaponte, querida. Só você poderia fazer isso... Amo você, Victoria. Não ousaria ser visto beijando uma freira, mas gostaria muito de fazer isso.

Victoria baixou o olhar como seria esperado de uma monja, porém na verdade era para esconder a fúria que irrompia nela por um instante.

"Judas horroroso", pensou.

Em vez disso, falou com a sua afetação habitual:

– Bem, pareço mesmo uma escrava cristã.

– Essa é a minha garota! – exclamou Edward. E acrescentou: – Não se preocupe. Seus papéis estão em perfeita ordem; não vai encontrar nenhuma dificuldade na fronteira da Síria. Seu nome religioso, a propósito, é irmã Marie des Anges. A irmã Thérèse, que lhe acompanha, tem todos os documentos e é responsável por tudo, e, pelo amor de Deus, obedeça às suas ordens... ou já lhe previno, com toda a franqueza, que você vai ser castigada.

Deu um passo para trás, acenou alegremente com a mão, e o ônibus deu a partida.

Victoria reclinou-se contra o estofado e se entregou à contemplação das alternativas possíveis. Poderia, quando estivessem passando por dentro de Bagdá ou quando chegassem ao controle da fronteira, causar uma agitação, gritar pedindo ajuda, explicar que estava sendo levada à força – enfim, adotar uma ou mais variantes de protesto imediato.

E o que conseguiria com isso? Com toda a certeza significaria o fim de Victoria Jones. Percebera que a irmã Thérèse deslizara uma pistola pequena e eficaz para dentro da manga do hábito. Ela não teria a menor chance de dizer nada.

Ou poderia esperar até chegar a Damasco? Fazer lá o seu protesto? É possível que a sua sorte fosse a mesma, ou as suas alegações poderiam ser desconsideradas diante dos testemunhos do motorista e da freira acompanhante. Poderiam arranjar papéis declarando que ela sofria de problemas mentais.

A melhor alternativa era seguir tudo à perfeição; consentir com o plano. Chegar a Bagdá como Anna Scheele e fazer o papel de Anna Scheele. Pois, afinal de contas, se assim fizesse, chegaria um momento, no final, em que Edward não teria mais controle sobre as suas palavras e as suas ações. Se Edward continuasse convencido de que ela faria qualquer coisa que ele mandasse, então chegaria o momento em que ela estaria de pé, diante da convenção, com os documentos forjados... E Edward não estaria lá.

E ninguém poderia impedir que ela declarasse: "Eu não sou Anna Scheele e estes papéis foram forjados e não correspondem à verdade".

Ficou cogitando se Edward não temia que ela fizesse exatamente isso. Mas refletiu que a vaidade era uma qualidade que causava uma cegueira particular. A vaidade era o calcanhar de Aquiles. E também havia o fato a se considerar que Edward e a sua turma precisavam ter uma Anna Scheele se queriam que o esquema desse certo. Encontrar uma garota que se parecesse o suficiente com Anna Scheele – a ponto de ter uma cicatriz no lugar certo – era extremamente difícil. No filme *The Lyons Mail*, Victoria lembrou-se, Dubosc tinha uma cicatriz sobre uma sobrancelha e também uma deformação, parte de nascença e parte por acidente, no dedo mínimo de uma das mãos. Essas coincidências deviam ser muito raras. Não, os super-homens precisavam de Victoria Jones, datilógrafa... E, sendo assim, Victoria Jones é quem tinha poder sobre eles – e não o contrário.

O veículo cruzou a ponte com velocidade. Victoria contemplava o rio Tigre com uma saudade nostálgica. Depois, percorreram velozes uma estrada larga e empoeirada. Victoria deixou as contas de rosário escorregarem por entre os dedos. O clicar delas era reconfortante.

"Afinal", pensou Victoria, com súbito consolo, "eu *sou* cristã. E se você é cristão, suponho que seja cem vezes melhor ser um mártir cristão do que um rei da Babilônia... e devo admitir, parece haver uma grande possibilidade de que eu *vá* me tornar uma mártir. Ah! Então que seja, ao menos não enfrentarei *leões*. Odiaria que fossem leões!"

CAPÍTULO 23

I

O grande Skymaster deu um rasante e fez uma aterrissagem perfeita. Taxiou com suavidade ao longo da pista e em seguida fez a parada no local apropriado. Os passageiros foram convidados a descer. Aqueles que seguiriam para Basrah foram separados dos que tomariam o voo de conexão para Bagdá.

Neste último, havia quatro passageiros. Um executivo iraquiano com uma aparência que exalava prosperidade, um médico inglês e duas mulheres. Todos passaram pelas várias estações de controle e interrogatório.

Uma mulher morena com rosto cansado e cabelo desarrumado, preso de maneira descuidada com um lenço, passou primeiro.

– Sra. Pauncefoot Jones? Britânica? Sim. Objetivo de encontrar o marido. Seu endereço em Bagdá, por favor? Quanto dinheiro a senhora...?

Aquilo continuou. Então a segunda mulher tomou o lugar da primeira.

– Grete Harden. Sim. Nacionalidade? Dinamarquesa. De Londres. Propósito da visita? Massagista em um hospital? Endereço em Bagdá? Quanto dinheiro a senhora tem?

Grete Harden era uma moça magra, de cabelos claros, e usava óculos escuros. A maquiagem disfarçava o que poderia ser uma mancha no lábio superior. Vestia roupas limpas, mas levemente surradas.

O francês dela era duvidoso; vez ou outra precisava que lhe repetissem a pergunta.

Os quatro passageiros foram informados de que o avião para Bagdá partiria naquela mesma tarde. Seriam levados agora para o Abassid Hotel para um descanso e para o almoço.

Grete Harden estava sentada sobre a cama quando ouviu uma batida na porta. Abriu e deparou-se com uma mulher morena e alta usando um uniforme da companhia aérea.

– Sinto muito, srta. Harden. Poderia me acompanhar até o escritório da BOAC? Surgiu uma pequena dificuldade com o seu bilhete. Por aqui, por favor.

Grete Harden seguiu a guia corredor afora. Em uma das portas, havia uma placa grande com letras douradas: Escritório da BOAC.

A aeromoça abriu a porta e fez menção para a outra passar. Então, assim que Grete Harden entrou, a moça fechou a porta pelo lado de fora e apressadamente desengatou a placa.

No que Grete Harden pisou no quarto, dois homens que estavam escondidos atrás da porta passaram um pano por cima da cabeça dela. Enfiaram-lhe uma mordaça na boca. Um deles enrolou a manga da camisa dela e, puxando uma seringa hipodérmica, aplicou-lhe uma injeção.

Em poucos minutos o corpo de Grete Harden perdeu firmeza e desfaleceu.

O médico falou com alegria:

– Isso deve resolver pelas próximas seis horas, pelo menos. Agora, vocês duas já sabem o que devem fazer.

Ele acenou com o queixo para as duas outras ocupantes da sala. Eram freiras que estavam sentadas sem se mexer junto da janela. Os homens saíram. A mais velha das duas foi até Grete Harden e começou a arrancar as roupas do seu corpo inerte. A freira mais nova, tremendo um pouco, começou a despir o hábito. Em poucos minutos, Grete Harden, vestida com o hábito da freira, descansava deitada sobre a cama. A freira mais jovem vestia agora as roupas de Grete Harden.

A freira mais velha voltou a atenção para os cabelos finos da sua companheira. Tendo como modelo uma fotografia que encostou contra o espelho, penteou e arrumou os cabelos, puxando-os para longe da testa e enrolando-os junto da nuca.

Deu um passo para trás e disse em francês:

– Surpreendente o quanto isso transforma você. Ponha os óculos escuros. Seus olhos são de um azul muito profundo. Ora... isso é admirável.

Houve uma leve batida na porta e os dois homens voltaram a entrar. Estavam sorrindo cheios de ironia.

– Grete Harden é Anna Scheele sem dúvida nenhuma – disse um deles. – Está com os documentos na bagagem dela, camuflados com todo o cuidado entre as folhas de uma publicação dinamarquesa sobre "massagem hospitalar". Então, pois bem, srta. Harden – curvou-se com debochada cerimônia para Victoria –, vai me dar a honra de almoçar comigo.

Victoria o seguiu na saída do quarto e ao longo do corredor. A outra passageira mulher estava tentando enviar um telegrama no balcão.

– Não – dizia ela –, P A U N C E foot. Dr. Pauncefoot Jones. Chegando hoje Tio Hotel, Boa viagem.

Victoria olhou para ela com súbito interesse. Essa deveria ser a esposa do dr. Pauncefoot Jones chegando para encontrar-se com ele. O fato de estar vindo uma semana antes do esperado não pareceu nada extraordinário a Victoria, já que o dr. Pauncefoot Jones por diversas vezes lamentou ter extraviado a carta da mulher que informava a data de chegada, mas ele tinha quase certeza que seria dia 26!

Se ao menos pudesse de algum jeito enviar uma mensagem para Richard Baker através da sra. Pauncefoot Jones...

Quase como se tivesse lido os seus pensamentos, o homem que a acompanhava a puxou pelo cotovelo para longe do balcão.

– Nada de conversar com os seus companheiros de viagem, srta. Harden – disse. – Não queremos que aquela boa senhora perceba que é uma pessoa diferente da que saiu com ela da Inglaterra.

Tirou-a do hotel e a levou até um restaurante para almoçar. Ao retornarem, a sra. Pauncefoot Jones estava descendo a escadaria do hotel. Ela cumprimentou Victoria sem desconfiar de nada.

– Foi visitar algum ponto turístico? – perguntou. – Estou indo agora mesmo até os bazares.

"Se pudesse enfiar alguma coisa na bagagem dela...", pensou Victoria.

Mas não foi deixada a sós por nenhum segundo.

O avião para Bagdá partiu às três da tarde.

O assento da sra. Pauncefoot Jones era bem na frente. Victoria estava na rabeira, junto da porta, e, do lado oposto do corredor, estava o rapaz bonitinho que era seu carcereiro. Victoria não teve chance de se aproximar da outra mulher ou de introduzir alguma mensagem em seus pertences.

O voo não foi longo. Pela segunda vez, Victoria olhou para baixo lá do alto e viu a cidade se desenhar embaixo dela, o rio Tigre cortando-a como um filão dourado.

A mesma visão que tivera há menos de um mês. Quanta coisa já havia acontecido desde então.

Dentro de dois dias, os homens que representavam as duas ideologias predominantes no mundo se encontrariam ali para debater sobre o futuro.

E ela, Victoria Jones, teria um papel a cumprir.

II

– Sabe – disse Richard Baker –, estou preocupado com aquela garota.

O dr. Pauncefoot Jones disse com ar impreciso:

– Que garota?

— Victoria.

— Victoria? – o dr. Pauncefoot Jones espiou ao seu redor. – Onde está... nossa... que Deus me perdoe, nós viemos embora sem ela ontem.

— Estava me perguntando se você havia reparado – disse Richard.

— Que desleixo da minha parte. Estava tão interessado naquele relatório sobre as escavações em Tell Bamdar. Uma estratificação completamente insalubre. Ela não sabia onde encontrar o caminhão?

— Não havia nenhuma questão quanto ao retorno dela aqui – afirmou Richard. – Para falar a verdade, ela não é Venetia Savile.

— Não é Venetia Savile? Que esquisito. Mas achei que você havia dito que o nome de batismo dela fosse Victoria.

— E é. Mas não é antropóloga. E não conhece Emerson. Na verdade, a coisa toda foi um... um mal-entendido.

— Minha nossa. Isso parece muito esquisito – o dr. Pauncefoot Jones refletiu por alguns momentos. – *Muito* esquisito. Espero que... será que a culpa foi minha? Sei que sou um tanto distraído. Li a carta errada, quem sabe?

— Não consigo entender – disse Richard Baker, franzindo o cenho e sem prestar qualquer atenção às especulações de Pauncefoot Jones. – Tudo indica que ela saiu de carro com um rapaz e não retornou. E mais, a bagagem dela estava lá, mas não se deu ao trabalho de abrir nada. Isso me parece estranho demais... considerando o estado em que se encontrava. Achei que faria questão de se embonecar. E combinamos que iria me encontrar para o almoço... Não, não consigo entender. Espero que não tenha acontecido nada com ela.

— Ah, eu não teria nenhum motivo para pensar isso – disse Pauncefoot Jones com tranquilidade. – Vou começar a descer pelo lado H amanhã. Segundo o plano geral diria que seria nossa melhor chance de encontrar uma central de arquivos. Aquele fragmento de tabuleta foi muito promissor.

— Já a raptaram uma vez – disse Richard. – O que impediria de terem-na raptado de novo?

— Muito improvável... muito improvável – afirmou o dr. Pauncefoot Jones. – O país está bem acomodado nos dias de hoje. Você mesmo vive repetindo isso.

— Se ao menos eu conseguisse me lembrar do nome daquele homem da tal companhia de petróleo. Seria Deacon? Deacon, Dakin? Algo parecido.

— Nunca ouvi falar dele – disse o dr. Pauncefoot Jones. – Acho que vou trocar o Mustafa e sua turma para a ponta nordeste. Então poderíamos estender a trincheira J...

— Ficaria muito incomodado, senhor, se eu voltasse a Bagdá de novo amanhã?

O dr. Pauncefoot Jones, de repente devotando sua total atenção ao colega, fitou-o.

– Amanhã? Mas estivemos lá ontem.

– Estou preocupado com aquela moça. De fato estou.

– Minha nossa, Richard, não fazia ideia de que estava acontecendo alguma coisa *desse* nível.

– Que nível?

– Que tenha se afeiçoado a ela. Esse é o problema de termos mulheres numa escavação... especialmente as bonitas. Achei que estávamos a salvo com Sybil Muirfield no ano retrasado, uma garota feia de doer... e veja só o que aconteceu então! Deveria ter dado ouvidos a Claude em Londres; esses franceses sempre acertam na mosca. Naquela ocasião ele comentou sobre as pernas da garota... Falou com muito entusiasmo sobre elas. É claro que essa moça, Victoria Venetia, qualquer que seja o nome dela... é das *mais* atraentes e uma graça de pequena. Tem bom gosto, Richard, devo confessar. Engraçado, é a primeira vez que tenho notícia de você demonstrar interesse por alguém.

– Não é nada do que está pensando – defendeu-se Richard, ruborizado e parecendo ainda mais arrogante do que de costume. – Estou apenas... há... preocupado com ela. *Preciso* voltar para Bagdá.

– Bem, se está *mesmo* indo amanhã – disse Pauncefoot Jones –, aproveite para trazer aquelas picaretas. O tonto do motorista esqueceu.

III

Richard partiu para Bagdá bem cedo de manhã e foi direto ao Tio Hotel. Ali, descobriu que Victoria não havia retornado.

– E havíamos combinado que faria um jantar especial para nós dois – disse Marcus. – E reservara um quarto bem bom para ela. É estranho, não é?

– Já procurou a polícia?

– Ah, não, meu caro, isso não seria nada bom. Ela poderia não gostar. E *eu* com certeza não gostaria nada disso.

Depois de fazer mais algumas perguntas, Richard rastreou o sr. Dakin e foi visitá-lo no escritório.

A memória que tinha do homem não estava equivocada. Contemplou a figura corcunda, a expressão indecisa e o leve tremor das mãos. Aquele homem era um derrotado! Desculpou-se com o dr. Dakin por estar tomando o seu tempo, mas perguntou se havia visto a srta. Victoria Jones.

– Ela me telefonou anteontem.

– Pode me informar o paradeiro dela no momento?

– Está no Tio Hotel, creio eu.

– A bagagem dela está, mas ela, não.

O sr. Dakin ergueu de leve as sobrancelhas.

– Ela andou trabalhando conosco nas escavações em Tell Aswad – explicou Richard.

– Ah, entendo. Bem... receio que não tenha nenhuma informação que possa ajudá-lo. Tem vários amigos em Bagdá, creio eu... mas não a conheço o suficiente para lhe dizer quem seriam eles.

– Será que poderia estar nesse Ramo de Oliveira?

– Acho que não. O senhor pode perguntar.

Richard disse:

– Não vou sair de Bagdá até encontrá-la.

Olhou para Dakin com reprovação e saiu a passos largos da sala.

Depois que a porta fechou-se atrás de Richard, o sr. Dakin sorriu e balançou a cabeça.

– Ah, Victoria – murmurou em reprimenda.

Bufando ao entrar no Tio Hotel, Richard foi recebido pelo sorridente Marcus.

– Ela voltou? – gritou Richard muito ansioso.

– Não, não, é a sra. Pauncefoot Jones. Ela chega de avião hoje, acabo de ficar sabendo. O dr. Pauncefoot Jones, ele me disse que ela viria semana que vem.

– Ele sempre se atrapalha com as datas. E Victoria Jones?

A expressão de Marcus voltou a ficar séria.

– Não tenho nenhuma notícia dela. E não gosto disso, sr. Baker. Não é nada bom. É uma moça tão novinha. E tão bonita. E tão alegre e encantadora.

– Sim, é – disse Richard, esquivando-se. – É melhor eu esperar por aqui e cumprimentar a sra. Pauncefoot Jones, suponho.

Que diabos, ele se perguntava, poderia ter acontecido com Victoria.

IV

– Você! – exclamou Victoria com uma hostilidade indisfarçável.

Conduzida ao seu quarto no Babylonian Palace Hotel, a primeira pessoa que encontrou foi Catherine.

Catherine balançou o queixo com igual virulência.

– Sim – disse. – Sou eu. E agora, por favor, deite-se na cama. O médico logo vai chegar.

Catherine estava vestida como enfermeira e levava as suas tarefas a sério, demonstrando estar claramente determinada a jamais deixar Victoria sozinha. Victoria, inconsolável, deitada na cama, murmurava:

– Se eu conseguisse falar com Edward...

— Edward... Edward! — disse Catherine com desprezo. — Edward nunca se importou com você, sua inglesinha estúpida. É a *mim* que Edward ama!

Victoria observou a expressão teimosa e fanática de Catherine sem o menor entusiasmo.

Catherine prosseguiu:

— Sempre odiei você, desde aquela manhã em que chegou e exigiu falar com o dr. Rathbone com tamanha grosseria.

Procurando algum fator irritante, Victoria disse:

— De qualquer forma, sou muito mais indispensável que você. *Qualquer uma* poderia fazer esse seu teatrinho de enfermeira de hospital. Mas o esquema todo depende de eu fazer bem o meu papel.

Catherine disse com afetada presunção:

— Ninguém é indispensável. A gente aprende logo isso.

— Bem, *eu* sou. Pela graça divina, manda servirem um jantar reforçado. Se não comer nada, como espera que eu vá fazer uma boa performance como a secretária de um banqueiro americano quando chegar a hora?

— Suponho que deva mesmo comer enquanto pode — disse Catherine de má vontade.

Victoria não deu ouvidos à implicação sinistra da outra.

V

O capitão Crosbie disse:

— Entendo que estão hospedando uma tal de srta. Harden.

O cavalheiro lisonjeiro do escritório do Babylonian Palace inclinou a cabeça.

— Isso mesmo, senhor. Da Inglaterra.

— É amiga da minha irmã. Poderiam entregar a ela o meu cartão?

Rabiscou umas poucas palavras no cartão e enviou lá para cima em um envelope.

Em seguida o garoto que levara o envelope retornou.

— A senhora não está bem, senhor. Muito mal da garganta. O doutor está chegando. Tem uma enfermeira com ela.

Crosbie deu meia-volta. Foi até o Tio, onde foi abordado por Marcus.

— Ah, meu caro, vamos beber alguma coisa. Esta noite meu hotel está bem cheio. É para a convenção. Mas que pena, o dr. Pauncefoot Jones voltou para a expedição anteontem e, agora, eis que chega a esposa dele e esperava que o marido estivesse aqui para recebê-la. E não está nada contente, ah, não! Diz que falou para ele que viria nesse avião. Mas sabe como ele é, aquele senhor. Todas as datas, é sempre assim; ele sempre entende errado. Mas é um homem muito bom — completou Marcus com sua generosidade habitual. —

E tenho de dar um jeito de encaixá-la... Tive de recusar um homem muito importante da ONU...

– Bagdá está uma loucura.

– Toda a força policial foi convocada... estão tomando grandes precauções... dizem... Já ficou sabendo? Há um complô comunista para assassinar o presidente. Prenderam 65 estudantes! Já viu os policiais russos? Estão desconfiados de todo mundo. Mas isso é muito bom para os negócios, muito bom mesmo.

VI

A campainha do telefone soou e foi atendida sem demora.

– Embaixada Americana.

– Aqui é do Babylonian Palace Hotel. A srta. Anna Scheele está hospedada aqui.

Anna Scheele? Em seguida, era um dos adidos que estava falando. Será que a srta. Scheele poderia vir ao telefone?

– A srta. Scheele está de cama com laringite. Aqui é o dr. Smallbrook. Estou cuidando da srta. Scheele. Está trazendo consigo alguns papéis importantes e gostaria que alguma pessoa responsável da embaixada viesse buscá-los. Imediatamente? Obrigado. Estarei esperando.

VII

Victoria se afastou do espelho. Estava vestindo um tailleur bem-cortado. Todos os fios de cabelo loiro estavam no lugar. Estava nervosa e ao mesmo tempo animadíssima.

Ao virar-se, viu de relance o brilho exultante nos olhos de Catherine e levantou a guarda instantaneamente. Porque Catherine estaria exultante?

O que estava acontecendo?

– Por que está tão contente? – perguntou.

– Logo vai entender.

A malignidade era quase indisfarçável naquele momento.

– Você se acha muito esperta – disse Catherine com absoluto desdém. – Acha que tudo depende de você. Tsc, tsc, tsc, não passa de uma tonta.

Victoria deu um salto para cima dela! Agarrou-a pelos ombros e cravou-lhe as unhas.

– Vai me explicar o que está dizendo, sua garota horrível.

– Ai... está me machucando.

– Fale...

Ouviu-se uma batida na porta. Uma batida repetida por duas vezes e, depois de uma pausa, mais uma última.

– Agora vai ver só! – gritou Catherine.

A porta se abriu e um homem entrou sorrateiro. Era alto, e estava vestido com uniforme da polícia internacional. Trancou a porta e removeu a chave. Então, avançou para Catherine.

– Rápido – ordenou.

Tirou um rolo de corda fina do bolso e, com a total cooperação de Catherine, amarrou-a depressa na cadeira. Depois puxou um lenço e amarrou-o sobre a boca da moça. Deu um passo para trás e contemplou o trabalho com agrado.

– Isso... está muito bom.

Então, voltou-se para Victoria. Ela viu o pesado cassetete que ele brandia e, num piscar de olhos, teve um súbito lampejo do verdadeiro plano. Jamais tiveram a intenção de que ela fizesse o papel de Anna Scheele na convenção. Como poderiam arriscar uma coisa dessas? Victoria era muito conhecida em Bagdá. Não, o plano era, sempre fora, atacar e matar Anna Scheele no último minuto... Assassinada de tal maneira que suas feições ficariam irreconhecíveis... Restariam apenas os papéis que trouxera com ela – aqueles documentos tão cuidadosamente forjados – para contar a história.

Victoria virou-se para a janela e gritou. Com um sorriso no rosto, o homem foi para cima dela.

Então, várias coisas aconteceram: houve um som de vidro se quebrando, uma mão pesada arremessou-a de cara no chão – chegou a ver estrelas – e a escuridão total... Depois, de dentro da escuridão, escutou uma voz, uma voz inglesa e reconfortante.

– Está tudo bem, senhorita? – perguntou.

Victoria murmurou alguma coisa.

– O que foi que ela disse? – perguntou uma segunda voz.

O primeiro homem coçou a cabeça.

– É melhor servir no céu do que reinar no inferno – repetiu ele, hesitante.

– É uma citação – disse o outro. – Mas ela entendeu errado – acrescentou ele.

– Não, não entendi – disse Victoria e desmaiou.

VIII

O telefone tocou e Dakin tirou o aparelho do gancho. Uma voz declarou:
– Operação Victoria concluída com sucesso.
– Que bom – disse Dakin.

– Pegamos Catherine Serakis e o médico. O outro camarada se atirou da sacada. Foi ferido mortalmente.

– A garota não se machucou?

– Desmaiou, mas está bem.

– Nenhuma notícia ainda sobre a verdadeira A.S.?

– Notícia nenhuma.

Dakin desligou o aparelho.

De qualquer maneira, Victoria estava bem. A verdadeira Anna, pensou ele, deve estar morta... Insistira em fazer a jogada sozinha, reiterara que estaria em Bagdá sem falta no dia 19. Aquele era o dia 19 e nada de Anna Scheele. Talvez ela estivesse certa em não querer confiar no esquema oficial... ele não sabia dizer. Certamente haviam ocorrido vazamentos – traições. Mas, ao que parecia, a inteligência natural dela também não lhe serviria de muita coisa...

E sem Anna Scheele as evidências ficavam incompletas.

Um mensageiro entrou com um pedaço de papel no qual estava escrito sr. Richard Baker e sra. Pauncefoot Jones.

– Não posso receber ninguém agora – disse Dakin. – Diga a eles que sinto muito. Estou ocupado.

O mensageiro se retirou, mas voltou em seguida. Entregou um envelope para Dakin.

Dakin rasgou o envelope e leu:

"Preciso falar com o senhor sobre Henry Carmichael. R.B."

– Mande entrar – disse Dakin.

Assim, Richard Baker e a sra. Pauncefoot Jones entraram. Richard Baker disse:

– Não quero tomar muito do seu tempo, mas fui colega de escola de um homem chamado Henry Carmichael. Havíamos nos perdido de vista por muitos anos, mas quando estive em Basrah algumas semanas atrás, encontrei com ele na sala de espera do consulado. Estava vestido como um árabe e, sem oferecer qualquer sinal evidente de haver me reconhecido, conseguiu se comunicar comigo. Isso lhe interessa?

– Interessa muito – disse Dakin.

– Ocorreu-me a ideia de que Carmichael acreditava estar correndo perigo. Isso foi logo confirmado. Foi atacado por um homem com um revólver, o qual consegui derrubar. Carmichael se pôs em retirada, mas antes de sair enfiou algo para dentro do meu bolso, que só encontrei mais tarde... Não parecia ser importante... parecia ser apenas um "boleto", uma carta de referência a um tal Ahmed Mohammed. Mas agi sob a hipótese de que, para Carmichael, aquilo *era* importante.

"Como não me passara instruções, guardei o papel com todo o cuidado, acreditando que um dia ele o reclamaria. Outro dia, fiquei sabendo através de Victoria Jones que ele estava morto. Com base em outras coisas que ela me contou, cheguei à conclusão de que a pessoa certa para entregar este objeto é o senhor."

Levantou-se e depositou a folha suja de papel rabiscado na mesa de Dakin.

– Isso tem algum significado para o senhor?

Dakin deu um suspiro profundo.

– Sim – admitiu. – Muito mais do que possa imaginar.

Levantou-se.

– Sou profundamente grato a você, Baker – disse. – Perdoe-me por interromper nossa conversa, mas há muito que preciso fazer e não posso desperdiçar nem um minuto.

Ele apertou a mão da sra. Pauncefoot Jones, dizendo:

– Suponho que vai se juntar ao seu marido nos trabalhos de escavação. Espero que tenham uma boa temporada.

– Foi melhor Pauncefoot Jones não ter vindo a Bagdá comigo hoje de manhã – disse Richard. – O caro velho John Pauncefoot Jones é desatento para *grande parte* do que acontece, mas provavelmente perceberia a diferença entre a esposa e a cunhada.

Dakin olhou com leve surpresa para a sra. Pauncefoot Jones. Ela falou numa voz baixa e agradável:

– Minha irmã Elsie continua na Inglaterra. Tingi meu cabelo de preto e viajei para cá usando o passaporte dela. O nome de solteira de minha irmã era Elsie Scheele. *O meu nome, sr. Dakin, é Anna Scheele.*

CAPÍTULO 24

Bagdá se transformou. A polícia guarnecia as ruas; polícia convocada de fora, a polícia internacional. As polícias americana e russa trabalhavam lado a lado com expressões impassíveis.

Rumores se espalhavam o tempo todo: nenhum dos grandes estava vindo! Por duas vezes o avião russo aterrissou, devidamente escoltado... e com apenas um jovem piloto!

Mas, por fim, as notícias correram de que tudo estava bem. O presidente dos Estados Unidos e o ditador russo estavam lá, em Bagdá. Estavam no Regent's Palace.

Enfim tinha início aquela convenção histórica.

Em uma pequena antessala, estavam ocorrendo uma série de eventos que poderiam muito bem alterar o curso da História. Bem como na maioria dos acontecimentos momentosos, os procedimentos não eram nada dramáticos.

O dr. Alan Breck, do Harwell Atomic Institute, contribuiu com sua cota de informações em uma voz baixa e precisa.

Certos espécimes lhe haviam sido entregues para análise pelo falecido Sir Rupert Crofton Lee. Foram adquiridos durante uma das jornadas de Sir Rupert pela China e pelo Turquestão, passando pelo Curdistão e pelo Iraque. O depoimento do dr. Breck então se tornou estritamente técnico. Minérios metálicos... alto conteúdo de urânio... A fonte do depósito não era conhecida com exatidão, já que as anotações de Sir Rupert e seus diários foram destruídos durante a guerra por ações inimigas.

Então, o sr. Dakin, tomou a palavra. Com uma voz doce e cansada, contou a saga de Henry Carmichael, de sua confiança em certos boatos e relatos fantásticos sobre vastas instalações e laboratórios subterrâneos que estariam funcionando em um vale remoto, muito além dos limites da civilização. Falou de sua investigação e do sucesso dela. De como aquele ilustre viajante, Sir Rupert Crofton Lee, o homem que acreditara em Carmichael em função de seu próprio conhecimento daquelas regiões, concordara em ir até Bagdá e de como acabara morto. E de como Carmichael encontrara a própria morte pelas mãos do impostor de Sir Rupert.

– Sir Rupert está morto e Henry Carmichael está morto. Mas há uma terceira testemunha que está viva e presente aqui hoje. Chamo agora a srta. Anna Scheele para nos dar seu testemunho.

Anna Scheele, calma e composta como se estivesse no escritório do sr. Morganthal, forneceu listas de nomes e cifras. Usou da profundidade de seu notável cérebro matemático para delinear o imenso alcance da rede financeira que drenara dinheiro em circulação, vertendo-o no financiamento de atividades que tratavam de dividir o mundo civilizado em duas facções oponentes. Aquela não era uma declaração qualquer. Ela apresentou fatos e números para apoiar os argumentos. Para aqueles que a escutavam, transmitia uma convicção que ainda não se acordava inteiramente com o relato fantástico de Carmichael.

Dakin retomou a palavra:

– Henry Carmichael está morto – declarou. – Mas obteve provas palpáveis e definitivas naquela jornada perigosa. Não se arriscou a guardar as provas consigo... seus inimigos estavam em seu encalço. Mas era um homem de muitos amigos. Pelas mãos de dois desses amigos, enviou as provas para a salvaguarda de um terceiro; um homem a quem o Iraque inteiro reverencia e respeita. Ele foi muito cortês consentindo em vir até aqui hoje. Estou me referindo ao xeque Hussein el Ziyara de Kerbela.

O xeque Hussein el Ziyara era reconhecido, como Dakin havia dito, por todo o mundo muçulmano tanto como um homem de Deus quanto como um poeta de renome. Era considerado por muitos como um santo. Ele se pôs de pé, era uma figura imponente com sua barba tingida de hena em um marrom profundo. O paletó cinza com um trançado dourado nas bordas estava coberto por um manto esvoaçante marrom, fino como uma gaze tênue. Em torno da cabeça, usava uma *cafia* verde em tecido, presa por um *egal* feito de muitas tiras de ouro pesado que lhe concedia uma aparência patriarcal. Falou num tom profundo e sonoro.

– Henry Carmichael era meu amigo – disse. – Eu o conheci quando menino e estudou comigo os versos de nossos grandes poetas. Dois homens vieram a Kerbela, homens que viajam pelo país apresentando filmes. São homens simples, mas bons seguidores do Profeta. Trouxeram-me um pacote que disseram terem sido orientados a entregar em mãos pelo meu amigo, o inglês Carmichael. Deveria manter aquilo em segredo e segurança e entregá-lo apenas ao próprio Carmichael ou para um mensageiro que recitaria determinadas palavras. Se for em verdade esse mensageiro, fale agora, meu filho.

Dakin disse:

– Sayyid, o poeta árabe Mutanabbi, "o aspirante à profecia", que viveu há apenas mil anos, escreveu uma ode ao Príncipe Sayfu'l-Dawla em Aleppo, em cujos versos se encontram: *Zid hashshi bashshi tafaddal adni surra sili.**

Com um sorriso, o xeque Hussein el Ziyara estendeu o pacote para Dakin.

– Faço minhas as palavras do príncipe Sayfu'l-Dawla: "Terá seu desejo concedido"...

– Senhores – disse Dakin –, estes são os microfilmes obtidos por Henry Carmichael como prova de sua história...

Mais uma testemunha se pronunciou, uma figura lúgubre e alquebrada: um velho de cabeça célebre e abobadada, que um dia fora universalmente admirado e respeitado.

Falou com trágica dignidade:

– Cavalheiros – disse –, muito em breve serei processado como um vigarista comum. Mas existem coisas que nem mesmo alguém como eu poderia sancionar. Há um bando de homens, na maioria jovens, tão malévolos em seus corações e objetivos que chega a ser difícil de acreditar.

---

* Adicione, ria, regozije-se, traga para perto, demonstre benevolência, alegre-se, presenteie! (N.A.)

Ergueu a cabeça e bradou:

– Anticristo! Digo que isso deve ser *impedido*! Precisamos ter paz... paz para lambermos nossas feridas e formarmos um novo mundo... E para fazermos isso é *necessário* que tentemos nos entender uns aos outros. Criei um esquema para ganhar dinheiro... mas, por Deus, acabei por acreditar no que pregava... embora não advogue em favor dos métodos que utilizei. Pelo amor de Deus, cavalheiros, vamos recomeçar e unir nossas forças...

Houve um momento de silêncio, e então uma voz fina e oficial, com a impersonalidade sem verve da burocracia, declarou:

– Esses fatos serão apresentados sem demora ao presidente dos Estados Unidos da América e ao premier da União das Repúblicas Socialistas Soviéticas...

CAPÍTULO 25

I

– O que me incomoda – disse Victoria – é aquela pobre dinamarquesa que foi morta por engano em Damasco.

– Ah, mas ela está bem – disse Dakin, todo alegre. – Assim que o avião decolou, prendemos a francesa e levamos Grete Harden para o hospital. Ela se recuperou bem. Planejavam mantê-la dopada por um tempo até se certificarem que o negócio em Bagdá correra conforme o esperado. Ela era uma das nossas, claro.

– Era mesmo?

– Sim, quando Anna Scheele desapareceu, pensamos que seria uma boa ideia darmos algo para instigar o outro lado. Então reservamos uma passagem em nome de Grete Harden e tivemos todo o cuidado de não lhe dar nenhum histórico. Morderam a isca, rapidamente concluíram que Grete Harden deveria ser Anna Scheele. Demos a ela um bom kit de documentos falsos que confirmariam tudo.

"Enquanto isso a verdadeira Anna Scheele permaneceu quieta na clínica de saúde até que chegasse o momento de a sra. Pauncefoot Jones reunir-se com o marido nestas bandas.

"Pois é. Simples, mas eficaz. Agiu segundo o pressuposto de que em tempos difíceis as únicas pessoas em quem de fato se pode confiar são da própria família. Ela é uma jovem extremamente inteligente."

– Achei que seria mesmo o meu fim – disse Victoria. – Seu pessoal estava de fato sempre de olho?

– O tempo todo. Seu Edward não era assim tão esperto quanto se achava, sabe. Na verdade já estávamos investigando as atividades do jovem Edward Goring por algum tempo. Quando me contou a sua história, na noite em que Carmichael foi assassinado, francamente fiquei muito preocupado com você.

"A melhor solução era enviá-la de propósito para dentro do esquema deles como espiã. Se Edward soubesse que estava em contato comigo, estaria em razoável segurança, porque ele ficaria sabendo de tudo que nós estávamos fazendo através de você. Seria valiosa demais para eles sacrificarem. E também ele poderia usá-la para nos passar informações falsas. Funcionava como um elo. Mas então você detectou o impostor de Rupert Crofton Lee, e Edward decidiu que seria melhor isolá-la até que fosse necessária (se chegasse a ser necessária) como substituta de Anna Scheele. Sim, Victoria, tem muita, muita sorte de estar sentada aí agora, comendo todos esses pistaches."

– Sei que tenho.

O sr. Dakin disse:

– Ficou muito chateada... por causa de Edward?

Victoria olhou para ele com firmeza.

– De jeito nenhum. Fui apenas uma tolinha. Deixei que Edward me conquistasse e usasse de seu charme sedutor. Tive apenas uma paixonite infantil por ele, me imaginava uma Julieta e todo o tipo de bobagem.

– Não deve perder tempo se culpando. Edward tinha um talento natural maravilhoso para atrair mulheres.

– Sim, e sabia usá-lo muito bem.

– Com certeza sabia usá-lo.

– Da próxima vez que me apaixonar – declarou Victoria –, não vou me deixar levar pela aparência ou pelo glamour. Gostaria de um homem de verdade... Não um desses que fica dizendo coisas bonitas. Não vou me importar que seja careca, use óculos ou qualquer coisa parecida. Gostaria que ele fosse interessante... e que entendesse de assuntos interessantes.

– Idade em torno de 35 ou 55? – perguntou o sr. Dakin.

Victoria fitou-o.

– Ah, 35 – respondeu.

– Fico aliviado. Por um momento pensei que estivesse me pedindo em casamento.

Victoria riu.

– E... sei que não deveria fazer perguntas... mas havia de fato uma mensagem tricotada no cachecol?

– Havia um nome. O grupo de *tricoteuses* do qual Madame Defarge fazia parte tricotava uma lista de nomes. O cachecol e o "boleto" eram duas metades de uma mesma pista. Um nos entregava o nome do xeque Hussein el Ziyara de Kerbela. O outro, quando tratado com vapor iodado, nos forneceu as palavras para induzir o xeque a partir com o que lhe fora confiado. Não poderia haver um local mais seguro para esconder aquelas provas, sabe, do que na cidade sagrada de Kerbela.

– E atravessaram o país levadas por aqueles dois andarilhos do cinema portátil; os mesmos que na verdade conhecemos?

– Exato. Figuras simples e bem conhecidas. Sem nenhum envolvimento político. Apenas amigos pessoais de Carmichael. Ele tinha toneladas de amigos.

– Deve ter sido uma pessoa muito boa. Sinto muito que tenha morrido.

– Todos temos de morrer um dia – disse o sr. Dakin. – E se há outra vida depois desta, no que eu acredito piamente, ele terá a satisfação de saber que sua fé e sua coragem fizeram mais para salvar este mundo velho e triste de um novo derramamento de sangue e miséria do que qualquer um poderia imaginar.

– É estranho, não é – disse ela, meditativa –, que Richard estivesse com uma das metades do segredo e eu, com a outra. Parece até que...

– Que teria sido obra do destino – completou o sr. Dakin com uma piscadela. – E o que vai fazer agora, se me permite perguntar?

– Seria bom encontrar um emprego – declarou Victoria. – Preciso começar a procurar.

– Não vai precisar se esforçar muito – disse o sr. Dakin. – Acredito que uma oportunidade está prestes a aparecer.

Saiu para o lado arrastando os pés com suavidade, cedendo o lugar para Richard Baker.

– Escute, Victoria – começou Richard. – No fim das contas, Venetia Savile não vai poder vir para cá. Aparentemente está com caxumba. Você foi muito útil lá nas escavações. Gostaria de voltar? Receio que seria apenas em troca de casa e comida. E quem sabe também sua passagem de volta para a Inglaterra, mas conversaremos sobre isso mais tarde. A sra. Pauncefoot Jones está vindo para cá na semana que vem. Bem, o que me diz?

– Ah, você de fato *me quer*? – exclamou Victoria.

Por algum motivo, Richard Baker ficou com as bochechas cor-de-rosa. Deu uma tossidinha e poliu seu pincenê.

– Acho que – disse ele – poderia ser... hã... muito útil para nós.

– Vou adorar – concordou Victoria.

– Neste caso, é melhor pegar sua bagagem e me acompanhar já rumo à escavação – sugeriu Richard. – Não quer ficar perambulando por Bagdá, quer?

– Nem pensar – disse Victoria.

II

– Então eis você de novo, minha cara Veronica – disse o dr. Pauncefoot Jones. – Richard saiu daqui num estado de nervos por sua causa. Bem, bem... espero que sejam muito felizes.

– Do que ele está falando? – perguntou Victoria, perplexa, enquanto o dr. Pauncefoot Jones flanava para longe dali.

– Nada – afirmou Richard. – Sabe como ele é. Está apenas... se precipitando um pouco...

Um destino ignorado

Tradução de Bruno Alexander

Para Anthony, que gosta de viajar para outros países tanto quanto eu

CAPÍTULO 1

O homem sentado atrás da mesa moveu um pesa-papéis em vidro alguns centímetros para a direita. Seu semblante parecia mais sem expressão do que pensativo ou disperso. Tinha a tez pálida de quem passa a maior parte do dia sob luz artificial. Dava para ver que vivia enfurnado entre mesas e arquivos. Parecia natural que, para chegar à sua sala, fosse necessário atravessar longos corredores subterrâneos. Seria difícil precisar sua idade. Não parecia nem velho nem novo. No rosto liso e sem rugas, os olhos denotavam um grande cansaço.

O outro homem na sala era mais velho. Moreno, com um pequeno bigode militar, emanava vivacidade e energia. Não conseguia ficar parado. Andava de um lado para o outro, soltando observações bruscas aqui e ali.

– Relatórios! – exclamou de modo explosivo. – Relatórios e mais relatórios para quê?

O homem sentado à mesa olhou para os papéis à sua frente. Sobre eles havia um cartão oficial onde se lia "Betterton, Thomas Charles". Depois do nome havia um ponto de interrogação. Sacudiu a cabeça pensativo e perguntou:

– Você investigou os relatórios e não encontrou nada?

O outro encolheu os ombros.

– Vai saber – disse.

O homem atrás da mesa suspirou.

– É verdade – concordou. – Não dá para ter certeza.

O homem mais velho prosseguiu, como uma metralhadora, numa saraivada de palavras:

– Relatórios de Roma; relatórios de Touraine; visto na Riviera; avistado em Antuérpia; identificado em Oslo; reconhecido em Biarritz; observado agindo de forma suspeita em Estrasburgo; visto na praia de Ostend em companhia de uma linda loura; avistado caminhando pelas ruas de Bruxelas com um galgo! Só não foi visto, até agora, no jardim zoológico abraçando uma zebra, mas garanto que não falta muito para isso!

– Você não tem nenhum palpite, Wharton? Eu tinha esperanças no relatório de Antuérpia, mas foi em vão. É claro que agora... – o jovem fez uma pausa e pareceu desligar-se de tudo. De repente, saiu do transe e disse de maneira enigmática: – Sim, provavelmente... mas mesmo assim... será?

O coronel Wharton sentou-se desajeitado no braço de uma poltrona.

– Mas precisamos descobrir – insistiu. – Temos que encontrar uma resposta para todos esses *como*, *por que* e *onde*. Não se pode perder um cientista por mês e não ter a mínima ideia de *como* isso acontece, *por que* e para *onde* eles vão! Será que vão para onde nós pensamos? Sempre achamos que sim, mas agora não sei mais. Você leu as últimas informações que chegaram dos Estados Unidos sobre Betterton?

O homem atrás da mesa fez que sim com a cabeça.

– As mesmas tendências esquerdistas de todos no período. Nada de duradouro ou permanente, até onde foi possível averiguar. Trabalhou com afinco antes da guerra, mas não fez nada de espetacular. Quando Mannheim fugiu da Alemanha, Betterton foi designado para ser seu auxiliar e acabou casando com a filha dele. Após a morte de Mannheim, continuou a trabalhar por conta própria e fez um trabalho brilhante. Ficou famoso com a incrível Fissão ZE, uma descoberta revolucionária que o colocou no topo do mundo científico. Tudo indicava que teria uma carreira excepcional nos Estados Unidos, mas sua mulher morreu pouco depois do casamento, e ele, profundamente abalado, voltou para a Inglaterra. Trabalhou em Harwell durante os últimos dezoito meses. Seis meses atrás casou novamente.

– Encontrou algo aí? – perguntou Wharton de súbito.

O outro respondeu negativamente com a cabeça.

– Não. Ela é filha de um advogado. Trabalhava numa agência de seguros antes de se casar. Não tinha ideias políticas extremistas, até onde sabemos.

– Fissão ZE – disse o coronel Wharton em tom de aversão. – O que eles querem dizer com todos esses termos vai além da minha compreensão. Sou antiquado, não consigo nem visualizar uma molécula, e hoje em dia eles falam em cindir o universo! Bombas atômicas, fissão nuclear, fissão ZE etc. E Betterton era um dos líderes! O que pensam dele em Harwell?

– Um sujeito simpático. Quanto ao trabalho, nada de excepcional ou espetacular. Apenas variações sobre as aplicações práticas da FZE.

Os dois ficaram em silêncio por alguns instantes. A conversa tomara um rumo desconexo, quase automático. Os relatórios de segurança estavam empilhados sobre a mesa e nada continham de útil ou valioso.

– Ele foi rigorosamente investigado quando chegou, é claro – contou Wharton.

– Sim, tudo em ordem.

– Há dezoito meses – disse Wharton pensativo. – Eles não gostam. Precauções de segurança. A sensação de estarem sempre sendo vigiados, uma vida sem liberdade. Ficam irritados, esquisitos. Já vi acontecer várias vezes. Começam a sonhar com um mundo ideal. Liberdade e fraternidade, troca de todos os segredos e trabalho para o bem da humanidade! É exatamente nesse momento que alguém, pertencendo à escória da raça humana, percebe a oportunidade e então a aproveita! – Coçou o nariz. – Não existe ninguém tão ingênuo quanto um cientista – disse. – É o que afirmam todos os falsos médiuns. Não vejo por quê.

O outro sorriu. Um sorriso exausto.

– Sim – disse –, é assim mesmo. Eles acham que *sabem*. Isso é sempre perigoso. Nosso caso é diferente. Somos homens de mentalidade humilde. Não pretendemos salvar o mundo. Queremos apenas recolher algumas peças quebradas ou retirar corpos estranhos que estão provocando enguiços na máquina. – Bateu com os dedos na mesa. – Se soubesse um pouco mais sobre Betterton... – lamentou. – Não sobre sua vida e seu modo de agir, mas sobre as coisas cotidianas, que podem ser muito reveladoras. Que tipo de piada o fazia rir. O que o fazia blasfemar. Quem admirava e quem o perturbava.

Wharton olhou para ele com curiosidade.

– E a mulher? Já falou com ela?

– Várias vezes.

– E não ajudou em nada?

O outro deu de ombros.

– Até agora não.

– Acha que ela sabe de alguma coisa?

– Não admite, evidentemente. Apresenta todas as reações esperadas: preocupação, tristeza, muita ansiedade, nenhum indício ou suspeita anterior, vida do marido perfeitamente normal, nenhum tipo de estresse... e assim por diante. Tem a teoria de que o marido foi raptado.

– E você não acredita nela.

– Sou limitado – disse o homem atrás da mesa, com certa amargura. – Nunca acredito em ninguém.

– Bem – disse Wharton, lentamente –, acho que devemos manter a cabeça aberta. Como ela é?

– Uma mulher comum, dessas que se veem jogando bridge.

Wharton indicou, com um gesto de cabeça, que entendia.

– Isso torna as coisas mais difíceis – disse.

– Ela está aqui agora. Veio me ver. Falaremos sobre as mesmas coisas de novo.

– É o único jeito – disse Wharton. – Mas *eu* não conseguiria. Não tenho paciência – levantou-se. – Não tomarei mais seu tempo. Não avançamos muito, não é?

– Infelizmente, não. Você poderia estudar mais a fundo o relatório de Oslo. Parece promissor.

Wharton assentiu com a cabeça e saiu. O outro homem ergueu o fone que estava perto de seu cotovelo e avisou:

– Verei a sra. Betterton agora. Mande-a entrar.

Ficou fitando o espaço até ouvir uma batida na porta e a sra. Betterton entrar. Era uma mulher alta, aparentando uns 27 anos de idade. O que mais chamava atenção nela era a sua magnífica cabeleira ruiva. Por trás do esplendor da cabeleira, o rosto parecia quase insignificante. Tinha os olhos azul-turquesa e os cílios claros comuns em pessoas ruivas. Ele reparou que ela não usava nenhuma maquiagem. Pensou no que isso poderia significar, enquanto a cumprimentava, fazendo-a sentar confortavelmente numa cadeira perto de sua mesa. Decerto indicava que sabia mais do que dizia saber.

Tinha conhecimento, por experiência, de que as mulheres, mesmo passando por momentos de grande aflição, jamais descuidavam da maquiagem. Cientes de como o sofrimento sulcava-lhes o rosto, faziam o melhor possível para disfarçar os estragos. Pensou que talvez a sra. Betterton tivesse deixado de se maquiar de propósito para representar melhor o papel de esposa desesperada. Quase sem fôlego, ela perguntou:

– Oh, sr. Jessop, espero que... alguma notícia?

Ele fez que não com a cabeça e disse, com delicadeza:

– Peço desculpas por ter pedido que viesse aqui novamente, sra. Betterton. Lamento não ter nenhuma notícia a dar.

Olive Betterton falou rapidamente:

– Eu sei. O senhor disse na carta. Mas imaginava que depois, talvez... Mas estou feliz de ter vindo. Ficar em casa sozinha, pensando, preocupada... é o pior, porque não há nada a fazer!

O homem chamado Jessop disse em tom confortador:

– Desculpe-me, sra. Betterton, se eu bater na mesma tecla, fizer as mesmas perguntas, levantar as mesmas questões. Existe sempre a possibilidade de surgir algum detalhe, alguma coisa que a senhora não tenha pensado antes ou talvez tenha julgado pouco importante para contar.

– Sim, compreendo. Pode perguntar de novo tudo o que quiser.

– A última vez em que viu seu marido foi no dia 23 de agosto?

– Sim.

– Isso foi quando ele viajou da Inglaterra para uma conferência em Paris.

– Sim.

Jessop emendou:

– Ele esteve presente nos dois primeiros dias da conferência. No terceiro dia não apareceu. Teria dito a um dos colegas que preferia fazer um passeio de *bateau mouche* nesse dia.

– *Bateau mouche*? O que é isso?

Jessop sorriu.

– Uma dessas pequenas embarcações que navegam no Sena. – Encarou-a. – Parece-lhe pouco provável que seu marido fizesse isso?

Ela respondeu sem saber direito:

– Para falar a verdade, sim. Diria que ele estava muito interessado na conferência.

– É possível. No entanto, o assunto em pauta naquele dia não era de seu especial interesse, e faz sentido que ele tenha tirado um dia de folga. Mas a senhora não acha que seu marido faria isso.

Ela negou com a cabeça.

– Naquela noite, ele não voltou para o hotel – continuou Jessop. – Até onde foi possível averiguar, não atravessou nenhuma fronteira, pelo menos com o seu passaporte. A senhora acha que ele poderia ter um segundo passaporte, talvez com outro nome?

– Não. Por que teria?

Ele a observava.

– A senhora nunca viu um segundo passaporte com ele?

Ela sacudiu a cabeça com veemência.

– Não, e eu não acredito nisso. Não mesmo. Não acredito que tenha ido embora deliberadamente, como vocês pretendem insinuar. Deve ter acontecido alguma coisa com ele ou... talvez tenha perdido a memória.

– Seu estado de saúde era normal?

– Sim. Ele estava trabalhando muito e às vezes sentia-se meio cansado. Só isso.

– Não parecia preocupado ou deprimido?

– Não estava preocupado nem deprimido por *nada*! – com os dedos trêmulos, abriu a bolsa e tirou um lenço. – É tudo tão terrível – disse com a voz embargada. – Não dá para acreditar. Ele nunca teria ido embora sem me dizer nada. Alguma coisa aconteceu. Ele deve ter sido raptado ou talvez assaltado. Tento não pensar nisso, mas às vezes me parece ser a única resposta: ele está morto.

– Por favor, sra. Betterton, por favor... Ainda não há motivo para pensar assim. Se estivesse morto, o corpo já teria sido encontrado.

– Talvez não. Coisas horríveis acontecem. Ele pode ter sido afogado ou jogado no esgoto. Em Paris, nunca se sabe.

– Paris, posso assegurar-lhe, sra. Betterton, é uma cidade muito bem policiada.

Ela afastou o lenço dos olhos e encarou-o com evidente fúria.

– Sei o que o senhor acha, mas não é verdade! Tom jamais venderia segredos nem trairia ninguém. Não era comunista. Sua vida é um livro aberto.

– Quais eram as opiniões políticas dele, sra. Betterton?

– Nos Estados Unidos, creio que era democrata. Aqui votava no Partido Trabalhista. Não se interessava por política. Era um cientista, acima de tudo. – Acrescentou em tom desafiador: – Um cientista brilhante.

— Sim – concordou Jessop –, ele era um cientista brilhante. Esse é justamente o xis da questão. Pode ser que tenham lhe oferecido grandes atrativos para deixar este país e ir para outro lugar.

— Não é verdade – a raiva despontou novamente. – É isso que os jornais querem insinuar. É isso que vocês acham quando me fazem perguntas. Não é verdade. Ele nunca iria embora sem me dizer, sem me dar alguma explicação.

— E ele não falou nada?

Mais uma vez ele a olhava fixo.

— Não. Não sei onde ele está. Acho que foi sequestrado, algo assim, ou talvez esteja morto. Se estiver morto, preciso saber. Preciso saber logo. Não posso continuar deste jeito, esperando e imaginando o pior. Não consigo comer nem dormir. Estou sendo consumida pelas preocupações. Vocês não podem me ajudar *de alguma forma*?

Ele se levantou, contornou a mesa e disse em voz baixa:

— Sinto muito, sra. Betterton, sinto muito mesmo. Posso assegurar que estamos fazendo o máximo possível para descobrir o que aconteceu com o seu marido. Recebemos relatórios diários de diversos lugares.

— Relatórios de onde? – perguntou ela bruscamente. – O que dizem esses relatórios?

Jessop balançou a cabeça.

— Precisamos examiná-los melhor. Mas, de um modo geral, são todos muito vagos.

— Eu *preciso* saber – murmurou ela de novo com a voz tremida. – Não posso continuar assim.

— A senhora gosta muito de seu marido, sra. Betterton?

— É claro que gosto. Estamos casados há seis meses. Apenas seis meses.

— Eu sei. Perdoe-me a pergunta: vocês chegaram a ter algum tipo de briga ou discussão?

— *Não!*

— Nenhum problema relacionado a outra mulher?

— É claro que não. Já lhe falei. Só estamos casados desde abril.

— Não que eu esteja insinuando nada, mas temos que considerar todas as possibilidades que possam explicar sua partida tal como se deu. A senhora diz que ultimamente ele não parecia perturbado nem preocupado... não demonstrava nenhum tipo de nervosismo?

— Não. Não *mesmo*!

— A senhora sabe que trabalhando como o seu marido, em condições limitantes de segurança, as pessoas ficam nervosas, sra. Betterton. Aliás, é o mais normal – disse sorrindo.

A sra. Betterton não correspondeu ao sorriso.

– Ele estava igual a sempre – disse ela com frieza.

– Estava feliz com o trabalho? Contava-lhe sobre suas atividades?

– Não, era tudo muito técnico.

– A senhora acredita que ele tivesse alguma apreensão quanto às possibilidades destrutivas, digamos assim, do que fazia? Os cientistas sentem isso às vezes.

– Nunca deu a entender nada do gênero.

– Veja bem, sra. Betterton – inclinou-se sobre a mesa, deixando de lado parte da impassividade –, o que estou tentando fazer é compreender seu marido, ter uma ideia do tipo de homem que era, mas a senhora parece não querer ajudar.

– O que mais eu posso dizer ou fazer? Já respondi a todas as suas perguntas.

– Sim, respondeu a todas as minhas perguntas, quase sempre com negativas. Quero respostas afirmativas, algo construtivo. Entende o que quero dizer? É muito mais fácil procurar um homem quando sabemos como ele é.

Ela refletiu por alguns instantes.

– Entendi. Acho que entendi, pelo menos. Bem, Tom era uma pessoa alegre, bem-humorada e, é claro, muito inteligente.

Jessop sorriu.

– Essas são as qualidades. Vejamos algo mais pessoal. Ele lia muito?

– Sim, muito.

– Que tipo de livro?

– Ah, biografias. Livros recomendados por clubes de leitura e, quando estava cansado, romances policiais.

– Ou seja, um leitor comum. Tinha algum interesse específico? Jogava cartas ou xadrez?

– Jogava bridge. Costumávamos jogar com o dr. Evans e a esposa, uma ou duas vezes por semana.

– Seu marido tinha muitos amigos?

– Sim, ele era bastante sociável.

– Não me refiro somente a isso. Pergunto se ele era muito ligado aos amigos.

– Jogava golfe com alguns vizinhos.

– Não tinha amigos íntimos?

– Não. Morou muitos anos nos Estados Unidos e nasceu no Canadá. Não conhecia muita gente aqui.

Jessop consultou um pedaço de papel que estava ao lado.

– Pelo que sei, três pessoas vindas dos Estados Unidos o visitaram recentemente. Tenho os nomes aqui. Até onde conseguimos averiguar, essas três pessoas foram as únicas *de fora*, por assim dizer, com quem ele teve contato. É por isso que lhes demos uma atenção especial. Primeiro, Walter Griffiths. Ele foi visitá-los em Harwell.

— Sim, veio à Inglaterra a passeio e procurou por Tom.

— E como o seu marido reagiu?

— Tom ficou surpreso, mas feliz. Eles se viam muito nos Estados Unidos.

— O que achou desse Griffiths? Poderia descrevê-lo com suas palavras?

— Mas o senhor certamente já sabe tudo sobre ele.

— Sim, sabemos tudo sobre ele, mas gostaria de ouvir a sua opinião.

Ela pensou um pouco antes de falar.

— Bem, é um homem sério e bastante prolixo. Foi muito educado comigo e parecia gostar de Tom. Queria contar o que havia acontecido depois que Tom veio para a Inglaterra. As fofocas locais, imagino. O assunto não me interessou muito porque eu não conhecia as pessoas de quem falava. De qualquer maneira, eu estava preparando o jantar enquanto eles trocavam lembranças.

— Não falaram de política?

— O senhor está querendo insinuar que ele era comunista — o rosto de Olive Betterton corou. — Tenho certeza de que não. Parece que ele tinha um cargo qualquer na promotoria pública. Quando Tom fez um comentário jocoso sobre a caça às bruxas nos Estados Unidos, ele disse, com ar muito severo, que não se compreendia esse tipo de coisa na Inglaterra. Isso prova que ele *não* era comunista!

— Por favor, sra. Betterton, não precisa se alterar.

— Tom não era comunista! Já falei várias vezes, mas o senhor não acredita.

— Acredito, sim, mas essa questão fatalmente virá à baila. Agora, sobre a segunda pessoa vinda de fora que conversou com seu marido, o dr. Mark Lucas. Vocês o encontraram em Londres, não? No Dorset.

— Sim. Fomos a uma peça e depois jantamos no Dorset. Esse homem, Luke, Lucas, apareceu e veio cumprimentar Tom. Era químico, trabalhava com pesquisa. A última vez em que vira Tom fora nos Estados Unidos. Era um refugiado alemão naturalizado americano. Mas com certeza o senhor sabe...

— Com certeza sei disso? Sim, sra. Betterton. Seu marido ficou surpreso ao vê-lo?

— Sim, muito.

— E ficou feliz?

— Acho que sim.

— Acha? — pressionou-a.

— Bem, Tom me disse depois que não tinha muita relação com ele, só isso.

— O encontro foi casual? Não combinaram de se encontrar novamente?

– Não, foi apenas um encontro casual.

– Sei. A terceira pessoa de fora que encontrou seu marido foi uma mulher, a sra. Carol Speeder, também dos Estados Unidos. Como se deu esse encontro?

– Ela trabalhava na ONU, acho eu. Conhecia Tom dos Estados Unidos e ligou de Londres dizendo que estava aqui e perguntando se não poderíamos almoçar com ela um dia desses.

– E vocês foram?

– Não.

– *A senhora* não, mas seu marido foi!

– O quê? – encarou-o.

– Ele não lhe contou?

– Não.

Olive Betterton ficou perplexa e perturbada. O homem que a interrogava sentiu um pouco de pena, mas não aliviou. Pela primeira vez parecia chegar a algum lugar.

– Não entendo – disse ela com voz insegura. – É muito estranho que ele não tenha me contado nada.

– Eles almoçaram juntos no Dorset, onde a sra. Speeder estava hospedada, na quarta-feira, dia 12 de agosto.

– Dia 12 de agosto?

– Sim.

– É verdade, ele foi a Londres nessa ocasião... Nunca falou nada... – ficou pensativa de novo e depois perguntou de repente: – Como ela é?

Ele respondeu rapidamente e em tom tranquilizador:

– Uma mulher em nada encantadora, sra. Betterton. Uma jovem competente, de uns trinta e poucos anos, sem nenhum atrativo especial. Não há indício algum de que mantivesse relações íntimas com o seu marido. Exatamente por isso é estranho que ele não tenha lhe contado sobre o encontro.

– Sim, também acho.

– Agora, pense bem, sra. Betterton. A senhora percebeu alguma mudança no seu marido mais ou menos nessa época? Em meados de agosto, digamos. Cerca de uma semana antes da conferência.

– Não, não percebi nada. Não havia nada para perceber.

Jessop suspirou.

O telefone em cima da mesa tocou discretamente. Ele levantou o fone.

– Sim – disse.

A voz do outro lado anunciou:

– Há um homem aqui querendo falar com alguém responsável pelo caso Betterton, senhor.

– Qual o nome?

A pessoa ao telefone pigarreou de leve.

– Bem, não sei muito bem como se pronuncia, sr. Jessop. Talvez seja melhor soletrar.

– Tudo bem. Pode falar.

Escreveu num papel as letras à medida que as ouvia.

– Polonês? – perguntou no fim.

– Não disse, senhor. Fala inglês bastante bem, mas com um pouco de sotaque.

– Peça para aguardar.

– Pois não, senhor.

Jessop desligou o telefone e depois olhou para Olive Betterton, lá sentada, quieta, com uma placidez afável de desesperança. Arrancou a folha do bloco em que acabara de escrever o nome e entregou a ela.

– Conhece alguém com esse nome? – indagou.

Ela arregalou os olhos. Por um instante, pareceu assustada.

– Sim – respondeu. – Conheço, sim. Ele me escreveu.

– Quando?

– Ontem. É primo da primeira mulher de Tom. Acaba de chegar à Inglaterra. Está muito preocupado com o desaparecimento de Tom. Escreveu perguntando se eu tinha alguma notícia... e para expressar sua profunda solidariedade.

– Nunca ouviu falar nele antes?

Ela fez que não com a cabeça.

– Seu marido nunca falou nele?

– Não.

– Então talvez nem seja parente de seu marido?

– Imagino que não. Nunca havia pensado nisso – disse ela, parecendo abismada. – Mas a primeira mulher de Tom era estrangeira, filha do professor Mannheim. Pela carta, o homem parecia saber tudo sobre Tom e ela. Uma linguagem muito formal e correta... típica de um estrangeiro. Tive a impressão de que dizia a verdade. De qualquer forma, qual seria o sentido de mentir?

– É isso que sempre nos perguntamos – Jessop deu um sorrisinho. – Temos tantas dúvidas que as menores coisas, algumas vezes, nos parecem completamente fora de proporção!

– Imagino que sim – estremeceu de repente. – É como esta sala sua, no meio de um labirinto de corredores, parecendo um daqueles sonhos que nunca terminam...

– Sim, admito que possa ter um efeito claustrofóbico – disse Jessop com ar amável.

Olive Betterton ergueu uma das mãos e ajeitou o cabelo que lhe caía na testa.

– Não consigo aguentar muito tempo – disse. – Ficar sentada esperando. Preciso mudar de ambiente. Viajar para fora, de preferência. Para algum lugar onde os jornalistas não fiquem o tempo todo atrás de mim, onde as pessoas não fiquem me olhando. Todos os amigos que encontro me perguntam se tenho alguma notícia. – Fez uma pausa e depois continuou: – Sinto que vou desabar. Estou tentando ser corajosa, mas é demais para mim. Meu médico concorda. Acha que devo viajar por três ou quatro semanas. Vou lhe mostrar a carta que me escreveu.

Fuçou a bolsa e retirou um envelope, que colocou sobre a mesa, empurrando-o na direção de Jessop.

– Veja o que diz o médico.

Jessop tirou a carta do envelope e leu.

– Sim, entendo – disse.

Guardou-a de volta.

– Então... posso ir? – seus olhos fitavam-no com agitação.

– É claro, sra. Betterton – respondeu, erguendo as sobrancelhas. – Por que não?

– Achei que o senhor fosse fazer alguma objeção.

– Objeção? Por quê? É um assunto que depende somente da senhora. Só peço que me diga como encontrá-la caso tenha alguma notícia enquanto estiver fora.

– Não há problema.

– Para onde está pensando em ir?

– Para algum lugar que tenha sol e poucos ingleses. Espanha ou Marrocos.

– Ótimo. Tenho certeza de que lhe fará muito bem.

– Obrigada. Muito obrigada mesmo.

Levantou-se, eufórica, mas ainda demonstrando nervosismo.

Jessop levantou-se também, cumprimentou-a e tocou a campainha chamando alguém para acompanhá-la até a saída. Voltou a sentar-se. Por alguns momentos, seu rosto permaneceu sem expressão como antes, mas depois sorriu lentamente. Tirou o fone do gancho.

– Mande entrar o major Glydr – ordenou.

CAPÍTULO 2

— Major Glydr? – Jessop hesitou um pouco para pronunciar o nome.

– É difícil mesmo – concordou o visitante, bem-humorado. – Seus compatriotas me chamavam de Glider durante a guerra. Agora que moro nos Estados Unidos, mudarei meu nome para Glyn, que é mais fácil de falar.

– O senhor está vindo dos Estados Unidos?

– Sim, cheguei há uma semana. O senhor é... desculpe perguntar... o sr. Jessop?

– Isso.

O outro o fitou com interesse.

– Já ouvi falar do senhor – disse.

– É mesmo? Onde?

O outro sorriu.

– Talvez estejamos indo depressa demais. Antes de lhe fazer umas perguntas, se me permite, gostaria de lhe mostrar essa carta da Embaixada dos Estados Unidos.

Entregou-a com uma mesura. Jessop leu as primeiras linhas formais de introdução e largou a carta sobre a mesa. Olhou com atenção para o seu interlocutor. Era um homem alto, de uns trinta e poucos anos e postura rígida. O cabelo claro estava cortado bem curto, à moda do continente europeu. Sua maneira de falar era lenta e cuidadosa, com forte sotaque estrangeiro, apesar de gramaticalmente correta. Não demonstrava qualquer nervosismo ou insegurança. Isso, por si só, já era incomum. Quase todo mundo que vinha ao seu escritório ficava nervoso, agitado ou apreensivo. Alguns demonstravam desconfiança; outros, agressividade.

Aquele era um homem em absoluto controle de si mesmo, um sujeito sem expressão no rosto, que sabia o que estava fazendo e por quê. Um homem que não se deixaria enganar, que só diria o que tinha a intenção de dizer. Jessop perguntou em tom amável:

– O que podemos fazer pelo senhor?

– Vim perguntar se tinham alguma notícia sobre Thomas Betterton, que desapareceu há pouco tempo de modo aparentemente misterioso. Não podemos acreditar em tudo o que lemos nos jornais. Perguntei onde poderia conseguir informações fidedignas e me encaminharam ao *senhor*.

– Desculpe-me, não temos informações conclusivas sobre Betterton.

– Talvez tenha sido enviado ao exterior em alguma missão. – Fez uma pausa e acrescentou de forma esquisita: – Sabe como é, missão secreta.

– Meu caro senhor – Jessop disse com certa pena –, Betterton era um cientista, não um diplomata ou agente secreto.

– Entendo a repreensão, mas os rótulos nem sempre condizem com a realidade. O senhor perguntará qual o meu interesse no assunto. Thomas Betterton era meu parente por afinidade. Foi casado com minha prima.

– Sim, o senhor é o sobrinho do professor Mannheim, não?

– Ah, já sabia, então. Vocês estão bem informados aqui.

– As pessoas aparecem e nos contam coisas – murmurou Jessop. – A esposa de Betterton esteve aqui. Ela me contou que o senhor lhe escreveu.

– Sim, para expressar minha solidariedade e perguntar se tinha alguma notícia.

– Muito atencioso de sua parte.

– Minha mãe era a única irmã do professor Mannheim. Eles eram muito ligados. Em Varsóvia, quando eu era criança, ia muito à casa de meu tio, e sua filha, Elsa, era como uma irmã para mim. Quando meu pai e minha mãe morreram, fui morar com meu tio e minha prima. Foi uma época feliz. Depois veio a guerra, as tragédias, os horrores... Mas não falemos nisso. Meu tio e Elsa fugiram para os Estados Unidos. Eu permaneci na Resistência clandestina, e após a guerra foram-me confiadas algumas missões. Só fui aos Estados Unidos visitar meu tio e minha prima uma vez. Finalmente terminaram meus compromissos na Europa e resolvi me mudar para os Estados Unidos, para ficar perto de meu tio, minha prima e seu marido. Mas aí – abriu os braços –, quando cheguei lá, meu tio tinha morrido, minha prima também e seu marido tinha se mudado para a Inglaterra, onde se casou novamente. Ou seja, eu estava mais uma vez sem família. Foi então que li sobre o desaparecimento do famoso cientista Thomas Betterton e decidi vir para cá ver se podia fazer alguma coisa – fez uma pausa e olhou inquisitivamente para Jessop.

Jessop encarou-o sem qualquer expressão no rosto.

– Por que ele desapareceu, sr. Jessop?

– É exatamente isso o que queremos saber – retorquiu Jessop.

– Talvez o senhor saiba.

Jessop achou curioso como os papéis dos dois haviam se invertido com tanta facilidade. Naquela sala, ele é quem costumava interrogar os outros. Agora, o estrangeiro é quem fazia as perguntas.

Sempre sorrindo delicadamente, Jessop retrucou:

– Garanto que não.

– Mas tem alguma suspeita?

– É possível – explicou Jessop com cautela – que toda a situação siga certos padrões... Houve casos parecidos antes.

– Eu sei. – Sem demora, o visitante citou meia dúzia de casos. – Todos cientistas – lembrou ele, como fato importante.

– Sim.

– Foram para o outro lado da Cortina de Ferro?
– É uma possibilidade, mas não temos certeza.
– Por livre e espontânea vontade?
– Até isso é difícil afirmar – disse Jessop.
– Não é da minha conta, não?
– Ora, por favor.
– O senhor está certo. O assunto só me interessa por causa de Betterton.
– Desculpe-me – falou Jessop – se não entendo bem o motivo de seu interesse. Afinal de contas, Betterton não é seu parente direto. O senhor nem o conhecia.
– É verdade. Mas para nós, poloneses, a família é algo muito importante. Existem responsabilidades. – Levantou-se e curvou-se meio duro. – Lamento ter tomado seu tempo e agradeço sua cordialidade.

Jessop levantou-se também.

– Sinto não poder ajudá-lo – disse –, mas asseguro-lhe que estamos tateando no escuro. Se souber de alguma coisa, como o encontro?

– Por intermédio da Embaixada Americana. Muito obrigado. – Mais uma vez, inclinou-se formalmente.

Jessop tocou a campainha. O major Glydr saiu. Jessop tirou o fone do gancho.

– Peça ao coronel Wharton para vir a minha sala.

Quando Wharton entrou, Jessop disse:

– As coisas começaram a andar... finalmente.

– Como assim?

– A sra. Betterton quer viajar para o exterior.

Wharton assobiou.

– Para encontrar o maridinho?

– Espero que sim. Veio com uma carta muito conveniente, escrita pelo médico. Precisa de repouso total e mudança de ares.

– A ideia não é má!

– E pode ser verdade – Jessop lembrou. – Uma simples exposição dos fatos.

– Jamais encaramos as coisas assim – disse Wharton.

– É. Devo dizer, no entanto, que ela age de maneira bastante convincente. Não dá *um* passo em falso.

– Suponho que não tenha conseguido mais nada com ela.

– Um pequeno indício. A mulher de sobrenome Speeder, com quem Betterton almoçou no Dorset.

– É mesmo?

– Betterton não contou à mulher sobre esse almoço.

– Humm – fez Wharton. – Você acha que isso pode ter alguma relevância?

– Acho. Carol Speeder foi chamada a depor ante o Comitê de Investigação sobre Atividades Antiamericanas. Deu esclarecimentos satisfatórios, mas mesmo assim... ficou marcada ou, pelo menos, alguns acham que ficou. *Pode* ser um contato. Foi o único que encontramos em relação a Betterton até agora.

– E quanto aos contatos da sra. Betterton? Algum deles poderia tê-la influenciado em sua ideia de viajar para fora?

– Nenhum contato pessoal. Recebeu ontem uma carta de um polonês, primo da primeira mulher de Betterton. Esteve aqui há pouco, querendo saber detalhes.

– Como ele é?

– Não parece real – disse Jessop. – O típico estrangeiro, muito correto, pegou todas as "manhas", mas não parece real.

– Acha que pode ter sido o contato que veio avisá-la?

– Não sei. Pode ser. Ele me intriga.

– Vai vigiá-lo?

Jessop sorriu.

– Sim. Apertei a campainha duas vezes.

– Você é uma velha raposa cheia de artimanhas. – Wharton ficou sério de novo. – Bem, qual é o plano?

– Janet, acho, e o de sempre. Espanha ou Marrocos.

– Suíça não?

– Dessa vez não.

– Pensava que Espanha ou Marrocos seria mais difícil para eles.

– Não devemos subestimar nossos adversários.

Wharton, com ar aborrecido, deu um peteleco nos documentos secretos à sua frente.

– Acho que os dois únicos países em que Betterton *não* foi visto – disse um tanto decepcionado. – Bem, vamos preparar tudo. Meu Deus, se fracassarmos dessa vez...

Jessop recostou-se na cadeira.

– Há muito tempo que não tiro férias – disse. – Já estou cansado desta sala. Bem que poderia fazer uma pequena viagem para o exterior...

CAPÍTULO 3

I

— Voo 108 para Paris. Air France. Por aqui, por favor.

As pessoas na sala de espera do aeroporto de Heathrow levantaram-se. Hilary Craven pegou sua maleta de couro de lagarto e acompanhou os outros para a pista de decolagem. O vento parecia mais frio em contraste com o calor da sala aquecida.

Hilary tiritava e resolveu ajeitar o casaco de pele. Seguiu os outros em direção ao lugar em que o avião esperava. Finalmente! Ia viajar, fugir daquela atmosfera cinza, fria e monótona para onde havia sol, céu azul e uma vida nova. Deixaria para trás todo aquele peso, o terrível peso da miséria e da frustração. Subiu a escada do avião, curvou a cabeça para entrar e foi acompanhada pelo comissário de bordo até o seu assento. Pela primeira vez em vários meses, sentiu alívio de uma angústia tão intensa que parecia uma dor física.

"Vou sair dessa", disse para si mesma com esperança. "Tenho certeza de que vou sair dessa."

O som das turbinas a agitou. Havia certa brutalidade naquele som. "A miséria civilizada", pensou, "é a pior das misérias. Cinzenta e sem esperança." "Mas agora", repetiu em pensamento, "estou saindo dessa."

O avião começou a movimentar-se suavemente pela pista. A aeromoça disse:

– Coloquem os cintos, por favor.

O avião deu meia-volta e ficou aguardando permissão para decolar. Hilary pensou: "Talvez o avião caia... Talvez nem levante voo. Isso será o fim, a solução para tudo". A espera do sinal de partida parecia interminável. Esperando a permissão de partir rumo à liberdade, Hilary teve um pensamento absurdo: "Jamais conseguirei partir. Ficarei aqui, prisioneira...".

Ah, até que enfim!

Os motores roncaram violentamente, e o avião começou a se movimentar numa velocidade cada vez maior. Hilary pensou: "Não sairá do chão. Impossível... é o fim". Ah, haviam levantado voo. A impressão não era a de que o avião subia, mas a de que a terra se afastava, ficando para trás com seus problemas e decepções, enquanto o pássaro altivo ganhava altura, atravessando as nuvens. A aeronave erguia-se descrevendo uma curva sobre o aeroporto, que parecia um ridículo brinquedo infantil. Estradinhas engraçadas, estranhos caminhos de ferro com trenzinhos de brinquedo. Um mundo ridículo e infantil onde as pessoas amavam, odiavam e machucavam o coração. Nada disso tinha importância agora, porque era tudo tão ridículo, pequeno e insignificante. Haviam ultrapassado as nuvens, massas densas de um cinzento esbranquiçado. Já deviam estar sobre o Canal da Mancha. Hilary encostou a cabeça na poltrona e fechou os olhos. Fugir, escapar. Deixara a Inglaterra, deixara Nigel, deixara o triste monte que era o túmulo de Brenda. Tudo ficara para trás. Abriu os olhos e fechou-os novamente, com um suspiro profundo. Adormeceu...

II

Quando Hilary acordou, o avião estava descendo. "Paris", pensou, ajeitando-se na poltrona e pegando a maleta. Mas não era Paris. A aeromoça, caminhando pelo corredor da aeronave, informou com o tom alegre de professora de maternal que alguns passageiros acham tão irritante:

– Aterrissaremos em Beauvais por causa da névoa em Paris.

Sua maneira de falar sugeria algo como "Não é formidável, crianças?". Hilary espreitou pelo pequeno espaço da janela a seu lado. Não conseguiu ver quase nada. Beauvais também parecia coberta pela neblina. O avião dava voltas, com velocidade reduzida. Levou algum tempo para aterrissar. Os passageiros foram, então, conduzidos através da fria e úmida névoa a uma tosca construção de madeira onde havia algumas cadeiras e um longo balcão.

Hilary sentiu a depressão abatê-la, mas tentava reagir. Um homem a seu lado murmurou:

– Um antigo aeroporto militar. Não tem calefação e nenhum tipo de conforto aqui. Mesmo assim, como estamos na França, eles servirão bebidas.

Não deu outra. Quase que imediatamente, um homem apareceu com chaves e, pouco depois, eram servidas bebidas alcoólicas para levantar o ânimo dos passageiros. Aquilo ajudou a prepará-los para a longa e irritante espera.

Passaram-se algumas horas e nada aconteceu. Da neblina, divisavam-se outros aviões chegando, também impedidos de pousar em Paris por causa do mau tempo. Em seguida, a pequena sala ficou lotada de pessoas com frio e irritadas pela demora.

Para Hilary, tudo parecia irreal, como se estivesse num sonho, protegida do contato com a realidade. Era só um atraso, questão de esperar. Continuava a viagem, sua jornada de fuga. Seguia fugindo de tudo em direção ao lugar em que sua vida recomeçaria. Essa sensação perdurou durante a fatigante demora, nos momentos de caos, até que foi anunciado, já de noite, que viriam ônibus para transportar os passageiros a Paris.

Houve uma grande confusão de passageiros, funcionários e carregadores, todos levando bagagens, empurrando-se e esbarrando-se na escuridão. Hilary, com as pernas e os pés congelados, viu-se enfim num ônibus atravessando lentamente o nevoeiro rumo a Paris.

Foi uma longa e exaustiva viagem de quatro horas. Já era meia-noite quando chegaram ao Invalides, e Hilary ficou feliz de pegar sua bagagem e dirigir-se ao hotel em que tinha reservado um quarto. Estava cansada demais para comer. Tomou um banho quente e desabou na cama.

O avião para Casablanca deveria sair do aeroporto de Orly às dez e meia da manhã no dia seguinte; porém, quando os passageiros chegaram lá, estava tudo uma bagunça. Aviões haviam ficado retidos no solo em muitos lugares da Europa; chegadas e partidas estavam com atraso.

Um funcionário do balcão de partidas, já meio atarantado, encolheu os ombros e disse:

– Sinto muito, mas a senhora não poderá embarcar no voo para o qual tinha reserva! Os horários foram todos alterados. Peço-lhe que se sente por alguns minutos, pois tudo será resolvido.

Finalmente ela foi chamada e informada de que havia um lugar no avião para Dacar, que não costumava fazer escala em Casablanca, mas que naquele caso faria.

– A senhora terá um atraso de três horas.

Hilary aceitou sem protestar, o que deixou o funcionário muito surpreso e feliz.

– A senhora não imagina as dificuldades que estou tendo hoje – disse. – *Enfin*, os passageiros são pouco razoáveis. Não tenho culpa do nevoeiro! É claro que causou transtornos, mas devíamos aprender a levar na esportiva... é o que sempre digo, por mais desagradável que seja a alteração de planos. *Après tout*, madame, que diferença faz um pequeno atraso de uma, duas, três horas? Qual a diferença de chegar a Casablanca nesse ou naquele avião?

Mal sabia o funcionário francês que naquele dia específico uma pequena mudança faria muita diferença. Quando Hilary finalmente desembarcou sob os raios de sol de Casablanca, o carregador, que empurrava um carrinho cheio de malas a seu lado, comentou:

– A senhora teve muita sorte de não ter pegado o avião antes desse, o da linha regular para Casablanca.

– Por quê? O que aconteceu? – indagou Hilary.

O homem ficou constrangido, sem saber o que dizer, mas não tinha como não contar. Baixou a voz, aproximou-se e disse em tom confidencial:

– *Mauvaise affaire!* – exclamou. – Caiu enquanto aterrissava. O piloto, o navegador e quase todos os passageiros estão mortos. Quatro ou cinco sobreviveram e foram levados em estado grave para o hospital.

A primeira reação de Hilary foi uma espécie de raiva cega. Quase sem querer, um pensamento invadiu-lhe a mente: "Por que *eu* não estava naquele avião? Se estivesse, tudo estaria acabado agora... eu estaria morta, livre de tudo. Livre da tristeza, livre dos tormentos. As pessoas daquele avião queriam viver. E eu... não me importo. Por que não fui eu?".

Passou pela alfândega, por mera formalidade, e foi para o hotel com a sua bagagem. Era uma tarde linda e ensolarada, e o sol começava a mergulhar no poente. O ar transparente e a luz dourada eram exatamente como imaginara. Por fim, chegara! Deixara a névoa, o frio e a escuridão de Londres; deixara para trás sua miséria, a indecisão e o sofrimento. Aqui a vida pulsava, havia cor, havia sol.

Atravessou o quarto, abriu a janela e olhou para a rua. Sim, era tudo como imaginara que seria. Afastou-se lentamente da janela e sentou na cama. Fugir, escapar! Era o refrão que não saía de sua cabeça desde que deixou a Inglaterra. Fugir. Escapar. E agora sabia, com uma frieza apavorante, *que não havia fuga possível*.

Tudo aqui era o mesmo que em Londres. Ela própria, Hilary Craven, era a mesma. Era de Hilary Craven que ela estava tentando fugir, e Hilary Craven era Hilary Craven em qualquer lugar, fosse em Londres ou em Marrocos. Disse baixinho a si mesma: "Como fui tola... como *sou* tola! Por que pensei que me sentiria diferente se fosse embora da Inglaterra?".

O túmulo de Brenda, aquele patético e pequeno monte, estava na Inglaterra, e Nigel, muito em breve, estaria casando de novo no mesmo país. Por que essas duas questões haveriam de ter menos importância ali? Pura ilusão, pois era o que desejava, mas agora estava tudo acabado. Ela estava frente a frente com a realidade, a realidade do que era e do que conseguia suportar ou *não*. "É possível suportar as coisas", pensou, "quando há uma *razão* para suportá-las." Ela suportara um longo período de doença, suportara o abandono de Nigel, suportara a forma cruel e brutal como acontecera. Suportara tudo isso porque havia Brenda. Depois veio a longa e lenta batalha para salvar a vida de Brenda e a derrota final... Agora não havia mais nada que justificasse viver. Foi necessário vir a Marrocos para enxergar isso. Em Londres, tinha a impressão de que, se fosse para algum outro lugar, poderia deixar tudo para trás e recomeçar do zero. Por isso escolhera aquele país, um lugar que não tinha nenhuma ligação com o passado e tinha as qualidades que tanto amava: sol, ar puro e pessoas desconhecidas. Ali, pensara, tudo seria diferente. Ledo engano. Não havia como fugir dos fatos. Ela, Hilary Craven, já não tinha desejo de continuar vivendo. Era isso.

Se o nevoeiro não tivesse intervindo, se tivesse pegado o avião certo, seus problemas estariam resolvidos. Estaria neste momento em algum necrotério francês, o corpo mutilado e repleto de fraturas, mas com o espírito em paz, livre de sofrimento. Bem, nada a impedia de alcançar o mesmo objetivo agora, mas daria um certo trabalho.

Seria muito simples se tivesse comprimidos para dormir. Lembrou-se de quando pedira ao dr. Grey e da cara estranha que ele fizera ao responder:

– Melhor não. Melhor aprender a dormir sem remédios. Talvez seja difícil no começo, mas você se acostumará.

A expressão estranha no rosto do médico. Será que ele já sabia que Hilary chegaria a esse ponto? Não seria difícil. Levantou-se decidida e foi procurar uma farmácia.

III

Hilary sempre pensou que fosse fácil comprar medicamentos em cidades estrangeiras. Ficou admirada ao ver que não era bem assim. A primeira farmácia que procurou vendeu-lhe apenas uma cartela com dois comprimidos. Para comprar uma quantidade maior, disse o farmacêutico, precisaria de receita. Ela agradeceu, sorrindo indiferente, e ia saindo rápido quando esbarrou num rapaz alto, sisudo, que se desculpou em inglês. Ainda ouviu, já na porta, que o jovem pediu pasta de dentes.

De certa forma, achou o fato interessante. Pasta de dentes. Parecia algo tão ridículo, tão normal, tão cotidiano. De repente, sentiu uma pontada aguda no peito, porque a pasta de dentes que ele pedira era a mesma que Nigel usava. Atravessou a rua e foi até a farmácia em frente. Passou por quatro farmácias antes de voltar ao hotel. Achou engraçado deparar-se, na terceira farmácia, com o rapaz de rosto sério, ainda atrás da pasta de dentes preferida, pelo visto difícil de encontrar nas farmácias francesas de Casablanca.

Hilary sentia-se quase alegre ao trocar de vestido e maquiar-se antes de descer para jantar. Desceu o mais tarde possível, pois não queria encontrar nenhum de seus companheiros de viagem ou tripulantes do avião. De qualquer maneira, isso seria improvável, porque a aeronave seguira para Dacar, e ela parecia ser a única pessoa que ficara em Casablanca.

O restaurante estava quase vazio quando ela chegou, mas o jovem inglês carrancudo da pasta de dentes terminava a refeição numa mesa no canto. Parecia bastante entretido na leitura de um jornal francês.

Hilary pediu uma boa comida e meia garrafa de vinho. Numa espécie de agitação inebriante, pensou consigo mesma: "Esta é minha última aventura". Pediu que mandassem uma garrafa de água Vichy para seu quarto e, logo depois, deixou o restaurante e subiu.

O garçom levou a água, abriu a garrafa, colocou-a sobre a mesa e, desejando-lhe boa noite, retirou-se. Hilary suspirou aliviada. Quando o garçom saiu, foi até a porta e trancou-a. Pegou, na gaveta da mesa de cabeceira, os quatro pacotinhos que trouxera das farmácias e abriu-os. Pôs os comprimidos na mesa e encheu um copo com água mineral. Como o remédio era em comprimidos, ela só teria que colocá-los na boca e engoli-los com goles de água Vichy.

Despiu-se, vestiu seu roupão e voltou a sentar-se à mesa. Seu coração batia mais rápido. Começou a sentir um pouco de medo, mas um medo misturado com fascínio, não um sentimento que a faria abandonar seu plano. Estava muito calma e decidida. Iria finalmente fugir, escapar de verdade. Olhou para a escrivaninha, pensando na possibilidade de deixar um bilhete. Resolveu não deixar. Não tinha parentes nem amigos próximos. Não havia de quem se despedir. Quanto a Nigel, não queria causar-lhe um remorso inútil, o que poderia acontecer se lhe deixasse um bilhete. Nigel leria depois, nos jornais, que uma tal sra. Hilary Craven havia morrido em Casablanca por conta de uma overdose de pílulas para dormir. Seria, com certeza, um pequeno parágrafo. Ele receberia a notícia sem grande espanto. "Pobre Hilary", diria, "que falta de sorte." E talvez, em segredo, ele se sentisse aliviado. Porque, pensava Hilary, Nigel devia ter um pequeno peso na consciência, mas era um homem que desejava estar em paz consigo mesmo.

Contudo, Nigel já lhe parecia muito distante e, curiosamente, sem importância. Nada mais restava a fazer. Ela engoliria as pílulas, deitaria na cama e dormiria. Desse sono não acordaria nunca mais. Não tinha, ou julgava não ter, nenhum sentimento religioso. A morte de Brenda sepultara qualquer possibilidade relacionada a isso. Não havia, portanto, mais nada a considerar. Era, de novo, uma viajante, tal como havia sido no aeroporto de Heathrow, uma passageira à espera da partida rumo a um destino desconhecido, sem bagagens e sem o peso das despedidas. Pela primeira vez na vida estava livre, inteiramente livre para agir como bem entendesse. Cortara as amarras do passado. A longa e dolorosa miséria que a atormentava quando estava acordada ficara para trás. Sim. Leve, livre e sem preocupações! Estava pronta para começar sua jornada.

Estendeu a mão para pegar o primeiro comprimido. Nesse momento, ouviu uma pequena batida na porta. Hilary franziu a testa, a mão parada no ar. Quem seria? A camareira? Não, os lençóis já haviam sido trocados. Alguém, talvez, para falar de documentos ou passaporte? Deu de ombros. Não abriria. Para que se incomodar? Fosse quem fosse, iria embora e voltaria em outra ocasião.

Bateram de novo, um pouco mais forte desta vez. Hilary não se mexeu. Não podia haver nenhuma urgência, e quem estava batendo logo desistiria.

Olhava fixo para a porta e, de repente, para seu grande espanto, viu a chave girar lentamente e depois ser empurrada até cair no chão com um ruído metálico. A maçaneta girou, a porta foi aberta e um homem entrou no quarto. Ela o reconheceu. Era o jovem sério da pasta de dentes. Hilary encarou-o. Estava perplexa demais para dizer ou fazer algo. O rapaz virou-se, fechou a porta, pegou a chave do chão, enfiou-a na fechadura e girou-a. Depois, dirigiu-se a ela e sentou-se numa cadeira do outro lado da mesa. O que ele disse pareceu-lhe completamente absurdo.

– Meu nome é Jessop.

O rosto de Hilary retomou rapidamente sua cor natural. Ela se inclinou para frente e perguntou com raiva e frieza:

– Posso saber o que está fazendo aqui?

Ele a olhou sério e piscou.

– É curioso – disse. – Era exatamente o que eu ia lhe perguntar. – Fez um gesto rápido de cabeça indicando os preparativos sobre a mesa.

Hilary falou logo, irritada:

– Não entendo o que quer dizer.

– Entende sim.

Hilary calou-se, tentando encontrar as palavras certas. Queria dizer tanta coisa! Expressar indignação. Expulsá-lo do quarto. Porém, por mais estranho que possa parecer, foi a curiosidade que prevaleceu. A pergunta veio-lhe aos lábios com tal naturalidade que ela mal se deu conta do que dizia.

– A chave – disse – virou sozinha na fechadura?

– Ah, a chave! – O rosto do rapaz pareceu transformar-se com um sorriso infantil. Enfiou a mão no bolso e tirou um instrumento de metal que entregou a ela para examinar.

– Aí está – disse ele –, uma pequena ferramenta muito útil. É só a enfiar na fechadura que ela prende a chave e a faz girar – pegou de volta a ferramenta e guardou no bolso.

– Então o senhor é um arrombador?

– Não, sra. Craven, não seja injusta. Eu bati na porta. Arrombadores não batem. Quando percebi que a senhora não me deixaria entrar, usei minha ferramenta.

– Mas por quê?

Os olhos do visitante viraram-se de novo para os preparativos sobre a mesa.

– Eu não faria isso se fosse a senhora – disse ele. – Não é como pensamos. Achamos que adormecemos e nunca mais acordamos, mas não é bem assim. Há uma série de efeitos desagradáveis, às vezes convulsões, gangrena da pele. Se a pessoa for resistente à droga, o efeito é bastante demorado. Então, alguém a encontra e é aquele estorvo: lavagem estomacal, óleo de rícino, café quente, bofetadas e sacudidas. Tudo muito humilhante.

Hilary recostou-se na cadeira, semicerrando os olhos. Apertou as mãos uma contra a outra e forçou um sorriso.

— Mas que ideia ridícula – disse. – O senhor acha que eu ia me suicidar?

— Não só acho – disse o jovem chamado Jessop – como tenho certeza. Eu estava na farmácia quando a senhora entrou. Fui comprar pasta de dentes. Como eles não tinham a marca que eu queria, fui a outra farmácia. E lá estava a senhora de novo, comprando mais pílulas para dormir. Achei um pouco estranho e resolvi segui-la. Todos esses comprimidos para dormir em diferentes lugares. A conclusão era óbvia.

Seu tom de voz era afável, espontâneo, mas muito firme. Olhando para ele, Hilary Craven parou de fingir.

— E o senhor não acha uma insolência imperdoável de sua parte tentar me impedir?

Ele considerou a questão por alguns instantes e depois discordou com a cabeça.

— Não. É uma dessas coisas que *não* se pode deixar de fazer, se é que me entende.

Hilary contestou com veemência.

— O senhor pode me impedir agora, levar os comprimidos, jogá-los pela janela ou qualquer coisa assim. Mas não tem como me impedir de comprar mais, amanhã ou depois, ou evitar que eu me jogue do último andar de um prédio ou na frente de um trem.

O rapaz pensou no que acabara de ouvir.

— Não – disse. – Concordo que não tenho como impedir nada disso. A questão é que não sei se a senhora faria isso amanhã.

— Acha que amanhã posso ter mudado de ideia? – perguntou Hilary com certa amargura na voz.

— Acontece com muita gente – disse Jessop, quase se desculpando.

— Sim, talvez – considerou ela. – Se a pessoa tomar a atitude num acesso de desespero. Mas não quando é um desespero frio. Já não tenho nenhuma razão para viver, entende?

Jessop inclinou o rosto sério e piscou.

— Interessante – falou.

— Não há nada de interessante. Não sou uma mulher interessante. Meu marido, a quem eu amava, me abandonou. Minha única filha morreu de meningite, após sofrer muito. Não tenho parentes próximos nem amigos. Não tenho nenhuma vocação, nenhum hobby e não sei de nada que eu gostaria de fazer.

— Deve ser difícil – disse Jessop, mostrando que entendia. Acrescentou, um tanto hesitante: – A senhora não acha isso errado?

Hilary perguntou com fervor:

— Errado por quê? A vida é *minha*.

– Eu sei, eu sei – repetiu Jessop agora sem hesitação. – Não estou aqui para dar lição de moral, mas *existem* pessoas que condenam o suicídio.

Hilary disse:

– Não sou uma delas.

O sr. Jessop falou de maneira um tanto inadequada:

– Perfeitamente.

Ficou ali sentado, olhando para ela e piscando os olhos pensativo.

Hilary disse:

– Então, sr....

– Jessop – completou o rapaz.

– Então, sr. Jessop. Poderia me deixar sozinha agora?

Jessop fez que não com a cabeça.

– Ainda não – respondeu. – Queria saber o que havia por trás de tudo. Agora eu sei, não? A senhora perdeu o interesse pela vida, não quer mais viver e achou uma boa ideia morrer.

– Isso.

– Muito bem – disse Jessop animado. – Agora sabemos onde estamos. Passemos ao próximo passo. Precisa ser com pílulas para dormir?

– Como assim?

– Bem, já lhe falei que não é tão romântico quanto parece. Atirar-se do alto de um edifício também não é uma grande ideia. Nem sempre se morre instantaneamente. O mesmo pode acontecer jogando-se debaixo de um trem. O que estou querendo dizer é que *existem* outras formas.

– Não entendo.

– Estou sugerindo outro método. Um método mais divertido, empolgante. Serei franco com a senhora. Há apenas um por cento de chance de a senhora não morrer, mas não creio que isso seja um problema, dadas as circunstâncias.

– Não tenho a mínima ideia do que o senhor está falando.

– É claro que não – disse Jessop. – Ainda não comecei a dizer do que se trata. Não tenho como ir direto ao ponto. Preciso, primeiro, contar-lhe uma história. Quer saber?

– Creio que sim.

Jessop não deu atenção à relutância do consentimento. Começou, então, do seu jeito solene.

– A senhora é o tipo de mulher que lê jornais e está a par das notícias, imagino – disse. – Deve ter lido sobre o desaparecimento de cientistas. Houve o caso daquele italiano há cerca de um ano e, dois meses atrás, mais ou menos, desapareceu um jovem cientista chamado Thomas Betterton.

– Sim – respondeu –, li a respeito no jornal.

– Pois bem. O fato é que os jornais não contaram tudo. Mais pessoas desapareceram. Nem todas eram cientistas. Alguns eram jovens que se dedicavam a importantes pesquisas médicas. Outros eram pesquisadores no campo da química e da física. Houve um advogado também. Muita gente em diversos lugares. Podemos dizer que nosso país é um país livre. Ninguém é obrigado a ficar aqui se não quiser. Porém, nesse caso específico, precisamos saber por que essas pessoas foram embora, para onde elas foram e, muito importante, *como* foram. Partiram por livre e espontânea vontade? Foram sequestradas? Foram chantageadas? Que caminho tomaram? Que tipo de organização está por trás disso e qual o objetivo final? Muitas perguntas. Queremos respostas. A senhora poderia nos ajudar a encontrar essas respostas.

Hilary olhava perplexa para ele.

– Eu? Como? Por quê?

– Falemos do caso de Thomas Betterton. Ele desapareceu de Paris há pouco mais de dois meses. Deixou a mulher na Inglaterra. Ela estava desesperada, ou ao menos foi o que disse. Jurou que não sabia por que ele tinha ido embora, para onde e como. Tudo isso pode ser verdade ou não. Alguns, inclusive eu, pensam que ela não falou a verdade.

Hilary inclinou-se para frente na cadeira. Embora contra a vontade, estava ficando interessada. Jessop prosseguiu.

– Mantivemos uma vigilância discreta sobre a sra. Betterton. Há cerca de quinze dias, ela me procurou para dizer que seu médico recomendara que ela fosse para o exterior descansar e se distrair um pouco. Não lhe faria bem continuar na Inglaterra, onde estava sempre sendo importunada por jornalistas, parentes e amigos solícitos.

Hilary comentou áspera:

– Posso imaginar.

– Sim, muito difícil. Seria natural que quisesse passar um tempo fora.

– É claro.

– Mas temos uma mentalidade maldosa em nosso departamento. Não confiamos em ninguém. Decidimos vigiar a sra. Betterton de perto. Ontem ela deixou a Inglaterra com destino a Casablanca.

– Casablanca?

– Sim... *en route* de outros lugares no Marrocos, é evidente. Tudo às claras, reservas, passagens... Mas pode ser que essa viagem ao Marrocos seja o primeiro passo da sra. Betterton rumo ao desconhecido.

Hilary encolheu os ombros.

– Não vejo onde entro eu nisso tudo.

Jessop sorriu.

– A senhora entra por ter uma magnífica cabeleira ruiva, sra. Craven.
– Pelo *cabelo*?
– Sim. É o que chama mais atenção na sra. Betterton... o cabelo. A senhora deve ter ouvido falar que o avião antes do seu caiu ao aterrissar.
– Sim. Era para eu estar naquele avião. Tinha reserva nele.
– Curioso – comentou Jessop. – Bem, a sra. Betterton *estava* naquele avião. Só que ela não morreu. Foi retirada dos escombros ainda com vida e está no hospital agora. Segundo os médicos, porém, não resistirá até amanhã.

Hilary teve um pequeno vislumbre e olhou para Jessop com curiosidade.

– Sim – disse ele –, talvez entenda agora a forma de suicídio que estou propondo. Sugiro que a senhora passe a ser a sra. Betterton.
– Mas isso seria impossível – objetou Hilary. – Eles saberiam logo que não sou ela.

Jessop inclinou a cabeça para um lado.

– Depende do que a senhora quer dizer com "eles". É um termo muito vago. Quem são "eles"? Será que existem essas pessoas que poderíamos chamar de "eles"? Não sabemos. Mas uma coisa posso garantir: se existirem, tais pessoas trabalham em células independentes muito fechadas. Fazem isso pela própria segurança. Se a jornada da sra. Betterton tinha um propósito e foi planejada, as pessoas encarregadas do assunto aqui não sabem nada sobre a parte inglesa do plano. Na hora combinada, elas entrarão em contato com certa mulher, em determinado lugar, e seguirão os seus passos a partir daí. A descrição no passaporte da sra. Betterton indica uma mulher de um metro e setenta de altura, ruiva, olhos azuis, boca mediana e nenhum sinal característico. Isso é bom.
– Mas as autoridades daqui com certeza...

Jessop sorriu.

– Quanto a isso não haverá problemas. Os franceses também perderam alguns jovens cientistas e químicos importantes. Eles vão cooperar. Os fatos serão os seguintes: a sra. Betterton, por conta de uma concussão, é levada para o hospital. A sra. Craven, outra passageira do avião que caiu, também é levada para o hospital. Dentro de um ou dois dias, *a sra. Craven morrerá no hospital*, e a sra. Betterton terá alta, ainda abalada pelo choque, mas capaz de continuar sua viagem. O desastre foi verdadeiro, a concussão foi verdadeira, e isso será um bom disfarce para a senhora. Explicará muitas coisas, como lapsos de memória ou qualquer comportamento inesperado.
– Seria uma loucura! – exclamou Hilary.
– Uma loucura, sim – concordou Jessop. – É uma missão muito arriscada e, se as nossas suspeitas se confirmarem, a senhora será liquidada. Como

vê, estou sendo bastante franco, mas, pelo que disse, está ansiosa e preparada para morrer. Como alternativa para a ideia de se jogar debaixo de um trem ou algo parecido, minha sugestão lhe parecerá bem mais divertida.

Súbita e inesperadamente, Hilary começou a rir.

— Acho que tem razão.

— Aceita, então?

— Sim. Por que não?

— Nesse caso — disse Jessop, levantando-se de modo agitado —, não temos tempo a perder.

CAPÍTULO 4

I

Não estava realmente frio no hospital, mas a sensação era de frio. O ar cheirava a desinfetante. No corredor, ouvia-se o trepidar de vidros e instrumentos quando um carrinho passava. Hilary Craven estava sentada numa cadeira de ferro, junto a uma cama.

Na cama, sob uma luz mortiça e com a cabeça envolta em ataduras, jazia Olive Betterton inconsciente. De um lado, encontrava-se a enfermeira e, do outro, o médico. Jessop estava sentado num canto do quarto. O médico virou-se para ele e disse em francês:

— Não lhe resta muito tempo agora. O pulso está muito mais fraco.

— Ela não recobrará os sentidos?

O francês deu de ombros.

— Não há como prever. Talvez sim, bem no final.

— Não há nada que o senhor possa fazer, nenhum estimulante?

O médico respondeu que não com a cabeça e saiu do quarto, seguido pela enfermeira. Ela foi substituída por uma freira, que se postou junto à cabeceira da cama com seu rosário nas mãos. Hilary olhou para Jessop e, atendendo a um sinal de seus olhos, aproximou-se dele.

— Ouviu o que o médico disse? — perguntou ele baixinho.

— Sim. O que deseja dizer a ela?

— Se ela recobrar a consciência, quero qualquer informação que conseguir, uma senha, um sinal, uma mensagem, *qualquer coisa*. Entende? É mais provável que fale com a senhora do que comigo.

Hilary disse subitamente afetada:

— O senhor quer que eu traia uma pessoa em seu leito de morte?

Jessop inclinou a cabeça para o lado, adotando a pose de pássaro que lhe era tão peculiar.

– Então é assim que a senhora pensa, não? – falou em tom reflexivo.

– Sim.

Ele olhou para ela com ar pensativo.

– Muito bem, a senhora dirá e fará o que bem entender. Quanto a mim, não posso ter escrúpulos! Compreende?

– Sim, é o seu dever. O senhor pode fazer as perguntas que quiser, mas não *me* peça para fazê-las.

– A senhora terá liberdade de ação.

– Há um ponto que precisamos decidir. Diremos a ela que está morrendo?

– Não sei. Tenho que resolver.

Ela concordou com a cabeça e voltou para perto da cama. Sentia agora uma profunda compaixão por aquela mulher ali deitada, à beira da morte, a caminho do homem que amava. Mas não poderiam estar todos enganados? Teria ela vindo para o Marrocos simplesmente atrás de alívio, para passar o tempo até que chegasse alguma notícia esclarecendo se o marido estava vivo ou morto? Hilary ficou pensando nisso.

O tempo passava. Umas duas horas depois, o ruído das contas do rosário da freira parou. Ela disse em tom leve e impessoal:

– Alguma coisa mudou. Creio que é o fim, senhora. Vou chamar o médico.

Saiu do quarto. Jessop foi para o outro lado da cama e encostou-se à parede, de modo a ficar fora do campo visual da paciente moribunda. As pálpebras da mulher tremeram e seus olhos se abriram. Eram olhos de um azul pálido, que se dirigiram a Hilary inexpressivos. Fecharam-se e tornaram a se abrir. Uma certa perplexidade pareceu invadi-los.

– Onde...?

A palavra foi soprada, quase sem fôlego, entre lábios, bem no momento em que o médico entrou no quarto. Ele tomou-lhe o pulso ao lado da cama e, olhando para ela, informou:

– A senhora está no hospital. Houve um acidente com o avião.

– Com o avião?

As palavras foram repetidas como num sonho, entrecortadas pela respiração.

– Há alguém que a senhora queira ver aqui em Casablanca? Quer mandar algum recado?

Seus olhos ergueram-se com dificuldade para o rosto do médico.

– Não – respondeu ela.

Voltou a olhar para Hilary.

– Quem... quem...

Hilary inclinou-se e falou com clareza.

– Eu também vim de avião da Inglaterra. Se puder ajudá-la de alguma forma, por favor, diga-me.

– Não... nada... nada... a não ser...

– Sim?

– Nada.

As pálpebras tremeram novamente e semicerraram-se. Hilary ergueu a cabeça e deparou-se com o olhar imperioso de Jessop. Com firmeza, fez que não com a cabeça.

Jessop aproximou-se. Ficou ao lado do médico. Os olhos da agonizante abriram-se mais uma vez. De repente, reconheceram o que viam.

– Eu o conheço – ela disse.

– Sim, sra. Betterton, a senhora me conhece. Deseja me dizer algo sobre seu marido?

– Não.

Seus olhos fecharam-se de novo. Jessop calou-se e saiu do quarto. O médico olhou para Hilary e disse em voz baixa:

– *C'est la fin!*

Os olhos da moribunda reabriram-se. Percorreram o quarto com esforço e depois fixaram-se em Hilary. Olive Betterton fez um pequeno gesto com a mão, e Hilary, instintivamente, segurou aquela mão branca e fria entre as suas. O médico, erguendo os ombros e fazendo uma ligeira mesura, deixou o quarto. As duas mulheres ficaram sozinhas. Olive Betterton estava tentando falar:

– Diga-me... diga-me...

Hilary sabia o que ela queria saber e, de repente, divisou claramente o que devia fazer. Curvou-se sobre a mulher deitada.

– Sim – disse, falando de modo claro e enfático. – A senhora está morrendo. Era o que queria saber, não era? Agora escute. Tentarei encontrar seu marido. Quer que lhe dê algum recado caso o encontre?

– Diga-lhe... diga-lhe... para tomar cuidado. Boris... Boris... perigoso...

Ofegava. Hilary aproximou-se ainda mais.

– Há alguma coisa que possa me dizer para me ajudar a encontrar seu marido?

– *Neve.*

A palavra saiu tão fraca que Hilary ficou intrigada. Neve? *Neve?* Repetiu sem entender. Olive Betterton emitiu um risinho fantasmagórico e logo depois disse de maneira quase inaudível:

Neve, neve, neve linda que cai!
Desliza na neve e pro chão você vai!

Repetiu a última palavra:

– Vai... vai? Vá e conte a ele sobre Boris. Eu não acreditei. Não *queria* acreditar. Mas talvez seja verdade... Se for, se for... – uma espécie de interrogação dolorosa sobreveio-lhe aos olhos, que fitaram os de Hilary: – ...tome cuidado...

Um estranho gargarejo chegou-lhe à garganta. Seus lábios tremeram. Olive Betterton estava morta.

II

Os cinco dias seguintes foram de grande esforço mental, apesar da inatividade física. Isolada num quarto particular de hospital, Hilary começou a trabalhar. Todas as noites tinha que passar em revista o que estudara durante o dia. Todos os detalhes da vida de Olive Betterton, até onde havia sido possível averiguar, estavam escritos, e ela precisava decorar tudo aquilo. A casa em que morara, a diarista que contratara, seus parentes, os nomes de seu cachorro e de seu canário, todos os pormenores dos seis meses que estivera casada com Thomas Betterton. Seu casamento, os nomes das damas de honra, os vestidos. Os padrões de cortinas, tapetes e chitas. Os gostos de Olive Betterton, predileções e atividades cotidianas. Suas preferências gastronômicas. Hilary ficou impressionada com a quantidade de informações, aparentemente inúteis, que se haviam acumulado. Uma vez, comentou com Jessop:

– Será que alguma dessas coisas tem importância?

Ao que ele respondeu calmamente:

– Provavelmente não. Mas você tem que se transformar no artigo autêntico. Pense da seguinte maneira, Hilary. Você é uma escritora e está escrevendo um livro sobre uma mulher. Essa mulher é Olive. Você descreve cenas de sua infância, sua juventude; descreve seu casamento, a casa onde morava. Cada vez que faz isso, a personagem torna-se mais real para você. Depois, você reescreve. Dessa vez, como uma autobiografia. Escreve *na primeira pessoa*. Entende o que quero dizer?

Ela fez que sim com a cabeça, um tanto perplexa.

– Você não pode pensar em si mesma como Olive Betterton enquanto não *for* Olive Betterton. Seria melhor se você tivesse tempo para aprender, mas *nós não podemos perder tempo*. Por isso tenho que pressioná-la, como se você fosse fazer uma prova na escola. – Acrescentou: – Graças a Deus, você aprende rápido e tem boa memória.

Olhou-a tranquilamente, como se estivesse avaliando sua capacidade.

As descrições de Olive Betterton e Hilary Craven em seus respectivos passaportes eram quase idênticas, mas os dois rostos eram totalmente diferentes. Olive Betterton era bonita, de uma beleza comum e insignificante. Parecia determinada, mas não inteligente. O rosto de Hilary era forte e tinha algo de misterioso. Dos profundos olhos azul-turquesa, sob as sobrancelhas escuras, emanavam brilho e inteligência. Sua boca curvava-se para cima, num traçado largo e generoso. O queixo plano não era tão comum... um escultor acharia interessantes os ângulos de seu rosto.

Jessop pensou: "Existe paixão e coragem aí... e em algum lugar, amortecido mas não morto, há um espírito alegre e tenaz, que gosta da vida e procura aventuras".

– Você conseguirá – ele disse a ela. – Você é uma boa discípula.

O desafio a seu intelecto e memória estimulara Hilary. Ela estava interessada agora, querendo ter sucesso na missão. Uma ou duas objeções vieram-lhe à mente, e ela explicou isso a Jessop.

– Você diz que não serei rejeitada como Olive Betterton, que eles não sabem como ela é, a não ser de modo geral. Mas como você pode ter certeza disso?

Jessop encolheu os ombros.

– Não se pode ter certeza... de nada. Mas sabemos alguma coisa sobre essa estrutura, e parece que internacionalmente existe muito pouca comunicação entre um país e outro. E isso, na verdade, representa uma grande vantagem para *eles*. Se nos depararmos com um elo fraco na Inglaterra (e, veja bem, em qualquer organização haverá sempre um elo fraco), esse elo fraco não sabe nada sobre o que está acontecendo na França, na Itália, na Alemanha ou onde quer que seja. Acabamos esbarrando num muro intransponível. Eles sabem uma pequena parte do todo e mais nada. O mesmo acontece com as outras células. Sou capaz de jurar que a célula daqui sabe apenas que Olive Betterton chegará no avião tal e deverá receber tais e tais instruções. Não é que ela fosse importante *em si*. Se eles a levam até o marido é porque ele a quer perto de si e eles acham que ele trabalhará melhor nessas condições. Ela não passa de um peão no jogo. Você precisa lembrar também que a ideia de apresentar uma falsa Olive Betterton foi uma improvisação de momento, que só foi levada adiante devido ao acidente do avião e à cor de seu cabelo. Nosso plano original era vigiar a própria Olive Betterton e descobrir aonde ela ia, *como*, quem encontraria etc. É isso que o outro lado estará esperando que aconteça.

Hilary então perguntou:

– Vocês não tentaram isso antes?

– Sim, na Suíça. De maneira muito discreta. Fracassamos quanto ao nosso objetivo principal. *Se* alguém entrou em contato com ela, não ficamos sabendo. O contato, portanto, deve ter sido muito rápido. Naturalmente, eles sabem que Olive Betterton está sendo vigiada. Estão preparados para isso. Cabe a nós fazer um trabalho melhor dessa vez. Precisamos ser mais espertos do que nossos adversários.

– Então serei vigiada?

– É claro.

– Como?

Ele sacudiu a cabeça.

– Não direi. Melhor não saber. O que você não sabe não tem como revelar.

– Acha que eu revelaria?

Jessop fez cara de coruja, como de costume.

– Não sei se você é boa atriz, se mente bem. Não é fácil. A questão não é *dizer* alguma indiscrição. Pode ser qualquer coisa, uma tomada de ar repentina, uma pausa momentânea num gesto, acender um cigarro, por exemplo. Reconhecer um nome ou um amigo. É possível corrigir o erro às vezes, mas uma escorregada mínima pode estragar tudo!

– Entendi. Ou seja, é preciso estar atento o tempo todo, em cada segundo.

– Exato. Mas continuemos a aula! Parece que voltamos à escola, não? Como Olive Betterton você já está praticamente perfeita. Passemos a outras questões.

Códigos, reações, bens diversos. A aula continuava, as perguntas, as repetições, as tentativas de confundi-la, de derrubá-la. Depois, situações hipotéticas e suas reações. No final, Jessop assentiu com a cabeça e declarou-se satisfeito.

– Você conseguirá – disse. Deu-lhe um tapinha no ombro de maneira afável. – Você é uma ótima aluna. E lembre-se: por mais só que se sinta em alguns momentos, saiba que provavelmente não estará. Digo *provavelmente* porque não tenho como garantir. Estamos lidando com gente muito esperta.

– O que acontecerá quando eu chegar ao fim da jornada? – perguntou Hilary.

– Como assim?

– Quando finalmente eu estiver frente a frente com Tom Betterton.

Jessop sorriu e fez um gesto de cabeça, indicando que compreendia a questão.

– Sim. Esse é o momento do perigo. Só posso dizer que nesse momento, *se tudo tiver corrido bem*, você *deverá* ter proteção. Ou seja, se as coisas tiverem saído como *esperamos*. Mas a própria base dessa operação, como você deve lembrar, era a de que não havia muita chance de sair com vida.

– Você não disse um por cento de chance? – lembrou Hilary ríspida.

– Acho que podemos aumentar um pouco as probabilidades. Eu não a conhecia direito.

– Pois é – Hilary ficou pensativa. – Para você, eu devia ser apenas...

– Uma mulher com uma notável cabeleira ruiva, sem ânimo para continuar vivendo – completou ele.

Ela ficou vermelha.

– Um julgamento severo.

– Mas verdadeiro, não? Não costumo ter pena das pessoas. Acho um insulto. Só se tem pena das pessoas quando elas têm pena de si mesmas. A autopiedade é um dos maiores obstáculos do mundo hoje em dia.

Hilary disse ponderadamente:

– Talvez você tenha razão. Você terá pena de mim quando eu for liquidada, ou qualquer que seja o termo, ao realizar essa missão?

– Pena de você? Não. Vou é lamentar muito por termos perdido alguém que merecia nossos cuidados.

– Finalmente um elogio – ficou contente, mesmo sem querer. Continuou em tom prático: – Pensei em outra coisa. Você disse que provavelmente ninguém sabe como é Olive Betterton, mas e se eu for reconhecida como *eu mesma*? Não conheço ninguém em Casablanca, mas há as pessoas que viajaram comigo no avião. Ou pode acontecer de eu encontrar um conhecido entre os turistas que estão aqui.

– Não precisa se preocupar com os passageiros do avião. As pessoas que vieram com você de Paris eram homens de negócios que seguiram para Dacar e um sujeito que saltou aqui, mas já voltou para Paris. Você irá para um outro hotel quando sair daqui, o mesmo em que a sra. Betterton tinha reserva. Usará as roupas dela e terá seu penteado. Um ou dois emplastros nas laterais do rosto modificarão bastante sua aparência. Chamamos um médico para fazer isso. Anestesia local, sem dor, mas é necessário que você tenha algumas marcas genuínas do acidente.

– Você pensa em tudo – disse Hilary.

– Tenho que pensar.

– Você nunca me perguntou – lembrou Hilary – se Olive Betterton me disse algo antes de morrer.

– Achei que não quisesse falar.

– Sinto muito.

– Tudo bem. Respeito-a por isso. Gostaria de ser assim também, mas não posso.

– Ela disse algo que talvez deva lhe contar. Disse: "Diga-lhe", referia-se a Betterton, "diga-lhe para tomar cuidado... Boris... perigoso...".

– Boris – Jessop repetiu o nome com interesse. – Ah! Nosso estrangeiro certinho, o major Boris Glydr.

– Você o conhece? Quem é ele?

– Um polonês que me procurou em Londres. Supostamente, é primo por afinidade de Tom Betterton.

– Supostamente?

– Digamos, para sermos mais precisos, que, se ele for quem afirma ser, é primo da finada sra. Betterton. Mas só temos a palavra dele quanto a isso.

– Ela estava assustada – contou Hilary, franzindo a testa. – Poderia descrevê-lo? Gostaria de poder reconhecê-lo.

– É claro, talvez seja melhor. Um metro e oitenta de altura, uns setenta quilos, aproximadamente. Louro... inexpressivo... olhos claros... jeito artificial, de estrangeiro... fala inglês corretamente, com forte sotaque, porte militar, rígido.

Acrescentou:

– Mandei segui-lo quando saiu do meu escritório. Nada feito. Foi direto à Embaixada dos Estados Unidos. Claro. Trouxera de lá uma carta de apresentação. O tipo normal de carta que eles mandam quando querem ser educados, mas sem compromisso. Suponho que tenha saído da Embaixada no carro de alguém ou pela porta dos fundos, disfarçado de empregado ou algo do gênero. De qualquer forma, ele nos escapou. Sim... eu diria que Olive Betterton tinha razão quando disse que Boris Glydr era perigoso.

CAPÍTULO 5

I

No pequeno salão formal do hotel St. Louis havia três senhoras, cada uma absorta em sua própria ocupação. A sra. Calvin Baker, baixa, gorda, de cabelo meio azulado, escrevia cartas com a mesma energia que aplicava a tudo que fazia. Era a típica turista americana, abastada, sempre atrás de informações precisas sobre os mais diversos assuntos.

Numa cadeira desconfortável, estilo imperial, a srta. Hetherington, que também ninguém duvidaria de que fosse uma turista inglesa, tricotava uma dessas lúgubres e indescritíveis peças de vestuário que as velhas inglesas parecem estar sempre tricotando. Era magra, alta, tinha o pescoço fino, cabelos desgrenhados e um ar de decepção moral com o universo.

Mademoiselle Jeanne Maricot estava sentada graciosamente, olhando pela janela e bocejando. Era morena de cabelos pintados de louro, com um rosto comum que uma maquiagem tornava interessante. Vestia roupas elegantes e não dava a mínima atenção às duas outras ocupantes do salão, que considerava insignificantes por serem exatamente o que eram! Estava planejando uma importante mudança em sua vida sexual e não tinha tempo a perder com aquele tipo de animal chamado turista!

A srta. Hetherington e a sra. Calvin Baker, que já estavam hospedadas há alguns dias no St. Louis, acabaram ficando amigas. A sra. Calvin Baker, com a expansividade dos americanos, falava com todo mundo. A srta. Hetherington, embora gostasse muito de companhia, falava apenas com ingleses e americanos de uma certa posição social. Só se dirigia a franceses que provassem ter uma respeitável vida familiar, e a prova disso seriam os filhos sentados à mesa na sala de jantar.

Um francês, aparentemente um próspero homem de negócios, olhou para o salão e, intimidado pelo clima de solidariedade feminina, retirou-se, lançando um olhar de interesse para mademoiselle Jeanne Maricot.

A srta. Hetherington começou a contar os pontos em voz baixa.

– Vinte e oito, vinte e nove... e agora? Ah, já sei.

Uma mulher alta e ruiva olhou para a sala e hesitou um momento antes de prosseguir pelo corredor até a sala de jantar.

A sra. Calvin Baker e a srta. Hetherington ficaram imediatamente alertas. A sra. Baker virou-se e perguntou com um sussurro inquieto:

– Reparou na mulher ruiva que olhou para cá, srta. Hetherington? Dizem que é a única sobrevivente daquele terrível desastre de avião da semana passada.

– Vi quando ela chegou hoje à tarde – respondeu a srta. Hetherington, perdendo outro ponto por causa da empolgação – *numa ambulância*.

– Veio direto do hospital, segundo o gerente. Terá sido prudente deixar o hospital tão cedo? Ela teve uma concussão, parece.

– Está com curativos no rosto também. Deve ter se cortado com estilhaços de vidro. Um milagre não ter se queimado. Esses acidentes aéreos causam queimaduras terríveis, creio eu.

– Nem é bom pensar nisso. Coitadinha. Será que era casada e o marido morreu?

– Acho que não – disse a srta. Hetherington, sacudindo a cabeça grisalha e alourada. – O jornal falava de uma única passageira.

– É verdade. Até dizia o nome. Sra. Beverly... não, Betterton.

– Betterton – repetiu a srta. Hetherington pensativa. – O que isso me lembra? Betterton. Nos jornais. Meu Deus! Tenho certeza de que era esse o nome.

— *Tant pis pour Pierre* – mademoiselle Maricot disse para si mesma. – *Il est vraiment insupportable! Mais le petit Jules, lui il est bien gentil. Et son père est très bien placé dans les affairs. Enfin, je me décide!*

Com passos longos e elegantes, mademoiselle Maricot saiu do pequeno salão e da história.

II

A sra. Betterton havia deixado o hospital naquela tarde, cinco dias após o acidente. Uma ambulância a levara até o hotel St. Louis.

Pálida, ainda com aparência de doente e o rosto coberto de curativos, a sra. Betterton foi conduzida imediatamente ao quarto pelo simpático e prestativo gerente do hotel.

— A senhora deve ter passado por poucas e boas! – exclamou ele, após perguntar gentilmente se o quarto reservado era de seu agrado e acender todas as luzes, sem necessidade. – Mas que milagre! Que sorte! Apenas três sobreviventes, pelo que sei, e um deles ainda em estado grave.

Hilary deixou-se cair exausta numa cadeira.

— É verdade – murmurou. – Mal acredito. Mesmo agora, me lembro de muito pouco. As vinte e quatro horas anteriores ao desastre ainda são bastante vagas para mim.

O gerente fez que entendia com a cabeça.

— Sim. Isso é por causa da concussão. Já aconteceu com uma irmã minha. Ela estava em Londres durante a guerra. Uma bomba caiu perto e ela foi jogada ao chão, inconsciente. Levantou-se em seguida, perambulou pela cidade, na estação de Euston pegou um trem e, *figurez-vous*, acordou em Liverpool e não se lembrava da bomba, de ter caminhado a esmo por Londres, de ter tomado o trem e chegado a Liverpool! A última coisa de que se lembrava era de ter pendurado a saia no armário em Londres. Muito curioso isso, não acha?

Hilary concordou. O gerente curvou-se e saiu. Ela ficou de pé e foi olhar-se no espelho. Estava tão imbuída em sua nova personalidade que sentiu a fraqueza nos membros que seria natural numa pessoa que acabava de sair do hospital depois de uma grande provação.

Já havia perguntado na recepção, mas não havia cartas nem recados. Os primeiros passos em seu novo papel tinham que ser no escuro. Olive Betterton talvez tivesse recebido instruções para ligar ou entrar em contato com alguém em Casablanca. Quanto a isso, não havia nenhuma indicação. Toda a informação disponível para começar a agir eram o passaporte de Olive Betterton, sua carta de crédito e a caderneta de viagens Cooks, com passagens e reservas.

Na caderneta estavam previstos dois dias em Casablanca, seis dias em Fez e cinco dias em Marrakesh. Essas reservas agora já tinham vencido, evidentemente, e novas providências deveriam ser tomadas. O passaporte, a carta de crédito e a carta de identificação que vinha junto tinham sido devidamente alterados. A fotografia do passaporte era agora a de Hilary e na carta de crédito lia-se *Olive Betterton*, com sua caligrafia. Os documentos estavam em ordem. A tarefa era representar bem seu papel e esperar. Seu grande trunfo devia ser o desastre de avião, a perda de memória e uma natural confusão mental.

O desastre tinha realmente acontecido, e Olive Betterton era uma das passageiras do avião. A concussão explicaria o fato de ela não ter agido conforme instruções. Desnorteada, tonta e fraca, Olive Betterton aguardaria ordens.

A atitude natural a tomar seria descansar. Deitou-se na cama e durante duas horas repassou mentalmente tudo o que havia aprendido. A bagagem de Olive havia sido destruída no acidente. Hilary trazia consigo algumas coisas que conseguira no hospital. Penteou o cabelo, retocou os lábios com batom e desceu para jantar no salão do hotel.

Reparou que olhavam para ela com curiosidade. Várias mesas eram ocupadas por homens de negócios, que mal lhe deram atenção. Contudo, em outras mesas, era possível ouvir claramente os turistas sussurrando:

– Aquela mulher ali... a de cabelo ruivo... é sobrevivente do desastre de avião, querida. Sim, veio do hospital de ambulância. Vi quando chegou. Parece ainda muito mal. Não sei por que a deixaram sair tão cedo. Que tragédia! Escapou por milagre!

Após o jantar, Hilary ficou sentada por algum tempo na pequena sala de visitas. Perguntava a si mesma se alguém a abordaria. Havia uma ou duas outras mulheres na sala, e uma delas, uma senhora de meia-idade, pequena, gorda e com o cabelo azulado, veio sentar-se numa cadeira perto da sua. Puxou conversa em tom enérgico e agradável tipicamente americano.

– Espero que me desculpe, mas não poderia deixar de dizer algumas palavras. Foi a senhora que escapou *incrivelmente* do desastre de avião outro dia, não foi?

Hilary baixou a revista que estava lendo.

– Sim – respondeu.

– Meu Deus! Que terrível, não? O acidente, quero dizer. Apenas três sobreviventes. É isso mesmo?

– Apenas dois – corrigiu Hilary. – O terceiro morreu no hospital.

– Minha nossa! Agora, se me permite a pergunta, srta.... sra....

– Betterton.

– Bem, se me permite a pergunta, em que parte do avião estava sentada? Na frente ou perto da cauda?

Hilary sabia a resposta e respondeu imediatamente.

– Perto da cauda.

– Todos dizem que é o lugar mais seguro, não? Eu sempre procuro um lugar perto da porta de trás. Ouviu isso, srta. Hetherington? – virou a cabeça para incluir outra senhora de meia-idade na conversa. Esta última era indubitavelmente inglesa, com rosto alongado, equino e triste. – Como eu estava dizendo outro dia. Quando entrar num avião, não deixe que essas aeromoças a levem lá para a frente.

– Alguém tem que se sentar na frente – ponderou Hilary.

– Pois não serei eu – arrematou sua nova amiga americana. – A propósito, meu nome é Baker. Sra. Calvin Baker.

Hilary agradeceu a apresentação e a sra. Baker desandou a falar, monopolizando a conversa com a maior facilidade.

– Acabei de chegar de Essaouira e a srta. Hetherington, de Tânger. Conhecemo-nos aqui. Pretende visitar Marrakesh, sra. Betterton?

– Foi o que planejei – disse Hilary. – Mas o acidente acabou atrapalhando toda a minha programação.

– Compreendo. Mas a senhora não pode deixar de conhecer Marrakesh, não acha, srta. Hetherington?

– Marrakesh é um lugar caríssimo – disse a srta. Hetherington. – A ridícula cota de viagem que nos dão dificulta tudo.

– Há um hotel excelente, o Mamounia – continuou a sra. Baker.

– Caríssimo – interrompeu a srta. Hetherington. – Para *mim*, está fora de cogitação. No seu caso é diferente, sra. Baker... dólares. Mas alguém me deu o nome de um pequeno hotel lá, muito agradável e limpo. Segundo me disseram, a comida não é má.

– Para onde mais pretende ir, sra. Betterton? – quis saber a sra. Calvin Baker.

– Gostaria de conhecer Fez – respondeu Hilary com cautela. – Preciso, é claro, fazer novas reservas.

– Sim, a senhora não pode deixar de conhecer Fez ou Rabat.

– Já esteve lá?

– Ainda não. Estou planejando ir muito em breve, assim como a srta. Hetherington.

– Parece que a cidade velha está intacta – disse a srta. Hetherington.

Ficaram jogando conversa fora por mais algum tempo, até que Hilary, alegando cansaço por ser seu primeiro dia fora do hospital, pediu licença e foi para o seu quarto.

A noite, até aquele momento, havia sido bastante inconclusiva. As duas mulheres com quem havia conversado eram tipos tão clássicos de turista que não podia imaginar que fossem outra coisa. No dia seguinte, decidiu que, se ninguém entrasse em contato, iria à Cooks resolver a questão de novas reservas em Fez e Marrakesh.

Na manhã seguinte, como até as onze horas não havia nenhuma carta, recado ou ligação, dirigiu-se à agência de viagens. Encontrou uma pequena fila; porém, quando chegou ao balcão e começou a falar com o funcionário, houve uma interrupção. Um funcionário mais antigo, de óculos, afastou o subordinado com o cotovelo e sorriu amavelmente para Hilary.

– Sra. Betterton, não? Já tenho todas as suas reservas.

– Receio que estejam vencidas – disse Hilary. – Passei um tempo no hospital e...

– *Mais oui*, eu sei. Fico feliz que tenha escapado, madame. Recebi o seu recado telefônico sobre as novas reservas e já está tudo pronto.

Hilary sentiu o pulso acelerar. Até onde sabia, ninguém havia ligado para a agência de viagens. Ali estava, portanto, o primeiro sinal evidente de que os planos de viagem de Olive Betterton estavam sendo supervisionados. Ela disse:

– Não tinha certeza se haviam ligado ou não.

– Mas sim, madame. Vou lhe mostrar.

Ele lhe entregou passagens de trem e *vouchers* para acomodação em hotéis. Alguns minutos depois, estava tudo resolvido. Hilary partiria para Fez no dia seguinte.

A sra. Calvin Baker não apareceu no restaurante, nem para o almoço, nem para o jantar. A srta. Hetherington sim. Respondeu ao cumprimento de Hilary quando esta passou por sua mesa, mas não tentou puxar assunto. No dia seguinte, depois de comprar algumas roupas indispensáveis, Hilary pegou o trem para Fez.

III

Foi no dia da partida de Hilary que a sra. Calvin Baker, ao entrar no hotel com seu jeito enérgico de sempre, encontrou a srta. Hetherington, cujo longo nariz fino vibrava de agitação.

– Lembrei-me do nome *Betterton*... o cientista desaparecido. Saiu tudo nos jornais. Há uns dois meses.

– É mesmo, agora me lembro. Um cientista inglês... sim... estava em alguma conferência em Paris.

– Isso. Agora me pergunto, será que essa é a sua *mulher*? Vi o livro de registro de hóspedes e ela mora em Harwell... Harwell é onde fica a Estação Atômica. Sou contra essa história de bombas. E o cobalto... uma cor tão bonita que eu usava para pintar na infância. Dizem que é o pior, que *ninguém* sobrevive. Não devíamos fazer essas experiências. Alguém me contou outro dia que o primo, um homem muito inteligente, disse que o mundo inteiro pode ficar *radioativo*.

– Meu Deus! – exclamou a sra. Calvin Baker.

CAPÍTULO 6

Casablanca tinha decepcionado um pouco Hilary. Era uma próspera cidade francesa sem nada de oriental ou misterioso, a não ser a multidão na rua.

O tempo continuava perfeito, ensolarado e claro, e dava-lhe prazer olhar a paisagem pela janela do trem em que viajava para o norte. Um francês baixinho, que parecia ser um caixeiro-viajante, estava sentado à sua frente. No canto, uma freira de cara fechada com seu rosário nas mãos e duas senhoras marroquinas, cheias de embrulhos, conversando alegremente, completavam o vagão. Oferecendo-lhe o isqueiro para acender o cigarro, o francesinho puxou conversa. Mostrou pontos de interesse por onde passavam e deu várias informações sobre o país. Hilary achou-o interessante e inteligente.

– Deveria ir a Rabat, madame. É um grande erro não ir a Rabat.

– Tentarei. Mas não tenho muito tempo. Além disso – sorriu –, o dinheiro está curto. Não podemos trazer muito, como sabe.

– Mas isso é simples. Basta pedir emprestado para um amigo daqui.

– Acontece que não tenho nenhum amigo no Marrocos.

– Na próxima vez em que for viajar, madame, me avise, que eu resolvo. Aqui está meu cartão. Viajo muito para a Inglaterra a negócios. A senhora pode me pagar lá. Simples.

– Muito gentil da sua parte. Espero voltar ao Marrocos algum dia.

– Deve ser uma grande mudança para a senhora, deixar a Inglaterra e vir até aqui. Lá faz tanto frio, tem tanto *fog*... muito desagradável.

– Sim, é uma grande mudança.

– Eu também vim de Paris há três semanas. Uma chuva! Neblina... Um horror. Chego aqui e encontro todo esse sol. Mesmo o ar sendo frio. Mas é puro. Ar puro. Como estava o tempo na Inglaterra quando a senhora veio?

– Como o senhor disse – respondeu Hilary. – Enevoado.

– Sim, é a época do *fog*. Neve... tem caído neve este ano?

– Não – respondeu Hilary –, não temos tido neve. – Observou, com certa graça, que aquele pequeno francês, muito viajado, seguia o que se considerava a boa norma de conversação inglesa, falando principalmente do tempo. Fez-lhe uma ou duas perguntas sobre a situação política no Marrocos e na Argélia, e ele respondeu prontamente, mostrando-se bem informado.

Olhando para o outro canto do vagão, Hilary deparou-se com o olhar fixo de reprovação da freira. As senhoras marroquinas saltaram e outros passageiros entraram. Anoitecia quando chegaram a Fez.

– Deixe-me ajudá-la, madame.

Hilary levantava-se, um pouco atordoada com o rebuliço e o barulho da estação. Carregadores árabes tiravam as malas de suas mãos, gritando, berrando, chamando e recomendando vários hotéis. Virou-se, agradecida, para seu novo conhecido francês.

– A senhora vai para o Palais Djamai, *n'est ce pas, madame*?

– Sim.

– Ótimo. Fica a oito quilômetros daqui.

– Oito quilômetros? – Hilary perguntou assustada. – Então não fica na cidade.

– É perto da cidade velha – o francês explicou. – Eu fico aqui, num hotel da nova cidade comercial. Contudo, nas férias, quem quer descansar e se divertir deve ir para o Palais Djamai. Trata-se da antiga residência da nobreza marroquina. Tem jardins maravilhosos e dá direto na cidade velha de Fez, que permaneceu intacta. Acho que o hotel não mandou ninguém para buscar os passageiros deste trem. Se me permite, providenciarei um táxi para a senhora.

– O senhor é muito gentil, mas...

O francês falou rápido em árabe com os carregadores e, pouco depois, Hilary estava num táxi, com a sua bagagem. O francês disse-lhe exatamente quanto devia dar aos carregadores gananciosos e discutiu com eles quando reclamaram que era pouco. Tirou um cartão do bolso e entregou a ela.

– Meu cartão, madame. Se eu puder ser útil a qualquer momento, é só avisar. Estarei aqui, no Grand Hotel, nos próximos quatro dias.

Ergueu o chapéu e foi embora. Hilary olhou para o cartão e leu, antes que o táxi se afastasse da estação iluminada:

Monsieur Henri Laurier

O táxi saiu rápido da cidade, passando por campos e subindo morros. Hilary tentou ver pela janela para onde estava indo, mas a noite já tinha caído e a escuridão era total. Exceto quando passavam por um ou outro edifício iluminado, não dava para ver nada. Seria ali que sua viagem divergia do normal e adentrava o desconhecido? Seria o monsieur Laurier um emissário da organização que persuadira Thomas Betterton a deixar o trabalho, a casa e a mulher? Sentada num canto, Hilary estava nervosa, apreensiva, perguntando-se para onde a estariam levando.

O táxi, porém, levou-a sem qualquer transtorno ao Palais Djamai. Ela desceu, passou sob a arcada de um portão e viu-se, com emoção, num interior oriental. Havia longos divãs, mesas de café e tapetes típicos. Do balcão da recepção ela foi conduzida, por uma série de salas contíguas, a um terraço com laranjeiras e flores aromáticas. Depois, subindo uma escada em caracol, chegou a um agradável quarto, ainda em estilo oriental, mas equipado com todos os *conforts modernes* tão necessários para viajantes do século XX.

O jantar, informou o empregado, seria a partir das sete e meia. Ela tirou algumas coisas das malas, lavou-se, penteou-se e desceu para o terraço, passando pelo salão de fumar. Subindo alguns degraus, chegou a uma sala de jantar bem iluminada, que formava um ângulo reto com o terraço.

O jantar estava excelente e, enquanto Hilary comia, diversas pessoas entraram e saíram do restaurante. Ela estava cansada demais para avaliá-las e classificá-las, mas uma ou duas chamaram-lhe a atenção. Um homem idoso, muito amarelado de rosto e com barbicha de bode. Reparou nele pela deferência com que era tratado pelos empregados. Pratos eram retirados e colocados a um mero aceno de cabeça. Uma pequena elevação da sobrancelha fazia um garçom vir correndo à sua mesa. Hilary ficou se perguntando quem seria aquele sujeito. A maioria dos presentes eram claramente turistas a passeio. Havia um alemão sentado numa grande mesa no centro, havia um homem de meia-idade com uma moça loura que julgou serem suecos ou dinamarqueses. Havia uma família inglesa, com dois filhos, e vários grupos de viajantes americanos. Havia também três famílias francesas.

Após o jantar, foi tomar café no terraço. Fazia um pouco de frio, mas dava para aguentar. Sentiu, com prazer, a fragrância das flores e foi dormir cedo.

Na manhã seguinte, sentada no terraço sob um grande guarda-sol com listras vermelhas que a protegia, Hilary pensou como tudo aquilo era fantástico. Estava ali, fazendo-se passar por uma mulher morta e esperando que algo melodramático e fora do comum acontecesse. Afinal de contas, seria natural que a pobre Olive Betterton tivesse viajado para distrair a cabeça e tirar do coração o peso e a tristeza que a afligiam. Provavelmente a pobre mulher estivera tão perdida quanto todo mundo.

As palavras que dissera antes de morrer poderiam ter uma explicação perfeitamente simples. Ela queria que Thomas Betterton tomasse cuidado com alguém chamado Boris. Sua mente divagara e ela recitara um estranho *jingle...* depois dissera que no começo não conseguia acreditar. Acreditar em quê? Talvez no fato de Thomas Betterton ter desaparecido daquela maneira.

Não houve insinuações sinistras nem qualquer pista útil. Hilary ficou olhando para o jardim abaixo. Era bonito ali. Um lugar bonito e sossegado.

As crianças tagarelavam e corriam de um lado para o outro no terraço. As mães francesas as chamavam ou brigavam com elas. A loura sueca sentou-se numa mesa e bocejou. Tirou da bolsa um batom rosa-claro e retocou os lábios já primorosamente pintados. Olhou-se num pequeno espelho, franzindo um pouco a testa.

Logo em seguida, chegou seu acompanhante – marido, pensou Hilary, ou talvez pai. Ela o cumprimentou sem sorrir. Inclinou-se para frente e falou com ele, aparentemente queixando-se de alguma coisa. Ele se explicou e pediu desculpa.

O senhor com cara amarela e cavanhaque subiu do jardim para o terraço. Sentou-se numa mesa perto da parede, e um garçom veio imediatamente atendê-lo. Deu uma ordem e o garçom curvou-se antes de sair apressado para executá-la. A moça loura segurou, nervosa, o braço de seu companheiro e olhou em direção ao velho.

Hilary pediu um martíni e, quando a bebida chegou, perguntou em voz baixa ao garçom:

– Quem é aquele senhor sentado na mesa da parede?

– Ah! – o garçom inclinou-se para frente num gesto dramático. – É o monsieur Aristides. Um homem muito rico... sim, riquíssimo.

Suspirou extasiado frente a tanta riqueza, e Hilary olhou para a figura murcha e curvada na mesa distante. Era um velho cheio de rugas, ressecado e mumificado. E mesmo assim, por conta de sua enorme fortuna, os garçons corriam, saltavam e falavam com estupefação na voz. O velho monsieur Aristides mudou de posição. Por um momento, seus olhos depararam-se com os dela. Olhou-a por um tempo e depois desviou o olhar.

"Então não é tão insignificante", Hilary pensou. Aqueles olhos, mesmo a distância, eram extraordinariamente vivos e inteligentes.

A moça loura e seu acompanhante levantaram-se de sua mesa e foram para a sala de jantar. O garçom, que agora parecia considerar-se como o guia e mentor de Hilary, parou em sua mesa para recolher os copos e dar-lhe mais informações.

– *Ce monsieur-là* é um grande magnata sueco. Um homem de negócios muito rico, muito importante. E a mulher que está com ele é uma estrela de cinema... outra Garbo, dizem. Muito chique... muito bonita... mas as cenas que faz com ele, as histórias... Nada a agrada. Ela está, como vocês dizem, "de saco cheio" de estar aqui em Fez, onde não há grandes joalherias... nem outras mulheres ricas para admirar e invejar suas roupas. Ela exige que ele a leve a algum lugar mais divertido amanhã. Os ricos nem sempre têm tranquilidade e paz de espírito.

Mal acabou de pronunciar essa última frase, em tom meio sentencioso, percebeu um dedo indicador fazendo sinal e saiu correndo pelo terraço como se tivesse sido ligado na tomada.

– Monsieur?

A maioria das pessoas já tinha ido para o almoço, mas Hilary tomara o café da manhã tarde e não tinha pressa em almoçar. Pediu mais uma bebida. Um francês, jovem e bonito, saiu do bar e atravessou o terraço, lançando um olhar rápido e discreto para Hilary, como que dizendo: "Haverá alguma coisa para fazer aqui?". Desceu os degraus para o terraço inferior, cantarolando em voz baixa um trecho de ópera francesa:

Le long des lauriers roses
Rêvant de douces choses.

As palavras lembravam algo a Hilary. *Le long des lauriers roses*. Laurier. *Laurier*? Esse era o nome do francês que conhecera no trem. Será que havia alguma conexão, ou tratava-se de mera coincidência? Abriu a bolsa e procurou o cartão que tinha recebido. *Henri Laurier, 3 Rue des Croissants, Casablanca.* Virou o cartão e viu leves marcas de lápis na parte de trás. Era como se algo tivesse sido escrito e depois apagado com borracha. Tentou decifrar aquilo. "*Où sont*", começava a mensagem. Depois havia algo que não conseguiu ler e, no final, divisou as palavras "*D'Antan*". Por um momento achou que poderia ser uma mensagem, mas acabou chegando à conclusão de que não era e guardou o cartão de volta na bolsa. Devia ser alguma coisa que o homem havia escrito e depois apagado.

Uma sombra caiu sobre ela, que, assustada, ergueu a cabeça. Era o sr. Aristides, em pé entre ela e o sol. Não olhava para ela, mas em direção às montanhas distantes, além dos jardins abaixo. Soltou um suspiro e virou-se bruscamente, dirigindo-se ao restaurante. Ao virar-se, porém, a manga de seu casaco esbarrou no copo em cima da mesa, que caiu e quebrou. Ele parou e disse com delicadeza:

– Ah. *Mille pardons, madame.*

Hilary sorriu e disse em francês que não importava. Com um pequeno gesto de dedos, ele chamou o garçom.

O garçom, como sempre, veio correndo. O velho mandou que trouxessem outra bebida para a senhora, desculpou-se mais uma vez e foi para o restaurante.

O jovem francês, ainda cantarolando, subiu novamente a escada. Diminuiu perceptivelmente o passo ao se aproximar de Hilary, mas, como ela não deu sinal de vida, ele continuou a caminho do almoço, ignorando-a sutilmente.

Uma família francesa atravessou o terraço, os pais falando com o filho.

– *Mais viens donc, Bobo. Qu'est-ce que tu fais? Dépêche-toi! Laisse ta balle, chérie, on va déjeuner.*

Subiram para o restaurante. Um pequeno núcleo familiar feliz. Hilary sentiu-se subitamente só e assustada.

O garçom trouxe a bebida, e ela perguntou se o monsieur Aristides estava sozinho ali.

– Madame, é claro que um homem tão rico como monsieur Aristides nunca viaja *sozinho*. Ele está aqui com seu criado pessoal, dois secretários e um motorista.

O garçom ficou bastante chocado com a ideia de o sr. Aristides viajar desacompanhado.

Hilary notou, contudo, quando foi finalmente almoçar, que o velho estava sozinho na mesa, como na noite anterior. Numa mesa próxima, encontravam-se dois jovens que ela julgou serem os secretários, pois, em estado de alerta, olhavam constantemente para a mesa em que o sr. Aristides, encarquilhado e simiesco, almoçava sem dar a mínima atenção à presença deles. Evidentemente, para o sr. Aristides, secretários não contam como seres humanos!

A tarde passou voando, como num sonho. Hilary passeou pelos jardins, descendo de terraço em terraço. A paz e a beleza eram impressionantes. Ouvia-se o ruído de água corrente num cenário de laranjas douradas e inúmeras fragrâncias. Aquela atmosfera de reclusão oriental foi o que mais agradou a Hilary. *Como um jardim fechado é minha irmã, minha esposa...* Era assim que um jardim deveria ser, um lugar isolado do mundo, repleto de verde e ouro.

Se eu pudesse ficar aqui, pensou Hilary. Se pudesse ficar aqui para sempre...

Não era no jardim do Palais Djamai que ela pensava, mas no estado de espírito que ele representava. Quando já não procurava a paz, ela a encontrara. E a paz de espírito chegara-lhe num momento em que estava comprometida com uma jornada de aventuras e perigos.

Mas talvez não houvesse nem perigos nem aventuras... Talvez pudesse ficar ali por um tempo sem nada acontecer... e depois...

E depois o quê?

Uma brisa fria soprou, e Hilary sentiu um arrepio. Por um acaso fora levada ao jardim da vida pacífica, mas no final seria traída por si mesma. O turbilhão do mundo, a dureza da vida, os arrependimentos e os desesperos, tudo isso ela carregava dentro de si.

A tarde já findava, e o sol perdera seu calor. Hilary subiu os vários terraços e entrou no hotel.

Na meia-luz do salão oriental, quando seus olhos acostumaram-se com a penumbra, reconheceu a sra. Calvin Baker, com o cabelo azulado e a aparência imaculada de sempre.

– Acabei de chegar de avião – explicou ela. – Não suporto trens... o tempo que levam! E os passageiros... uma falta de higiene! Eles não têm a mínima ideia do que seja higiene nesses países. Você precisava ver a carne que vendem nos *souks*... tudo coberto de moscas. Eles devem achar *natural* que as moscas pousem em cima de tudo.

– Imagino que sim – disse Hilary.

A sra. Calvin Baker não deixaria passar tamanha heresia.

– Sou a favor da Campanha pela Assepsia na Alimentação. No meu país, tudo o que é perecível é embrulhado em celofane... mas mesmo em Londres vocês deixam o pão e o bolo sem embrulhar. Agora, conte-me, tem passeado? Imagino que tenha feito a cidade velha hoje, não?

– Na verdade, ainda não "fiz" nada – disse Hilary, sorrindo. – Fiquei o dia todo sentada no sol.

– É claro... esqueci que você acabou de sair do hospital. – Evidentemente, para a sra. Calvin Baker só uma doença recente poderia explicar o fato de não se fazer um passeio turístico. – Que pergunta boba a minha. Depois de uma concussão, o melhor mesmo é repousar o máximo possível num quarto escuro. Logo, logo poderemos passear juntas. Sou do tipo de pessoa que gosta de um dia realmente agitado... tudo planejado e acertado. Sem desperdiçar um minuto sequer.

No estado de espírito de Hilary no momento, a ideia parecia-lhe a antessala do inferno, mas ela parabenizou a sra. Calvin Baker pela sua energia.

– Bem, eu diria que, para uma mulher da minha idade, até que estou bastante bem. Raramente sinto cansaço. Lembra-se da srta. Hetherington em Casablanca? Uma inglesa de rosto comprido. Ela chegará hoje à noite. Prefere andar de trem. Que tipo de hóspedes há no hotel? Imagino que franceses na maioria. E casais em lua de mel. Preciso ver a questão do meu quarto agora. Não gostei do que me deram, e eles prometeram que iam trocar.

Como um minirredemoinho de energia, a sra. Calvin Baker retirou-se.

Quando Hilary entrou na sala de jantar aquela noite, a primeira coisa que viu foi a srta. Hetherington numa pequena mesa no canto jantando, com um livro à sua frente.

As três senhoras tomavam café juntas após o jantar, e a srta. Hetherington estava toda empolgada em relação ao magnata sueco e à estrela de cinema loura.

– Não são casados, pelo que eu soube – murmurou, disfarçando o prazer com um tom de reprovação. – Essas coisas são comuns nos países estrangeiros. Aquela família francesa na mesa perto da janela me pareceu muito simpática. Dava para ver que as crianças gostavam bastante do pai. Claro, os franceses deixam as crianças ficarem acordadas até tarde. Às dez horas, algumas ainda não foram para a cama e comem tudo o que têm direito, em vez de tomar leite com biscoito como todas as crianças.

– Mas, mesmo assim, parecem ter uma ótima saúde – comentou Hilary, rindo.

A srta. Hetherington sacudiu a cabeça e emitiu um som de desaprovação.

– Mais tarde terão que pagar o preço – disse, numa espécie de agouro. – Os pais deixam até que eles tomem *vinho*.

O horror não podia ser maior.

A sra. Calvin Baker começou a fazer planos para o dia seguinte.

– Acho que não vou à cidade velha – disse. – Fiz tudo isso na outra vez. Muito interessante. Parece um labirinto, sabe? Um outro mundo. Se eu não tivesse ido com um guia, acho que nunca teria encontrado o caminho de volta ao hotel. Você perde o sentido de orientação. Mas o guia era muito atencioso e me contou muitas coisas interessantes. Ele tem um irmão nos Estados Unidos... em Chicago, acho. Quando terminamos de ver a cidade, ele me levou a uma espécie de restaurante ou casa de chá... uma vista maravilhosa. Tive que tomar aquele chá de hortelã... horrível. E eles queriam que eu comprasse várias coisas, algumas interessantes, mas muita bugiganga. Precisamos ser firmes nessas horas.

– É verdade – concordou a srta. Hetherington. Acrescentou tristemente: – E, é claro, não podemos gastar muito com lembrancinhas. Essas restrições monetárias são bastante aborrecidas.

CAPÍTULO 7

I

Hilary esperava evitar ser obrigada a visitar a cidade velha de Fez na deprimente companhia da srta. Hetherington. Felizmente, esta foi convidada pela sra. Baker para uma excursão de carro. Como a sra. Baker havia deixado claro que pagaria as despesas do transporte, a srta. Hetherington, cuja cota de viagem se esvaía assustadoramente, aceitou sem pestanejar. Hilary, após consultar no balcão, conseguiu um guia e partiu para Fez.

Saindo do terraço e descendo pelos jardins em patamares, chegaram a uma enorme porta no muro lá embaixo. O guia pegou uma chave imensa, destrancou o portão, abriu-o devagar e fez um gesto para Hilary passar.

Foi como se entrassem num outro mundo, rodeados pelos muros da velha Fez. Ruas estreitas, muros altos e, num ponto ou outro, através de uma porta entreaberta, a visão de um interior ou de um pátio interno. Viram burros carregados, homens carregados, crianças, mulheres com véu, mulheres sem véu, toda a vida secreta e agitada daquela cidade mourisca. Perambulando pelas vielas, Hilary esqueceu-se de tudo, de sua missão, da tragédia passada de sua vida, até de si mesma. Só via e ouvia, vivendo e caminhando num mundo de sonhos. A única coisa que a perturbava era o guia, falando pelos cotovelos e insistindo para que entrasse em lojas que não a interessavam.

– Olhe, senhora, esse homem tem coisas muito boas e baratas, realmente antigas, tipicamente mouriscas. Tem batas e sedas. Gosta de contas?

O eterno comércio do leste vendendo ao oeste estava em toda parte, mas nada perturbava o encantamento de Hilary, que logo perdeu o sentido de orientação. Nessa cidade cercada de muralhas, não sabia se estava caminhando para o norte ou para o sul, ou se pisava caminhos já percorridos. Estava bastante exausta quando o guia deu sua última sugestão, evidentemente de praxe.

– Vou levá-la a uma casa muito especial agora, muito superior. São amigos meus. A senhora tomará chá de hortelã e eles lhe mostrarão coisas lindas.

Hilary reconheceu a artimanha que a sra. Calvin Baker havia descrito. No entanto, estava disposta a ver, ou ser levada a ver, qualquer coisa que lhe fosse sugerida. Amanhã, prometeu a si mesma, iria sozinha à cidade velha, sem um guia tagarelando a seu lado. Atravessaram um portão, e o guia a conduziu por uma subida cheia de curvas, quase ultrapassando as muralhas da cidade, até chegarem a uma bela casa em estilo árabe, circundada por um jardim.

Ali, numa enorme sala com uma vista espetacular para a cidade, insistiram para que ela se sentasse numa pequena mesa. Pouco depois, serviram xícaras de chá de hortelã. Para Hilary, que não gostava de chá com açúcar, seria um suplício beber aquilo. Porém, tirando a ideia de chá da cabeça e considerando a bebida como uma espécie de limonada, tomou o chá quase com prazer. Gostou também das coisas que lhe mostraram, tapetes, contas, tecidos, bordados etc. Fez uma ou duas compras, mais por boas maneiras do que por qualquer outro motivo. O incansável guia disse então:

– O carro está esperando. Vou levar a senhora para um passeio curto, mas muito agradável. Uma hora apenas para ver lugares lindos. Depois, voltamos para o hotel. – Acrescentou em tom discreto: – Essa moça aqui a levará primeiro a um excelente toalete para damas.

A moça que servira o chá estava em pé, perto deles, sorrindo. Disse em bom inglês:

– Sim, madame. Venha comigo. Temos um toalete muito bom, muito fino. Igual ao do hotel Ritz. Como em Nova York ou Chicago. A senhora verá!

Hilary seguiu a moça com um pequeno sorriso no rosto. O toalete não estava à altura da propaganda, mas ao menos tinha água corrente. Havia uma pia e um espelho rachado, o qual distorcia tanto as imagens que Hilary quase caiu para trás ao ver o próprio rosto. Depois de lavar as mãos e enxugá-las no próprio lenço, pois não confiara muito na aparência da toalha, virou-se para sair.

A porta, no entanto, parecia estar emperrada. Girou e forçou a maçaneta. Em vão. A porta não se movia. Talvez tivesse sido trancada pelo lado de fora, pensou com irritação. Qual era a ideia de trancá-la ali? Nesse momento, reparou que havia uma outra porta no canto. Foi lá, girou a maçaneta e a porta abriu com facilidade.

Hilary entrou num diminuto aposento de aspecto oriental, iluminado apenas por duas frestas no alto da parede. Sentado num divã, fumando, estava o pequeno francês que encontrara no trem, o monsieur Henri Laurier.

II

Ele não se levantou para cumprimentá-la. Apenas disse com um tom de voz um pouco diferente:

– Boa tarde, sra. Betterton.

Por um momento, Hilary ficou paralisada de espanto. Agora sim... começava o jogo! Conseguiu se recompor. Era isso o que estava esperando. Aja como julga que *ela* agiria. Deu um passo à frente e disse com ansiedade:

– Alguma notícia? Pode me ajudar?

Ele fez que sim com a cabeça e depois falou em tom de repreensão:

– Achei-a, madame, um pouco obtusa no trem. Talvez esteja cansada de falar sobre o tempo.

– O tempo? – fitou-o, confusa.

O que tinha dito sobre o tempo no trem? Frio? *Fog*? Neve?

Neve. Foi o que Olive Betterton sussurrara quando morria. E recitara um versinho bobo... como era mesmo?

Neve, neve, neve linda que cai!
Desliza na neve e pro chão você vai!

Hilary repetiu-o hesitante.

– Exatamente... por que não o disse logo, conforme as ordens?

– O senhor não entende. Eu estive muito mal. Tive um acidente de avião e fui parar no hospital com uma concussão. Minha memória ficou comprometida. Lembro-me bem do passado distante, mas há lapsos terríveis. – Levou as mãos à cabeça e continuou com a voz trêmula, sem dificuldade: – O senhor não imagina como é assustador. Vivo sentindo que esqueci coisas importantes... muito importantes. Quanto mais me esforço para lembrar, mais esqueço.

– Sim – disse Laurier –, o desastre de avião foi uma fatalidade – falava num tom frio e profissional. – A questão agora é saber se a senhora terá perseverança e coragem para continuar sua jornada.

– É claro que continuarei minha jornada – assegurou Hilary. – Meu marido... – sua voz fraquejou.

Ele sorriu sem simpatia. Era um sorriso felino.

– Seu marido – disse –, pelo que sei, está esperando-a ansioso.

Hilary falou com a voz embargada.

– O senhor não sabe – disse –, não imagina como têm sido esses meses desde que ele partiu.

– Acha que as autoridades britânicas chegaram a alguma conclusão quanto ao que a senhora sabe ou não sabe?

Hilary abriu os braços, num gesto largo.

– Como vou saber? Eles *pareceram* satisfeitos.

– Mesmo assim... – interrompeu o que ia dizer.

– Acho bastante possível – disse Hilary lentamente – que eu tenha sido seguida até aqui. Não consegui ver ninguém, mas tenho a impressão, desde que saí da Inglaterra, de que estou sendo observada.

– É claro – disse Laurier friamente. – Era o que esperávamos.

– Achei que deveria avisá-lo.

– Minha cara sra. Betterton, não somos crianças. Sabemos o que estamos fazendo.

– Desculpe – disse Hilary com humildade. – Creio que sou muito ignorante.

– Não faz mal que seja ignorante, contanto que seja obediente.

– Serei obediente – murmurou Hilary.

– A senhora esteve sob rigorosa observação na Inglaterra, desde o dia em que seu marido partiu. Quanto a isso não resta a menor dúvida. No entanto, a mensagem chegou até a senhora, não chegou?

– Sim – respondeu Hilary.

– Agora – disse Laurier em tom metódico – eu lhe darei as instruções, madame.

– Pois não.

– Daqui a senhora partirá para Marrakesh depois de amanhã. Isso é o que a senhora planejou. Está de acordo com suas reservas.

– Sim.

– No dia seguinte ao de sua chegada, receberá um telegrama da Inglaterra. O que dirá o telegrama eu não sei, mas será o suficiente para que a senhora tome providências de voltar imediatamente para a Inglaterra.

– Devo *voltar para a Inglaterra*?

– Por favor, escute. Ainda não terminei. A senhora reservará um lugar no avião que parte de Casablanca no dia seguinte.

– E se eu não conseguir nenhuma reserva? E se já estiver tudo reservado?

– Isso não acontecerá. Já armamos tudo. Entendeu bem as instruções?

– Entendi.

– Então, volte para onde o seu guia está esperando. Já demorou muito no toalete. A propósito, a senhora ficou amiga de uma americana e de uma inglesa que estão hospedadas no Palais Djamai?

– Sim. Cometi algum erro? Foi difícil evitar.

– Não cometeu erro nenhum. Atende perfeitamente a nossos planos. Se conseguir convencer uma delas a acompanhá-la a Marrakesh, melhor ainda. Adeus, madame.

– *Au revoir, monsieur.*

– É pouco provável – disse o monsieur Laurier com total desinteresse – que eu volte a vê-la.

Hilary refez o caminho até o toalete de senhoras. Dessa vez a outra porta não estava trancada. Poucos minutos depois reencontrou o guia na sala de chá.

– Tenho um ótimo carro esperando – informou o guia. – Vou levá-la agora para um passeio muito agradável e instrutivo.

O passeio correu como planejado.

III

– Então está indo para Marrakesh amanhã – comentou a srta. Hetherington. – Não ficou muito tempo em Fez, não é? Não teria sido mais fácil ter ido a Marrakesh primeiro e depois a Fez, voltando em seguida para Casablanca?

– Para falar a verdade, acho que sim – disse Hilary –, mas é difícil conseguir reservas. É muito cheio aqui.

– Não de ingleses – disse a srta. Hetherington desconsolada. – Hoje em dia é terrível. Não encontramos quase *nenhum* conterrâneo. – Olhou em volta com desprezo e disse: – Só há franceses.

Hilary sorriu. O fato de o Marrocos ser uma colônia francesa parecia não significar muito para a srta. Hetherington. Considerava que os hotéis no exterior eram prerrogativa dos turistas ingleses.

– Francês, alemão, armênio *e* grego – completou a sra. Calvin Baker com uma risada estridente. – Aquele pequeno velho raquítico é grego, creio eu.

– Foi o que me disseram – contou Hilary.

– Parece ser uma pessoa importante – comentou a sra. Baker. – É só ver como os garçons correm para atendê-lo.

– Hoje em dia não dão quase nenhuma atenção aos ingleses – disse a srta. Hetherington em tom de lamúria. – Sempre os piores quartos dos fundos... os que antigamente eram dos empregados.

– Bem, não tenho do que reclamar quanto às acomodações que me deram desde que cheguei ao Marrocos – disse a sra. Calvin Baker. – Só quartos confortáveis com banheiro.

– É que a senhora é americana – alfinetou a srta. Hetherington, tricotando furiosamente.

– Queria tanto que vocês duas fossem a Marrakesh comigo! – exclamou Hilary. – Fiquei muito feliz em conhecê-las. Tem sido tão bom conversar com vocês. A pessoa se sente muito isolada viajando sozinha.

– Eu já estive em Marrakesh – lembrou a srta. Hetherington com a voz chocada.

A sra. Calvin Baker, no entanto, pareceu interessar-se pela ideia.

– Até que é uma boa ideia – disse. – Já faz um mês que fui a Marrakesh. Ficaria feliz de ir lá de novo por um tempo. Poderia lhe mostrar a cidade, sra. Betterton, e impedir que fosse explorada. Só depois de conhecer bem um lugar é que sabemos como agir. Boa ideia. Vou até a agência ver o que consigo.

A srta. Hetherington fez um comentário ácido quando a outra se retirou:

– Essas americanas são sempre assim. Vivem correndo de um lugar para outro, sem nunca parar em nenhum. Egito num dia, Palestina no outro. Às vezes, não devem nem saber em que país estão.

Calou-se bruscamente e, levantando-se e recolhendo seu material de tricô, deixou a sala turca com um pequeno aceno de cabeça para Hilary, que olhou para o relógio. Decidiu não se trocar para o jantar, como geralmente fazia. Ficou lá sentada na sala escura, com seus penduricalhos típicos. Um garçom entrou, acendeu duas lâmpadas e saiu. As lâmpadas não iluminavam direito, o que dava ao ambiente o aconchego da penumbra, aquela serenidade oriental. Hilary recostou-se no divã, pensando no futuro.

Ainda ontem tinha dúvidas se toda essa história em que se metera não seria apenas fantasia. E agora chegara o momento de começar sua verdadeira jornada. Precisava ter cuidado, muito cuidado, para não vacilar. Precisava ser Olive Betterton, uma pessoa relativamente instruída, sem senso estético, convencional, mas com tendências esquerdistas e bastante dedicada ao marido.

– Não posso errar – disse Hilary para si mesma num sussurro.

Era estranho estar ali sozinha no Marrocos. Parecia ter entrado num país de mistérios e encantamento. Aquela lâmpada fraca ao seu lado! Se ela pegasse e esfregasse o latão, apareceria o gênio da lâmpada? Levou um susto. Eis que, materializando-se de modo repentino por trás da lâmpada, aparece o sr. Aristides, com seu rosto enrugado e a barbicha pontiaguda. Inclinou-se com educação antes de sentar a seu lado.

– A senhora me permite? – perguntou.

Hilary aquiesceu delicadamente.

Ele retirou do bolso uma cigarreira e ofereceu-lhe um cigarro. Ela aceitou e ele também acendeu o seu.

– Gosta deste país, madame? – indagou pouco depois.

– Estou aqui há muito pouco tempo – retrucou Hilary. – Até agora estou bastante encantada.

– Ah. Já foi à cidade velha? Gostou?

– Achei maravilhoso.

– Sim, é maravilhoso. Vemos o passado lá... o passado do comércio, da intriga, das vozes sussurrantes, das atividades clandestinas, todo o mistério e a paixão de uma cidade contida entre ruas estreitas e muralhas. Sabe o que penso, madame, ao caminhar pelas ruas de Fez?

– O quê?

– Penso na Great West Road de Londres. Nas grandes fábricas às margens da estrada que vocês têm. Penso nesses edifícios iluminados por lâmpadas de neon e nas pessoas lá dentro, que vemos tão bem quando passamos de carro. Não há nada escondido, nenhum mistério. As janelas nem cortina têm. Não. As pessoas trabalham com todo mundo observando-as, se quiserem trabalhar. É como se cortássemos a ponta do formigueiro.

– Quer dizer que é o contraste que o interessa? – perguntou Hilary curiosa.

O sr. Aristides concordou com a cabeça, que parecia a de uma velha tartaruga.

– Sim – disse. – Lá tudo acontece às claras, e nas antigas ruas de Fez nada é *à jour*. Tudo é escondido, escuro... *Mas*... – inclinou-se para frente e bateu com o dedo na mesinha de café feita de latão – acontecem as mesmas coisas. As mesmas crueldades, as mesmas opressões, a mesma sede de poder, as mesmas barganhas e os mesmos regateios.

– O senhor acha que a natureza humana é igual em qualquer lugar? – Hilary perguntou.

– Em todos os países. Tanto no passado quanto no presente, sempre fomos regidos por duas coisas: a crueldade e a benevolência! Uma ou outra. Às vezes ambas. – Continuou quase sem mudar o tom: – Disseram-me, madame, que a senhora sofreu um grave acidente de avião outro dia em Casablanca.

– É verdade.

– Eu a invejo – disse o sr. Aristides inesperadamente.

Hilary encarou-o perplexa. Outra vez ele assentiu com veemência.

– Sim – acrescentou –, deve-se invejá-la. A senhora teve uma experiência. Eu gostaria de ter chegado tão perto da morte. Ter passado por isso e ainda sobreviver... A senhora não se sente diferente desde então, madame?

– Sim, mas pelo lado ruim – respondeu Hilary. – Tive uma concussão e isso me dá terríveis dores de cabeça, além de ter afetado minha memória.

– Meros inconvenientes – disse o sr. Aristides, acenando com a mão –, perto da aventura do espírito que a senhora passou, não?

– É verdade – respondeu Hilary lentamente –, passei por uma aventura espiritual.

Pensava numa garrafa de água Vichy e em comprimidos para dormir.

– Nunca tive essas experiências – disse o sr. Aristides com voz de quem se queixava. – Já passei por muita coisa, mas por isso não. – Levantou-se, curvou-se e disse: – *Mes hommages, madame* – e deixou-a.

CAPÍTULO 8

Como os aeroportos são parecidos, pensou Hilary. Todos estranhamente impessoais. Estão sempre a uma certa distância da cidade e, portanto, dão a estranha sensação de não estar em parte alguma. Podemos ir de Londres a Madri, a Roma, a Istambul, ao Cairo ou a qualquer outro lugar e, se continuarmos no avião, nunca teremos a mínima ideia de como são as cidades! Da janela, formam um mapa esplêndido, repleto de construções que parecem de brinquedo.

E por que, pensou irritada e olhando ao redor, precisamos chegar sempre com tanta antecedência?

Elas já estavam há quase meia hora na sala de espera. A sra. Calvin Baker, que decidira acompanhar Hilary a Marrakesh, falava sem parar. Hilary respondia quase que mecanicamente. Mas então reparou que o curso das palavras havia mudado. A sra. Baker desviara a atenção para outros dois viajantes que estavam sentados perto dela. Dois jovens altos e louros. Um era americano e tinha um sorriso amigável; o outro era dinamarquês ou norueguês e parecia muito sério. Falava devagar, com sotaque carregado, com um inglês cuidadoso e pedante. O americano ficou feliz de encontrar uma compatriota. A sra. Calvin Baker, de modo escrupuloso, logo se virou para Hilary.

– Senhor...? Gostaria de lhe apresentar minha amiga, a sra. Betterton.
– Andrew Peters... Andy para os íntimos.

O outro jovem levantou-se, curvou-se meio sem jeito e disse:
– Torquil Ericsson.
– Agora já nos conhecemos – disse a sra. Baker alegremente. – Vamos todos para Marrakesh? É a primeira vez que minha amiga vai para lá...
– Eu também – disse Ericsson. – É a primeira vez que vou.
– Eu também – disse Peters.

O alto-falante foi ligado de repente e ouviu-se uma voz rouca falando em francês. Não era possível entender direito as palavras, mas parecia ser a chamada para o avião deles.

Além da sra. Baker e de Hilary, havia mais quatro passageiros: Peters, Ericsson, um francês alto e magro e uma freira com ar severo.

O dia estava claro e ensolarado, e as condições de voo eram boas. Recostada em sua poltrona com os olhos semicerrados, Hilary estudava seus companheiros de viagem, procurando, dessa forma, não pensar nas interrogações que lhe vinham à mente.

Uma poltrona à frente da sua, no outro lado do corredor, a sra. Calvin Baker, vestindo seu traje cinzento de viagem, parecia um patinho feliz. Um pequeno chapéu com asas estava pousado sobre seu cabelo azulado, e ela folheava uma revista. De vez em quando, inclinava-se para bater no ombro do homem sentado à frente, o americano louro e animado, Peters. Quando isso acontecia, ele se virava, com aquele seu sorriso bem-humorado, e respondia com entusiasmo às observações. Como os americanos são simpáticos, pensou Hilary. Bem diferentes dos viajantes ingleses. Não conseguia imaginar a srta. Hetherington, por exemplo, conversando com um jovem desconhecido num avião, mesmo que ele fosse de sua nacionalidade, e duvidava que o rapaz respondesse com a mesma afabilidade que o americano estava demonstrando.

No outro lado do corredor, na mesma fileira que a sua, estava o norueguês, Ericsson.

Quando seus olhares se cruzaram, ele fez um cumprimento meio duro, inclinando-se e oferecendo-lhe a revista que acabara de ler. Ela agradeceu e pegou a revista. Na poltrona atrás dele estava o francês magro e moreno, com as pernas esticadas. Devia estar dormindo.

Hilary virou a cabeça disfarçadamente. Encontrou a freira séria atrás dela, e seu olhar, impessoal, indiferente e inexpressivo, cruzou-se com o de

Hilary. A freira estava sentada de maneira imóvel, com as mãos entrelaçadas. Pareceu-lhe um anacronismo, uma mulher em trajes medievais tradicionais viajando de avião em pleno século XX.

Seis pessoas, pensou Hilary, viajando juntas por algumas horas, para lugares diferentes e com diferentes objetivos, separando-se no fim, provavelmente para sempre. Havia lido um romance baseado num tema semelhante em que a vida de cada pessoa era acompanhada depois da viagem. O francês, pensou ela, deve estar de férias. Parece exausto. O jovem americano devia ser estudante. Ericsson talvez estivesse começando a trabalhar em algum lugar. A freira, sem dúvida, ia para o convento.

Hilary fechou os olhos e esqueceu os companheiros de viagem. Tratava de decifrar, como fizera na noite anterior, as instruções recebidas. Devia voltar para a Inglaterra! Parecia loucura! Ou podia ser que de alguma forma tivesse vacilado, perdido a credibilidade. Talvez tivesse deixado de proferir determinadas palavras ou de apresentar credenciais que a verdadeira Olive não deixaria. Suspirou e ajeitou-se inquieta na poltrona. "Bem", pensou, "não posso fazer mais do que estou fazendo. Se cometi algum erro, paciência. Fiz o meu melhor."

Ocorreu-lhe outro pensamento. Henri Laurier aceitara como natural e inevitável que ela fosse vigiada de perto no Marrocos... seria uma maneira de desfazer suspeitas? Com a volta repentina da sra. Betterton à Inglaterra, certamente pensariam que ela *não* tinha vindo ao Marrocos para "desaparecer" como seu marido. As suspeitas afrouxariam... ela seria considerada como uma autêntica viajante.

Partiria para a Inglaterra, pela Air France, via Paris... e talvez em Paris...

Sim, é claro... em Paris. Em Paris, onde Tom Betterton havia sumido. Seria muito mais fácil forjar um desaparecimento lá. Talvez Tom Betterton jamais tenha deixado Paris. Talvez... Cansada de especular em vão, Hilary adormeceu. Acordou, cochilou de novo, olhando de vez em quando para a revista que tinha na mão. Acordando subitamente de um sono mais profundo, reparou que o avião perdia altura rapidamente e fazia uma curva. Consultou o relógio, mas ainda faltava para chegar. Além disso, olhando pela janela, não avistou nenhum aeroporto por perto.

Por um momento, foi tomada de apreensão. O francês moreno e magro levantou-se, bocejou, esticou os braços, olhou para fora e disse algo em francês que ela não entendeu. Ericsson inclinou-se para o lado e comentou:

– Parece que estamos descendo aqui... mas por quê?

A sra. Calvin Baker virou-se para Hilary e informou:

– Estamos aterrissando.

O avião circulava cada vez mais baixo. O país que sobrevoavam parecia praticamente deserto. Não havia nenhum sinal de casas ou aldeias. As rodas tocaram o solo num solavanco. O avião prosseguiu aos saltos, reduzindo a velocidade até parar. Um pouso um tanto violento, mas, também, havia sido no meio do nada.

Será que tinha havido algum problema no motor, perguntava-se Hilary, ou teria acabado o combustível? O piloto, um rapaz de pele morena e muito bonito, abriu a porta da cabine de comando e entrou no compartimento dos passageiros.

– Por favor – disse –, vamos todos descer. – Abriu a porta traseira, desceu uma pequena escada e esperou que todos saíssem. Os passageiros formaram um pequeno grupo em terra, tremendo de frio. Fazia frio mesmo, com o forte vento que soprava das montanhas ao longe. As montanhas, notou Hilary, estavam cobertas de neve e eram de uma beleza única. O ar, apesar de gélido, era puro e inebriante. O piloto desceu também e dirigiu-se ao grupo, falando em francês:

– Estão todos aqui? Sim? Desculpem-me, mas talvez tenham que esperar alguns minutos. Ah, não, está chegando.

Apontou para um pequeno ponto no horizonte que crescia ao se aproximar. Hilary, com perplexidade na voz, perguntou:

– Mas por que descemos aqui? O que aconteceu? Quanto tempo ficaremos neste lugar?

O viajante francês disse:

– Uma camionete. Vamos.

– O motor pifou? – insistiu Hilary.

Andy Peters sorriu, de bom humor.

– Acho que não – respondeu. – O som do motor pareceu-me totalmente normal. Mas eles devem ter que mexer em alguma coisa do gênero.

Hilary encarou-o sem saber o que dizer. A sra. Calvin Baker murmurou:

– Nossa, faz frio aqui fora! Isso é o pior desse tipo de clima. Faz sol, mas esfria quando o sol começa a se pôr.

O piloto dizia algo por entre os dentes, praguejando, julgou Hilary. Algo como:

– *Toujours des retards insupportables.*

A camionete veio na direção deles com grande velocidade. O motorista berbere freou cantando pneu. Saltou e o piloto começou a discutir com ele. Para surpresa de Hilary, a sra. Baker se intrometeu na discussão, falando francês.

– Não percam tempo – disse em tom peremptório. – O que adianta discutir? Queremos sair daqui.

O motorista encolheu os ombros e, dirigindo-se à camionete, baixou a parte de trás. Dentro dela havia uma grande caixa. Junto com o piloto e a ajuda de Ericsson e Peters, colocou a caixa no chão. Pelo esforço que fizeram, parecia ser pesada. A sra. Calvin Baker segurou o braço de Hilary e, quando o motorista começou a levantar a tampa, disse-lhe:

– Eu não olharia, querida. Não é uma visão agradável.

Levou Hilary para um pouco mais longe, para o outro lado da camionete. O francês e Peters foram junto. O francês perguntou em seu idioma:

– Que tipo de manobra é essa que eles estão fazendo?

– O senhor é o dr. Barron? – indagou a sra. Baker.

O francês curvou-se.

– Prazer em conhecê-lo – disse a sra. Baker. Esticou o braço como se fosse uma anfitriã recebendo um convidado numa festa.

Hilary falou em tom de perplexidade:

– Mas não entendo. Que caixa é essa? Por que não olhar?

Andy Peters olhou-a pensativo. Tinha um rosto simpático, pensou Hilary. Meio quadrado. Inspirava confiança. Ele disse:

– Eu sei o que é. O piloto me contou. Talvez não seja muito bonito, mas é necessário. – Acrescentou calmamente: – Há cadáveres dentro da caixa.

– Cadáveres! – exclamou ela, olhando fixo para ele.

– Não foram assassinados nem nada do gênero – sorriu de modo tranquilizador. – Foram obtidos legalmente para pesquisa... pesquisa médica.

Mas Hilary continuava a fitá-lo.

– Não entendo.

– Ah. A senhora sabe, sra. Betterton, é aqui que a viagem termina. A nossa viagem, quero dizer.

– Termina?

– Sim. Eles colocarão os corpos naquele avião e o piloto ajeitará as coisas. Logo, quando estivermos saindo de carro daqui, veremos, ao longe, as chamas de outro avião que caiu *sem deixar sobreviventes*!

– Por quê? Não faz sentido.

– Certamente a senhora sabe para onde vamos, não? – perguntou-lhe o dr. Barron.

A sra. Baker, aproximando-se, disse em tom animado:

– É claro que ela sabe. Mas talvez não esperasse que fosse tão cedo.

Hilary perguntou após uma pequena pausa de estupefação:

– Quer dizer... todos nós? – olhou em volta.

– Somos todos *camaradas* – disse Peters com voz suave.

O jovem norueguês, assentindo com a cabeça, disse com entusiasmo quase fanático.

– Sim, somos todos camaradas.

CAPÍTULO 9

I

O piloto aproximou-se deles.

– Vocês devem partir agora – informou. – O mais rápido possível. Há muito o que fazer e já estamos atrasados.

Hilary retrocedeu por um momento. Levou a mão ao pescoço, nervosa. A gargantilha de pérolas que usava arrebentou com a pressão dos dedos. Catou as pérolas que caíram no chão e colocou-as no bolso.

Todos entraram na camionete. Hilary sentou-se num banco comprido, espremida entre Peters de um lado e a sra. Baker do outro. Virando a cabeça para a americana, Hilary perguntou:

– Então a senhora é o que poderíamos chamar de *oficial de ligação*, sra. Baker?

– Exatamente. E, modéstia à parte, sou bastante qualificada. Ninguém se surpreende de ver uma americana viajando tanto.

Ela continuava rechonchuda e sorridente, mas Hilary sentiu, ou julgou sentir, uma diferença. A ligeira fatuidade e a convencionalidade superficial haviam desaparecido. Ali estava uma mulher eficiente, provavelmente implacável.

– As manchetes serão sensacionais – disse a sra. Baker, rindo com satisfação. – Refiro-me a *você*, minha querida. Perseguida pelo infortúnio, dirão. Primeiro, quase perdeu a vida num acidente em Casablanca e depois morreu em outro desastre.

Hilary se deu conta, de repente, da engenhosidade do plano.

– E esses outros? – perguntou baixinho. – São quem dizem ser?

– Claro! O dr. Barron é bacteriologista, creio. O sr. Ericsson é um jovem e brilhante físico; o sr. Peters é um químico que trabalha com pesquisa; a srta. Needheim não é freira. É endocrinologista. Eu, como já disse, sou apenas uma oficial de ligação. Não sou da turma da ciência. – Riu de novo ao dizer: – Aquela Hetherington nunca teve a menor chance.

– A srta. Hetherington... ela era...

A sra. Baker fez que sim com a cabeça de modo enfático.

– Se quer saber, ela também a seguia. Assumiu em Casablanca o trabalho de alguém que a vigiou até lá.

– Mas não veio conosco hoje, embora eu tenha insistido.

– Não fazia parte do seu papel – explicou a sra. Baker. – Teria ficado óbvio demais voltar a Marrakesh pouco tempo depois de ter estado lá. Não, ela deve ter enviado um telegrama ou telefonado para que alguém fosse buscá-la quando chegasse. Quando chegasse! Engraçado, não? Olhe! Lá vai ela.

Eles tinham avançado rapidamente pelo deserto. Quando Hilary inclinou-se para espiar pela pequena janela, viu um grande clarão atrás deles. O ruído distante de uma explosão chegou-lhe aos ouvidos. Peters jogou a cabeça para trás e soltou uma gargalhada.

– Seis pessoas morrem na queda de um avião para Marrakesh! – disse. Hilary falou de modo quase inaudível.

– É assustador.

– Adentrar o desconhecido? – era Peters quem falava, agora bastante sério. – Sim, mas é a única forma. Estamos deixando o passado para trás e entrando no futuro – seu rosto refletia entusiasmo. – Temos que abandonar todas as coisas ruins e loucas de antigamente. Governos corruptos e instigadores de guerra. Temos que entrar no novo mundo, o mundo da ciência, livre da escória e de todo o lixo.

Hilary respirou fundo.

– Era o que meu marido costumava dizer – falou deliberadamente.

– Seu marido? – lançou um olhar rápido para ela. – Por acaso seu marido era *Tom* Betterton?

Hilary respondeu que sim com a cabeça.

– Isso é maravilhoso. Não cheguei a conhecê-lo nos Estados Unidos, mas quase nos encontramos algumas vezes. A Fissão ZE é uma das mais brilhantes descobertas desta era... sim, tiro o meu chapéu. Ele trabalhou com o velho Mannheim, não?

– Sim – confirmou Hilary.

– Disseram-me que ele se casara com a filha de Mannheim. Mas *a senhora não é...*

– Sou sua segunda mulher – disse Hilary, enrubescendo um pouco. – Ele... sua... Elsa morreu nos Estados Unidos.

– Eu me lembro. Depois ele foi trabalhar na Inglaterra. Aí resolveu irritar todo mundo, desaparecendo – soltou uma gargalhada. – Saiu de uma conferência em Paris e sumiu. – Acrescentou, demonstrando admiração: – Não se pode dizer que eles não organizaram bem as coisas.

Hilary concordou. A excelência da organização deles dava-lhe frio na espinha. Todos os planos, códigos e sinais cuidadosamente preparados seriam inúteis agora, porque não haveria rastro a seguir. O plano havia sido arranjado de tal forma que todos naquele avião fatal eram camaradas a caminho do destino desconhecido para onde Thomas Betterton tinha ido. Não haveria nenhum vestígio deles. Nada, exceto um avião destruído, com corpos carbonizados, inclusive. Poderiam eles... será que Jessop e sua organização teriam como saber que Hilary *não* era um daqueles corpos? Difícil. O desastre tinha sido muito convincente, muito bem tramado.

Peters falou de novo, com um entusiasmo infantil na voz. Para ele, não havia receios nem arrependimentos. Apenas a ansiedade de seguir em frente.

– Estou curioso – disse – para saber aonde iremos agora.

Hilary fazia-se a mesma pergunta, porque muita coisa dependia disso. Mais cedo ou mais tarde, *teriam* que fazer contato com outros seres humanos. Mais cedo ou mais tarde, se fizessem investigações, o fato de uma camionete levar seis pessoas parecidas com os passageiros daquele avião fatídico poderia ser notado por alguém. Ela se virou para a sra. Baker e perguntou, tentando emular a animação juvenil do americano ao seu lado:

– Aonde estamos indo? O que acontecerá agora?

– Você verá – respondeu a sra. Baker com muita amabilidade na voz, o que dava um tom ameaçador às palavras.

Continuaram viajando. Atrás deles, as chamas do avião incendiado ainda se faziam notar no horizonte, onde o sol desaparecia. A noite caiu e a viagem prosseguia, aos solavancos, pois obviamente a estrada não era asfaltada. Havia trechos de trilhas e outros de campo aberto.

Durante muito tempo, Hilary ficou acordada, com pensamentos e apreensões girando em sua cabeça. Depois, sacudida e atirada de um lado para o outro, o cansaço tomou conta dela e ela adormeceu. Foi um sono agitado. Alguns sulcos e buracos da estrada a acordavam. Por alguns instantes, sentia-se perdida, sem saber onde estava. Ficava acordada um tempo, a mente confusa, até entender o que acontecia, e depois voltava a dormir, com a cabeça pendida para frente.

II

Hilary acordou quando o carro parou abruptamente. Peters sacudiu-a pelo braço, com delicadeza.

– Acorde – disse –, parece que chegamos a algum lugar.

Todos saíram da camionete. Estavam doloridos e fatigados. Ainda estava escuro, mas dava para ver que tinham parado perto de uma casa cercada de palmeiras. Um pouco mais ao longe, viam-se algumas luzes fracas, como as de uma aldeia. Guiados por uma lanterna, foram conduzidos para a casa. Era uma casa típica da região, onde encontraram duas mulheres berberes, rindo e olhando com curiosidade para Hilary e a sra. Calvin Baker. Não deram a menor atenção à freira.

As três mulheres foram levadas a um pequeno quarto no andar de cima. Havia três colchões no chão e algumas cobertas amontoadas, mas nenhum móvel.

– Estou moída – disse a sra. Baker. – Viajar assim como viajamos acaba dando câimbra.

– O desconforto não importa – disse a freira.

Falava com voz severa e gutural, demonstrando segurança. Seu inglês, observou Hilary, era bom e fluente, mas com forte sotaque.

– A senhora está representando bem o seu papel, srta. Needheim – disse a americana. – Consigo vê-la no convento, ajoelhada sobre pedras às quatro da manhã.

A srta. Needheim sorriu com desdém.

– O cristianismo estupidificou as mulheres – disse ela. – Tanta adoração da fraqueza, tanta humilhação! As mulheres pagãs eram fortes. Tinham alegria e disposição. E para conquistar o que se quer não há desconforto insuportável. Nenhum sofrimento é demasiado.

– Neste momento – disse a sra. Baker, bocejando –, gostaria de estar na minha cama, no Palais Djamai em Fez. O que me diz, sra. Betterton? Aposto que todas essas sacudidas não fizeram nada bem para a sua concussão.

– Não mesmo – confirmou Hilary.

– Já vão trazer alguma coisa para comer, e então lhe dou uma aspirina. É bom dormir logo.

Ouviram-se passos subindo a escada e risinhos femininos. Logo depois, as duas mulheres berberes entraram no quarto. Traziam uma bandeja com creme de semolina e carne cozida. Colocaram a comida no chão, voltaram com uma bacia de metal com água e uma toalha. Uma delas tocou no casaco de Hilary, examinando o tecido, e falou com a outra, que concordou rapidamente com a cabeça. Fizeram o mesmo com a sra. Baker. Não deram atenção à freira.

– Xô – fez a sra. Baker, expulsando-as. – Xô, fora.

Era exatamente como enxotar galinhas. As mulheres recuaram, sempre rindo, e saíram do quarto.

– Criaturas tolas – disse a sra. Baker. – Não dá para ter paciência com elas. Acho que os únicos interesses que têm na vida são crianças e roupa.

– Só servem para isso – disse a srta. Needheim. – Fazem parte de uma raça de escravos. Sua única função é servir seus superiores, nada mais.

– A senhora não está sendo um pouco dura? – perguntou Hilary, irritada com a atitude da mulher.

– Não tenho paciência para sentimentalismo. Há poucos feitos para mandar e multidões feitas para obedecer.

– Mas, com certeza...

A sra. Baker interrompeu em tom autoritário.

– Todo mundo tem sua opinião sobre esses assuntos – disse –, e opiniões até muito interessantes. Mas este não é o momento para expressá-las. Precisamos descansar o máximo possível.

O chá de hortelã chegou. Hilary tomou alguns comprimidos de aspirina, porque a dor de cabeça que sentia não era brincadeira. Depois, as três mulheres deitaram-se nos colchões e adormeceram.

Dormiram até tarde no dia seguinte. A sra. Baker informou que não sairiam antes de anoitecer. Do lado de fora do quarto em que dormiram havia uma escada que dava num telhado plano, de onde se podia ver os arredores. Perto dali havia uma aldeia, mas a casa em que estavam ficava isolada num grande jardim de palmeiras. Quando acordaram, a sra. Baker mostrou três montinhos de roupa que foram colocados junto à porta.

– Vamos vestidas como nativas na próxima etapa – explicou. – Deixaremos nossas roupas aqui.

Portanto, o costume elegante da pequena e inteligente americana, a saia e o casaco de tweed de Hilary e o hábito da freira foram postos de lado, e a cena que se via eram três mulheres com vestimenta marroquina sentadas no telhado da casa, conversando. Uma situação curiosamente irreal.

Hilary pôde estudar a srta. Needheim mais de perto, agora que ela havia abandonado a anonimidade do hábito de freira. Era uma mulher mais nova do que Hilary pensara, de não mais que 33, 34 anos. Sua aparência revelava asseio e cuidado. A pele pálida, os dedos curtos e grossos e os olhos frios que, por momentos, deixavam transparecer o brilho do fanatismo repeliam em vez de atrair. Falava de maneira brusca e intransigente. Demonstrava certo desprezo em relação a sra. Baker e Hilary, como se fossem pessoas indignas de associar-se a ela. Hilary achava essa arrogância muito irritante. A sra. Baker, por outro lado, mal parecia notá-la. De modo curioso, Hilary sentia mais identificação com as duas mulheres berberes sorridentes que lhe trouxeram comida do que com as duas companheiras do mundo ocidental. A jovem alemã mostrava-se totalmente indiferente à impressão que criava. Denotava impaciência e era evidente que estava ansiosa para prosseguir viagem, sem dar a mínima para as duas companheiras.

Julgar a atitude da sra. Baker era muito mais difícil para Hilary. À primeira vista, parecia uma pessoa normal, comparada à desumanidade da especialista alemã. No entanto, com o passar do tempo, sentia mais repulsão pela sra. Baker do que por Helga Needheim. A conduta social da sra. Baker era de uma perfeição quase robótica. Todos os seus comentários e observações eram naturais, mas davam a impressão de que provinham de uma atriz representando seu papel pela septingentésima vez. Uma atuação automática, completamente dissociada do que a sra. Baker deveria estar realmente pensando ou sentindo. Quem seria a sra. Calvin Baker? Hilary se perguntava. Como teria chegado a representar seu papel com a perfeição de uma máquina? Seria ela também uma fanática? Sonharia com um mundo novo e melhor? Rebelava-se contra o sistema capitalista? Teria abandonado a vida normal por conta de suas convicções e aspirações políticas? Impossível dizer.

Retomaram a viagem naquela noite, não mais na camionete, mas num carro de turismo, aberto. Todos estavam vestidos à moda da região, os homens de galabias brancas e as mulheres com o rosto coberto. Espremidos no carro, continuaram a viajar durante toda a noite.

– Como está se sentindo, sra. Betterton?

Hilary sorriu para Andy Peters. O sol acabara de nascer, e eles haviam parado para tomar café da manhã: pão árabe, ovos e chá preparado sobre um fogareiro.

– Sinto como se estivesse num sonho – respondeu Hilary.

– Sim, parece um sonho mesmo.

– Onde estamos?

Ele encolheu os ombros.

– Vai saber! A sra. Calvin Baker sabe, com certeza, mas só ela.

– É um país bastante isolado.

– Sim, praticamente deserto. Mas é assim que tinha que ser, não?

– Quer dizer, para não deixar vestígios?

– Sim. Vemos que tudo foi muito bem planejado, concorda? Cada etapa de nossa viagem é, por assim dizer, independente uma da outra. Um avião pega fogo. Uma velha camionete viaja durante a noite. Se alguém reparar, a placa indica que ela pertence a uma expedição arqueológica fazendo escavações na região. No dia seguinte, há um carro aberto cheio de berberes, uma das situações mais normais por aqui. Para a próxima etapa – deu de ombros –, vai saber!

– Mas para onde estamos indo?

Andy Peters sacudiu a cabeça.

– Inútil perguntar. Descobriremos.

O francês, dr. Barron, juntou-se a eles.

– Sim – disse –, descobriremos. Mas a verdade é que não temos como não perguntar. Está no nosso sangue ocidental. Nunca diremos "por hoje basta". Queremos sempre saber o futuro. Deixar o passado para trás e encarar o futuro. Precisamos disso.

– O senhor quer apressar o mundo, não, doutor? – perguntou Peters.

– Há tanto a realizar – disse o dr. Barron –, a vida é curta demais. Precisamos de mais tempo. Mais tempo, mais tempo – abriu os braços num gesto impetuoso.

Peters dirigiu-se a Hilary.

– Quais são as quatro liberdades mencionadas no seu país? Liberdade do desejo, liberdade do medo...

O francês interrompeu.

– Liberdade dos idiotas – disse amargamente. – É isso que *eu* quero! É disso que meu trabalho precisa. Liberdade dos constantes embustes econômicos! Liberdade das irritantes restrições que atrasam nosso trabalho!

– O senhor é bacteriologista, não é, dr. Barron?

– Sim, sou bacteriologista. Você não faz ideia, meu amigo, de como é fascinante esse estudo! Mas requer paciência, muita paciência, muita experimentação... e *dinheiro*... uma dinheirama! Precisamos de equipamentos, assistentes, matéria-prima! Se tivermos tudo o que pedimos, não haverá nada que não possamos alcançar.

– Até a felicidade? – perguntou Hilary.

Ele abriu um sorriso rápido, tornando-se humano novamente.

– A senhora é mulher. As mulheres sempre querem felicidade.

– E raramente a alcançam? – perguntou Hilary.

Ele encolheu os ombros.

– Talvez seja assim.

– A felicidade individual não importa – disse Peters sério. – Temos que pensar na felicidade de *todos*, na fraternidade do espírito! Os trabalhadores, livres e unidos, donos dos meios de produção, livres dos mercadores de guerra, dos homens gananciosos, insaciáveis, que têm tudo em suas mãos. A ciência é para *todos* e não deve ser propriedade exclusiva de um ou outro poder.

– Isso! – exclamou Ericsson, concordando. – Está certo. Os cientistas devem ser os senhores. Devem controlar e governar. Somente eles são os super-homens. Só os super-homens importam. Os escravos devem ser bem tratados, mas *são* escravos.

Hilary afastou-se um pouco do grupo. Um ou dois minutos depois, Peters seguiu-a.

– A senhora parece um tanto assustada – disse amavelmente.

– Acho que estou mesmo – soltou um riso curto, desalentado. – É claro que o que o dr. Barron disse era verdade. Sou apenas uma mulher. Não sou cientista, bacteriologista, não faço pesquisa nem cirurgia. Não me considero inteligente. Como disse o dr. Barron, estou atrás da felicidade... como qualquer outra mulher tola.

– E o que há de errado nisso? – perguntou Peters.

– Bem, talvez me sinta meio deslocada nesse grupo. Sou apenas uma mulher que quer ir para junto de seu marido.

– Ótimo – disse Peters. – A senhora representa o fundamental.

– Muito gentil de sua parte colocar as coisas dessa maneira.

– Mas é verdade. – Acrescentou em voz mais baixa: – A senhora gosta muito de seu marido?

– Estaria aqui se não gostasse?

— Tem razão. A senhora tem as mesmas opiniões que ele? Suponho que ele seja comunista, não?

Hilary evitou dar uma resposta direta.

— Falando em ser comunista – disse –, não notou nada de curioso em nosso pequeno grupo?

— Como o quê?

— Apesar de estarmos indo todos para o mesmo destino, as opiniões de nossos camaradas não parecem muito afins.

Peters disse pensativo:

— É verdade. A senhora reparou bem. Não tinha pensado desse ângulo... mas acho que tem razão.

— Não creio – continuou Hilary – que o dr. Barron tenha algum interesse pela política! Ele quer dinheiro para suas experiências. Helga Needheim fala como uma fascista, não uma comunista. E Ericsson...

— O que tem Ericsson?

— Ele me dá medo... tem uma espécie de pertinácia ameaçadora. Parece um desses cientistas malucos que vemos nos filmes!

— E eu acredito na irmandade entre os homens. A senhora é uma esposa dedicada. E a sra. Calvin Baker... Em que categoria entra?

— Não sei. Ela é a mais difícil de classificar.

— Eu não diria isso. Acho fácil.

— Como assim?

— Só quer saber de dinheiro. É apenas uma engrenagem bem paga de uma máquina.

— Ela também me dá medo – disse Hilary.

— Por quê? Não vejo nenhuma motivo para ter medo dela. Ela não tem nada de cientista maluco.

— Ela me dá medo por ser tão comum. Como todo mundo. E, no entanto, está envolvida com tudo isso.

Peters disse em tom sério:

— O Partido é realista. Utiliza o melhor homem, ou mulher, para cada tarefa.

— Mas alguém que só quer saber de dinheiro pode ser a melhor pessoa para uma tarefa? Não poderia ela desertar para o outro lado?

— Seria um grande risco – disse Peters calmamente. – A sra. Calvin Baker é uma mulher inteligente. Não acho que estaria disposta a correr esse risco.

Hilary sentiu um calafrio repentino.

— Está com frio?

— Sim, um pouco.

— Vamos dar uma caminhada.

Andaram de um lado para o outro. Quando caminhavam, Peters parou e pegou alguma coisa.

– Aqui. A senhora está deixando cair coisas.

Hilary apanhou o objeto da mão dele.

– Ah, sim, é uma pérola da minha gargantilha que arrebentou outro dia. Ou melhor, ontem. Parece que foi há tanto tempo!

– Espero que não sejam pérolas verdadeiras.

Hilary sorriu.

– Não, é claro que não. É bijuteria.

Peters tirou uma cigarreira do bolso.

– Bijuteria – repetiu. – Que palavra engraçada!

Ofereceu-lhe um cigarro.

– Parece ridículo... aqui. – Aceitou o cigarro. – Que cigarreira estranha. E como é pesada!

– É feita de chumbo. Por isso. Uma lembrança de guerra... feita com um pedaço de uma bomba que quase me matou.

– Então o senhor esteve na guerra?

– Eu era um dos especialistas que mexiam nas coisas para ver se elas explodiam. Mas não falemos de guerra. Falemos do que acontecerá amanhã.

– Para onde estamos indo? – perguntou Hilary. – Ninguém me falou nada. Estamos indo...

Ele a interrompeu.

– Especulações – disse –, não adianta especular. Vamos para onde nos mandam e fazemos o que nos dizem.

Com repentino entusiasmo, Hilary perguntou:

– O senhor gosta de ser coagido, de ser mandado, de não ter opinião própria?

– Estou preparado para aceitar isso, se for necessário. E é necessário. Precisamos alcançar a Paz Mundial, a Disciplina Mundial e a Ordem Mundial.

– É possível alcançar tudo isso?

– Qualquer coisa é melhor do que a baderna em que vivemos. Não concorda?

Por um momento, levada pelo cansaço, pela solidão que a cercava e pela estranha beleza do amanhecer, Hilary quase explodiu em negação.

Queria dizer:

– Por que despreza o mundo em que vivemos? Existem pessoas boas no mundo. Não será a baderna um terreno mais fértil à bondade e ao individualismo do que uma ordem mundial imposta, uma ordem que pode estar certa hoje e errada amanhã? Prefiro um mundo de seres humanos com defeitos, mas bondosos a um mundo de robôs superiores, que esqueceram o que é piedade, compreensão e solidariedade.

Mas ela se conteve a tempo. Em vez disso, falou, com entusiasmo forçado:

– O senhor tem razão. Eu estava cansada. Devemos obedecer e seguir adiante.

Ele sorriu.

– Assim é que se fala.

CAPÍTULO 10

Cada dia mais, a viagem parecia um sonho. Era como se Hilary estivesse viajando a vida inteira com aqueles cinco companheiros tão diferentes entre si. Haviam deixado os lugares conhecidos para entrar no vazio. De certo modo, a jornada que empreendiam não podia ser chamada de fuga. Eram todos, assim supunha, pessoas livres. Livres para ir aonde quisessem. Até onde sabia, não haviam cometido nenhum crime, não eram procurados pela polícia. No entanto, grandes precauções haviam sido tomadas para não deixar vestígios. Às vezes se perguntava por quê, já que não eram fugitivos. Era como se estivessem sendo submetidos a um processo para se transformarem em outras pessoas.

No seu caso específico, essa era a pura verdade. Ela havia deixado a Inglaterra como Hilary Craven e então se transformado em Olive Betterton. Talvez sua estranha sensação de irrealidade tivesse a ver com isso. A cada dia, as promessas e os slogans políticos vinham-lhe aos lábios com mais facilidade. Ela sentia que ficava cada vez mais firme e decidida e atribuía isso à influência de seus companheiros.

Sabia agora que tinha medo deles. Jamais convivera tão perto de gênios. Agora estava cara a cara com eles, e os gênios, sendo algo acima do normal, causavam uma grande tensão em pessoas comuns. Os cinco eram diferentes uns dos outros, mas todos tinham essa curiosa característica de intensidade ardente, de uma aterradora fixidez de propósito. Ela não sabia se isso era devido a uma estrutura cerebral ou a uma maneira de ver as coisas, à intensidade. Mas cada um deles, pensou ela, era, a seu modo, um idealista apaixonado. Para o dr. Barron, a vida era um desejo arrebatado de voltar a seu laboratório, fazer suas experiências e trabalhar com recursos financeiros e técnicos ilimitados. Trabalhar com que objetivo? Duvidava que ele já tivesse se perguntado isso algum dia. Certa vez, ele lhe falou do poder de destruição que poderia lançar sobre um vasto continente e que caberia dentro de um pequeno frasco. Ela lhe perguntou:

– Mas o senhor seria capaz de fazer isso para valer?

E ele respondeu, olhando-a com alguma surpresa:

– Sim, é claro, se fosse necessário.

Falou com a maior naturalidade e continuou:

– Seria muito interessante ver o curso exato, o progresso exato. – E acrescentou com um suspiro: – Há tanta coisa mais a saber, tanta coisa a descobrir.

Por um momento, Hilary compreendeu. Por um instante conseguiu se colocar no lugar dele, impregnada com aquela sede de conhecimento que, em essência, ignorava a vida de milhões de seres humanos. Era um ponto de vista que, de certa forma, não podia ser considerado ignóbil. Em relação a Helga Needheim, sentia mais antagonismo. A soberba arrogância da jovem a revoltava. Gostava de Peters, mas de vez em quando sentia repulsa e medo do brilho fanático que lhe vinha aos olhos de repente. Certa vez ela lhe disse:

– O que você quer não é criar um mundo novo, mas destruir o antigo.

– Você está enganada, Olive. Que ideia!

– Não estou enganada, não. Existe ódio em você. Dá para ver. Ódio. O desejo de destruir.

Ericsson era o mais enigmático de todos. Era um sonhador, menos prático do que o francês, pensava Hilary, sem o desejo de destruição do americano. Tinha o estranho idealismo fanático dos escandinavos.

– Precisamos conquistar o mundo – disse. – Depois nós podemos governar.

– Nós? – perguntou Hilary.

Ele assentiu com a cabeça, o rosto estranho e amável, com uma enganadora delicadeza no olhar.

– Sim – respondeu. – Nós, os poucos que realmente fazem a diferença. Os cérebros. Só isso importa.

Hilary pensou: para onde estamos indo? Aonde tudo isso levará? Essas pessoas estão loucas, mas a loucura é diferente em cada caso. É como se cada um tivesse um objetivo próprio e perseguisse uma miragem diferente. Sim, essa era a palavra: *miragem*. Voltou-se, então, para a sra. Calvin Baker. Nela não havia fanatismo, ódio, sonho, arrogância, aspiração. Não havia nada que Hilary pudesse descobrir ou notar. Era uma mulher, pensou, sem coração ou consciência. Era um instrumento eficiente nas mãos de uma grande força desconhecida.

Terminava o terceiro dia. Chegaram a uma pequena cidade e instalaram-se num pequeno hotel marroquino. Naquele ponto, Hilary ficou sabendo, deveriam voltar a vestir roupas europeias. Dormiu aquela noite num pequeno quarto caiado e vazio, parecido com uma cela. Logo que amanheceu, a sra. Baker a despertou.

– Estamos indo agora – disse. – O avião está esperando.

– Avião?

– Sim, querida. Graças a Deus voltaremos a viajar de forma civilizada.

Chegaram ao aeroporto após uma hora de viagem de carro. O lugar parecia um campo militar abandonado. O piloto era francês. Voaram durante algumas horas sobre as montanhas. Olhando para baixo, Hilary observou como o mundo era curiosamente uniforme quando visto de cima. Montanhas, vales, estradas, casas. A não ser para um aviador experiente, todos os lugares eram parecidos. A única diferença visível era a densidade demográfica de alguns pontos. E, além disso, as nuvens encobriam grande parte da paisagem.

No início da tarde, começaram a descer. Estavam ainda sobre terreno montanhoso, mas desciam numa planície. Era possível ver claramente a pista de aterrissagem e um edifício branco ao lado. O pouso foi perfeito.

A sra. Baker foi na frente em direção ao edifício, onde encontraram dois automóveis possantes com seus motoristas. Tratava-se, evidentemente, de um aeroporto particular, pois não havia funcionários para recebê-los.

– Fim da jornada – disse a sra. Baker com alegria. – Vamos todos entrar, lavar as mãos e nos preparar. Os carros estão à nossa espera.

– Fim da jornada? – Hilary perguntou, olhando para ela. – Mas nem atravessamos o oceano!

– Pensava que atravessaríamos? – a sra. Baker achou graça.

Hilary respondeu confusa:

– Sim, pensava. Achei que... – parou.

A sra. Baker fez que entendia com a cabeça.

– Muita gente acha. Diz-se muita besteira a respeito da Cortina de Ferro, mas pode haver uma cortina de ferro em qualquer lugar. As pessoas não pensam nisso.

Dois criados árabes vieram recebê-los. Depois de lavar as mãos e de se recompor, sentaram-se para tomar um café e comer alguma coisa.

A sra. Baker olhou para o relógio.

– Bem, até logo, amigos – disse. – Aqui me despeço de vocês.

– Vai voltar para o Marrocos? – perguntou Hilary com surpresa.

– Não seria muito lógico – respondeu a sra. Calvin Baker –, partindo do princípio de que morri queimada num desastre de avião! Não, tomarei outro rumo.

– Mas alguém poderá reconhecê-la mesmo assim – disse Hilary. – Digo, alguém que já a tenha visto nos hotéis em Casablanca ou Fez.

— Ah – exclamou a sra. Baker –, mas seria um engano. Estou com um novo passaporte agora. Acontece que uma irmã minha, sra. Calvin Baker, perdeu a vida dessa maneira. Minha irmã e eu somos muito parecidas. – Acrescentou: – Para as pessoas que encontramos por acaso nos hotéis, as turistas americanas são todas iguais.

Sim, pensou Hilary, era verdade. Todas as características externas e sem importância evidenciavam-se na sra. Baker. O asseio, o cuidado na maneira de vestir, o cabelo azulado arrumadinho, a voz monótona, a tagarelice. As características internas, observou, estavam mascaradas ou talvez ausentes. A sra. Calvin Baker apresentava ao mundo e a seus companheiros uma fachada, mas o que escondia por trás não era fácil perceber. Era como se ela tivesse apagado de propósito os traços de individualidade pelos quais uma pessoa se distingue da outra.

Hilary sentiu vontade de dizer o que pensava. Ela e a sra. Baker estavam um pouco afastadas do resto.

— Não se sabe nada a respeito da senhora – disse Hilary.

— E por que você deveria saber?

— Boa pergunta. Por quê? Não sei. Sinto que deveria. Temos viajado juntas num contexto de bastante intimidade e acho estranho não saber nada a seu respeito. Nada, veja bem, de sua essência, de como a senhora sente e pensa, do que a senhora gosta ou deixa de gostar, do que julga importante ou não.

— Você pensa demais, minha querida – disse a sra. Baker. – Se eu fosse você, tentaria controlar isso.

— Não sei sequer de que parte dos Estados Unidos a senhora é.

— Isso também não importa. Não tenho mais relação com o meu país. Existem motivos para que eu nunca mais volte lá. Se tiver a chance de me vingar, eu o farei com prazer.

Por um instante, sua expressão facial e seu tom de voz revelaram maldade. Depois, ela readquiriu aquele clima alegre de turista.

— Bem, até mais, sra. Betterton. Espero que tenha um agradável encontro com seu marido.

Hilary não se conteve:

— Não sei nem onde estou, em que parte do mundo.

— Ora, isso é fácil. Agora já não há mais razão para segredos. Estamos num ponto remoto do Alto Atlas. Por aí...

A sra. Baker afastou-se e começou a despedir-se dos outros. Com um alegre aceno de mão, dirigiu-se para a pista. O avião havia sido reabastecido, e o piloto a esperava em pé. Hilary sentiu um ligeiro calafrio. Lá se ia seu último elo de ligação com o mundo externo. Peters, ao lado, pareceu perceber sua reação.

– Agora não tem mais volta – disse com calma.

O dr. Barron perguntou de modo tranquilo:

– A senhora ainda tem coragem ou gostaria de correr atrás de sua amiga americana, entrar com ela no avião e voltar... para o mundo que abandonou?

– Poderia fazer isso se quisesse? – indagou Hilary.

O francês encolheu os ombros.

– Quem sabe.

– Quer que a chame? – perguntou Andy Peters.

– É claro que não – respondeu Hilary ríspida.

Helga Needheim disse em tom zombeteiro:

– Aqui não tem lugar para mulheres fracas.

– Ela não é fraca – falou o dr. Barron sem se alterar –, mas questiona coisas que qualquer mulher inteligente questionaria – enfatizou a palavra "inteligente" como se fizesse uma comparação com a alemã. Esta, contudo, não pareceu se abalar. Desprezava todos os franceses e tinha segurança em relação ao seu próprio valor. Ericsson falou com sua voz alta e nervosa:

– Quando alcançamos finalmente a liberdade, como podemos pensar em voltar?

Hilary objetou a colocação:

– Mas se não for possível voltar ou não tivermos essa opção, não somos livres!

Um dos criados apareceu e disse:

– Por favor, os carros já estão prontos para partir.

Saíram pela porta do outro lado do edifício. Encontraram dois Cadillacs, com motoristas uniformizados. Hilary disse que preferia viajar no banco da frente, ao lado do motorista. Explicou que os balanços de uma carro grande às vezes lhe causavam enjoo. A explicação pareceu ser aceita por todos. Enquanto viajavam, Hilary puxou conversa em alguns momentos. Falou sobre o tempo, sobre o excelente automóvel. Seu francês era bastante fluente, e o motorista respondia com delicadeza e absoluta naturalidade.

– Quanto tempo demorará? – perguntou Hilary.

– Do aeroporto ao hospital? É uma viagem de mais ou menos duas horas, madame.

Aquelas palavras causaram a Hilary uma surpresa um tanto desagradável. Havia reparado, sem pensar muito no assunto, que Helga Needheim trocara de roupa na última parada e agora vestia um uniforme de enfermeira. Fazia sentido.

– Fale um pouco sobre o hospital – pediu ao motorista.

Ele respondeu com entusiasmo:

— Ah, madame, é magnífico. O equipamento é o mais moderno do mundo. Muitos médicos vêm visitá-lo e todos saem cheios de elogios. É um trabalho maravilhoso que está sendo feito para toda a humanidade.

— Deve ser – disse Hilary. – Com certeza.

— Os pobres miseráveis – continuou o motorista – antigamente eram mandados para morrer numa ilha deserta. Com o novo tratamento do dr. Kolini, grande parte tem conseguido se curar. Mesmo os que estão muito mal.

— Parece um lugar isolado para um hospital – comentou Hilary.

— Ah, madame, mas teria que ser isolado mesmo nessas circunstâncias. As autoridades exigiriam. Mas o ar aqui é bom, é maravilhoso. Olhe, madame, já podemos ver aonde estamos indo – apontou.

Eles se aproximavam dos primeiros contrafortes de uma cordilheira. Ao lado, bem próximo ao morro, havia um longo edifício branco.

— Foi uma grande realização – disse o motorista – construir um edifício desse porte aqui neste lugar. Devem ter gastado rios de dinheiro. Devemos muito, madame, aos filantropos ricos deste mundo. Eles não são como os governos, que sempre procuram economizar. Aqui, gastaram para valer. Dizem que nosso patrono é um dos homens mais ricos do mundo. Sem dúvida, realizou uma obra magnífica para aliviar o sofrimento humano.

O carro subiu uma pista tortuosa e finalmente parou diante de um enorme portão de ferro.

— A senhora deve descer aqui, madame – disse o motorista. – Não posso entrar com o carro. As garagens ficam a um quilômetro de distância.

Os viajantes saltaram do carro. Havia um grande sino no portão, mas, antes que o tocassem, o portão abriu lentamente. Um negro com túnica branca e rosto sorridente curvou-se e fez um gesto para que entrassem. Atravessaram o portão. De um lado, atrás de uma alta cerca de arame, via-se um grande pátio, cheio de homens andando em todas as direções. Quando eles se viraram para ver quem chegava, Hilary ficou horrorizada.

— Mas eles são *leprosos*! – exclamou. – Leprosos!

Um arrepio de pavor percorreu-lhe o corpo inteiro.

CAPÍTULO 11

Os portões da colônia de leprosos fecharam-se atrás deles com um ruído metálico. O som repercutiu na mente assustada de Hilary como um prenúncio de fim. Parecia dizer: *Abandonai toda a esperança, vós que entrais aqui...* Era o fim, pensava Hilary, realmente o fim. Qualquer forma de retirada que houvesse estava agora cortada.

Encontrava-se só entre inimigos e, dentro de alguns minutos, seria desmascarada e teria fracassado. Subscientemente, pensou, a inevitabilidade do fracasso estivera presente o dia inteiro, mas o otimismo invencível do espírito humano e a convicção de que aquela *entidade* em si não poderia jamais deixar de existir tinham impedido que ela encarasse os fatos. Perguntara a Jessop em Casablanca: "E quando eu encontrar Tom Betterton?". Ele respondeu, com ar sério, que o perigo então se intensificaria. Acrescentara que tinha esperança de poder protegê-la nesse momento, mas tal esperança, Hilary via, não se concretizara.

Se a "srta. Hetherington" era o agente em que Jessop confiava, a "srta. Hetherington" havia sido iludida e obrigada a confessar seu fracasso em Marrakesh. Mas, de qualquer maneira, o que ela poderia ter feito?

O grupo de viajantes chegara ao fim da linha. Hilary jogara contra a morte e perdera. Sabia agora que o diagnóstico de Jessop estava certo. Não queria mais morrer. Queria viver. O entusiasmo pela vida tinha voltado com força total. Podia pensar em Nigel, no túmulo de Brenda, aquele pequeno montinho de terra, com saudade e tristeza, mas já não com o frio desespero que a levara a procurar o esquecimento na morte. "Estou viva de novo, sã, inteira...", pensou. "E agora estou presa, como um rato numa ratoeira. Se ao menos houvesse uma saída..."

Não é que não tivesse pensado no problema. Mas parecia-lhe, embora fosse difícil admitir, que, uma vez frente a frente com Betterton, não *haveria* escapatória...

Betterton diria: "Mas essa não é minha mulher!", e aí seria o fim! Olhariam para ela... perceberiam... uma espiã entre eles...

Que outra solução poderia haver? Supondo que ela falasse primeiro, que gritasse antes de Tom Betterton conseguir dizer qualquer coisa: "Quem é você? *Você* não é meu marido!". Se pudesse simular indignação, choque, horror, com bastante perfeição... não poderia isso levantar alguma dúvida? Dúvida se Betterton era realmente Betterton ou algum outro cientista enviado para representar seu papel. Um espião, em outras palavras. Se acreditassem nisso, as consequências seriam duras para Betterton! Porém, pensou ela com a cabeça cansada, girando, se Betterton fosse um traidor, um homem capaz de vender segredos de Estado, haveria punição realmente dura para ele? Como era difícil, pensava Hilary, fazer qualquer avaliação de lealdade, ou mesmo qualquer julgamento de pessoas ou fatos... De qualquer maneira, não custava nada tentar... criar uma dúvida.

Ainda meio tonta, conseguiu voltar à realidade ao seu redor. Os pensamentos haviam corrido em seu cérebro com a violência frenética de um rato preso numa ratoeira. Contudo, durante esse tempo, a corrente de consciência da superfície desempenhara o papel que lhe cabia.

O pequeno grupo que chegava do mundo exterior havia sido recebido por um sujeito alto e atraente... um poliglota, pelo visto, pois falara com cada pessoa em seu próprio idioma.

– *Enchanté de faire votre connaissance, mon cher docteur* – disse ao dr. Barron e depois, virando-se para Hilary:

– Sra. Betterton, é um prazer recebê-la aqui. Receio que tenha sido uma viagem longa e cansativa. Seu marido está muito bem e, naturalmente, ansioso pela sua chegada.

Ela sorriu discretamente. Notou que o sorriso não atingira os olhos claros e frios dele.

– A senhora – acrescentou ele – também deve estar ansiosa para vê-lo.

A tontura aumentou... sentia o grupo à sua volta afastando-se e aproximando-se, como as ondas do mar. Andy Peters, que estava ao seu lado, esticou o braço para segurá-la.

– Imagino que o senhor não saiba – disse ele ao anfitrião. – A sra. Betterton sofreu um grave acidente em Casablanca... uma concussão. A viagem não lhe fez bem. Sem falar da ansiedade de encontrar o marido. Acho melhor ela descansar um pouco agora num quarto com a cortina fechada.

Hilary sentiu a bondade da voz e do braço que a sustentava. As pernas fraquejaram. Seria fácil, tão fácil, deixar-se cair de joelhos, tombar ao chão, como um saco flácido... fingir que perdia os sentidos ou que estava a ponto de desmaiar. Ser carregada para uma cama num quarto às escuras... para adiar um pouco o momento em que seria desmascarada... Mas Betterton viria até o quarto... qualquer marido faria isso. Viria e se inclinaria sobre a cama. Ao primeiro sussurro de sua voz ou assim que os olhos dele se acostumassem à penumbra e ele visse seu rosto, saberia que ela não era Olive Betterton.

Hilary retomou a coragem. Endireitou-se. A cor voltou-lhe às faces. Levantou a cabeça.

Se o fim está próximo, vamos enfrentá-lo com valentia! Iria até Betterton e, quando ele a repudiasse, lançaria mão da última mentira. Diria de modo confiante e sem medo:

"Não, é claro que não sou sua mulher. Sua mulher... eu sinto muito, é terrível... sua mulher morreu. Eu estava no hospital com ela quando aconteceu. Prometi-lhe que o encontraria para dar seus últimos recados. Eu me dispus a isso. Estou de acordo com o que o senhor fez, com o que todos vocês estão fazendo. Concordo com vocês politicamente. Quero ajudar..."

Tudo muito vago... E os detalhes difíceis de explicar... o passaporte falso... a carta de crédito forjada. Sim, mas às vezes as pessoas acreditam nas mentiras mais escabrosas... se mentirmos com suficiente audácia... se soubermos convencer os outros. O mínimo que podia fazer era perder lutando.

Ergueu o corpo, dispensando delicadamente a ajuda de Peters.

– Ah, não. Preciso ver o Tom – disse. – Preciso vê-lo... agora... imediatamente... por favor.

O homem alto concordou, parecendo ser receptivo (embora os olhos claros e frios permanecessem alertas).

– É claro, sra. Betterton. Entendo bem como a senhora está se sentindo. Ah, esta é a srta. Jennson.

Uma moça magra, de óculos, juntou-se a eles.

– Srta. Jennson, apresento-lhe a sra. Betterton, a srta. Needheim, o dr. Barron, o sr. Peters e o dr. Ericsson. Poderia levá-los à seção de registro? Ofereça-lhes algo para beber. Estarei com vocês em alguns minutos. Levarei a sra. Betterton ao encontro do marido. Já estarei com vocês.

Virou-se para Hilary e disse:

– Queira acompanhar-me, sra. Betterton.

Ele foi na frente e ela o seguiu. Numa curva do corredor, ela deu uma última olhada por cima dos ombros. Andy Peters ainda a olhava, meio sem jeito e infeliz... Por um instante, Hilary achou que ele a acompanharia. Ele deve ter chegado à conclusão, pensou, de que havia algo errado, percebido alguma coisa *nela*, sem saber o quê.

Pensou, estremecendo ligeiramente: "Talvez seja a última vez que o veja...". E assim, antes de virar no corredor atrás do guia, ergueu a mão e acenou um adeus...

O homem alto falava alegre.

– Por aqui, sra. Betterton. No início, a senhora talvez ache nosso edifício meio confuso, tantos corredores parecidos.

Como um sonho, pensou Hilary, um sonho de corredores brancos, limpos, que se percorrem para sempre, virando, seguindo em frente, sem jamais encontrar a saída...

Disse:

– Não imaginei que seria um hospital.

– É evidente que não. A senhora não podia saber de nada, não é?

Havia certa alegria sádica em sua voz.

– A senhora teve de fazer o que chamam de "voo cego". Meu nome é Van Heidem, a propósito. Paul Van Heidem.

– É tudo muito estranho... e assustador – disse Hilary. – Os leprosos...

– Sim, sim, eu entendo. Pitoresco... e geralmente bastante inusitado. Assusta mesmo a quem chega. Mas a senhora se acostumará com eles... com o tempo, se acostumará.

Deu uma pequena risada.

– Uma ótima piada na minha opinião.

Parou de repente.

– Falta um lance de escada... sem pressa. Devagar. Estamos quase chegando.

Quase chegando... quase chegando... a alguns degraus da morte... subindo... subindo... degraus altos, mais altos que os europeus. E agora outro corredor esterilizado. Van Heidem parou em frente a uma porta. Bateu, esperou e depois abriu-a.

– Betterton, aqui estamos finalmente. Sua mulher!

Afastou-se com um gesto para ela entrar.

Hilary entrou no quarto. Sem hesitar, sem temer. Cabeça erguida. Em direção ao cruel destino.

Um homem estava em pé ao lado da janela, um sujeito extraordinariamente belo. Sua beleza, de certa forma, a impressionou. Não era assim que imaginara Tom Betterton. Com certeza, a fotografia que vira dele não representava nem um pouco...

Foi esse sentimento confuso de surpresa que a fez tomar uma decisão. Arriscaria tudo, numa investida desesperada.

Esboçou um rápido movimento para frente e depois recuou. Sua voz soou assustada, apavorada...

– Mas... esse não é Tom. Esse não é o meu marido... – sentiu que havia falado bem. De maneira dramática, mas sem exagerar. Seus olhos encararam Van Heidem numa interrogação sem resposta.

E, então, Tom Betterton riu. Um riso calmo, bem-humorado, quase de triunfo.

– Maravilha, não, Van Heidem? – disse. – Nem a minha própria mulher me reconhece!

Com quatro passos rápidos ele foi até ela e a tomou nos braços, apertando fortemente.

– Olive, minha querida. Sou eu, o Tom, por mais diferente que esteja.

Com o rosto dele encostado ao seu, os lábios em seu ouvido, ela ouviu-o sussurrar:

– *Continue representando. Pelo amor de Deus. Perigo.*

Soltou-a por um momento e agarrou-a mais uma vez.

– Querida! Parece que se passaram tantos anos... Mas você está aqui finalmente!

Ela sentiu os dedos dele fazendo pressão em suas costas, advertindo-a, transmitindo uma mensagem urgente.

Só depois de algum tempo ele a afastou um pouco e olhou para o seu rosto.

– Ainda não consigo acreditar – disse com um risinho nervoso. – Mas agora você me reconhece, não?

Seus olhos fulminavam, como sinal de alerta.

Ela não entendia... não tinha como entender. Mas era um milagre dos céus e ela tomou forças para representar seu papel.

– Tom! – exclamou num tom de reconhecimento que seus ouvidos aprovaram. – Ah, Tom... mas o que...

– Cirurgia plástica! Hertz, de Viena, está aqui. Ele é uma verdadeira maravilha. Não vá dizer que sente falta do meu antigo nariz achatado.

Beijou-a de novo, delicadamente dessa vez, virou-se para Van Heidem, que os observava, e disse com um sorriso de quem se desculpa:

– Desculpe os meus arrebatamentos, Van Heidem.

– Mas é claro... – o holandês sorriu de modo benevolente.

– Faz tanto tempo – disse Hilary – e eu... – cambaleou um pouco. – Por favor, posso me sentar?

Tom Betterton ajudou-a rapidamente a sentar-se numa cadeira.

– É claro, querida. Você deve estar exausta. Aquela viagem terrível. O acidente de avião. Meu Deus, um milagre você ter escapado!

Ou seja, eles tinham todas as informações. Todos sabiam do desastre.

– Fiquei com a cabeça um pouco atordoada – disse Hilary com um sorriso de desculpas. – Esqueço coisas, faço confusão. Tenho tido terríveis dores de cabeça. Então chego aqui e encontro meu marido totalmente mudado! Estou um pouco perdida, querido. Espero que não seja um estorvo para você.

– Você, um estorvo? Imagine! Você só precisa descansar um pouco. Só isso. Temos todo o tempo do mundo aqui.

Van Heidem encaminhou-se lentamente para a porta.

– Vou deixá-los em paz agora – disse. – Depois, leve sua mulher à seção de registro, Betterton, por favor. Vocês devem querer ficar um pouco sozinhos.

Saiu, fechando a porta atrás de si.

Imediatamente Betterton ajoelhou-se aos pés de Hilary e enfiou o rosto em seus ombros.

– Querida, querida – disse.

Mais uma vez ela sentiu aquela pressão de advertência dos dedos. Ele insistiu, num sussurro tão baixo que mal dava para entender:

– Continue representando. Pode haver um microfone... nunca se sabe.

Era isso. Nunca se sabia... Medo, desconforto, incerteza, perigo, perigo constante... dava para sentir no ar.

Tom Betterton sentou-se sobre as pernas dobradas.

– É tão bom vê-la – disse suavemente. – E, no entanto, parece um sonho, algo não muito real. Você também sente assim?

– Sim... um sonho... estar aqui... com você... finalmente. Não parece real, Tom.

Ela colocara as duas mãos nos ombros dele. Olhava-o com um ligeiro sorriso nos lábios. (Poderia haver um buraco para espiarem, além do microfone.)

Com frieza e tranquilidade, ela analisou o que via. Um belo homem, nervoso, de trinta e poucos anos, muito assustado... um homem no limite de sua resistência... um homem que provavelmente chegara àquele lugar cheio de esperanças e acabara reduzido a isso.

Agora que vencera o primeiro obstáculo, Hilary sentia uma curiosa euforia em representar seu papel. Tinha que *ser* Olive Betterton. Agir como Olive Betterton teria agido, sentir o que Olive Betterton teria sentido. E a vida era de uma irrealidade tão grande que isso parecia natural. Alguém que se chamava Hilary Craven havia morrido num desastre de avião. Daquele momento em diante, nem sequer se lembraria dela.

Em vez disso, repassou mentalmente as lições que estudara com tanto afinco.

– Parece que se passaram séculos desde Firbank – disse. – Whiskers... você se lembra de Whiskers? Teve gatinhos... logo depois que você foi embora. Há tantas coisas, coisas triviais do dia a dia, que você não sabe! É isso que parece estranho.

– Entendo. É o fato de romper com o passado e começar uma nova vida.

– E... é bom aqui? Você está feliz?

Uma pergunta típica de esposa, que qualquer uma faria.

– É maravilhoso – Tom Betterton endireitou os ombros, ergueu a cabeça. Os olhos, espantados e infelizes, desmentiam o rosto sorridente e confiante. – Temos todas as comodidades. Não precisamos gastar nada. Condições ideais para continuar o trabalho. E a organização é incrível.

– Tenho certeza de que sim. Minha viagem... você veio da mesma maneira?

– Não falamos sobre isso. Olhe, não estou ignorando sua pergunta, querida. Mas, sabe como é, você tem que aprender sobre tudo.

– E os leprosos? Trata-se realmente de uma colônia de leprosos?

– Sim. Uma verdadeira colônia. Há uma equipe de médicos realizando um excelente trabalho de pesquisa sobre o assunto. Mas é uma seção isolada. Não precisa se preocupar. É apenas uma camuflagem inteligente.

– Entendi – Hilary olhou à sua volta. – Estes são nossos alojamentos?

– Sim. Sala de estar, banheiro ali e o quarto lá. Venha, vou lhe mostrar.

Ela se levantou e o acompanhou. Passaram por um banheiro bem equipado e chegaram a um quarto de bom tamanho, onde havia duas camas, grandes armários embutidos, uma penteadeira e uma estante de livros perto das camas. Hilary olhou dentro dos armários e disse com humor:

– Não sei o que vou colocar aqui. Estou só com a roupa do corpo.

– Não importa. Você pode obter tudo o que quiser. Há um departamento de moda com todos os acessórios, cosméticos, tudo. Tudo da melhor qualidade. A Unidade é autossuficiente... tem tudo o que precisamos. Não há necessidade de sair daqui nunca mais.

As palavras foram pronunciadas de maneira quase casual, mas, aos ouvidos sensíveis de Hilary, revelaram desespero.

"Não há necessidade de sair daqui, nunca mais. Não há mais como sair daqui. *Abandonai toda a esperança, vós que entrais aqui*... A jaula bem preparada! Teria sido para isso", perguntava-se Hilary, "que todas aquelas pessoas, de personalidades tão diferentes, haviam abandonado seu país, sua lealdade, sua vida cotidiana? O dr. Barron, Andy Peters, o jovem Ericsson, com sua fisionomia sonhadora, a arrogante Helga Needheim? Sabiam eles o que iriam encontrar? Ficariam contentes? Era isso o que eles queriam?"

Ponderou: "Melhor não fazer muitas perguntas... alguém pode estar ouvindo".

Será que alguém estava ouvindo? Estariam eles sendo espionados? Tom Betterton, evidentemente, julgava que sim. Mas será que ele estava certo? Ou seria tensão, histeria? Tom Betterton parecia estar à beira de um colapso nervoso.

"Sim", pensou ela, fechando a cara, "e você ficará igualzinha, moça, daqui a seis meses... Por que as pessoas ficavam assim naquele lugar?", perguntou-se.

– Você gostaria de se deitar, de descansar? – indagou Tom Betterton.

– Não... – hesitou. – Acho que não.

– Então venha comigo. Vou levá-la à seção de registro.

– O que é a seção de registro?

– Todos que entram aqui têm de passar pela seção de registro. Eles anotam tudo a seu respeito. Estado de saúde, condição dos dentes, pressão arterial, grupo sanguíneo, reações psicológicas, gostos, restrições, alergias, aptidões, preferências...

– Parece bastante militar... ou seria médico?

– As duas coisas – respondeu Tom Betterton. – As duas coisas. Esta organização é realmente formidável.

— Sempre ouvi dizer isso – falou Hilary. – Quero dizer, que tudo por trás da Cortina de Ferro é muito bem planejado.

Tentou falar com entusiasmo. Afinal de contas, Olive Betterton, pelo que se podia presumir, sempre fora simpatizante do Partido, embora, talvez seguindo ordens, não tivesse sido reconhecida como membro.

Betterton disse de forma evasiva:

— Há muita coisa que você precisará compreender. – E emendou: – Melhor não tentar saber demais de uma só vez.

Beijou-a de novo, um beijo estranho, aparentemente carinhoso e até apaixonado, mas que na verdade era frio como gelo. Disse baixinho em seu ouvido:

— Continue assim. – E em voz alta: – Vamos à seção de registro!

CAPÍTULO 12

A seção de registro era dirigida por uma mulher que parecia uma governanta, dessas bem rigorosas. Seu cabelo estava enrolado num coque horripilante, e ela usava um pincenê de aspecto bastante eficiente. Fez um gesto de aprovação quando os Betterton entraram em seu gabinete.

— Ah, trouxe a sra. Betterton – disse. – Muito bem.

Seu inglês era bom, mas ela falava com uma precisão tão exagerada que Hilary desconfiou que fosse estrangeira. Na verdade, ela era suíça. Indicou uma cadeira a Hilary, abriu uma gaveta e pegou uma pilha de formulários que começou a preencher rapidamente. Tom Betterton falou meio sem jeito:

— Bem, Olive, então vou indo.

— Sim, por favor, dr. Betterton. É melhor terminar logo com todas as formalidades.

Betterton saiu fechando a porta. O Robô, como Hilary a apelidou por dentro, continuou escrevendo.

— Pronto – disse em tom profissional. – Nome completo, por favor. Idade. Local de nascimento. Nome do pai e da mãe. Alguma doença grave? Do que gosta? Tem algum hobby? Experiência profissional. Diplomas universitários. Preferência em matéria de comida e bebida.

As perguntas continuaram, numa lista que parecia não acabar mais. Hilary respondia de modo vago, quase mecânico. Agradecia agora a cuidadosa preparação que tivera com Jessop. Havia aprendido tudo tão bem que as respostas lhe vinham automaticamente, sem que precisasse parar ou pensar. O Robô disse por fim, após transcrever a última resposta:

– Bem, isto é tudo quanto a este departamento. Agora vou encaminhá-la à dra. Schwartz, para o exame médico.

– Verdade? – indagou Hilary. – É necessário tudo isso? Parece-me um despropósito.

– Gostamos de fazer tudo certinho, sra. Betterton. É importante ter tudo registrado. A senhora gostará muito da dra. Schwartz. Depois, irá ao dr. Rubec.

A dra. Schwartz era loura, simpática e feminina. Fez um meticuloso exame em Hilary e disse:

– Pronto! Acabou. Agora a senhora verá o dr. Rubec.

– Quem é dr. Rubec? – quis saber Hilary. – Outro médico?

– O dr. Rubec é psicólogo.

– Não preciso de psicólogo. Não gosto de psicólogos.

– Não se preocupe, sra. Betterton. A senhora não será submetida a nenhum tipo de tratamento. Trata-se apenas de um teste de inteligência e personalidade.

O dr. Rubec era um suíço alto e melancólico, na faixa dos quarenta anos de idade. Cumprimentou Hilary, olhou rapidamente para o cartão que lhe fora entregue pela dra. Schwartz e sacudiu a cabeça em sinal de aprovação.

– Vejo com prazer que sua saúde é boa – disse. – Pelo que sei, a senhora sofreu um acidente de avião há pouco tempo, não?

– Sim – respondeu Hilary. – Fiquei quatro ou cinco dias num hospital em Casablanca.

– Quatro ou cinco dias não são suficientes – comentou o dr. Rubec, agora em tom de reprovação. – A senhora deveria ter ficado mais tempo.

– Eu não quis ficar mais tempo. Queria continuar minha viagem.

– Compreendo perfeitamente, mas nos casos de concussão é necessário bastante repouso. A pessoa pode se sentir bem e ter sofrido graves sequelas. Vejo que os seus reflexos não estão muito bons. Em parte por causa da agitação da viagem, em parte por causa da concussão, sem dúvida. Tem tido dores de cabeça?

– Sim. Dores de cabeça muito fortes. De vez em quando, fico meio confusa e não consigo me lembrar das coisas.

Hilary julgou importante frisar esse último ponto. O dr. Rubec concordou.

– Sim, sim. Mas não se preocupe. Isso passará. Agora faremos alguns testes de associação para verificar seu tipo de mentalidade.

Hilary ficou um pouco nervosa, mas aparentemente correu tudo bem. Deviam ser testes de praxe.

O dr. Rubec anotou tudo num longo formulário.

– É um prazer – disse finalmente – lidar com alguém, por favor, madame, não leve a mal o que lhe direi, lidar com alguém que não é gênio!

Hilary riu.

– Com certeza não sou gênio – confirmou.

– A senhora deve ficar feliz – disse o dr. Rubec. – Posso assegurar que a sua vida será muito mais tranquila – suspirou. – Aqui, como a senhora provavelmente já sabe, eu lido, na maioria dos casos, com pessoas muito inteligentes, mas de um tipo de inteligência propensa ao desequilíbrio e ao estresse. O cientista, madame, não é o sujeito frio e calmo que vemos na ficção. Na verdade – disse o dr. Rubec pensativo –, entre um jogador de tênis profissional, uma cantora de ópera e um físico nuclear existe pouca diferença no que se refere à estabilidade emocional.

– Talvez o senhor tenha razão – disse Hilary, lembrando-se de que ela supostamente vivera alguns anos em contato íntimo com cientistas. – Sim, eles são muito temperamentais às vezes.

O dr. Rubec ergueu as mãos num gesto expressivo.

– A senhora não acreditaria – disse – nas emoções que são despertadas aqui! As brigas, os ciúmes, a *suscetibilidade*! Temos que aprender a lidar com tudo isso. Mas a senhora, madame – sorriu –, a senhora pertence a uma classe que aqui é minoria. Uma classe afortunada, por assim dizer.

– Não entendo. Que tipo de minoria?

– Esposas – explicou o dr. Rubec. – Não há muitas esposas aqui. Poucas têm permissão para vir. O bom é que, de modo geral, elas estão livres das tempestades mentais de seus maridos e dos colegas deles.

– O que as esposas fazem aqui? – perguntou Hilary. Acrescentou, em tom de desculpa: – Entenda-me, é tudo muito novo para mim. Ainda estou perdida.

– É normal. Há hobbies, recreação, entretenimentos e cursos educacionais. Um campo muito vasto. A senhora achará a vida bastante agradável, espero.

– Como o senhor?

Era uma pergunta, bastante audaciosa por sinal, e Hilary ficou na dúvida se havia agido bem em fazê-la. Mas o dr. Rubec pareceu não dar muita importância.

– A senhora tem razão, madame – concordou ele. – Acho a vida aqui extremamente tranquila e interessante.

– Não sente saudade da Suíça?

– Não. Não sinto, não. Isso porque, no meu caso, as condições de vida não eram boas. Tinha uma esposa e vários filhos. Não fui feito, madame, para ser homem de família. As condições aqui são infinitamente melhores. Tenho a oportunidade de estudar alguns aspectos da mente humana que me interessam, sobre os quais estou escrevendo um livro. Não tenho preocupações domésticas, distrações, interrupções. É o ambiente perfeito para mim.

– E agora para onde vou? – indagou Hilary quando ele se levantou e cumprimentou-a com um cordial aperto de mão.

– A mademoiselle La Roche a levará ao departamento de roupas. O resultado, tenho certeza – curvou-se –, será admirável.

Após as mulheres severas e robóticas que encontrara até o momento, Hilary teve uma agradável surpresa ao conhecer a mademoiselle La Roche. Ela havia sido *vendeuse* de um dos estabelecimentos da *haute couture* de Paris e era bastante feminina.

– É um prazer conhecê-la, madame. Espero poder ajudá-la. Como a senhora acabou de chegar e está cansada, sugiro que escolha agora apenas o essencial. Amanhã e durante a próxima semana, poderá examinar o que temos com calma. É cansativo escolher às pressas. Tira todo o prazer de *la toilette*. Sugiro então, se a senhora estiver de acordo, apenas um conjunto de roupas íntimas, uma saia e talvez um *tailleur*.

– Ótimo – falou Hilary. – Não imagina como é ruim estar somente com uma escova de dentes e uma esponja.

Mademoiselle La Roche riu, como quem entendia. Tomou rapidamente algumas medidas e levou Hilary a uma grande sala, repleta de armários embutidos. Havia roupas de todos os tipos e tamanhos, feitas de bom material e de excelente corte. Depois que Hilary escolheu o essencial de *la toilette*, passaram para a seção de cosméticos, onde Hilary escolheu pós, cremes e vários outros produtos de beleza. A mercadoria foi entregue a uma das assistentes, uma jovem marroquina de pele escura e brilhante, vestida de branco, que recebeu instruções de levar tudo para o apartamento de Hilary.

O que acontecia parecia a Hilary cada vez mais um sonho.

– Espero ter o prazer de vê-la novamente em breve – disse mademoiselle La Roche com amabilidade. – Será uma grande alegria, madame, poder ajudá-la na escolha de nossos modelos. *Entre nous*, meu trabalho, às vezes, é decepcionante. Essas senhoras da ciência raramente se interessam por *la toilette*. Aliás, uma companheira de viagem sua esteve aqui não faz nem meia hora.

– Helga Needheim?

– Isso mesmo. Uma *boche**, está na cara, e os *boches* não simpatizam conosco. Não é feia. Só precisava cuidar um pouco mais da aparência, escolher melhor o que veste. Mas não é o caso. Ela não se interessa por roupas. É médica, pelo que sei. Especialista em alguma coisa. Espero que tenha mais

---

* *Boche*: nome pejorativo aplicado aos alemães durante a Primeira Guerra Mundial. (N.T.)

interesse por seus pacientes do que por *toilette*... Que tipo de homem vai olhar para ela?

A srta. Jennson, a moça magra, morena e de óculos que recebera os viajantes quando chegaram, entrou no salão de moda.

– Terminou aqui, sra. Betterton? – perguntou.

– Sim, obrigada – respondeu Hilary.

– Então podemos ver o diretor adjunto.

Hilary disse *au revoir* à mademoiselle La Roche e seguiu a séria srta. Jennson.

– Quem é o diretor adjunto? – perguntou.

– O dr. Nielson.

Todo mundo aqui é doutor em alguma coisa, pensou Hilary.

– Quem é exatamente o dr. Nielson? – quis saber. – Um médico, um cientista, o quê?

– Não. O dr. Nielson não é médico, sra. Betterton. É o encarregado da administração. Todas as reclamações passam por ele. É o chefe administrativo da Unidade. Entrevista todo mundo que chega. Depois disso, a senhora não deverá vê-lo de novo, a não ser que algo muito sério aconteça.

– Entendi – disse Hilary mansamente, com a sensação de ter sido posta em seu lugar.

O acesso ao gabinete do dr. Nielson era feito por duas antessalas onde havia estenógrafos trabalhando. Hilary e sua guia finalmente chegaram ao refúgio sagrado do dr. Nielson, que se levantou atrás de sua enorme mesa de trabalho. Era um homem alto, de rosto avermelhado e modos corteses. Devia ser do outro lado do Atlântico, pensou Hilary, embora tivesse pouco sotaque americano.

– Ah! – exclamou ele, indo em direção a Hilary e apertando-lhe a mão. – A senhora é... deixe-me ver... sim, a sra. Betterton. É um prazer recebê-la, sra. Betterton. Esperamos que seja muito feliz conosco. Lamento o acidente que sofreu durante a viagem, mas fico contente que não tenha sido pior. A senhora teve muita sorte. Muita sorte mesmo. Bem, seu marido a esperava ansiosamente. Espero que sejam muito felizes entre nós, agora que a senhora chegou.

– Obrigada, dr. Nielson – Hilary sentou-se na cadeira que ele puxou para ela.

– Gostaria de me fazer alguma pergunta? – o dr. Nielson inclinou-se sobre a mesa de modo encorajador.

Hilary riu.

– Difícil responder – disse ela. – Na verdade, tenho tantas perguntas que não sei por onde começar.

– Compreendo. Se quiser seguir meu conselho... veja bem, é apenas um conselho... eu não perguntaria nada. Procure se adaptar e ver o que acontece. É a melhor solução, pode acreditar.

– Sinto que sei tão pouco – disse Hilary. – É tudo tão... tão inesperado!

– Sim. A maioria de nós tem essa impressão. Quase todo mundo pensa que vai para Moscou – riu, achando graça. – Nosso lar no deserto é uma grande surpresa para a maior parte das pessoas.

– Foi uma surpresa para mim.

– Bem, não contamos muita coisa antes. As pessoas podem ser indiscretas, e a discrição é muito importante. Mas a senhora terá todo o conforto aqui. Se não gostar de alguma coisa ou se precisar de algo específico... é só fazer uma requisição que daremos um jeito de conseguir! Qualquer pedido relacionado à arte, por exemplo. Pintura, escultura, música. Temos um departamento especial para tratar desses assuntos.

– Não tenho o mínimo jeito para arte.

– Também há muita atividade social. Jogos. Temos quadras de tênis, de squash... As pessoas, em geral, levam de uma a duas semanas para se ambientar, principalmente as esposas. O marido está ocupado com o trabalho, e as esposas demoram algum tempo para encontrar outras com ideias e interesses parecidos. Esse tipo de coisa. A senhora entende.

– Mas as pessoas... as pessoas ficam aqui?

– Como assim "ficam aqui"? Não entendi sua pergunta, sra. Betterton.

– As pessoas ficam aqui ou podem ir para outros lugares?

O dr. Nielson deu uma resposta vaga.

– Ah – exclamou. – Isso depende do marido. Sim, depende muito do marido. Existem possibilidades. Várias possibilidades. Mas é melhor não entrarmos nesses detalhes agora. Sugiro que a senhora... volte a falar comigo daqui a umas três semanas. Para me contar como está indo.

– Podemos ou não podemos sair daqui?

– Sair, sra. Betterton?

– Digo, ultrapassar os muros. Sair pelo portão.

– Uma pergunta muito pertinente – disse o dr. Nielson. Agia agora de modo bastante paternal. – Sim, muito pertinente. A maioria pergunta isso quando chega aqui. Mas a questão é que a nossa Unidade, por si só, já é um mundo. Não há para onde ir fora daqui. Só deserto. Não a culpo, sra. Betterton. Muitas pessoas sentem o mesmo ao chegar. Uma espécie de claustrofobia. É assim que o dr. Rubec classifica. Mas garanto que isso passa. Uma espécie de síndrome de abstinência, por assim dizer, pelo mundo que se deixou. Já observou um formigueiro de perto, sra. Betterton? Vale a pena. Aprendemos várias lições. Centenas de pequenos insetos pretos correndo de um lado para o outro, com tanta determinação, tanto entusiasmo, tanta certeza. E, no entanto, o conjunto inteiro é uma bagunça. Esse é o velho mundo que a senhora deixou. O mundo da maldade. Aqui há lazer, propósito e tempo ilimitado – sorriu. – Pode escrever: um paraíso na Terra.

CAPÍTULO 13

– Parece uma escola – disse Hilary.

Estava de volta a seu apartamento. As roupas e os acessórios que escolhera a esperavam no quarto. Pendurou as roupas no armário e guardou os outros objetos do seu jeito.

– Eu sei – disse Betterton. – Senti o mesmo no início.

A conversa deles era medida e forçada. A possibilidade de haver um microfone ali ainda os limitava. Ele disse de maneira oblíqua:

– Acho que está tudo bem. Talvez eu estivesse imaginando coisas. Mesmo assim...

Não continuou, mas Hilary entendeu o que ele queria dizer: "Mesmo assim, é melhor termos cuidado".

Tudo aquilo parecia um pesadelo surreal, pensou Hilary. Ali estava ela, dividindo um quarto com um estranho. Entretanto, a sensação de incerteza e perigo era tão intensa que nenhum dos dois parecia se constranger com a intimidade compulsória. Era o mesmo que acontece, pensou ela, quando se escalam montanhas nos Alpes e todos, guias e alpinistas, dividem a cabana na maior intimidade, como algo natural. Depois de algum tempo, Betterton disse:

– É tudo uma questão de adaptação. Sejamos apenas naturais. Normais. Quase como se ainda estivéssemos em casa.

Hilary percebeu a sagacidade daquelas palavras. A sensação de irrealidade persistia e iria persistir por mais algum tempo, pensou. Os motivos que levaram Betterton a deixar a Inglaterra, suas esperanças e desilusões não eram assunto para se abordar nesse momento. Eram duas pessoas representando seu papel com uma ameaça indefinida pairando sobre si. Ela falou em seguida:

– Fizeram-me passar por várias formalidades. Exames médicos, psicológicos, essas coisas.

– Sim. Sempre fazem isso. É natural, suponho.

– Fizeram o mesmo com você?

– Mais ou menos.

– Depois fui ver o... diretor adjunto. Não é assim que o chamam?

– Sim. Ele dirige este lugar. É um administrador muito competente.

– Mas ele não é realmente o chefe de tudo.

– Não. O chefe de tudo é o diretor.

– Alguém pode... eu, por exemplo... poderei ver o diretor?

– Em algum momento, creio eu. Mas ele não aparece com frequência. Faz discursos de vez em quando... tem uma personalidade incrivelmente estimulante.

Betterton franziu um pouco a testa, e Hilary achou melhor abandonar o assunto.

– O jantar é às oito – disse ele, consultando o relógio. – Entre oito e oito e meia. Melhor descermos, se já estiver pronta.

Ele falou exatamente como se eles estivessem hospedados num hotel.

Hilary estava com o vestido que escolhera, de uma tonalidade verde-acinzentada que combinava com o seu cabelo ruivo. Colocou um belo colar de bijuteria e anunciou que estava pronta. Desceram as escadas, passaram por corredores e chegaram, finalmente, a um grande salão de jantar. A srta. Jennson veio recebê-los.

– Guardei uma mesa um pouco maior para você, Tom – disse para Betterton. – Dois companheiros de viagem de sua mulher sentarão com vocês... e os Murchison, é claro.

Dirigiram-se para a mesa indicada. As mesas do salão eram quase todas pequenas, com quatro, oito ou dez lugares. Andy Peters e Ericsson, que já estavam sentados, levantaram-se quando eles chegaram. Hilary apresentou seu "marido" aos dois. Sentaram-se todos e, logo depois, apareceu um casal, que Betterton apresentou como o dr. e a sra. Murchison.

– Simon e eu trabalhamos no mesmo laboratório – explicou.

Simon Murchison era um jovem magro, com ar anêmico, de uns 26 anos. Sua mulher era morena e atarracada. Falava com forte sotaque estrangeiro, e Hilary presumiu que fosse italiana. Seu primeiro nome era Bianca. Cumprimentou Hilary de maneira educada, mas com aparente reserva.

– Amanhã – disse –, vou levá-la para conhecer o lugar. A senhora não é cientista, não é?

– Não tenho formação científica – respondeu Hilary. – Trabalhava como secretária antes de me casar – acrescentou.

– Bianca estudou direito – contou o marido. – Estudou economia e direito comercial. Às vezes dá palestras aqui, mas é difícil achar o que fazer para ocupar todo o tempo.

Bianca deu de ombros.

– Vou dar um jeito – disse ela. – Até porque, Simon, vim para cá para ficar com você e acho que há muita coisa que pode ser organizada de um modo melhor. Estou estudando as condições. Talvez a sra. Betterton possa me ajudar, já que não vai estar empenhada em trabalhos científicos.

Hilary concordou sem pestanejar. Andy Peters fez todo mundo rir ao dizer com certa tristeza:

– Sinto-me como um menino que acaba de entrar para um colégio interno e está com saudade de casa. Ficarei feliz quando começar a trabalhar.

– Aqui é um lugar maravilhoso para trabalhar – disse Simon Murchison com entusiasmo. – Ninguém nos interrompe e temos tudo o que precisamos.

– Qual é a sua especialidade? – perguntou Andy Peters.

E logo os dois homens estavam conversando num jargão que Hilary achou difícil de acompanhar. Virou-se para Ericsson, que estava recostado na cadeira com os olhos perdidos.

– E o senhor? – perguntou. – Também se sente como um menino com saudades de casa?

Olhou-a como se estivesse longe.

– Não preciso de casa – disse. – Todas essas coisas: lar, laços afetivos, pais, filhos... Tudo isso não passa de um grande estorvo. Para trabalhar, precisamos estar livres.

– E o senhor sente que será livre aqui?

– Ainda não dá para dizer. Espero que sim.

Bianca falou com Hilary.

– Depois do jantar, temos várias opções. Há uma sala de jogos, onde podemos jogar bridge, um cinema, e três vezes por semana acontecem apresentações teatrais e às vezes dança.

Ericsson franziu a testa, expressando desaprovação.

– Tudo bobagem – disse. – Essas coisas só nos fazem desperdiçar energia.

– Não no nosso caso – disse Bianca. – Para as mulheres, elas são necessárias.

O norueguês olhou-a com frieza e menosprezo.

Hilary pensou: "Para ele, as mulheres também são bobagem".

– Vou para a cama cedo – disse Hilary, forçando um bocejo. – Não estou com muita vontade de ficar vendo filme ou jogar bridge esta noite.

– Isso, querida – disse Tom Betterton, pegando carona. – É melhor mesmo você ir para a cama cedo e tirar uma boa noite de sono. Lembre-se de que teve uma viagem muito cansativa.

Quando se levantaram da mesa, Betterton falou:

– O ar daqui é maravilhoso à noite. Costumamos dar uma volta no jardim do terraço depois do jantar, antes da recreação ou dos estudos. Vamos até lá. Depois você vai dormir.

Subiram num elevador comandado por um lindo nativo de túnica branca. Os criados eram mais escuros e corpulentos do que os berberes, mais esguios e claros... tipos do deserto, pensou Hilary. Ficou abismada com a beleza inesperada do jardim e também com a enorme soma que deviam ter gastado para criá-lo. Toneladas de terra haviam sido trazidas até ali. Parecia um conto de *As mil e uma noites*. O som da água, as altas palmeiras, as folhas tropicais de bananeiras e outras plantas, os caminhos com azulejos coloridos de flores persas.

— Inacreditável — exclamou Hilary. — Aqui no meio do deserto. — Colocou em palavras o que havia pensado: — Parece um conto de *As Mil e Uma Noites*!

— Concordo, sra. Betterton — disse Murchison. — Parece coisa de lâmpada mágica! Bem... suponho que, mesmo no deserto, não há nada que não se possa fazer, havendo água e dinheiro... em abundância.

— De onde vem a água?

— De uma fonte no interior da montanha. Essa é a *raison d'être* da Unidade.

Havia um bom número de pessoas no jardim, mas pouco a pouco elas foram se retirando.

Os Murchison despediram-se. Iam assistir a um balé.

Restara pouca gente. Betterton guiou Hilary, segurando-a pelo braço, até um espaço vazio perto do parapeito. As estrelas brilhavam acima deles; o ar agora estava frio e revigorante. Estavam a sós. Hilary sentou-se no banco de concreto e Betterton ficou de pé na sua frente.

— Agora me diga — falou ele nervoso, em voz baixa —, *quem é você?*

Ela o encarou por algum tempo antes de responder. Precisava saber uma coisa antes de dar a resposta.

— Por que você me reconheceu como sua mulher? — perguntou.

Olharam-se mutuamente. Nenhum queria ser o primeiro a responder ao outro. Era um duelo de forças entre os dois, mas Hilary sabia que o Tom Betterton que tinha à sua frente não era o mesmo que deixara a Inglaterra, e sua força de vontade agora era inferior à dela. Ela estava fresca, confiante em si mesma, julgando-se capaz de organizar a própria vida... Tom Betterton vinha levando uma vida planejada. Ela era a mais forte.

Por fim, Betterton desviou o olhar e murmurou, parecendo contrariado:

— Foi... somente um impulso. Agi como um idiota. Imaginei que você pudesse ter sido enviada... para me tirar daqui.

— Então você quer sair daqui?

— E você ainda pergunta?

– Como veio de Paris para cá?

Tom Betterton riu, expressando infelicidade.

– Não fui sequestrado, nem nada parecido, se é isso que você quer dizer. Vim por vontade própria, com os meus próprios pés. Estava totalmente empolgado.

– Você sabia que estava vindo para este lugar?

– Não tinha a mínima ideia de que estava vindo para a África, se é isso que você quer dizer. Caí no engodo de sempre. Paz na Terra, livre troca de segredos entre os cientistas do mundo todo; supressão dos capitalistas e instigadores de guerra... todo o jargão habitual! Aquele rapaz, Peters, que veio com você, mordeu a mesma isca.

– E quando você chegou aqui... não era isso?

Riu de novo com amargura.

– Você verá com os próprios olhos. Talvez *seja* isso, sim, de uma forma ou de outra. Mas não é como eu pensava. Não é... *liberdade*.

Ele se sentou ao lado dela, franzindo a testa.

– Era isso que me deprimia no nosso país. A sensação de estar sendo sempre vigiado. Todas aquelas precauções de segurança. Ter que prestar contas em relação a seus passos, seus amigos... Tudo necessário, atrevo-me a dizer, mas bastante nocivo... Então, quando aparece alguém com uma proposta... você ouve... tudo faz sentido... – deu uma risada rápida. – E você acaba... aqui!

– Quer dizer que acabou se deparando com a mesma situação da qual tentava fugir? – perguntou Hilary lentamente. – Você está sendo vigiado da mesma maneira... ou mais ainda?

Betterton tirou os cabelos da testa num gesto nervoso.

– Não sei – respondeu. – Sinceramente, não sei. Não tenho certeza. Pode ser tudo imaginação minha. Não sei se estou sendo realmente vigiado. Por que seria? Por que se dariam ao trabalho? Eles me têm aqui... na prisão.

– Não é nem um pouco como você imaginava?

– Isso é que é estranho. Acho que é como eu imaginava de certa forma. As condições de trabalho são perfeitas. Temos tudo o que precisamos, toda a aparelhagem. Podemos trabalhar o tempo que quisermos. Temos todo o conforto e todos os acessórios. Casa, comida e roupa lavada, mas lembramos o tempo todo que estamos numa prisão.

– Eu sei. Quando ouvi o barulho do portão se fechando hoje tive uma sensação horrível – disse Hilary, estremecendo.

– Bem – Betterton parecia ter recobrado o controle. – Respondi a sua pergunta. Agora responda a minha. O que você está fazendo aqui fingindo ser Olive?

– Olive... – parou, procurando palavras.

– Sim. O que tem Olive? O que aconteceu com ela? O que você está tentando dizer?

Ela olhou com pena para o seu rosto cansado e nervoso.

– Estava com medo de lhe contar.

– Então aconteceu algo com ela.

– Sim. Sinto muito. Sinto muito mesmo... Sua mulher está morta... Vinha ao seu encontro quando o avião caiu. Foi levada para o hospital e morreu dois dias depois.

Betterton ficou olhando para frente. Era como se estivesse decidido a não demonstrar qualquer emoção.

– Quer dizer que Olive morreu? Entendo... – disse ele em voz baixa.

Fez-se um longo silêncio. Depois, ele se virou para ela.

– Até aí tudo bem. Você tomou seu lugar e veio para cá. Mas por quê?

Dessa vez, Hilary tinha a resposta na ponta da língua. Tom Betterton acreditava que ela havia sido "enviada para tirá-lo dali", como ele mesmo dissera. Mas não era o caso. A função de Hilary era a de espiã. Tinha vindo para obter informações, não para planejar a fuga de um homem que se colocara voluntariamente na posição em que estava. Além disso, não tinha como salvá-lo, pois era prisioneira tanto quanto ele.

Julgou perigoso confiar totalmente nele. Betterton estava à beira de um colapso nervoso. A qualquer momento, poderia desmoronar. Em tais circunstâncias, seria loucura esperar que guardasse segredo.

Hilary disse:

– Eu estava no hospital com sua mulher quando ela morreu. Ofereci-me para ficar no lugar dela e tentar encontrá-lo. Ela queria muito que você recebesse um recado.

Ele franziu a testa.

– Mas com certeza...

Antes que ele pudesse perceber as falhas da narrativa, ela emendou:

– Não é tão incrível quanto possa parecer. Eu simpatizava com todas as ideias... essas ideias que você mencionou há pouco. Troca de segredos científicos entre as nações... uma Nova Ordem Mundial. Estava entusiasmada com tudo isso. Aí, por conta do meu cabelo... se o que eles esperavam era uma ruiva de determinada idade, eu tinha chance. Pareceu-me que valia a pena tentar.

– Sim – disse ele, olhando para o cabelo dela. – Seu cabelo é igualzinho ao de Olive.

– Além disso, sua mulher insistiu tanto... na questão do recado que queria que eu lhe desse.

– Sim, o recado. Qual é o recado?

– Para você ter cuidado... muito cuidado... que está correndo perigo... por causa de um tal Boris.

– Boris? Quer dizer Boris Glydr?

– Sim. Você o conhece?

Ele fez que não com a cabeça.

– Nunca o vi, mas o conheço de nome. É parente da minha primeira mulher. Sei algumas coisas sobre ele.

– E por que ele seria perigoso?

– O quê?

Ele estava distraído.

Hilary repetiu a pergunta.

– Ah – pareceu voltar de muito longe. – Não sei o perigo que representa para *mim*, mas dizem que é um sujeito realmente perigoso.

– Perigoso em que sentido?

– Bem, ele é um desses idealistas meio loucos que não hesitariam em matar metade da humanidade se julgassem, por algum motivo, que isso seria bom.

– Conheço bem esse tipo de gente.

Sentia que realmente conhecia. Mas por quê?

– Olive chegou a vê-lo? O que ele disse para ela?

– Não sei. Isso foi tudo o que ela falou. Sobre perigo... Ah, sim, ela disse que havia custado a acreditar.

– Acreditar em quê?

– Não sei. – Ela hesitou por um momento e então disse: – Ela estava morrendo...

Um espasmo de dor transfigurou o rosto dele.

– Eu sei... eu sei... Com o tempo vou me acostumar. No momento, ainda é difícil. Mas estou intrigado a respeito de Boris. Que perigo ele pode representar para mim *aqui*? Se ele viu Olive, suponho que esteve em Londres.

– Sim.

– Então não entendo... Mas o que importa? Estamos aqui, presos nesta maldita Unidade, cercados de robôs inumanos...

– Foi exatamente o que me pareceram.

– E não temos como sair – bateu com a mão fechada no concreto. – *Não temos como sair.*

– Temos, sim – disse Hilary.

Ele se virou e encarou-a, parecendo surpreso.

– Como assim?

– Vamos dar um jeito – garantiu Hilary.

— Minha querida – riu com certo escárnio –, você não tem a mínima ideia do que está enfrentando neste lugar.

— Pessoas escaparam dos lugares mais improváveis durante a guerra – insistiu Hilary. Não se entregaria ao desespero. – Cavaram túneis ou coisa parecida.

— Como cavar um túnel na rocha bruta? E para onde? Estamos no meio do deserto.

— Então terá que ser "coisa parecida".

Ele a olhou. Ela sorriu com uma confiança que era mais teimosia do que outra coisa.

— Você é uma moça extraordinária! Parece tão segura de si.

— Sempre existe uma saída. Admito que precisaremos de tempo e muito planejamento.

O rosto dele anuviou-se novamente.

— Tempo – repetiu ele. – Tempo... Não tenho tempo.

— Por quê?

— Não sei se você conseguirá entender... É o seguinte: não tenho como fazer meu trabalho aqui.

Ela franziu a testa.

— O que quer dizer?

— Como vou lhe explicar? Não tenho como trabalhar. Não consigo *pensar*. Na minha área, é necessário um alto nível de concentração. Grande parte do meu trabalho... depende da *criatividade*. Desde que vim para cá, perdi o estímulo. Faço apenas um bom trabalho, coisa que qualquer cientista de meia-tigela pode fazer. Mas não foi para isso que eles me trouxeram para cá. Querem trabalhos originais, porém eu não consigo fazer nada original. E quanto mais nervoso e amedrontado fico, mais incapacitado me torno para produzir algo que valha a pena produzir. E isso está me deixando louco, entende?

Sim, ela entendia agora. Lembrou-se dos comentários do dr. Rubec a respeito de cantoras de óperas e cientistas.

— Se eu não der o que esperam de mim, o que uma organização como esta fará? Eles me liquidarão.

— Não!

— Sim! Eles não são sentimentalistas aqui. O que me salvou até agora foi esse negócio de cirurgia plástica. Tem que ser feito aos poucos, sabe? E, naturalmente, não se pode esperar concentração de um sujeito que está sendo submetido a pequenas mas constantes intervenções cirúrgicas. Só que agora essa história acabou.

— Mas por que operações? Qual o objetivo?

— Qual o objetivo? Motivos de segurança. A minha segurança, digo. Fazem isso quando você é um homem "procurado".

– Então você é um homem "procurado"?

– Sim. Não sabia? Ah, imagino que não tenham noticiado o fato nos jornais. Talvez nem Olive soubesse. Mas sou um homem procurado, sim.

– Quer dizer, por... *traição* é o termo, não? Ou seja, você vendeu segredos sobre átomos?

Ele evitou os olhos dela.

– Não vendi nada. Contei a eles o que sabia sobre nossos processos... sem cobrar nada. Eu *quis* contar, acredite você ou não. Era parte de toda a ideia... a livre troca de conhecimento científico. Não dá para entender?

Ela entendia. Entendia que Andy Peters fizesse o mesmo. Podia ver Ericsson, com seus olhos de sonhador fanático, traindo seu país com a alma enlevada de entusiasmo.

No entanto, era-lhe difícil conceber Tom Betterton fazendo isso... e ela percebeu, cheia de espanto, que tudo aquilo demarcava a diferença entre o Betterton de alguns meses antes, todo empolgado, e o Betterton de agora, nervoso, derrotado, realista... um homem comum, apavorado.

Chegava a essa conclusão quando Betterton, olhando em volta preocupado, disse:

– Todo mundo já desceu. É melhor...

Ela se levantou.

– Sim. Mas não tem problema. Eles acharão natural... dadas as circunstâncias.

Ele falou meio sem jeito:

– Teremos que continuar com aquilo, digo, você sendo minha mulher.

– É claro.

– E teremos que dormir no mesmo quarto. Mas não precisa se preocupar, que...

Engoliu em seco, sem graça.

"Como ele é bonito", pensou Hilary, olhando-o de perfil, "e como isso importa pouco..."

– Não precisamos pensar nisso – ela disse com voz animada. – O importante é sair daqui com vida.

CAPÍTULO 14

Num quarto do hotel Mamounia, em Marrakesh, o homem chamado Jessop conversava com a srta. Hetherington. Era uma srta. Hetherington diferente da que Hilary conhecera em Casablanca e Fez. A mesma aparência, a mesma maneira de se vestir e o mesmo penteado deprimente. Mas seu jeito havia mudado. Era agora uma mulher enérgica, competente e muito mais jovem de espírito.

A terceira pessoa presente era um homem moreno, atarracado, com inteligência no olhar. Batia com os dedos na mesa enquanto cantarolava baixinho uma cantiga francesa.

– ...e, até onde sabe – Jessop dizia –, essas são as únicas pessoas com quem ela falou em Fez?

Janet Hetherington respondeu que sim com a cabeça.

– Havia aquela mulher, Calvin Baker, que tínhamos encontrado em Casablanca. Francamente, ainda não sei o que pensar a respeito dela. Esforçava-se para se mostrar gentil com Olive Betterton e comigo. Mas os americanos são naturalmente sociáveis, puxam conversa com as pessoas nos hotéis e gostam de participar das excursões de grupo.

– Sim – concordou Jessop –, é evidente demais para ser o que procuramos.

– Além disso – continuou Janet Hetherington –, *ela* também estava no avião.

– Ou seja – disse Jessop –, você está dizendo que o acidente foi planejado. – Olhou de lado para o homem moreno e atarracado. – O que acha disso, Leblanc?

Leblanc parou de murmurar a canção e de tamborilar na mesa por um momento.

– *Ça se peut* – disse ele. – Podem ter mexido no motor, ocasionando a queda. Nunca saberemos. O fato é que o avião caiu, pegou fogo e todos os passageiros morreram.

– O que você sabe sobre o piloto?

– Alcadi? Jovem e razoavelmente competente. Nada mais. Mal remunerado – fez uma pequena pausa antes de dizer essas duas últimas palavras.

– Aberto, portanto, a outras oportunidades de emprego, mas não um suicida em potencial? – falou Jessop.

– Havia sete corpos – disse Leblanc. – Carbonizados, irreconhecíveis, mas eram sete. Quanto a isso não há dúvida.

Jessop virou-se para Janet Hetherington.

– Continue, por favor – pediu.

– A sra. Betterton trocou algumas palavras com uma família francesa em Fez. Havia também um bem-sucedido empresário sueco, acompanhado de uma jovem glamorosa, e o velho barão do petróleo, o sr. Aristides.

– Ah – fez Leblanc –, o próprio personagem de fábula. Costumo me perguntar como se sentirá uma pessoa com tanto dinheiro. No meu caso –

acrescentou com franqueza –, teria cavalos de corrida, mulheres e tudo o que o mundo pode oferecer. Mas o velho Aristides se tranca em seu castelo na Espanha... isso mesmo, *mon cher*, seu castelo... e coleciona, segundo dizem, porcelana chinesa da dinastia Sung. Devemos nos lembrar, porém – acrescentou –, que ele tem pelo menos setenta anos. Nessa idade, as porcelanas chinesas talvez sejam a única coisa que nos interesse.

– De acordo com os próprios chineses – disse Jessop –, os anos entre os sessenta e os setenta são os mais belos e o período em que mais apreciamos as belezas e os prazeres da vida.

– *Pas moi*! – exclamou Leblanc.

– Havia alguns alemães em Fez também – continuou Janet Hetherington –, mas, até onde eu sei, eles não falaram com Olive Betterton.

– Um garçom ou criado, talvez – sugeriu Jessop.

– É sempre possível.

– E ela foi à cidade velha sozinha, é isso?

– Foi com um dos guias. Alguém pode ter falado com ela durante o caminho.

– De qualquer modo, ela decidiu repentinamente ir a Marrakesh.

– Não foi repentinamente – ela o corrigiu. – Ela já havia feito as reservas.

– Fiz confusão – disse Jessop. – O que quero dizer é que a sra. Calvin Baker decidiu acompanhá-la de maneira um tanto súbita – levantou-se e andou de um lado para o outro. – Ela foi de avião para Marrakesh – disse – e o avião caiu. Parece haver um mau agouro para qualquer pessoa que se chame Olive Betterton quando viaja pelo ar, não? Primeiro, o desastre de Casablanca e depois esse outro. Será que foi um acidente? Ou terá sido tudo planejado? Se havia pessoas interessadas no desaparecimento de Olive Betterton, existem maneiras mais simples do que destruir um avião para se livrar dela.

– Nunca se sabe – disse Leblanc. – Compreenda, *mon cher*. Quando o sujeito chega a um estado de espírito em que a vida humana já não tem nenhuma importância, é mais simples colocar dinamite debaixo de um assento de avião do que esperar na esquina, numa noite escura, e esfaquear alguém. Pensando assim, colocam o explosivo, e o fato de mais seis pessoas morrerem não é sequer levado em consideração.

– É claro – disse Jessop –, sei que sou minoria, mas ainda acho que existe uma terceira solução... que eles simularam o acidente.

Leblanc olhou para ele com interesse.

– Isso poderia ser feito, sim. O avião poderia ter aterrissado e depois ser incendiado. Mas você não pode ignorar o fato, *mon cher* Jessop, de que havia *pessoas* no avião. Foram encontrados corpos carbonizados.

– Eu sei – insistiu Jessop. – Esse é o obstáculo. Sei que minhas ideias são meio fantásticas, mas o final da nossa caçada está me parecendo simplista demais. É o que sinto. Ele nos diz que tudo acabou. Escrevemos "Descanse em Paz" no nosso relatório e encerramos o caso. Não há mais pistas a seguir. – Virou-se novamente para Leblanc. – Mandou fazer aquela busca?

– Há dois dias – respondeu Leblanc. – Homens muito bons. O avião caiu num lugar muito ermo. A propósito, fora da rota.

– O que é um dado bastante significativo – ressaltou Jessop.

– As aldeias mais próximas, as casas mais próximas, os rastros mais próximos de automóvel, tudo está sendo investigado. No nosso país, tanto como no seu, damos a maior importância às investigações. Na França, também perdemos alguns dos nossos melhores cientistas. Na minha opinião, *mon cher*, é mais fácil controlar cantoras de óperas temperamentais do que cientistas. Eles são brilhantes, esses jovens, mas são instáveis, rebeldes e, o que é mais perigoso, completamente ingênuos. O que imaginam que se passa *là bas*? Doçura, luz, desejo pela verdade e o paraíso na Terra? Coitados! Quantas desilusões os esperam.

– Vamos ler a lista de passageiros de novo – disse Jessop.

O francês esticou o braço, tirou a lista de uma cesta de arame e entregou-a ao colega. Os dois começaram a ler.

– Sra. Calvin Baker, americana. Sra. Betterton, inglesa. Torquil Ericsson, norueguês... a propósito, o que sabe sobre ele?

– Nada de que eu me lembre – respondeu Leblanc. – Era jovem. No máximo 27, 28 anos.

– Conheço esse nome – disse Jessop, franzindo a testa. – Acho... tenho quase certeza... que ele apresentou um trabalho na Royal Society.

– Depois vem a *religieuse* – disse Leblanc, voltando à lista. – Irmã Marie não sei do quê. Andrew Peters, também americano. Dr. Barron. Esse é um nome famoso, *le docteur Barron*. Um homem brilhante. Especialista em doenças causadas por vírus.

– Guerra biológica – falou Jessop. – Tudo se encaixa.

– Um indivíduo mal pago e insatisfeito – disse Leblanc.

– "Quantos iam para St. Ives"? – murmurou Jessop.

O francês olhou-o sem entender e Jessop sorriu, como que pedindo desculpa.

– É apenas um versinho infantil conhecido na Inglaterra – explicou. – St. Ives, no caso, significa ponto de interrogação. Viagem para lugar nenhum.

O telefone em cima da mesa tocou, e Leblanc atendeu.

– *Allô?* – disse. – *Qu'est-ce qu'il y a?* Ah, sim, mande-os subir. – Virou-se para Jessop com o rosto radiante. – Um dos homens trazendo informações

– falou. – Encontraram alguma coisa. *Mon cher collègue*, é possível... só digo isso... que seu otimismo se justifique.

Pouco tempo depois, dois homens entraram no quarto. O primeiro parecia-se ligeiramente com Leblanc, o mesmo tipo, atarracado, moreno, inteligente. Era educado nos modos e muito animado. Vestia-se como um europeu, mas sua roupa estava amarrotada, manchada e coberta de poeira. Via-se que acabava de chegar de uma viagem. O outro era um nativo, com as costumeiras vestes brancas. Tinha a dignidade natural dos habitantes de lugares distantes. Era cordial, mas não subserviente. Olhou com certa admiração ao redor do quarto, enquanto seu companheiro explicava a situação em francês.

– A recompensa foi oferecida – explicou o primeiro. – Este homem, sua família e vários amigos seus têm procurado muito. Disse-lhe que ele mesmo trouxesse o que achou, porque talvez haja perguntas a fazer.

Leblanc virou-se para o berbere.

– Bom trabalho – disse, falando agora na língua de seu interlocutor. – Você tem olhos de lince, meu caro. Mostre-nos o que descobriu.

De uma dobra de sua túnica branca o homem tirou um pequeno objeto e, dando um passo à frente, colocou-o sobre a mesa do francês. Era uma grande pérola artificial de coloração rosa-acinzentada.

– É igual à que foi mostrada para mim e para os outros – disse ele. – É valiosa e eu a achei.

Jessop esticou o braço e pegou a pérola. De seu bolso, tirou outra idêntica e examinou as duas. Depois, foi até a janela examiná-las com uma lente poderosa.

– Sim – disse –, tem a marca. – Havia alegria agora em sua voz. Voltou à mesa. – Boa menina – falou –, boa menina! Ela conseguiu!

Leblanc interrogava o marroquino numa rápida conversa em árabe. Por fim, virou-se para Jessop.

– Aceite minhas desculpas, *mon cher collègue* – disse ele. – Esta pérola foi encontrada a uma distância de cerca de *oitocentos metros* do avião incendiado.

– O que comprova – disse Jessop – que Olive Betterton escapou com vida e que, embora sete pessoas tenham partido de Fez no avião e sete corpos carbonizados tenham sido encontrados, um desses sete corpos certamente *não* era o dela.

– Vamos ampliar as buscas agora – disse Leblanc. Falou novamente com o berbere e o homem que o trouxera. – Ele será devidamente recompensado, conforme prometido – anunciou Leblanc –, e haverá uma caça a essas pérolas por todo o interior do país. Essa gente tem olhos de lince e notícia de boa recompensa circulará rapidamente entre eles. Acho... acho, *mon cher collègue*, que teremos bons resultados! Desde que não tenham descoberto o que ela estava fazendo.

Jessop sacudiu a cabeça.

– Seria algo natural – disse. – Um colar de bijuteria, parecido com os que a maioria das mulheres usa, arrebenta. A dona pega no chão as pérolas que consegue encontrar, guarda-as no bolso e, como o bolso está furado... Além disso, por que suspeitariam dela? Estamos falando de Olive Betterton, uma mulher ansiosa para reencontrar o marido.

– Precisamos reavaliar o caso sob uma nova ótica – disse Leblanc. Pegou a lista de passageiros. – Olive Betterton. Dr. Barron – disse, tirando os dois nomes. – Dois, pelo menos, que estão indo... não importa para onde. A americana, sra. Calvin Baker. Em relação a ela, não podemos concluir nada. Torquil Ericsson, como você disse, apresentou um trabalho na Royal Society. O americano, Peters, é descrito em seu passaporte como pesquisador químico. A *religieuse*... bem, seria um ótimo disfarce. Na verdade, temos um grupo de pessoas engenhosamente encaminhadas de pontos diferentes para viajar nesse avião naquele dia específico. Depois o avião é encontrado em chamas e, dentro dele, o número necessário de corpos carbonizados. Como será que eles conseguiram realizar tal façanha? *Enfin, c'est colossal!*

– Sim – concordou Jessop. – O convincente toque final. Mas sabemos que seis ou sete pessoas começaram uma jornada nova e sabemos de onde partiram. O que fazemos agora... vamos até lá?

– Exatamente – respondeu Leblanc. – Estabeleceremos nosso centro de operações. Se eu não estiver enganado, agora que estamos no caminho, conseguiremos novas informações.

– Se nossos cálculos estiverem certos – disse Jessop –, os resultados aparecerão.

Os cálculos eram muitos e complexos. A trajetória de um carro, a provável distância de reabastecimento, possíveis aldeias em que os viajantes pernoitaram. As pistas eram muitas e confusas, as decepções eram constantes, mas aqui e ali surgia um resultado positivo.

– *Voilà, mon capitaine!* Uma busca nos banheiros, como você ordenou. Num canto escuro do banheiro da casa de Abdul Mohammed foi encontrada uma pérola escondida num pedaço de goma de mascar. Ele e os filhos foram interrogados. A princípio negaram, mas acabaram confessando. Um grupo de seis pessoas, que diziam pertencer a uma expedição arqueológica alemã, passou a noite lá. Pagaram muito dinheiro para que não dissessem nada a ninguém, com a desculpa de que pretendiam fazer algumas escavações ilícitas. Crianças da aldeia de El Kaif também trouxeram mais duas pérolas. Agora sabemos em que sentido estão indo. E tem mais,

Monsieur le Capitaine. A mão de Fátima foi vista, como você previu. Este sujeito aqui lhe contará a respeito.

"Este sujeito" era um berbere de aparência especialmente selvagem.

– Eu estava com o meu rebanho à noite – falou ele – e ouvi um carro. Quando passou por mim, vi o sinal: o contorno da mão de Fátima ao lado, brilhando na escuridão.

– A aplicação de material fosforescente numa luva pode ser muito eficaz – murmurou Leblanc. – Parabéns, *mon cher*, pela ideia.

– É eficaz – disse Jessop –, mas perigosa. É facilmente notada pelos próprios fugitivos.

Leblanc deu de ombros.

– Não tem como ser vista à luz do dia.

– Não, mas se fizessem uma parada à noite e descessem do carro na escuridão...

– Mesmo assim... a Hamsá é uma conhecida superstição árabe. Costuma ser pintada em carretas e vagões. Pensariam apenas que um muçulmano devoto a tinha pintado com tinta fosforescente em seu carro.

– Tem razão. Mas precisamos estar alertas. Se os nossos inimigos perceberam o fato, é muito provável que tenham preparado uma pista falsa com mãos de Fátima em tinta fosforescente.

– Concordo. Precisamos estar sempre alerta. Sempre, sempre alerta.

Na manhã seguinte, Leblanc recebeu mais três pérolas falsas, dispostas em triângulo e presas em goma de mascar.

– Isso indica – disse Jessop – que a etapa seguinte da viagem foi em avião.

Olhou para Leblanc com ar interrogativo.

– Você está absolutamente certo – confirmou Leblanc. – Isso foi encontrado num campo de aviação militar abandonado, num lugar remoto e isolado. Havia indícios de que um avião pousara lá pouco tempo antes – encolheu os ombros. – Um avião desconhecido – disse – que depois levantou voo para um destino ignorado. Isso nos leva a uma nova interrupção. Ficamos sem saber onde se encontra a próxima pista...

CAPÍTULO 15

"É incrível", pensou Hilary, "que eu já esteja aqui há *dez dias*!". Era assustador constatar como nos adaptamos a qualquer situação na vida. Ela se lembrou de ter visto uma vez, na França, um aparelho de tortura da Idade Média, uma gaiola de ferro em que o prisioneiro era confinado sem poder deitar, sentar ou ficar em pé. O guia contou que o último homem que a ocupara estivera encerrado por dezoito anos e vivera mais vinte depois que foi liberado, morrendo de velhice. Essa capacidade de adaptação, pensou Hilary, era o que diferenciava o homem dos outros animais. O homem podia viver em qualquer clima, comer qualquer coisa, em qualquer condição, fosse ele escravo ou livre.

Nos primeiros dias na Unidade, Hilary sentira um pânico horrendo, uma terrível sensação de clausura e frustração, e o fato de a prisão ser camuflada pelo luxo tornara, de certo modo, a situação ainda mais insustentável para ela. Agora, após uma semana, já começava a aceitar as suas condições de vida como normais. Uma existência estranha. Parecia um sonho. Aquela atmosfera de irrealidade. Porém, Hilary sentia que aquele sonho começara há muito tempo e que duraria ainda muito mais. Talvez para sempre... Ela viveria sempre ali na Unidade. A vida era isso. Não havia nada do lado de fora.

A perigosa aceitação da realidade devia-se, em grande parte, ao fato de ela ser mulher, pensou Hilary. As mulheres eram mais adaptáveis por natureza. Esse era seu ponto forte e seu ponto fraco. Elas analisavam o meio, aceitavam-no e, realistas, procuravam adaptar-se para tirar o máximo proveito possível. O que mais a interessava eram as reações das pessoas que chegaram junto com ela. Mal viu Helga Needheim, exceto algumas vezes durante a refeição. Quando se encontravam, a alemã cumprimentava-a apenas com um aceno de cabeça. Helga Needheim parecia-lhe uma mulher feliz e satisfeita. Evidentemente, a Unidade correspondera às suas expectativas. Era o tipo de pessoa que se dedicava integralmente ao trabalho, amparada por sua arrogância natural. A superioridade dela e de seus colegas cientistas era o artigo número um de seu credo. Não tinha interesse na fraternidade entre os homens ou em uma era de paz, liberdade de pensamento e de expressão. Para ela, o futuro era limitado, mas promissor. A super-raça, à qual ela pertencia. O resto do mundo, na servidão, tratado com bondade condescendente, dependendo de seu comportamento. Se os seus companheiros de trabalho tinham visões diferentes, se suas ideias eram comunistas em vez de fascistas, Helga não reparava. Se trabalhavam bem, eram necessários, e suas ideias mudariam.

O dr. Barron era mais inteligente do que Helga Needheim. Hilary trocara algumas palavras com ele. Estava absorto em seu trabalho, muito satisfeito com as condições oferecidas, mas sua mente tipicamente francesa levava-o a fazer especulações sobre o ambiente em que se encontrava.

– Não era o que eu esperava. Francamente – disse ele certo dia –, *entre nous*, sra. Betterton, não gosto das condições de cárcere... e isto aqui é um cárcere... mas a gaiola, digamos assim, é bastante atraente.

— Aqui não existe a liberdade que o senhor procurava – disse Hilary.

Ele sorriu rapidamente, com certa tristeza.

— A senhora está enganada – disse. – Não vim procurar a liberdade. Sou um homem civilizado. O homem civilizado sabe que não existe isso. Só as nações mais jovens e menos esclarecidas colocam a palavra "liberdade" em sua bandeira. É necessário que haja um sistema de segurança planejado. E a essência da civilização é a vida moderada. O caminho do meio. Sempre voltamos à história do caminho do meio. Não. Serei franco. Vim para cá por causa do dinheiro.

Agora foi Hilary quem sorriu. Ergueu as sobrancelhas.

— E de que serve o dinheiro aqui?

— Para pagar o equipamento do laboratório, que é muito caro – respondeu o dr. Barron. – Não preciso tirar do meu próprio bolso. Desse modo, posso servir à causa da ciência e satisfazer minha curiosidade intelectual. É verdade que amo meu trabalho, mas não pelo bem da humanidade. Cheguei à conclusão de que aqueles que pensam assim são pessoas um tanto confusas e, geralmente, incompetentes. Não, o que valorizo é o puro prazer intelectual da pesquisa. De resto, deram-me uma boa quantia antes da minha partida da França. O dinheiro está seguro, guardado num banco sob outro nome, e no momento certo, quando tudo isso acabar, poderei gastá-lo como quiser.

— Quando tudo isso acabar? – repetiu Hilary. – Mas por que acabaria?

— Precisamos ter bom-senso – disse o dr. Barron. – Nada é permanente, nada dura para sempre. Cheguei à conclusão de que este lugar é dirigido por um louco. Um louco, a propósito, pode ser muito sensato. Uma pessoa rica, sensata e também louca pode manter sua ilusão por muito tempo. Mas no fim – encolheu os ombros – a coisa toda desmorona. Porque, veja bem, o que acontece aqui não é lógico! E tudo o que não é lógico acaba mal. Enquanto isso – encolheu os ombros de novo –, estou ótimo aqui.

Torquil Ericsson, que Hilary achou que ficaria profundamente desiludido, parecia estar muito contente na atmosfera da Unidade. Menos prático do que o francês, ele vivia em sua própria ingenuidade. O mundo que habitava era tão estranho para Hilary que ela não chegava a compreendê-lo. Engendrava-se ali uma espécie de felicidade austera, uma completa absorção em cálculos matemáticos e um horizonte infinito de possibilidades. A estranha e impessoal falta de piedade de seu caráter assustara Hilary. Ele era o tipo de jovem, pensou ela, que num surto de idealismo poderia aniquilar três quartos do mundo para que a quarta parte restante pudesse participar de uma utopia impraticável que só existia na mente de Ericsson.

Em relação ao americano, Andy Peters, Hilary sentia-se mais próxima. Possivelmente, pensou ela, porque Peters era talentoso, mas não um gênio.

Pelo que os outros disseram, ele era um excelente químico, muito competente e cuidadoso, mas não um pioneiro. Peters, assim como Hilary, já odiara e temera o ambiente da Unidade.

– A verdade é que eu não sabia para onde estava indo – disse ele. – Pensei que soubesse, mas estava enganado. O Partido não tem nenhuma relação com este lugar. Não mantemos contato com Moscou. Isso aqui é uma organização isolada qualquer... possivelmente, uma organização fascista.

– Não acha que está dando muita importância para rótulos? – perguntou Hilary.

Ele ficou pensando.

– Talvez você tenha razão – disse. – Pensando bem, essas palavras que usamos indiscriminadamente não significam muito. Mas de uma coisa eu sei: quero sair daqui de qualquer maneira.

– Não será fácil – disse Hilary em voz baixa.

Eles estavam caminhando juntos após o jantar, perto das fontes do jardim do terraço. A escuridão da noite e o céu estrelado davam-lhes a impressão de estar nos jardins secretos de algum sultão. As construções funcionais, de concreto, não eram visíveis de onde estavam.

– Não – concordou Peters –, não será fácil, mas nada é impossível.

– Gosto de ouvir você dizendo isso – falou Hilary. – Ah, como eu gosto de ouvir você dizendo isso!

Ele olhou para ela com simpatia.

– Este lugar está lhe fazendo mal? – perguntou ele.

– Muito. Mas não é disso que tenho medo.

– Não? Então é de quê?

– Tenho medo de me acostumar com essa situação – disse Hilary.

– Sim – ele disse pensativo. – Sei o que você quer dizer. Há uma espécie de sugestionamento coletivo aqui. Acho que você tem razão.

– Parece-me que seria muito mais natural que as pessoas se rebelassem – disse Hilary.

– Sim, é claro. Pensei a mesma coisa. Aliás, já me perguntei uma ou duas vezes se não estão nos enfeitiçando.

– Enfeitiçando? Como assim?

– Para falar francamente, refiro-me a drogas.

– Usando algum tipo de entorpecente?

– Sim. É bem possível. Algo na comida ou na bebida que provoque... como direi?... docilidade.

– Mas existe algo que provoque isso?

– Bem, essa não é minha especialidade. Sei que existem substâncias que acalmam as pessoas, que as tranquilizam antes de uma operação, por exemplo. Se há alguma droga que pode ser administrada regularmente por longos períodos, e que ao mesmo tempo não interfira na eficiência, não sei. Estou mais inclinado a pensar que o efeito é produzido em um nível mental. O que quero dizer é o seguinte: alguns dos dirigentes e administradores daqui são especialistas em hipnose e psicologia, e acho que, sem percebermos, estamos sendo constantemente sugestionados no sentido de pensar que estamos felizes e que logo alcançaremos nosso objetivo final (seja ele qual for). Funciona mesmo. É incrível o que se pode conseguir com isso, principalmente quando o método é executado por quem entende do assunto.

– Mas não precisamos nos submeter – exclamou Hilary com veemência. – Não devemos pensar, nem por um minuto, que estamos felizes aqui.

– O que diz seu marido?

– Tom? Não sei. É tão difícil. Eu... – começou a dizer, mas calou-se.

Não podia contar a seu interlocutor sobre a vida fantasiosa que vinha levando. Vivia há dez dias num apartamento com um estranho. Dormiam no mesmo quarto e, nas noites de insônia, ouvia-o respirando na cama ao lado da sua. Os dois concordaram que a situação era inevitável. Ela era uma impostora, uma espiã, disposta a desempenhar qualquer papel e a se fazer passar por qualquer pessoa. Quanto a Tom Betterton, ela não o entendia. Parecia-lhe um terrível exemplo do que poderia acontecer a um jovem brilhante obrigado a viver alguns meses na enervante atmosfera da Unidade. De qualquer maneira, ele não aceitava resignadamente seu destino. Longe de ter prazer no trabalho, parecia cada vez mais preocupado pelo fato de não conseguir se concentrar no que fazia. Reafirmara mais de uma vez o que dissera no primeiro dia.

– Não consigo *pensar*. É como se eu estivesse vazio por dentro.

Sim, pensou ela, Tom Betterton, sendo um gênio, precisava de liberdade mais do que a maioria. O sugestionamento não havia compensado a perda de liberdade. Só em plena liberdade é que ele podia produzir, criar.

Estava à beira de um colapso nervoso. Tratava Hilary com curiosa indiferença. Para ele, Hilary não era uma mulher e nem sequer uma amiga. Ela chegava a duvidar se ele tinha realmente sofrido pela morte da mulher. O que realmente o preocupava era o problema do confinamento. Vivia dizendo:

– Tenho que sair daqui. Preciso sair. – E às vezes: – Eu não sabia. Não tinha a mínima ideia de como seria. Como vou sair daqui? Como? Preciso sair. Tenho que sair.

Era, em essência, o que Peters havia dito, mas num contexto muito diferente. Peters era um jovem cheio de energia e furioso, estava desiludido, mas tinha confiança em si mesmo e parecia disposto a enfrentar com sua inteligência os cérebros do estabelecimento em que se encontrava. As palavras de rebeldia de Tom Betterton, por outro lado, eram as de um homem no limite de sua resistência, de um homem que enlouquecia pela necessidade de fugir. Mas era bem possível, pensou Hilary subitamente, que ela e Peters terminassem na mesma situação dentro de seis meses. O que começara como rebelião natural e uma boa dose de autoconfiança acabaria transformando-se no desespero frenético de um rato numa ratoeira.

Quem dera pudesse falar tudo isso para o homem que estava a seu lado. Se ao menos pudesse dizer: "Tom Betterton não é meu marido. Nada sei sobre ele. Não sei como era antes de vir para cá e, portanto, estou às escuras. Não tenho como ajudá-lo, porque não sei o que fazer ou dizer". Na situação em que estava, precisava escolher cuidadosamente as palavras. Então disse:

– Tom parece um estranho para mim agora. Ele não me conta mais nada. Às vezes, acho que o confinamento, a sensação de estar encurralado aqui, está levando-o à loucura.

– É possível – disse Peters ríspido. – Pode ter esse efeito.

– Mas, me diga uma coisa, você que fala com tanta segurança em sair daqui. Como conseguiremos sair? Que chance pode haver?

– Não digo que sairemos depois de amanhã, Olive. Precisamos planejar a fuga. Existem exemplos de pessoas que escaparam em condições bastante adversas. Muitos escritores, dos dois lados do Atlântico, escreveram livros sobre fugas de fortalezas na Alemanha.

– Mas a situação era muito diferente.

– Na essência não. Onde há uma entrada tem que haver também uma saída. Evidentemente, cavar um túnel está fora de cogitação no nosso caso, o que reduz bastante as possibilidades. Mas, como já disse, onde há uma entrada tem que haver também uma saída. Com um pouco de perspicácia, camuflagem, fingimento, simulação, suborno e corrupção, podemos conseguir. Precisamos estudar a situação. Uma coisa eu garanto: eu *sairei* daqui. Pode escrever.

– Acredito – disse Hilary, acrescentando: – Mas e eu?

– Bem, no seu caso é diferente.

Sua voz denotava constrangimento. Por um momento, ela ficou sem saber o que ele queria dizer. Depois, percebeu que seu objetivo supostamente já havia sido alcançado. Viera para ficar ao lado do homem que amava e, sendo assim, não deveria ter tanta necessidade de fugir. Sentiu-se tentada a contar toda a verdade a Peters, mas um instinto de precaução a impediu.

Desejou boa noite e retirou-se.

CAPÍTULO 16

I

– Boa noite, sra. Betterton.

– Boa noite, srta. Jennson.

A moça esguia, de óculos, parecia animada. Seus olhos brilhavam por trás das lentes grossas.

– Haverá uma reunião hoje à noite – disse. – Será conduzida pelo *próprio diretor*!

Falava com uma voz quase abafada.

– Que bom – disse Andy Peters, que estava perto. – Estava ansioso para conhecer esse diretor.

A srta. Jennson lançou-lhe um rápido olhar de surpresa e reprovação.

– O diretor – disse ela com austeridade – é uma pessoa maravilhosa.

Quando ela saiu por um dos inevitáveis corredores brancos, Andy Peters silvou baixinho.

– Foi impressão minha ou havia um tom de *Heil Hitler* na postura dela?

– Havia, sim. Pelo menos parecia.

– O problema na vida é que nunca sabemos realmente para onde estamos indo. Se eu soubesse, quando saí dos Estados Unidos cheio de entusiasmo juvenil pela velha causa da fraternidade entre os homens, que viria a cair nas garras de mais um desses benditos ditadores... – ergueu os braços.

– Você ainda não sabe – lembrou Hilary.

– Mas já sinto o cheiro no ar – disse Peters.

– Fico tão feliz que você esteja aqui! – exclamou ela, corando frente ao olhar inquisidor dele. – Você é tão agradável, tão comum – explicou meio sem jeito.

Peters achou graça.

– No meu país – disse – a palavra "comum" não tem o mesmo sentido. Pode significar que uma pessoa é ordinária.

– Você sabe que eu não quis dizer isso. Quis dizer que você é igual a todo mundo. Meu Deus, isso também pode parecer grosseiro.

– Então você está atrás do homem comum? Já se cansou de gênios.

– Sim. E você também mudou depois de vir para cá. Perdeu aquele traço de amargura, de ódio.

Ele ficou sério de repente.

– Não esteja certa disso – disse. – Ainda está lá, só que escondido. Ainda sinto ódio. Algumas coisas *devem* ser odiadas, pode acreditar.

II

A reunião, como a srta. Jennson a chamara, aconteceu depois do jantar. Todos os membros da Unidade reuniram-se na grande sala de conferências.

A audiência não incluía o que poderia se chamar "equipe técnica": assistentes de laboratório, o corpo de balé, o pessoal dos diversos serviços e o pequeno grupo de lindas prostitutas que trabalhavam na Unidade atendendo às necessidades sexuais dos homens que não estavam com a esposa, ou que não tivessem estabelecido contato com as funcionárias.

Sentada perto de Betterton, Hilary esperava com grande curiosidade a chegada ao palanque da figura quase mítica do diretor. Interpelado por ela, Tom Betterton dera respostas vagas e pouco satisfatórias a respeito da personalidade do homem que controlava a Unidade.

– Não tem nenhum atrativo especial – disse –, mas sua presença causa um tremendo impacto. Na verdade, só o vi duas vezes. Ele não aparece com frequência. Dá para ver que é um homem extraordinário, mas, francamente, não sei explicar *por quê*.

Pelo modo reverente com que a srta. Jennson e algumas das outras mulheres falavam dele, Hilary tinha formado uma vaga imagem mental de um homem alto, de barba loura e túnica branca... uma espécie de deidade.

Ficou quase alarmada quando a audiência levantou-se e um sujeito moreno, corpulento, de meia-idade, subiu calmamente no palanque. Sua aparência não tinha nada de especial. Podia perfeitamente se fazer passar por um homem de negócios da parte central da Inglaterra. Não era possível adivinhar sua nacionalidade. Falou com o público em três línguas, alternadamente, e sem repetir o que dizia. Os idiomas que usou foram francês, alemão e inglês, falando os três com igual fluência.

– Em primeiro lugar – começou –, gostaria de dar as boas-vindas aos novos colegas que vieram juntar-se a nós.

Proferiu algumas palavras elogiosas a cada um dos recém-chegados.

Em seguida, falou dos objetivos e convicções da Unidade.

Mais tarde, tentando reconstruir seu discurso mentalmente, Hilary reparou que não conseguia se lembrar, com exatidão, de suas palavras. Talvez fosse porque as palavras de que lembrava pareciam banais. Mas ouvi-las era algo muito diferente.

Hilary recordou-se do que lhe contara uma amiga que vivera na Alemanha no período pré-guerra, que um dia, por mera curiosidade, fora a um comício ouvir "aquele Hitler absurdo" e acabou chorando copiosamente, tomada de emoção. Incrível como cada palavra sábia e inspiradora, na lembrança, parecia tão comum.

Algo parecido acontecia agora. Mesmo sem querer, Hilary sentia-se comovida e exaltada. O diretor falou com muita simplicidade. Falou especialmente da juventude. O futuro da humanidade estava nas mãos dos jovens.

– Riqueza acumulada, prestígio, famílias influentes... essas foram as forças do passado. Hoje, o poder está nas mãos da juventude. O poder está nos cérebros. Os cérebros dos químicos, dos físicos, dos médicos... Dos laboratórios vem o poder de destruição em larga escala. Com esse poder é possível dizer: "Rendam-se ou morram!". Tal poder não deve ser conferido a esta ou àquela nação. O poder deve permanecer nas mãos de quem o criou. Esta Unidade é o ponto de reunião do poder do mundo inteiro. Vocês vieram de todas as partes do mundo, trazendo na bagagem seu conhecimento científico e sua força criadora. E, com vocês, veio a *juventude*! Ninguém aqui tem mais de 45 anos. No dia certo, criaremos um Conselho. O conselho dos Cérebros Científicos. E governaremos o mundo. Daremos ordens a capitalistas, a reis, a exércitos e a indústrias. Daremos ao mundo a *Pax Scientifica*.

E não parou por aí. O discurso continuou... inebriante... não pelas palavras em si, mas pela força do orador, capaz de conquistar uma plateia que poderia ter sido fria e crítica não fosse o arrebatamento causado por aquela emoção indescritível.

O diretor concluiu abruptamente:

– Coragem e vitória! Boa noite!

Hilary saiu do salão meio cambaleante, como se estivesse num sonho elevado, e notou o mesmo sentimento no rosto das pessoas à sua volta. Reparou principalmente em Ericsson, seus olhos claros brilhando, a cabeça erguida pela exultação.

Nesse momento, sentiu a mão de Andy Peters em seu braço, e ele disse em seu ouvido:

– Vamos para o terraço. Precisamos de um pouco de ar.

Subiram em silêncio no elevador e saíram entre as palmeiras, sob as estrelas. Peters respirou fundo.

– Sim – exclamou. – É disso que precisamos. Ar para dissipar as nuvens da glória.

Hilary suspirou profundamente. Ainda se sentia num mundo irreal.

Ele a sacudiu ligeiramente pelo braço.

– Acorde, Olive.

– Nuvens de glória – repetiu Olive. – Sabe... foi isso *mesmo*!

– Seja uma mulher realista, com os pés no chão! Quando o efeito do gás venenoso da glória passar, você se dará conta de que ouviu as mesmas tolices de sempre.

– Mas foi admirável... digo, um ideal admirável.

– Que se danem os ideais! Atenha-se aos fatos. Juventude e cérebros... glória, glória, aleluia! E quem representa a juventude e os cérebros? Helga Needheim, uma egoísta sem escrúpulos. Torquil Ericsson, um sonhador carente de espírito prático. O dr. Barron, que venderia a avó a um matadouro a fim de comprar equipamento para seu laboratório. Eu, por exemplo, um indivíduo comum, como você mesma disse, competente com um tubo de ensaio ou um microscópio, mas sem o menor talento para administrar um escritório e muito menos um mundo! O seu marido... sim, vou falar... um homem com os nervos em frangalhos, que não consegue pensar em nada a não ser no medo de um dia ser punido. Mencionei as pessoas que conhecemos melhor... mas todos aqui são iguais... ou ao menos os que já conheço. Gênios, alguns, excelentes em sua área de atuação... mas como dirigentes do Universo... só rindo! Um absurdo pernicioso tudo isso que ouvimos.

Hilary sentou-se no parapeito de concreto. Passou a mão na testa.

– Quer saber? Acho que você tem razão... Mas as nuvens da glória ainda estão no ar. Como é que ele consegue? Será que ele acredita no que diz? Deve acreditar.

Peters comentou em tom de lamento:

– No final, é sempre a mesma coisa: um louco que julga ser Deus.

Hilary disse lentamente:

– Acho que sim. E mesmo assim... a explicação não parece ser muito satisfatória.

– Mas acontece, minha cara. No decorrer da história, já aconteceu várias vezes. E pega as pessoas. Quase fui pego hoje à noite. Você caiu na armadilha. Se eu não a tivesse arrastado para cá... – Seu comportamento mudou de repente. – Acho que não devia ter feito isso. O que Betterton dirá? Vai achar estranho.

– Acho que não. Talvez nem repare.

Ele a olhou com curiosidade.

– Sinto muito, Olive. Deve ser um inferno, para você, ver seu marido decaindo assim.

Hilary falou com urgência na voz:

– Precisamos sair daqui. Temos que sair. De qualquer maneira.

– Sairemos.

– Você já falou isso, mas não demos nem um passo nessa direção.

– Demos, sim. Não estou parado.

Ela o olhou com surpresa.

– Não tenho um plano preciso, mas já dei início a algumas atividades subversivas. Há muito descontentamento aqui, muito mais do que o nosso semideus, o *Herr Direktor*, sabe. Entre os membros mais humildes da Unidade. Comida, dinheiro, luxo e mulheres não são tudo. Vou tirá-la daqui algum dia, Olive.

– E o Tom também?

Peters ficou sério.

– Escute, Olive, e acredite no que digo. Para Tom, será melhor ficar aqui. Ele está... – hesitou em dizer – mais seguro aqui do que lá fora.

– Mais seguro? Que expressão curiosa.

– Mais seguro – repetiu Peters. – Usei essas palavras de propósito.

Hilary franziu a testa.

– Não compreendo o que você quer dizer. Tom não está... Você acha que ele está ficando louco?

– De modo algum. Está muito nervoso, mas é tão equilibrado quanto nós dois.

– Então por que você diz que ele estará mais seguro aqui?

Peters respondeu vagarosamente:

– Uma jaula é um lugar muito seguro para se estar.

– Ah, não! – exclamou Hilary. – Não me diga que você também caiu nessa. Não me diga que esse hipnotismo em massa ou sugestionamento também o pegou. Seguro, domesticado, satisfeito! *Temos* que nos rebelar! Temos que desejar ser livres!

Peters falou sem pressa:

– Eu sei, mas...

– Tom, no fundo, quer desesperadamente sair daqui.

– Talvez Tom não saiba o que é melhor para ele.

Subitamente, Hilary lembrou-se do que Tom insinuara certa vez. Se ele tivesse divulgado informações secretas, estaria sujeito a ser processado conforme as leis de proteção de informações oficiais... era isso, com certeza, que Peters queria dizer e não sabia como. Mas Hilary não tinha dúvidas. Melhor cumprir pena na prisão do que ficar ali.

– Tom também deve vir – disse obstinadamente.

Ficou perplexa quando Peters, em tom amargo, disse:

– Você é que sabe. Depois não diga que não avisei. Não sei por que você ama tanto esse homem.

Ela o encarou consternada. Teve de conter as palavras que lhe vieram aos lábios. O que realmente queria dizer era: "Não o amo. Ele não significa nada para mim. Era casado com outra mulher, e eu devo cumprir uma promessa feita a ela. Seu bobo, se há alguém que eu ame é *você*...".

III

– Divertiu-se com o americano comportado?

Tom Betterton jogou a pergunta no ar quando ela voltou ao quarto. Ele estava deitado na cama, fumando.

Hilary enrubesceu ligeiramente.

– Chegamos aqui juntos – explicou ela – e temos a mesma opinião sobre alguns assuntos.

Ele riu.

– Não a estou culpando – pela primeira vez ele a olhou diferente, com interesse. – Você é uma mulher bonita, Olive – disse.

Desde o início, Hilary insistira para que ele a chamasse pelo nome de sua mulher.

– Sim – continuou ele, olhando-a de cima a baixo. – Você é uma mulher muito bonita. Antigamente, teria reparado na hora. Nas atuais circunstâncias, nada disso parece ter qualquer influência sobre mim.

– Talvez seja melhor assim – falou Hilary secamente.

– Sou um homem perfeitamente normal, minha cara, ou pelo menos era. Só Deus sabe o que sou agora.

Hilary sentou-se a seu lado.

– O que está acontecendo com você, Tom? – perguntou.

– Vou dizer. Não consigo me concentrar. Como cientista, estou destruído. Este lugar...

– Os outros, ou a maioria, não parecem sentir o mesmo que você.

– Porque são uns insensíveis, imagino.

– Alguns são bastante temperamentais – lembrou Hilary friamente. E continuou: – Se ao menos você tivesse um amigo aqui... um amigo de verdade.

– Bem, tem o Murchison, embora ele seja meio apagado. E tenho conversado bastante com Torquil Ericsson nos últimos tempos.

– Verdade? – por algum motivo, Hilary ficou surpresa.

– Sim. Nossa, ele é brilhante. Quem dera eu tivesse um cérebro como o *dele*!

– Ele é um sujeito estranho – disse Hilary. – Sempre o achei assustador.

– Assustador? Torquil? Ele é manso como um cordeiro. Chega a ser infantil em alguns aspectos. Não sabe nada sobre o mundo.

– Para *mim*, ele é assustador – repetiu Hilary obstinadamente.

– Seus nervos também estão ficando abalados.

– Ainda não, mas estou me encaminhando para isso. Tom... não se aproxime muito de Torquil Ericsson.

Ele a encarou.

– Por quê?

– Não sei. É um pressentimento.

CAPÍTULO 17

I

Leblanc encolheu os ombros.

– Eles saíram da África. Isso é certo.

– Não temos *certeza*.

– As probabilidades apontam nessa direção – o francês sacudiu a cabeça. – Afinal de contas, sabemos para onde eles devem ter se dirigido, não sabemos?

– Se eles foram para onde pensamos, por que começar a viagem da África? Qualquer lugar da Europa seria mais simples.

– É verdade. Mas há um outro lado. Ninguém pensaria que eles se reuniriam e partiriam daqui.

– Ainda acho que há mais coisa além disso – Jessop insistia sem pressionar. – Até porque só um avião pequeno poderia usar aquele campo de aviação. Eles teriam que pousar para reabastecer antes de atravessar o Mediterrâneo e deixariam algum vestígio no lugar em que aterrissaram.

– *Mon cher*, temos realizado buscas rigorosas... em todos os lugares...

– Os homens com os contadores Geiger acabarão descobrindo alguma coisa. O número de aviões a rastrear é limitado. Apenas um sinal de radioatividade e saberemos que é o avião que procuramos...

– Se o seu agente tiver conseguido usar o pulverizador... Droga! "Se" isso, "se" aquilo...

– Chegaremos lá – disse Jessop, seguro do que dizia. – A única coisa...

– Sim?

– Presumimos que eles foram para o *norte*, em direção ao Mediterrâneo. Mas suponha, em vez disso, que eles tenham ido para o *sul*.

– Voltando atrás? Porém, nesse caso, para *onde* eles poderiam ter ido? Existem as montanhas do Alto Atlas... e depois as areias do deserto.

II

– Sidi, jura que será como prometido? Ganharei um posto de gasolina em Chicago, nos Estados Unidos? Está garantido?

– Garantido, Mohammed, se conseguirmos sair daqui.

– Isso depende da vontade de Alá.

– Esperemos, então, que a vontade de Alá seja que você tenha um posto de gasolina em Chicago. Por que Chicago?

– Sidi, o irmão da minha mulher foi para os Estados Unidos, e ele tem um posto de gasolina em Chicago. Por que vou passar a vida inteira num lugar tão atrasado? Aqui há dinheiro, fartura de comida, muitos tapetes e mulheres... mas falta modernidade. Não é como nos Estados Unidos.

Peters olhou pensativo para o rosto negro e sério do rapaz. Mohammed, com sua túnica branca, era um tipo magnífico. Que estranhos desejos brotavam no coração humano!

– Não sei se você está sendo prudente – disse com um suspiro –, mas que assim seja. Evidentemente, se formos descobertos...

Um sorriso no rosto escuro de Mohammed revelou lindos dentes brancos.

– É morte na certa... ao menos para mim. Talvez não para o senhor, Sidi, que é um homem importante.

– Aqui as pessoas matam por qualquer motivo, não?

Mohammed deu de ombros com desdém.

– O que é a morte? Isso também está nas mãos de Alá.

– Você sabe o que deve fazer?

– Sei, sim, Sidi. Devo levá-lo ao terraço depois que escurecer. Também devo levar ao seu quarto roupas iguais às que eu e os outros criados usamos. Depois, haverá mais instruções.

– Isso. Melhor sair do elevador agora. Alguém pode perceber que estamos andando para cima e para baixo. Podem suspeitar.

III

Havia dança naquela noite. Andy Peters dançava com a srta. Jennson. Ele a mantinha bem perto e parecia sussurrar algo em seu ouvido. Quando o par, girando lentamente, passou pelo ponto em que Hilary estava, ele a viu e piscou o olho de modo ostensivo.

Hilary, mordendo os lábios para não rir, desviou rapidamente o olhar.

Viu Betterton do outro lado do salão, conversando com Torquil Ericsson. Franziu a testa.

– Quer dançar comigo, Olive? – ouviu a voz de Murchison.

– É claro, Simon.

– Mas não repare que não sou um bom dançarino – avisou.

Hilary concentrou-se em manter os pés onde ele não pudesse pisar.

– É um bom exercício, isso sim – disse Murchison um pouco ofegante. Dançava energicamente.

– Lindo vestido o seu, Olive.

Suas palavras sempre pareciam saídas de um romance antigo.

– Fico feliz que tenha gostado – disse Hilary.

– Conseguiu no departamento de moda?

Resistindo à tentação de responder "Onde mais poderia ter sido?", Hilary respondeu simplesmente "Sim".

— Devemos reconhecer – disse Murchison, que ofegava, girando pelo salão – que eles são ótimos. Estava falando com Bianca outro dia. Isso aqui é melhor que o Estado assistencial. Não precisamos nos preocupar com dinheiro, imposto de renda, consertos ou manutenção de casa. Eles fazem tudo. Deve ser uma vida maravilhosa para as mulheres.

— Bianca acha isso?

— Bem, no início ela ficou um pouco inquieta, mas agora conseguiu organizar alguns grupos e eventos... debates, palestras etc. Reclamou que você não participa tanto quanto poderia.

— Não sou desse tipo, Simon. Nunca fui muito sociável.

— Sim, mas vocês mulheres precisam distrair-se. Não exatamente *distrair-se...*

— Ocupar-se? – sugeriu Hilary.

— Isso! O que estou dizendo é que as mulheres modernas gostam de ter alguma atividade. Sei que mulheres como você e Bianca fizeram um grande sacrifício vindo para cá... nenhuma de vocês é cientista, graças a Deus. Essas mulheres cientistas... são quase todas o cúmulo! Falei com Bianca: Olive precisa de tempo para se enturmar. Demora um pouco até nos acostumarmos com este lugar. No começo, sentimo-nos um pouco claustrofóbicos. Mas depois passa... um dia passa...

— Ou seja, o ser humano é capaz de se acostumar a tudo.

— Bem, algumas pessoas sentem mais do que outras. Tom, por exemplo, parece sentir muito. Cadê o velho Tom? Ah, está ali, com Torquil. São inseparáveis esses dois.

— Preferia que não fossem. Quer dizer, não me parecia que tivessem muita coisa em comum.

— O jovem Torquil está fascinado por seu marido. Segue-o por toda parte.

— Já reparei. Mas por quê?

— Bem, ele tem sempre uma teoria fantástica para contar a alguém... eu não consigo entendê-lo... seu inglês não é muito bom. Mas Tom o ouve e parece entender tudo.

A dança terminou. Andy Peters apareceu e convidou Hilary para a próxima.

— Observei-a sofrendo por uma boa causa – disse ele. – Foi muito pisada?

— Não, sou ágil.

— Percebeu que eu fazia meu trabalho?

— Com a Jennson?

— Sim. Creio que posso dizer, modéstia à parte, que fiz sucesso. Essas moças sem beleza, de feições angulosas e míopes, reagem imediatamente quando são bem-tratadas.

– Parecia mesmo que você estava encantado por ela.

– Essa era a ideia. Essa moça, Olive, se for tratada com jeito, pode ser muito útil. Ela está a par de todos os assuntos daqui. Por exemplo, amanhã deve chegar um grupo de pessoas muito importantes: doutores, representantes do governo e um ou dois ricos patrocinadores.

– Andy, você acha que existe a chance...

– Não. Eles tomarão precauções. Não alimente falsas esperanças. Mas vai ser bom, porque teremos uma ideia dos procedimentos. E na próxima oportunidade... bem, de repente conseguimos alguma coisa. Enquanto Jennson estiver comendo na minha mão, poderei obter muitas informações interessantes.

– O que sabem as pessoas que chegarão?

– Sobre *nós*... a Unidade, digo... absolutamente nada. Ou pelo menos é o que acho. Eles apenas inspecionam o local e os laboratórios de pesquisas médicas. Este lugar foi propositalmente construído como um labirinto para que nenhum visitante tenha ideia de seu tamanho real. Creio que há espécies de comportas que podem isolar totalmente nosso setor.

– Parece *inacreditável*.

– Eu sei. Durante metade do tempo, sentimos que estamos sonhando. Uma das coisas estranhas daqui é que não vemos nenhuma criança. Graças a Deus. Você deveria agradecer por não ter filhos.

Ele sentiu o corpo dela endurecer ao ouvir essas palavras.

– Perdão... falei o que não devia! – desculpou-se, conduzindo-a para uma cadeira fora da pista de dança.

– Sinto muito – repetiu. – Eu a magoei, não?

– Tudo bem... não é sua culpa. Eu já tive uma filha... mas ela morreu.

– Você tinha uma filha? – encarou-a surpreso. – Achei que estivesse casada com Betterton há apenas seis meses.

Olive corou e disse logo em seguida:

– Sim. Mas fui casada antes. Divorciei-me do meu primeiro marido.

– Compreendo. Isso é o pior deste lugar: não sabemos nada sobre a vida das pessoas antes de sua chegada e acabamos falando besteira. Às vezes, acho estranho pensar que não sei nada a seu respeito.

– Nem eu sei de você. Como foi criado... onde... sua família...

– Fui criado num ambiente estritamente científico. Alimentado com tubos de ensaio, por assim dizer. Não se falava em outro assunto. Mas nunca fui o geniozinho da família. A genialidade estava em outro lugar.

– Onde exatamente?

– Numa menina. Ela era brilhante. Poderia ter sido outra Marie Curie, desbravado novos horizontes.

– E o que aconteceu com ela?

– Foi morta – respondeu ele laconicamente.

Hilary imaginou alguma tragédia dos tempos de guerra.

– Você gostava dela? – perguntou com delicadeza.

– Mais do que já gostei de qualquer outra pessoa.

Ele voltou à realidade de repente.

– Mas que droga... já bastam os problemas que temos no presente, agora mesmo. Veja só o nosso amigo norueguês. Tirando os olhos, parece feito de madeira. E quando faz aquela reverência com o corpo? Parece uma marionete.

– É porque ele é alto e magro demais.

– Não é tão alto assim. Deve ter minha altura... 1 metro e 82, no máximo.

– A altura engana.

– É verdade. Como a descrição no passaporte. Ericsson, por exemplo. Altura: 1 metro e 82, cabelo louro, olhos azuis, rosto comprido, postura rígida, nariz médio, boca comum. Mesmo acrescentando o que o passaporte não diz: fala corretamente, mas de maneira pedante... não teríamos a mínima ideia de como Torquil realmente é. O que houve?

– Nada.

Ela olhava fixo para Ericsson, que estava do outro lado do salão. Aquela descrição de Boris Glydr! Quase exatamente o que dissera Jessop. Seria por *isso* que ela sempre ficava nervosa na presença de Torquil Ericsson? Será que...

Virando-se abruptamente para Peters, ela perguntou:

– Tem certeza de que ele *é* Ericsson? Poderia ser outra pessoa?

Peters encarou-a estupefato.

– Outra pessoa? Quem?

– Digo... não poderia ter vindo para cá fingindo ser Ericsson?

Peters ficou pensando.

– Acho... que não. Não creio que seria viável. Ele teria que ser um cientista... e, em todo caso, Ericsson é bastante conhecido.

– Mas ninguém aqui o viu antes... ou seja, ele pode ser Ericsson aqui, mas ser também outra pessoa.

– Você está dizendo que Ericsson poderia ter uma espécie de vida dupla? Isso sim é possível, imagino. Mas me parece pouco provável.

– Tem razão – disse Hilary. – É pouco provável mesmo.

É evidente que Ericsson não era Boris Glydr. Mas por que Olive Betterton tinha insistido tanto em prevenir Tom contra Boris? Seria porque ela sabia que Boris *estava a caminho da Unidade*? E se o homem que viera a Londres dizendo ser Boris Glydr não fosse Boris Glydr? E se ele fosse, na verdade, *Torquil Ericsson*? A descrição batia. Desde que chegara à Unidade, ele concentrara sua atenção em Tom. Hilary tinha certeza de que Ericsson era uma pessoa perigosa... como saber o que se passava por trás daqueles olhos claros e sonhadores?

Ela estremeceu.

– O que houve, Olive? O que está acontecendo?

– Nada. Veja. O diretor adjunto vai falar.

O dr. Nielson erguia a mão, pedindo silêncio. Falou ao microfone no palco do salão.

– Amigos e colegas. Amanhã, vocês deverão permanecer no setor de emergência. Por favor, reúnam-se às onze da manhã. Faremos uma lista de chamada. O serviço de emergência durará apenas 24 horas. Lamento pelo incômodo. Colocamos um aviso no quadro.

Retirou-se, sorrindo. A música recomeçou.

– Preciso falar com Jennson de novo – disse Peters. – Ali está ela, séria, perto da coluna. Quero saber como são essas acomodações de emergência.

Ele se afastou. Hilary ficou lá, pensando. Estaria imaginando coisas sem nexo? Torquil Ericsson? Boris Glydr?

IV

A chamada aconteceu na grande sala de conferências. Todos estavam presentes e responderam quando seu nome foi mencionado. Depois, formando uma longa fila, começaram a caminhar.

O caminho, como sempre, seguia por um labirinto de corredores. Hilary, andando ao lado de Peters, sabia que ele tinha uma pequena bússola escondida na mão. Desse modo, discretamente, ele calculava a direção de seu trajeto.

– Não adianta muito – lamentou em voz baixa. – Pelo menos, não agora. Mas pode ajudar... em algum momento.

No final do corredor por onde passavam havia uma porta, e o grupo parou até a porta ser aberta.

Peters tirou a cigarreira do bolso, mas, imediatamente, a voz de Van Heidem fez-se ouvir, alta e peremptória.

– Não fumem, por favor. Isso já foi avisado.

– Desculpe-me, senhor.

Peters parou, com a cigarreira na mão. Depois, todos prosseguiram.

– Parece um monte de carneirinhos – comentou Hilary, com repugnância.

– Ânimo – murmurou Peters. – Bééé! Bééé! Há uma ovelha negra no rebanho querendo se rebelar.

Ela lançou-lhe um olhar agradecido e sorriu.

– O dormitório das mulheres fica à direita – informou a srta. Jennson. Conduziu as mulheres na direção indicada.

Os homens foram para a esquerda.

O dormitório era uma grande sala de aspecto asséptico como o de uma enfermaria. Tinha muitas camas, uma ao lado da outra, com cortinas de plástico que podiam ser corridas para a privacidade de seus ocupantes. Junto a cada cama, havia um pequeno armário.

– As acomodações são bem simples – disse a srta. Jennson –, mas funcionais. Os banheiros ficam ali, à direita. A área comum da sala de estar fica atrás daquela porta, no fundo.

A área comum da sala de estar, onde todos se encontraram de novo, era modestamente mobiliada, como a sala de espera de um aeroporto... Havia um bar e um balcão de um lado e uma estante de livros do outro.

O dia foi bastante agradável. Exibiram dois filmes numa pequena tela portátil.

A iluminação era do tipo "luz do dia" para disfarçar o fato de não haver janelas. Quando começou a escurecer, acenderam um conjunto de lâmpadas que produzia uma luz suave e discreta, como a da noite.

– Inteligente – disse Peters com admiração. – Ajuda a diminuir a sensação de estar sendo emparedado vivo.

Estavam desamparados, pensou Hilary. Em algum lugar, bem perto deles, encontrava-se um grupo de pessoas do mundo exterior. Contudo, não havia como se comunicar, como pedir ajuda. Tudo ali havia sido impiedosa e eficientemente planejado.

Peters estava sentado com a srta. Jennson. Hilary propôs aos Murchison uma partida de bridge. Tom Betterton não quis. Disse que não conseguia se concentrar, mas o dr. Barron concordou em ser o quarto jogador.

Por incrível que pareça, Hilary gostou de jogar. Já eram onze e meia quando terminaram a terceira rodada, sendo Hilary e o dr. Barron os vencedores.

– Gostei desse jogo – comentou Hilary, olhando para o relógio. – Já é tarde. Imagino que os visitantes de honra já tenham ido embora a essa hora, ou será que eles passarão a noite aqui?

– Não sei muito bem – respondeu Simon Murchison. – Creio que um ou dois dos médicos mais interessados ficarão. Mas todos terão partido até amanhã ao meio-dia.

– E então seremos liberados?

– Sim. E já será tarde. Esse tipo de coisa atrapalha toda a nossa rotina.

– Mas foi tudo bem organizado – disse Bianca em tom de aprovação.

Ela e Hilary levantaram-se e deram boa-noite para os homens. Hilary ficou um pouco atrás para deixar Bianca entrar na penumbra do dormitório. Neste momento, sentiu que lhe tocavam levemente no braço.

Virou-se rapidamente e deparou-se com um dos criados altos e morenos do seu lado.

Murmurou em francês, com urgência na voz:

– *S'il vous plaît, madame*, a senhora deve me acompanhar.

– Acompanhar? Acompanhar para onde?

– Por favor, venha comigo.

Ela ficou sem saber o que fazer por um momento.

Bianca tinha entrado no dormitório. Na sala de estar, ainda havia algumas pessoas conversando.

Sentiu novamente aquele toque leve e insistente em seu braço.

– A senhora virá comigo, madame.

Ele deu alguns passos, parou e olhou para ela, chamando-a. Ainda relutante, Hilary o seguiu.

Notou que esse criado em particular estava muito mais bem-vestido do que os outros. Sua túnica era bordada com fios de ouro.

Ele a conduziu até uma pequena porta num canto da sala e, depois, pelos infindáveis e anônimos corredores brancos. Pareceu a Hilary que não seguiam o mesmo caminho pelo qual tinham vindo ao setor de emergência, mas era difícil ter certeza, porque os corredores eram todos parecidos. Ela tentou fazer uma pergunta, mas o guia acenou que não com a cabeça, sem paciência, e andou mais depressa.

Pararam no fim de um corredor, e ele apertou um botão na parede. Um painel se abriu, revelando um pequeno elevador. O criado fez um gesto para que ela entrasse, entrou também e o elevador começou a subir.

Hilary perguntou com rispidez:

– Para onde você está me levando?

Os olhos escuros do guia fitaram-na numa espécie de séria reprovação.

– Ao chefe, madame. É uma grande honra para a senhora.

– Quer dizer, ao diretor.

– Ao chefe...

O elevador parou. Ele abriu a porta e fez um gesto para que ela saísse. Seguiram um outro corredor e chegaram a uma porta. O guia bateu e a porta foi aberta. Encontraram outro criado com túnica branca bordada de ouro e rosto negro impassível.

O homem conduziu Hilary pela antessala acarpetada de vermelho e afastou uma cortina de contas para eles passarem. Hilary entrou e viu-se, inesperadamente, num ambiente quase oriental. Havia divãs, mesas de café e um ou dois belos tapetes pendurados na parede. Sentada num divã baixo, encontrou uma pessoa que ela fitou com absoluta incredulidade. Pequeno, amarelo e enrugado, lá estava, sorrindo para ela, o velho sr. Aristides.

CAPÍTULO 18

— *Asseyez-vous, chère madame* – disse o sr. Aristides.

Fez um gesto com sua pequena mão, que parecia uma garra, e Hilary, como num sonho, sentou-se num divã em frente a ele.

— Está surpresa – disse ele, caindo na risada. – Não esperava por isso, não é?

— Na verdade, não – respondeu Hilary. – Nunca pensei... nunca imaginei...

Mas a surpresa já estava diminuindo.

Ao reconhecer o sr. Aristides, o mundo irreal de sonhos em que estivera vivendo nas últimas semanas desfez-se em pedaços. Sabia agora que a Unidade parecera-lhe irreal... porque era irreal mesmo. Nunca fora o que alegava ser. O *Herr Direktor*, com sua voz arrebatadora, também era irreal... um mero títere colocado ali para ocultar a verdade. A verdade estava aqui, nesta sala oriental secreta. Um pequeno velho sorrindo calmamente. Com o sr. Aristides no centro do quadro, tudo fazia sentido... sentido prático, objetivo.

— Entendo agora – disse Hilary. – Isto aqui... é tudo seu, não?

— Sim, madame.

— E o diretor? O suposto diretor.

— Ele é muito bom – falou o sr. Aristides em tom de gratidão. – Pago-lhe um ótimo salário. Ele costumava conduzir reuniões revivalistas.

Ficou fumando, pensativo, por alguns instantes. Hilary não abriu a boca.

— Há doces turcos atrás da senhora, madame. E outros doces, se preferir. – Mais uma vez, fez-se silêncio. Então, ele continuou: – Sou um filantropo, madame. Como sabe, sou rico. Um dos homens mais ricos do mundo atualmente. Talvez, o mais rico. Com toda a minha riqueza, sinto-me na obrigação de servir à humanidade. Estabeleci aqui, neste lugar isolado, uma colônia de leprosos e um grande centro de pesquisa voltado para a cura da lepra. Alguns tipos de lepra *são* curáveis. Outros, até hoje, não. Mas estamos trabalhando com afinco e temos obtido bons resultados. A lepra não é uma doença tão contagiosa como pensam. É muito menos contagiosa do que a varíola, o tifo, a peste e tantas outras doenças desse tipo. No entanto, se dissermos "uma colônia de leprosos", as pessoas morrerão de medo e tentarão manter distância. É um temor antigo, muito antigo, que vem dos tempos bíblicos e permanece até os dias de hoje. O horror aos leprosos. Fiz uso disso para criar este lugar.

– Foi por esse motivo que o criou?

– Sim. Temos também um departamento de pesquisa sobre o câncer, e trabalhos importantes sobre tuberculose estão sendo feitos. Realizamos ainda pesquisas sobre vírus... para fins de tratamento, *bien entendu*... nada de guerra biológica. Tudo humanitário e dentro do que é permitido. Uma honra para mim. Os mais renomados médicos, cirurgiões e pesquisadores químicos vêm aqui de vez em quando para ver nossos resultados, como aconteceu hoje. O prédio foi engenhosamente construído, de modo que uma parte dele é completamente isolada e invisível, até mesmo para um observador aéreo. Os laboratórios mais secretos foram escavados na rocha. Estou acima de qualquer suspeita. – Sorriu e acrescentou: – Sou muito rico.

– Mas por quê? – quis saber Hilary. – Por que essa ânsia de destruição?

– Não tenho ânsia de destruição, madame. A senhora está sendo injusta comigo.

– Então... simplesmente não entendo.

– Sou um homem de negócios – disse o sr. Aristides com naturalidade. – Também sou um colecionador. Quando a riqueza se torna algo opressivo, essa é a única saída. Já colecionei muitas coisas na vida. Quadros... tenho o melhor acervo da Europa. Determinados tipos de cerâmica. Filatelia... minha coleção de selos é famosa. Quando uma coleção já está bastante grande, passamos para a próxima. Sou um homem velho, madame, e não tenho muito mais o que colecionar. Então, resolvi colecionar *cérebros*.

– Cérebros? – indagou Hilary.

Ele respondeu que sim com a cabeça.

– Sim, é a coisa mais interessante que existe para colecionar. Pouco a pouco, madame, estou reunindo aqui todos os cérebros do mundo. Os *jovens*. São os que trago para cá. Jovens promissores, que realizam planos. Um dia, as nações cansadas acordarão e perceberão que seus cientistas estão velhos e ultrapassados e que os cérebros jovens do mundo, os doutores, os pesquisadores químicos, os médicos e os cirurgiões, estão todos aqui, sob minha tutela. Se quiserem um cientista, um cirurgião plástico ou um biólogo, terão que vir aqui comprá-lo de *mim*!

– Quer dizer... – Hilary inclinou-se para frente, encarando-o. – Quer dizer que tudo isto é uma gigantesca operação financeira?

O sr. Aristides assentiu com a cabeça mais uma vez.

– Sim – respondeu. – Naturalmente. Caso contrário... não faria sentido, faria?

Hilary soltou um suspiro profundo.

– Não – disse ela. – Não faria nenhum sentido.

– Afinal de contas, veja bem – disse o sr. Aristides, como que se desculpando –, é a minha profissão. Sou um financista.

– Quer dizer, então, que não existe *nenhum* interesse político nisso tudo? O senhor não quer o poder mundial?

Ele ergueu as mãos em protesto.

– Não quero ser Deus – disse. – Sou um homem religioso. Essa doença de querer ser Deus é típica dos ditadores. Ainda não fui contagiado. – Refletiu por um momento e disse: – Poderá acontecer... um dia... mas até agora, felizmente, estou são.

– Mas como o senhor consegue fazer com que todas essas pessoas venham para cá?

– Eu as compro, madame. No mercado, como qualquer outro produto. Às vezes, compro com dinheiro, mas normalmente compro com ideias. Os jovens são sonhadores. Têm ideais, convicções. Outra opção é comprá-los com a segurança... aqueles que transgrediram as leis.

– Isso explica tudo – disse Hilary. – Quero dizer, explica o que me intrigava na viagem para cá.

– Ah, então a senhora ficou intrigada durante a viagem?

– Sim. A diferença de objetivos. Andy Peters, o americano, parecia ser completamente de esquerda. Ericsson, por outro lado, defendia fanaticamente a ideia do super-homem. Helga Needheim era uma fascista do tipo mais extremista e arrogante. O dr. Barron... – ela hesitou.

– Sim, ele veio por dinheiro – disse o sr. Aristides. – O dr. Barron é civilizado e cético. Não alimenta ilusões, mas tem verdadeiro amor ao seu trabalho. Ele queria muito dinheiro para levar adiante suas pesquisas. – Acrescentou: – A senhora é inteligente, madame. Percebi isso imediatamente em Fez.

Deu uma risada.

– A senhora não sabe, madame, mas fui a Fez só para observá-la... aliás, mandei que a levassem a Fez para observá-la.

– Compreendo – disse Hilary, reparando na reformulação oriental da frase.

– Fiquei feliz de imaginar que a senhora pudesse vir para cá. Porque não encontro muitas pessoas inteligentes para conversar por aqui, se é que a senhora me entende. – Fez um gesto. – Esses cientistas, esses biólogos, esses pesquisadores químicos não são interessantes. Talvez sejam gênios *no que fazem*, mas são pessoas pouco interessantes para conversar. – Acrescentou pensativo: – As mulheres deles, normalmente, são umas chatas também. Não incentivamos a vinda de esposas para cá. Só deixo vir esposas por um motivo.

– Qual?

O sr. Aristides respondeu secamente:

– Nos raros casos em que o sujeito não consegue trabalhar direito porque está pensando demais na mulher. Esse parecia ser o caso de seu marido, Thomas Betterton. Ele é conhecido, no mundo inteiro, como um jovem gênio, mas desde que chegou aqui só tem feito coisas medíocres. Sim, ele me decepcionou.

– Mas isso não acontece com frequência? Afinal, essas pessoas estão aprisionadas aqui. É de se esperar que se rebelem. Ao menos no início.

– Sim – concordou o sr. Aristides. – Isso é natural e inevitável. Acontece o mesmo quando se coloca um passarinho numa gaiola. Mas se o passarinho for colocado num aviário bastante grande, com tudo o que precisa, uma companheira, sementes, água, árvores, tudo o que precisa para viver, ele acaba esquecendo que já foi livre um dia.

Hilary sentiu um arrepio.

– O senhor me assusta – disse. – Realmente me assusta.

– A senhora entenderá um dia, madame. Todos esses homens de ideologias diferentes, apesar de ficarem desiludidos e revoltados quando chegam aqui, acabarão se conformando.

– O senhor não pode ter certeza disso – provocou Hilary.

– Não podemos ter certeza de nada neste mundo. Concordo com a senhora. Mas a probabilidade de acontecer o que eu digo é de noventa e cinco por cento.

Hilary encarou-o com horror.

– Isso é terrível – exclamou. – Como um *pool* de datilógrafas! Mas aqui o senhor tem um *pool* de cérebros.

– Exatamente. Uma ótima definição, madame.

– E com esse *pool* o senhor pretende, algum dia, fornecer cientistas a quem pagar melhor.

– Isso. Em linhas gerais, essa é a ideia, madame.

– Mas o senhor não pode mandar um cientista para outro lugar como mandaria uma datilógrafa.

– Por que não?

– Porque, quando o cientista estiver livre de novo, ele pode se recusar a trabalhar para o novo empregador. Nada o aprisiona mais.

– É verdade, até certo ponto. Talvez seja necessário lançar mão de um certo... condicionamento, digamos assim.

– Condicionamento? Como assim?

– Já ouviu falar em lobotomia, madame?

Hilary franziu a testa.

– É uma operação no cérebro, não?

– Exato. Foi originalmente idealizada para curar a melancolia. Estou falando sem entrar em jargões médicos, madame, para que a senhora entenda. Após a operação, o paciente não tem mais desejo de se suicidar, nem sentimentos de culpa. Desaparecem as preocupações, o peso da consciência, e o paciente fica manso e obediente na maior parte dos casos.

– Mas não há garantia total de sucesso, não é?

– Antigamente não havia. Porém, temos feito grandes progressos na investigação do assunto. Tenho aqui três cirurgiões: um russo, um francês e um austríaco. Com diversos enxertos e manipulações no cérebro, eles estão gradualmente chegando ao ponto de assegurar a obediência e o controle da vontade sem afetar a genialidade mental do paciente. Ou seja, poderemos condicionar um ser humano à docilidade sem alterar seu poder intelectual. Não haverá mais rebeldia.

– Isso é pavoroso – gritou Hilary. – Pavoroso!

Ele a corrigiu com serenidade.

– É *útil*. Diria que é até benéfico. Porque o paciente viverá feliz, contente, sem medos, anseios ou inquietações.

– Não acredito que isso seja possível – disse Hilary com despeito.

– *Chère madame*, desculpe-me dizer, mas a senhora não me parece a pessoa mais adequada para falar desse assunto.

– O que estou dizendo – explicou Hilary – é que não acredito que um *animal* satisfeito e sugestionável seja capaz de produzir algum trabalho digno de orgulho.

Aristides encolheu os ombros.

– Pode ser. A senhora é inteligente. Talvez tenha razão. O tempo dirá. Estamos realizando experiências constantes.

– Experiências! Experiências com seres humanos!

– Sim. É o único método prático.

– Mas... que seres humanos?

– Há sempre os inadaptados – respondeu Aristides. – Aqueles que não se acostumam com a vida aqui, que não cooperam. Eles constituem um bom material para as experiências.

Hilary enfiou as unhas nas almofadas do divã. Sentiu profundo horror daquele homenzinho sorridente, de rosto amarelado e ideias inumanas. Tudo o que ele dizia parecia tão razoável, tão lógico, tão profissional que o horror se agravava. Ela não estava diante de um louco delirante, mas de um homem para o qual seus semelhantes não passavam de matéria-prima.

– O senhor não acredita em Deus? – indagou ela.

– É claro que acredito em Deus – o sr. Aristides ergueu as sobrancelhas. Falava como se estivesse chocado com a pergunta – Já lhe disse isso. Sou um homem religioso. Deus me abençoou com um poder supremo: dinheiro e oportunidade.

– O senhor lê a Bíblia? – perguntou Hilary.

– É claro que sim, madame.

– Lembra-se do que Moisés e Aarão disseram ao Faraó? *Deixe o meu povo ir.*

Ele sorriu.

– Então eu sou o Faraó e a senhora é Moisés e Aarão? É isso o que a senhora está me dizendo, madame? Para deixar essas pessoas irem? Todo mundo ou apenas alguém em especial?

– Diria... todo mundo – respondeu Hilary.

– Mas a senhora sabe muito bem, *chère madame* – disse ele –, que isso seria perda de tempo. A senhora não está pedindo pelo seu marido?

– Ele não lhe serve – argumentou Hilary. – O senhor já deve estar convencido disso.

– Talvez seja verdade o que diz, madame. Estou muito decepcionado com Thomas Betterton. Esperava que sua presença aqui fosse restituir o brilho de seu talento, porque ele é realmente brilhante. A fama que tinha nos Estados Unidos não me deixa mentir. Mas sua vinda não mudou muita coisa. Não estou falando com base nas minhas observações pessoais, mas nos relatórios de quem entende do assunto. Seus colegas cientistas, que trabalham junto com ele. – Encolheu os ombros. – Seu trabalho é escrupuloso e medíocre. Nada mais que isso.

– Alguns pássaros não conseguem cantar quando estão presos – insistiu Hilary. – Talvez alguns cientistas não consigam produzir um trabalho criativo em determinadas circunstâncias. O senhor há de concordar que é uma possibilidade.

– Sim. Não nego.

– Então, considere Thomas Betterton como um de seus fracassos. Deixe-o voltar para o mundo exterior.

– Acho difícil, madame. Ainda não chegou o momento de permitir que todos saibam da existência deste lugar.

– Ele poderia jurar silêncio, jurar que nunca falaria nada.

– Ele poderia jurar, mas quebraria o juramento.

– Não quebraria, não! Tenho certeza.

– Eis uma esposa falando! Não é possível confiar na palavra das esposas nesses casos. Contudo – recostou-se no divã e juntou a ponta dos dedos amarelados –, se ele deixasse um refém aqui, não abriria o bico.

– O que o senhor quer dizer?

– Estou falando da *senhora*, madame... Se Thomas Betterton fosse embora e a senhora ficasse como refém... O que me diz? A senhora aceitaria?

Hilary ficou com o olhar perdido na escuridão. O sr. Aristides não tinha como enxergar o quadro que se desenhava diante dela. Estava de volta num quarto de hospital, sentada perto de uma moribunda. Ouvia Jessop e memorizava suas instruções. Se houvesse agora uma chance de Thomas Betterton ser libertado, mesmo que tivesse que ficar em seu lugar, não teria ela cumprido sua missão? Porque ela sabia (o que o sr. Aristides nem suspeitava) que não haveria nenhum refém no sentido usual da palavra. Ela não significava nada para Thomas Betterton. A mulher que ele amara já estava morta.

Hilary ergueu a cabeça e olhou em direção ao pequeno velho no divã.

– Aceitaria – respondeu.

– A senhora tem coragem, lealdade e devoção, madame. São grandes atributos. Quanto ao resto... – ele sorriu. – Falaremos sobre o assunto em outra ocasião.

– Oh, não, não! – Hilary escondeu o rosto nas mãos, desandando a soluçar. – Não consigo aguentar isso! Não consigo! É desumano demais para mim.

– Não se preocupe tanto, madame – a voz do velho era meiga, quase reconfortante. – Fiquei feliz de lhe contar nesta noite sobre meus objetivos e aspirações. Foi interessante observar o efeito numa mente desprevenida. Uma mente como a sua, equilibrada, sã e dotada de inteligência. A senhora está horrorizada. Sentiu repulsa. Mesmo assim, creio que foi sensato o plano de chocá-la. A princípio, a senhora rejeita a ideia, depois reflete a respeito e, no fim, a achará natural, como se fosse algo que tivesse sempre existido. Algo corriqueiro.

– Nunca! – berrou Hilary. – Nunca! Jamais!

– Ah – fez o sr. Aristides. – Eis a paixão e a rebeldia que caracterizam as pessoas de cabelos ruivos. Minha segunda mulher – acrescentou – tinha cabelos ruivos. Era uma mulher bonita e me amava. Estranho, não? Sempre gostei de ruivas. Seu cabelo é muito bonito. Existem outras qualidades que admiro na senhora: sua força, sua coragem, o fato de ter personalidade – suspirou. – Infelizmente, as mulheres, como tais, interessam-me muito pouco hoje em dia. Há duas moças aqui que me divertem de vez em quando, mas é o estímulo mental de uma boa companhia que prefiro agora. Pode acreditar, madame, sua companhia me fez muito bem.

– Suponhamos que eu conte tudo o que o senhor falou... ao meu marido.

O sr. Aristides sorriu com indulgência.

– Sim. Mas a senhora contará?

– Não sei... realmente não sei.

– Ah – exclamou o sr. Aristides. – A senhora é esperta. Algumas coisas as mulheres devem guardar para si. Mas a senhora está cansada... e abalada. Ocasionalmente, quando eu vier aqui, a senhora será trazida à minha presença e discutiremos muitos assuntos.

– Deixe-me sair deste lugar... – Hilary estendeu as mãos para ele. – Deixe-me ir embora. Deixe-me ir com o senhor, quando for. Eu lhe imploro. Por favor!

Ele fez que não com a cabeça, sem se alterar. Sua expressão era de indulgência, mas revelava um certo desprezo.

– Agora a senhora está falando como uma criança – disse em tom de reprovação. – Como poderia deixá-la sair? A senhora espalharia para todo mundo o que viu aqui.

– Não acreditaria se eu jurasse que não contaria nada para ninguém?

– Para falar a verdade, não – respondeu o sr. Aristides. – Seria muito tolo se acreditasse numa história dessas.

– Não quero ficar aqui. Não quero ficar aqui, nessa prisão. Quero sair.

– Mas a senhora tem o seu marido. Veio para cá, por livre e espontânea vontade, para ficar perto dele.

– Mas eu não sabia para onde estava indo. Não fazia a menor ideia.

– É verdade – disse o sr. Aristides –, a senhora não fazia a menor ideia. Mas posso lhe garantir que a vida aqui neste mundo particular para onde veio é muito mais agradável do que por trás da Cortina de Ferro. Aqui, a senhora tem tudo o que precisa! Luxo, um bom clima, distrações...

Levantou-se e deu-lhe um tapinha nos ombros.

– A senhora se acostumará – disse o velho, seguro de si. – Com certeza, o pássaro de cabeça vermelha se acostumará com a gaiola. Em um ou dois anos, a senhora estará muito feliz! Talvez – acrescentou em tom reflexivo – não tão interessante quanto agora.

CAPÍTULO 19

I

Hilary acordou na noite seguinte com um sobressalto. Apoiando-se na cama com o cotovelo, tentava escutar.

– Tom, está ouvindo isso?

– Sim. Um avião voando baixo. Nada de mais. De vez em quando passam por aqui.

– Será que... – não terminou a frase.

Ficou acordada, pensando, repassando em sua mente aquela estranha conversa com Aristides.

O velho demonstrara certo apreço por ela.

Poderia aproveitar-se disso?

Poderia, no fim, convencê-lo a levá-la junto com ele para o mundo lá fora?

Na próxima vez em que viesse, ela o induziria a falar sobre sua falecida esposa de cabelos ruivos. Não seriam os atrativos físicos que iriam cativá-lo. O sangue que lhe corria nas veias agora era frio demais. Além disso, ele tinha suas "meninas". Mas os velhos gostam de relembrar, de que lhes peçam para falar dos tempos passados...

O tio George, que vivera em Cheltenham...

Hilary sorriu no escuro, recordando-se do tio George.

Seriam o tio George e Aristides, o homem dos milhões, realmente diferentes por trás das aparências? O tio George tivera uma governanta... "uma mulher tão educada e confiável, minha querida, sem nenhuma vulgaridade ou sensualidade. Uma pessoa simples e sóbria." Mas o tio George contrariara toda a família casando-se com aquele mulher educada e simples. Era uma mulher que sabia ouvir...

O que Hilary tinha dito a Tom? "Darei um jeito de sair daqui." Curioso se esse jeito fosse o sr. Aristides.

II

– Uma mensagem – disse Leblanc. – Finalmente.

Seu ordenança acabara de entrar e colocar um papel dobrado à sua frente, após cumprimentar todos. Leblanc abriu o bilhete e falou com entusiasmo:

– Este é um relatório de um dos nossos pilotos de reconhecimento. Ele ficou responsável por uma das áreas do Alto Atlas. Ao sobrevoar uma região montanhosa, observou que lhe faziam sinais luminosos. Eram em código Morse e foram repetidos duas vezes. Aqui estão.

Entregou o papel a Jessop.

COGLEPRAESL

Separou as duas últimas letras com um risco de lápis.

– SL... é o nosso código para "Não acuse o recebimento".

– E o COG do início – explicou Jessop – é o *nosso* sinal de identificação.

– A mensagem em si é o resto. – Sublinhou as letras que sobraram. – LEPRAE. – Olhou para a palavra com ar de dúvida.

– Lepra? – sugeriu Jessop.

– E o que significa isso?

– Vocês têm alguma colônia de leprosos importante? Ou mesmo sem importância?

Leblanc abriu um grande mapa e apontou para um ponto com o dedo grosso e manchado de nicotina.

– Aqui – disse. – Esta é a área sobre a qual nosso piloto está operando. Deixe-me ver. Acho que me lembro...

Retirou-se e voltou logo em seguida.

– Já sei – disse. – Há um centro de pesquisas médicas muito famoso nesse local, fundado e mantido por filantropos conhecidos... uma região bastante deserta. Tem sido feito um trabalho muito importante no que se refere ao estudo da lepra. Há um leprosário com cerca de duzentos pacientes. Existe também um centro de pesquisas sobre câncer e um sanatório para tuberculosos. Mas, veja bem, tudo absolutamente lícito. O estabelecimento goza da mais alta reputação. O próprio presidente da República é seu patrono.

– Sim – disse Jessop, concordando. – Um excelente trabalho realmente.

– Mas está aberto para inspeção a qualquer momento. Médicos que se interessam pelo assunto costumam visitar o local.

– E não veem nada que não devem ver! Por que veriam? Não há melhor camuflagem para um negócio duvidoso do que uma atmosfera de grande respeitabilidade.

– Pode ser – disse Leblanc sem convicção. – Serviria como ponto de parada para pessoas com outro destino. Talvez um ou dois médicos da Europa Central tenham conseguido organizar algo nesse sentido. Um pequeno grupo de pessoas, como o que estamos procurando, poderia ficar *perdu* ali por algumas semanas antes de prosseguir viagem.

– Acho que pode ser mais do que isso – opinou Jessop. – Acho que pode ser... o fim da jornada.

– Ou seja, algo maior.

– Um leprosário? Parece-me muito sugestivo... Hoje em dia, com toda a modernidade, a lepra pode ser tratada em casa.

– Talvez nas sociedades civilizadas. Mas não aqui neste país.

– Não. Mas a palavra lepra ainda está associada à Idade Média, quando os leprosos andavam com uma sineta no pescoço para que os outros saíssem de seu caminho. As pessoas não visitam uma colônia de leprosos por mera curiosidade. Quem visita, como você disse, são médicos interessados em pesquisa científica e, talvez, alguns assistentes sociais, querendo verificar as condições de vida dos leprosos... tudo certamente admirável. Contudo, por trás dessa fachada de filantropia e caridade, pode estar acontecendo qualquer coisa. A propósito, quem é o dono do lugar? Que filantropos contribuíram para a sua construção e manutenção?

– Isso é fácil de descobrir. Um minuto.

Voltou pouco tempo depois com um livro de consulta nas mãos.

– A instituição foi fundada por iniciativa privada. Um grupo de filantropos liderado por Aristides. Como sabe, Aristides é um homem riquíssimo e costuma empregar seu dinheiro em instituições de caridade. Fundou hospitais em Paris e Sevilha. Esta é, para todos os fins práticos, sua fundação... os outros doadores são seus associados.

– Então é um empreendimento de Aristides. *E Aristides estava em Fez quando Olive Betterton esteve lá.*

– Aristides! – Leblanc ficou empolgado com o que aquilo poderia significar. – *Mais... c'est colossal*!

– Sim.

– *C'est fantastique*!

– Muito.

– *Enfin... c'est formidable*!

– Certamente.

– Você se dá conta de como isso é formidável? – Leblanc, agitado, sacudiu o dedo na cara do outro. – Esse Aristides está em tudo. Está por trás de quase tudo. Bancos, governo, indústrias, armamentos, transportes! Nunca é visto e raramente se ouve falar nele! Fica sentado num quarto aconchegante de seu castelo na Espanha, fumando, e às vezes rabisca algumas palavras num pedaço de papel que joga no chão. Um secretário se arrasta pelo chão, pega o papel e, alguns dias depois, um banqueiro em Paris estoura os miolos! Incrível!

– Sua dramaticidade é admirável, Leblanc. Mas não há nada de surpreendente no que me diz. Presidentes e ministros fazem declarações, banqueiros sentados em mesas suntuosas preparam balanços opulentos... mas todo mundo sabe que por trás de tanta importância e magnificência há um sujeito, aparentemente insignificante, que comanda tudo. Não é de se espantar que Aristides esteja por trás dessa história de desaparecimentos... Aliás, se tivéssemos sido mais perspicazes, já teríamos pensado nisso. Trata-se de um grande embuste *comercial*. Não tem nada de política. A pergunta agora é – acrescentou ele – o que faremos a respeito?

O rosto de Leblanc ficou sombrio.

– Não será fácil, veja bem. Se estivermos enganados... não quero nem pensar! E mesmo se estivermos certos... temos que *provar* que estamos certos. Se fizermos investigações... essas investigações podem ser interrompidas... por ordens superiores, entende? Não. Não será fácil... *Mas* – sacudiu o indicador rechonchudo – será feito.

CAPÍTULO 20

Os carros subiram a estrada da montanha e pararam em frente ao grande portão cravado na rocha. Eram quatro carros. No primeiro estavam o ministro francês e o embaixador americano. No segundo estavam o cônsul inglês, um deputado e o chefe de polícia. No terceiro estavam dois membros da Comissão Real e dois importantes jornalistas. Acompanhando esses três primeiros carros, iam os indispensáveis satélites. No quarto carro estavam indivíduos desconhecidos pelo público em geral, mas notáveis em sua profissão, entre eles o capitão Leblanc e o sr. Jessop. Os motoristas, impecavelmente uniformizados, abriram as portas dos carros para que os ilustres visitantes descessem.

– Espero – murmurou o ministro apreensivo – que não tenhamos nenhum risco de *contato*.

Um dos satélites pronunciou-se imediatamente, de modo a tranquilizá-lo.

– *Du tout, monsieur le ministre.* Todas as precauções foram tomadas. A inspeção será feita a distância.

O ministro, que era velho e estava preocupado, pareceu aliviado agora. O embaixador disse algo a respeito do maior conhecimento e melhor tratamento dessas doenças hoje em dia.

O grande portão se abriu. Um pequeno grupo recebeu os visitantes na entrada: o diretor, moreno e corpulento, o diretor adjunto, alto e louro, dois importantes médicos e um renomado pesquisador químico. Os cumprimentos foram em francês, cheios de floreios e exageros.

– E *ce cher* Aristides? – perguntou o ministro. – Espero sinceramente que a saúde não o tenha impedido de cumprir sua promessa de nos encontrar aqui.

– O sr. Aristides chegou da Espanha ontem – contou o diretor adjunto. – Está esperando os senhores lá dentro. Permita-me, Vossa Excelência, *monsieur le ministre*, que o guie.

O grupo o seguiu. *Monsieur le ministre*, que estava ligeiramente apreensivo, olhou através do forte gradeado à sua direita. Os leprosos estavam alinhados o mais longe possível das grades. O ministro parecia aliviado. Sua visão da lepra ainda era medieval.

Na moderna e bem mobiliada sala de visitas, o sr. Aristides aguardava seus convidados. Houve cumprimentos, mesuras e apresentações. Os aperitivos foram servidos pelos criados negros, com suas túnicas brancas e turbantes.

– Um lugar maravilhoso, senhor – disse um dos jovens jornalistas a Aristides.

O velho fez um de seus gestos orientais.

– Tenho orgulho daqui – falou. – Este lugar é meu "canto de cisne", como se diz, minha última contribuição à humanidade. Não economizamos no projeto.

– Dá para ver – comentou entusiasmado um dos médicos da equipe. – Este lugar é o sonho de um profissional. Temos bons centros de pesquisa nos Estados Unidos, mas o que vi desde que vim para cá... *e* estamos obtendo resultados! É um fato, senhor.

Seu entusiasmo era contagioso.

– Devemos agradecer à iniciativa privada – disse o embaixador, curvando-se educadamente diante de Aristides.

– Deus tem sido muito bom comigo – disse ele.

Sentado meio agachado em sua cadeira, parecia um pequeno sapo amarelo. O deputado comentou baixinho com o membro da Comissão Real, muito velho e surdo, que Aristides representava um curioso paradoxo.

– O velho canalha provavelmente já arruinou milhões de pessoas e, sem saber o que fazer com todo o dinheiro que ganhou, está devolvendo-o.

O velho juiz com quem ele falava murmurou:

– É de se pensar até que ponto os resultados justificam grandes gastos. A maior parte das grandes descobertas que beneficiaram a raça humana foi feita com equipamentos bastante simples.

– E agora – prosseguiu Aristides depois da troca de formalidades e dos aperitivos – ficarei muito honrado se aceitarem a refeição simples que os espera. O dr. Van Heidem será o anfitrião, porque estou de dieta e tenho comido muito pouco. Depois da refeição, começaremos a visita.

Guiados pelo simpático dr. Van Heidem, os convidados encaminharam-se, com alegria, para o salão de jantar. Tinham ficado duas horas dentro de um avião mais uma hora dentro de um carro. Estavam todos famintos. A comida estava deliciosa e foi muito elogiada pelo ministro.

– Gozamos de um conforto razoável – comentou Van Heidem. – Um avião nos traz frutas e legumes frescos duas vezes por semana, temos um esquema para conseguir carne e frango e dispomos, claro, de diversas câmaras frigoríficas. O corpo deve reivindicar seus direitos frente aos recursos da ciência.

A refeição foi acompanhada de excelentes vinhos. Depois, serviram café turco. O grupo foi então convidado a fazer a visita de inspeção, que durou duas horas e foi bastante abrangente. O ministro, em especial, ficou feliz quando a visita acabou. Ele estava um pouco tonto com o brilho dos laboratórios, com a alvura reluzente dos infindáveis corredores e ainda mais atordoado com a quantidade de informações científicas transmitida.

O interesse do ministro era superficial, mas outros membros da comitiva demonstraram curiosidade. Perguntaram sobre as condições de vida dos funcionários e sobre diversos outros detalhes. O dr. Van Heidem mostrou tudo o que havia para ver, com a maior boa vontade. Leblanc e Jessop, o primeiro, da comitiva do ministro, e o segundo, acompanhando o cônsul inglês, retardaram o passo enquanto o grupo voltava à sala de estar. Jessop tirou do bolso um antiquado e barulhento relógio e consultou a hora.

– Não há nenhum vestígio aqui, nada – murmurou Leblanc agitado.

– Nenhum sinal.

– *Mon cher*, se estivermos no caminho errado, será uma catástrofe! Depois das semanas que levamos para organizar tudo. Para mim... será o fim da carreira.

– Ainda não estamos derrotados – disse Jessop. – Tenho certeza de que nossos amigos estão aqui.

– Mas não há nenhum vestígio deles.

– É claro que não há vestígio. Eles preparam tudo para essas visitas oficiais, de modo a não deixar aparentar nada de errado.

– Então, como conseguiremos provas? Uma coisa é certa: sem provas, não conseguiremos nada. Estão todos céticos. O ministro, o embaixador americano, o cônsul inglês... todos dizem que um homem como Aristides está acima de qualquer suspeita.

– Calma, Leblanc. Fique calmo. Posso garantir que ainda não estamos derrotados.

Leblanc encolheu os ombros.

– Você é um otimista, meu amigo – disse. Virou-se por um momento para falar com um dos rapazes da *entourage*, de rosto arredondado e impecavelmente vestido, e voltou-se para Jessop.

– Por que esse sorriso? – perguntou, suspeitando de alguma coisa.

– Ah, as maravilhas da ciência... a última modificação do contador Geiger, para ser mais exato.

– Não sou cientista.

– Eu também não, mas este detector de radioatividade está me dizendo que nossos amigos estão aqui. Este prédio foi construído assim de propósito. Todos os corredores e cômodos são tão parecidos que é difícil saber onde estamos e como é a planta do local. Há uma parte do prédio que nós não vimos. Não nos mostraram.

– Mas você supõe que ela exista por conta das indicações de radioatividade.

– Exatamente.

– Ou seja, aquela história das pérolas de novo.

– Sim. Como João e Maria, seguindo migalhas de pão. Porém, os sinais deixados aqui não podem ser evidentes como as contas de um colar de pérolas ou uma hamsá pintada em tinta fosforescente. Não podem ser vistos, mas podem ser sentidos... pelo nosso detector de radioatividade...

– Mas, *mon Dieu*, será suficiente?

– Deveria ser – afirmou Jessop. – O único problema é... – parou de falar.

Leblanc tomou a palavra.

– O que você quer dizer é que eles não *querem* acreditar. Tem sido assim desde o início. É verdade. Até mesmo seu cônsul é um sujeito cauteloso. O governo de seu país deve favores a Aristides. Quanto ao nosso governo... – encolheu os ombros. – *Monsieur le ministre*, pelo que sei, não se convencerá facilmente.

– Não podemos depender dos governos – disse Jessop. – Os governos e os diplomatas estão sempre com as mãos atadas. Mas precisamos deles aqui, porque são os únicos com autoridade. Devemos depositar nossa esperança em outra área...

– Que área, meu amigo?

O rosto solene de Jessop abriu-se num sorriso.

– Na imprensa – respondeu. – Os jornalistas têm faro para notícias. Não querem que elas sejam escondidas do público. Estão sempre dispostos a acreditar em qualquer coisa que pareça verossímil, mesmo que remotamente. A outra pessoa em quem confio – continuou – é aquele senhor surdo.

– Sei quem é. Aquele que parece estar a dois passos da morte.

– Esse mesmo. É surdo, está doente e quase não enxerga. Mas gosta da verdade. É um antigo juiz do Supremo Tribunal inglês e, apesar de estar surdo, cego e meio ruim das pernas, sua cabeça continua tão brilhante como antes... ele tem aquela perspicácia que os luminares adquirem, de saber quando existe algo de suspeito e alguém está tentando abafar. É um homem que ouvirá e desejará conhecer os fatos.

Tinham voltado à sala de visitas. Chá e aperitivos foram servidos. O ministro parabenizou o sr. Aristides com frases rebuscadas. O embaixador americano não ficou para trás. Foi então que o ministro, olhando ao redor, disse com ligeiro nervosismo na voz:

– E agora, senhores, creio que chegou o momento de deixarmos nosso querido anfitrião. Já vimos *tudo o que há* para ver... – acentuou essas últimas palavras. – Tudo aqui é magnífico. Um estabelecimento de primeira! Estamos muito gratos pela hospitalidade de nosso anfitrião e o felicitamos pelo sucesso do empreendimento. Então, já podemos nos despedir e partir. Concordam?

As palavras eram, de certa forma, convencionais, assim como a postura. O olhar lançado aos presentes denotava mera formalidade. Havia certo apelo naquele discurso. Na verdade, o ministro queria dizer: "Como perceberam, senhores, não há nada de anormal aqui, nada do que suspeitavam ou temiam. Ainda bem. Já podemos ir embora com a consciência tranquila".

Mas uma voz quebrou o silêncio. Era a voz calma, respeitosa, bem-educada e britânica do sr. Jessop. Dirigiu-se ao ministro em bom francês, apesar do sotaque inglês.

– Com a sua permissão, senhor – disse –, e se for possível, gostaria de pedir um favor ao nosso amável anfitrião.

– Claro. Nenhum problema, sr.... ah... sr. Jessop, não?

Jessop voltou-se de modo solene para o dr. Van Heidem. Não olhou ostensivamente para o sr. Aristides.

– Conhecemos tantas pessoas aqui – disse – que ficamos um pouco confusos. Mas há um velho amigo meu aqui com quem gostaria de falar antes de partir. Será que isso é possível?

– Um amigo seu? – perguntou o dr. Van Heidem em tom delicado, porém surpreso.

– Na verdade, dois amigos – respondeu Jessop. – Há uma mulher, a sra. Betterton. Olive Betterton. Creio que seu marido está trabalhando aqui. Tom Betterton. Esteve em Harwell e, antes disso, nos Estados Unidos. Ficaria muito feliz se pudesse trocar uma palavrinha com eles antes de ir embora.

As reações do dr. Van Heidem foram perfeitas. Arregalou os olhos e franziu a testa admirado.

– Betterton... sra. Betterton... não, não há ninguém aqui com esse nome.

– Há um americano também – insistiu Jessop. – Andrew Peters. Pesquisador químico, acho eu. É isso, não? – virou-se em deferência para o embaixador americano.

O embaixador era um sujeito de meia-idade, arguto e com olhos azuis. Um homem de caráter e habilidade diplomática. Seus olhos fixaram-se nos de Jessop. Demorou um minuto, contado no relógio, para responder:

– Sim. Exatamente. Andrew Peters. Gostaria de vê-lo.

O assombro controlado de Van Heidem aumentou. Jessop, discretamente, lançou um rápido olhar a Aristides. O pequeno rosto amarelado não demonstrava notar nada de errado, nenhuma surpresa, nenhuma inquietação. Parecia simplesmente desinteressado.

– Andrew Peters? Não. Vossa Excelência deve ter se equivocado. Não temos ninguém com esse nome aqui. Creio que nunca ouvi tal nome.

– Mas já ouviu falar no nome de Thomas Betterton, não?

Por um segundo, Van Heidem hesitou. Sua cabeça virou-se ligeiramente para o velho sentado na cadeira, mas ele se conteve a tempo.

– Thomas Betterton – repetiu. – Sim, acho que sim...

Um dos jornalistas aproveitou imediatamente a deixa.

– Thomas Betterton – disse. – Notícia importante. Foi notícia importante há seis meses, quando desapareceu. Esteve nas manchetes de todos os jornais da Europa. A polícia está à sua procura. Quer dizer que durante todo esse tempo ele estava aqui?

– Não – Van Heidem falava com rispidez. – Alguém deve ter lhe dado informações erradas. Uma brincadeira, talvez. Vocês viram hoje todos os trabalhadores da Unidade. Viram tudo.

– Não tudo, eu diria – falou Jessop calmamente. – Há um jovem chamado Ericsson também – acrescentou. – O dr. Louis Barron e, possivelmente, a sra. Calvin Baker.

– Ah – o dr. Van Heidem fez cara de quem se lembrava. – Mas essas pessoas morreram no Marrocos... num acidente de avião. Agora me lembro. Ericsson e o dr. Louis Barron, ao menos, estavam no avião. De fato, a França sofreu uma grande perda naquele dia. Um homem como Louis Barron é difícil de se substituir – sacudiu a cabeça. – Não sei nada a respeito da sra. Calvin Baker, mas tenho a vaga ideia de que havia uma senhora inglesa ou americana no avião. Talvez fosse a sra. Betterton de quem fala. Sim, tudo muito triste – olhou de modo interrogativo para Jessop. – Não sei por que o senhor acha que essas pessoas vieram para *cá*! Possivelmente porque o dr. Barron falou, certa vez, que queria visitar nosso estabelecimento durante sua viagem ao norte da África. Talvez tenha sido esse o motivo do mal-entendido.

– O senhor está dizendo, então, que estou enganado? Que nenhuma dessas pessoas está aqui? – perguntou Jessop.

– Como poderiam estar, senhor, se todos morreram no desastre de avião? Creio que os corpos foram encontrados.

– Os corpos encontrados estavam totalmente carbonizados, impossibilitando a identificação – Jessop acentuou de propósito essas últimas palavras.

Houve um pequeno movimento atrás dele. Uma voz fina, fraca e clara então se fez escutar.

– Entendi mal, ou o senhor disse que os corpos encontrados não foram identificados? – Lorde Alverstoke estava inclinado para frente, com a mão na orelha. Por baixo das grossas sobrancelhas, seus olhos pequenos e vivos fitaram os de Jessop.

– Não conseguiram identificar os corpos, caro lorde – explicou Jessop –, e tenho razões para acreditar que essas pessoas escaparam com vida.

– Acreditar? – repetiu lorde Alverstoke em tom de desagrado em sua voz fina e alta.

– Deveria ter dito que tenho provas de que eles estão vivos.

– Provas? Que tipo de provas, sr.... sr.... Jessop?

– A sra. Betterton estava com uma gargantilha de pérolas falsas no dia em que saiu de Fez para Marrakesh – contou Jessop. – Uma dessas pérolas foi encontrada a oitocentos metros do avião incendiado.

– Como o senhor pode garantir que a pérola encontrada era realmente do colar da sra. Betterton?

– Porque todas as pérolas daquele colar tinham uma marca, invisível a olhou nu, mas completamente reconhecível com uma boa lente.

– Quem as marcou?

– Eu, lorde Alverstoke, na presença do meu colega aqui, o monsieur Leblanc.

– O senhor colocou essas marcas... devia ter algum motivo para agir dessa forma.

– Sim, caro lorde. Tinha razões para acreditar que a sra. Betterton me levaria até seu marido, Thomas Betterton, contra quem há uma ordem de prisão. – Jessop continuou: – Mais duas pérolas foram encontradas, no caminho entre o avião incendiado e este lugar em que estamos. Investigações realizadas nos locais onde as pérolas foram encontradas resultaram na descrição de seis pessoas que se assemelhava à das pessoas supostamente queimadas no avião. Um dos passageiros tinha recebido também uma luva com tinta fosforescente. A marca da luva foi encontrada num dos carros que transportaram esses passageiros numa parte do trajeto até aqui.

Lorde Alverstoke observou com sua voz seca e imparcial:

– Incrível.

O sr. Aristides mexeu-se em sua grande cadeira. Suas pálpebras piscaram rapidamente, uma ou duas vezes.

– Onde foram encontrados os últimos vestígios desse grupo de pessoas? – indagou ele.

– Num campo de aviação abandonado, senhor – respondeu Jessop, dando a localização exata.

– Isso fica a centenas de quilômetros daqui – disse o sr. Aristides. – Supondo que suas interessantes especulações se justifiquem e que, por algum motivo, o acidente tenha sido simulado, os passageiros, pelo que entendo, foram de avião para algum lugar, cujo destino desconhecemos. Como o campo de aviação de onde partiram fica a centenas de quilômetros daqui, não vejo por que o senhor acha que eles estão aqui. Por que estariam?

– Existem razões bastante plausíveis, senhor. Um sinal foi captado por um de nossos aviões de busca e trazido ao sr. Leblanc. A mensagem, que começava com letras do nosso código especial de identificação, informava que as pessoas em questão estavam numa colônia de leprosos.

– Tudo isso é incrível – disse o sr. Aristides. – Muito incrível. Mas tudo me leva a crer que tentaram desencaminhá-lo. Essas pessoas não estão aqui. – Falou em tom calmo e peremptório. – O senhor tem total liberdade para fazer uma busca no local se quiser.

– Duvido que encontremos alguém, senhor – disse Jessop. – Não numa busca superficial, embora – acrescentou – eu saiba onde devemos começar a procurar.

– É mesmo? Onde?

– No quarto corredor, saindo do segundo laboratório, virando à esquerda no fim da passagem.

O dr. Van Heidem fez um movimento brusco. Dois copos caíram da mesa e quebraram no chão. Jessop olhou para ele, sorrindo.

– Como vê, doutor – disse –, estamos bem informados.

Van Heidem exclamou com severidade:

– Isso é absurdo! Uma afronta! O senhor está insinuando que estamos detendo pessoas contra a vontade delas. Pois nego categoricamente tal afirmação.

O ministro falou um tanto sem jeito:

– Parece que chegamos a um *impasse*.

O sr. Aristides disse, imperturbável:

– É uma teoria interessante, mas não passa de teoria. – Consultou o relógio. – Se me permitem, senhores, sugiro que partam logo. A distância até o aeroporto é longa, e um atraso no voo de vocês poderá ser motivo de alarme.

Tanto Leblanc quanto Jessop perceberam que havia chegado o momento do confronto. Aristides exercia todo o poder de sua grande personalidade, desafiando-os a contrariá-lo. Se insistissem, significava que estavam dispostos a enfrentá-lo abertamente. O ministro, seguindo as normas, se renderia. O chefe de polícia só desejava agradar ao ministro. O embaixador americano não estava convencido, mas também hesitava em insistir por motivos diplomáticos. O cônsul inglês teria que concordar com os dois.

Aristides pensou nos jornalistas. Os jornalistas poderiam ser levados a sério! O preço deles talvez fosse alto, mas Aristides era da opinião de que eles poderiam ser comprados. Se não fosse possível comprá-los... bem, haveria outras opções.

Quanto a Jessop e Leblanc, eles sabiam. Isso era óbvio, mas eles não podiam agir sem o apoio das autoridades. Aristides deparou-se com o olhar frio de jurista de um homem velho como ele. Esse homem, certamente, não poderia ser comprado. Mas no final das contas... Seus pensamentos foram interrompidos pelo som daquela voz frágil, inexpressiva e distante.

— Na minha opinião – disse a voz –, não devemos apressar desnecessariamente nossa partida, pois estamos diante de um caso que merece ser investigado. Acusações muito sérias foram feitas. Não devemos ignorá-las. Em honra à verdade, que seja concedida a oportunidade de refutação.

— Cabe a vocês – disse o sr. Aristides – provar o que alegam. – Fez um gesto delicado em direção ao grupo. – Uma acusação absurda foi feita sem qualquer prova que a confirme.

— Sem prova, não.

O dr. Van Heidem virou-se surpreso. Um dos criados marroquinos tinha dado um passo à frente. Era um homem bonito, com uma túnica branca bordada e um turbante da mesma cor na cabeça. Seu rosto brilhava, negro e oleoso.

O que levou todos os presentes a olhar para ele boquiabertos foi o fato de que de seus lábios negroides saiu uma voz de origem puramente transatlântica.

— Não faltam provas – disse a voz. – Posso dar meu depoimento. Esses senhores negaram que Andrew Peters, Torquil Ericsson, o sr. e a sra. Betterton e dr. Barron estejam aqui. É mentira. Estão *todos* aqui... e falo por eles. – Aproximou-se do embaixador americano. – O senhor talvez tenha um pouco de dificuldade de me reconhecer no momento – disse –, mas eu sou Andrew Peters.

Um leve som sibilante saiu dos lábios de Aristides. Depois, ele se acomodou na cadeira de novo, com o rosto impassível mais uma vez.

— Há várias pessoas escondidas aqui – contou Peters. – Schwartz, de Munique, Helga Needheim, Jeffreys e Davidson, os cientistas ingleses, Paul Wade, dos Estados Unidos, os italianos Ricochetti e Bianco, Murchison... Estão todos aqui neste prédio. Existe um sistema de comportas praticamente impossível de detectar a olho nu. Há uma verdadeira rede de laboratórios secretos escavados dentro da pedra.

— Santo Deus! – exclamou o embaixador americano. Olhou atentamente para a figura majestosa de africano do seu interlocutor e começou a rir. – Mesmo assim, não posso afirmar que o reconheço.

— É por causa das injeções de parafina nos lábios, senhor. Sem falar na pigmentação preta.

— Se você é Peters, qual o seu número no FBI?

— 813471, senhor.

— Certo – disse o embaixador. – E as iniciais de seu outro nome?

— B.A.P.G., senhor.

O embaixador assentiu com a cabeça;

— Este homem é Peters – afirmou, olhando em direção ao ministro.

O ministro hesitou e pigarreou.

– O senhor está dizendo – perguntou ele a Peters – que essas pessoas estão detidas aqui contra a vontade?

– Alguns estão aqui porque querem, Excelência. Outros, não.

– Nesse caso – disse o ministro –, é preciso tomar depoimentos... sim, precisamos tomar depoimentos.

Olhou para o chefe de polícia, que deu um passo à frente.

– Um momento, por favor. – O sr. Aristides ergueu a mão. – Vejo – disse com sua voz calma e segura – que abusaram da minha confiança. – Seu olhar frio passou de Van Heidem ao diretor, e havia algo de implacável e dominador em seus olhos. – Quanto ao que vocês se permitiram fazer, senhores, em seu entusiasmo pela ciência, ainda não sei ao certo. Minhas doações para este lugar foram puramente em nome da pesquisa. Nunca me envolvi no cumprimento de sua política. Eu o aconselharia, *monsieur le directeur*, no caso de as acusações serem confirmadas pelos fatos, a apresentar as pessoas suspeitas de estarem detidas aqui ilegalmente.

– Mas, monsieur, é impossível. Eu... isso seria...

– Qualquer experiência desse tipo – disse o sr. Aristides – está acabada. – Encarou todos os presentes com seu olhar calmo de financista. – Senhores, imagino que seja quase desnecessário dizer-lhes que, se alguma atividade ilegal acontecia aqui, foi sem *meu* conhecimento.

Era uma ordem e foi recebida como tal, por causa de sua fortuna, seu poder e sua influência. O sr. Aristides, figura mundialmente conhecida, não estaria envolvido naquele assunto. No entanto, mesmo que escapasse incólume, seria uma derrota. Derrota em relação a seu objetivo, em relação ao *pool* de cérebros com o qual esperava obter enorme lucro. O sr. Aristides não se deixava abalar pelo fracasso. Já havia fracassado algumas vezes ao longo de sua carreira. Sempre aceitava o fato filosoficamente e partia para a próxima *empreitada*.

Fez um gesto oriental com as mãos.

– Lavo minhas mãos no que se refere a esse tema – disse.

O chefe de polícia apresentou-se. Sabia o que fazer agora, segundo as instruções recebidas. Estava pronto para agir com toda a autoridade que tinha.

– Não quero que criem empecilhos – disse. – É meu dever investigar a fundo.

Com o rosto muito pálido, Van Heidem adiantou-se.

– Queira me acompanhar – disse. – Vou lhe mostrar nossas acomodações de reserva.

CAPÍTULO 21

— Sinto como se tivesse acordado de um pesadelo – suspirou Hilary.

Esticou os braços bem acima da cabeça. Eles estavam sentados no terraço de um hotel em Tânger. Haviam chegado naquela manhã de avião. Hilary continuou:

— Tudo aquilo aconteceu realmente? Não pode ser.

— Aconteceu – disse Tom Betterton. – Mas concordo com você, Olive, que parecia um pesadelo. O importante é que estou livre agora.

Jessop apareceu no terraço e sentou-se ao lado deles.

— Onde está Andy Peters? – perguntou Hilary.

— Logo estará aqui – respondeu Jessop. – Tinha alguns assuntos a resolver.

— Então, Peters era um de seus homens – comentou Hilary – e usou material fosforescente e uma cigarreira de chumbo que espirrava material radioativo. Nunca suspeitei de nada.

— Não – disse Jessop. – Tanto você quanto ele foram muito discretos um com o outro. Mas, a rigor, ele não é um dos nossos. Ele representa os Estados Unidos.

— Era isso que você queria dizer quando falou que esperava que eu tivesse proteção se realmente encontrasse Tom aqui? Referia-se a Andy Peters?

Jessop respondeu que sim com a cabeça.

— Espero que não esteja me culpando – disse com seu jeito sério – por não ter lhe proporcionado o fim que desejava.

Hilary parecia intrigada.

— Que fim?

— Uma forma mais esportiva de suicídio – lembrou ele.

— É verdade! – sacudiu a cabeça de maneira incrédula. – Uma ideia tão surreal quanto todo o resto. Fui Olive Betterton por tanto tempo que é estranho voltar a ser Hilary Craven.

— Ah, aí está meu amigo, Leblanc – disse Jessop. – Preciso falar com ele.

Deixou-os e andou pelo terraço. Tom Betterton disse rapidamente:

— Poderia me fazer mais um favor, Olive? Ainda vou chamá-la de Olive... fiquei acostumado.

— É claro. O quê?

— Acompanhe-me e depois volte e diga que fui para o quarto me deitar.

Ela o olhou sem entender.

— Por quê? O que você...?

— Vou embora, minha querida, enquanto é possível.

— Embora para onde?

– Para qualquer lugar.

– Mas por quê?

– Pense um pouco, minha querida. Não conheço bem a situação daqui. Tânger é um lugar estranho, que não está sob jurisdição de nenhum país. Mas sei o que acontecerá comigo se for com vocês para Gibraltar. Assim que chegar lá, serei preso.

Hilary olhou preocupada para ele. Na empolgação de terem escapado da Unidade, ela se esquecera de seus problemas.

– Você se refere às leis de proteção de informações oficiais ou sei lá o quê? Mas você não tem como fugir, não é, Tom? Para onde iria?

– Eu já disse. Para qualquer lugar.

– Mas será que isso é viável? Você precisaria de dinheiro e há muitos entraves.

Ele deu uma risada.

– Quanto ao dinheiro, não há problema. Está guardado num lugar sob um nome falso.

– Então você *recebeu* dinheiro?

– É claro que recebi.

– Mas eles irão atrás de você.

– Só que não me encontrarão facilmente. Você sabe que a descrição que eles têm de mim é muito diferente da minha aparência atual. É por isso que eu estava tão entusiasmado com aquela história de cirurgia plástica. O plano todo era esse. Sair da Inglaterra, guardar algum dinheiro e mudar minha aparência para nunca mais ser encontrado.

Hilary olhou-o com ar de dúvida.

– Você está equivocado – disse. – Tenho certeza de que está equivocado. Seria muito melhor voltar e encarar as consequências. Afinal, não estamos em guerra. Você ficaria apenas um curto período na prisão. O que adianta passar a vida inteira se escondendo?

– Você não entende – ele dissc. – Não entende nada. Vamos. Não há tempo a perder.

– Mas como conseguirá sair de Tânger?

– Vou dar um jeito. Não se preocupe.

Ela se levantou e o acompanhou lentamente pelo terraço. Sentia-se inibida e incapaz de falar. Havia cumprido suas obrigações em relação a Jessop e à falecida, Olive Betterton. Agora, não tinha mais nada a fazer. Ela e Tom Betterton foram íntimos durante semanas e agora pareciam dois estranhos. Não se criara nenhum laço de companheirismo ou amizade entre eles.

Chegaram ao fim do terraço, onde havia uma pequena porta que dava para uma trilha estreita que descia em curvas até o porto.

– Vou sair por aqui – Betterton disse. – Ninguém está olhando. Até mais.

– Boa sorte – falou Hilary lentamente.

Ficou ali parada, olhando Betterton dirigir-se à porta e girar a maçaneta. Quando a porta se abriu, ele deu um passo para trás e parou. Havia três homens no limiar. Dois deles vieram em sua direção. O primeiro falou em tom formal:

– Thomas Betterton, tenho um mandado de prisão contra o senhor. Ficará aqui, sob custódia, enquanto durar o processo de extradição.

Betterton virou-se bruscamente, mas o outro sujeito já estava atrás dele. Então, soltou uma risada.

– Está tudo certo – disse –, só que *não sou Thomas Betterton*.

O terceiro indivíduo apareceu e ficou ao lado dos outros dois.

– É sim – disse. – O senhor é Thomas Betterton.

Betterton riu.

– O que você está dizendo é que no último mês você viveu comigo e ouviu me chamarem de Thomas Betterton e *eu mesmo* responder por esse nome. O fato é que *não* sou Thomas Betterton. Conheci Betterton em Paris. Vim para cá e tomei seu lugar. Pergunte a essa senhora se não acredita em mim – disse ele. – Ela veio para cá afirmando ser minha mulher e eu a reconheci como tal. Foi o que aconteceu, não foi?

Hilary fez que sim com a cabeça.

– Isso porque – explicou Betterton –, não sendo Thomas Betterton, eu, obviamente, não conhecia a mulher dele. Achei que ela fosse realmente a mulher de Betterton. Depois, tive que dar uma explicação que a satisfizesse. Mas essa é a verdade.

– Então foi por *isso* que você fingiu que me conhecia – exclamou Hilary. – Quando me disse para continuar representando... que prosseguisse com a farsa!

Betterton riu novamente, seguro de si.

– Não sou Betterton – repetiu. – Basta olhar qualquer fotografia de Betterton para ver que estou falando a verdade.

Peters deu um passo à frente. Quando falou, sua voz estava completamente diferente da voz do Peters que Hilary conhecia tão bem. Era uma voz calma e implacável.

– Já vi fotografias de Betterton – disse – e concordo que não o teria reconhecido como sendo a mesma pessoa. Em todo caso, você *é* Thomas Betterton, e provarei o que estou dizendo.

Agarrou Betterton e rasgou seu casaco.

– Thomas Betterton tem uma cicatriz em forma de Z no cotovelo direito.

Enquanto falava, rasgou a camisa de Betterton e virou-lhe o braço.

– Aqui está – disse, apontando para a cicatriz com ar triunfante. – Dois assistentes de laboratório nos Estados Unidos testemunharão a respeito. Eu sei disso porque Elsa me escreveu contando quando você se cortou.

– Elsa? – Betterton encarou-o. Começou a tremer de nervoso. – Elsa? O que tem Elsa?

– Quer saber qual a acusação contra você?

O chefe de polícia deu mais um passo à frente.

– A acusação – disse ele – é de assassinato em primeiro grau. Assassinato de sua esposa, Elsa Betterton.

CAPÍTULO 22

— Sinto muito, Olive. Sinto muito mesmo. Por sua causa. Acredite. Em consideração a você, eu teria dado a ele uma oportunidade. Eu avisei que ele estaria mais seguro na Unidade. Mas eu tinha viajado a metade do mundo para pegá-lo. Estava decidido a prendê-lo pelo que ele fez com Elsa.

– Não entendo. Não entendo mais nada. Quem é você?

– Pensei que você soubesse. Sou Boris Andrei Pavlov Glydr, primo de Elsa. Fui enviado da Polônia aos Estados Unidos para terminar meus estudos numa universidade americana. Do jeito que as coisas andavam na Europa, meu tio achou melhor que eu me naturalizasse. Adotei o nome Andrew Peters. Então, quando começou a guerra, voltei para a Europa e combati na Resistência. Consegui fazer com que meu tio e Elsa fugissem da Polônia, e eles foram para os Estados Unidos. Elsa... já lhe contei sobre Elsa. Era uma das maiores cientistas do nosso tempo. Foi Elsa que descobriu a Fissão ZE. Betterton era um jovem canadense que ajudava Mannheim em suas pesquisas. Sabia fazer seu trabalho, mas não passava disso. Decidiu ter relações sexuais com Elsa e casar-se com ela para tornar-se seu associado no trabalho científico que ela estava realizando. Já perto de concluir as pesquisas, ele se deu conta da grande importância da fissão e resolveu envenenar a esposa!

– Não!

– Sim. Ninguém suspeitou de nada na época. Betterton parecia inconsolável. Dedicou-se ao trabalho com renovado afinco e anunciou a descoberta da Fissão ZE como sendo sua. Conseguiu o que queria: a fama e a reputação de um cientista de primeira linha. Considerou prudente deixar os Estados Unidos e ir para a Inglaterra. Foi trabalhar em Harwell. Eu tive que ficar na Europa por algum tempo após o fim da guerra. Como eu falava bem alemão, russo e polonês, podia ser bastante útil lá. A carta que Elsa me escreveu antes de morrer me deixou preocupado. A doença que a acometeu e acabou causando-lhe a morte pareceu-me misteriosa e inexplicável. Quando finalmente voltei aos Estados Unidos, comecei a investigar o caso. Não vou entrar em detalhes, mas o fato é que encontrei o que procurava. O suficiente para requerer uma ordem de exumação do corpo. No escritório do promotor público, havia um rapaz que tinha sido muito amigo de Betterton. Nessa época, ele viajou para a Europa e, num encontro com Betterton, acabou mencionando a exumação. Betterton ficou assustado. Imagino que já tivesse sido procurado por agentes do nosso amigo, sr. Aristides. De qualquer maneira, Betterton viu ali a melhor chance de não ser preso e julgado por assassinato. Aceitou os termos, mas exigiu que sua expressão facial fosse totalmente alterada. O que aconteceu, na verdade, é que ele acabou se tornando um prisioneiro mesmo assim, além de se meter numa enrascada, pois não tinha a capacidade de fazer o trabalho científico que era esperado. Ele não era, e nunca havia sido, um gênio.

– E você o seguiu.

– Sim. Quando os jornais noticiaram o sensacional desaparecimento do cientista Thomas Betterton, fui para a Inglaterra. Um grande cientista amigo meu havia sido procurado por uma tal sra. Speeder, que trabalhava na ONU. Quando cheguei à Inglaterra, descobri que ela havia tido um encontro com Betterton. Procurei me aproximar dela, demonstrando visões esquerdistas e exagerando um pouco, talvez, meus dotes científicos. Eu achava que Betterton tinha atravessado a Cortina de Ferro para que ninguém pudesse encontrá-lo. Bem, se esse era o caso, eu iria atrás dele. – Cerrou os lábios numa expressão séria. – Elsa era uma cientista maravilhosa, além de uma mulher bondosa e bela. Havia sido assassinada e roubada pelo homem que amava e em quem confiava. Se fosse necessário, eu mataria Betterton com as minhas próprias mãos.

– Entendo – disse Hilary –, agora entendo.

– Escrevi para você – disse Peters – quando cheguei à Inglaterra. Escrevi usando meu nome polonês, narrando os fatos. – Olhou para ela. – Acho que você não acreditou em mim. Nunca me respondeu. – Deu de ombros. – Então, fui falar com o pessoal do Serviço Secreto. Na primeira vez, fiz o papel de um oficial polonês. Sério, estrangeiro e formal. Na ocasião, suspeitava de todo mundo. Mas, no fim, acabei aliando-me a Jessop. – Fez uma pausa. – Esta manhã, minha busca terminou. A extradição já foi pedida. Betterton irá para os Estados Unidos e será julgado lá. Se ele for absolvido, não poderei fazer mais nada. – Acrescentou com a cara fechada: – Mas ele não será absolvido. As provas são irrefutáveis.

Parou de falar, olhando por sobre o jardim ensolarado em direção ao mar.

– O problema é que você foi lá encontrá-lo, eu a conheci e me apaixonei por você. Desde então, tem sido um inferno, Olive. Pode acreditar. E aqui estamos. Eu sou o homem responsável por mandar seu marido para a cadeira elétrica. Não há como fugir disso. É algo que você nunca conseguirá esquecer, por mais que perdoe. – Levantou-se. – Bem, queria que você ouvisse toda a história de minha própria boca. Então, adeus. – Virou-se abruptamente, enquanto Hilary estendia-lhe a mão.

– Espere – disse ela –, espere um pouco. Há algo que você não sabe. Não sou mulher de Betterton. A mulher de Betterton, Olive Betterton, morreu em Casablanca. Jessop convenceu-me a ficar em seu lugar.

Ele se virou e ficou olhando fixo para ela.

– Você não é Olive Betterton?

– Não.

– Meu Deus! – exclamou Andy Peters. – Meu Deus! – Deixou-se cair numa cadeira perto dela. – Olive – disse –, Olive, minha querida.

– Não me chame de Olive. Meu nome é Hilary. Hilary Craven.

– Hilary – repetiu em tom de pergunta. – Terei que me acostumar. – Colocou a mão sobre a dela.

No outro lado do terraço, Jessop, que discutia com Leblanc a respeito das dificuldades técnicas da atual conjuntura, parou de falar no meio de uma frase.

– O que você estava dizendo? – perguntou distraído.

– Eu disse, *mon cher*, que aparentemente não poderemos fazer nada contra esse animal de Aristides.

– Não mesmo. Aristides sempre vence. Ou seja, sempre consegue escapar. Mas perdeu muito dinheiro, e ele não gosta disso. Além disso, não conseguirá fugir da morte para sempre. Em breve, terá de comparecer à justiça suprema, a julgar pelo seu aspecto.

– O que você está olhando, meu amigo?

– Para aqueles dois – respondeu Jessop. – Enviei Hilary Craven numa jornada com destino desconhecido, mas parece que o fim de sua jornada é o de sempre.

Leblanc pareceu intrigado por um momento e depois disse:

– Ah, sim! O Shakespeare de vocês!

– Vocês franceses são tão versados em literatura! – exclamou Jessop.

Punição para a inocência

Tradução de Pedro Gonzaga

*Para Billy Collins,
com afeto e gratidão*

"Se eu pretendesse ser justo, minha boca me condenaria; se fosse inocente, ela me declararia perverso.

Temo por todos os meus tormentos, sabendo que não me absolverás."

Jó

CAPÍTULO 1

I

Já anoitecia quando ele chegou ao ferry.

Ele poderia ter chegado ali muito antes. A verdade era que havia adiado aquilo tanto quanto pudera.

Primeiro o almoço com os amigos em Redquay; a conversa leve e sem maior importância, a troca de fuxicos sobre amigos em comum – tudo aquilo significando apenas que internamente ele evitava fazer o que era preciso. Seus amigos o tinham convidado para esperar pela hora do chá, e ele aceitara. Mas por fim havia chegado o momento em que sabia que as coisas não mais poderiam ser adiadas.

O carro por ele contratado já estava à espera. Disse adeus a todos e partiu pelos doze quilômetros ao longo da estrada movimentada que percorria a costa até uma via ladeada por árvores que levava para o interior e terminava junto a um pequeno cais de pedra às margens do rio.

Lá havia uma enorme sineta que o motorista badalou com vigor a fim de chamar o ferry que estava do outro lado.

– O senhor deseja que eu o espere, senhor?

– Não – disse Arthur Calgary. – Já pedi um carro para me buscar lá daqui a uma hora e me levar a Drymouth.

O homem recebeu o pagamento e a gorjeta. Ele disse, espreitando o rio através da escuridão:

– O ferry se aproxima, senhor.

Com um boa-noite pronunciado com delicadeza, deu ré no carro e se afastou em direção à colina. Arthur Calgary ficou esperando sozinho no cais. Sozinho com seus pensamentos e apreensivo com o que o aguardava. "Como a vista era selvagem por aqui", pensou. Alguém poderia se imaginar em um lago escocês, longe de tudo. E, apesar disso, a apenas alguns quilômetros havia hotéis, lojas, barcs e as multidões de Redquay. Refletiu, não pela primeira vez, sobre os extraordinários contrastes das paisagens inglesas.

Ouviu o suave esparramar da água produzido pelos remos assim que o ferry boat se aproximou do pequeno cais. Arthur Calgary subiu a rampa molhada e entrou no barco enquanto o barqueiro o firmava com croque. Era velho e deu a Calgary a estranha impressão de serem, ele e o barco, uma criatura só, una e indivisível.

Uma brisa gelada veio se arrastando da direção do mar logo que partiram.

– Faz frio esta noite – disse o barqueiro.

Calgary anuiu. Concordava também que fazia mais frio naquele dia do que na véspera.

Estava consciente, ou ao menos assim pensava, de ter visto uma velada curiosidade nos olhos do barqueiro. Eis um estranho. E um estranho que aparecia depois de encerrada a temporada de turismo. Mais ainda, aquele estranho cruzava o rio em uma hora incomum – tarde demais para o chá ou café no píer. Não levava bagagem, de modo que não poderia estar indo para ficar. (Por quê, perguntava-se Calgary, ele havia partido *tão* tarde? Seria por estar, de maneira subconsciente, adiando ao máximo esse momento? Deixando para o mais tarde possível aquilo que precisava ser feito?) Cruzando o Rubicão* – o rio... o rio... sua mente se voltou para outro rio – o Tâmisa.

Havia olhado para aquilo sem enxergar nada (teria sido apenas ontem?), depois voltou os olhos outra vez para o rosto do homem que o encarava do outro lado da mesa. Aqueles olhos pensativos escondiam alguma coisa que ele não fora plenamente capaz de compreender. Uma espécie de reserva, algo que era pensado mas não expresso...

"Suponho", pensou, "que eles aprendem a não mostrar nunca o que estão pensando."

A coisa toda era um tanto assustadora quando alguém se envolvia sem subterfúgios. Tinha de fazer o que era preciso fazer – e depois disso – *esquecer!*

Franziu o cenho ao lembrar da conversa do dia anterior. Aquela voz tranquila e agradável, num tom de quem não se compromete, dizendo:

– Você está bastante determinado quanto ao rumo de sua ação, dr. Calgary?

Ele respondera com fervor:

– O que mais posso fazer? Você entende? É preciso que o senhor concorde? É algo de que não tenho como me esquivar.

Ele não havia, contudo, captado a expressão daqueles olhos furtivos, de um cinza esverdeado, e havia ficado um pouco perplexo com a resposta.

– É preciso olhar para o assunto de todos os ângulos, considerá-lo sob todos os aspectos.

– Só pode existir um aspecto aos olhos da justiça?

Ele havia falado com fervor, considerando por um momento que aquela era uma sugestão ignóbil para "silenciar" o tema.

– De certa maneira, sim. Mas há muito mais por trás disso, o senhor sabe. Mais do que, como podemos dizer, justiça?

– Discordo. É preciso levar a família em consideração.

---

* Rio ao norte da Itália. Na campanha de Júlio César, em 49, cruzar o Rubicão seria declarar guerra à própria Roma. Como dito popular, "cruzar o Rubicão" significa chegar a uma situação sem volta. (N.T.)

E o outro disse com rapidez:

– Claro, ah, sim, claro. Eu estava pensando neles...

De imediato, contudo, o outro homem disse, sem qualquer alteração em sua voz agradável:

– Fica a seu critério, dr. Calgary. O senhor deve fazer, é claro, o que sua consciência mandar.

O navio ancorou na praia. Ele tinha cruzado o Rubicão.

O barqueiro, com sua voz macia de interiorano, disse:

– São quatro pences, senhor, ou incluo também o retorno?

– Não – disse Calgary. – Não haverá retorno. (Quão fatídicas soaram aquelas palavras!)

Pagou. E então fez uma pergunta:

– O senhor conhece uma casa chamada Sunny Point?

Subitamente a curiosidade deixou de ser velada. O interesse nos olhos do velho lampejou com vigor.

– Como não, claro. Fica logo ali, à sua direita, pode-se vê-la por entre as árvores. O senhor segue por aquela colina, sempre costeando a estrada, à direita, e então pega a estrada nova, que passa por entre as construções da propriedade. É a última das casas, no final do trajeto.

– Muito obrigado.

– O senhor está falando mesmo de Sunny Point, senhor? Onde a sra. Argyle...

– Sim, sim... – cortou-lhe Calgary. Não tinha vontade de discutir o assunto. – Sunny Point.

Um sorriso lento e um tanto peculiar fez curvar os lábios do barqueiro. De repente pareceu um daqueles antigos faunos.

– Foi ela quem batizou a casa durante a guerra. Era uma casa nova, claro, recém-construída, ainda sem nome. Mas o nome do lugar em que foi construída, aquela pequena península, era Viper's Point, isso mesmo! Mas Viper's Point não lhe parecia um nome agradável, não para sua casa. Então escolheu Sunny Point. Mas nós continuamos usando o nome antigo.

Calgary agradeceu com rispidez, deu-lhe boa-noite e seguiu em direção à colina. Todos pareciam estar dentro de suas casas, mas ele tinha a impressão de que olhos o espreitavam através das janelas dos chalés; todos a observá-lo, sabedores de seu destino, dizendo uns para os outros: "Ele está a caminho de Viper's Point..."

Viper's Point. Que nome horrendo, ainda que apropriado, deve ter parecido...

Mais afiado que um dente de serpente...

Reviu bruscamente seus pensamentos. Precisava se concentrar e se preparar para dizer exatamente o que tinha de dizer...

II

Calgary chegou ao fim da ótima estrada nova, ladeada por belas casas, cada qual com seus oitavos de acre de jardim: palmas, crisântemos, rosas, sálvias, gerânios – cada proprietário demonstrando seu gosto individual na arte da jardinagem.

Ao fim da estrada, havia um portão com as palavras SUNNY POINT em letras góticas. Ele abriu o portão, cruzou-o e seguiu pela curta passagem. A casa estava logo à sua frente – um prédio sólido, moderno, de uma arquitetura sem personalidade, com empenas e pórtico. Poderia estar localizado em qualquer boa vizinhança de subúrbio ou em qualquer novo bairro. Não estava à altura, na opinião de Calgary, da vista que oferecia, por que ela era, sem dúvida, magnífica. O rio fazia ali uma curva acentuada ao redor do cabo quase a ponto de se fechar sobre si mesmo. Uma colina coberta de árvores se erguia na direção oposta; rio acima, havia mais uma curva cujas margens, a distância, estavam cobertas por arbustos e orquídeas.

Calgary olhou por um momento para um lado e para outro do rio. Alguém poderia ter erguido um castelo por ali, pensou, um castelo impossível, ridículo, de contos de fada! Aquele tipo de castelo que pode ser feito com bolo de gengibre ou glacê. Em vez disso havia bom gosto, moderação, comedimento, uma montanha de dinheiro e a mais completa falta de imaginação.

Ninguém podia, naturalmente, culpar os Argyle por isso. Haviam apenas comprado a casa, não a tinham construído. Ainda assim, eles ou um deles (a sra. Argyle?) a havia escolhido...

Ele disse para si mesmo: "Não há como postergar mais o momento...", e apertou a campainha ao lado da porta.

Ficou parado, esperando. Depois de um intervalo razoável, voltou a apertar o botão.

Não escutou som de passos lá dentro, mas, sem qualquer aviso, de repente a porta foi aberta.

Deu um passo para trás, surpreso. Para sua imaginação já superestimulada, foi como se a própria Tragédia estivesse a lhe barrar a entrada. Tinha um rosto jovem; de fato, é no ápice da juventude que a Tragédia encontra sua mais pura essência. A Máscara Trágica, pensou, deveria ser sempre a máscara de uma jovem... Indefesa, predestinada, pressentido a proximidade da perdição... vinda do futuro...

"Vamos", pensou, "concentre-se, use a razão: um tipo irlandês." Os olhos de um azul profundo, a sombra negra a envolvê-los, os vigorosos cabelos negros, a enlutada beleza dos ossos de seu crânio e de suas faces...

A garota ficou ali parada, jovem, vigilante e hostil.

Ela perguntou:

– Sim? O que o senhor quer?

Ele respondeu de modo convencional:

– O sr. Argyle está?

– Sim. Mas ele não recebe ninguém. Quero dizer, ninguém que ele não conheça. É este o seu caso, não é mesmo?

– De fato, ele não me conhece, mas...

Ela começou a fechar a porta.

– Então é melhor que o senhor lhe escreva...

– Sinto muito, mas tenho particular interesse em vê-lo. A senhorita, por acaso, é a srta. Argyle?

Admitiu a contragosto:

– Sim, sou Hester Argyle. Mas meu pai não recebe ninguém... não sem um agendamento prévio. É melhor escrever.

– Vim de muito longe...

Ela não se moveu um milímetro.

– Todos dizem o mesmo. Mas acho que esse tipo de truque já não funciona mais. – Ela continuou, em um tom acusatório: – O senhor é um repórter, estou certa?

– Não, nada disso.

Olhou-o com suspeita, como se não acreditasse em suas palavras.

– Bem, então o que o senhor quer?

Atrás dela, um pouco mais para dentro do hall, ele pôde ver outro rosto. Um rosto achatado e rústico. Para descrevê-lo, ele diria que era um rosto que lembrava uma panqueca, o rosto de uma mulher na casa dos quarenta, com cabelos crespos, de um loiro cinzento, emplastrados no topo da cabeça. Ela parecia estar de guarda, esperando, como um dragão que a tudo vigiasse.

– Diz respeito ao seu irmão, srta. Argyle.

Hester Argyle prendeu de súbito a respiração. Ela disse, sem acreditar:

– Michael?

– Não, o seu irmão Jack.

Ela explodiu:

– Eu sabia! *Sabia* que o senhor viria para falar do Jacko! Por que não nos deixa em paz? Isto é assunto encerrado. Por que insistir?

– Nunca se pode dizer realmente quando um assunto está terminado.

– Mas este *está*! Jacko está morto. Por que não pode deixar as coisas como estão? Está tudo *acabado*. Se o senhor não é um jornalista, suponho que seja um médico, ou um psicólogo, ou algo assim. Por favor, vá embora. Meu pai não pode ser incomodado. Está cheio de coisas para fazer.

Voltou outra vez a fechar a porta. Num rompante, Calgary fez o que deveria ter feito desde o início: tirou a carta do bolso e a estendeu na direção dela.

– Tenho uma carta aqui... do sr. Marshall.

Ela recuou. Seus dedos hesitantes seguraram o envelope. Perguntou de modo indeciso:

– O sr. Marshall, de Londres?

De súbito, surgiu ao lado da moça a mulher de meia-idade que estivera espreitando tudo desde o hall. Olhou-o de soslaio, desconfiada, e ele se lembrou dos conventos estrangeiros. Claro, o rosto dela era como o de uma freira! Faltavam apenas o ornamento branco, ou seja lá que designação tenha, emoldurando-lhe firmemente o rosto, o hábito negro e a mantilha. Era um rosto em que não se via a contemplação, mas sim o olhar inquiridor e desconfiado da freira que espia através da abertura na porta grossa, antes de admitir alguém, de má vontade, para a visita ao convento ou então para uma entrevista com a madre-superiora.

Ela disse:

– O senhor vem da parte do sr. Marshall?

Seu tom foi quase o de uma acusação.

Hester mantinha os olhos fixos no envelope que tinha em mãos. Então, sem dizer palavra, deu meia-volta e subiu correndo as escadas.

Calgary permaneceu junto à porta, suportando o olhar inquiridor e descrente da freira-dragão.

Buscou alguma coisa para dizer, mas não encontrou nada. Por prudência, então, permaneceu em silêncio.

Pouco depois, a voz de Hester, tranquila e indiferente, flutuou na direção deles:

– Papai disse que é para ele entrar.

Um tanto a contragosto, o cão de guarda se moveu para o lado. A expressão de suspeita em seu rosto se manteve inalterada. Ele cruzou por ela, deixou o chapéu sobre uma cadeira e subiu as escadas até o ponto em que Hester o esperava.

A parte interna da casa deu-lhe uma vaga impressão de higiene. Era quase como uma clínica cara de repouso, pensou.

Hester o conduziu através de um corredor e depois desceram três degraus. Então ela abriu uma porta e, com um gesto, indicou que entrasse. Assim que ele passou, ela o seguiu, fechando a porta às suas costas.

A peça era uma biblioteca, e Calgary ergueu a cabeça com uma sensação de prazer. A atmosfera era bastante diferente da do resto da casa. Era um cômodo onde *vivia* um homem – um lugar de trabalho e ao mesmo tempo de descanso. As paredes estavam cobertas de livros; as poltronas eram amplas, um pouco surradas, mas confortáveis. Havia uma agradável desordem nos papéis sobre a mesa, nos livros espalhados sobre o tampo. Viu por um breve momento uma jovem que deixava a sala por uma porta na outra extremidade da peça, uma jovem deveras atraente. Depois sua atenção foi atraída pelo homem que se ergueu e veio cumprimentá-lo, a carta aberta nas mãos.

A primeira impressão de Calgary sobre Leo Argyle foi a de que ele era tão magro, tão transparente, que mal parecia estar ali. O espectro de um homem! Ao falar, sua voz tinha um tom agradável, embora desprovida de ressonância.

– Dr. Calgary? – ele perguntou. – Sente-se, por favor.

Calgary se sentou. Aceitou um cigarro. Seu anfitrião se sentou à sua frente. Tudo foi feito sem pressa, como se estivessem num mundo em que o tempo tivesse pouquíssima importância. Um sorriso gentil e quase imperceptível se formava nos lábios de Leo Argyle enquanto ele falava, tamborilando de leve a carta com seus dedos exangues.

– O sr. Marshall escreve dizendo que o senhor tem um importante comunicado a nos fazer, embora não especifique a natureza do mesmo.

Sorriu de modo ainda mais profundo e acrescentou:

– Os advogados sempre arranjam uma maneira de não se comprometer, não é verdade?

Ocorreu a Calgary, não sem uma leve surpresa, que o homem que agora o confrontava era um homem feliz. Não de um modo alegre ou prazeroso, como costuma se manifestar a felicidade – mas feliz de uma forma menos aparente e mais resguardada. Estava diante de um homem que não se deixava abater pelo mundo exterior e lutava para que as coisas fossem assim. Não sabia bem ao certo por que se deixava surpreender por essa constatação, mas o fato era que estava surpreso.

Calgary disse:

– É muito gentil da sua parte me receber – as palavras não passavam de uma introdução mecânica. – Pareceu-me mais adequado vir pessoalmente do que escrever. – Fez uma pausa e então, tomado de súbita agitação, disse: – É muito difícil... muito difícil...

– Acalme-se. Não temos pressa.

Leo Argyle mantinha o ar de polidez e distância.

Inclinou-se para a frente; à sua maneira educada, tentava obviamente ajudar.

– Uma vez que o senhor traz esta carta de Marshall, presumo que sua visita esteja relacionada aos infortúnios do meu filho Jacko... Jack, quero dizer... Jacko é o modo carinhoso como o chamamos.

Todas as palavras e frases cuidadosas que Calgary preparara com cuidado agora o desertavam. Ficou ali sentado, face a face com a aterrorizante realidade daquilo que tinha para contar. Voltou a balbuciar:

– É terrivelmente difícil...

Houve um momento de silêncio, e então Leo disse, cauteloso:

– Se isto ajudar... estamos bastante cientes de que Jacko tem uma personalidade que ninguém chamaria de normal. Nada do que o senhor tiver a nos dizer será, assim, uma surpresa completa. Diante do horror dessa tragédia, estou completamente convencido de que Jacko não pode ser, de fato, responsabilizado por suas ações.

– É claro que não pode – disse Hester, fazendo com que Calgary se sobressaltasse ao som de sua voz. Havia, por um momento, esquecido dela. Ela havia se sentando no braço de uma poltrona logo atrás da linha do ombro esquerdo de Calgary. Ao voltar a cabeça, ela se inclinou decidida em sua direção.

– Jacko sempre foi terrível – ela disse, em tom confidencial. – É como se ainda fosse uma criança, quero dizer, quando perde a cabeça. Ele pega a primeira coisa ao alcance da mão e... vem para cima de você...

– Hester... Hester... minha querida – a voz de Argyle revelava aflição.

Espantada, a garota levou a mão aos lábios. Ruborizou-se e falou com a súbita inabilidade juvenil.

– Sinto muito – ela disse. – Eu não quis... me esqueci... não deveria ter dito isso... não agora que ele... quero dizer, agora que está tudo acabado e... e...

– Acabado e encerrado – disse Argyle. – Isso tudo já passou. Vou tentar... todos tentaremos... pensar que o garoto deve ser considerado um inválido. Um equívoco da natureza. Creio que essa é a expressão mais adequada. – Olhou para Calgary: – O senhor concorda?

– Não – disse Calgary.

Houve um novo momento de silêncio. Aquela negação fizera os dois ouvintes recuarem ao mesmo tempo. Havia sido pronunciada com uma força quase explosiva. Na tentativa de mitigar o efeito, ele disse de modo desajeitado:

– Eu... eu sinto muito. Veja bem, vocês ainda não entenderam.

– Ah! – disse Argyle, considerando a questão. Então voltou a cabeça para onde estava a filha: – Hester, acho melhor você nos deixar a sós...

– Não vou a lugar nenhum! Preciso ouvir o que ele tem a dizer... saber o que está acontecendo.

– Talvez o resultado da conversa não seja agradável...

Hester ergueu a voz, impaciente:

– Que importam as outras monstruosidades que Jacko tenha cometido? Agora está tudo *terminado*.

Calgary falou depressa.

– Por favor, acreditem em mim... não se trata de nada que o seu irmão tenha feito... antes pelo contrário.

– Não consigo entender...

A porta na extremidade da peça se abriu, e a jovem que Calgary antes havia apenas vislumbrado retornou ao ambiente. Vestia agora um casacão e carregava uma pequena pasta para documentos.

Falou para Argyle:

– Estou de partida. Posso ajudá-lo em mais alguma coisa?

Houve uma hesitação momentânea por parte de Argyle (era possível que hesitasse sempre, pensou Calgary), e então ele deixou a mão pousar sobre o braço dela e a conduziu em direção a uma poltrona.

– Sente-se, Gwenda – ele disse. – Este é... o sr. Calgary. Esta é a srta. Vaughan, que é... – voltou a fazer uma pausa, como se estivesse em dúvida. – Que é minha secretária já há alguns anos.

Depois acrescentou:

– O dr. Calgary veio nos contar... ou... nos perguntar alguma coisa... sobre o Jacko...

– Vim contar algo – interrompeu-o Calgary. – E ainda que o senhor não o perceba, a cada momento torna a minha missão ainda mais difícil.

Todos o olharam com um certo ar de surpresa, mas, nos olhos de Gwenda Vaughan, ele viu brilhar algo que se assemelhava à compreensão. Era como se os dois tivessem firmado uma aliança momentânea, como se ela tivesse dito: "Sim, sei muito bem como os Argyle podem ser difíceis".

Ela *era*, de fato, uma mulher jovem e atraente, pensou, ainda que não tão jovem assim – devia ter uns 37 ou 38. Uma figura bem-feita, cabelos e olhos negros, um ar de completa saúde e vitalidade. Dava a impressão de ser tanto competente quanto inteligente.

Argyle falou com uma certa frieza de modos:

– Não ajo intencionalmente para tornar as coisas mais difíceis para o senhor, dr. Calgary. Sem dúvida não é essa minha intenção. Se o senhor puder nos fazer a gentileza de ir ao ponto...

– Sim, eu sei. Peço desculpas por ter dito o que disse. Mas se trata da persistência com que o senhor e sua filha não deixam de sublinhar, de maneira contínua, que o assunto agora está *encerrado, resolvido, terminado*. Está *tudo* em aberto. Quem foi mesmo que disse: "Nada está resolvido até que"...

– "Até que esteja plenamente resolvido" – concluiu por ele a srta. Vaughan. – Kipling.

Ela fez uma leve anuência com a cabeça a fim de encorajá-lo, e isso o fez sentir-se grato por aquele gesto.

– Mas chegarei ao ponto – prosseguiu Calgary. – Depois que ouvirem o que tenho a dizer, entenderão... minha relutância. Melhor dizendo, minha aflição. Para começar, sinto-me na obrigação de mencionar algumas coisas sobre minha pessoa. Sou um geofísico e fiz parte há pouco tempo de uma expedição à Antártica. Retornei à Inglaterra algumas semanas atrás.

– A expedição Hayes Bentley? – perguntou Gwenda.

Virou-se na direção dela com gratidão.

– Sim. Era a expedição Hayes Bentley. Digo isso a vocês para explicar a minha situação e também para explicar que estive afastado do mundo e de seus acontecimentos por cerca de dois anos.

Ela seguiu em seu auxílio:

– O senhor se refere a todo tipo de acontecimento, incluindo os julgamentos por assassinato?

– Sim, srta. Vaughan, é exatamente disso que estou falando.

Ele se voltou para Argyle.

– Por favor, perdoe-me se a questão for dolorosa, mas preciso apenas checar com o senhor algumas horas e datas. No dia 9 de novembro do ano retrasado, por volta das seis da tarde, seu filho, Jack Argyle (o seu Jacko), veio até aqui e se encontrou com a mãe, a sra. Argyle.

– Sim, minha esposa.

– Ele disse a ela que estava em dificuldades e pediu dinheiro. Isso já tinha acontecido outras vezes...

– Dezena de vezes – disse Leo com um suspiro.

– A sra. Argyle recusou. Ele se tornou agressivo, ameaçador. Por fim, ele saiu às pressas, num ímpeto, gritando que voltaria e que então ela "*teria que pagar, feliz da vida*". Ele disse: "A senhora não quer que eu vá parar na prisão, não é mesmo?", ao que ela respondeu: "Estou começando a acreditar que essa poderia ser a melhor solução para você".

Leo Argyle se mexeu com desconforto.

– Minha esposa e eu havíamos conversado sobre isso incessantemente. Estávamos muito descontentes com o garoto. Por inúmeras vezes havíamos tentando ajudá-lo, para possibilitar que ele recomeçasse do zero. Tínhamos a impressão de que talvez o choque de ser preso... a instrução... – a voz dele foi desaparecendo. – Mas, por favor, continue.

Calgary continuou:

– Mais tarde, naquela noite, sua esposa foi assassinada. Atacada com um atiçador e abatida. As impressões digitais de seu filho estavam no cabo do atiçador, e uma enorme quantia em dinheiro havia desaparecido da gaveta da escrivaninha em que sua esposa o havia guardado. A polícia prendeu seu filho em Drymouth. O dinheiro foi encontrado com ele, a maior parte em notas de cinco libras, todas elas com identificação, o que permitiu ao banco reconhecê-las como as que tinham sido sacadas pela sra. Argyle naquela manhã. Ele foi acusado pelo crime e foi a julgamento.

Calgary fez uma pausa.

– O veredicto foi de assassinato premeditado.

A palavra havia sido pronunciada, a palavra fatídica. *Assassinato*... Não uma palavra que ecoa; uma palavra abafada, uma palavra que se deixou absorver pelas tapeçarias, pelos livros, pelo tapete grosso... A palavra podia ter um som abafado... mas não o que ela representava...

– Segundo o que pude entender do que disse o sr. Marshall, seu advogado de defesa, seu filho alegou inocência, ao ser preso, de um modo jovial, para não dizer cheio de confiança. Insistiu que tinha um álibi perfeito para a hora do crime, que foi determinado pela polícia como ocorrido entre as sete e as sete e meia. Àquela hora, disse Jack Argyle, ele estava à procura de uma carona para Drymouth, tendo sido apanhado por um carro na estrada principal de Redmyn para Drymouth, cerca de um quilômetro e meio daqui, um pouco antes das sete. Ele não conseguiu ver a marca do carro (estava escuro então), mas se tratava de um carro azul-marinho, um sedã, dirigido por um homem de meia-idade. Todos os esforços foram feitos para localizar esse carro e o homem que o dirigia, mas nenhuma confirmação da alegação de Jack pôde ser obtida, e os próprios advogados estavam seguros de que tudo não passava de uma história inventada às pressas pelo rapaz, uma história, ainda por cima, elaborada com pouca esperteza da parte dele...

"No julgamento, a principal linha da defesa foi tentar provar, através de laudos psicológicos, que Jack Argyle sempre enfrentara problemas de instabilidade mental. O juiz, de certa forma, mostrou-se descrente em relação a essas evidências em seus comentários e concluiu que não inocentavam o prisioneiro. Jack Argyle foi condenado à prisão perpétua. Ele morreu de pneumonia na prisão, seis meses depois que começara a cumprir sua sentença."

Calgary parou. Os três pares de olhos estavam firmemente cravados nele. Interesse e forte atenção nos de Gwenda Vaughan, ainda a desconfiança nos de Hester. Os de Leo Argyle pareciam vazios.

Calgary disse:

– O senhor pode confirmar que o meu resumo dos fatos é correto?

– Sim, o senhor resumiu os fatos com exatidão – disse Leo –, embora eu ainda não consiga entender a razão de revisitar esses acontecimentos tão dolorosos que todos aqui temos tentado esquecer.

– Perdoem-me. Mas era algo que precisava ser feito. O senhor, suponho, não discorda do veredicto?

– Admito que os *fatos* são os apresentados, quero dizer, se não se puder ir além dos fatos, tratou-se, evidentemente, de um crime brutal. Mas se você *for* além dos fatos, há muito o que pode ser dito para mitigar o ocorrido. O garoto sofria de instabilidade mental, ainda que, por infortúnio, não do ponto de vista legal. A lei de McNaughten* é limitada e insatisfatória. Posso lhe garantir, dr. Calgary, que a própria Rachel, minha finada esposa, seria a primeira a perdoar e desculpar o pobre infeliz por seu ato impensado. Ela era uma pessoa capaz de um poderoso raciocínio humano, além de ser uma profunda conhecedora dos fatores psicológicos. *Ela* não o teria condenado.

– Ela sabia o quão terrível podia ser o Jacko – disse Hester. – Era como se... fosse parte da natureza dele... algo que não pudesse ser evitado.

– Então todos vocês – disse Calgary devagar – não têm dúvidas? Ninguém duvida de que ele seja culpado, quero dizer.

Hester olhou-o com espanto.

– Como poderíamos ter alguma dúvida? É claro que ele era culpado.

– Não propriamente *culpado* – discordou Leo. – Não gosto dessa palavra.

– Não é uma palavra que dá conta da verdade, de fato.

Calgary tomou um bocado de ar:

– Jack Argyle era... inocente!

CAPÍTULO 2

Era para ter sido um anúncio sensacional. Em vez disso, o resultado foi nulo. Calgary havia esperado por espanto, alegria incrédula lutando contra a incompreensão, perguntas inflamadas... Não houve nada daquilo. Parecia haver ali apenas prudência e desconfiança. Gwenda Vaughan franzia o cenho. Hester o encarava com olhos esbugalhados. Bem, talvez aquilo fosse natural – tal anúncio era difícil de ser digerido de uma hora para outra.

Leo Argyle disse, com hesitação:

– O senhor quer dizer, dr. Calgary, que concorda com minha posição? Que não o considerava responsável pelos seus atos?

– Estou dizendo que ele *não cometeu o crime*! Será que não conseguem entender isso? *Não foi ele.* Ele *não* poderia ter feito isso. Mas pela mais extraordinária e desafortunada combinação de circunstâncias ele poderia ter *provado* que era inocente. *Eu* poderia ter provado sua inocência.

– O senhor?

– *Eu era o motorista do carro.*

Disse isso de um modo tão simples que por um momento os outros não assimilaram suas palavras. Antes que pudessem se recuperar, houve uma

---

* Lei inglesa que obriga a defesa provar, ao alegar insanidade do réu, que ele é ou se mostrava incapaz, na hora do crime, de diferenciar o certo do errado. (N.T.)

interrupção. A porta se abriu, e a mulher de rosto rústico entrou na peça. Ela foi direto ao assunto.

– Estava de passagem e ouvi o que foi dito aqui dentro. Este homem está dizendo que Jacko não matou a sra. Argyle. Por que ele diz isso? Como ele pode saber?

O rosto dela, que até então tinha um ar belicoso e feroz, de repente começou a mostrar sua perplexidade.

– Eu também preciso ouvir – ela disse, num lamento. – Não posso ficar do lado de fora, sem saber o que está acontecendo.

– Claro que não, Kirsty. Você faz parte da família.

Leo a apresentou:

– Miss Lindstrom, dr. Calgary. O dr. Calgary estava nos dizendo as coisas mais incríveis.

Calgary ficou confuso ao ouvir o nome escocês de Kirsty. O inglês dela era excelente, mas se podia notar um certo sotaque estrangeiro.

Ela se dirigiu a ele num tom acusatório.

– O senhor não devia ter vindo aqui dizer essas coisas, incomodar as pessoas. Eles haviam aceitado seu sofrimento. Agora o senhor vem aqui incomodá-los com essa conversa. O que aconteceu foi vontade de Deus.

Ele se sentiu repelido pela complacência superficial dessa declaração. Possivelmente, pensou, ela era uma dessas pessoas agourentas que recebem as desgraças de maneira positiva. Bem, ela seria privada disso.

Calgary falou num tom seco, com rapidez.

– Naquela noite, faltando cinco para as sete, dei carona para um jovem junto à estrada principal de Redmyn para Drymouth. Levei-o até Drymouth. Conversamos. Pareceu-me, então, que se tratava de um jovem simpático e agradável.

– Jacko era muito charmoso – disse Gwenda. – Todos se sentiam atraídos por ele. Era seu temperamento que o prejudicava. E ele era um vigarista, claro – ela acrescentou, pensativa. – Mas as pessoas levam um tempo para descobrir isso.

Miss Lindstrom se voltou em direção a Gwenda.

– A senhorita não deveria falar assim dos mortos.

Leo Argyle disse com certa aspereza:

– Continue, por favor, dr. Calgary. Por que o senhor não veio a público enquanto era tempo?

– Sim – a voz de Hester soou ofegante. – Por que o senhor se manteve afastado de tudo? Os jornais publicaram apelos ao motorista do carro... houve até anúncios. Como o senhor pôde ser tão egoísta, tão perverso...

– Hester... Hester... – interveio o pai. – O dr. Calgary não terminou de contar sua história.

Calgary falou diretamente com a garota.

– Sei muito bem o que a senhorita deve estar sentindo. Sei bem como me sinto... o que sempre sentirei...

Tratou de se recompor e continuou:

– Continuando a minha história: havia um tráfego intenso nas estradas naquela noite. Já passava das sete e meia quando deixei o jovem, cujo nome desconhecia, no centro de Drymouth. Isso, segundo minha compreensão, inocenta-o por completo do crime, já que a polícia tem plena convicção de que o crime foi cometido entre as sete e as sete e meia.

– Sim – disse Hester. – Mas você...

– Por favor, seja paciente. Para que a senhorita possa entender, é preciso que eu recue um pouco na história. Havia alguns dias eu estava hospedado no apartamento de um amigo em Drymouth. Esse amigo, um homem do mar, estava de viagem. Ele também havia me emprestado seu carro, que, em outras circunstâncias, mantinha sempre numa garagem privada. Naquele dia em particular, 9 de novembro, eu devia retornar a Londres. Decidi tomar o trem noturno e aproveitei para fazer uma visita, durante a tarde, a uma velha ama de quem nossa família gostava muito e que vivia num pequeno chalé em Polgarth, cerca de sessenta quilômetros a oeste de Drymouth. Cumpri minha programação à risca. Embora muito velha e um pouco confusa, ela me reconheceu e se mostrou muito feliz em me ver, e também bastante empolgada com a minha "ida ao polo", para usar as palavras dela. Fiquei pouco tempo com ela, até para não cansá-la, e, ao partir, decidi não voltar direto a Drymouth pela estrada costeira, como tinha feito na ida, mas, em vez disso, tomar a estrada norte, em direção a Redmyn, para ver o velho Canon Peasmarsh, que possui alguns exemplares raríssimos em sua biblioteca, incluindo alguns tratados muito antigos sobre navegação, dos quais estava ansioso para copiar alguns trechos. O velho senhor se recusa a ter um telefone, pois considera uma obra do demônio, assim como o rádio, a televisão, o cinema falado e os aviões, de modo que não podia perder a chance de tentar encontrá-lo em casa. Tive azar. Sua casa estava fechada e era fácil perceber que ele estava ausente. Fiquei algum tempo na catedral, e então resolvi retornar a Drymouth pela estrada principal, completando, assim, o terceiro lado do triângulo. Eu havia reservado um tempo confortável para pegar minha bagagem no apartamento, deixar o carro na garagem e tomar o trem.

"– No caminho, como já lhes disse, dei carona a um rapaz desconhecido e, após deixá-lo na cidade, segui a minha programação. Depois de chegar à estação, ainda me sobrava tempo, então fui até a rua principal comprar uns cigarros. Ao cruzar a rua, um caminhão veio em alta velocidade da esquina e me derrubou.

"– Segundo os testemunhos dos transeuntes, eu me levantei sem machucados aparentes e com um comportamento dentro do normal. Disse que me sentia bem e que eu tinha de pegar um trem, me apressando de volta à estação. Quando o trem chegou em Paddington, eu estava inconsciente e fui levado de ambulância para o hospital, onde se descobriu que eu havia sofrido uma concussão – aparentemente, esse tipo de efeito retardado não é incomum.

"– Ao recobrar minha consciência, alguns dias depois, não lembrava de nada a respeito do acidente, ou mesmo de como chegara a Londres. A última coisa de que eu conseguia me lembrar era de estar indo a Polgarth para visitar a minha antiga ama. Depois disso, um vazio completo. Fizeram questão de me assegurar que esse tipo de ocorrência também era comum. Não havia qualquer razão para suspeitar que essas horas perdidas na minha vida tivessem qualquer importância. Ninguém, nem mesmo eu, poderia ter a mais vaga ideia de que eu havia percorrido a estrada Redmyn-Drymouth naquela noite.

"– Havia apenas uma pequena margem de tempo antes da minha partida da Inglaterra. Fui mantido no hospital, em absoluto repouso, sem acesso a jornais. Ao sair, segui direto para o aeroporto, pois tinha que voar até a Austrália para me juntar à expedição. Havia dúvidas sobre minhas condições de saúde, mas resolvi ignorá-las. Estava ocupado demais com os preparativos e com a minha ansiedade para me interessar por reportagens policiais, e, em todo caso, a notícia esfriou logo depois da prisão; quando o caso foi a julgamento e recebeu uma ampla cobertura, eu já estava a caminho da Antártica."

Ele fez uma pausa. Escutavam-no com toda a atenção.

– Foi cerca de um mês atrás, logo após meu retorno à Inglaterra, que fiz a descoberta. Precisava de uns jornais velhos para embrulhar minhas amostras. Minha senhoria me trouxe uma pilha de jornais de seu depósito. Ao abrir um deles sobre a mesa, vi a fotografia de um jovem, um rosto que me pareceu bastante familiar. Tentei me lembrar de onde o conhecia e quem ele era. Àquela altura não fui capaz ainda de recordar, mas, mesmo assim, de forma muito estranha, lembrava de ter conversado com ele... alguma coisa sobre enguias. Ele ficara intrigado e fascinado ao ouvir sobre a saga que é a vida de uma enguia. Mas quando? Onde? Li o que dizia a notícia, li que o nome do jovem era Jack Argyle, acusado de assassinato, li que ele havia contado à polícia que pegara uma carona com um homem num sedã preto.

"– E então, de repente, aquele pedaço perdido da minha vida ressurgiu. *Eu* havia dado carona para aquele rapaz até Drymouth e, depois de deixá-lo na cidade, retornara ao apartamento... depois cruzara a rua para comprar meus cigarros. Lembrava apenas de um lampejo do caminhão que me atingiu... e depois nada mais, nada até o hospital. Continuo sem me lembrar de ter ido até a estação tomar o trem para Londres. Li e reli aquele parágrafo do jornal. O julgamento terminara havia um ano, e o caso estava quase esquecido. 'Um jovem camarada deu um jeito na mãe', lembrava vagamente minha senhoria. 'Não sei o que aconteceu com ele... acho que o enforcaram.' Li todos os arquivos dos jornais em busca das datas apropriadas e depois fui até o escritório Marshall & Marshall, que havia cuidado da defesa. Soube que era tarde demais para libertar o pobre rapaz. Ele tinha morrido de pneumonia na prisão. Embora seja tarde demais para lhe fazer justiça, pelo menos sua memória *poderia* ser limpa. Fui até a polícia na companhia do sr. Marshall. O caso está sendo levado ao promotor público. Marshall tem poucas dúvidas de que ele referirá o fato à Secretaria de Interior.

"– O senhor receberá, sem dúvida, um relatório da parte dele. O atraso se deve ao fato de que eu estava ansioso para ser o primeiro a lhe revelar a verdade. Senti que se havia uma provação a ser enfrentada, e essa provação era meu dever. O senhor sabe, tenho certeza de que sempre carregarei o fardo da culpa. Se eu tivesse sido mais cuidadoso ao cruzar a rua... – fez uma pausa. – Compreendo que o senhor nunca poderá ter por mim bons sentimentos, embora, tecnicamente, eu não tenha culpa de nada... Sei, no entanto, que o senhor, que todos vocês *devem* me culpar."

Gwenda Vaughan falou de imediato, numa voz calorosa e gentil:

– Claro que não o culpamos por nada. Tudo que aconteceu foi uma daquelas coisas... trágicas... inacreditáveis... mas que acontecem.

Hester disse:

– Eles acreditaram no senhor?

Ele a olhou com surpresa.

– A polícia... eles acreditaram no senhor? Por que não poderia ser tudo invenção da sua cabeça?

– Sou uma testemunha bem reputada – ele disse com gentileza. – Não tenho nenhum interesse particular nisso, e eles verificaram minha história de perto; as evidências médicas, vários detalhes em Drymouth que solidificaram meu depoimento. Ah, sim. Marshall agiu com cautela, como costumam fazer os advogados. Ele não queria lhes dar esperanças sem estar completamente certo do sucesso da empreitada.

Leo Argyle se agitou na poltrona e falou pela primeira vez.

– O que, afinal, o senhor quer dizer com *sucesso*?

– Me desculpe – disse Calgary, de imediato. – Essa não é uma palavra que cabe aqui. Seu filho foi acusado de um crime que não cometeu, foi julgado por isso, condenado... e morreu na prisão. A justiça chegou tarde demais para ele. Mas alguma justiça ainda pode ser feita, e é muito provável que seja feita; uma justiça que será vista por todos. É de se imaginar que a Secretaria do Interior aconselhará a rainha a lhe dar um livre-indulto.

Hester deu uma risada.

– Um livre-indulto... por um crime que ele não cometeu?

– Eu sei. A terminologia sempre parece não dar conta da realidade. Mas acredito que os trâmites levarão a Secretaria a se pronunciar de maneira clara sobre a inocência de Jack Argyle do crime pelo qual foi sentenciado, e tal comunicado chegará aos jornais, nos quais será amplamente divulgado.

Ele se calou. Ninguém disse nada. Aquilo tudo havia sido, supôs, um grande choque para todos. Mas depois de tudo, um choque positivo.

Ele se pôs de pé.

– Temo – disse de forma insegura – que não tenha mais nada a dizer... Repetir como lamento o ocorrido, como me sinto infeliz com tudo isso, pedir perdão a vocês... tudo isso vocês já estão cansados de saber. A tragédia que consumiu a vida dele encheu a minha própria vida de sombras. Mas, por fim – ele falava como quem suplicasse –, vale *alguma coisa* saber que não foi ele o autor de tão horrendo crime... que seu nome... o nome de sua família... será limpo diante dos olhos do mundo?

Se ele esperava por uma resposta, ficou só na expectativa.

Leo Argyle estirou-se na poltrona. Os olhos de Gwenda estavam fixos no rosto de Leo. Hester permanecia sentada, mirando o vazio, os olhos trágicos e muito abertos. Miss Lindstrom grunhiu alguma coisa num resfolego e balançou a cabeça.

Calgary parou, desairado, junto à porta, olhando para todos eles.

Foi Gwenda Vaughan quem tomou conta da situação. Aproximou-se e deixou uma das mãos pousar sobre o braço dele, falando num tom suave:

– É melhor que o senhor vá agora, dr. Calgary. Foi um choque muito grande... É preciso tempo para que eles possam digerir.

Fez um aceno com a cabeça e saiu. Miss Lindstrom se juntou a ele no caminho.

– Vou conduzi-lo até a saída – ela disse.

Ele pôde, ao olhar para trás antes que a porta se fechasse, ver que Gwenda Vaughan caíra de joelhos junto à poltrona de Leo Argyle. O gesto o surpreendeu um pouco.

Sem deixar de encará-lo do alto da escada, miss Lindstrom parecia uma sentinela e lhe falou com rispidez:

– O senhor não pode trazê-lo de volta à vida. Então por que trazer o ocorrido de volta à tona? Até o momento, eles estavam resignados. Agora sofrerão. O melhor a fazer sempre é deixar as coisas como estão.

Ela falava com desgosto.

– A memória dele precisa ser limpa – disse Arthur Calgary.

– Sentimentos nobres! São sempre muito apreciados. Mas o senhor não tem a mais vaga ideia do que tudo isso significa. Homens nunca pensam no que fazem – ela bateu o pé. – Amo todos eles. Vim para cá para ajudar a sra. Argyle em 1940, quando ela abriu por aqui um berçário militar para crianças cujos lares haviam sido destruídos durante os bombardeios. Nada era o suficiente para aquelas crianças. Fazíamos de tudo por elas. Lá se vão quase dezoito anos. E ainda assim, mesmo depois que ela morreu, eu permaneci aqui para cuidar deles, manter a casa limpa e confortável, ver se estavam se alimentando direito. Amo todos eles, sim, cada um deles... e Jacko, bem, esse não prestava! Ah, sim, eu o amava também. Mas... ele não prestava!

Deu meia-volta e se afastou de modo abrupto. Era como se tivesse esquecido de sua oferta de acompanhá-lo até a rua. Calgary desceu o resto da escada devagar. Enquanto lutava para abrir a porta da frente, que possuía uma tranca cujo funcionamento ele não conseguia entender, ouviu passos leves nos degraus. Hester descia como se flutuasse sobre eles.

Ela destravou a porta e a abriu. Os dois ficaram olhando um para o outro. Ele compreendia ainda menos por que ela o encarava daquela maneira trágica e repreensível.

Então ela disse, quase suspirando as palavras:

– Por que o senhor veio até aqui? Ah, por quê, raios, o senhor veio até aqui?

Ele olhava para ela, indefeso.

– Não consigo entendê-la. A senhorita não quer que o nome do seu irmão seja limpo? A senhorita não quer que a justiça seja feita?

– Ah, justiça! – era como se cuspisse as palavras.

Ele repetiu:

– Não consigo entender...

– Essa sua insistência em fazer justiça! De que isso importa agora para o Jacko? Ele está morto. Jacko já não tem nenhuma importância. O que importa somos *nós*!

– O que a senhorita quer dizer?

– Que não é o culpado o que importa. É o inocente.

Ela pegou-o no braço, cravando-lhe os dedos.

– Somos *nós* que importamos. O senhor não percebe as consequências do que fez a todos nós?

Ficou a encará-la.

Da escuridão do lado de fora, assomou-se uma figura masculina.

– Dr. Calgary? – ele perguntou. – Seu táxi está aqui, senhor. Para levá-lo até Drymouth.

– Ah... obrigado.

Calgary voltou-se mais uma vez na direção de Hester, mas ela já havia se retirado para dentro da casa.

A porta da frente foi fechada com um estrondo.

CAPÍTULO 3

I

Hester subiu a escada com lentidão, puxando os cabelos negros que lhe cobriam a testa. Kirsten Lindstrom a encontrou no topo da escada.

– Ele já se foi?

– Sim, já foi.

– Você sofreu um choque, Hester – Kirsten Lindstrom estendeu a mão sobre seu ombro com delicadeza. – Venha comigo. Vou lhe dar um pouquinho de conhaque. Tudo o que aconteceu hoje foi demais.

– Não quero conhaque, Kirsty.

– Talvez você não queira, mas vai lhe fazer bem.

Sem oferecer resistência, a garota se deixou conduzir através do corredor até a pequena antessala do quarto de Kirsten Lindstrom. Ela apanhou o conhaque que lhe era oferecido e o bebericou devagar. Kirsten Lindstrom disse num tom exasperado:

– Foi tudo muito repentino. Deveria ter havido algum tipo de aviso. Por que o sr. Marshall não escreveu primeiro?

– Acho que o dr. Calgary não permitiu. Ele queria nos contar pessoalmente.

– Foi o que ele fez! Como ele achou que receberíamos uma notícia como essa?

– Suponho – disse Hester, numa voz estranha e sem entonação – que ele tenha pensado que ficaríamos satisfeitos.

– Satisfeitos ou não, seria de todo modo uma notícia chocante. Ele não devia ter feito o que fez.

– Mas, por outro lado, foi, de certa maneira, uma atitude corajosa da parte dele – disse Hester. Seu rosto se ruborizou. – Quero dizer, não deve ter sido *fácil* vir até aqui. Falar para uma família que perdeu um de seus membros morto na prisão, condenado por um crime que não cometeu. Sim, acho que foi uma atitude corajosa da parte dele... mas queria que ele não tivesse vindo – acrescentou.

— Era o que todos nós queríamos – disse miss Lindstrom com vivacidade.

Hester olhou para ela com o interesse recém-despertado por sua própria preocupação.

— Então você também vê as coisas assim, Kirsty? Pensei que fosse apenas eu.

— Não sou boba – disse miss Lindstrom com secura. – Posso considerar certas possibilidades que o seu dr. Calgary pode não ter cogitado.

Hester se levantou.

— Preciso ver papai – ela disse.

Kirsten Lindstrom concordou.

— Sim. Agora ele terá tempo suficiente para pensar no que era melhor ter feito.

Quando Hester entrou na biblioteca, Gwenda Vaughan estava no telefone. O pai lhe fez um aceno, e ela foi sentar-se no braço da poltrona.

— Estamos tentando falar com Mary e Micky – ele disse. – Eles precisam saber logo das novidades.

— Alô – disse Gwenda Vaughan. – É a sra. Durrant? Mary? Aqui quem fala é Gwenda. Seu pai quer falar com você.

Leo foi até o telefone.

— Mary? Tudo bem? Como vai o Philip? Isso é bom. Escuta, aconteceu uma coisa extraordinária... Pensei que o melhor era que você soubesse de uma vez. Um tal dr. Calgary acaba de nos fazer uma visita. Trazia consigo uma carta de Andrew Marshall. É sobre Jacko. Isso é realmente extraordinário, parece que a história que Jacko apresentou no julgamento, de que tinha pegado uma carona para Drymouth no carro de alguém, é a mais pura verdade. Esse dr. Calgary é o homem que lhe ofereceu a carona...

Ele se calou, enquanto escutava o que a filha dizia do outro lado.

— Sim, bem, Mary, não entrarei em detalhes agora sobre o porquê de ele não ter vindo nos dar a notícia antes. Ele sofreu um acidente... uma concussão. Sua história toda parece estar perfeitamente legitimada. Liguei para dizer que, depois de refletir sobre isso, a melhor coisa a fazer é uma reunião aqui com todo mundo, o mais rápido possível. Talvez se possa arranjar a vinda de Marshall para expor melhor a questão para todos nós. Precisamos ter, me parece, o melhor aconselhamento legal. Será que você e o Philip? Sim... Sim, eu sei. Mas acho, de verdade, minha querida, que isso é *importante*... Sim... bem, me ligue mais tarde então, se você quiser. Vou tentar trazer o Micky.

Recolocou o fone no gancho.

Gwenda Vaughan se aproximou do telefone.

— Devo tentar o Micky agora?

Hester disse:

– Se isso vai levar algum tempo, será que eu poderia fazer uma ligação antes, por favor, Gwenda? Quero ligar para o Donald.

– Claro – disse Leo. – Você vai sair com ele esta noite, não é mesmo?

– Eu *ia* sair – disse Hester.

Seu pai lançou para ela um olhar ansioso.

– Esta questão toda mexeu muito com você, querida?

– Não sei – disse Hester. – Não sei bem ainda como estou me sentindo.

Gwenda abriu espaço para que ela telefonasse, e Hester discou o número.

– Eu poderia falar com o dr. Craig, por favor? Sim, sim. Aqui é Hester Argyle.

Houve um curto silêncio e então ela disse:

– Donald, é você? Liguei para dizer que não me sinto em condições para acompanhar você à palestra dessa noite... Não, não estou doente... não se trata disso, é que... bem, é que nós recebemos uma notícia estranhíssima hoje.

Dr. Craig falou outra vez.

Hester se voltou na direção do pai. Cobriu o fone com a mão e disse:

– Não devemos guardar segredo, certo?

– Não – disse Leo devagar. – Não se trata exatamente de um segredo, mas... bem, eu pediria para Donald guardar essa informação por enquanto, quem sabe. Você sabe como começam os rumores, logo está todo mundo comentando.

– Sim, eu sei – ela voltou a falar ao telefone. – Bem, Donald, a princípio deveríamos chamar de boa notícia o que aconteceu hoje por aqui, mas na verdade... foi uma notícia perturbadora. Não quero falar sobre isso ao telefone... Não, não, não *venha* até aqui... Por favor, *não* venha. Ao menos não nesta noite. Venha amanhã, na hora que puder. É sobre... Jacko. Sim... sim... meu irmão... é que descobrimos que ele não matou minha mãe... Mas, por favor, Donald, não diga nada, não comente isso com *ninguém*. Amanhã conto tudo... Não, Donald, *não*... Não me sinto em condições de ver *ninguém* esta noite... nem mesmo você. Por favor. E não comente nada disso.

Ela colocou o telefone no gancho e se afastou para dar lugar a Gwenda.

Gwenda pediu um número em Drymouth. Leo disse em tom suave:

– Por que você não vai à palestra com o Donald, Hester? Será um alívio para a sua cabeça.

– Não quero ir, papai. Não estou em condições.

Leo disse:

– O modo como você falou... deu a impressão a ele de que não eram boas notícias. Mas você sabe, Hester, que isso não é verdade. Ficamos todos pasmos. Mas estamos muito felizes, no fundo, muito felizes... Como poderia ser diferente?

– Isso é o que vamos dizer, não é? – disse Hester.

Leo disse, de imediato:

– Oh, minha pobre criança...

– Mas não é verdade, certo? – disse Hester. – Não se tratam de boas notícias. Antes pelo contrário. Isso será um terrível incômodo.

Gwenda disse:

– Micky está na linha.

Outra vez Leo apanhou o fone das mãos dela. Falou com o filho da mesma maneira com que falara com a filha. Mas a novidade foi recebida de modo bastante distinto do que fora recebida por Mary Durrant. Dessa vez não houve protesto, surpresa ou descrença. Em vez disso, uma rápida aceitação.

– Mas que diabos! – veio a voz de Micky. – Depois de todo esse tempo? A testemunha que estava faltando! Bem, bem, foi uma noite de grande azar para o nosso Jacko.

Leo voltou a falar. Mickey escutou.

– Sim – ele disse –, concordo com você. O melhor a fazer é nos reunirmos logo, o quanto antes, e trazermos o Marshall para nos dar o devido aconselhamento também.

Ele deu uma risada rápida e súbita, a risada que Leo lembrava tão bem, de quando ele era apenas um garoto que brincava nos jardins, para além da janela.

– Qual é a aposta? – perguntou Micky. – *Quem de nós cometeu o crime?*

Leo desligou o telefone de forma abrupta.

– O que ele disse? – quis saber Gwenda.

Leo contou a ela.

– Me parece uma brincadeira nada adequada ao momento – disse Gwenda.

Leo olhou para ela com rapidez.

– Talvez – ele disse em voz baixa – não se trate, afinal, apenas de uma brincadeira.

II

Mary Durrant atravessou a sala e apanhou algumas pétalas que haviam caído de um vaso de crisântemos. Colocou-as, com cuidado, na pequena cesta de papéis. Era uma mulher alta, jovem e serena, na casa dos 27, que, apesar de não ter qualquer ruga no rosto, parecia mais velha do que era, talvez pelo tipo maduro e convencional de maquiagem que usava. Tinha boa aparência, sem um traço sequer de glamour. Traços regulares, pele boa, olhos de um azul vívido e cabelos claros, arranjados em um coque preso na parte de trás da cabeça; um estilo que parecia estar na moda no momento, embora não fosse essa a razão de sua escolha. Era uma mulher que sempre fazia questão de ter seu estilo próprio. Sua aparência era como a de sua casa: limpa, bem cuidada. Qualquer tipo de pó ou desordem a incomodava.

O homem na cadeira de rodas, que a observava enquanto ela jogava fora as pétalas caídas, sorriu-lhe de um modo levemente torto.

– Sempre a criaturinha que arruma tudo – ele disse. – Um lugar para cada coisa, e cada coisa no seu lugar.

Ele sorriu, com um toque malicioso no riso. Mas Mary Durrant não se deixou abater.

– Gosto das coisas bem arrumadas – ela concordou. – Você sabe, Phil, você mesmo não ia gostar se a casa fosse toda bagunçada.

Seu marido falou com um leve traço de amargura:

– Bem, de todo modo *eu* jamais teria a chance de começar uma bagunça.

Logo depois do casamento, Philip Durrant havia sido atacado pela poliomielite do tipo que leva à paralisia. Para Mary, que o adorava, ele se tornara tanto um filho quanto um marido. Ele mesmo chegava a se sentir um pouco embaraçado pelo amor possessivo que ela lhe votava. Sua esposa não tinha imaginação suficiente para compreender que o prazer dela em sua dependência por vezes o enfastiava.

Ele prosseguiu depressa, como se temesse alguma palavra de simpatia ou comiseração da parte dela.

– Preciso dizer que a notícia do seu pai supera todas as descrições! Depois de todo esse tempo! Como você consegue estar assim tão calma?

– Acho que ainda não consegui assimilar o golpe... É tão fora do comum. De início eu simplesmente não podia acreditar no que meu pai dizia. Se fosse a Hester quem tivesse ligado, eu imaginaria que era tudo coisa da cabeça dela. Você sabe como é a Hester.

O rosto de Philip Durrant perdeu um pouco de sua amargura. Ele disse de modo suave:

– Uma criatura que se entrega com veemência às paixões, sempre à procura de confusão nessa vida e disposta a encontrá-la.

Mary desconsiderou a análise. A personalidade das outras pessoas não lhe interessava.

Ela disse, num tom de dúvida:

– Será que é *verdade*? Ou você acha que esse homem poderia ter imaginado tudo isso?

– O cientista distraído? Seria bom pensar que sim – disse Philip –, mas parece que Andrew Marshall averiguou a questão com bastante seriedade. E Marshall, do escritório Marshall & Marshall, é alguém de cujas sólidas proposições legais não se pode desconfiar, isso é o que lhe digo.

Mary Durrant disse, o cenho franzido:

– Do que você está *falando*, Phil?

– Isso significa que Jacko será completamente exonerado de qualquer culpa. Quer dizer, se as autoridades se derem por satisfeitas com o fato... e suponho que não há por que isso não ocorrer.

– Ah, claro – disse Mary, com um leve suspiro –, acho tudo isso *ótimo*.

Philip Durrant voltou a rir, o mesmo sorriso torto, mas um pouco mais sarcástico.

– Polly! – ele disse. – Você ainda acaba comigo.

Apenas seu marido a chamara até hoje de Polly. Era um apelido ridiculamente inapropriado para sua aparência de estátua. Ela olhou para Philip com um quê de surpresa.

– Não sei o que eu disse para fazer você rir dessa maneira.

– O modo gracioso como você disse! – disse Philip. – Como dona Fulana na Feira de Artesanato, fazendo elogios às manufaturas do Instituto da Vila.

Mary disse, confusa:

– Mas *é* mesmo ótimo! Não dá para fingir que é bom ter um assassino na família.

– Não se poderia dizer *na* família.

– Bem, é como se fosse. Quero dizer, tudo foi tão horrível, deixou todo mundo numa situação desconfortável. Todo o falatório, os curiosos. Odiei cada momento.

– Acho que você atravessou aquele período muito bem – disse Philip. – Lembro desses seus olhos azul-polar, congelando todos, fazendo com que eles pusessem o rabinho entre as pernas e tivessem vergonha de ter vindo xeretar. É maravilhoso o modo como você controla suas emoções para nunca revelá-las.

– Odiei cada minuto. Chegava a ser quase fisicamente desagradável – disse Mary Durrant –, mas de todo modo ele morreu e então tudo estava acabado. E agora... agora, suponho, tudo voltará à tona. Tão cansativo.

– Sim – disse Philip Durrant, pensativo. Moveu os ombros de forma sutil, um leve esgar de dor no rosto. Sua esposa se aproximou dele depressa.

– Está com câimbras? Espere. Deixe-me ajeitar essa almofada. Assim. Está melhor?

– Você deveria ter sido enfermeira – disse Philip.

– Não tenho a menor vontade de cuidar de um montão de pessoas. Só de você.

Aquilo foi dito de um modo muito simples, mas por trás das palavras comuns havia uma afeição profunda.

O telefone tocou, e Mary foi atendê-lo.

– Alô... sim... é ela... Ah, é você...

Ela falou de lado para Philip:

– É o Micky.

– Sim... sim, já fomos informados. Papai telefonou... Sim, claro... Sim... Sim... Philip acha que se os advogados estão satisfeitos é porque se pode confiar... Sério, Micky, não sei por que você está tão chateado... Não estou sendo idiota... Sério, Micky, não acho que você... Alô?... Alô...

Ela contraiu o rosto com raiva.

– Ele desligou.

Colocou o telefone no gancho.

– Sério, Philip, não dá para entender o Micky.

– O que exatamente ele disse?

– Bem, ele parece estar alterado. Disse que eu estava sendo idiota, que eu não percebia a repercussão das coisas. Que diabo! Foi assim que ele falou. Mas por quê? Não consigo entender.

– Estava exaltado, então? – disse Philip, num tom pensativo.

– Mas por quê?

– Bem, ele está certo, sabe. O assunto vai repercutir.

Mary pareceu um pouco confusa.

– Você acha que o caso voltará a despertar o interesse das pessoas? Não posso negar que estou feliz por Jacko, mas vai ser muito desagradável ter de aguentar o falatório de novo.

– Não é apenas o que os vizinhos vão dizer. Há mais coisas desta vez.

Olhou-o de forma inquiridora.

– A polícia também estará envolvida!

– A *polícia*? – falou Mary com aspereza. – O que eles têm a ver com isso?

– Ah, minha garotinha – disse Phil. – *Pense.*

Mary caminhou devagar em sua direção e se sentou ao seu lado.

– Veja bem, agora se trata de um crime não resolvido – disse Philip.

– Mas certamente eles não vão se ocupar disso, não é? Depois de tanto tempo...

– Acho que você está confundindo seu desejo com o que vai acontecer de verdade – disse Philip.

– Claro – disse Mary –, depois de terem sido tão estúpidos a ponto de cometer tal erro com o Jacko, não vão querer remexer no passado, não é mesmo?

– Não se trata do que eles querem ou deixam de querer, pois provavelmente é o que terão de fazer. Dever é dever.

– Ah, Philip, tenho certeza de que você está errado. Claro, vão falar um pouco no assunto, mas logo deixarão a coisa toda morrer.

– E então nossas vidas seguirão felizes para sempre – disse Philip, com certo deboche na voz.

– Por que não?

Ele balançou a cabeça.

– Não é assim tão simples... Seu pai tem razão. Precisamos todos nos reunir e ter uma conversa séria. Trazer o Marshall, como ele propôs.

– Você quer dizer... ir até Sunny Point?

– Sim.

– Ah, não podemos fazer isso.

– Por que não?

– Não é possível. Você é um inválido e...

– Não sou um inválido. – Philip falou com irritação. – Sinto-me forte e saudável. Perdi apenas o controle das minhas pernas. Posso ir até Timbuctu com o meio de transporte adequado.

– Tenho certeza de que lhe fará muito mal ir até Sunny Point. Ainda mais com esse assunto tão desagradável a tratar...

– Não é minha mente que será afetada.

– Além disso, não vejo como possamos abandonar a casa. Nos últimos tempos tem havido uma série de arrombamentos.

– Arranje alguém para dormir aqui.

– É muito fácil dizer isso... como se fosse a coisa mais simples do mundo.

– A velha sra. Beltrana pode vir todos os dias. Pare de fazer essas objeções de dona de casa, Polly. É você, na verdade, quem não quer ir.

– Não, não quero.

– Não ficaremos por lá muito tempo – disse Philip de modo confiante. – Mas acho que devemos ir. Este é um momento em que a família tem de se apresentar unida perante os olhos do mundo. Precisamos descobrir exatamente em que situação estamos.

III

No hotel em Drymouth, Calgary jantou cedo e foi para o quarto. Sentia-se afetado de maneira profunda pelo que ocorrera em Sunny Point. Esperava que sua missão fosse ser dolorosa e havia reunido todas as suas forças para enfrentar o desafio. Mas a coisa toda foi dolorosa e perturbadora de um modo completamente diferente do que tinha esperado. Meteu-se na cama e acendeu um cigarro, sem parar de reprisar os fatos em sua mente.

O retrato mais claro que se formara era o rosto de Hester no momento da partida. A desdenhosa rejeição que ela votou à sua reivindicação de justiça! O que ela havia dito, mesmo? "Não é o culpado o que importa. É o inocente." E então: "O senhor não percebe as consequências do que fez a todos nós?" Mas o que ele havia feito? Não conseguia entender.

E os outros. A mulher a quem chamam de Kirsty. (Por que Kirsty? Tratava-se de um nome escocês. Ela não era escocesa. Dinamarquesa, talvez, ou norueguesa?) Por que ela lhe falara de modo tão duro, em tom acusatório?

Ocorrera alguma coisa estranha também com Leo Argyle – um afastamento, uma cautela. Nada parecido com o "Graças a deus que meu filho é inocente!", que certamente deveria ter sido a reação natural!

E aquela garota – a secretária de Leo. Ela havia sido solícita com ele, atenciosa. Mas também ela reagira de maneira estranha. Lembrou-se do modo como se ajoelhara junto à poltrona de Argyle. Era como se... como se ela o estivesse confortando, consolando-o. Mas consolando pelo quê? Pelo fato de seu filho não ser o culpado pelo crime? E claro, sim, claro, havia ali mais do que o simples sentimento de uma secretária, mesmo uma secretária de longa data... Afinal, do que se tratava aquilo *tudo*? Por que eles...

O telefone sobre a mesa de cabeceira tocou. Ele atendeu.

– Alô?

– Dr. Calgary? Há alguém aqui perguntando pelo senhor.

– Por mim?

Estava surpreso. Até onde sabia, ninguém tinha conhecimento de que passaria a noite em Drymouth.

– Quem é?

Houve uma pausa. Então o recepcionista disse:

– É o sr. Argyle.

– Ah. Diga a ele que... – Arthur Calgary se preparava para dizer que ia descer. Mas se por alguma razão Leo Argyle o havia seguido até Drymouth e dera um jeito de descobrir onde estava hospedado, então era de se presumir que seria assunto por demais embaraçoso para ser discutido lá embaixo, no saguão lotado.

Disse em vez disso:

– Poderia dizer, por favor, para ele subir?

Levantou-se de onde estava e caminhou de um lado para o outro até que a batida soou na porta.

Aproximou-se dela e a abriu.

– Entre, sr. Argyle, eu...

Ele parou, depois recuou. Não era Leo Argyle. Era um jovem no início da casa dos vinte, um jovem cuja face bela e morena se mostrava alterada por uma expressão amarga. Um rosto infeliz, inquieto e raivoso.

– Não estava me esperando – disse o jovem. – Pensou que fosse meu pai. Sou Michael Argyle.

– Entre.

Calgary fechou a porta depois que seu visitante entrou.

– Como descobriu que eu estava aqui? – perguntou, oferecendo-lhe um cigarro.

Michael pegou um da cigarreira e deu uma risada curta e desagradável.

– Brincadeira de criança! Liguei para os principais hotéis, supondo que você ficaria para passar a noite. Consegui na segunda tentativa.

– E por que veio me ver?

Michael Argyle disse devagar:

– Queria ver que tipo de camarada é você...

Seus olhos perquiridores percorreram a figura de Calgary, percebendo a ligeira inclinação de seus ombros, os cabelos grisalhos, o rosto magro e delicado.

– Então você é um dos camaradas que foram ao polo no Hayes Bentley. Você não parece capaz de resistir à empreitada.

Arthur Calgary sorriu de maneira discreta.

– Às vezes as aparências enganam – ele disse. – Consegui resistir. Não se trata apenas de força muscular. É preciso ter outras qualificações importantes: resistência, paciência, conhecimento técnico.

– Quantos anos você tem, 45?

– Trinta e oito.

– Parece mais.

– Sim... sim, creio que sim.

Por um momento foi tomado por uma sensação aguda de tristeza ao sentir-se confrontado pela virilidade juvenil do garoto à sua frente.

Perguntou de modo abrupto:

– Por que veio me ver?

O outro franziu a testa.

– É natural, não acha? Depois que soube da notícia que você trouxe. A notícia sobre o meu falecido irmão.

Calgary não respondeu.

Michael Argyle continuou:

– Chegou tarde demais para ele, não é mesmo?

– Sim – disse Calgary em voz baixa. – Tarde demais para ele.

– Por que guardou isso por tanto tempo? E que história é essa de concussão?

Calgary lhe contou tudo com paciência. Por estranho que pareça, sentia-se enternecido pela rudeza e falta de tato do rapaz. Aqui, pelo menos, havia alguém que estava interessado no irmão.

– Dar a Jacko um álibi, este é o ponto, não é? Como você sabe se os horários batem?

– Tenho certeza quanto aos horários – disse Calgary com firmeza.

– Você pode ter se confundido. Às vezes vocês da ciência podem se dar o luxo de serem distraídos com essas questões de tempo e espaço.

Calgary demonstrou certo divertimento.

– Você tem em mente uma imagem ficcional do cientista distraído... que usa meias que não combinam, que não tem bem certeza de que dia é ou de onde está. Meu caro rapaz, o trabalho técnico exige uma grande precisão, exatidão nas contagens, nos horários, nos cálculos. Garanto a você que não há possibilidade de que eu tenha me equivocado. Peguei o seu irmão um pouco antes das sete e o deixei em Drymouth às 7h35.

– Seu relógio poderia estar errado. Ou você acompanhava as horas pelo relógio do carro.

– Meu relógio e o do carro estavam perfeitamente sincronizados.

– Jacko pode ter levado você no bico. Ele era cheio de truques.

– Não houve qualquer tipo de truque. Por que você está tão ansioso por provar que estou errado? – Sentindo-se um pouco acalorado, Calgary continuou: – Esperava que fosse difícil convencer as autoridades de que elas haviam condenado um homem inocente. O que não esperava era encontrar tanta dificuldade em convencer sua própria família!

– Então você achou difícil nos convencer?

– A reação de todos me pareceu um pouco... incomum.

Michael o olhou de maneira incisiva.

– Eles não quiseram acreditar em você?

– Quase isso... ao que parece...

– Não foi só em aparência. Não queriam mesmo. Mas é natural também, se você pensar um pouquinho no assunto.

– Mas por quê? Por que isso deveria ser natural? Sua mãe foi assassinada. Seu irmão foi acusado e condenado pelo crime. Agora se descobre que ela era inocente. Você deveria estar satisfeito... agradecido. Seu próprio irmão.

Micky disse:

– Ele não era meu irmão. E ela não era minha mãe.

– O quê?

– Ninguém lhe disse nada? Somos todos adotados. Todos nós. Mary, minha "irmã" mais velha, em Nova York. Nós, durante a guerra. Minha "mãe", como você a chama, não podia ter filhos. Então conseguiu montar uma pequena e bela família somente com adoções. Mary, eu, Tina, Hester, Jacko. Uma casa confortável e luxuosa, amor materno para dar e vender! Não seria exagero dizer que ela acabou esquecendo no final que não éramos filhos dela. Mas teve azar quando escolheu Jacko para ser um dos seus queridinhos.

– Não tinha a mais vaga ideia disso – falou Calgary.

– Então não me venha com essa de "sua mãe", "seu irmão", uma ova! Jacko era um verme!

– Mas não um assassino – disse Calgary.

Sua voz soou enfática. Micky olhou para ele e concordou.

– Tudo bem. É o que você diz... e parece convencido disso. Jacko não a matou. Muito bem, então. Se não foi ele... *quem a matou?* Você não pensou sobre isso, não é? Pois pense agora. Pense bem nisso... e então começará a entender o que está fazendo com a gente...

Deu meia-volta e saiu, às pressas, do quarto.

CAPÍTULO 4

Calgary disse, como que se desculpando:

– É muita gentileza da sua parte me receber novamente, sr. Marshall.

– Por favor – disse o advogado.

– Como o senhor sabe, fui até Sunny Point ver a família de Jack Argyle.

– Fiquei sabendo.

– E a esta altura já deve ter ouvido, imagino, algo sobre minha visita?

– Sim, dr. Calgary, isso aconteceu.

– O que o senhor não deve estar entendendo é por que voltei aqui para vê-lo... Veja bem, as coisas não saíram exatamente como eu havia imaginado.

– Não – disse o advogado –, não, talvez não.

Sua voz soou seca como de costume e desprovida de emoção, ainda que alguma coisa nela tenha encorajado Arthur Calgary a continuar.

– Pensei, veja bem – seguiu Calgary –, que aquilo seria o fim de tudo. Estava preparado para um certo, como dizer, ressentimento natural da parte deles. Ainda que se pudesse considerar a concussão, creio, como um ato de Deus se poderia entender que do ponto de vista deles não fosse algo perdoável, como eu digo. Mas, ao mesmo tempo, eu esperava que o ressentimento pudesse ser superado pela gratidão que sentiriam ao saber que o nome de

Jack Argyle seria limpo. Mas as coisas não correram como eu havia imaginado. Antes pelo contrário.

– Entendo.

– Talvez, sr. Marshall, o senhor tenha antecipado alguma coisa do que poderia acontecer? Seus modos, me lembro, me confundiram quando estive aqui da outra vez. O senhor *anteviu* a resistência que eu ia encontrar?

– O senhor ainda não me falou dessa resistência, dr. Calgary.

Arthur Calgary arrastou sua cadeira para a frente.

– Pensei que eu estava pondo um *ponto final* em alguma coisa, oferecendo, se é que podemos dizer, um final diferente para um capítulo já escrito. Mas me fizeram ver, me fizeram *ver*, que em vez de *terminar* alguma coisa, eu estava *começando* outra. Alguma coisa inteiramente nova. O senhor acha que essa é a maneira correta de expressar a situação?

O sr. Marshall concordou com a cabeça, num movimento lento.

– Sim – ele disse –, poderíamos admitir que sim. Pensei então, preciso admitir, que o senhor não estava levando em consideração todas as implicações. O senhor nem poderia ter isso em mente, pois, o que era natural, não sabia nada sobre o pano de fundo da história, exceto o que estava nos relatórios jurídicos.

– Não, não, agora eu vejo tudo com nitidez. Com total clareza.

Sua voz começou a se erguer à medida que crescia sua excitação:

– Na verdade, não foi alívio o que sentiram, não foi gratidão. O que sentiram foi apreensão. Pavor do que estava por vir. Estou certo?

Marshall falou com cautela:

– É possível que o senhor esteja certo, pelo que me disse. Veja bem, não falo baseado no que sei.

– De todo modo – seguiu Calgary –, não sinto que possa voltar ao meu trabalho satisfeito com o resultado das minhas ações. Continuo envolvido. Sou responsável por ter trazido um fato novo para a vida de várias pessoas. Não *posso* simplesmente lavar minhas mãos.

O advogado pigarreou.

– Esse, talvez, seja um ponto de vista um pouco bizarro, dr. Calgary.

– Não vejo por quê, não vejo mesmo. É preciso assumir a responsabilidade por seus atos e não apenas por seus *atos*, mas sim pelo *resultado* que esses atos provocam. Cerca de dois anos atrás eu dei carona a um jovem numa estrada. Ao fazê-lo, desencadeei uma certa sucessão de eventos. Não vejo como possa me dissociar do que ocorreu a partir disso.

O advogado continuava meneando a cabeça.

– Muito bem, então – disse Arthur Calgary com impaciência. – Chame isso de uma bizarrice se quiser. Mas meus sentimentos, minha consciência, continuam envolvidos. Meu único desejo era consertar algo que sempre estivera aquém de minhas forças evitar. Não consegui consertar nada. De um modo curioso, tornei as coisas ainda piores para aquelas pessoas que já haviam passado pelo sofrimento. Mas ainda não consigo entender exatamente *por quê*.

– Não – disse Marshall –, não, o senhor não compreende. Nos últimos dezoito meses, ou por volta disso, o senhor esteve longe do contato com a civilização. Ficou sem ler os jornais, o que se disse sobre essa família nas reportagens. É bem provável que o senhor não fosse lê-las, mas o senhor não teria deixado, por certo, de *ouvir* falar deles. Os fatos são muito simples, dr. Calgary. Não são confidenciais. Foram levados a público naquela época. Pode-se resumir a questão na seguinte pergunta: se não foi Jack Argyle o autor do crime (e pelo seu depoimento não pode ser ele o autor), *então quem é o assassino?* Isso faz com que voltemos às circunstâncias em que o crime foi cometido. O que ocorreu entre as sete e as sete e meia, numa noite de novembro, numa casa em que a vítima se encontrava cercada por seus parentes mais próximos e empregados? A casa estava fechada, inclusive as janelas, ou seja, se alguém tivesse vindo de fora, teria que ter sido recebido pela sra. Argyle ou entrado com a própria chave. Em outras palavras, deve ter sido alguém que ela conhecia. De certa maneira, esse caso se parece com o caso Borden, ocorrido nos Estados Unidos, em que o sr. Borden e sua esposa foram mortos a machadadas numa manhã de domingo. Ninguém na casa ouviu nada, não se sabe de alguém que tenha se aproximado do local. Agora o senhor entende, dr. Calgary, por que os membros da família se mostraram incomodados, como o senhor mesmo disse, em vez de aliviados com a notícia que o senhor lhes trouxe?

Calgary disse devagar:

– O senhor está querendo dizer que eles prefeririam que Jack continuasse sendo culpado?

– É evidente – disse Marshall. – Ah, sim, não tenho nenhuma dúvida. Se o senhor me permite um certo cinismo, diria que Jack era a solução perfeita para o fato desagradável de um assassinato em família. Ele havia sido uma criança-problema, um jovem delinquente, um homem de temperamento violento. Dentro do círculo familiar, sempre se poderia, assim como ocorreu, arrumar desculpas para suas ações. Poderiam lamentar seus atos, ter simpatia por sua situação, dizendo a si mesmos, a cada um deles e para o mundo, que aquilo tudo não era *realmente* culpa dele, que os psicólogos podiam explicar! Sim, sim, da maneira que estavam, as coisas eram muito convenientes.

– E agora... – interrompeu-o Calgary.

– E agora – seguiu o sr. Marshall – tudo mudou, claro. De maneira significativa. Diria quase que de maneira alarmante.

Calgary disse com astúcia:

— As notícias que eu trouxe são desagradáveis para o senhor também, não é mesmo?

— Devo admitir que sim. Em verdade, devo admitir que fiquei incomodado. Um caso que havia sido encerrado com todo êxito... agora está reaberto.

— Já é oficial? – perguntou Calgary. – Quero dizer, do ponto de vista da polícia, o caso será reaberto?

— Ah, sem dúvida – disse Marshall. – Quando Jack Argyle recebeu o veredicto de culpado sem qualquer questionamento... o júri levou apenas quinze minutos deliberando... aquilo era o fim das investigações, ao menos para a polícia. Mas agora, com a garantia de um livre-indulto póstumo, o caso será outra vez aberto.

— E a polícia fará novas investigações?

— Me parece quase certo. Claro – acrescentou Marshall, coçando o queixo, pensativo –, é pouco provável, depois de tanto tempo, dadas as particularidades do caso, que eles possam chegar a qualquer tipo de resultado... Da minha parte, duvido que alguma coisa aconteça. Eles podem até saber que alguém lá naquela casa cometeu o crime. Podem, inclusive, chegar a uma ideia bastante desenvolvida sobre o possível autor do crime. Mas será muito difícil conseguir uma evidência definitiva.

— Entendo – disse Calgary. – Entendo... Bem, então foi isso o que ela quis dizer.

O advogado falou num disparo:

— De quem o senhor está falando?

— Da garota – disse Calgary. – Hester Argyle.

— Ah, sim. A jovem Hester. – Perguntou com cautela: – O que ela disse ao senhor?

— Falou sobre o inocente – disse Calgary. – Disse que não era o culpado quem interessava, mas sim o inocente. Somente agora entendo ao que ela estava se referindo...

Marshall lançou um olhar agudo sobre ele.

— É possível que o senhor entenda.

— Ela queria dizer justo o que o senhor está dizendo – disse Arthur Calgary. – Que mais uma vez as suspeitas recairiam sobre a família.

Marshall o interrompeu.

— Mais uma vez é um exagero – ele disse. – Na ocasião do crime nunca houve um *momento* em que a família estivesse sob suspeita. Jack Argyle foi claramente indicado como suspeito desde o início.

Calgary deixou a interrupção de lado.

— As suspeitas recairão sobre a família – ele disse – e tais suspeitas podem se estender por muito tempo, talvez para sempre. Se um dos membros da família é o culpado, é possível que eles mesmos não saibam qual. Olharam uns para os outros e... vão se perguntar quem... Sim, essa será a pior parte de todas. O fato de não saberem *qual* deles, enfim...

Houve um momento de silêncio. Marshall ficou olhando para Calgary com uma expressão silenciosa e perscrutadora, mas não disse nada.

– Isso é terrível, entende? – disse Calgary.

Seu rosto magro e sensível revelava os traços da emoção que o dominava. Continuou:

– Sim, é terrível... A passagem dos anos sem que ninguém saiba, os olhares trocados em silêncio, a suspeita, quem sabe, corroendo todas as relações. Destruindo o amor, a confiança...

Marshall limpou a garganta.

– O senhor não estaria exagerando um pouco no quadro?

– Não – disse Calgary –, não creio que esteja. Acho, talvez, se me permite, sr. Marshall, que vejo a situação com mais clareza que o senhor. Posso imaginar, perceber, o que tudo isso poderá significar.

Por mais uma vez houve silêncio.

– Significa – disse Calgary –, que é o inocente quem irá sofrer... E o inocente não deveria sofrer. Apenas o culpado. É por isso que... é por isso que não posso lavar minhas mãos. *Não posso* simplesmente dar as costas a tudo e dizer: "Fiz a coisa certa a fazer, servi à causa da justiça", porque o senhor pode ver bem qual foi meu papel, que o que fiz *não* foi servir à causa da justiça. O culpado não foi condenado e, ao mesmo tempo, o inocente não está livre da sombra da acusação.

– Acho que o senhor está exigindo demais de si mesmo, dr. Calgary. O que o senhor disse tem alguma base de verdade, sem dúvida, mas não consigo ver bem por quê, ou melhor, o que o senhor pode fazer em relação ao assunto.

– Pois é, também não sei – disse Calgary com franqueza. – Mas isso significa que não devo desistir. Esta é a verdadeira razão pela qual vim até sua presença, sr. Marshall. Gostaria de conhecer, creio que tenho direito a isso, o pano de fundo familiar.

– Ah, bem – disse o sr. Marshall, num tom algo vivo. – Não há nenhum segredo sobre *isso*. Posso inteirá-lo dos *fatos* que o senhor quer saber. Não estou em posição, no entanto, de informar-lhe mais do que os fatos. Nunca me relacionei de modo mais íntimo com os membros da casa. Nossa firma defendeu os interesses da sra. Argyle por muitos anos. Cooperamos com ela no estabelecimento de termos de confiança e também em aspectos de negociação legal. Conhecia razoavelmente bem a sra. Argyle e também seu marido. Quanto à atmosfera em Sunny Point, aos temperamentos e características das pessoas que vivem lá, tenho apenas, como o senhor poderia dizer, informações de segunda mão dadas pela própria sra. Argyle.

– Sim, compreendo tudo isso – disse Calgary, mas precisava começar de algum lugar. Já sei que as crianças não eram dela. Foram todas adotadas?

– Sim. O nome de nascimento da sra. Argyle era Rachel Konstam, filha única de Rudolph Konstam, um homem muito rico. Sua mãe era americana e também uma mulher de família rica. Rudolph tinha diversos interesses filantrópicos e acabou atraindo a filha para essas atividades benevolentes. Ele e a esposa morreram num acidente de avião e, depois disso, Rachel devotou a enorme fortuna herdada dos pais ao que nós poderíamos chamar, vagamente, de empreendimentos filantrópicos. Tomou-se de interesse pessoal por essas entidades e se envolveu com o trabalho de caridade. Foi nessas circunstâncias que conheceu Leo Argyle, que era parte do quadro de Oxford e dedicava seus estudos à economia e às reformas sociais. Para compreender bem a sra. Argyle, o senhor tem que perceber que a grande tragédia de sua vida era o fato de não poder ter filhos. Como ocorre a muitas mulheres, essa incapacidade começou, de forma gradual, a escurecer todos os aspectos de sua vida. Quando, depois de ter visitado toda gama de especialistas possíveis, parecia claro que ela nunca poderia alimentar a esperança de ser mãe, foi preciso que ela buscasse qualquer fonte de alívio disponível. Adotou a primeira criança de um abrigo para necessitados em Nova York: aquela que atualmente se chama sra. Durrant. A sra. Argyle se dedicava quase que por inteiro a atividades de caridade ligadas a crianças. Com a eclosão da guerra em 1939, estabeleceu, com os auspícios do Ministério da Saúde, uma espécie de creche para crianças, comprando a casa que o senhor visitou, Sunny Point.

– Então ainda conhecida como Viper's Point – disse Calgary.

– Sim. Creio que era o nome original do lugar. Ah, sim, talvez, no fim das contas, um nome mais apropriado que o nome escolhido por ela para o lugar: Sunny Point.* Em 1940, moravam ali entre doze e dezesseis crianças, a maioria das quais não tinha mais quem se responsabilizasse de modo satisfatório por sua guarda ou não pôde acompanhar sua família no momento da evacuação. Nenhum esforço era poupado na criação dessas crianças. Deram-lhes um lar luxuoso. Tentei, por mais de uma vez, mostrar a ela que tal criação tornaria difícil para as crianças, após tantos anos de guerra, retornar às suas casas depois de terem vivido cercadas de tanto luxo. Nunca me deu ouvidos. Estava envolvida até a alma com aquelas crianças e, por fim, acabou alimentando o projeto de agregar algumas delas, aquelas cujos lares eram muito desconfortáveis ou as que haviam se tornado órfãs, à sua própria família. Isso acabou resultando numa família de cinco. Mary, hoje casada

---

* *Viper* é víbora em inglês, ao passo que *sunny* é ensolarado. (N.T.)

com Philip Durrant; Michael, que trabalha em Drymouth; Tina, uma menina mestiça; Hester, e, claro, Jacko. Todos cresceram considerando os Argyle como seu pai e sua mãe. Receberam a melhor educação que o dinheiro pôde pagar. Se o ambiente de criação conta para alguma coisa, deveriam ter ido longe. Certamente receberam todas as vantagens disponíveis. Jack, ou Jacko, como eles o chamavam, sempre agiu de maneira insatisfatória. Roubava dinheiro na escola e teve que ser transferido. Arranjou uma série de problemas já no primeiro ano de faculdade. Por duas vezes esteve a um milímetro de ir preso. Sempre teve um temperamento incontrolável. Contudo, é bem provável que o senhor já tenha ouvido. Por duas vezes os Argyle tiveram que cobrir as fraudes dele. Gastaram duas vezes mais dinheiro ainda para tentar montar um negócio para ele. Por duas vezes os empreendimentos de Jacko faliram. Após sua morte, um seguro foi e ainda é pago para sua viúva.

Calgary se curvou para a frente, sem esconder o assombro.

– Sua *viúva*? Ninguém havia me dito que ele era casado.

– Ah, meu caro.

O advogado estalou os dedos com irritação.

– Como fui desleixado. Havia me esquecido, claro, que o senhor não tinha lido as matérias dos jornais. Posso lhe assegurar que ninguém na família Argyle sabia que ele era casado. Logo após sua prisão, a esposa apareceu, tomada por grande aflição, em Sunny Point. O sr. Argyle foi muito bom com ela. Era uma jovem que trabalhava como dançarina no Palais de Danse de Drymouth. É provável que tenha me esquecido de mencioná-la a você porque ela voltou a se casar algumas semanas depois da morte de Jack. Seu atual marido é eletricista, creio, em Drymouth.

– Preciso vê-la – disse Calgary. Depois acrescentou em tom de censura: – Deveria ter sido a primeira pessoa a receber minha visita.

– Certamente, certamente. Vou lhe passar o endereço. Não sei bem *por que* não mencionei isso antes ao senhor, na primeira vez.

Calgary ficou em silêncio.

– Ela é um elemento tão... insignificante – disse o advogado, como que se desculpando. – Mesmo os jornais não lhe deram muita importância. Para o senhor ter uma ideia, ela nunca foi visitar o marido na prisão ou demonstrou qualquer interesse em seu destino...

Calgary estava profundamente imerso em pensamentos. Depois disse:

– O senhor pode me dizer com exatidão quem estava na casa na noite do crime?

Marshall o olhou com intensidade.

– Leo Argyle, claro, e a caçula, Hester. Mary Durrant e seu marido inválido estavam de visita. Ele recém havia saído do hospital. Também estavam por lá Kirsten Lindstrom, que o senhor, é bem provável, tenha conhecido: uma sueca com curso de massagem e enfermagem que veio ajudar a sra. Argyle com a creche na época da guerra e ficou na casa depois disso. Michael e Tina não estavam lá; Michael trabalha como vendedor de carros em Drymouth, e Tina na Livraria do Condado em Redmyn, onde vive num apartamento.

Marshall fez uma pausa antes de prosseguir.

– Havia também a srta. Vaughan, a secretária do sr. Argyle. Ela havia saído da casa antes de o corpo ser descoberto.

– Também a conheci – disse Calgary. – Ela parece bastante ligada ao sr. Argyle.

– Sim... sim. Acredito que muito em breve um noivado possa ser anunciado.

– Ah!

– Ele tem se sentido bastante sozinho desde a morte da esposa – disse o advogado, com um tom de reprovação na voz.

– Imagino – disse Calgary, e então ele perguntou: – E quanto ao motivo, sr. Marshall?

– Meu caro dr. Calgary, não posso especular de nenhuma maneira sobre isso!

– Penso que o senhor pode. Como o senhor mesmo disse, os fatos são conhecidos.

– Não haveria qualquer vantagem financeira para *nenhum* dos possíveis envolvidos. A sra. Argyle havia entrado em uma série de fundos discricionários, uma fórmula muito adotada nos dias de hoje. Esses fundos favoreciam todas as crianças. São administrados por três curadores, entre os quais eu, Leo Argyle e um advogado americano, primo distante da sra. Argyle. A grande quantia de dinheiro envolvida é administrada por esses três curadores e pode ser adequada, em sua distribuição, para ajudar os beneficiados do fundo que mais necessitarem.

– E quanto ao sr. Argyle? Ele lucraria financeiramente em algum aspecto com a morte da mulher?

– Nada de significativo. Grande parte da fortuna dela, como eu lhe disse, está aplicada nesses fundos. Ela deixou para ele a parte residual de seu espólio, mas isso não chega a ser lá uma grande quantia.

– E miss Lindstrom?

– A sra. Argyle havia acertado um belo benefício anual para miss Lindstrom alguns anos atrás.

Marshall acrescentou irritado:

– Motivo? Para mim não parece haver o mais vago dos motivos. Ao menos não um motivo financeiro.

– E no campo emocional? Havia qualquer tipo especial de... atrito?

– Nesse aspecto, temo informar, não posso ajudá-lo – falou Marshall em tom definitivo. – Não era um observador das relações familiares.

– Há alguém que possa falar sobre isso?

Marshall considerou a pergunta por alguns instantes. Depois disse, como se relutasse:

– O senhor pode procurar um médico local. Creio que seu nome é dr... dr. MacMaster. Ele já está aposentado, mas vive aqui pelas redondezas. Era médico na casa durante o período da guerra. Ele deve ter tomado conhecimento e visto muita coisa do que se passou em Sunny Point. Se o senhor conseguirá ou não persuadi-lo a falar qualquer coisa, dependerá do seu esforço. Mas creio que, se ele quiser, poderá ser de grande auxílio, porém – perdoe-me por dizer isso – o senhor realmente acredita que poderá conseguir alguma coisa que a polícia não conseguiria com muito mais facilidade?

– Não sei – disse Calgary. – É provável que não. Mas sei também de uma coisa: preciso tentar. Sim, preciso tentar.

CAPÍTULO 5

As sobrancelhas do chefe Constable se ergueram devagar numa tentativa vã de alcançar o início de seus cabelos grisalhos. Ele lançou os olhos para o teto e depois voltou a pousá-los sobre os papéis em sua mesa.

– Isso supera tudo! – ele disse.

O jovem cuja função era oferecer as respostas certas ao chefe Constable disse:

– Sim, senhor.

– Que confusão – murmurou major Finney. Tamborilou os dedos sobre a mesa. – Huish está por aqui? – perguntou.

– Sim, senhor. O inspetor Huish chegou há cerca de cinco minutos.

– Muito bem – disse o chefe Constable. – Mande-o entrar, certo?

O inspetor Huish era um homem alto e de aspecto triste. Seu ar de melancolia era tão profundo que ninguém acreditaria que ele poderia ser a principal atração de uma festa infantil, fazendo brincadeiras e tirando moedinhas dos ouvidos dos garotos, tudo para alegrá-los. O chefe Constable disse:

– Bom dia, Huish. Temos uma confusão das boas aqui. Qual é a sua opinião?

O inspetor Huish respirou fundo e se sentou na cadeira indicada.

— Parece que cometemos um erro dois anos atrás – ele disse. – Esse camarada... como é mesmo o nome dele?

O chefe Constable revirou os papéis.

— Calory... não, Calgary. Um tipo de professor. Desses com ar distraído, talvez? Esse tipo de gente costuma não ser muito boa com questões de tempo, não será o caso?

Havia talvez um tom de apelo em sua voz, mas Huish não a escutou. Ele disse:

— Pelo que sei, é um tipo de cientista.

— Então lhe parece que temos de aceitar a palavra dele?

— Bem – disse Huish –, *sir* Reginald parece ter aceitado, e não creio que nada possa passar por *ele*. – Isso era um tributo ao diretor da Promotoria Pública.

— Não – disse o major Finney, com nítida contrariedade. – Se a Promotoria está convencida, me parece que temos de seguir em frente. Isso significa reabrir o caso. Trouxe os dados relevantes sobre o caso, como lhe pedi?

— Sim, senhor, estão aqui comigo.

O inspetor espalhou vários documentos sobre a mesa.

— Já deu uma olhada? – perguntou o chefe Constable.

— Sim, senhor, passei a noite toda em cima deles. Tenho tudo bem fresco em minha mente. Além disso, não faz tanto tempo assim.

— Bem, vamos ao que interessa, Huish. Onde estamos?

— De volta ao início, senhor – disse o inspetor Huish. – O problema é que, o senhor vê, nunca houve nenhuma dúvida sobre o autor *naquela época*.

— Não – disse o chefe Constable. – Parecia um caso completamente claro. Não pense que o estou culpando, Huish. Eu estava cem por cento com sua versão.

— Não havia, na verdade, nada diferente disso em que pudéssemos ter pensado – disse Huish, pensativo. – Houve a ligação comunicando que ela havia sido morta. A informação de que o garoto estivera por lá a ameaçando, a evidência das digitais, dele no atiçador, a questão do dinheiro. Prendemos o suspeito logo depois e lá estava o dinheiro, em sua posse.

— Que tipo de impressão ele produziu sobre o senhor então?

Huish considerou a questão.

— Uma má impressão – disse. – Uma confiança excessiva, certo de que o que dizia era plausível. Começou a falar em horas e que tinha um álibi. Arrogante. O senhor conhece o tipo. Os assassinos, em geral, são arrogantes. Consideram-se muito espertos. Acreditam que o que quer que *tenham* feito está sempre certo, sem se importar com as consequências para as outras pessoas. Ele era um tresloucado.

– Sim – concordou Finney –, um tresloucado. Todos os registros provam isso. Mas o senhor estava convencido logo de saída de que ele era o assassino?

O inspetor se pôs pensativo.

– Não é uma coisa de que se possa ter certeza. Ele era o tipo, eu diria, que geralmente acaba sendo um assassino. Como Harmon, em 1938. Uma longa ficha corrida de furtos de bicicleta, dinheiro desviado, fraudes contra velhinhas, até que por fim apanhou uma mulher, mergulhou-a dentro de ácido, divertiu-se com o ocorrido e começou a fazer disso um hábito. Supus que Jacko Argyle pertencesse à mesma laia.

– Mas ao que parece – disse devagar o chefe Constable –, estávamos errados.

– Sim – disse Huish –, sim, estávamos errados. E agora o camarada está morto. Negócio complicado. Vejam vocês – acrescentou, com súbita animação –, ele era um tresloucado. Pode não ter sido um assassino, de fato não foi, como agora sabemos, mas era um tresloucado.

– Bem, vamos lá, meu velho – disse-lhe Finney com energia –, quem *matou* a mulher? O senhor nos disse que esteve olhando o caso a noite toda. Alguém a matou. A mulher não se golpeou sozinha na nuca com um atiçador. Outra pessoa o fez. Quem?

O inspetor Huish suspirou e se recostou na cadeira.

– Me pergunto se algum dia descobriremos – ele disse.

– O caso é tão complicado assim?

– Sim, porque as coisas já esfriaram e porque haverá pouquíssimas evidências a serem descobertas num caso que por si só já possuía poucas evidências.

– Acreditamos que só pode ser alguém da casa, alguém de suas relações?

– Não vejo quem mais poderia ter interesse em sua morte – disse o inspetor. – Era alguém que estava na casa ou que ela deixou entrar através da porta. Os Argyle são do tipo que se trancam. Travas nas janelas, correntes, trancas adicionais na porta da frente. Tinham sofrido um arrombamento alguns anos antes, o que os deixou alertas para uma nova ocorrência.

Fez uma pausa e continuou:

– O problema, senhor, é que naquele momento não procuramos mais nada. O caso contra Jacko Argyle estava bem fechado. É claro, e isso podemos ver agora, que o assassino se aproveitou disso.

– Tirou vantagem do fato de que o garoto estivera lá, de que havia discutido com ela e de que a tinha ameaçado?

– Exato. Tudo o que essa pessoa tinha a fazer era entrar na sala, pegar o atiçador com uma luva, de onde Jacko o havia largado, seguir até a mesa onde a sra. Argyle escrevia e acertá-la com força na cabeça.

Major Finney disse apenas duas palavras:

– Por quê?

– Sim, senhor, é isso o que precisamos descobrir. Será uma das dificuldades. Ausência de motivo.

– Nem na época do crime – disse o chefe Constable – parecia haver um motivo óbvio em evidência, se é que se pode dizer isso. Como boa parte das mulheres que possuem propriedade e uma considerável fortuna pessoal, ela havia entrado em diversos sistemas de distribuição legal de seu dinheiro em função de sua morte. Já havia um fundo beneficiário em funcionamento, que provinha as crianças de sua parte, mesmo antes de sua morte, de modo que não receberiam nada a mais caso ela morresse. E não era, ainda por cima, uma mulher desagradável, resmungona, má ou ameaçadora. Ela os encheu de dinheiro durante toda a vida. Boa educação, capital de giro para abrirem seus negócios, belas mesadas para todo mundo. Afeto, bondade, benevolência.

– É verdade, senhor – concordou o inspetor Huish. – Diante desses fatos, não há qualquer razão para algum deles querê-la fora do caminho. No entanto...

Ele fez uma pausa.

– Diga, Huish.

– O sr. Argyle, pelo que sei, anda pensando em se casar de novo. Vai se casar com Gwenda Vaughan, que há um bom tempo é sua secretária.

– Sim – disse pensativo o major Finney. – Me parece que há um motivo aí. Um que desconhecíamos naquela época. Como o senhor diz, ela trabalha para ele há alguns anos. Será que já não estavam envolvidos na época do crime?

– Acho pouco provável, senhor – disse o inspetor Huish. – Esse tipo de coisa logo começa a ser comentada num vilarejo. Quero dizer, não acho que estivessem tendo um caso, como se costuma dizer. Nada que a sra. Argyle pudesse descobrir ou que tivesse de encerrar de súbito.

– Não – disse o chefe Constable –, mas ele devia ter muita vontade de se casar com Gwenda Vaughan.

– Ela é uma mulher jovem e atraente – disse o inspetor Huish. – Não diria que é glamorosa, mas tem uma ótima aparência e é atraente de um modo agradável.

– É provável que tenha devoção por ele há muitos anos – disse o major Finney. – Essas secretárias sempre parecem estar apaixonadas pelos seus chefes.

– Bem, parece que temos alguma motivação para esses dois – disse Huish. – Depois há a ajudante, a sueca. Talvez ela não fosse assim tão dedicada à sra. Argyle quanto aparentava. Devem ter ocorrido alguns atritos ou rancores guardados, ressentimentos. Ela não se beneficiaria com a morte da sra. Argyle pois já tinha uma boa pensão garantida. *Parece* ser uma boa mulher, do tipo sensível, que não golpearia alguém com um atiçador! Mas nunca se sabe, não é verdade? Basta lembrarmos do caso de Lizzie Borden.

– Não – disse o chefe Constable –, não há como saber. A possibilidade de ter havido um invasor está descartada?

– Nenhum sinal – disse o inspetor. – A gaveta com o dinheiro foi tirada do lugar. Foi feita uma tentativa de fazer com que o quarto parecesse invadido por um assaltante, coisa de amador. Mais um elemento que combinava perfeitamente com um efeito que o jovem Jacko tentaria criar em particular.

– O que me parece estranho – disse o chefe Constable – é a questão do dinheiro.

– Sim – disse Huish. – É muito difícil entender. Uma das notas de cinco libras que Jack Argyle trazia consigo havia sido dada à sra. Argyle no banco aquela manhã. Sra. Bottleberry era o nome escrito no verso da nota. *Ele* disse que a mãe lhe havia dado o dinheiro, mas tanto o sr. Argyle quanto Gwenda Vaughan estão bastante seguros de que a sra. Argyle entrou na biblioteca faltando quinze minutos para as sete e lhes falou das exigências financeiras de Jacko e que havia categoricamente negado a ele qualquer quantia em dinheiro.

– É possível, claro – apontou o chefe Constable –, com o que sabemos agora, que Argyle e essa moça, Vaughan, talvez estivessem mentindo.

– Sim, é uma possibilidade, ou talvez... – o inspetor interrompeu o que ia dizer.

– O que foi, Huish? – Finney o encorajou.

– Vamos supor que, por hora chamaremos ele ou ela de X, ouviu em segredo a discussão e as ameaças que Jacko fazia. Suponhamos que esse alguém percebeu aí uma oportunidade. Apanhou o dinheiro, foi atrás do garoto, disse que a mãe gostaria que ele ficasse com a grana, construindo assim um cuidadoso pano de fundo, um dos mais belos já arquitetados. Tendo cuidado para usar o atiçador que ele havia usado para ameaçá-la, sem apagar suas impressões digitais.

– Para o diabo com isso tudo! – disse com raiva o chefe Constable. – Nada disso parece encaixar com o conhecimento que tenho da família. Quem mais estava na casa além de Argyle e Gwenda Vaughan, Hester Argyle e essa tal de Lindstrom?

– A mais velha, a que é casada, Mary Durrant, e seu marido.

– Um que é aleijado, não é mesmo? Isso o tira do páreo. E que tal Mary Durrant?

– Ela é uma criatura muito calma, de boa índole, senhor. Não se pode imaginá-la tendo um acesso de fúria ou... bem, matando alguém.

– E os empregados? – perguntou o chefe Constable.

– Todos diaristas, senhor. Voltam para suas casas às seis.

– Deixe-me dar uma olhada nos horários.

O inspetor lhe alcançou os papéis.

– Humm... sim, vejo aqui. Às quinze para as sete a sra. Argyle estava na biblioteca falando com seu marido sobre as ameaças de Jacko. Gwenda Vaughan esteve presente durante parte da conversa. Gwenda Vaughan foi para casa logo depois das sete. Hester Argyle viu sua mãe viva quando faltavam dois ou três minutos para as sete. Depois disso, a sra. Argyle não foi vista até as sete e meia, quando seu corpo foi descoberto por miss Lindstrom. Entre as sete e as sete e meia houve enormes oportunidades. Hester poderia ter cometido o crime, Gwenda Vaughan poderia tê-la matado depois de sair da biblioteca e antes de deixar a casa. Miss Lindstrom poderia ter cometido o crime quando "descobriu o corpo", Leo Argyle estava sozinho na biblioteca das sete e dez até o momento em que miss Lindstrom deu o alarme. Poderia ter ido até a antecâmara da mulher e tê-la matado durante esses vinte minutos. Mary Durrant, que estava no andar de cima, poderia ter descido durante essa meia hora e matado a mãe. E – disse Finney, pensativo – a sra. Argyle pode ter deixado qualquer um entrar pela porta da frente como pensamos que ela fez com Jack Argyle. Leo Argyle disse, se o senhor é capaz de lembrar, que *pensava* ter ouvido a campainha soar e o som da porta da frente se abrindo e fechando, mas ele foi muito vago sobre o horário do ocorrido. Admitimos então que tenha sido quando Jacko retornou e a matou.

– Ele não teria por que tocar a campainha – disse Huish. – Tinha a própria chave. Todos eles tinham.

– Havia ainda um outro irmão, correto?

– Sim, Michael. Trabalha como vendedor de carro em Drymouth.

– É bom que o senhor descubra, suponho – disse o chefe Constable –, o que ele estava fazendo naquela noite.

– Depois de dois anos? – perguntou o inspetor Huish. – Não creio que ninguém mais vai lembrar, certo?

– Na época ele foi interrogado?

– Parece que estava testando o carro de um cliente, pelo que lembro. Não havia razão para suspeitar dele na ocasião, mas ele também tinha uma chave e *poderia* ter ido até lá e matado a mãe.

O chefe Constable suspirou.

– Não sei como o senhor resolverá a questão, Huish. Não sei se chegaremos a algum lugar.

– Gostaria de descobrir quem a matou por mim mesmo – disse Huish. – Até onde sei, ela era uma ótima mulher. Fez muito por muita gente. Para crianças desafortunadas, fez todo o tipo de caridade. Era o tipo de pessoa que jamais deveria ter sido assassinada. Sim, quero muito descobrir o autor do crime. Mesmo que nunca consigamos evidências suficientes para agradar o pessoal da Promotoria, ainda assim gostaria de *saber*.

– Bem, desejo-lhe toda a sorte, Huish – disse o chefe Constable. – Graças à sorte, não temos muita coisa no momento, mas não desanime se não chegar a lugar nenhum. É uma trilha difícil de ser seguida. Sem dúvida, uma trilha difícil.

CAPÍTULO 6

I

As luzes aumentaram no cinema. Anúncios pipocavam na tela. As atendentes do cinema caminhavam pelas fileiras oferecendo limonadas e sorvetes. Arthur Calgary as observava. Uma garota gordinha de cabelos castanhos, outra alta e morena, e uma terceira baixinha e loira. Esta era a que ele havia vindo ver. A esposa de Jacko. A viúva de Jacko, agora casada com um homem chamado Joe Clegg. Tinha um rosto bonito, ainda que pequeno e insípido, coberto de maquiagem, as sobrancelhas desenhadas, o cabelo endurecido por um terrível e barato permanente. Arthur Calgary comprou um pote de sorvete. Ele tinha o endereço de sua casa e pretendia contatá-la lá, mas tivera vontade de vê-la antes, sem que ela soubesse quem ele era. Bem, ali estava ela. Não era o tipo de nora, pensou, que a sra. Argyle, sob qualquer aspecto, teria desejado. Por isso, sem dúvida, Jacko a havia mantido nas sombras.

Ele suspirou, guardou o pote de sorvete com cuidado embaixo da poltrona e se recostou assim que as luzes se apagaram, e um novo filme começou a brilhar na tela. Pouco depois, levantou-se e saiu do cinema.

Às onze horas da manhã seguinte, foi até o endereço que lhe haviam dado. Um rapaz de dezesseis anos abriu a porta e, em resposta ao questionamento de Calgary, disse:

– Clegg? No andar de cima.

Calgary subiu os degraus. Bateu à porta, e Maureen Clegg a abriu. Sem o uniforme vistoso e a maquiagem, parecia uma outra garota. Era um rostinho tolo, de boa aparência, mas sem qualquer traço distintivo ou interessante. Olhou-o com receio e depois franziu o cenho num sinal de suspeita.

– Meu nome é Calgary. Acredito que a senhora recebeu uma carta do sr. Marshall sobre mim.

Seu rosto clareou.

– Ah, então o senhor é o homem! Vamos, entre.

Ela recuou para deixá-lo entrar.

— Me desculpe, o lugar está uma bagunça. Ainda não tive tempo de ajeitar as coisas.

Ela afastou uma pilha de roupas amontoadas de cima da cadeira e afastou os restos do café consumido havia algum tempo.

— Sente-se, por favor. Tenho certeza de que é uma gentileza da sua parte vir me ver.

— Pareceu-me o mínimo que eu podia fazer – disse Calgary.

Ela sorriu, embaraçada, como se não tivesse entendido o que ele quisera dizer.

— O sr. Marshall me escreveu a seu respeito – ela disse. – Sobre aquela história que Jackie tinha inventado, de como era tudo verdade mesmo. Que alguém *tinha* mesmo dado uma carona para ele naquela noite até Drymouth. Então era o senhor o homem, não é mesmo?

— Sim – disse Calgary. – Eu mesmo.

— Ainda não consegui assimilar – disse Maureen. – Conversamos a noite inteira sobre isso, Joe e eu. Realmente, eu disse, podia ser uma daquelas coisas que acontecem nos filmes. Dois anos depois, não é, quase isso?

— Quase isso, sim.

— O tipo de coisa que a gente só vê no cinema, e é claro que você diz para si mesma que é o tipo de coisa que não faz sentido, que jamais vai ocorrer na vida real. E agora veja só! Acontece! Pensando bem, é algo que tem um lado excitante, o senhor não acha?

— Suponho – disse Calgary – que se possa pensar dessa maneira.

Observa-a com uma vaga sensação de dor.

Ela seguia falando num tom bastante alegre.

— E lá está o pobre e velho Jackie, morto e sem poder saber das novidades. Pegou pneumonia, o senhor sabe, na prisão. Acho que foi a umidade ou algo assim, não lhe parece?

Ela possuía, percebeu Calgary, uma imagem idealizada e romântica do que era a vida na prisão. Celas úmidas e subterrâneas, com ratos roendo os dedos dos presos.

— Naquele momento, devo dizer – ela prosseguiu –, a morte dele foi o melhor para todo mundo.

— Sim, suponho que sim... Suponho que foi o melhor.

— Bem, quero dizer, lá estava ele, cumprindo uma pena de anos e anos. Joe disse que o melhor era eu pedir divórcio, e era o que eu planejava na época.

— A senhora queria se divorciar dele?

— Bem, não é nada legal estar amarrada a um homem que vai passar anos na cadeia, certo? Além disso, o senhor sabe, embora eu estivesse apaixonada pelo Jackie e tudo o mais, ele não era o que se poderia chamar de um tipo equilibrado. Nunca tive esperanças de que nosso casamento fosse durar.

– A senhora já havia dado entrada no processo de divórcio quando ele morreu?

– Bem, de certa maneira sim. Quero dizer, eu já havia procurado um advogado. Joe me fez ir. Claro, Joe nunca poderia enfrentar o Jackie.

– Joe é seu marido?

– Sim. Ele trabalha com eletricidade. Tem um ótimo emprego e passa o tempo todo pensando no outro. Sempre me dizia que Jackie não prestava, mas é claro que eu era apenas uma criança e não sabia nada das coisas. Jackie tinha a manha, sabe.

– É o que parece, pelo que tenho ouvido sobre ele.

– Tinha um jeito especial com as mulheres... não sei exatamente por quê. Não tinha lá uma boa aparência. Eu costumava chamar ele de Cara-de-macaco. Mas ao mesmo tempo, ele tinha o seu charme. Sem perceber, você estava fazendo tudo o que ele queria. Veja que isso foi útil uma ou duas vezes. Logo que nos casamos, ele se meteu em confusão na garagem em que trabalhava por causa de um problema no carro de um cliente. Nunca entendi direito a situação. Seja o que for, o chefe dele estava uma fera. Mas Jackie deu em cima da mulher do chefe. Uma velhusca. Devia ter por volta dos cinquenta, mas Jackie lhe passou uma cantada, foi fazendo a cabeça da velha até ela perder a noção de tudo. No fim ela fez tudo o que podia por ele. Ficou em cima do marido e conseguiu que ele não processasse o Jackie caso ele lhe devolvesse o dinheiro. Mas o idiota nunca soube de onde veio o dinheiro! Da própria esposa dele. Nossa, eu e o Jackie quase morremos de rir com essa história!

Calgary olhou para ela com uma leve repulsa.

– O que há de tão engraçado nisso?

– Eu acho tão engraçado, o senhor não acha? Nossa, é de matar. Uma velha louquinha atrás do Jackie, raspando o cofre para salvar o pescoço dele.

Calgary suspirou. As coisas jamais eram, pensou, do modo como imaginamos. A cada dia ele se descobria menos atraído pelo homem que tanto trabalho havia lhe dado para que seu nome fosse limpo. Estava quase a ponto de compreender e dividir o ponto de vista que tanto o assombrara em Sunny Point.

– Vim aqui, sra. Clegg – ele disse –, apenas para ver se havia alguma coisa que eu pudesse fazer pela senhora em vista do acontecido.

Maureen Clegg o olhou um pouco confusa.

– Muito gentil de sua parte, tenho certeza – ela disse. – Mas o que o senhor poderia fazer? Estamos bem aqui. Joe está ganhando um bom dinheiro e eu tenho o meu emprego. Trabalho como vendedora no cinema, lá no Picture-drome.

– Sim, eu sei.

– Vamos comprar uma tevê no mês que vem – seguiu a garota com orgulho.

– Fico muito contente – disse Arthur Calgary –, mais feliz ainda por dizer que todo esse negócio infeliz não marcou sua vida com sombras permanentes.

Parecia-lhe cada vez mais difícil escolher as palavras certas para falar com essa garota que fora mulher de Jacko. Tudo o que ele dizia soava pomposo, artificial. Por que ele não podia simplesmente falar de um modo natural com ela?

– Temia que tudo isso fosse um grande sofrimento para a senhora.

Ela o encarou, seus olhos azuis e bem abertos eram incapazes de entender uma vírgula do que ele dissera.

– Na época foi horrível – ela disse. – O falatório da vizinhança, os bisbilhoteiros, embora eu precise dizer que a polícia foi muito gentil, levando em consideração o ocorrido. Falaram comigo com muita educação e foram muito legais em todo o resto.

Ele se perguntava se ela sentira qualquer coisa pelo falecido. Perguntou-lhe de maneira abrupta:

– A senhora achava que ele tinha cometido o crime?

– O senhor quer dizer que tinha matado a mãe?

– Exato.

– Bem, claro... bem... bem... sim, acho que sim, de certa maneira. Claro, ele tinha *dito* que não, mas não dava para acreditar em nada do que Jackie dizia, além de estar na cara que ele poderia ter cometido o crime. Veja bem, ele podia se tornar bastante agressivo se alguém se pusesse no seu caminho. Sabia que ele estava metido em alguma encrenca. Não me falava sobre isso, me dizia desaforos se eu insistisse no assunto. Mas, ao sair aquele dia, ele me disse que tudo ia ficar bem. A mãe, ele me disse, ia dar um jeito. Ela teria que dar um jeito. Assim não tinha razões para desconfiar dele.

– Pelo que sei, ele nunca tinha comentado com a família sobre o casamento de vocês. A senhora não os conhecia?

Ela não aparentava ressentimento, antes pelo contrário, pensava que o comportamento do marido havia sido perfeitamente natural.

– Creio que deve ter sido um grande choque para a senhora saber da prisão dele?

– Claro, é natural. Como ele *poderia* ter cometido tal crime?, perguntei a mim mesma, mas então, a realidade imperou. Ele sempre ficava fora de controle quando alguma coisa o incomodava.

Calgary se inclinou para a frente.

– Vamos colocar as coisas dessa maneira. Não lhe parece nada surpreendente que o seu marido fosse capaz de golpear a mãe na cabeça com um atiçador e roubar uma grande quantia de dinheiro dela?

– Bem, sr... Calgary, se o senhor puder me desculpar, essa é uma maneira cruel de colocar as coisas. Não suponho que ele quisesse acertar ela com tanta força. Não suponho que ele quisesse matá-la. Ela somente se recusou a lhe dar o dinheiro, ele pegou o atiçador e a ameaçou e, quando ela se recusou, ele perdeu o controle e lhe deu uma pancada. Não acho que ele quisesse ver a mãe morta. Foi um momento de azar. Veja bem, ele precisava desesperadamente do dinheiro. Ia acabar preso se não conseguisse a quantia.

– Então... a senhora não o culpa?

– Bem, claro que eu culpo... não gosto desse tipo de comportamento violento. E ainda mais a própria mãe! Não, não acho que foi uma coisa bonita de se fazer. Comecei a pensar em como Joe estava certo em me dizer que eu devia me afastar por completo de Jackie. Mas o senhor sabe como as coisas funcionam. É sempre tão difícil para uma garota se decidir. Joe, o senhor vê, foi sempre do tipo decidido. Já o conhecia de um longo tempo. Jackie era diferente. Ele havia recebido educação e tudo o mais. Parecia um cara bem-sucedido, sabe, sempre cheio de dinheiro. E, claro, ele tinha aquele jeito com as mulheres de que já falei. Podia conquistar qualquer uma. Acabou me conquistando direitinho. "Você vai se arrepender, minha garota", era o que dizia o Joe. Pensava que não passava de dor de cotovelo, sabe, do monstro de olhos verdes, se o senhor me entende. Mas, no final, Joe provou estar certo.

Calgary olhou para ela. Perguntava-se se ela ainda não conseguira entender por inteiro as implicações de sua história.

– Certo em que sentido? – ele perguntou.

– Bem, conseguindo me tirar da confusão em que eu estava metida. Quero dizer, sempre fomos gente de respeito. Mamãe nos criou com muito esmero. Sempre tivemos coisas boas, nada a reprovar. E lá estava a polícia levando meu marido preso! Na frente de todos os vizinhos. Saiu manchete em todos os jornais. No *Notícias do Mundo* e em todos os outros. E depois disso uma chuva de repórteres, sempre querendo fazer alguma pergunta. Aquilo me colocou numa posição horrorosa.

– Mas minha querida garota – disse Calgary –, será que ainda não percebeu que não foi ele o autor do crime?

Por um momento o rosto bonito e formoso adquiriu um aspecto desconcertado.

– Claro! Já ia me esquecendo. Mas de qualquer maneira... bem, quero dizer, ele foi até lá, fez uma enorme confusão e ameaçou a mãe. Se ele não tivesse feito isso não teria sido preso, não é verdade?

– Não – disse Calgary –, não. É a mais pura verdade.

Possivelmente, pensou, essa garota, bonitinha e tola, era mais realista do que ele.

– Oh, foi um negócio terrível – prosseguiu Maureen. – Não sabia *o que* fazer. E então mamãe disse que o melhor era eu ir ver os parentes dele. Eles tinham que fazer algo por mim, ela disse. Afinal de contas, ela disse, você tinha seus direitos e o melhor era mostrar a eles com quem estavam lidando. Então fui até lá. Foi aquela senhora estrangeira, uma auxiliar, quem me abriu a porta e, de início, não consegui fazer ela entender o que eu queria. Era como se ela não conseguisse acreditar em mim. "É impossível", ela não parava de dizer. "É impossível", seguia ela. "É realmente impossível que Jacko tenha se casado com alguém como *você*." Aquilo me magoou um pouco. "Bem, nós somos casados", eu disse, "e nada dessa coisa de cartório. Na igreja." Foi do jeito que minha mãe queria! E ela disse: "Não é verdade. Não acredito nisso." E então o sr. Argyle se aproximou e *ele* foi tão gentil. Disse para eu não me preocupar demais, que tudo o que fosse possível seria feito para defender Jackie. Perguntou-me como estava a minha situação financeira – e passou a me mandar uma mesada semanal. Continua mandando, até agora. Joe não gosta que eu receba o dinheiro, mas eu digo a ele: "Não seja bobo. Eles têm grana de sobra, não é mesmo?" Mandou-me inclusive um belo cheque de presente, quando eu e Joe nos casamos. E disse que estava muito contente e que esperava que esse casamento fosse mais feliz do que o anterior. Sim, ele é um sujeito muito bacana, o sr. Argyle.

Ela voltou a cabeça assim que a porta se abriu.

– Ah, aí está o Joe.

Joe era um jovem de lábios finos e cabelos loiros. Recebeu as explicações de Maureen e a apresentação com um leve franzir de cenho.

– Espero que esse assunto já esteja resolvido de nossa parte – ele disse, em tom desaprovador. – Desculpe-me por dizer isso, senhor. Mas nada pode vir de bom de ficar remexendo no passado. É o que eu penso. Maureen é azarada, é só o que há a dizer...

– Sim – disse Calgary –, posso entender o seu ponto de vista.

– Claro – disse Joe Clegg –, ela jamais deveria ter se envolvido com um camarada como aquele. *Eu* sabia que ele não prestava. Vários boatos sobre ele já circulavam. Estivera duas vezes em frente a um oficial de condicional. Uma vez que chegam nesse ponto, ninguém mais os detém. Primeiro aplicam golpes ou rapam as economias de mulheres ingênuas e depois acabam cometendo um assassinato.

– Mas neste caso – disse Calgary – não houve nenhum assassinato.

– Se é o que o senhor diz – disse Clegg sem qualquer convicção.

– Jack Argyle tinha um álibi perfeito para a hora em que o crime foi cometido. Estava no meu carro, depois de receber uma carona. Deixei-o em Drymouth. Como pode ver, sr. Clegg, não poderia ser ele o autor do crime.

– Possivelmente não, senhor – disse Clegg. – O senhor vá me desculpar, mas, de qualquer modo, é uma lástima ficar revirando as coisas do passado. Afinal, ele já está morto, não faz mais diferença para ele. E logo a vizinhança estará comentando outra vez a respeito e dizendo bobagens.

Calgary se levantou.

– Bem, talvez do ponto de vista de vocês essa seja uma maneira de olhar para as coisas. Mas há algo chamado justiça, sr. Clegg.

– Sempre me pareceu – disse Clegg – que um julgamento na Inglaterra era o mais justo possível.

– O sistema mais avançado do mundo também pode falhar – disse Calgary. – A justiça está, afinal, nas mãos dos homens, e os homens são falíveis.

Depois que os havia deixado e seguia pela rua, imerso em pensamentos, Calgary sentiu-se ainda mais perturbado do que poderia imaginar. "Não teria sido melhor", disse a si mesmo, "que a minha memória daquele dia não tivesse jamais vindo à tona? Afinal, como esse camarada presunçoso e de lábios apertados mesmo disse, o garoto está morto. Compareceu perante um juiz que não comete erros. Se vai ser lembrado como um assassino ou meramente como um ladrãozinho qualquer, não fará qualquer diferença para ele agora."

Então uma súbita onda de ódio se ergueu em seu peito. "Mas deve fazer diferença para alguém!", pensou. "*Alguém* deveria ficar feliz. Por que isso não acontece? Essa garota, bem, posso entendê-la. Deve ter se apaixonado por Jacko, mas jamais o amou. Talvez seja incapaz de amar outra pessoa. Mas e os outros? O pai. A irmã, a ama... Deveriam ter ficado satisfeitos. Deveriam ter dedicado ao menos um segundo de seus pensamentos em honra à sua memória antes de começarem a pensar em salvar as próprias peles... Sim, alguém deveria ter se importado com ele."

II

– A srta. Argyle? Ali, na segunda mesa.

Por um momento, Calgary ficou a observá-la.

Asseada, pequena, muito silenciosa e eficiente. Usava um vestido azul-marinho, com colarinho e punhos brancos. Seu cabelo, de um negro azulado, estava muito bem arrumado num coque preso à nuca. Sua pele era escura, mais escura do que jamais poderia ser a de uma inglesa. Seus ossos também eram menores. Ela era a criança mestiça que a sra. Argyle havia trazido para a família.

Os olhos que se ergueram e o encontraram eram castanhos, um pouco opacos. Eram olhos que não diziam nada.

Sua voz era baixa e simpática.

– Posso ajudá-lo?

– Falo com a srta. Argyle? Srta. Christina Argyle?

– Sim.

– Meu nome é Calgary, Arthur Calgary. Talvez tenha ouvido falar de mim...

– Sim. Ouvi falar. Meu pai me escreveu.

– Gostaria muito de conversar com a senhorita.

Ela olhou de relance para o relógio.

– A biblioteca fecha em meia hora. Se o senhor puder esperar até lá.

– Certamente. A senhorita poderia me acompanhar para um chá em algum lugar?

– Obrigada.

Ela desviou sua atenção para um homem que chegara às costas dele.

– Sim. Em que posso ajudá-lo?

Arthur Calgary se afastou. Deu uma volta pelo lugar, examinando os conteúdos das estantes, observando Tina Argyle a todo o momento. Ela permanecia imutável, calma, competente, imperturbável. A meia hora passou devagar para ele, até que uma campainha soou, e ela lhe fez um sinal.

– Encontro-o lá fora em alguns minutos.

Ela não o deixou esperando. Não vestia chapéu, somente um casaco preto de tecido grosso. Perguntou a ele para onde iam.

– Não conheço Redmyn muito bem – ele explicou.

– Há uma casa de chá perto da Catedral. Não é lá grande coisa, mas por essa razão está sempre mais vazia que as outras.

Pouco depois estavam sentados em uma mesa pequena, e uma garçonete, entediada e enxuta, já lhes tomara os pedidos sem um sinal sequer de entusiasmo.

– Não será o melhor chá que o senhor já tomou na vida – disse Tina se desculpando –, mas pensei que, talvez, o senhor quisesse um pouco mais de privacidade.

– Isso mesmo. Devo explicar as minhas razões para procurá-la. Veja bem, já encontrei os outros membros da sua família, incluindo, pode-se dizer, a esposa, melhor, a viúva do seu irmão Jacko. A senhorita é a única pessoa da família que ainda não tinha encontrado. Ah, sim, e há aquela sua irmã que é casada.

– Sente que é necessário ver todos nós?

Aquilo foi dito em um tom bastante polido, mas havia um certo desinteresse em sua voz que fez com que Calgary sentisse um leve desconforto.

– Quase que por uma formalidade social – ele concordou com secura. – E não se trata também de simples curiosidade. (Não seria?) Quero apenas lhe expressar, pessoalmente, a todos vocês, meus mais profundos sentimentos por ter fracassado em estabelecer a inocência do seu irmão na época do julgamento.

– Entendo...

– Isso se a senhorita gostava dele. Sentia algum afeto por Jacko?

Ela considerou a questão por um momento, então disse:

– Não. Eu não sentia afeto por ele.

– O interessante é que todos me dizem sempre que ele era muito encantador.

Ela falou com franqueza, mas sem demonstrar emoção:

– Não gostava dele. Era alguém em quem eu não confiava.

– A senhorita nunca teve, perdoe-me a pergunta, nenhuma dúvida de que ele havia matado a sua mãe?

– Nunca me ocorreu que pudesse haver outra explicação para o assassinato.

A garçonete trouxe os chás. O pão e a manteiga estavam envelhecidos, a geleia era feita de alguma fruta não identificável, os bolos eram extravagantes e pouco apetitosos. O chá estava fraco.

Ele bebeu um gole e disse:

– Me parece, ou ao menos fui levado a acreditar nisso, que a informação que eu trouxe, que livra o seu irmão da acusação de homicídio, talvez traga repercussões pouco agradáveis. Parece que está trazendo novas angústias para todos vocês.

– Isso porque o caso será reaberto?

– Sim. A senhorita já pensou nisso?

– Meu pai pensa que esse será um passo inevitável.

– Sinto muito. Do fundo do coração.

– Por que o senhor está pedindo desculpas, dr. Calgary?

– Detesto ser a causa de uma nova leva de problemas para vocês.

– Mas o senhor ficaria satisfeito se tivesse permanecido em silêncio?

– A senhorita fala do ponto de vista da justiça?

– Sim. O senhor não?

– Claro. A justiça me parecia a coisa mais importante. Agora, porém, começo a me perguntar se não existem outras coisas mais importantes.

– Como o quê?

Os pensamentos dele recaíram sobre Hester.

– Coisas como... a inocência, talvez.

A opacidade dos olhos dela aumentou ainda mais.

– No que está pensando, senhorita Argyle?

Manteve-se em silêncio por mais alguns instantes, depois disse:

– Naquelas palavras da Carta Magna: "Não negaremos justiça a nenhuma vontade humana".

– Entendo – ele disse. – Eis a sua resposta...

CAPÍTULO 7

O dr. MacMaster era um senhor de idade, com sobrancelhas vastas, olhos cinzentos e astutos e um queixo pugnaz. Inclinou-se para frente em sua poltrona gasta e estudou seu visitante com cautela. Descobriu que gostava do que via.

Da parte de Calgary também havia um sentimento de simpatia. Praticamente pela primeira vez, desde que retornara à Inglaterra, tinha a sensação de falar com alguém que considerava seus sentimentos e ponto de vista.

– É muita gentileza de sua parte me receber, dr. MacMaster – ele disse.

– Não tem de quê – disse o médico. – Desde minha aposentadoria que me entedio à morte. Meus jovens colegas dizem que devo ficar aqui sentado, cuidando do meu coração vacilante, como um idiota, mas não consigo me acostumar naturalmente à ideia. Não tem jeito. Escuto o rádio, mas é só blá-blá-blá, e vez ou outra minha governanta me convence a assistir televisão. Sempre fui um homem ocupado, acostumado a um ritmo alucinante. Não sou o tipo que nasceu para ficar sentado e faceiro. Ler cansa meus olhos. De modo que não peça desculpas por tomar meu tempo.

– A primeira coisa que gostaria que o senhor entendesse – disse Calgary –, é por que continuo me preocupando com essa questão. De um ponto de vista lógico, suponho, já fiz o que tinha vindo fazer, revelar o fato pouco palatável de minha concussão e perda de memória, recuperando, assim, a reputação do rapaz. Depois disso tudo, a única coisa saudável e racional a fazer era me afastar e tentar esquecer tudo. Não lhe parece?

– Depende – disse o dr. MacMaster. – Alguma coisa o preocupa? – perguntou, aproveitando a pausa.

– Sim – disse Calgary. – Tudo me preocupa. Veja bem, as novidades que eu trouxe não foram recebidas da maneira que imaginei.

– Ah, bem – disse o dr. MacMaster –, até aí, nada de estranho. Acontece todo dia. Ensaiamos e ensaiamos alguma coisa em nossas mentes, não importa o quê, uma consulta a outro médico, uma proposta de casamento a uma jovem senhora, uma conversa com o seu filho antes de levá-lo para a escola, mas na hora mesmo em que é preciso falar, nada sai como o planejado. O senhor pensou em tudo; todas as coisas que iria dizer e todas as coisas que o *senhor* esperava como resposta. E, claro, a cada momento tudo sai diferente. As respostas nunca são aquelas anteriormente imaginadas. Suponho que seja esta a fonte de seu desconforto?

– Sim – disse Calgary.

– O que o senhor esperava? Queria que todos viessem lhe agradecer?

– Eu esperava – considerou o que ia dizer por um instante – algo diferente. Que me culpassem? Talvez. Que ficassem ressentidos? Não seria surpresa. Mas que também ficassem gratos.

MacMaster grunhiu.

– E nada de agradecimentos, assim como também muito pouco ressentimento, não é verdade?

– Quase isso – confessou Calgary.

– Isso se deve ao fato de que o senhor não conhecia as circunstâncias até chegar aqui. Por quê, exatamente, veio me procurar?

Calgary disse devagar:

– Porque gostaria de entender melhor essa família. Sei apenas os fatos conhecidos. Uma mulher maravilhosa e altruísta, fazendo o seu melhor para criar suas crianças adotadas, uma mulher com espírito coletivo, uma boa samaritana. Contra ela, o que se chama, pelo que entendi, de um garoto-problema, uma ovelha desgarrada. Um jovem delinquente. É tudo o que sei. Nada mais. Não sei nada de verdade sobre a sra. Argyle.

– O senhor está totalmente certo – disse MacMaster. – Está colocando o dedo na ferida. Se o senhor pensar bem, há sempre algo interessante em qualquer assassinato. Como era a pessoa que foi assassinada? Todo mundo sempre se ocupa inquirindo como é a mente do criminoso. O senhor andou pensando, é bem provável, que a sra. Argyle não era o tipo de mulher que teria motivo para ser morta.

– Creio que todos pensem assim.

– Do ponto de vista ético – disse MacMaster –, o senhor tem toda razão. Mas sabe – ele coçou o nariz –, não há um pensamento chinês que diz que a beneficência deveria ser considerada antes um pecado do que uma virtude? Alguma coisa acontecia por lá. A beneficência tem um efeito sobre as pessoas. Acaba por amarrá-las. Todos sabemos como é a natureza humana. Faça uma boa ação a um camarada e você se sentirá generoso em relação a ele. Mas quanto ao camarada que recebeu essa boa ação, sentirá ele generosidade por você? Será que gostará de você de verdade? Deveria, claro, mas será que é o que acontece?

Depois de uma pausa, o médico seguiu:

– Bem, cá estamos. A sra. Argyle era o que o senhor poderia chamar de uma mãe maravilhosa. Mas ela exagerou nas boas ações. Não há qualquer dúvida disso. Foi o que sempre quis. Ou ao menos o que tentou fazer.

– Eles não eram seus filhos de verdade – apontou Calgary.

– Não – disse MacMaster. – Imagino que foi onde os problemas começaram. Basta olhar para uma gata que pariu sua prole. Lá estão os gatinhos; ela os protege com toda paixão, arranhará qualquer um que se aproxime deles. E então, duas semanas depois, ela reassume sua vida normal. Sai, caça um ou outro rato, já não dá tanta bola aos filhotes. Ainda os protegerá, caso alguém os ataque, mas já não se dedica a eles de modo obsessivo, o tempo todo. Brincará um pouquinho com eles, quando um deles morder forte demais lhes dará um safanão e mostrará a todos que quer ficar um pouco sozinha. Ela está retornando, entende, à sua natureza comum. E à medida que os gatinhos vão crescendo, ela cuida cada vez menos deles, e seus pensamentos passam mais e mais a serem ocupados pelos gatões da vizinhança. Isso é o que se pode chamar de padrão de normalidade da vida de uma fêmea. Vi muitas garotas e mulheres, com fortes instintos maternais, ansiosas por arrumar marido, mas principalmente, embora muitas não o percebam, compelidas pela urgência de serem mães. E então vêm os bebês; elas ficam felizes e satisfeitas. A vida volta ao comum. Interessam-se por seus maridos, pelos assuntos locais, pelas fofocas que circulam por aí, e, claro, por seus filhos. Mas tudo se dá de maneira proporcional. O instinto maternal, num sentido puramente físico, se satisfez.

"– Acontece que no caso da sra. Argyle o instinto maternal era muito forte, mas a satisfação física de ter uma criança ou várias nunca veio, o que fez com que sua obsessão maternal jamais arrefecesse. Ela queria muitas crianças, mais e mais crianças. Não conseguia se dar por satisfeita. Sua mente, noite e dia, estava fixa por inteiro naquelas crianças. Seu marido já não tinha para ela qualquer importância. Não passava de uma agradável abstração no cenário. Ela só tinha olhos para as crianças. O que comiam, o que vestiam, de que brincavam, tudo o que tivesse a ver com elas. Tais cuidados ultrapassaram em muito o que seria razoável. O que ela não lhes deu, aquilo de que necessitavam, era um pouco da boa, simples e honesta negligência. As crianças não podiam simplesmente ir brincar no jardim como fazem as crianças comuns do interior. Não, tinham que ter toda espécie de bugiganga, coisas artificiais para escalar, pedrinhas para servir de degrau, uma casa nas árvores, areia trazida para fazer uma pequena praia junto ao rio. Sua comida era toda planejada. Aquelas crianças tinham os vegetais todos preparadinhos, até os cinco anos, *e* o leite que bebiam era esterilizado, a água testada em sua pureza, as calorias e as vitaminas, o peso de cada um, tudo era calculado! Veja bem, não estou sendo antiético ao lhe contar isso, pois a sra. Argyle nunca foi minha paciente. Quando precisava de um médico sempre procurava um na Harley Street. Não que fosse de se consultar. Era uma mulher muito robusta e saudável.

"– Mas eu era o médico local que era chamado para ver as crianças, embora ela estivesse inclinada a pensar que eu tratava seus filhos de modo muito casual. Eu lhe dizia para deixar as crianças comerem algumas amoras dos arbustos. Que não faria mal nenhum que deixasse que elas ficassem com os pés molhados de vez em quando, que se resfriassem, e não havia nada de mais se uma criança tinha uma febrezinha de 37°C. Que não havia razão para alarme antes de passar de 38°C. Aquelas crianças eram mimadas e alimentadas de colherinha, papariçadas e amadas além da conta, de um modo que não poderia fazer bem."

– O senhor quer dizer – disse Calgary – que isso não poderia fazer nenhum bem ao Jacko?

– Bem, não estava pensando só no Jacko. Jacko, desde o início, me pareceu problemático. Hoje em dia chamam isso de "garoto-problema". Não passa de mais um rótulo. Os Argyle deram o seu melhor por ele; fizeram tudo o que podia ser feito. Vi uns quantos Jackos ao longo da vida. Depois que crescem, quando o garoto já está além de qualquer salvação, os pais dizem: "Se ao menos tivéssemos sido duros com ele quando ainda era jovem", ou então dizem: "Fomos duros demais, se tivéssemos sido mais gentis". Cá comigo, penso que isso não faz a menor diferença. Há aqueles que dão errado porque nasceram num lar infeliz e sentem, em essência, carência de afeto. E há aqueles que dão errado porque diante do mínimo desvio vão para o lado ruim. Creio que podemos incluir Jacko dentro dessa última categoria.

– Então o senhor não ficou surpreso – disse Calgary – quando ele foi preso acusado de homicídio?

– Para ser franco, fiquei. Não porque a ideia de assassinar alguém fosse particularmente repugnante ao Jacko. Ele era o tipo de jovem que não sentia nenhum peso na consciência. Mas o *tipo* de crime que ele havia cometido me pegou de surpresa. Ah, eu sabia que ele tinha um temperamento violento e tudo mais. Quando era criança, costumava se jogar contra outras crianças, ou então as acertava com algum brinquedo pesado ou um pedaço de madeira. Mas costumavam ser crianças menores do que ele, e havia em seus atos menos um ódio cego e mais aquele desejo de machucar o outro ou pegar alguma coisa do outro para si. O tipo de assassinato que eu esperava que Jacko cometesse, se ele viesse a cometer um, era aquele em que um grupo de rapazes invade algum lugar. Então, quando a polícia vem atrás deles, os

Jackos dizem: "Acerta ele na cabeça, cara. Dá o que ele merece. Passa fogo nele". Eles têm desejo de matar, estão prontos para incitar um crime, mas não são capazes de matar alguém com as próprias mãos. Era o que eu deveria ter dito então. Agora parece que – acrescentou o médico – eu estava certo.

Calgary baixou os olhos em direção ao tapete, um tapete surrado, em que já não se podia mais reconhecer os antigos padrões.

– Eu não sabia – ele disse – o que iria enfrentar. Não tinha a mais vaga ideia do que o meu gesto representaria para os outros. Não pude ver que isso afetaria... que afeta...

O médico concordava gentil com a cabeça.

– Sim – ele disse. – Assim estão as coisas, não é mesmo? É quase como se o senhor tivesse que confrontá-los com a verdade da sua notícia.

– Me parece – disse Calgary – que essa é a verdadeira razão que me trouxe até aqui. Não consigo enxergar em nenhum deles, diante dos fatos, um motivo real para terem matado a sra. Argyle.

– Não diante dos fatos apresentados – concordou o médico. – Mas se o senhor for um pouquinho além da superfície, bem, creio que há inúmeras razões para que algum deles tenha desejado matá-la.

– Mas por quê? – perguntou Calgary.

– Tem certeza de que isso é assunto seu?

– Acho que sim. Não consigo deixar de ter essa impressão.

– Talvez eu também me sentisse assim no seu lugar... Não sei. Bem, a verdade é que nenhum deles jamais teve uma real independência. Não ao menos enquanto sua mãe, vamos chamá-la assim por conveniência, estava viva. Ela os mantinha sob a barra da saia, sabe, todos eles.

– Em que sentido?

– Financeiramente, ela os mantinha bem nutridos. A entrada de dinheiro era alta. O montante era dividido entre eles de acordo com as disposições do fundo. Mas ainda que a sra. Argyle não fizesse parte da administração dos recursos, seus desejos, ao menos enquanto estava viva, tinham um peso.

Ficou um minuto em silêncio e depois continuou.

– É interessante ver como cada um deles, a sua maneira, tentou escapar. Como lutaram para não se adequar ao padrão que ela havia criado para eles. Porque ela havia estipulado um padrão, um padrão muito bom. Queria que tivessem uma boa casa, boa educação, uma boa mesada e um bom começo nas profissões que escolhera por eles. Queria tratá-los como se eles fossem filhos legítimos dela e de Leo Argyle, sem tirar nem pôr. Só havia um detalhe: eles não eram filhos legítimos dos dois. Tinham instintos completamente diferentes, outros sentimentos, outras demandas e aptidões. O jovem Micky agora trabalha como vendedor de carros. Hester mais ou menos fugiu de casa para levar uma vida nos palcos. Ela se apaixonou por um tipo desprezível e, além disso, não tinha o mínimo talento para a dramaturgia. Teve que voltar para casa. Foi obrigada a admitir, algo que odeia fazer, que sua mãe estava certa. Mary Durrant insistiu em se casar com um homem durante a guerra, homem que sua mãe desaprovava. Era um jovem corajoso e inteligente, mas sem nenhum tino para os negócios. Então ele foi acometido de pólio. Foi levado em convalescença para Sunny Point. A sra. Argyle os pressionava para que se mudassem em definitivo para lá. O marido se mostrou bastante favorável à ideia. Mary Durrant foi terminantemente contra. Queria ter a própria casa e o marido só para si. Mas ela teria desistido e acatado a decisão da mãe, caso ela não tivesse sido morta.

"– Micky, o outro rapaz, sempre fora um jovem ressentido; nunca superou a amargura de ter sido abandonado por sua mãe verdadeira. Ressentia-se disso quando criança e nunca conseguiu superar o abandono. Penso que no fundo ele sempre odiou sua mãe adotiva.

"– E há a massagista sueca. Ela não gostava da sra. Argyle. Em compensação adorava as crianças, assim como Leo. Aceitou diversos benefícios da sra. Argyle e provavelmente tentou ser grata a ela, sem muito sucesso. Ainda assim, acho muito pouco provável que seus sentimentos de repulsa fossem suficientes para que ela pudesse golpear a cabeça de sua benfeitora com um atiçador. Afinal, *ela* podia ir embora quando quisesse. Quanto a Leo Argyle..."

– Sim. O que tem ele?

– Ele vai se casar de novo – disse o dr. MacMaster –, que tenha sorte. Uma jovem excelente. Bom coração, gentil, uma boa companhia, além de amá-lo com devoção. E há muito tempo. O que *ela* sentia em relação à sra. Argyle? O senhor pode supor, assim como eu. Naturalmente, a morte da sra. Argyle simplificaria bastante as coisas. Leo Argyle não é o tipo de homem que teria um caso com a secretária enquanto dividia o mesmo teto com a esposa. Também não creio que ele fosse se separar da mulher.

Calgary falou devagar:

– Vi os dois; conversei com eles. Não consigo realmente acreditar que algum dos dois...

– Eu sei – disse MacMaster. – Não dá para acreditar, não é mesmo? Mas, apesar disso, alguém naquela casa cometeu o crime.

– O senhor acha isso mesmo?

– Não vejo como poderia pensar algo diferente. A polícia tem plena certeza de que ninguém invadiu a casa, e é provável que a polícia não esteja equivocada.

– Mas então qual deles é o assassino? – perguntou Calgary.

MacMaster encolheu os ombros.

– Não há como saber.

– O senhor não tem nem um palpite, a partir do que conhece deles?

– Mesmo que tivesse, eu não lhe revelaria – disse MacMaster. – Afinal, o que eu tenho para me embasar? A não ser que haja algum fator que eu não tenha percebido, nenhum deles, pelo que conheço, seria capaz de cometer o assassinato. E, apesar disso, não sou capaz de descartar nenhum deles do rol de suspeitos. Não – ele acrescentou devagar –, meu palpite é que jamais vamos descobrir. A polícia fará inquéritos e mais investigações. Farão o seu melhor, mas conseguir uma evidência depois de tanto tempo e com tão pouca coisa a que se apegar...

Ele balançou a cabeça.

– Não, não acho que um dia a verdade será conhecida. O senhor sabe, alguns casos são assim. A gente lê a respeito. Há cinquenta ou cem anos, casos em que uma entre três, ou quatro, ou cinco pessoas poderiam ter cometido o crime, casos que nunca chegaram a uma solução.

– O senhor acha que este será um deles?

– Bem... – disse o dr. MacMaster. – Sim, me parece que sim...

Lançou mais uma vez, sobre Calgary, um olhar astuto.

– E isso é que é, de fato, terrível, não é verdade? – ele perguntou.

– Terrível – disse Calgary –, por causa do inocente. Foi isso o que ela me disse.

– Quem? Quem lhe disse o quê?

– A garota... Hester. Ela disse que eu não entendia que o que importava era o inocente. Justamente o que o senhor estava me dizendo. Que jamais descobriremos...

– ...quem é inocente? – O médico completou a frase para ele. – Sim, se pudéssemos ao menos saber a verdade. Mesmo que isso não levasse a uma prisão, a um julgamento, a uma condenação. Apenas para *saber*. Porque de outro modo...

Ele fez uma pausa.

– Sim? – perguntou Calgary.

– Descubra o senhor mesmo – disse o dr. MacMaster. – Não, não preciso dizer isso, o senhor já descobriu.

E depois continuou:

– Isso me faz lembrar do caso Bravo, há cerca de cem anos, suponho, mas livros ainda estão sendo escritos sobre ele. É um caso perfeito. Todos eram suspeitos: a mulher, a sra. Cox, o dr. Gullly, até mesmo o próprio Charles Bravo poderia ter tomado veneno, apesar do veredicto do juiz. Várias teorias são plausíveis, mas o fato é que agora ninguém chegará à verdade. O que se sabe é que Florence Bravo foi abandonada pela família e morreu de bebedeira; a sra. Cox, condenada ao ostracismo, com seus três garotos, foi obrigada a viver até a velhice sob a suspeita de ser uma assassina aos olhos dos que a cercavam; e o dr. Gully, arruinado social e profissionalmente... – Alguém era culpado – seguiu o médico – e escapou à condenação. Mas os outros eram inocentes e acabaram condenados.

– É o que não pode acontecer aqui – disse Calgary. – Não pode!

CAPÍTULO 8

I

Hester Argyle se observava no espelho. Havia um quê de vaidade em seu olhar. Era mais um questionamento ansioso que escondia a humildade de alguém que nunca tivera certeza a respeito de si mesma. Puxou os cabelos que lhe cobriam a testa, jogando-os todos para um lado, franzindo a testa diante do efeito. Então, assim que uma face se refletiu às suas costas, ela se sobressaltou, recuou e se voltou de modo apreensivo.

– Ah – disse Kirsten Lindstrom –, você se assustou!

– Como assim, Kirsty? Me assustei com o quê?

– Ora, você tem medo de mim. Você acha que eu posso chegar por trás de você sem ser percebida para, quem sabe, derrubá-la com um golpe.

– Ah, Kirsty, não diga bobagens. Eu jamais pensaria uma coisa dessas.

– Mas você pensou – disse a outra. – E você está certa em pensar nessas coisas. Em desconfiar das sombras, em se alarmar quando vê alguma coisa que não consegue entender. Porque há algo que devemos temer nessa casa. Agora nós sabemos disso.

– De qualquer maneira, querida Kirsty – disse Hester –, não tenho razão para ter medo de *você*.

– Como pode saber? – disse Kirsten Lindstrom. – Não faz pouco li no jornal sobre uma mulher que vivera com outra mulher por muitos anos, e então, certo dia, do nada, ela a mata. Por asfixia. Tenta arrancar seus olhos fora. E por quê? Ela diz à polícia, de um modo muito gentil, que às vezes tinha a impressão de ver o diabo encarnado no corpo da outra mulher. Ela havia visto o diabo olhar para ela através dos olhos da outra e então soube que precisava ser forte e corajosa e matar o diabo!

– Ah, bem, eu lembro *disso* – disse Hester. – Mas aquela mulher era louca.

– Ah – disse Kirsten. – Mas ela não tinha noção de que estava louca. E não parecia louca para aqueles que estavam à sua volta, porque ninguém sabia o que se passava na sua pobre e confusa cabeça. É por isso que eu lhe digo, você não tem como saber o que se passa na *minha* cabeça. Talvez *eu* seja louca. Talvez eu tenha olhado um dia para sua mãe e pensado que ela era uma espécie de anticristo e que era meu dever matá-la.

– Mas Kirsty, isso é um absurdo! É um completo absurdo!

Kirsten Lindstrom suspirou e se sentou.

– Sim – admitiu –, não faz nenhum sentido. Eu gostava muito da sua mãe. Ela sempre foi boa comigo. Mas o que quero lhe dizer, Hester, e o que você precisa entender e acreditar, é que você não pode dizer "Isso é um absurdo" para tudo e para todos. A verdade é que você não deve confiar em mim ou em qualquer outro.

Hester se voltou e encarou a outra de frente.

– Sei que você está falando sério – ela disse.

– Muito sério – disse Kirsten. – Devemos todos agir com seriedade e trazer as coisas à tona. Não fará nenhum bem fingirmos que nada está acontecendo. Aquele homem que veio até aqui, e como eu gostaria que ele não tivesse vindo, deixou bem claro que Jacko não era um assassino. Muito bem, se não foi ele quem cometeu o crime, outra pessoa o cometeu, e essa outra pessoa deve estar entre nós.

– Não, Kirsty, não. Poderia ter sido alguém que...

– Alguém que o quê?

– Bem, alguém que quisesse roubar alguma coisa, ou que tivesse alguma diferença com a mãe por conta de um evento no passado.

– Você acha que a sua mãe deixaria essa pessoa entrar?

– Poderia – disse Hester. – Você sabe como ela era. Se alguém aparecesse com uma história triste, se viesse lhe contar sobre uma criança que estivesse sendo rejeitada ou maltratada. Você não acha que a mãe deixaria essa pessoa entrar e que a levaria até a sala para escutar o que tinha vindo dizer?

– Me parece muito difícil – disse Kirsten. – Ao menos me parece difícil acreditar que sua mãe se sentaria à mesa e que deixaria a pessoa pegar um atiçador e golpeá-la atrás da cabeça. Não, ela estava tranquila, confiante, na sala, na companhia de alguém que ela conhecia.

– Queria que você acreditasse na minha possibilidade, Kirsty – lastimou Hester. – Ah, se você acreditasse, não teria que pensar nas coisas como você colocou. Você trouxe o crime para tão perto da gente, tão perto.

– Mas o crime *está* perto da gente, *está* aqui do lado. Não, por ora não falarei mais nada, mas vim lhe avisar que, embora você possa pensar que conhece alguém com a palma da mão, embora você possa pensar que pode confiar nas pessoas aqui, você não pode ter certeza. Então esteja com a guarda levantada. Esteja em guarda contra mim e Mary e também contra seu pai e Gwenda Vaughan.

– Mas como posso viver nesta casa suspeitando de todo mundo?

– Se quiser seguir meu conselho, é melhor que se mude daqui.

– Não posso fazer isso agora.

– Por que não? Por causa do seu jovem médico?

– Não sei do que você está falando, Kirsty.

As faces de Hester se incendiaram.

– Estou falando do dr. Craig. É um ótimo rapaz. Um bom médico, amável, conscencioso. Um belo partido. Mas, de todo modo, acho que seria melhor se você saísse daqui e se afastasse.

– Isso tudo é um absurdo – gritou Hester com fúria –, absurdo, absurdo, absurdo! Ah, como eu queria que o dr. Calgary jamais tivesse aparecido aqui.

– Eu também – disse Kirsten –, do fundo do coração.

II

Leo Argyle assinou a última das cartas que Gwenda Vaughan pusera na sua frente.

– Esta é a última? – perguntou.

– Sim.

– Até que não fomos tão mal hoje.

Depois de alguns minutos, tendo selado e ordenado as cartas, Gwenda perguntou:

– Será que não está na hora de você fazer aquela viagem ao exterior?

– Viagem ao exterior?

Leo Argyle sooou um tanto vago. Gwenda disse:

– Sim. Você não lembra que ia a Roma e Siena?

– Sim, sim, é verdade.

– Você ia ver aqueles documentos dos arquivos, aqueles sobre os quais comentou o cardeal Massilini.

– Sim, eu me lembro.

– Gostaria que eu fizesse as reservas de avião ou prefere ir de trem?

Como se tivesse percorrido uma longa distância para chegar ali, Leo olhou para ela e sorriu com discrição.

– Você parece bastante ansiosa para se livrar de mim, Gwenda – ele disse.

– Oh, não, querido, claro que não.

Ela contornou rapidamente a mesa e se ajoelhou ao seu lado.

– Não quero nunca que você saia do meu lado, nunca. Mas me parece... ah, mas acho que seria melhor se você se afastasse daqui depois... depois...

– Depois da última semana? – disse Leo. – Depois da visita do dr. Calgary?

– Queria que ele não tivesse vindo até aqui – disse Gwenda. – Queria que as coisas tivessem ficado como estavam.

– Com Jacko condenado, de maneira injusta, por um crime que não cometeu?

– Mas que poderia ter cometido – disse Gwenda. – Poderia ter cometido o crime a qualquer momento, e é por pura casualidade, eu acho, que ele não cometeu o crime antes.

– É estranho – disse Leo, pensativo. – Nunca acreditei de verdade que tivesse sido ele. Quero dizer, claro, tive de ceder às evidências… mas me parecia tão improvável.

– Por quê? Ele sempre teve um temperamento horrível, não é mesmo?

– Sim, claro que sim. Ele atacava as outras crianças. Em geral as crianças menores. Acontece que jamais achei que ele atacaria a Rachel.

– Por que não?

– Porque ele tinha medo dela – disse Leo. – Ela emanava autoridade, você sabe disso. Jacko sentia a autoridade dela como todos nós sentíamos.

– Mas você não acha – disse Gwenda – que foi justamente por isso que… quero dizer…

Ela parou de falar.

Leo a olhou de forma inquiridora. Alguma coisa em seu olhar fez com que as faces dela corassem. Ela virou o rosto, se aproximou da lareira e se ajoelhou, estendendo as mãos em direção ao calor. "Sim", ela pensou, "Rachel era cheia de autoridade. Tão satisfeita consigo mesma, tão segura de si, como uma abelha-rainha controlando todos nós. Não seria isso o suficiente para fazer qualquer um aqui pegar um atiçador, qualquer um ter vontade de dar aquele golpe, de silenciá-la de uma vez por todas? Rachel estava sempre certa, Rachel sabia o que era melhor, Rachel sempre fazia tudo como queria."

Ela se levantou de forma abrupta.

– Leo – ela disse. – Será que a gente não podia se casar logo, em vez de esperar até março?

Leo olhou para ela. Ficou em silêncio por um instante, e depois disse:

– Não, Gwenda, não. Não acho que seja um bom plano.

– Por que não?

– Acho – disse Leo – que seria uma pena apressar as coisas.

– O que você quer dizer com isso?

Ela veio em sua direção. Ajoelhou-se novamente ao seu lado.

– Leo, o que você *quer* dizer com isso? Me diga.

Ele disse:

– Minha cara, só acho que a gente não deve, como eu disse, apressar as coisas.

– Mas *casaremos* em março, conforme *planejamos*?

– Espero que sim... Sim, espero que sim.

– Você fala como se não tivesse certeza disso... Leo, você não quer mais casar comigo?

– Oh, minha cara – suas mãos pousaram sobre os ombros dela –, claro que eu quero. Você é a coisa mais importante do mundo para mim.

– Bem, então? – disse Gwenda com impaciência.

– Não. – Ele se levantou. – Não, não é o momento. Devemos esperar. Precisamos ter certeza.

– Certeza do quê?

Ele não respondeu. Ela disse:

– Você não acha que eu... que eu...

Leo disse:

– Eu não acho nada...

A porta se abriu, e Kirsten Lindstrom entrou com uma bandeja que pôs sobre a mesa.

– Aqui está seu chá, sr. Argyle. Posso lhe trazer uma outra taça, Gwenda, ou você se juntará aos outros lá embaixo?

Gwenda disse:

– Vou descer para a sala de jantar. Levarei essas cartas. É preciso enviá-las.

Com as mãos um pouco trêmulas, pegou as cartas que Leo recém assinara e saiu da peça, carregando-as consigo. Kirsten Lindstrom observou-a sair, e então voltou a olhar para Leo.

– O que o senhor disse a ela? – ela perguntou. – O que o senhor fez para deixá-la assim chateada?

– Nada – disse Leo. Sua voz denotava cansaço. – Nada de mais.

Kirsten Lindstrom encolheu os ombros. Então, sem mais palavras, ela saiu. Contudo, sua crítica – velada e muda – pôde ser sentida. Leo suspirou, recostando-se na poltrona. Sentia-se muito cansado. Serviu o chá, mas não o bebeu. Em vez disso, ficou sentado, o olhar perdido no fundo da sala, a cabeça ocupada em relembrar o passado.

III

O clube que ele estivera interessado em frequentar no East End de Londres... Foi lá que ele viu Rachel Konstam pela primeira vez. Podia vê-la agora com clareza em sua mente. Uma garota de porte médio, de constituição sólida, vestindo – o que então lhe tinha parecido – roupas excessivamente caras, mas que ela trajava de um modo desajeitado. Uma garota de rosto redondo, sério, de bom coração, com uma vivacidade e uma ingenuidade que o haviam conquistado. Tanta coisa que precisava ser feita, tanta coisa que valia a pena fazer! Ela havia despejado suas palavras com impetuosidade, de modo um pouco incoerente, e seu coração se deixou comover por ela. Para ele, também, havia muito a ser feito, coisas que valiam a pena; embora seu natural senso de ironia o impedisse de acreditar por inteiro no sucesso de semelhantes esforços. Mas Rachel nunca tinha tido dúvidas. Se você fizer isso, se fizer aquilo, se tais e tais instituições forem acionadas, os resultados benéficos virão de maneira automática.

Ela nunca se havia deixado levar, ele agora percebia isso, pela natureza humana. Sempre vira as pessoas como casos, como problemas que precisavam ser resolvidos. Jamais havia enxergado em cada pessoa um ser diferente, que reagiria de modo diferente, que possuía suas idiossincrasias particulares. Ele lhe dissera então, pelo menos assim lembrava, para não alimentar tantas expectativas. Mas ela sempre tivera esperanças demais, embora tivesse negado sua acusação de imediato. Ela sempre tivera esperanças demais, o que sempre lhe trouxe desapontamento. Em pouco tempo, ele havia se apaixonado por ela e ficou agradavelmente surpreso ao descobrir que ela era filha de pais de grandes posses.

Ambos haviam planejado sua vida juntos sobre uma base de pensamentos elevadíssimos e não em rigoroso acordo com a simples existência. Mas agora ele podia ver com clareza que tinha sido essa a principal razão que o fizera se apaixonar por ela. Havia sido o calor de seu coração. Apenas que, e aí se estabeleceu o aspecto trágico, esse coração acalorado não batia por ele. Fora apaixonada por ele, isso é certo. Mas o que ela realmente queria dele e da vida era ter filhos. E os filhos não vieram.

Consultaram médicos de alta reputação, médicos mal-afamados, até mesmo curandeiros, e ao final se chegou a um veredicto que ela foi obrigada a aceitar. Jamais poderia ter filhos. Ele sentira muita pena dela, muita pena mesmo, e havia concordado de bom grado com a possibilidade sugerida por ela de adotarem uma criança. Já estavam em contato com orfanatos, quando, na ocasião de uma visita a Nova York, seu carro deu uma trombada numa criança que saíra correndo de um barraco, na parte mais pobre da cidade.

Rachel saltara do carro e se ajoelhara no meio da rua, ao lado da criança que estava apenas escoriada, mas não ferida: uma garota linda, de cabelos loiros e olhos azuis. Rachel insistiu para levarem-na ao hospital a fim de certificar-se de que não havia contusões. Ela conversara com os responsáveis: uma tia desleixada e seu marido, evidentemente um bêbado. Estava claro que não tinham nenhum sentimento pela menina que morava com eles desde que seus pais tinham morrido. Rachel sugerira que a garota poderia passar com eles alguns dias, ao que a mulher concordou com alegria.

– Não podemos cuidar dela direito por aqui – ela havia dito.

Assim Mary fora levada para a suíte deles no hotel. A criança havia obviamente gostado da cama macia e do luxuoso banheiro. Rachel lhe comprara roupas novas. Então chegou o momento em que a criança disse:

– Não quero ir pra casa. Quero ficar aqui com vocês.

Rachel olhou para ele, tomada de uma súbita paixão, ardente e deliciosa. Ela lhe disse, assim que ficaram a sós:

– Vamos ficar com ela. Será fácil de arranjar. Vamos adotá-la. Ela será nossa filha. Aquela mulher vai ficar mais do que satisfeita em se livrar dela.

Ele concordou com extrema facilidade. A garota parecia tranquila, bem comportada, dócil. Não tinha, isso era óbvio, quaisquer sentimentos pelos tios com quem vivia. Se isso faria Rachel feliz, deviam seguir em frente. Advogados foram consultados, papéis assinados e dali para a frente Mary O'Shaughnessy passou a ser Mary Argyle, retornando com eles de navio para a Europa. Ele tinha pensado então que por fim a pobre Rachel seria feliz. E ela ficou feliz. Feliz de um modo fervoroso, quase febril, idolatrando Mary, dando todos os tipos de brinquedos mais caros. E Mary aceitava tudo com placidez, com doçura. E ainda assim, pensou Leo, havia sempre algo que o perturbava um pouco. A aquiescência fácil da criança. Sua total falta de sentimentos por seu antigo lar e pelas pessoas que haviam cuidado dela. O afeto verdadeiro, ele esperava, viria mais tarde. Não conseguia, mesmo agora, ver qualquer sinal desse afeto. A aceitação dos benefícios, a complacência, o aproveitamento de tudo o que fora oferecido. Mas amor pela mãe que recém a adotara? Não, isso nunca tinha acontecido.

Foi dessa época em diante, pensou Leo, que ele começou a se ocupar das coisas que compunham a personalidade de Rachel Argyle. Era uma mulher que nascera para ser mãe, não esposa. Agora, com a aquisição de Mary, era como se seus instintos maternais não tivessem sido completados, mas sim estimulados. Uma criança não lhe seria o suficiente.

Todos os negócios dela, dali para a frente, passaram a estar relacionados a crianças. Seus interesses eram orfanatos, fundos para crianças aleijadas, casos de crianças especiais, paralíticas, com problemas ortopédicos, sempre algo a ver com crianças. Era admirável. Ele sentia que era algo realmente admirável, mas aquilo passara a ser o centro da vida da mulher. Pouco a pouco, ele começou a mergulhar em suas próprias atividades. Começou a estudar economia mais a sério, um assunto que sempre o interessara. Recolhia-se, cada vez mais, à sua biblioteca. Envolveu-se em pesquisas, na escritura de pequenas e bem-elaboradas monografias. Sua esposa, sempre ocupada, ativa, feliz, comandava a casa e conduzia suas atividades. Ele era cortês e aquiescente. Ele a encorajava. "É um belo projeto, minha cara", "Sim, sim, eu certamente tocaria este projeto adiante". Vez ou outra, uma palavra de cautela se fazia ouvir: "Você precisa, me parece, examinar bem a posição antes de se comprometer. Você não pode se deixar levar pela emoção."

Ela continuava a consultá-lo, mas naquele momento, algumas vezes, não passava de pura superficialidade. Com o passar do tempo, tornou-se mais e mais autoritária. Sabia o que era certo, o quer era o melhor. Escondeu, por cortesia, suas críticas e suas ocasionais admoestações.

Rachel, ele pensou, não precisava mais da ajuda dele, não necessitava de seu amor. Estava ocupada, feliz, cheia de energia.

Por trás da dor que ele não podia deixar de sentir, havia também, por estranho que parecesse, um sentimento de pena por ela. Era como se ele soubesse que o caminho que ela trilhava a pudesse levar a um destino perigoso.

Quando a guerra estourou, em 1939, as atividades da sra. Argyle foram imediatamente redobradas. Assim que teve a ideia de abrir uma creche para as crianças dos bairros pobres de Londres, entrou em contato com pessoas influentes na capital. O Ministério da Saúde se mostrou bastante disposto a cooperar, e ela foi em busca de uma casa adequada para tal empreendimento. Uma casa recém-construída, supermoderna, em uma parte remota da Inglaterra que parecia estar livre dos bombardeios. Lá ela poderia acomodar até dezoito crianças com idades de dois e sete anos. As crianças vieram não somente de lares pobres, mas também de outros ainda mais desafortunados. Eram órfãos, ou crianças ilegítimas, cujas mães não tinham interesse em levá-los consigo durante os processos de evacuação. Crianças vindas de lares onde haviam sido maltratadas ou negligenciadas. Três ou quatro das crianças eram aleijadas. Para os tratamentos ortopédicos, ela contratara uma equipe de trabalhadoras domésticas, entre elas uma massagista sueca e duas enfermeiras treinadas. A coisa toda era realizada não apenas de maneira confortável, mas também num alto padrão de luxo. Uma vez ele tinha tentado fazer com que ela enxergasse.

– Você não pode se esquecer, Rachel, que essas crianças terão que voltar para o lugar de onde você as recolheu. Não deve acostumá-las a tanta coisa.

Ela o repelira efusivamente:
– Nada é demais para essas pobres criaturinhas. Nada!
Ele contestara:
– Sim, mas lembre-se, elas terão que *voltar*.
Mas ela deixara de lado a objeção.
– Pode ser que não seja necessário. Veremos... Só o futuro dirá.

As exigências da guerra logo trouxeram mudanças. As enfermeiras, inquietas pelo fato de estarem cuidando de crianças perfeitamente saudáveis enquanto havia tanto trabalho real a ser feito, tinham que ser substituídas com frequência. No fim, restaram apenas uma velha enfermeira e Kirsten Lindstrom. A ajudante doméstica também desaparecera, e Kirsten Lindstrom teve de assumir essas funções, o que fez com grande devoção e desapego pessoal.

E Rachel Argyle se mostrava ocupada e feliz. Havia momentos, lembrava Leo, de ocasional confusão. O dia em que Rachel, intrigada com o fato de que um garotinho, Micky, aos poucos ia perdendo peso, o apetite desaparecendo, chamou o médico. O doutor não descobriu nada de errado e sugeriu à sra. Argyle que o garoto talvez estivesse com saudades de casa. Rapidamente ela rebateu a ideia.

– Isso é impossível! O senhor não faz ideia de como era o lar de onde ele veio. Ele apanhava, era maltratado. A vida dele devia ser um inferno.

– Ainda assim – disse o dr. MacMaster –, ainda assim eu não ficaria surpreso se fosse isso. O negócio é fazer o garoto falar.

E um dia Micky falou. Soluçando em sua cama, ele gritou, afastando Rachel com os punhos:

– Quero ir para casa. Quero voltar para nossa mãe e nosso Ernie.

Rachel se mostrou contrariada, quase incrédula.

– Ele não pode *querer* a mãe. Ela não dá a mínima para ele. Ela sempre batia nele quando estava bêbada.

E ele então havia dito, com gentileza:

– Mas você está indo contra a natureza, Rachel. Ela é a mãe dele, e ele a ama.

– Não se pode chamar aquilo de mãe!

– Ele é sangue do sangue dela. É isso o que ele sente. E ninguém pode substituir isso.

E ela teria respondido:

– Mas a esta altura, certamente é a *mim* que ele tem que ver como sua mãe.

Pobre Rachel, pensou Leo. Pobre Rachel, que podia comprar tantas coisas... Não coisas egoístas, para si mesma, que podia dar àquelas crianças enjeitadas uma casa, amor e cuidados. Tudo isso ela podia comprar para eles, mas não o amor por ela.

Então a guerra terminou. As crianças começaram a retornar para Londres, requisitadas por seus pais e parentes. Mas nem todas elas. Algumas delas permaneceram sem que ninguém as quisesse e foi então que Rachel disse:

– Sabe, Leo, é como se fossem nossos filhos agora. Chegou a oportunidade de termos uma família de verdade. Quatro ou cinco dessas crianças podem ficar conosco. Vamos adotá-las, dar tudo do bom e do melhor para que *sejam* nossos filhos de verdade.

Ele sentiu um vago desconforto, sem que soubesse bem por quê. Não que ele tivesse objeção às crianças, mas sentira, de modo instintivo, a falsidade daquilo tudo. A pretensão de que se podia construir uma família assim facilmente, por meios artificiais.

– Você não acha – ele perguntou – que isso é arriscado?

Ao que ela respondeu:

– Arriscado? E daí se for arriscado? Vale a pena tentar.

Sim, ele supôs então que valia a pena tentar, com a diferença de que ele não tinha a mesma certeza que a animava. Àquela altura ele havia se isolado tanto de tudo, mergulhado em suas próprias questões, que não teve poder de objetar o projeto. Repetiu, então, a fórmula que tantas vezes já repetira:

– Faça como achar melhor, Rachel.

Depois disso, ela se encheu de triunfo, de felicidade, começou a fazer planos, consultar advogados, a tomar conta das coisas à sua tradicional maneira prática. E então ela havia adquirido uma família. Mary, a filha mais velha, trazida de Nova York; Micky, o garoto com saudades de casa, que chorara até dormir por tantas noites, ansioso para voltar para seu buraco, junto à mãe temperamental e negligente; Tina, a graciosa mestiça cuja mãe era prostituta e cujo pai fora um pescador na Índia Oriental; Hester, cuja jovem mãe irlandesa engravidara ilegitimamente e queria começar vida nova; e Jacko, o sedutor garotinho com cara de macaco, cujos traquejos divertiam a todos, que sempre conseguia dar um jeito de escapar do castigo, dotado de uma dose extra de charme, capaz de adoçar mesmo a disciplinadora miss Lindstrom. Jacko, cujo pai cumpria sentença e cuja mãe fugira com outro homem.

Sim, Leo Argyle tinha certeza de que não era em vão o trabalho de cuidar daquelas crianças, dar-lhes os benefícios de um lar, além de amor paterno e materno. Rachel, pensou, tinha o direito de se sentir triunfante. Acontece que as coisas não saíram exatamente como o planejado... Porque aquelas crianças não eram os filhos que os dois poderiam ter tido. Nas veias de nenhum deles corria o sangue de Rachel, aquele sangue de uma trabalhadora incansável, um sangue cheio de ambição, que mesmo o menos respeitável dos membros de sua família possuía e que lhes garantira um lugar na sociedade, nada daquela vaga delicadeza e integridade que ele lembrava de ter visto em seu pai e nos seus avós. Nada do brilho intelectual de seus avós do outro lado.

Toda a influência que o meio poderia exercer sobre suas formações foi exercida. Isso era algo muito importante, mas não podia dar conta de tudo. Em primeiro lugar, havia aquelas sementes de fraqueza que os haviam feito parar naquela creche, e, sob pressão, aquelas sementes podiam florescer. Isso era exemplificado à perfeição por Jacko. Jacko, o charmoso e ágil Jacko, com seus maravilhosos gracejos, com sua sedução, com a facilidade que tinha em enrolar todo mundo, um tipo que era, em essência, um delinquente. Logo na infância já foi pego roubando, mentindo; todas as coisas que o ligavam às suas origens e que poderiam, segundo Rachel, ser corrigidas. Mas o fato é que nunca foram.

Suas notas na escola eram ruins. Mandaram-no embora da faculdade e desde então ele havia se engajado em uma longa e dolorosa série de incidentes durante os quais Leo e Rachel, fazendo o que estava a seu alcance, tentaram assegurar seu amor e sua confiança no filho, arrumando-lhe um emprego em que pudesse usar seus talentos e no qual, com um pouco de aplicação, poderia fazer sucesso. Talvez, pensou Leo, eles tivessem sido muito moles com ele. Mas não. Moles ou severos, no caso de Jacko parecia-lhe que o fim teria sido o mesmo. O que ele queria era lei. Se não pudesse consegui-lo por meios legítimos, estava fortemente inclinado a fazer o que fosse preciso. Não era esperto o suficiente para ter sucesso no crime, mesmo em crimes de baixa monta. E então chegou aquele último dia, em que ele voltou para casa arruinado, com medo de ir preso, exigindo furiosamente o dinheiro que lhe era de direito, de forma ameaçadora. Saíra aos gritos, anunciando que voltaria mais tarde atrás de uma quantia maior, ou *então*...

E então... Rachel morreu. Como o passado lhe parecia remoto! Todos aqueles longos anos de guerra com os rapazes e as garotas crescendo. E quanto a ele mesmo? Cada vez mais distante, descarnado. Era como se a robusta energia e a força vital que era Rachel tivesse se alimentado dele, deixando-o combalido e exausto, e precisando, ah, tão desesperadamente, de calor e amor.

Mesmo agora ele mal conseguia lembrar de quando se dera conta pela primeira vez de como essas coisas estavam próximas dele. Ao alcance da mão... Não oferecidas a ele, mas ali.

Gwenda... A secretária perfeita e solícita, trabalhando para ele, sempre à mão, gentil, prestativa. Havia alguma coisa nela que o fazia lembrar de como era Rachel quando os dois se conheceram. O mesmo calor, o mesmo entusiasmo, o mesmo coração generoso. Apenas que no caso de Gwenda, o calor, o coração generoso, o entusiasmo, tudo se dirigia para *ele*. Não para os hipotéticos filhos que teriam um dia, mas para ele. Era como esquentar a mão junto ao fogo... Mãos que haviam se congelado e endurecido pelo desuso. Quando tinha sido a primeira vez que percebera o interesse dela por ele? Era difícil dizer. Não se tratou de uma revelação súbita.

Mas de repente, num certo dia, percebeu que a amava.

E enquanto Rachel estivesse viva, os dois jamais poderiam se casar.

Leo suspirou, sentou-se ereto na poltrona e bebeu o chá que estava completamente frio.

CAPÍTULO 9

Calgary recém partira quando o dr. MacMaster recebeu um segundo visitante. Este, no entanto, era bem conhecido e foi recebido com afeto.

– Ah, Don, que bom ver você! Vamos, me diga o que passa em sua cabeça. Há algo aí dentro. Sempre sei quando isso acontece, pois sua testa fica enrugada de um jeito peculiar.

O sr. Donald Craig lhe sorriu com pesar. Era um jovem de boa aparência, que levava o trabalho e a si mesmo muito a sério. O velho médico aposentado tinha grande afeição por seu sucessor, embora desejasse algumas vezes que fosse mais fácil para Donald Craig entender uma brincadeira.

Craig recusou a oferta de um drinque e foi direto ao ponto:

– Estou muito preocupado, Mac.

– Espero que não seja outra vez uma deficiência de vitaminas – disse o dr. MacMaster. Do seu ponto de vista, deficiência de vitaminas era uma boa piada. Certa vez, isso fizera um cirurgião veterinário mostrar para o jovem Craig que o gato que pertencia a um de seus pacientes infantis sofria de um caso avançado de infecção cutânea.

– Não tem nada a ver com meus pacientes – disse Donald Craig. – São questões pessoais.

O rosto de MacMaster mudou de imediato.

– Me desculpe, garoto. Sinto muito. Recebeu más notícias?

O jovem balançou a cabeça.

– Não se trata disso. É que... veja bem, Mac, preciso falar com alguém sobre isso e você conhece todos eles, já está aqui há muitos anos, sabe tudo sobre eles. E eu também preciso saber. Preciso saber em que pé as coisas estão, o que terei de enfrentar.

As sobrancelhas vastas de MacMaster se ergueram devagar em direção à testa.

– Vamos ao problema – ele disse.

– São os Argyle. Você sabe, suponho que todos já saibam, que Hester Argyle e eu...

O velho médico assentiu com a cabeça.

– Um bom entendimento – ele disse em tom de aprovação. – Era o termo que usávamos antigamente, e ainda me parece um ótimo termo.

– Estou muito apaixonado por ela – disse Donald – e me parece, ah, tenho certeza, de que ela sente o mesmo. E agora está acontecendo tudo isso.

Um ar de iluminação cobriu o rosto do velho médico.

– Ah, sim! O livre-indulto de Jacko Argyle – ele disse. – Um livre-indulto que chegou tarde demais para ele.

– Sim. Isso tudo me faz sentir, e sei que isso é algo totalmente errado de se sentir, mas não consigo evitar, que teria sido melhor se essa evidência nunca tivesse vindo à tona.

– Bem, você não é o único que parece sentir isso – disse MacMaster. – Até onde sei, é um sentimento compartilhado por todos, do chefe Constable ao homem que retornou da Antártica para trazer a evidência, passando pela família Argyle, é claro. A propósito, esse homem esteve aqui hoje à tarde.

Donald Craig olhou-o com espanto.

– Esteve? Ele disse alguma coisa?

– O que você esperava que ele dissesse?

– Ele tem alguma ideia de quem...

O dr. MacMaster negou com a cabeça, lentamente.

– Não – ele disse. – Ele não tem ideia. E como poderia, tendo saído de uma amnésia e conhecido todos eles pela primeira vez? Parece que – prosseguiu – ninguém tem a mínima ideia.

– Não. Suponho que ninguém saiba.

– Então o que o está preocupando, Don?

Donald Craig respirou profundamente.

– Hester me ligou naquela noite em que esse camarada, o Calgary, esteve lá na casa dela. Nós dois íamos a Drymouth depois da cirurgia para uma palestra sobre os criminosos na obra de Shakespeare.

– Parece bastante adequado – disse MacMaster.

– E então ela ligou. Disse que não iria mais. Disse que recebera notícias particularmente perturbadoras.

– Ah, as notícias trazidas pelo dr. Calgary.

– Sim. Sim, embora ela não o tivesse mencionado na ocasião. Mas ela se mostrou bastante chateada. Sua voz tinha um tom... não sei explicar direito o que era.

– É o sangue irlandês – disse MacMaster.

– Parecia ao mesmo tempo chocada e aterrorizada. Ah, não sei como lhe explicar.

– Bem, do que você suspeita? – perguntou o médico. – Ela não tem nem vinte anos ainda, certo?

– Mas *por que* ela estava tão chateada? Vou lhe dizer uma coisa, Mac, ela estava apavorada com alguma coisa.

– Hmmm. Bem, sim, isso seria possível, acho – disse MacMaster.

– Você acha que... o que você acha?

– Vamos direto ao ponto – frisou MacMaster. – O que importa é o que você está pensando.

O jovem falou com amargura:

– Acho que, se eu não fosse um médico, nem pensaria nessas coisas. Ela será minha garota e minha garota não pode ter feito nada errado. Mas como as coisas se apresentam...

– Sim... prossiga. É melhor você se abrir comigo.

– Veja bem, sei algo que está se passando na cabeça de Hester. Ela... ela sofre de insegurança crônica.

– É possível – disse MacMaster. – É como se diz isso hoje em dia.

– Ainda não teve tempo para se formar totalmente. Ela estava sofrendo, na época do assassinato, de um sentimento, bastante natural para uma adolescente, de ressentimento de autoridade, uma tentativa de escapar do excesso de amor que a sufocava, um processo responsável por muitos danos nos dias atuais. Queria se rebelar, escapar. Ela mesma me contou tudo isso. Ela fugiu e se juntou a uma companhia de teatro itinerante. Diante das circunstâncias, creio que a mãe se comportou de modo bastante razoável. Ela sugeria a Hester que fosse para Londres e que entrasse para a RADA*, a fim de estudar teatro decentemente, se fosse sua vontade. Mas não era isso o que Hester queria. Essa fuga para ser atriz nada mais era do que um sinal. Ela não queria atuar de verdade, sair em turnê, seguir a profissão com seriedade. Só queria provar que poderia se virar sozinha. Seja como for, os Argyle não tentaram coagi-la. Deram-lhe uma permissão bastante digna.

– O que foi muito inteligente da parte deles – disse MacMaster.

– E então ela teve esse casinho tolo com um dos membros da companhia, um cara de meia-idade. Por fim, ela mesma se deu conta de que ele não prestava. A sra. Argyle entrou em cena e lidou com ele, e Hester voltou para casa.

– Depois de ter aprendido a lição, como se dizia na minha juventude – disse MacMaster. – Mas é claro que ninguém nunca gostou de aprender a lição. Hester não foi exceção.

Donald Craig continuou, com ansiedade:

– Ela estava cheia de um ressentimento pleno, ainda que contido; tudo ficou ainda pior porque no fundo ela sabia, se não abertamente, que sua mãe tinha acertado em cheio: que ela não era uma boa atriz, que o homem a quem

---
* Real Academia de Artes Dramáticas. (N.T.)

dedicara seu afeto não o merecia. E que, de todo modo, ela nunca gostara mesmo dele. "Mamãe sabe tudo." Não há nada que irrite mais um jovem.

– Sim – disse MacMaster. – Esse era um dos problemas da pobre sra. Argyle, embora ela nunca tenha enxergado seus atos desse ponto de vista. O problema é que quase sempre ela *estava* certa, *sabia* mesmo das coisas. Se ela fosse uma dessas mulheres que vivem endividadas, que perdem chaves, trens, que fazem coisas estúpidas e que precisam que as outras pessoas as ajudem, sua família inteira teria gostado muito mais dela. Uma verdade triste e cruel, mas assim é a vida. E ela não era uma mulher suficientemente esperta para se fingir de morta. Era muito feliz em ser como era. Encantada com seu poder de julgamento, com sua autoconfiança. É muito difícil ter de enfrentar uma pessoa assim quando se é jovem.

– Eu sei – disse Donald Craig. – Tinha percebido isso tudo. E é por ter percebido isso tudo que sinto que... que me questiono se não...

Ele parou.

MacMaster disse com suavidade:

– É melhor que eu diga por você, não é, Don? Você teme que tenha sido Hester quem ouviu a discussão entre sua mãe e Jacko, que tenha se inflamado ao escutá-la, e quem, talvez, numa espécie de rebelião contra a autoridade, contra a presunção e a onisciência maternas, invadiu a sala, pegou o atiçador e a matou. É esse o seu maior temor, estou certo?

O jovem concordou com a cabeça, imerso em desalento.

– Na verdade não acredito nisso, mas... mas sinto que... sinto que isso *poderia* ter acontecido. Não creio que Hester tenha amadurecido o suficiente, que seja uma pessoa estável. Ela parece mais jovem do que a idade que tem, insegura de si mesma, sujeita a ter distúrbios repentinos. Olho para as pessoas da casa e não sinto que nenhuma delas seria capaz de ter cometido o crime, até chegar a Hester. E então... então já não tenho mais certeza.

– Entendo – disse MacMaster. – Sim, entendo.

– Não a culpo por nada – disse depressa Don Craig. – Não creio que a pobre menina realmente soubesse o que estava fazendo. Não consigo chamar isso de assassinato. Foi apenas um ato de rebeldia emocional, uma insurreição, a expressão da ânsia por liberdade, fruto da convicção de que ela jamais seria livre enquanto sua mãe estivesse por perto.

– Bem, ao menos a última parte do que você disse é verdade – disse MacMaster. – É o único motivo que parece haver, e um motivo bastante peculiar. Convenhamos que não é um motivo que tenha força ao olhar da lei. Desejo de liberdade. Desejo de se libertar de uma personalidade dominadora. Só por não haver interesses financeiros, heranças, envolvidos na morte da sra. Argyle, a lei considera que não há um motivo. Mas mesmo o controle financeiro, posso imaginar, era exercido com mão de ferro pela sra. Argyle através da influência que ela mantinha sobre os administradores do fundo. Ah, sim, sua morte deixaria todos mais livres. Não apenas Hester, meu garoto. Com sua morte, Leo está livre para se casar com outra mulher. Mary, para cuidar do marido do jeito que ela quiser; Micky, para tocar a própria vida a seu modo. Mesmo a pobrezinha da Tina, que passa os dias sentada lá na biblioteca, podia desejar mais liberdade.

– Vim aqui falar com você para ver quais eram seus pensamentos sobre tudo isso. Precisava saber se para você a minha hipótese... se ela pode ser verdadeira.

– Sobre Hester?

– Sim.

– Acho que *pode* ser verdadeira – disse MacMaster com vagar. – Não sei se é.

– Você acha que *poderia* ter acontecido conforme eu disse?

– Sim. Me parece que o que você imaginou não é lá nenhum delírio, que está dentro do campo das probabilidades. Mas não oferece qualquer certeza, Donald.

O jovem suspirou com um estremecimento.

– Mas é *preciso* ter certeza, Mac. Só isso me parece necessário no momento. Eu preciso *saber*. Se Hester confessar o crime, se vier me confessar, então tudo estará certo. Casaremos o quanto antes. Eu cuidarei dela.

– Que o inspetor Huish não o escute – disse MacMaster com secura.

– Sou um cumpridor das leis – disse Donald –, mas você sabe muito bem, Mac, como eles tratam essas evidências psicológicas nos tribunais. A meu ver, tudo não passou de um terrível acidente, não um caso de assassinato a sangue frio, ou mesmo a sangue quente, se pensarmos no episódio.

– Você está apaixonado pela garota – disse MacMaster.

– Estou lhe contando isso em caráter confidencial.

– Já entendi – disse MacMaster.

– E tudo o que estou dizendo é que se Hester me confessasse, assim que eu soubesse de tudo, viveríamos juntos, dividiríamos o problema. Mas ela precisa me contar. Não poderei viver ao seu lado sem saber.

– Ou seja: você está dizendo que não está preparado para se casar com ela se essa possibilidade não deixar de lançar sombra às coisas?

– Você se casaria se estivesse no meu lugar?

– Não sei. Nos meus idos dias, se acontecesse comigo e eu estivesse apaixonado pela garota, é bem provável que eu estivesse convencido de sua inocência.

— Não é bem a questão de ser inocente ou culpada o que me importa. Tudo o que eu quero é *saber*.

— E se ela de fato matou a mãe? Você está preparado para casar com ela e viver feliz para sempre, como dizem?

— Sim.

— Não acredito nisso! – disse MacMaster. – Você passaria o tempo todo se perguntando se o gosto amargo no seu café é somente café, pensando que o atiçador junto à lareira é pesado e grande demais. E então ela perceberia seus pensamentos. Não, isso não iria funcionar...

CAPÍTULO 10

— Tenho certeza, Marshall, de que o senhor apreciará as minhas razões ao convidá-lo para vir até aqui participar da conferência.

— Sim, certamente – disse o sr. Marshall. – O fato é que se o senhor não tivesse feito a proposta, sr. Argyle, eu mesmo teria me oferecido para comparecer. A notícia está em todos os jornais desta manhã e não há dúvidas de que isso levará a um interesse renovado sobre o caso por parte da imprensa.

— Já estão ligando para cá atrás de declarações e entrevistas – disse Mary Durrant.

— Bem, acho que isso já deveria ser esperado, me parece. Devo aconselhá-la a assumir a posição de não ter nada a declarar. Que naturalmente você se mostra muito grata pelo interesse, mas prefere não discutir o assunto.

— O inspetor Huish, que era o encarregado do caso na época, pediu para vir até aqui conversar com todos nós – disse Leo.

— Sim, sim, temo que haverá uma certa repercussão com a reabertura do caso, embora não consiga realmente imaginar que a polícia espere chegar a um resultado tangível. Afinal, dois anos se passaram, e qualquer coisa que as pessoas pudessem lembrar na ocasião – falo das pessoas da vila –, já há muito terá sido esquecido. Uma lástima, se formos pensar bem, mas fazer o quê?

— A coisa toda me parece muito clara – disse Mary Durrant. – A casa estava devidamente trancada, o que impediria a ação de ladrões, mas qualquer um que tivesse apelado à mamãe, trazendo uma dificuldade especial, ou fingido se passar por um amigo teria sido admitido por ela na casa. Isso, me parece, deve ter sido o que aconteceu. Meu pai acha que ouviu a campainha soar logo depois das sete.

Marshall voltou sua cabeça com um ar de questionamento para Leo.

– Sim, creio ter ouvido a campainha – disse Leo. – É óbvio que já não consigo me lembrar com clareza, mas na época lembro da impressão de a ter escutado. Estava pronto para descer, então pensei ter ouvido a porta ser aberta e fechada. Não havia som de vozes ou de alguém fazendo pressão para entrar, com um comportamento que fosse abusivo. Foi isso que lembro de ter ouvido.

– Muito bem – disse o sr. Marshall. – Sim, penso que não há dúvidas de que deve ter sido isso o que aconteceu. Infelizmente, sabemos que é cada vez maior o número de pessoas que conseguem ser admitidas numa casa utilizando uma história triste e plausível, e que, uma vez que tenham entrado, são capazes de golpear com um porrete ou algo assim o dono da casa, levando todo o dinheiro que puderem encontrar. Sim, me parece que, diante das novas evidências, devemos assumir que foi o que aconteceu.

Ele falava num tom bastante persuasivo. Enquanto isso, seus olhos percorriam a pequena assembleia que se formara ao seu redor, analisando cada uma das pessoas ali com cuidado, catalogando-as em sua mente meticulosa. Mary Durrant, boa aparência, desprovida de imaginação, tranquila, quase desatenta, aparentemente segura de si mesma. Atrás dela, em sua cadeira de rodas, o marido. Um sujeito inteligente, Philip Durrant, pensou Marshall. Um homem que teria sido capaz de grandes feitos, ter ido longe, não fosse sua total incapacidade para os negócios. Ele não estava, pensou Marshall, recebendo aquilo tudo com a mesma tranquilidade que a esposa. Seus olhos se mostravam alertas e pensativos. Ele havia percebido, mais do que ninguém, as implicações de toda a questão. Claro, era possível, contudo, que Mary Durrant não estivesse tão calma quanto aparentava. Tanto na sua época de menina quanto agora, como mulher, sempre tinha sido capaz de esconder seus sentimentos.

Assim que Philip Durrant se moveu de leve na cadeira, os olhos brilhantes e inteligentes, com um certo ar zombeteiro, fixos no advogado, Mary voltou depressa a cabeça em sua direção. A completa adoração contida no olhar que votou ao marido quase assustou o advogado. Sabia de antemão, evidentemente, que Mary Durrant era uma esposa dedicada, mas ele havia até então a considerado uma criatura calma, pouco dada a paixões, incapaz de grandes afeições ou de grandes antipatias. Surpreendeu-se com essa súbita revelação. Então era assim que ela se sentia em relação ao marido? Quanto a Philip, parecia sentir desconforto. Apreensivo – definiu Marshall para si – com o futuro. Como era de se esperar.

Do lado oposto ao do advogado, sentava-se Micky. Jovem, bonito, amargo. Por que tanta amargura?, pensou Marshall de passagem. Não recebera sempre tudo de mão beijada? Por que fazia questão de exibir esse olhar de alguém que estava perpetuamente de mal com o mundo? Sentada a seu lado estava Tina, que mais parecia um gato negro e elegante. A pele muito escura, a voz macia, grande olhos negros e uma graça sinuosa em seus movimentos. Tranquila, mas não estaria ocultando alguma emoção por trás da tranquilidade? Marshall sabia, na verdade, muito pouco a respeito de Tina. Ela havia assumido o trabalho de bibliotecária, que lhe sugerira a sra. Argyle, na Biblioteca do Condado. Tinha um apartamento em Redmyn e vinha para os finais de semana. Em aparência, um membro dócil e satisfeito da família. Mas quem poderia dizer? De qualquer modo, ela não poderia ter cometido o crime, não estava presente na noite do assassinato. Se bem que, para todos os fins, Redmyn fica a quarenta quilômetros dali. Ainda assim, Tina e Micky, presumidamente, não tinham estado em Sunny Point.

Marshall olhou de relance para Kirsten Lindstrom, que o encarava com seu leve ar beligerante. Por que não supor, pensou, que fosse *ela* quem tivesse tido um surto e atacado sua patroa? Nada se torna de fato surpreendente depois de anos trabalhando com o Direito. Eles tinham um jargão moderno para isso: solteirona reprimida. Invejosa, ciumenta, alimentando mágoas reais ou fictícias. Ah, sim, eles tinham um termo para aquilo. E como aquilo seria conveniente, pensou o sr. Marshall de maneira inadequada. Sim, muito conveniente. Uma estrangeira. Não alguém da família. Mas poderia Kirsten Lindstrom, de maneira deliberada, ter armado contra Jacko? Teria ouvido a discussão e se aproveitado disso? Isso já era bem mais difícil de acreditar. Porque Kirsten Lindstrom adorava o Jacko. Sempre se dedicara com devoção a essa criança. Não, não podia acreditar que tivesse sido ela. Era uma pena, porque... mas não era bom que deixasse seus pensamentos seguirem essa linha.

Seu olhar seguiu para Leo e Gwenda Vaughan. Seu casamento ainda não havia sido anunciado, e não havia nada de errado nisso. Uma sábia decisão. Ele o havia aconselhado inclusive a fazer isso. Claro que se tratava de um segredo conhecido na localidade, sem dúvida também pela polícia. Do ponto de vista das autoridades, seria um bom tipo de resposta. Inumeráveis precedentes. Marido, mulher e a amante. Apesar disso, de um modo ou de outro, Marshall não podia acreditar que Leo Argyle fosse capaz de atacar a esposa. Não, ele não tinha como acreditar nisso. Afinal, conhecia Leo Argyle havia um bom número de anos e tinha sobre ele o mais alto conceito. Um intelectual. Um homem de grandes simpatias, um leitor acurado e um olhar filosófico e distante sobre a vida. Não o tipo de homem capaz de matar a mulher com um atiçador. Claro, depois de uma certa idade, quando um homem se apaixona... mesmo assim: não! Isso era coisa de imprensa sensacionalista. Uma leitura aparentemente divertida para um domingo nas ilhas britânicas! Mas, em verdade, não se podia imaginar que Leo...

E quanto à mulher? Não sabia muito a respeito de Gwenda Vaughan. Observou seus lábios grossos e a figura madura. Era certo que ela estava apaixonada por Leo Argyle. Ah, sim, provavelmente há um bom tempo. E quanto a um divórcio, se perguntou. O que pensaria a sra. Argyle a respeito de um divórcio? Não tinha como ter a mais vaga ideia, mas não lhe parecia que Leo Argyle fosse capaz de pedi-lo; era um tipo antiquado. Não imaginava que Gwenda Vaughan fosse amante de Leo Argyle, o que aumentaria a possibilidade de Gwenda Vaughan ter reconhecido uma chance de eliminar a sra. Argyle com a certeza de que nenhuma suspeita recairia sobre ela. Fez uma pausa antes de dar sequência a seus pensamentos. Teria ela sacrificado Jacko sem qualquer receio? Tinha a impressão de que ela nunca tivera muita afeição por Jacko. Seu charme não tinha apelo sobre ela. E mulheres – isso o sr. Marshall sabia muito bem – eram cruéis. De maneira que não se podia excluir Gwenda Vaughan. Era bastante improvável que passado todo esse tempo a polícia pudesse encontrar alguma evidência. Ele não via que tipo de evidência poderia ser encontrada contra ela. Estivera na casa naquele dia, na companhia de Leo, na biblioteca, despedira-se dele e descera as escadas. Não havia ninguém que pudesse afirmar se ela entrara ou não na antessala da sra. Argyle, se pegara aquele atiçador e caminhara, sem levantar suspeitas na mulher, até a sua escrivaninha. E então depois, tendo a sra. Argyle sido golpeada sem emitir um gemido, tudo o que Gwenda Vaughan teria a fazer era largar o atiçador e sair pela porta da frente, seguindo para casa, como lhe era de costume. Não via qualquer possibilidade de a polícia ou quem quer que fosse descobrir se havia sido isso o que ela fizera.

Seus olhos seguiram na direção de Hester. Uma garota bonita. Não, não apenas bonita, na verdade, ela era linda. Linda num sentido um pouco estranho e desconfortável. Gostaria de ter conhecido seus pais. Havia alguma coisa de selvagem nela. Sim, era quase possível usar a palavra "desesperada" para se referir a ela. Mas o que será que lhe dava esse ar desesperado? Ela havia fugido de um modo tolo para ser atriz e se envolvera num caso tolo com um homem imprestável; então ela recuperara a razão, voltara para casa com a sra. Argyle e parecia ter se assentado. Ao mesmo tempo, não se podia chegar a uma conclusão sobre Hester, pois não havia como entender o funcionamento de sua mente. Não tinha como adivinhar o que um estranho momento de desespero poderia fazer com ela. Mas isso nem a polícia saberia.

De fato, pensou o sr. Marshall, era muito improvável que a polícia, mesmo que chegasse a estar convicta de quem era o responsável, pudesse tomar alguma atitude prática. Assim, em geral, a posição era satisfatória. Satisfatória? Sentiu um pequeno sobressalto ao considerar a palavra. Mas era mesmo? Será que uma resposta defectiva era a melhor conclusão para a história toda? Será que os Argyle sabiam da verdade, perguntou-se. Decidiu-se por uma resposta negativa. Eles não sabiam. Exceto, claro, uma pessoa entre eles que, podia-se presumir, sabia perfeitamente bem... Não, eles não sabiam, mas de quem será que suspeitavam? Bem, se ainda não estava suspeitando de ninguém, logo estariam, porque mesmo sem saber é inevitável conjeturar, rever na mente o ocorrido naquela noite... Desconfortável. Sim, sim, uma posição bem desconfortável.

Todos esses pensamentos não lhe tomaram muito tempo. O sr. Marshall saiu de seu pequeno devaneio a tempo de perceber que Micky o olhava fixo, com um certo ar de deboche nos olhos.

– Então esse é o seu veredicto, sr. Marshall? – disse Micky. – Alguém vindo de fora, um invasor desconhecido, um vilão que mata e rouba e depois dá o fora?

– Parece – disse o sr. Marshall – que é a versão que teremos de aceitar.

Micky se reclinou na cadeira e gargalhou.

– Essa é a sua versão, e nós vamos mantê-la, é isso?

– Bem, me parece que sim, ao menos é esse o meu conselho.

Havia um tom distinguível de advertência na voz do sr. Marshall.

Micky assentiu com a cabeça.

– Entendo – ele disse. – Esse é o seu conselho. Sim. Sim, ouso dizer que o senhor tem toda a razão. Mas o senhor não acredita mesmo nisso, não é verdade?

O sr. Marshall lançou um olhar gelado em sua direção. Este era o problema de pessoas que não tinham o senso legal de discrição: insistiam em dizer coisas que era melhor calarem.

– No que diz respeito ao caso – ele disse –, essa é minha opinião.

O tom determinado em sua voz continha um ar de reprovação. Micky olhou ao redor da mesa.

– E qual é a nossa opinião? – ele perguntou, de modo geral. – Diga, Tina, amor da minha vida, aí ensimesmada, não tem nenhuma ideia melhor do que essa? Alguma versão não autorizada? E você, Mary? Também não disse muita coisa.

– É claro que eu concordo com o sr. Marshall – disse Mary com rispidez. – Que outra solução poderia haver?

– Philip não concorda com você – disse Micky.

Mary voltou a cabeça de modo brusco na direção do marido. Philip Durrant disse em voz baixa:

– É melhor controlar essa sua língua, Micky. Nada de bom pode vir de tagarelices num lugar pequeno. E aqui estamos num lugar pequeno.

– Então ninguém tem opinião nenhuma, é isso? – disse Micky. – Tudo bem. Que seja. Mas vamos todos pensar um pouquinho na situação quando formos para nossas camas. Será aconselhável, vejam bem. Afinal, todos vão querer saber onde estão os outros. Será que você não sabe uma coisinha ou outra, Kirsty? Normalmente você sabe. Até onde me lembro, você sempre sabia o que estava acontecendo, embora, isso eu possa lhe dizer, você nunca revelava.

Kirsten Lindstrom disse, não sem dignidade:

— Acho, Micky, que você devia cuidar dessa sua língua. O sr. Marshall tem razão. Falar assim é pouco sábio.

— Acho que devemos abrir uma votação – disse Micky. – Ou então cada um escreve um nome num pedaço de papel e nós colocamos dentro de um chapéu. Isso seria interessante, não seria? Ver quem teve mais votos.

Dessa vez a voz de Kirsten Lindstrom soou alta.

— Fique quieto – ela disse. Não há espaço aqui para aquele menino bobo e malcriado que você costumava ser. Está na hora de crescer.

— Só disse que devíamos pensar a respeito – disse Micky, recolhendo-se.

— Todos nós pensaremos a respeito – disse Kirsten Lindstrom.

E sua voz não escondia a amargura.

CAPÍTULO 11

I

A noite desceu sobre Sunny Point.

Protegidas por suas paredes, sete pessoas tentaram descansar, mas nenhuma delas dormiu bem...

II

Philip Durrant, desde sua doença e da perda de sua atividade corporal, tinha encontrado mais e mais conforto na atividade mental. Homem que sempre fora muito inteligente, ele agora se dera conta das possibilidades que se lhe abriam através do uso da inteligência. Às vezes se surpreendia por adivinhar as reações daqueles que o cercavam por meio de estímulos controlados. O que ele dizia ou fazia não era uma reação natural, mas sim algo calculado, motivado simples e somente para observar a resposta a esse estímulo. Era uma espécie de jogo de que participava; sempre que obtinha uma resposta antecipada, marcava um ponto para si mesmo.

Como resultado de seu passatempo, descobriu-se, talvez pela primeira vez na vida, um agudo observador das diferenças e das realidades da personalidade humana.

A personalidade humana nunca o havia interessado dessa maneira anteriormente. As pessoas que o cercavam ou o agradavam ou o desagradavam, divertiam-no ou entediavam-no. Ele sempre fora um homem de ação, não um homem cerebral. Sua imaginação, que era considerável, havia sido exercida no sentido de tramar alguma maneira de fazer dinheiro. Todos esses esquemas tinham uma boa elaboração, mas a total falta de tino para os negócios sempre acabava pondo tudo a perder. As pessoas, como tais, tinham sido consideradas por ele, até então, peões num tabuleiro. Agora, desde que sua doença o afastara da vida ativa, ele se viu obrigado a considerar a íntima natureza de cada pessoa.

Tal mudança começara no hospital, quando a adorável vida das enfermeiras, as hostilidades secretas e os penosos rancores da vida naquele ambiente atraíram sua atenção à força, já que não tinha mais nada com o que se ocupar. E logo aquilo se tornara um costume para ele. Pessoas: toda uma nova vida que se descortinava aos seus olhos. Apenas pessoas. Pessoas para estudar, para desvelar os segredos, para seu placar. Decidir consigo mesmo que reação tomariam e conferir se estava certo. Realmente, aquilo podia ser muito interessante...

Nessa mesma noite, sentado na biblioteca, ele percebera quão pouco ele conhecia, de verdade, a família da mulher. Como eles eram de fato? Como eram por dentro, isto é, não sua aparência exterior, que ele já conhecia bem o suficiente?

Era estranho pensar em como, na verdade, conhecia pouco as pessoas. Incluindo aí sua própria mulher.

Ele havia olhado de modo pensativo para a mulher. Quanto sabia sobre Mary de verdade?

Apaixonara-se por ela porque gostava de sua boa aparência e de seu jeito calmo e sério. Também, ela possuía dinheiro, e isso era uma coisa que importava para ele. Teria pensado duas vezes antes de se casar com uma garota pobre. Tudo havia se adequado com perfeição, e ele se casara com ela e a provocava e a chamava de Polly e se divertia com o olhar confuso que ela lhe lançava quando não conseguia entender suas brincadeiras. Mas o quê, *de fato*, ele sabia a respeito dela? Ou o que ela pensava e sentia? Sabia, por certo, que ela o amava com apaixonada devoção. E ao pensar nessa devoção, agitou-se, um pouco desconfortável, movendo os ombros como se quisesse se livrar de um peso. A devoção em si não era problema quando se podia escapar dela por nove ou dez horas por dia. Era um bom motivo para retornar para casa. Mas agora ele se sentia sufocar – atenção extrema, cuidados excessivos. Chegava quase a desejar um pouco da boa e velha negligência... Todo mundo precisa, de fato, encontrar maneiras de escapar. Maneiras mentais, já que não havia outras possíveis. Era preciso escapar para o reino da fantasia ou da especulação.

Especulação. Como, por exemplo, quem tinha assassinado sua sogra. Nunca sentira simpatia por ela, e o sentimento era recíproco. Ela fora contra o casamento dele com Mary (será que ela vislumbrava algum pretendente em específico? – imaginou), mas era algo que não podia evitar. Ele e Mary começaram uma vida feliz e independente – e então as coisas começaram a desandar. Primeiro a companhia da América do Sul, e depois a Bicycle Accessories Ltda, ambas boas ideias, mas o aspecto financeiro das duas havia sido equivocadamente julgado. E depois aquela ferrovia na Argentina, que se revelou um completo desastre. Tudo graças ao mais puro azar, que ele, de alguma maneira, atribuía à sra. Argyle. Ela nunca quisera que ele tivesse sucesso. E então veio a doença. Parecera que a única solução era irem morar em Sunny Point, onde seriam bem recebidos. Pessoalmente, ele não teria se importado. Um homem que era um aleijado, apenas meio-homem, que importava onde estivesse? Mas Mary não tinha gostado nada da ideia.

Bem, o plano de viver em caráter permanente em Sunny Point não vingou. A sra. Argyle tinha sido morta. Os administradores do fundo aumentaram a participação de Mary e, com esses recursos, eles voltaram a viver por conta própria.

Não sentira qualquer sofrimento em particular com a morte da sra. Argyle. Mais agradável teria sido, é claro, que tivesse morrido de pneumonia ou algo assim na cama. Assassinato era um negócio desagradável, com toda sua notoriedade e manchetes berrantes no jornal. Ainda assim, já que se tratava de um assassinato, havia sido um dos mais satisfatórios – o perpetrador com um parafuso a menos, que poderia se encaixar de maneira decente dentro de boa parte do jargão psicológico. Não um irmão de Mary. Uma dessas "crianças adotadas" de má genética, que, com muita frequência, saem dos trilhos. Mas as coisas agora não estavam tão bem assim. Amanhã o inspetor Huish viria fazer um inquérito com sua voz suave de homem do West County. Talvez seja preciso pensar nas respostas...

Mary penteava seus longos cabelos loiros em frente ao espelho. Alguma coisa em seu pacífico alheamento o irritava.

Ele disse:

– Tem a sua história na ponta da língua para amanhã, Polly?

Ela o encarou com olhos abismados.

– O inspetor Huish logo estará aqui. Ele perguntará outra vez quais foram os seus movimentos naquela noite de 9 de novembro.

– Ah, sim. Já faz tanto tempo agora. É difícil alguém lembrar de alguma coisa.

– Mas *ele* se lembra, Polly. Esse é o ponto. *Ele* se lembra. Está tudo registrado em algum caderninho bacana da polícia.

– É mesmo? Será que eles guardam essas coisas?

– Devem guardar provavelmente cópias triplas por uns dez anos! Bem, seus movimentos foram muito simples, Polly. Pois não houve qualquer movimento. Você ficou aqui comigo neste quarto. E se eu fosse você, não mencionaria o fato de que você o deixou entre as sete e as sete e meia.

– Mas foi apenas para ir ao banheiro. Afinal de contas – disse Mary, tentando parecer razoável –, todos precisam ir ao banheiro.

– Naquela época você não mencionou esse fato para ele. Lembro bem disso.

– Acho que me esqueci.

– Talvez tenha sido um instinto de autopreservação... Seja como for, lembro de ter protegido o álibi. Estávamos aqui juntos, jogando carta das seis e meia em diante, até Kirsty dar o alarme. Essa é nossa história e vamos mantê-la.

– Muito bem, querido – sua concordância foi plácida e desinteressada.

Ele pensou: "Será que ela não tem imaginação? Será que não consegue antever que temos aqui uma situação complicada?"

Ele se inclinou para a frente.

– É interessante, sabe... *Você* não está interessada em saber quem a matou? Todos sabemos, e Micky estava certo quanto a isso, que foi um de nós. Você não está interessada em saber quem?

– Não fui nem eu nem foi você – disse Mary.

– E é só isso que lhe interessa? Polly, você é incrível!

Ela corou de leve.

– Não vejo o que pode haver de estranho nisso.

– Claro, dá para ver que você não acha estranho... Bem, eu sou diferente. Estou curioso.

– Acho que jamais descobriremos. Não acho que a polícia vá descobrir algum dia.

– Talvez não. É certo que eles têm muito pouco a que se apegar. Mas nós estamos numa posição um tanto diferente da ocupada pela polícia.

– O que você quer dizer com isso, Philip?

– Bem, nós temos algumas informações internas. Sabemos um pouquinho do que acontece por aqui. Ou ao menos você deveria ter. Você cresceu entre eles. Vamos ver o seu ponto de vista. Quem *você* acha que é o assassino?

– Não faço a menor ideia, Philip.

– Então dê um palpite.

Mary falou com aspereza:

– Prefiro não saber quem foi. Prefiro nem pensar no assunto.

– A saída do avestruz – disse o marido.

– Honestamente, não vejo qual é o ponto de ficar adivinhando. É muito melhor não saber. Então tudo continuará igual entre nós.

– Ah, não, não é possível – disse Philip. – É aí que você se engana, minha garota. A carne já está apodrecendo.

– O que você quer dizer com isso?

– Bem, veja o caso de Hester e de seu jovem doutor, o zeloso dr. Donald. Um ótimo sujeito, sério, preocupado. Ele não acha que ela cometeu o crime, mas, ao mesmo tempo, não pode ter certeza de que ela não o cometeu! E então ele a olha, tomado de ansiedade, quando se dá conta de que ela não está olhando. Mas ela percebe assim mesmo. E assim estão as coisas! Talvez ela *tenha* cometido o crime, você pode imaginar isso melhor do que eu, mas se não foi ela, o que diabos ela pode fazer em relação ao seu jovem médico? Seguir dizendo: "Por favor, não fui eu"? Mas isso é o que ela já diz.

– Falando sério, Philip. Acho que você está imaginando coisas.

– E *você* não consegue imaginar nada, Polly. Veja o caso do pobre e velho Leo. Podem se ouvir as badaladas dos sinos do casamento com Gwenda cada vez mais ao longe. A garota está terrivelmente chateada com isso. Será que você não percebeu?

– Não vejo por que papai quer se casar de novo com essa idade.

– Para ele isso não é problema! Mas ao mesmo tempo, ele não quer levantar suspeitas de que ele e Gwenda tivessem um cão, o que lhes daria um motivo de primeira para cometer o assassinato. Que pepino!

– É incrível pensar por um momento que papai matou mamãe! – disse Mary. – Essas coisas não acontecem.

– Sim, elas acontecem. Leia os jornais.

– Não entre o nosso tipo de gente.

– O crime não é esnobe, Polly. E então há o Micky. Alguma coisa já o está incomodando. Ele é um rapaz estranho e amargo. Tina parece estar tranquila, despreocupada, intocada. Mas ela sabe blefar muito bem. E há ainda a velha Kirsty...

Uma leve animação tomou conta do rosto de Mary.

– Aí *talvez* possa haver uma solução!

– Kirsty?

– Sim. Afinal, ela é uma estrangeira. E acredito que ela teve fortes dores de cabeça nos últimos anos... Parece muito mais provável que tenha sido ela do que qualquer um de nós.

– Pobre coitada – disse Philip. – Será que não percebe que é justamente isso o que ela está dizendo para si mesma? Que todos nós concordamos que foi ela? Por conveniência. Porque ela não faz parte da família. Não percebeu que hoje à noite ela estava dura de preocupação? E ela está na mesma posição que Hester. O que ela pode fazer ou dizer? Dizer a todos nós: "Eu *não* matei minha amiga e patroa"? Que peso poderia ter essa declaração? Acho que ela está na pior situação de todos... Porque está sozinha. Deve estar repassando na cabeça cada palavra que disse, cada olhar raivoso que dedicou à sua mãe, pensando que isso será lembrado e usado contra ela. Desamparada para provar sua inocência.

– Gostaria que você se acalmasse, Phil. Afinal, o que *podemos* fazer a respeito?

– Apenas tentar descobrir a verdade.

– Mas como isso é possível?

– Deve haver algumas possibilidades. Gostaria de tentar.

Mary pareceu desconfortável.

– Que tipo de possibilidades?

– Ah, dizer algumas coisas, ver como as pessoas reagem, arranjar matéria para pensar – fazendo uma pausa, a cabeça em atividade –, descobrir algo que pudesse mexer com aquele que fosse o culpado, e não com os inocentes...

Mais uma vez ele ficou em silêncio, revolvendo as ideias na cabeça. Então ergueu os olhos e disse:

– Você não quer ajudar os inocentes, Mary?

– Não.

A palavra saiu como uma explosão. Ela se aproximou dele e se ajoelhou ao lado da cadeira.

– Não quero que você se envolva com isso, Phil. Não comece a dizer coisas por aí, espalhando armadilhas. Deixe o assunto de lado. Ah, pelo amor de Deus, deixe o assunto de *lado*!

As sobrancelhas de Philip se ergueram.

– Está bem – ele disse. E deixou a mão pousar sobre a cabeleira dourada e macia.

III

Michael Argyle estava deitado, mas não conseguia dormir, mirando a escuridão.

Sua mente não parava de girar, como um esquilo numa gaiola, revisitando o passado. Por que será que não conseguia deixar aquilo de lado? Por que precisava arrastar o passado consigo ao longo da vida? Por que aquilo lhe importava, afinal? Por que ele tinha de lembrar com tanta nitidez o quarto alegre e cheirando a mofo de seu casebre na periferia de Londres, de quando era o "nosso Micky"? A atmosfera vibrante em sua casualidade! O fervor das ruas! Fazer arruaça com os outros garotos! A mãe com sua cabeleira dourada (de tintura barata, pensou, com seu conhecimento adulto), suas súbitas fúrias quando ela o colocava de bunda para cima para tomar umas lambadas (o gim, claro!) e a selvagem alegria em que ela mergulhava quando estava de bom humor. Maravilhosos jantares de peixe com batata frita, as músicas que ela cantava – baladas sentimentais. Às vezes eles iam ao cinema. Havia sempre os tios, é claro – ou pelo menos assim ele devia chamá-los. Seu pai havia abandonado o lar antes que pudesse lembrar dele... Mas a mãe não deixava que o tio do dia botasse as mãos nele. "Deixe o nosso Micky em paz", ela dizia.

E então veio a excitação dos anos de guerra. A expectativa pelas bombas de Hitler, as sirenes abortivas. Os lamentos dos chorões. A ida até os abrigos subterrâneos para passar a noite. A diversão daquilo tudo! A rua toda estava lá, com seus sanduíches e suas garrafas de soda. E os trens que quase não paravam a noite inteira. Aquilo sim é que era vida, vida de verdade! No coração das coisas!

E então ele viera parar ali... no interior. Um lugar para zumbis, onde nada acontecia!

– Você vai voltar pra casa, amorzinho, quando tudo terminar – sua mãe havia dito, mas como se aquilo não fosse sincero de fato. Ela não parecia se importar com seu destino. E por que ela não voltou para buscá-lo? Muitas crianças da rua tinham sido evacuadas junto com suas mães. Mas sua mãe não quisera ir. Seguia para o Norte (com o tio da vez, tio Harry!) para trabalhar numa fábrica de munições.

Ele deveria ter percebido tudo, apesar do adeus cheio de afeto que ela lhe dera. Ela não se importava com ele de verdade... Gim, pensou, era apenas essa a razão de sua existência, o gim e os tios...

E então ele havia estado aqui, capturado, como um prisioneiro, a comida insossa, refeições sem espírito de família; ter de ir para cama, inacreditavelmente, às seis da tarde, depois de uma janta ridícula de leite e biscoitos (leite e biscoitos!), ficar acordado, chorando, a cabeça enfiada debaixo dos lençóis, chorando por sua mãe e seu lar perdidos.

Tinha sido aquela mulher! Ela o havia apanhado e não iria devolvê-lo. Cheia de conversa fiada. Fazendo-o sempre brincar de coisas estúpidas, querendo algo dele. Algo que ele estava determinado a não dar a ela. Esquecer de tudo. Ele esperaria. Seria paciente! E um dia – e que glorioso dia – ele iria para *casa*. E de casa para as ruas, ele junto com a molecada, e os gloriosos ônibus vermelhos, e o metrô, e o peixe com batata frita, e o tráfego e os gatos da área – sua mente não cansava de repassar o catálogo de delícias. Ele só tinha que esperar. A guerra não poderia durar para sempre. Ele estava preso naquele lugar idiota enquanto bombas caíam sobre Londres, metade da cidade em chamas: que beleza! Que incêndio não deveria dar, e as pessoas morrendo, e as casas desabando.

Viu tudo em sua mente, num glorioso filme em tecnicolor.

Esquecer-se de tudo. Quando a guerra acabasse, ele voltaria para a mãe. Ela ficaria surpresa ao ver o quanto ele havia crescido.

IV

No escuro, Micky Argyle expeliu o ar em um longo silvo.

A guerra *tinha* acabado. Eles haviam derrotado Hitler e Musso... Algumas das crianças estavam voltando. Logo seria sua vez... E então *Ela* retornara de Londres e havia dito que ele ficaria em Sunny Point e que ele seria o seu garotinho...

Ele perguntara:

– Onde está minha mamãe? Uma bomba pegou ela?

Se ela tivesse sido morta num bombardeio, bem, aquilo não teria sido tão terrível. Acontecia com as mães da rapaziada.

Mas a sra. Argyle disse "Não", ela não fora morta. Tinha, no entanto, muito trabalho a fazer e não podia se dar ao luxo de cuidar de uma criança, esse tipo de coisa e tal; conversa fiada, um monte de asneiras... A mãe não o amava, não o queria de volta, ele tinha que ficar aqui, para sempre...

Depois disso, ele ficava de tocaia, tentando ouvir alguma coisa, até que por fim ouviu algo, apenas um fragmento da conversa entre a sra. Argyle e o marido. "Ficou bem faceira ao se livrar dele, completamente indiferente", além de mais alguma coisa sobre cem libras. Então ele soube: sua mãe o havia vendido por cem libras...

A humilhação, a dor, ele jamais poderia superar... E *Ela* o havia comprado! Ele a via, vagamente, como uma espécie de encarnação do poder, alguém que ele, em suas escassas forças, não podia enfrentar. Mas ele cresceria, um dia seria forte, um homem. E então ele acabaria com ela...

Sentiu-se melhor após tomar essa resolução.

Mais tarde, quando começou a frequentar a escola, as coisas não ficaram tão ruins. Mas ele odiava os feriados – por causa dela. Arrumando tudo direitinho, planejando, dando-lhe todo tipo de presentes. Parecendo confusa por ele não demonstrar o seu afeto. Odiava ser beijado por ela... Tempos depois, sentia prazer em estragar os planos estúpidos que ela traçava para ele. Ir trabalhar num banco! Numa companhia petrolífera! Ele, não. Arranjaria um trabalho por conta própria.

Foi quando já estava na faculdade que tentou localizar sua mãe de verdade. Descobriu que ela morrera havia alguns anos, num acidente de carro com um homem que dirigia completamente embriagado...

Então por que não esquecer tudo? Por que não aproveitar o momento e tocar a vida em frente? Ele não sabia a resposta.

E agora... o que iria acontecer? *Ela* estava morta, não era verdade? E pensar que ela o comprou por miseráveis cem libras. E pensar que ela podia comprar tudo, casas, carros e crianças, posto que não podia engravidar. E pensar que ela era Deus em pessoa!

Bem, ela não era. Uma pancada na cabeça com um atiçador bastou para transformá-la num cadáver igual a qualquer outro! (Como o cadáver loiro numa batida de carro na Great North Road...)

Ela estava morta, não estava? Então para que se preocupar?

O que havia de errado com ele? Seria o fato de que ele não poderia mais odiá-la, uma vez que estava morta?

Então isso era a morte...

Sentia-se perdido sem poder cultivar seu ódio: perdido e assustado.

CAPÍTULO 12

I

Em seu quarto imaculado, Kirsten Lindstrom prendeu os cabelos de um loiro quase grisalho em duas tranças inconvenientes e se preparou para dormir.

Estava preocupada e temerosa.

Os policiais não gostavam de estrangeiros. Ela estava na Inglaterra havia tanto tempo que nem se sentia mais uma estrangeira. Mas a polícia não tinha como sabê-lo.

Aquele dr. Calgary... Por que ele tinha de ir até lá e fazer aquilo com ela?

A justiça já havia sido feita. Pensou em Jacko e repetiu para si mesma que a justiça fora feita.

Pensou nele com os olhos que o tinham visto quando ele ainda era um garotinho.

Sempre, sim, sempre, um mentiroso e um vigarista! Mas tão charmoso, tão sedutor. Era impossível não perdoá-lo. Sempre alguém tentava livrá-lo do castigo.

Ele mentia tão bem! Essa era a terrível verdade. Mentia tão bem que se podia acreditar nele, que era impossível não acreditar nele. O perverso e cruel Jacko.

Dr. Calgary podia até pensar que sabia o que estava falando. Lugares e tempos e álibis! Jacko poderia arranjar essas coisas facilmente. Ninguém conhecia Jacko a fundo como *ela*.

Será que alguém lhe daria crédito se ela dissesse com exatidão como era Jacko? E agora, amanhã, o que iria acontecer? A polícia viria. E todos tão infelizes, tão cheios de suspeitas. Olhando uns para os outros... Incertos sobre em que acreditar.

E ela os amava tanto... tanto. Conhecia cada um deles mais do que qualquer outra pessoa no mundo. Mais, inclusive, do que a própria sra. Argyle. Porque a sra. Argyle se deixara cegar por sua intensa possessividade maternal. Eles eram os seus filhos – vira-os sempre como suas propriedades. Mas Kirsten os encarava como indivíduos, como eles mesmos, com todos os seus defeitos e suas virtudes. Se ela tivesse tido seus próprios filhos, poderia ter sentido essa possessão de que falam – ela imaginava. Mas ela não era o que se poderia chamar de uma mulher com instinto maternal. Sua principal fonte de amor teria sido o marido que nunca teve.

Tinha dificuldades em entender mulheres como a sra. Argyle. Enlouquecidas por crianças que nem eram fruto de seus ventres e tratando os maridos como se eles nem estivessem ali! E no caso da patroa, ele era um bom homem, gentil; difícil encontrar alguém melhor. Negligenciado, deixado à míngua. E a sra. Argyle absorta demais para perceber o que acontecia embaixo de seu nariz. Aquela secretária... uma garota de boa aparência, cheia de feminilidade. Bem, ainda não era tarde demais para Leo... ou já seria? Agora, com o crime erguendo a cabeça da cova em que fora enterrado, poderiam os dois chegar a ficar juntos?

Kirsten suspirou com infelicidade. O que aconteceria a todos eles? A Micky, que havia desenvolvido aquele rancor profundo, quase patológico contra sua mãe adotiva? A Hester, tão insegura de si mesma, tão selvagem? Hester, que estivera a ponto de encontrar paz e segurança com seu jovem médico, bom e impassível? A Leo e Gwenda, que tinham tido um motivo, e, sejamos sinceros, oportunidade, como eles bem sabem? Com Tina, aquela pequena criatura, lisa, com jeito de gata? Com Mary, egoísta e insensível, que até o dia do casamento não sentira afeição por ninguém?

Certa vez, pensou Kirsten, ela sentira uma grande afeição por sua patroa, e também uma grande admiração. Não conseguia se lembrar exatamente quando deixara de gostar dela, quando tinha começado a julgá-la e a achá-la incompleta. Tão segura de si mesma, benevolente, tirânica: uma espécie de versão ambulante do dito "MAMÃE SABE TUDO". E nem sequer era mãe! Se *ela* uma vez tivesse dado à luz uma criança, isso teria feito com que ela fosse mais humilde.

Mas por que seguir pensando em Rachel Argyle? Rachel Argyle estava morta.

Tinha era que pensar em si mesma... e nos outros.

E no que aconteceria amanhã.

II

Mary Durrant acordou com um sobressalto.

Ela estivera sonhando, sonhando que era criança, vivendo ainda em Nova York.

Que estranho. Havia anos não pensava naquela época.

Era um tanto surpreendente que pudesse lembrar de tudo com exatidão. Quantos anos teria? Cinco? Seis?

Ela havia sonhado que a levavam do hotel de volta para os blocos pobres em que a família morava. Os Argyle estavam zarpando para a Inglaterra e não iriam levá-la junto. Raiva e ódio encheram seu coração por alguns instantes até que ela percebesse que tudo não passava de um sonho.

Que maravilha tinha sido aquilo. Entrar no carro, subir no elevador os dezoito andares do hotel. A enorme suíte, o banheiro maravilhoso; a revelação das coisas incríveis que havia no mundo – se você fosse rico! Se ela pudesse ficar ali, se pudesse manter aquilo tudo... para sempre...

De fato, não houvera dificuldade alguma. Tudo o que fora preciso foi uma demonstração de afeto; o que nunca fora muito fácil para ela, pois não era predisposta ao afeto, mas conseguiu superar a situação. E lá estava ela, estabelecida na vida! Um pai e uma mãe ricos, roupas, carros, navios, aviões, empregados à sua disposição, bonecas caras e brinquedos. Um sonho de fadas que se torna realidade...

Uma pena que tivesse de dividir tudo isso com todas aquelas outras crianças. Houve a guerra, claro. Ou isso teria acontecido de qualquer maneira? Aquele insaciável amor materno! Uma coisa realmente antinatural. Tão *animalesca*.

Sentira sempre um leve desprezo por sua mãe adotiva. Tinha sido no mínimo estúpida ao escolher as crianças para adotar. As desprivilegiadas! Com tendências criminosas, como Jacko. Instáveis, como Hester. Selvagens, como Micky. E Tina, uma mestiça! Não era de surpreender que todos tivessem se saído tão mal. Embora não conseguisse culpá-los por se rebelarem. Ela mesma havia se rebelado. Lembrou-se de seu encontro com Philip, um jovem e elegante piloto. E da desaprovação da mãe. "Esses casamentos feitos às pressas. Espere até a guerra acabar." Mas ela não queria esperar. Tinha uma determinação poderosa, incutida por seu pai e sua mãe. Eles haviam se casado, e a guerra terminara logo depois.

Ela então quisera ter Philip só para si, quisera escapar da sombra da mãe. Era o destino que a havia derrotado, não a mãe. Primeiro a derrocada dos planos financeiros de Phil e na sequência o terrível golpe: a poliomielite, do tipo que levava à paralisia. Assim que Philip pôde deixar o hospital, haviam ido a Sunny Point. Parecia inevitável que acabassem se estabelecendo aqui. O próprio Philip pensava nisso como algo inevitável. Havia gastado todo o seu dinheiro, e a parte dela do fundo não era lá muito grande. Ela havia requisitado uma quantia maior, mas a resposta tinha sido a de que talvez, por enquanto, o mais sábio fosse os dois viverem em Sunny Point. Mas ela queria Philip só para si, sem tirar nem pôr, não queria que ele se tornasse a última das "crianças" de Rachel Argyle. Ela não queria ter filhos: queria apenas Philip.

Mas Philip parecia bastante satisfeito com a ideia de morar em Sunny Point.

– Será mais fácil para você – ele disse. – E a movimentação das pessoas sempre será uma distração. Além disso, sempre achei o seu pai uma excelente companhia.

Por que ele não poderia apenas querê-la do modo como ela o queria, só para si? Por que necessitava outras companhias? Seu pai, Hester?

E Mary havia sentido uma onda vã de raiva percorrer todo seu corpo. Sua mãe, como sempre, veria as coisas acontecerem do modo que ela queria.

Mas não dessa vez... ela havia morrido.

E agora tudo seria revirado mais uma vez. Por quê? Ah, por quê?

E por que Philip se sentia tão envolvido com a investigação? Fazendo perguntas, tentando descobrir as coisas, metendo seu nariz onde não era chamado?

Preparando armadilhas...

Que *tipo* de armadilhas?

III

Leo Argyle viu a luz da manhã encher devagar a peça com uma tonalidade acinzentada.

Ele havia pensado em tudo com extremo cuidado.

Parecia-lhe muito claro o que haveriam de enfrentar, ele e Gwenda.

Pôs-se a pensar em todas as coisas que o inspetor Huish poderia investigar. Rachel entrando na peça e lhes falando sobre Jacko, sobre sua selvageria e suas ameaças. Gwenda, revelando tato, havia saído da peça, enquanto ele tentava reconfortar Rachel, dizendo que ela estava certa em se manter firme, que as ajudas no passado não tinham produzido nenhum bem, que, para o bem ou para o mal, ele precisava aguentar os resultados de suas ações. E isso fez com que ela se acalmasse.

E então Gwenda retornou para a peça, recolheu as cartas para pôr no correio e perguntou se havia alguma coisa a mais para fazer, a voz querendo dizer mais do que as palavras expressavam. E ele lhe havia agradecido e dito que não. E ela se despedira e se retirara, passando pelo corredor, descendo as escadas, passando pela peça em que Rachel estava à mesa e depois em direção à saída, sem que ninguém pudesse confirmar seu itinerário...

E ele mesmo estivera sentado sozinho na biblioteca, e não havia ninguém que pudesse confirmar se ele saíra dali em direção até onde estava Rachel.

Assim estavam as coisas: era como se os dois houvessem tido a oportunidade de cometer o crime.

E tinham um motivo, porque já então ele amava Gwenda, e ela o amava.

E não havia ninguém, nunca, que pudesse provar tanto a culpa quanto a inocência de nenhum deles.

IV

Cerca de quinhentos metros dali, Gwenda permanecia deitada e de olhos abertos, insone.

Suas mãos se retorciam; ela pensava no quanto tinha odiado Rachel Argyle.

E agora, na escuridão, Rachel Argyle dizia:

– Você pensou que poderia ter meu marido quando eu estivesse morta. Mas não pode... não pode. Ele nunca será seu.

V

Hester sonhava. Sonhava que estava com Donald Craig e que ele a havia levado, de repente, para a beira de um abismo. Ela gritara de medo e então, do outro lado da fenda, avistou Arthur Calgary, a mão esticada para ela.

Gritou na direção dele, de maneira reprovadora.

– Por que o senhor fez isso comigo?

Ao que ele respondeu:

– Mas eu vim aqui para *ajudá-la*...

Ela despertou.

VI

Deitada, imóvel, na pequena cama do quarto de hóspedes, Tina respirava leve e regularmente, mas o sono não vinha.

Pensava na sra. Argyle sem sentir gratidão nem ressentimento, apenas com amor. Graças à sra. Argyle ela tivera comida e bebida e um lar caloroso e brinquedos e conforto. Ela amara a sra. Argyle. Lamentava sua morte...

Mas as coisas não eram tão simples assim.

Não se importava quando o culpado era Jacko...

Mas e agora?

CAPÍTULO 13

O inspetor Huish passou os olhos por todos eles, de forma tranquila e educada. Seu tom, ao falar, era persuasivo e apologético.

– Sei que deve ser muito doloroso para todos vocês – ele disse – ter de voltar a esse assunto outra vez. Mas, em verdade, não temos muita escolha. Vocês viram a notícia, certo? Está em todos os jornais matutinos.

– Um livre-indulto – disse Leo.

– A fraseologia costuma exasperar as pessoas – disse Huish. – Um anacronismo, como tantos outros dentro da terminologia legal. Mas seu significado é bastante claro.

– Significa que vocês cometeram um erro – disse Leo.

– Sim – Huish reconheceu aquilo com simplicidade. – Claro: sem a evidência que nos trouxe o dr. Calgary, não havia como evitar a condenação.

Leo disse com frieza:

– Meu filho lhes disse, quando vocês o prenderam, que ele havia pegado uma carona naquela noite.

– Oh, sim. Foi o que ele nos disse. E fizemos o nosso melhor para checar sua versão, mas não conseguimos encontrar qualquer confirmação para a história. Posso entender, sr. Argyle, que o senhor se sinta excessivamente amargurado em relação a tudo isso. Não vim pedir desculpas nem lamentar o nosso erro. Tudo o que podemos fazer como policiais é coletar as evidências. As evidências seguem para o promotor e então ele decide o que fazer. Neste caso, ele decidiu por seguir em frente. Se possível, gostaria que vocês deixassem de lado a amargura e que se concentrassem nos fatos e nos horários outra vez.

– Que diferença isso faz agora? – Hester perguntou com aspereza. – Quem quer que tenha cometido o crime já está a quilômetros de distância, e o senhor jamais vai encontrá-lo.

O inspetor Huish se voltou para olhá-la.

– Pode ser que sim... pode ser que não – ele disse suavemente. – A senhorita ficaria surpresa com a frequência com que prendemos nossos criminosos, às vezes depois de muitos anos. Conseguimos isso com paciência, paciência e perseverança.

Hester virou a cabeça para o outro lado, e Gwenda sofreu um leve tremor, como se uma corrente de vento tivesse cruzado por ela. Sua imaginação vivaz sentia a ameaça escondida atrás daquelas palavras amenas.

– Agora, se me permitem – disse Huish. Olhou com expectativa para Leo. – Começaremos com o senhor, sr. Argyle.

– O que exatamente o senhor quer saber? Deve ter ainda o meu depoimento original, não? É provável que já não possa ser tão acurado agora. Os horários exatos dos acontecimentos costumam desaparecer da memória.

– Ah, sim, temos consciência disso. Mas sempre há a chance de que algum pequeno fato venha à luz, alguma coisa que tenha sido esquecida naquela época.

– Será que isso é possível – perguntou Philip –, que alguém possa se lembrar melhor de coisas do passado depois do lapso de dois anos?

– Sim, é uma possibilidade – disse Huish, voltando a cabeça para olhar Philip com algum interesse.

"Um camarada inteligente", pensou. "Gostaria de saber se ele tem algumas ideias particulares sobre tudo isso..."

– Pois bem, sr. Argyle, que tal retomarmos a sequência dos eventos? O senhor tomou chá?

– Sim. O chá foi servido na sala de jantar às cinco, como de costume. Estávamos todos lá, exceto o sr. e a sra. Durrant. A sra. Durrant levou seu chá e o do marido para sua própria antessala.

– Eu estava então mais aleijado do que agora – disse Philip. – Eu recém saíra do hospital.

– Muito bem – Huish se voltou para Leo. – Quem eram todos vocês?

– Minha mulher e eu, minha filha Hester, a srta. Vaughan e miss Lindstrom.

– E então? Conte-me com suas próprias palavras.

– Depois do chá voltei até aqui com a srta. Vaughan. Trabalhávamos num capítulo de meu livro sobre a economia medieval, que eu estava revisando. Minha esposa foi até sua antessala e escritório, que fica no primeiro andar. Ela era, como o senhor sabe, uma mulher muito ocupada. Estudava alguns planos para um novo parque infantil que ela pretendia dar de presente ao condado.

– O senhor ouviu o seu filho Jacko chegar?

– Não. Quer dizer, não sabia que era ele. Escutei, nós dois escutamos, a campainha da frente. Não sabíamos quem era.

– Quem o senhor pensou que fosse, sr. Argyle?

Leo pareceu um pouco surpreso.

– Eu estava imerso no século XV naquele momento, não no XX. Não pensei em nada. Poderia ser qualquer um. Minha mulher e miss Lindstrom e Hester e possivelmente um de nossos empregados diaristas poderiam estar por ali. Ninguém – disse Leo com simplicidade – jamais esperaria que *eu* atendesse a porta.

– E depois disso?

Punição para a inocência 445

– Mais nada. Até que minha mulher apareceu, um bom tempo depois.
– Quanto tempo depois?
Leo franziu o cenho.
– Já não tenho como saber com precisão. Devo ter passado ao senhor a minha estimativa na investigação anterior. Meia hora, não, mais, talvez 45 minutos.
– Terminamos o chá logo depois das cinco e meia – disse Gwenda. – Creio que devia faltar uns vinte minutos para as sete quando a sra. Argyle entrou na biblioteca.
– E o que ela disse?
Leo suspirou. Falou com desgosto.
– Foram tantas vezes a mesma conversa. Ela disse que Jacko havia estado com ela, que ele estava em dificuldades, que ele fora violento e abusado, exigira dinheiro e dissera que se não lhe dessem algum naquele momento ele acabaria preso. Que ela se recusara a lhe dar um penny que fosse. Estava preocupada em saber se havia agido corretamente ou não.
– Sr. Argyle, posso lhe fazer uma pergunta? Por quê, quando o garoto fazia essas exigências de dinheiro, a sua mulher não lhe chamava? Por que só lhe contava tudo depois? Isso não parecia estranho ao senhor?
– Não, não parecia.
– Ao menos para mim esse seria o modo natural de agir. Vocês dois não se davam bem?
– Ah, não. É que simplesmente minha mulher estava acostumada a lidar sozinha com essas decisões práticas. Quase sempre me consultava de antemão sobre o que eu pensava e depois era comum que viesse discutir comigo as decisões que havia tomado. Quanto a essa questão em particular, nós já faláramos com seriedade sobre o problema de Jacko, o que fazer para chegar à melhor solução. Vendo as coisas à luz de hoje, percebo que fomos muito desafortunados nas nossas tentativas de lidar com o garoto. Ela pagava consideráveis somas de dinheiro para protegê-lo das consequências de suas ações. Fez isso muitas vezes. Decidimos então que, se houvesse uma outra vez, o melhor para Jacko era que aprendesse a se virar sozinho, do modo mais difícil.
– Mesmo assim, ela se mostrou chateada?
– Sim. Ela estava chateada. Se ele tivesse sido menos violento e ameaçador, acho que ela teria cedido e o ajudado mais uma vez, mas sua atitude somente reforçou a resolução da mãe.
– Foi quando Jacko deixou a casa?
– Ah, sim.
– O senhor sabe disso porque percebeu, ou foi a sra. Argyle quem lhe contou?

– Ela me contou. Ela disse que ele havia saído, jurando voltar de forma ameaçadora, e que era melhor ela arrumar o dinheiro para ele.

– O senhor estava, e isso é importante, estava alarmado com a possibilidade do retorno do rapaz?

– Claro que não. Estávamos bastante acostumados ao que se poderia chamar de bazófia do Jacko.

– Nunca chegou a cogitar que ele pudesse retornar e atacar sua esposa?

– Não. Disse isso ao senhor na ocasião. Eu estava assombrado.

– E parece que o senhor estava certo – disse Huish com suavidade. – Não foi ele quem a atacou. A que horas a sra. Argyle o deixou exatamente?

– Disso eu me lembro. Repassamos isso várias vezes. Logo antes das sete, talvez uns sete minutos antes das sete.

Huish se voltou na direção de Gwenda Vaughan.

– A senhorita confirma a informação?

– Sim.

– E a conversa ocorreu como o sr. Argyle acaba de relatar? Não tem nada a acrescentar? Nada que ele tenha esquecido?

– Não pude ouvir tudo. Depois que a sra. Argyle nos falou sobre as exigências de Jacko, achei que o melhor era sair, para evitar que os dois se sentissem desconfortáveis em falar livremente em minha presença. Saí por ali – disse ela, apontando para a porta nos fundos da biblioteca – e entrei na pequena salinha onde uso a máquina de escrever. Quando ouvi que a sra. Argyle já havia partido, retornei.

– E isso foi aos sete minutos para as sete?

– Logo antes de cinco para as sete, sim.

– E depois disso, srta. Vaughan?

– Perguntei ao sr. Argyle se ele queria continuar o trabalho, mas ele me disse que sua cadeia de pensamentos se havia interrompido. Perguntei se havia mais alguma coisa que eu pudesse fazer, ao que ele disse que não. Então ajeitei as minhas coisas e fui embora.

– A que horas?

– Sete e cinco.

– Desceu as escadas e saiu pela porta?

– Sim.

– A antessala da sra. Argyle ficava logo à esquerda da porta da frente?

– Sim.

– A porta estava aberta?

– Não estava fechada, tinha uma fresta.

– A senhorita não entrou ou lhe disse boa-noite?

– Não.

– Não costumava se despedir?

– Não. Seria uma tolice distraí-la do que estava fazendo apenas para dar boa-noite.

– Se a senhorita tivesse entrado, talvez tivesse descoberto o corpo dela jazendo ali, morto.

Gwenda deu de ombros.

– Suponho que sim... Mas imagino, todos nós imaginamos então, que ela foi morta mais tarde. Jacko mal teria tido tempo de...

Ela se calou.

– A senhorita continua seguindo a linha de pensamento que leva Jacko a ser o assassino. Mas agora as coisas mudaram. De forma que ela já *poderia* estar morta então, não é verdade?

– Suponho que sim.

– A senhorita deixou a casa e seguiu direto para a sua?

– Sim. Minha senhoria falou comigo na hora em que cheguei.

– Muito bem. E a senhorita não encontrou ninguém no caminho, perto da casa?

– Acho que não... não – Gwenda franziu o cenho. – Não consigo lembrar... Fazia frio, estava escuro e essa estrada é um beco sem saída. Não creio que pudesse cruzar com ninguém antes de chegar a Red Lion. Havia várias pessoas por lá.

– Algum carro passou pela senhorita?

Gwenda pareceu surpresa.

– Ah, sim, me lembro de um carro. Espirrou barro na minha saia. Tive que limpar a lama quando cheguei em casa.

– Que tipo de carro?

– Não me lembro. Não percebi. Passou por mim junto à entrada para a nossa estrada. Poderia estar se dirigindo para qualquer uma das casas.

Huish se voltou para Leo.

– O senhor disse ter ouvido a campainha um pouco depois de sua esposa ter deixado a biblioteca?

– Sim... creio ter ouvido. Nunca tive certeza absoluta.

– A que horas foi isso?

– Não faço ideia. Não olhei.

– O senhor não chegou a pensar que podia ser o seu filho Jacko que tivesse voltado?

– Não pensei em nada. Eu tinha voltado ao trabalho.

– Mais uma coisa, sr. Argyle. O senhor fazia ideia de que seu filho era casado?

– De jeito nenhum.

– A mãe dele também não sabia? O senhor suspeita que ela pudesse saber e que não lhe tivesse contado?

– Tenho quase certeza de que ela não fazia a mais vaga ideia disso. Se soubesse teria vindo me falar na hora. Fiquei extremamente chocado quando a esposa dele apareceu no dia seguinte. Mal pude acreditar quando miss Lindstrom entrou na biblioteca e disse: "Há uma jovem lá embaixo: uma garota que diz ser a esposa de Jacko. Não pode ser *verdade*." Você estava terrivelmente chateada, não é, Kirsty?

– Não podia acreditar naquilo – disse Kirsten. – Fiz ela repetir duas vezes o que estava dizendo e então fui até o sr. Argyle. Parecia inacreditável.

– O senhor foi muito gentil com ela, pelo que sei – disse Huish para Leo.

– Fiz o que podia. Ela se casou de novo. Estou muito feliz. Seu marido parece ser um bom sujeito.

Huish concordou com a cabeça. Então se voltou para Hester.

– Agora, srta. Argyle, me diga mais uma vez o que fez naquele dia depois do chá.

– Não consigo mais lembrar – disse Hester, de mau humor. – E como poderia? Faz dois anos. Posso ter feito qualquer coisa.

– Na verdade, creio que a senhorita ajudou miss Lindstrom a lavar a louça.

– É isso mesmo – disse Kirsten. – E depois – ela acrescentou – você subiu para o seu quarto. Você ia sair mais tarde, lembra? Ia assistir a uma montagem amadora de *Esperando Godot*, na Drymouth Playhouse.

Hester continuava calada e pouco cooperativa.

– O senhor já tem isso por escrito – ela disse para Huish. – Por que repassar isso tudo?

– Porque nunca se sabe o que poderá ser útil. Muito bem, srta. Argyle, que horas a *senhorita* deixou a casa?

– Às sete... por aí.

– A senhorita escutou as altercações entre sua mãe e o seu irmão Jack?

– Não, não ouvi nada. Eu estava no andar de cima.

– Mas a senhorita via a sra. Argyle antes de sair de casa?

– Sim. Eu queria algum dinheiro. Eu estava de saída. Aí lembrei que tinha pouca gasolina no tanque do carro. Precisava abastecer no caminho para Drymouth. Assim, quando já estava para sair, fui até mamãe e pedi a ela algum dinheiro, apenas algumas libras, que era o que eu precisava.

– E ela lhe deu o dinheiro?

– Kirsty me deu.

Huish pareceu um pouco surpreso.

– Não lembro de ter lido isso no seu depoimento original.

– Bem, mas foi o que aconteceu – disse Hester em tom de desafio. – Eu entrei e lhe disse que precisava de algum dinheiro, e Kirsten me ouviu do hall e me chamou para dizer que tinha algum e que daria para mim. Ela também estava prestes a sair. E então mamãe disse: "Isso, dê dinheiro a ela, Kirsty".

– Eu ia levar uns livros sobre arranjos florais até o Instituto da Mulher – disse Kirsten. – Sabia que a sra. Argyle estava ocupada e que não queria ser incomodada.

Hester disse num tom de voz agressivo:

– O que importa quem me deu o dinheiro? Vocês queriam saber quando tinha sido a última vez que eu vira mamãe com vida. Foi nessa ocasião. Ela estava sentada à mesa, despejando planos e mais planos. E eu disse que queria dinheiro, e então Kirsten disse que ia me dar. Eu peguei o dinheiro dela e entrei no quarto de mamãe de novo para lhe dar boa-noite, e ela me disse que aproveitasse a peça e que dirigisse com cuidado. Ela sempre dizia isso. E então eu desci até a garagem e tirei o carro.

– E miss Lindstrom?

– Ah, ela saiu logo depois de me dar o dinheiro.

Kirsten Lindstrom disse, rápida:

– Hester passou por mim de carro assim que cheguei ao final da rua. Ela deve ter saído quase imediatamente depois de mim. Ela subiu a colina em direção à estrada principal, e eu dobrei à esquerda para ir ao Village.

Hester abriu a boca como se fosse dizer alguma coisa, mas logo voltou atrás.

Huish refletiu. Estaria Kirsten Lindstrom tentando comprovar que Hester não teria tido tempo para cometer o crime? Não seria possível em vez de Hester ter se despedido tranquilamente da sra. Argyle, que tivesse uma querela – uma discussão, e que Hester a tivesse abatido?

Voltou-se para Kirsten devagar e disse:

– Agora, miss Lindstrom, vamos ouvir o que a senhora lembra sobre o ocorrido.

Ela estava nervosa. Suas mãos, entrelaçadas de um jeito desconfortável.

– Nós tomamos chá. Limpamos a mesa. Hester me ajudou. Depois ela foi para o andar de cima. Então Jacko chegou.

– A senhora o ouviu chegar?

– Sim, eu abri a porta para ele. Ele disse que tinha perdido a chave. Ele foi direto ver sua mãe. Disse a ela imediatamente: "Eu estou numa enrascada. Você tem que me tirar dessa." Eu não ouvi mais nada. Voltei para a cozinha. Tinha que preparar algumas coisas para o jantar.

– Você o ouviu sair?

– Sim, eu ouvi. Ele estava gritando. Eu saí da cozinha. Ele estava parado no hall de entrada, furioso, dizendo aos berros que ia voltar, e que era bom que a mãe dele estivesse com o dinheiro para lhe dar. Se não... Foi isso que ele disse: "Se não..." Foi uma ameaça.

– E então?

– Ele saiu batendo a porta. A sra. Argyle foi até o hall de entrada. Ela estava muito pálida e chateada. Ela me disse: "Você ouviu isso?" Eu disse: "Ele está encrencado?" Ela assentiu com a cabeça. Então subiu para a biblioteca, para ver o sr. Argyle. Eu coloquei a mesa para o jantar e então subi para vestir minhas roupas de sair. O Instituto da Mulher estava promovendo um concurso de arranjos florais no dia seguinte. Havia alguns livros sobre arranjos de flores que tínhamos prometido doar a eles.

– A senhora levou os livros até o instituto. A que horas voltou para a casa?

– Por volta das sete e meia. Tenho uma cópia da chave. Fui direto ao quarto da sra. Argyle para dar a ela a mensagem de agradecimento e um bilhete. Ela estava sentada à escrivaninha, a cabeça apoiada nas mãos. E lá estava o atiçador, atirado no chão, e as gavetas do móvel estavam abertas. Um ladrão havia entrado, eu pensei. Ela fora atacada. E eu estava certa. *Agora* vocês sabem que eu estava certa! *Foi* um ladrão – alguém de fora!

– Alguém para quem a própria sra. Argyle abriu a porta?

– Por que não? – disse Kirsten, desafiadora. – Ela era gentil, sempre muito gentil. E ela não tinha medo, de nada nem de ninguém. Além do mais, ela não estava sozinha em casa. Havia outras pessoas. Seu marido, Gwenda, Mary. Ela podia gritar.

– Mas não gritou – apontou Huish.

– Não. Porque essa pessoa deve ter contado uma história muito plausível. Ela sempre ouvia. E então, ela se sentou outra vez à escrivaninha, possivelmente para procurar seu talão de cheques, porque era ingênua, e o ladrão teve tempo de apanhar o atiçador e golpeá-la. Talvez ele nem tivesse a intenção de matá-la. Talvez quisesse apenas deixá-la inconsciente e procurar dinheiro e joias e ir embora.

– Ele não procurou muito, apenas abriu algumas gavetas.

– Talvez ele tenha ouvido barulhos na casa ou perdido a coragem. Ou talvez tenha visto que ela estava morta. E então partiu rapidamente, em pânico.

Ela se inclinou para frente.

Seus olhos estavam a um só tempo aterrorizados e suplicantes.

– *Tem* que ter sido assim... Só pode ser!

Sua insistência o deixou curioso. Seria receio por si mesma? Ela *poderia* ter matado sua patroa e depois puxado as gavetas para dar verossimilhança à ideia do assalto. A perícia médica não pôde determinar a hora exata do óbito; concluiu apenas que ocorreu entre sete e sete e meia da noite.

– Parece ter sido isso mesmo o que aconteceu – ele concordou, gentil. Ela deixou escapar um leve suspiro de alívio e se recostou de novo. Virou-se para os Durrants.

– Nenhum de vocês ouviu nada?

– Absolutamente nada.

– Eu levei uma bandeja com chá para o nosso quarto – disse Mary. – É um tanto afastado do resto da casa. Ficamos lá até ouvirmos alguém gritar. Tinha sido Kirsten. Ela havia acabado de encontrar mamãe morta.

– Vocês não deixaram o quarto por um instante sequer antes disso?

– Não – seus atentos e límpidos olhos encontraram os dele. – Estávamos jogando carta.

Phillip se perguntou por que se sentia levemente desconcertado. Polly estava fazendo exatamente o que ele a havia dito para fazer. Talvez fosse a perfeição de sua conduta: calma, ponderada, mostrando total convicção.

"Polly, querida, você é uma excelente mentirosa!", pensou.

– E eu, inspetor – ele disse –, estava na época, e ainda estou, incapacitado pela doença de sair dando voltas por aí.

– Mas o senhor já está bem melhor, não é mesmo, sr. Durrant? – disse o inspetor com alegria. – Em breve veremos o senhor caminhando de novo.

– É um longo processo.

Huish voltou-se para os outros dois membros da família, que até o momento permaneciam em absoluto silêncio. Micky estava sentado com os braços cruzados e tinha um leve sorriso de escárnio no rosto. Tina, pequena e graciosa, estava recostada em sua cadeira, os olhos se movendo ocasionalmente de um rosto a outro.

– Nenhum de vocês dois estava em casa, eu sei – ele disse. – Mas vocês poderiam refrescar minha memória a respeito do que estavam fazendo naquela noite?

– Sua memória precisa mesmo ser refrescada? – perguntou Micky com escárnio ainda mais evidente. – Eu ainda posso dizer a minha parte. Estava na rua testando um carro. Problema na embreagem. Fiz um teste longo e efetivo. De Drymouth até Minchin Hill, pela Moor Road e voltando pela Ipsley. Infelizmente carros são mudos, não podem testemunhar.

Tina tinha finalmente virado a cabeça. Estava olhando de maneira fixa para Micky. Seu rosto ainda estava inexpressivo.

– E a senhorita, srta. Argyle? Trabalha na biblioteca em Redmyn?

– Sim. Ela fecha às cinco e meia. Fiz umas comprinhas na High Street. Depois fui para casa. Tenho um apartamento, um pequeno apartamento, no

Morecombe Mansions. Fiz meu próprio jantar e desfrutei uma noite tranquila ouvindo discos no gramofone.

– Você não saiu nem por um instante?

Houve uma pequena pausa antes da resposta:

– Não, não saí.

– Está certa disso, srta. Argyle?

– Sim, tenho certeza.

– Você tem um carro, não tem?

– Sim.

– Ela tem um carrinho – disse Micky – daqueles que mal cabem uma pessoa.

– Eu tenho um dos chamados *bubble*, sim – disse Tina, solene e contida.

– Onde o guarda?

– Na rua. Eu não tenho garagem. Tem uma ruela perto dos apartamentos. Muitas pessoas estacionam os carros por ali.

– E senhorita não tem... Nada a dizer que possa nos ajudar?

Nem mesmo Huish sabia ao certo por que estava sendo tão insistente.

– Não creio que haja nada que eu possa contar ao senhor.

Micky laçou-lhe um rápido olhar.

Huish suspirou.

– Pelo visto isso não lhe ajudou muito, inspetor – disse Leo.

– Nunca se sabe, sr. Argyle. O senhor se deu conta, eu suponho, de uma das coisas mais estranhas dessa história?

– Eu? Acho que não estou acompanhando o seu raciocínio.

– O dinheiro – disse Huish. – O dinheiro que a sra. Argyle retirou do banco, incluindo aquela nota de cinco libras em que estava escrito "sra. Bottleberry, Bangor Road, 17". Grande parte do caso consistia no fato de que aquela nota de cinco libras e outras mais estavam de posse de Jack Argyle quando ele foi detido. Ele jurou que pegara o dinheiro com a sra. Argyle, mas a sra. Argyle disse, categoricamente, tanto ao senhor quanto à srta. Vaughan, que não dera dinheiro algum a Jacko. Então, como ele conseguiu aquelas cinquenta libras? Ele não podia ter voltado até aqui, a declaração do dr. Calgary deixa isso muito claro. Logo, ele já devia estar com o dinheiro quando saiu da casa. Quem deu o dinheiro a ele? Foi o senhor?

Ele se virou diretamente para Kirsten Lindstrom, que ruborizou, tomada de indignação.

– Eu? Não, claro que não. Como eu poderia fazer isso?

– Onde estava guardado o dinheiro que a sra. Argyle havia retirado do banco?

— Ela costumava guardá-lo na gaveta da escrivaninha – disse Kirsten.
— A gaveta ficava trancada?

Kirsten refletiu.

— Era possível que ela trancasse a gaveta antes de ir para a cama.

Huish olhou para Hester.

— A senhorita pegou o dinheiro da gaveta e deu ao seu irmão?

— Eu nem sabia que ele estava em casa. E como eu poderia pegar o dinheiro sem que mamãe soubesse?

— A senhorita poderia ter pegado facilmente quando sua mãe subiu até a biblioteca para consultar seu pai – sugeriu Huish.

Ele se perguntou se ela iria perceber e evitar a armadilha.

Ela caiu.

— Mas Jacko já tinha saído a essa altura. Eu... – ela parou, consternada.

— Então a senhorita *sabe* que horas o seu irmão saiu – disse Huish.

Hester disse rápida e impetuosamente:

— Eu... Eu sei agora... Não sabia naquele momento. Eu estava no meu quarto, já disse. Não ouvi absolutamente nada. E, de qualquer maneira, eu nunca daria dinheiro ao Jacko.

— E eu vou lhe dizer uma coisa – disse Kirsten. Seu rosto estava vermelho e furioso. – Se eu tivesse dado dinheiro a Jacko, teria sido meu próprio dinheiro! Eu não teria roubado!

— Tenho certeza que não – disse Huish. – Mas a senhora vê onde isso nos leva. A sra. Argyle, apesar do que disse a *vocês* – ele olhou para Leo –, deve ter dado ela mesma o dinheiro a ele.

— Não posso acreditar. Por que ela não me contaria se tivesse feito isso?

— Ela não seria a primeira mãe a ser mais permissiva com o filho do que pudesse admitir.

— O senhor está errado, Huish. Minha mulher não procedia dessa maneira.

— Acho que procedeu dessa vez – disse Gwenda Vaughan. – De fato ela deve ter feito isso... Como disse o inspetor, é a única resposta possível.

— Afinal de contas – disse Huish num tom suave –, temos que olhar o caso de um ponto de vista diferente agora. Na ocasião da prisão, achávamos que Jack Argyle estava mentindo. Mas agora sabemos que ele disse a verdade sobre a carona que Calgary lhe deu, então, ao que tudo indica, ele estava dizendo a verdade também sobre o dinheiro. Ele disse que sua mãe havia dado o dinheiro a ele. Logo, ao que tudo indica, foi o que aconteceu.

Houve um silêncio. Um silêncio desconfortável.

Huish se levantou.

— Bem, eu agradeço. Creio que seja tarde demais para encontrar o rastro, mas nunca se sabe.

Leo levou-o até a porta. Quando retornou disse com um suspiro:

— Bem, isso está encerrado. Por enquanto.

— Para sempre – disse Kirsten. – Eles nunca vão descobrir.

— E o que ganhamos com isso? – gritou Hester.

— Minha querida – seu pai aproximou-se dela. – Acalme-se, minha pequena. Não fique tão nervosa. O tempo cura tudo.

— Algumas coisas ele não cura. O que nós vamos fazer? Oh! O que vamos *fazer*?

— Hester, venha comigo – Kirsten pôs a mão sobre seu ombro.

— Eu não quero ir com ninguém.

Hester saiu correndo dali. Um instante depois, ouviram a porta da frente bater.

Kirsten disse:

— Tudo isso não é bom para ela.

— E também não acho que seja mesmo verdade – disse Philip Durrant num tom pensativo.

— O que não é verdade? – perguntou Gwenda.

— Que nunca saberemos a verdade... Estou com uma sensação estranha.

Seu rosto de fauno, quase maldoso, abriu-se num sorriso misterioso.

— Por favor, Philip, tenha cuidado – disse Tina.

Ele olhou-a admirado.

— Pequena Tina. E o que você sabe a respeito de tudo isso?

— Espero – disse Tina, muito clara e decididamente – não saber nada.

CAPÍTULO 14

I

— O senhor não conseguiu nada, não é? – disse o comandante de polícia.

— Nada definitivo, senhor – disse Huish. – Ainda assim, a visita não foi de todo uma perda de tempo.

— Conte-me tudo.

— Bem, nossos principais horários e locais continuam os mesmos. A sra. Argyle estava viva pouco antes das sete horas, falou com o marido e com Gwenda Vaughan, depois foi vista por Hester Argyle no andar de baixo. As pessoas não podem estar mancomunadas. Jacko Argyle agora está fora do páreo, então isso quer dizer que ela poderia ter sido assassinada pelo marido a qualquer instante entre sete e cinco e sete e meia; por Gwenda Vaughan às sete e cinco, hora em que deixou a casa; por Hester pouco antes disso; por Kirsten Lindstrom um pouco mais tarde, quando ela chegou em casa, digamos que um pouco antes das sete e meia. A paralisia de Durrant dá a ele um álibi, mas o álibi de sua mulher depende da palavra dele. Ela poderia ter descido as escadas e matado a mãe, se assim desejasse, a qualquer hora entre sete e sete e meia, se o marido estivesse preparado para lhe dar cobertura, embora eu não veja por que ela faria isso. Até onde posso enxergar, apenas duas pessoas teriam um real motivo para ter cometido o crime. Leo Argyle e Gwenda Vaughan.

– Acha que foi um deles... Ou os dois agiram juntos?

– Não acho que tenham sido cúmplices. Para mim, foi um ato impulsivo, e não premeditado. A sra. Argyle entra na biblioteca, conta aos dois sobre as ameaças e exigências de Jacko. Feito isso, Leo Argyle desce para falar com ela sobre Jacko, ou sobre algum outro assunto. A casa está silenciosa, ninguém por perto. Ele entra na sala. Lá está ela, de costas para ele, sentada à escrivaninha. E lá está o atiçador, talvez ainda no mesmo lugar onde Jacko o jogou depois de ameaçá-la com ele. Esses homens quietos, reprimidos, às vezes estouram. A mão coberta por um lenço, para não deixar impressões digitais, ele ergue o atiçador, golpeia a cabeça dela e está feito. Abre uma gaveta ou duas para sugerir uma busca por dinheiro. Depois volta para o andar de cima até alguém encontrá-la. Ou quem sabe Gwenda Vaughan, que, indo em direção à porta para ir embora, passa pela sala, dá uma olhada e aquele desejo se apodera dela. Jacko seria o bode expiatório perfeito, e o caminho para o casamento com Leo Argyle estaria livre.

O major Finney balançou a cabeça, pensativo.

– Sim, pode ser. E é claro que eles foram cautelosos em não anunciar a união cedo demais. Não até que Jacko, aquele pobre diabo, fosse condenado pelo crime. Sim, isso parece plausível. Crimes são muito monótonos. Marido e uma terceira pessoa, ou esposa e uma terceira pessoa, sempre a mesma e velha fórmula. Mas o que *nós* podemos fazer quanto a isso, hein, Huish? O que podemos fazer?

– Não sei, senhor – disse Huish com vagar –, o que podemos fazer a respeito disso. *Nós* podemos ter certeza, mas onde estão as provas? Nada para apresentar ao tribunal.

– Não... Não. Mas o senhor tem certeza, Huish? Está seguro disso no seu íntimo?

– Não tão certo quanto gostaria – disse com tristeza o inspetor Huish.

– Ah! Por que não?

– O tipo de homem que ele é... Refiro-me ao sr. Argyle.

– Não é do tipo que cometeria um assassinato?

– Não é bem isso. Não é a parte do assassinato. É o garoto. Eu não acho que ele incriminaria deliberadamente o garoto.

– Não se esqueça de que ele não era seu filho de verdade. É possível que ele não gostasse muito de Jacko, é possível até que sentisse ressentimento em relação a ele. Por conta do imenso afeto que a esposa dedicava ao garoto.

– Pode ser. Ainda assim, ele parece gostar de todos os filhos, gostar muito deles.

– É claro – disse Finney, pensativo. – Ele sabia que o garoto não seria enforcado... Isso pode fazer diferença.

– Ah, acho que o senhor levantou um ponto importante. Ele pode ter pensado que os dez anos na prisão, o tempo equivalente a uma sentença de prisão perpétua, poderiam fazer bem ao garoto.

– E quanto à mulher mais jovem, Gwenda Vaughan?

– Se foi ela – disse Huish –, não creio que teria consideração alguma por Jacko. As mulheres são impiedosas.

– De qualquer forma, você está razoavelmente satisfeito com essa versão de que foi um dos dois?

– Sim, razoavelmente satisfeito, sim.

– Mas não mais que isso? – o comandante de polícia atiçou-o.

– Não. Tem *alguma coisa* acontecendo. Influências ocultas, como o senhor diria.

– Explique-se, Huish.

– O que eu gostaria mesmo de saber é o que eles pensam de verdade. Uns sobre os outros, digo.

– Ah, muito bem, agora estou entendendo. O senhor se questiona se eles sabem quem foi?

– Sim. Não consigo me decidir sobre isso. Será que *todos* eles sabem? E todos concordaram em guardar segredo? Me parece que não. Eu acho que é possível que eles tenham ideias diferentes entre si. Há a sueca. Ela está uma pilha de nervos. Está no limite. Talvez seja porque ela tenha cometido o crime. Ela está naquela idade em que as mulheres perdem um pouco as estribeiras, de um jeito ou de outro. Talvez esteja temendo por si mesma, talvez por outra pessoa. Posso estar errado, mas tenho a impressão de que é por outra pessoa.

– Leo?

– Não, não acho que ela esteja preocupada com Leo. Eu acho que é com a mais jovem, Hester.

– Hester, hum? Acha que pode ter sido Hester?

– Não há um motivo assim tão explícito. Mas ela é um tipo irascível, talvez um pouco desequilibrada.

— E Lindstrom provavelmente sabe muito mais sobre a garota do que nós.

— Sim. E depois tem a moreninha, que trabalha na biblioteca.

— Ela não estava na casa naquela noite, certo?

— Não. Mas acho que ela sabe de alguma coisa. Talvez saiba quem foi.

— Imagina quem foi? Ou sabe?

— Ela está preocupada. Acho que não se trata apenas de um palpite.

Ele prosseguiu:

— E tem o outro rapaz, Micky. Ele também não estava lá, *mas* havia saído de carro, sozinho. Ele *diz* que estava testando o carro, indo em direção ao ancoradouro e a Minchin Hill. Temos apenas a palavra dele. Ele pode ter dirigido até a casa, matado a mãe e ido embora. Gwenda Vaughan disse algo que não estava no seu relato original. Ela disse que um carro havia passado por ela, logo na intersecção da estrada com a rua. Há catorze casas naquela rua, o carro poderia estar indo para qualquer uma delas, e ninguém iria se lembrar depois de dois anos... Mas isso quer dizer que há uma possibilidade de que fosse o carro de Micky.

— Por que teria vontade de matar a mãe adotiva?

— Não há nenhuma razão que conheçamos... Mas isso não significa que não possa haver uma razão.

— Quem poderia saber?

— Todos poderiam saber – disse Huish. – Mas eles não nos diriam nada. Não se soubessem com clareza que estavam nos dizendo alguma coisa.

— Já entendi seu plano diabólico – disse o major Finney. – Em quem o senhor vai investir?

— Lindstrom, eu acho. Se eu conseguir baixar sua guarda. Também pretendo descobrir se ela não tinha algum assunto mal resolvido com a sra. Argyle.

— E tem também o camarada da cadeira de rodas – ele acrescentou. – Philip Durrant.

— O que tem ele?

— Bem, acho que está começando a formar alguns conceitos sobre a coisa toda. Não creio que vá compartilhá-los comigo, mas pode ser que eu consiga ter uma ideia de como a mente dele funciona. É um cara inteligente e bastante observador. Pode ter captado algumas coisas interessantes.

II

— Venha, Tina, vamos tomar um ar.

— Ar? – Tina olhou para Micky com desconfiança. – Mas está tão frio, Micky – seu corpo tremeu de leve.

— Acho que você detesta ar fresco, Tina. É por isso que aguenta ficar confinada naquela biblioteca o dia inteiro.

Tina sorriu.

— Não me importo de ficar confinada durante o inverno. A biblioteca é quentinha e aconchegante.

Micky olhou para ela.

— E você fica ali sentada, aconchegada como um gatinho encolhido na frente do fogo. Mas vai fazer bem a você dar uma saída. Vamos, Tina. Eu quero falar com você. Eu quero, ah, quero encher meus pulmões de ar, esquecer esse maldito assunto de polícia.

Tina se levantou da cadeira com um movimento lento e gracioso, parecido com o movimento que faria o gato com o qual Micky acabara de compará-la.

No hall de entrada ela pôs um casaco de tweed com gola de pele ao redor dos ombros, e eles saíram juntos.

— Você não vai nem pôr um casaco, Micky?

— Não, eu nunca sinto frio.

— Brrr – disse Tina num tom amável. – Como eu odeio esse país no inverno. Eu adoraria viajar para o exterior. Adoraria estar em um lugar onde o sol sempre brilhasse, e o ar fosse úmido e brando e cálido.

— Acabo de receber uma oferta de trabalho no Golfo Pérsico – disse Micky –, de uma companhia de petróleo, para cuidar do transporte motor.

— Você vai?

— Não, acho que não... O que há de bom nisso?

Eles caminharam até a parte de trás da casa e percorreram um caminho em ziguezague por entre as árvores que terminava na praia, à beira do rio. Na metade do caminho havia uma pequena casa de veraneio que ficava protegida do vento. Eles não se sentaram imediatamente, apenas pararam diante da casa, contemplando o rio ao fundo.

— É lindo aqui, não é mesmo? – disse Micky.

Tina olhou a vista, sem muito interesse.

— Sim – ela disse –, sim, acho que é.

— Mas você não sabe realmente, não é? – disse Micky, fitando-a com carinho. – Você não compreende a beleza, Tina, nunca compreendeu.

— Não me lembro – disse Tina –, em todos esses anos em que vivemos aqui, não lembro de você ter apreciado a beleza desse lugar. Você estava sempre se queixando, ansioso por voltar a Londres.

— Era diferente – disse Micky, de forma abrupta. – Eu não pertencia a esse lugar.

– Este é o problema, não é? – disse Tina. – Você não pertence a lugar nenhum.

– Eu não pertenço a lugar nenhum – disse Micky admirado. – Talvez isso seja verdade. Meu Deus, Tina, que ideia assustadora. Você se lembra daquela música antiga? Kirsten costumava cantá-la para nós. "Ó bela pomba, Ó doce pomba, Ó pomba do peito branco."* Lembra?

Tina balançou a cabeça.

– Talvez ela cantasse para você. Eu não lembro.

Micky continuou, meio falando, meio cantarolando.

– "Ó donzela amada, eu não estou aqui. Eu não tenho lugar, em parte alguma, não tenho mais morada, em terra ou no mar, apenas no teu coração"** – olhou para Tina.

– Talvez isso seja verdade.

Tina pôs sua pequena mão sobre o braço dele.

– Venha, Micky, sente-se aqui. Assim ficamos abrigados do vento. Não é tão frio.

Enquanto ele a obedecia, ela continuou:

– Você tem que ser sempre assim, tão triste?

– Minha querida, você não é capaz de compreender isso.

– Compreendo sim – disse Tina. – Por que você não consegue se esquecer dela, Micky?

– Esquecer dela? De quem você está falando?

– Da sua mãe – disse Tina.

– Esquecê-la! – disse Micky com amargura. – Há alguma possibilidade de esquecer depois do que aconteceu esta manhã, depois daquelas perguntas? Se uma pessoa foi assassinada, eles não deixam você "se esquecer dela"!

– Não estou me referindo a ela – disse Tina. – Estou falando da sua mãe verdadeira.

– Por que eu pensaria nela? Não a vejo desde que tinha seis anos.

– Mas Micky, você costumava pensar nela. O tempo todo.

– Alguma vez eu contei isso a você?

– Às vezes é possível perceber essas coisas – disse Tina.

Micky se virou e olhou para ela.

– Você é uma criatura tão tranquila e afável, Tina. Como um pequeno gato preto. Eu quero acariciar seus pelos com minhas mãos. Boa gatinha! Gatinha linda! – ele acariciou-lhe a manga do casaco.

Tina, imóvel e com a postura ereta, sorriu para ele. Micky disse:

---

* No original: *O fair dove, O fond dove, O dove with the white white breast.* (N.T.)

** No original: *O maid most dear, I am not here. I have no place, no part, No dwelling more by sea nor shore, But only in thy heart.* (N.T.)

– *Você* não a odiava, não é, Tina? Eu e todos os outros a odiávamos.

– É cruel dizer isso – disse Tina. Ela sacudiu a cabeça e prosseguiu de maneira enérgica. – Veja tudo o que ela deu a vocês, a todos vocês. Um lar, carinho, afeto, boa comida, brinquedos, pessoas para cuidar de vocês e mantê-los seguros.

– Sim, sim – disse Micky, impaciente. – Tigelas de leite e muito carinho no seu pelo. Era tudo o que você queria, não era, gatinha?

– Eu era grata por isso – disse Tina. – Nenhum de vocês era grato.

– Você não entende, Tina, que uma pessoa não pode ser grata quando tem que ser? Às vezes é até pior, sentir a obrigação de ser grato. Eu não *queria* ser trazido para cá. Eu não *queria* um ambiente luxuoso. Eu não *queria* ser tirado do meu próprio lar.

– Você poderia ter sido bombardeado – Tina ressaltou. – Você poderia ter morrido.

– E qual seria o problema? Eu não me importaria de morrer. Teria morrido no meu lugar, junto com as minhas pessoas. Onde eu deveria estar. Aí está. Nós voltamos ao mesmo assunto. Não há nada pior do que não pertencer ao lugar onde se está. Mas você, gatinha, você só se importa com coisas materiais.

– Talvez isso seja verdade, em certo sentido – disse Tina. – Talvez seja por isso que eu não me sinta como vocês. Não tenho esse estranho ressentimento que todos vocês parecem ter. Principalmente você. Para mim foi fácil ser grata porque eu *não* queria ser *quem eu era*. *Não* queria estar onde eu estava. Eu queria fugir de mim mesma. Queria ser outra pessoa. Ela me transformou em Christina Argyle com um lar e com afeto. Segura. A salvo. Eu amava mamãe porque ela me deu todas essas coisas.

– E a sua mãe verdadeira? Você nunca pensa nela?

– Por que deveria pensar? Eu mal me lembro dela. Eu tinha apenas três anos quando vim para cá. Eu estava sempre com medo, apavorada, quando estava com ela. Todas aquelas brigas pavorosas com marinheiros. E ela mesma, eu creio, agora que já tenho idade para lembrar direito, devia estar bêbada na maior parte do tempo – Tina falava de maneira desinteressada, imparcial. – Não, eu não penso nela, nem tenho lembranças. A sra. Argyle era minha mãe. Este é o meu lar.

– Foi tão fácil para você, Tina – disse Micky.

– E por que acha que é tão difícil para você? Porque você torna as coisas difíceis! Não era a sra. Argyle que você odiava, Micky, era a sua própria mãe. Sim, eu sei que o que estou dizendo é verdade. E se você matou a sra. Argyle, como é possível que você tenha feito, era a sua própria mãe que você queria matar.

– Tina! De que diabos você está falando?

– E agora – continuou Tina, falando com calma – você não tem mais ninguém para odiar. E isso faz você se sentir bastante solitário, não é? Mas você tem que aprender a viver sem ódio, Micky. Pode ser difícil, mas é possível.

– Eu não sei do que você está falando. Por que você disse que é possível que eu tenha matado ela? O que você quis dizer com isso? Você sabe muito bem que eu estava bem longe daqui naquele dia. Estava testando o carro de um cliente pela Moor Road, junto ao ancoradouro, perto de Minchin Hill.

– Estava mesmo? – disse Tina.

Ela se levantou e foi até o mirante, de onde se podia enxergar o rio ao fundo.

– O que você está insinuando, Tina? – Micky parou atrás dela.

Tina apontou para a praia.

– Quem são aquelas pessoas lá adiante?

Micky deu uma olhada rápida e desinteressada.

– Hester e seu médico, eu acho – ele disse. – Mas Tina, o que você quis dizer com aquilo? Pelo amor de Deus, não fique tão na beirada.

– Por quê, você quer me empurrar? Você poderia. Eu sou bem pequena.

Micky disse com a voz rouca:

– Por que você disse que eu poderia ter estado aqui naquela noite?

Tina não respondeu. Ela virou de costas e começou a caminhar em direção a casa.

– Tina!

Com sua voz tranquila e suave, Tina disse:

– Estou preocupada, Micky. Estou muito preocupada com Hester e Don Craig.

– Esqueça Hester e seu namorado.

– Eu me preocupo com eles, sim. Acho que Hester está muito infeliz.

– Nós não estamos falando deles.

– *Eu* estou falando sobre eles. Me importo com eles.

– Você sempre acreditou, Tina, que eu estava aqui na noite em que mamãe foi assassinada?

Tina não respondeu.

– Na época você não disse nada.

– Por que deveria dizer? Não havia necessidade. Quer dizer, era tão óbvio que Jacko a havia matado.

– E agora é igualmente óbvio que não foi Jacko quem a matou.

Tina balançou a cabeça, concordando.

– E então? – perguntou Micky. – E então?

Ela não respondeu, apenas continuou andando pelo caminho que levava até a casa.

III

Perto do cabo, na pequena praia, Hester remexia a areia com a ponta do sapato.

– Não creio que haja nada mais para falar – ela disse.

– Você tem que falar sobre isso – disse Don Craig.

– Eu não vejo por quê... Falar sobre algo nunca adianta, nunca ajuda em nada.

– Você pode apenas me dizer o que aconteceu esta manhã.

– Nada – disse Hester.

– Como assim, nada? A polícia veio aqui, não veio?

– Ah, sim, eles vieram.

– E então, eles interrogaram vocês?

– Sim – disse Hester –, eles nos interrogaram.

– O que perguntaram?

– As perguntas de sempre – disse Hester. – As mesmas de antes. Onde nós estávamos naquela noite, o que fazíamos, quando vimos mamãe viva pela última vez. Sério, Don, eu não quero mais falar sobre isso. Está encerrado.

– Mas não está encerrado, querida. Essa é a questão.

– Não entendo por que *você* tem que criar caso – disse Hester. – *Você* não está metido nisso.

– Querida, eu quero ajudar você. Será que não entende?

– Bem, falar sobre isso não me ajuda em nada. Eu só quero esquecer. Se você me ajudasse a esquecer, seria diferente.

– Hester, meu bem, não é bom fugir das coisas. Você tem que enfrentá-las.

– Estou enfrentando, para usar as suas palavras, desde de manhã.

– Hester, eu amo você. Você sabe disso, não é?

– Acho que sim – disse Hester.

– Como "acho que sim"?

– Você fica falando sem parar sobre esse assunto.

– Mas eu tenho que fazer isso.

– Eu não vejo por quê. *Você* não é da polícia.

– Quem foi a última pessoa a ver sua mãe viva?

– Fui eu – disse Hester.

— Eu sei. Isso foi pouco antes das sete, não foi, pouco antes de você sair para me encontrar.

— Pouco antes de eu sair para ir à Drymouth, até a Playhouse — disse Hester.

— Bem, eu estava na Playhouse, não estava?

— Sim, é claro que estava.

— Você não sabia naquela época, sabia, Hester, que eu amava você?

— Eu não tinha certeza — disse Hester. — Eu nem mesmo sabia naquela época que estava começando a me apaixonar por você.

— Você não tinha nenhuma razão, nenhuma razão plausível para acabar com a vida da sua mãe?

— Não, não de fato — disse Hester.

— O que você quer dizer com "não de fato"?

— Muitas vezes pensava em matá-la — disse Hester num tom de voz moderado. — Eu costumava dizer: "Eu quero que ela morra, eu quero que ela morra". Às vezes — ela acrescentou —, costumava sonhar que a matava.

— De que maneira você a matava no seu sonho?

Por um instante, Don Craig deixou de ser o amante e passou a ser o médico jovem e curioso.

— Às vezes eu dava um tiro nela — disse Hester com animação — e às vezes eu a golpeava na cabeça.

O dr. Craig suspirou.

— Foi apenas um sonho — disse Hester. — Normalmente eu sou *muito* violenta em sonhos.

— Ouça, Hester — segurou a mão dela entre as suas. — Você tem que me dizer a verdade. Você tem que confiar em mim.

— Não entendo o que você está querendo dizer — disse Hester.

— A verdade, Hester. Eu quero a *verdade*. Eu amo você e vou ficar do seu lado. Se... Se você a matou, eu... Acho que posso descobrir as razões. Não acho que seria exatamente culpa sua. Você entende? Eu jamais envolveria a polícia no assunto. Ficaria entre mim e você. Ninguém mais vai sofrer. O caso vai ser arquivado por falta de provas. Mas eu preciso *saber* — enfatizando com força a última palavra.

Hester olhava para ele. Seus olhos estavam distantes, quase sem foco.

— O que você quer que eu diga? — ela disse.

— Quero que você me diga a verdade.

— Você acha que já sabe a verdade, não é? Você acha que... Que eu a matei.

— Hester, querida, não me olhe deste jeito — ele a pegou pelos ombros e a sacudiu com gentileza. — Eu sou médico. Conheço as razões que existem por trás dessas coisas. Sei que nem sempre as pessoas podem ser responsabilizadas por seus atos. Eu sei quem você é, doce e amável e essencialmente boa. Vou ajudá-la. Vou cuidar de você. Nós vamos nos casar e seremos felizes. Você não precisa se sentir perdida, rejeitada, encolerizada. As coisas que nós fazemos muitas vezes emergem de razões que a maioria das pessoas desconhece.

– Foi mais ou menos isso que todos disseram sobre Jacko, não foi? – disse Hester.

– Esqueça Jacko. É em você que estou pensando. Eu amo tanto você, Hester, mas eu preciso saber a verdade.

– A verdade? – disse Hester.

Um sorriso muito lento e zombeteiro curvou os cantos de sua boca.

– Por favor, querida.

Hester virou a cabeça e olhou para cima.

– Gwenda está me chamando. Deve ser hora do almoço.

– Hester!

– Você acreditaria em mim se eu dissesse que não fui eu?

– É claro que eu... Eu acreditaria em você.

– Eu acho que não acreditaria – disse Hester.

Ela se virou de modo ríspido, correndo em direção a casa.

– Ah, maldição – disse Donald Craig. – Ah, *maldição*!

CAPÍTULO 15

— Mas eu não quero ir para casa, ainda não – disse Philip Durrant. Falou com um tom melancólico e impaciente.

– Mas Philip, não há razão para ficarmos mais tempo aqui. Quero dizer, nós tivemos que vir para discutir o assunto com o sr. Marshall e depois esperar os interrogatórios da polícia. Mas não há nada mais que nos impeça de voltar para casa agora mesmo.

– Acho que seu pai está bem contente com a nossa visita – disse Philip –, ele gosta de ter alguém com quem jogar xadrez nos fins de tarde. Acredite, ele é um conhecedor do xadrez. Eu pensava que era bom, mas nunca consigo batê-lo.

– Papai pode encontrar outra pessoa para jogar xadrez com ele – disse Mary prontamente.

– Quem? Alguém do Instituto da Mulher?

– E além do mais, temos que ir para casa – disse Mary. – Amanhã é o dia da sra. Carden fazer os arranjos de latão.

– Polly, a típica dona de casa! – disse Philip rindo. – De qualquer forma, a sra. Sei-lá-quem pode fazer os arranjos sem você, não pode? Ou, se ela não puder, mande um telegrama dizendo para deixá-los no modelador por mais uma semana.

– Você não entende nada, Philip, sobre essas tarefas domésticas. Não sabe como são difíceis.

– Não acho que nenhuma dessas tarefas seja difícil, a não ser que você as dificulte. E além do mais, *eu* quero ficar mais tempo.

– Oh, Philip – disse Mary exasperada –, odeio tanto esse lugar.

– Mas por quê?

– É tão lúgubre, tão deprimente e... E tudo o que aconteceu aqui. O assassinato e tudo mais.

– Ah, Polly, por favor, não vá me dizer que você fica nervosa com esse tipo de coisa. Tenho certeza de que você poderia tirar de letra o assassinato. Admita, você quer ir para casa porque quer cuidar dos arranjos de latão e tirar o pó e se certificar de que não há nenhuma traça no seu casaco de pele.

– Casacos de pele jamais têm traças no inverno – disse Mary.

– Bem, você entendeu o que eu quis dizer, Polly. Mas veja, na minha opinião, é muito mais interessante ficar aqui.

– Mais interessante do que estar em sua própria casa? – havia na voz de Mary um tom ao mesmo tempo de surpresa e mágoa.

Philip olhou-a com rapidez.

– Desculpe-me, querida. Não me expressei bem. Nada pode ser melhor do que a nossa própria casa, e você a fez realmente agradável. Confortável, limpa, encantadora. Veja bem, seria muito diferente se eu... Se eu ainda fosse o de antes. Quero dizer, teria muitas coisas para fazer o dia todo. Teria vários projetos. E seria perfeito voltar para a nossa casa e ficar com você, conversando sobre tudo o que aconteceu durante o dia. Mas agora é diferente.

– Ah, eu sei que é diferente *neste* sentido – disse Mary. – Não pense que eu me esqueço disso por um instante sequer, Phil. Eu me importo com isso. Me importo muito.

– Sim – disse Philip, falando quase por entre os dentes. – Sim, você se importa demais, Mary. Você se importa tanto que às vezes faz com que eu me importe mais. Tudo o que eu quero é me distrair, e não – ele ergueu a mão –, não me diga que posso me distrair com quebra-cabeças e todas aquelas bugigangas de terapia ocupacional, ou vendo pessoas para fazer tratamentos, ou lendo livros intermináveis. Às vezes anseio tanto por alguma coisa real a que possa me apegar! E aqui, nessa casa, essa coisa *existe*.

– Philip – Mary respirou fundo –, você *ainda* está insistindo nessa... Nessa sua ideia?

– Brincar de detetive? – disse Philip. – Assassino, assassino, quem é o assassino? Sim, Polly, é isso mesmo. Estou louco para saber quem foi.

– Mas por quê? E como vai descobrir? Se alguém invadiu a casa ou se a porta estava aberta...

– Você ainda está insistindo na teoria de que foi um desconhecido? – perguntou Philip. – Não vai colar, você sabe. Deu para ver no rosto do bom e velho Marshall. Mas na verdade, ele estava apenas *nos* ajudando a enfrentar os fatos. Ninguém acredita nessa bela tese. Porque simplesmente não é verdade.

– Então, veja, se não é verdade – Mary o interrompeu –, se não é verdade... Se foi, como você está dizendo, um de nós, eu prefiro não saber. Por que temos que saber? Nós não estamos... Não estamos muito melhor sem essa informação?

Philip Durrant fitou-a interrogativamente.

– Enterrando a cabeça na areia, Polly? Você não tem uma curiosidade natural?

– Estou dizendo que não quero saber! Eu acho tudo isso horrível. Eu quero esquecer, não quero pensar nisso.

– Você não gostava o suficiente da sua mãe para querer saber quem a matou?

– De que serviria saber quem foi? Por dois anos nós ficamos satisfeitos com a versão de que Jacko a tinha matado.

– Sim – disse Philip –, é fascinante que tenhamos ficado satisfeitos.

Sua esposa olhou-o com dúvida.

– Eu não sei, eu realmente não sei o que você está querendo dizer, Philip.

– Você não vê, Polly, que em certo sentido isso é um desafio para mim? Um desafio à minha inteligência? Não estou dizendo que senti muito a morte da sua mãe, nem que gostava particularmente dela. Não gostava. Ela havia feito de tudo para impedir que você se casasse comigo, mas eu não guardei rancor em relação a isso, porque consegui ganhar você mesmo assim. Não consegui, meu bem? Não, não é um desejo de vingança, nem mesmo um compromisso com a verdade. Eu acho que é... Sim, essencialmente curiosidade, embora talvez haja algo ainda mais interessante do que isso.

– É o tipo de coisa com a qual você não deve se meter – disse Mary. – Nada de bom pode vir dessa história. Oh, Philip, por favor, por favor, *não faça isso*. Vamos para casa, vamos esquecer o assunto.

– Bem – disse Philip –, você pode muito bem me carregar para onde quiser, não é? Mas eu quero ficar aqui. Você não gostaria que eu fizesse o que *eu* quero fazer de vez em quando?

– Eu quero que você tenha tudo o que quiser – disse Mary.

– Você não quer isso de verdade, querida. Você só quer cuidar de mim como se eu fosse um bebê e dizer o que é melhor para mim todo o dia e de todas as maneiras possíveis – ele riu.

Mary disse, fitando-o com um olhar confuso:

– Eu nunca sei quando você está falando sério.

– À parte a curiosidade – disse Philip –, alguém tem que descobrir a verdade nisso tudo.

– Por quê? A quem isso vai beneficiar? Mandar outra pessoa para a prisão. Me parece uma ideia terrível.

– Você não está entendendo bem – disse Philip. – Eu não disse que ia entregar a pessoa que cometeu o crime à polícia, caso descubra quem foi. Eu acho que não faria isso. Tudo depende, é claro, das circunstâncias. Provavelmente não adiantaria nada eu entregar a pessoa à polícia porque ainda acho que não haverá evidências suficientes.

– Se não há evidências – disse Mary –, então como você vai descobrir qualquer coisa?

– Ora – disse Philip –, existem várias formas de descobrir as coisas, de sabê-las com certeza e de uma vez por todas. E eu acho que isso está se fazendo bastante necessário. As coisas não estão nada bem nesta casa e muito em breve elas vão piorar ainda mais.

– O que você quer dizer com isso?

– Você não percebeu nada, Polly? Seu pai e Gwenda Vaughan?

– O que há com eles? Por que meu pai iria querer se casar de novo na idade em que está?

– Posso entender isso – disse Philip. – Afinal de contas, seu pai passou por maus bocados no primeiro casamento. Agora ele tem uma chance de ser realmente feliz. Uma felicidade outonal, por assim dizer, mas é possível. Ou, melhor dizendo, era possível. As coisas entre os dois não estão muito boas neste momento.

– Pois é, toda essa história – disse Mary devagar.

– Exatamente – disse Philip. – Toda essa história. Está afastando os dois mais e mais a cada dia. E pode haver duas razões para isso. Suspeita ou culpa.

– Suspeita de quem?

– Bem, digamos que um suspeita do outro. Ou há suspeita de um lado e sentimento de culpa do outro, ou vice-versa ou como você preferir.

– Pare, Philip, você está me confundindo.

De repente, um ligeiro traço de entusiasmo surgiu nos gestos de Mary.

– Então você acha que foi Gwenda? – ela disse. – Talvez você tenha razão. Oh, que bênção seria se tivesse sido Gwenda.

– Pobre Gwenda. Você diz isso porque ela é a única que não faz parte da família?

– Sim – disse Mary. – Assim não teria sido nenhum de *nós*.

– Isso é tudo o que importa para você, não é? Como isso *nos* afeta.

– É claro – disse Mary.

– É claro, é claro – disse Philip com irritação. – O seu problema, Polly, é que você não tem um pingo de imaginação. Você não consegue se colocar no lugar de ninguém.

– E por que deveria? – perguntou Mary.

– Sim, e por que deveria? – disse Philip. – Para ser sincero, eu diria que é um bom passatempo. Mas eu posso me colocar no lugar do seu pai, ou no lugar de Gwenda, e se eles forem inocentes deve ser horrível estar no lugar deles. Deve ser horrível para Gwenda passar, de repente, a ser tratada com frieza. Saber em seu íntimo que ela não poderá se casar com o homem que ama. E se coloque agora no lugar do seu pai. Ele sabe, não pode negar, que a mulher por quem está apaixonado teve oportunidade de cometer o crime e tinha motivo para tal. Ele *espera* que não tenha sido ela, ele *acha* que não foi ela, mas ele não tem *certeza*. E nunca terá certeza.

– Na idade dele... – começou Mary.

– Oh, na idade dele, na idade dele – disse Philip, impaciente. – Você não percebe que é ainda pior para um homem da idade dele? É o último amor de sua vida. É improvável que ele tenha outro. É complicado. E vendo por outro ângulo – continuou –, vamos supor que Leo saia das sombras do mundinho que criou para si mesmo e no qual conseguiu viver durante tanto tempo. Vamos supor que tenha sido ele que matou sua esposa. Nós podemos até sentir pena do pobre diabo, não é? Não – prosseguiu, pensativo – que eu consiga imaginar sequer por um instante que ele tenha feito uma coisa dessas. Mas não tenho dúvidas de que a polícia considera essa possibilidade. Agora, Polly, dê-me suas opiniões. Quem você acha que foi?

– Como é que eu vou saber? – disse Mary.

– Bem, talvez você não tenha como saber, mas pode ter ao menos uma boa ideia, se pensar.

– Eu já disse a você que me recuso a pensar nesse assunto.

– E por que será... Será apenas desgosto? Ou será, talvez, porque você *já* saiba? Talvez, em sua mente calma e impassível, você saiba com certeza... Tanta certeza que não quer nem pensar no assunto, que não quer nem contar para *mim*. É Hester que você tem em mente?

– Por que diabos Hester iria querer matar mamãe?

– Não há nenhuma razão de fato, não é? – disse Philip, num tom pensativo. – Mas você sabe, você já leu sobre essas coisas. Um filho ou filha, bem cuidado, mimado, e então algum dia uma coisinha boba acontece. A querida mãe se recusa a bancar o cinema ou a comprar um novo par de sapatos ou diz, quando você está saindo com o namorado, que você tem de voltar antes das dez. Pode não ser nada muito importante, mas parece pôr fogo num rastro de pólvora que já estava alinhavado, e então o adolescente em questão tem um surto repentino e pega um martelo ou um machado, ou talvez um atiçador, e o resto você já sabe. É sempre difícil explicar, mas acontece. É o estopim, depois de tanto tempo de revolta reprimida. Esse é um padrão de comportamento em que Hester poderia se encaixar. O problema com Hester é que ninguém sabe o que se passa naquela cabecinha adorável. Ela é fraca, é claro, e ela odeia ser fraca. E sua mãe era o tipo de pessoa que a fazia ter consciência de sua fraqueza. Sim – disse Philip, inclinando o corpo para frente com entusiasmo –, acho que eu poderia elaborar uma ótima justificativa para Hester.

– Ah, será que dá para você parar de falar sobre isso? – exclamou Mary.

– Eu posso parar de falar – disse Philip. – Falar não vai me levar a lugar nenhum. Ou vai? Afinal de contas, é preciso chegar a uma conclusão sobre o padrão do crime e aplicar esse padrão a cada uma das pessoas envolvidas. E quando as coisas estiverem bem encaixadas e soubermos exatamente como teria sido, *só então* devemos começar a deitar nossas pequenas armadilhas e ver se eles caem.

– Havia apenas quatro pessoas na casa – disse Mary. – Você fala como se houvesse meia dúzia ou mais. Concordo com você que papai jamais teria feito isso, e é absurdo pensar que Hester poderia ter de fato alguma razão para fazer uma coisa assim. Sobram Kirsty e Gwenda.

– Qual delas você prefere? – perguntou Philip, com um ar um pouco debochado.

– Não consigo imaginar Kirsty fazendo uma coisa dessas – disse Mary. – Ela sempre foi tão calma e paciente. Era mesmo muito devotada à mamãe. É *possível* que ela tenha enlouquecido de repente. Essas coisas acontecem. Mas ela nunca *pareceu* louca.

– Não – disse Philip pensativo. – Eu diria que Kirsty é uma mulher muito normal, o tipo de mulher que teria gostado da vida de uma mulher normal. De certa forma ela é como Gwenda, só que Gwenda é bonita e atraente, e a pobre Kirsty é mais sem graça do que um pedaço de pão dormido. Não creio que nenhum homem jamais a tenha olhado com desejo. Mas ela gostaria que tivessem olhado. Ela gostaria de ter se apaixonado e se casado. Deve ser terrível ter nascido mulher e ser feia e sem graça, especialmente se isso não é compensado por nenhum talento ou inteligência fora do comum. A verdade é que ela ficou aqui tempo demais. Ela deveria ter ido embora depois da guerra, ter seguido sua carreira como massagista. Ela poderia ter fisgado algum cliente idoso e abastado.

– Você é como todos os homens – disse Mary. – Você acha que todas as mulheres só pensam em se casar.

Philip sorriu ironicamente.

– Eu ainda acho que é a primeira opção de todas as mulheres – ele disse. – Falando nisso, a Tina não tem namorado?

– Não que eu saiba – disse Mary. – Mas ela não fala muito sobre sua vida.

– Não, ela é bastante tímida, não é mesmo? Não é o que se chamaria de bonita, mas é muito graciosa. Gostaria de saber o quanto ela sabe sobre essa história.

– Acho que ela não sabe nada – disse Mary.

– Você acha que não? – disse Philip. – Eu acho que ela sabe.

– Ah, você está imaginando coisas – disse Mary.

– Isso não é imaginação. Você sabe o que a garota disse? Ela disse que esperava que não soubesse nada. É uma maneira curiosa de colocar as coisas. Eu aposto que ela sabe *sim* de alguma coisa.

– Que tipo de coisa?

– Talvez haja algo que se encaixe em alguma parte da história, mas ela mesma não saiba onde. Eu espero conseguir arrancar isso dela.

– Philip!

– Não adianta, Polly. Eu tenho uma missão nesta vida. Convenci a mim mesmo de que é de interesse público que eu descubra a verdade. Agora, por onde devo começar? Acho que vou trabalhar em Kirsty primeiro. Sob vários aspectos, ela é uma criatura pouco complexa.

– Eu queria... Ah, como eu queria que você desistisse dessa ideia louca e fosse para casa comigo – disse Mary. – Nós éramos tão felizes. Tudo estava indo tão bem... – sua voz foi morrendo e ela virou o rosto.

– Polly! – Philip estava preocupado. – Você realmente se incomoda tanto com isso? Não me dei conta que você estava tão chateada.

Mary virou-se de modo repentino, os olhos cheios de esperança.

– Então você vai para casa comigo, vai esquecer tudo isso?

– Eu não conseguiria esquecer tudo – disse Philip. – Eu continuaria me preocupando e pensando e quebrando a cabeça. Vamos ficar aqui até o final da semana, Mary, e então, bem, então veremos.

CAPÍTULO 16

— O senhor se importa se eu ficar aqui por um tempinho, pai? – perguntou Micky.

— Não, é claro que não. Fico muito feliz. Está tudo bem lá na revendedora?

— Sim – disse Micky –, dei uma ligada para eles. Não preciso voltar até o início da semana que vem. Eles foram muito compreensivos. Tina também vai ficar aqui este final de semana – ele disse.

Ele foi até a janela, deu uma olhada. Depois caminhou pela peça com as mãos nos bolsos contemplando as estantes cheias livros. Falava de maneira desajeitada, como se sofresse com espasmos.

— O senhor sabe, pai, eu sou realmente agradecido por tudo que vocês fizeram por mim. Nos últimos tempos eu percebi... Bem, eu percebi como eu havia sido ingrato.

— Você não precisa ser grato – disse Leo Argyle. – Você é meu filho, Micky. Sempre o considerei como tal.

— É um jeito esquisito de tratar um filho – disse Micky. – O senhor nunca tentou mandar em mim.

Leo Argyle sorriu à sua maneira sutil e reservada.

— Você acha mesmo que essa é a única função de um pai? – ele disse. – Dar ordens aos filhos?

— Não – disse Micky –, não. Acho que não é – continuou, falando de maneira afobada. – Eu fui um tremendo idiota. Sim. Um tremendo idiota. É cômico em certo sentido. O senhor sabe o que eu gostaria de fazer, o que estou pensando em fazer? Pegar um trabalho numa companhia de petróleo no Golfo Pérsico. Era nisso que mamãe queria que trabalhasse desde o início, uma companhia de petróleo. Mas aquilo não me interessava na época. Queria fazer as coisas do meu jeito.

— Você estava na idade – disse Leo – de querer fazer suas próprias escolhas, e você detestava a ideia de que alguém pudesse escolher qualquer coisa por você. Você sempre foi assim, Micky. Se nós quiséssemos lhe comprar um blusão vermelho, você insistia em querer um azul, embora provavelmente preferisse de fato o vermelho.

— É verdade – disse Micky, com um breve riso. – Eu sempre fui uma criatura de difícil trato.

— Era apenas jovem – disse Leo. – Impaciente. Tinha receio de ser reprimido, comandado, controlado. Todos nos sentimos assim em algum ponto da vida, mas no fim é como se tivéssemos que passar por isso.

— Sim, creio que sim – disse Micky.

– Fico muito contente – disse Leo – que você tenha esse plano para o futuro. Não acho que trabalhar apenas como vendedor e demonstrador de carros seja bom o suficiente para você. É um trabalho decente, mas não leva a lugar nenhum.

– Eu gosto de carros – disse Micky. – Gosto de conseguir o máximo desempenho de cada um. Eu sei dar o discurso quando é preciso. Tagarelar, usar artimanhas e tudo. Mas que se exploda, não gosto dessa vida. Este emprego tem a ver com transporte motor. Controlar o serviço de manutenção dos carros. Um trabalho bem importante.

– Você sabe – disse Leo – que se quiser financiar alguma coisa, comprar uma parte em algum negócio que ache interessante, o dinheiro estará disponível. Você sabe sobre o fundo. Estou pronto a autorizar a liberação da soma necessária se os detalhes do negócio estiverem aprovados e nos conformes. Podemos pedir a opinião de um profissional quanto a isso. Mas o dinheiro está lá, disponível para você quando quiser.

– Obrigado, pai, mas eu não quero viver às custas do senhor.

– Não é uma questão de viver às custas de ninguém, Micky, o dinheiro é *seu*. Foi passado em caráter definitivo a você e aos outros. Eu tenho apenas o poder de designação, de dizer quando e como. Mas o dinheiro não é meu e eu não estou dando nada a você. O dinheiro é seu.

– O dinheiro é da mamãe, na verdade – disse Micky.

– O fundo foi criado há muitos anos – disse Leo.

– Eu não quero nada! – disse Micky. – Não quero tocar nesse dinheiro! Eu não poderia! Nessa situação, eu *não poderia* – seu rosto ruborizou de repente ao encontrar o olhar do pai. – Eu não... Eu não queria dizer bem isso – ele seguiu, de modo incerto.

– Por que você não quer tocar no dinheiro? – disse Leo. – Você foi adotado por nós. Isso quer dizer que assumimos total responsabilidade por você, inclusive financeira. Fizemos um acordo em que concordamos em criar você como nosso filho e sustentá-lo de maneira digna.

– Quero andar com minhas próprias pernas – repetiu Micky.

– Sim. Estou vendo que é isso que você quer... Muito bem, Micky, mas se você mudar de ideia, lembre-se que o dinheiro está à sua espera.

– Obrigado, pai. Fico feliz que o senhor tenha entendido. Ou, mesmo que não tenha entendido, fico feliz que tenha respeitado a minha escolha. Eu gostaria de poder explicar melhor. Eu não quero lucrar com... Não posso lucrar por conta... Ah, diabos, é muito difícil falar sobre isso.

Ouviu-se uma batida na porta, quase uma pancada.

– Deve ser o Philip – disse Leo Argyle. – Você pode abrir a porta para ele, Micky?

Micky foi abrir a porta, e Philip, manejando sua cadeira de rodas, avançou para dentro da biblioteca. Cumprimentou os dois homens com um animado sorriso.

– O senhor está muito ocupado? – ele perguntou a Leo. – Se está, não há problema. Eu ficarei quieto, dando uma olhada nos livros, não vou interromper.

– Não – disse Leo –, não tenho nada para fazer esta manhã.

– Gwenda não está aqui? – perguntou Philip.

– Ela ligou dizendo que estava com dor de cabeça e que não poderia vir hoje – disse Leo. Sua voz soou inexpressiva.

– Muito bem – disse Philip.

Micky disse:

– Bem, eu vou indo, vou procurar Tina. Quero fazê-la sair de casa, dar uma caminhada. Aquela garota detesta ar fresco.

Ele deixou a peça com passos rápidos e flexíveis.

– Estou equivocado – perguntou Philip – ou houve alguma mudança no comportamento de Micky ultimamente? Ele já não anda com tanta raiva do mundo, não é?

– Ele está crescendo – disse Leo. – Demorou bastante tempo para amadurecer.

– Bem, ele escolheu uma ocasião estranha para mudar de humor – disse Philip. – A reunião de ontem com a polícia não foi das mais animadoras, o senhor não acha?

Leo disse calmamente:

– É doloroso, é claro, ter o caso reaberto.

– Um camarada como Micky – disse Philip, olhando com atenção a estante de livros, tirando um ou dois volumes de maneira displicente –, o senhor diria que ele tem consciência?

– Essa é uma pergunta estranha, Philip.

– Não, na verdade não é. Eu estava pensando a respeito dele agora há pouco. É como ser desafinado. Algumas pessoas são incapazes de sentir culpa ou remorso, ou mesmo arrependimento por suas ações. Jacko não sentiu.

– Não – disse Leo –, Jacko com certeza não sentiu.

– E eu fico pensando em Micky – disse Philip. Fez uma pausa, e então continuou num tom de voz imparcial. – Posso lhe fazer uma pergunta, senhor? O quanto o senhor realmente sabe sobre a origem dos seus filhos adotivos?

– Por que você quer saber, Philip?

– Apenas curiosidade. A gente sempre se pergunta, o senhor sabe, o que pode haver na carga genética de cada pessoa.

Leo não respondeu. Philip o observava com perspicaz interesse.

– Talvez – ele disse – eu o esteja aborrecendo com essas perguntas.

– Quem sabe – disse Leo Argyle, levantando-se. – Mas, afinal, por que você deveria silenciar suas perguntas? Você faz parte da família. Suas perguntas são, neste momento, muito pertinentes. Isso é inegável. Mas a nossa família, como você mesmo diz, não foi adotada no sentido usual, literal do termo. Mary, sua esposa, foi formal e legalmente adotada, mas os outros chegaram até nós de maneira muito mais informal. Jacko era órfão e nos foi entregue por uma avó muito idosa. Ela foi morta em uma batida policial, e ele ficou conosco. Foi simples assim. Micky era bastardo. Sua mãe só queria saber de correr atrás de homens. Ela queria cem libras à vista por ele e nós pagamos. Nunca soubemos o que aconteceu com a mãe de Tina. Ela nunca escreveu para a filha, não a procurou depois da guerra, e foi impossível localizá-la.

– E Hester?

– Hester também era bastarda. Sua mãe era uma jovem enfermeira irlandesa. Ela se casou com um soldado americano pouco depois que Hester veio morar conosco. Ela nos implorou para que ficássemos com a menina. Não planejava contar nada ao novo companheiro sobre a criança. Ela foi para os Estados Unidos com o marido quando terminou a guerra, e nós nunca mais tivemos notícias dela.

– São todas histórias trágicas, em certo sentido – disse Philip. – Eram todos uns pobres diabinhos enjeitados.

– Sim – disse Leo. – Foi por isso que Rachel se apegou tanto a eles. Ela estava determinada a fazer com que se sentissem amados, a dar a eles um lar de verdade, a ser uma verdadeira mãe para eles.

– Foi muito generoso da parte dela – disse Philip.

– Só que... Só que as coisas nunca aconteceram de acordo com o que ela havia imaginado – disse Leo. – Ela acreditava piamente que os laços de sangue não eram importantes. Mas veja, o laço de sangue é *sim* importante. É comum haver algo em nossos próprios filhos, alguma particularidade no temperamento, uma maneira de sentir que você reconhece e consegue entender sem ter que colocar em palavras. Você não tem essa ligação com filhos adotados. Você não tem nenhum entendimento *instintivo* do que se passa na cabeça deles. Você os julga, é claro, baseado em si mesmo, em seus próprios pensamentos e sentimentos, mas é prudente reconhecer que esses pensamentos e sentimentos podem ser completamente diferentes dos deles.

– O senhor sabia disso, ao que parece. Sempre soube – disse Philip.

– Eu alertei Rachel quanto a isso – disse Leo –, mas é óbvio que ela não acreditou. Não quis acreditar. Queria que eles fossem filhos dela de verdade.

– Tina é sempre um mistério para mim – disse Philip. – Talvez seja seu lado mestiço. Quem era o pai dela, o senhor sabe?

– Era uma espécie de marinheiro, eu acho. Provavelmente um artilheiro anglo-indiano. A mãe – acrescentou Leo com frieza – não soube informar.

– É impossível saber como ela reage às coisas, ou o que pensa. Ela fala tão pouco. – Philip fez uma pausa, e então lançou uma pergunta: – O que ela sabe sobre esse assunto, que não quer contar?

Ele viu a mão de Leo Argyle, que estivera remexendo em papéis, parar de repente. Leo ficou em silêncio por alguns instantes, e então disse:

– Por que você acha que ela não contou tudo o que sabia?

– Ora, senhor, é bastante óbvio, não é?

– Não me parece óbvio – disse Leo.

– Ela sabe de alguma coisa – disse Philip. – Algo ruim sobre alguém, o senhor não acha?

– Eu acho, Philip, se você me permite dizer, que não é nada sensato especular sobre essas coisas. É fácil acabar imaginando coisas.

– O senhor está se referindo às minhas especulações?

– Isso é realmente da sua conta, Philip?

– O senhor está querendo dizer que eu não sou policial?

– Sim, foi isso que eu quis dizer. A polícia tem que cumprir seu dever, tem que investigar as coisas.

– E o senhor não quer participar da investigação?

– Talvez – disse Leo – eu esteja com medo do que possa descobrir.

A mão de Philip agarrou a cadeira com excitação. Ele disse, suave:

– Talvez *o senhor* saiba quem foi. O senhor sabe?

O vigor e a aspereza da resposta de Leo alarmaram Philip.

– Não – disse Leo, pondo a mão sobre a escrivaninha. De repente ele não parecia mais o homem introvertido, fraco, debilitado que Philip conhecia tão bem. – Eu não sei que foi! Você está me ouvindo? Eu não sei. Não faço a menor ideia. Eu não... Não *quero* saber.

CAPÍTULO 17

– O que *você* está fazendo, Hester, minha querida? – perguntou Philip.

Ele se movia ao longo do corredor em sua cadeira de rodas. Hester estava inclinada, com a cabeça para fora da janela. Ela se assustou e pôs a cabeça para dentro.

– Ah, é você – ela disse.

— Você está observando o universo, ou pensando em se matar? – perguntou Philip.

Ela fitou-o de modo desafiador.

— Por que você está dizendo uma coisa dessas?

— Isso obviamente já passou pela sua cabeça – disse Philip. – Mas sejamos francos, Hester, se você está considerando tal propósito, esta janela não é apropriada. Não é alto o suficiente. Imagine como seria desagradável para você ter, digamos, uma perna e um braço quebrados em vez do misericordioso esquecimento que você deseja.

— Micky costumava subir na árvore de magnólia por esta janela. Era sua entrada secreta. Mamãe nunca soube de nada.

— As coisas que os pais nunca descobrem! Alguém poderia escrever um livro sobre isso. Mas se você está pensando em se suicidar, Hester, seria melhor pular da casa de verão.

— Da parte que fica bem acima do rio? Sim, você pode se quebrar todo nas rochas lá embaixo!

— O seu problema, Hester, é que você é muito melodramática em suas fantasias. A maioria das pessoas ficaria satisfeita em se enfiar no forno a gás ou tomar uma enorme quantidade de remédios para dormir.

— Fico feliz que você esteja aqui – disse Hester, de forma inesperada. – Você não se importa de conversar sobre essas coisas, não é?

— Bem, na verdade, eu não tenho muito mais o que fazer hoje em dia – disse Philip. – Venha até o meu quarto e nós conversaremos mais um pouco – vendo a hesitação de Hester, ele continuou: – Mary está no andar de baixo, preparando com suas próprias mãos um delicioso café da manhã para mim.

— Mary não entenderia – disse Hester.

— Não – Philip concordou –, Mary não entenderia de forma alguma.

Philip conduziu-se pelo corredor e Hester caminhou ao seu lado. Ele abriu a porta da sala de estar e empurrou a cadeira para dentro. Hester o seguiu.

— Mas você entende – disse Hester. – Por quê?

— Bem, há horas em que você pensa nessas coisas... Quando esse negócio aconteceu comigo, por exemplo, e eu soube que poderia ficar aleijado para o resto da vida...

— Sim – disse Hester –, isso deve ter sido terrível. Terrível. E além de tudo você era piloto, não era? Você voava.

— Sim, lá no alto azul do céu, como um raio – concordou Philip.

— Eu sinto muitíssimo – disse Hester. – Sinto mesmo. Eu deveria ter pensado mais sobre isso e ter sido mais solidária.

— Graças a Deus que você não foi – disse Philip. – Mas de todo jeito, essa fase já passou. É possível se acostumar com qualquer coisa. Isso é algo,

Hester, que você ainda não percebe. Mas você vai chegar lá. A não ser que faça algo muito precipitado e muito estúpido antes. Agora vamos, conte-me tudo. Qual é o problema? Imagino que você tenha brigado com seu namorado, o jovem e solene médico.

– Não foi uma briga – disse Hester. – Foi muito pior que uma briga.

– As coisas vão se ajeitar – disse Philip.

– Não, não vão – disse Hester. – Não há como... Nunca.

– Sua maneira de falar é tão extravagante. Tudo é preto ou branco para você, não é Hester? Não há meio-termo.

– Não posso evitar – disse Hester –, sempre fui assim. Tudo o que eu achava que podia ou queria fazer sempre deu errado. Eu queria viver minha própria vida, ser alguém, fazer alguma coisa. Nada deu certo. Eu não era boa em *coisa alguma*. Eu pensei muitas vezes em me matar. Desde que tinha catorze anos.

Philip a assistia com interesse. Ele disse, com uma voz suave e sensata:

– É claro que muitas pessoas se matam, especialmente entre os catorze e os dezenove anos. É uma idade em que as coisas estão muito fora de proporção. Garotos se matam porque acham que não vão conseguir passar nos exames da escola, e meninas se matam porque suas mães não as deixam ir ao cinema com namorados imprestáveis. É um período da vida em que tudo parece estar em glorioso tecnicolor. Alegria ou desespero. Melancolia ou felicidade incomparável. Uma hora a pessoa sai dessa. O seu problema, Hester, é que você está levando mais tempo do que a maioria das pessoas.

– Mamãe estava sempre certa – disse Hester. – Todas as coisas que eu queria fazer e ela não deixava. Ela estava certa sobre todas elas, e eu estava errada. Eu não podia suportar, eu simplesmente não podia suportar! Então eu pensava que tinha que ser forte. Que tinha que me virar sozinha. Que tinha que me testar. E deu tudo errado. Eu não era uma boa atriz.

– É claro que não era – disse Philip. – Você não tem disciplina. Você não consegue, como dizem no meio teatral, ser produtiva. Você está ocupada demais em dramatizar sua própria vida, minha querida. É exatamente o que está fazendo agora.

– E então eu pensei que teria ao menos um romance adequado – disse Hester. – Não um casinho bobo, imaturo. Um homem mais velho. Ele era casado, estava muito infeliz.

– Uma situação bastante comum – disse Philip –, e ele soube utilizá-la a seu favor, sem dúvida.

– Eu pensei que seria uma... Ah, uma grande paixão. Você não está rindo de mim, está? – ela parou, olhando para Philip com desconfiança.

– Não, eu não estou rindo de você, Hester – disse Philip num tom amável.– Vejo que deve ter sido mesmo horrível.

– Não foi uma grande paixão – disse Hester com amargura –, foi apenas um casinho desprezível. Nada do que ele me contou sobre sua vida, ou sobre sua esposa, era verdade. Eu... Eu me atirei nos braços dele. Eu fui uma tola, uma idiota.

– Às vezes você tem que aprender com os próprios erros – disse Philip. – Nada disso causou mal a você, Hester. Essas coisas provavelmente ajudaram você a amadurecer. Ou ajudariam, se você permitisse.

– Mamãe era tão... Tão competente em relação a tudo – disse Hester, num tom de ressentimento. – Ela foi comigo e pôs tudo em ordem e me disse que se eu realmente quisesse atuar eu deveria frequentar um curso de teatro e fazer as coisas direito. Mas eu não queria realmente atuar, e àquela altura eu já sabia que não tinha talento. Então voltei para casa. O que mais eu poderia fazer?

– Provavelmente uma porção de coisas – disse Philip. – Mas essa era a mais fácil.

– Ah, sim – disse Hester com fervor. – Como você me entende. Eu sou mesmo terrivelmente fraca. Sempre quero fazer o que é mais fácil. E se escolho me rebelar, é sempre de maneira tola e nunca dá certo.

– Você é extremamente insegura, não é? – disse Philip com amabilidade.

– Talvez seja porque eu sou adotada – disse Hester. – E eu só descobri isso quando tinha quase dezesseis anos. Eu sabia que os outros eram adotados e um dia resolvi perguntar, e... descobri que eu também era. Isso me fez sentir horrível, como se eu não pertencesse a *lugar nenhum*.

– Como você faz drama, garota – disse Philip.

– Ela não era minha mãe – disse Hester. – Ela nunca entendeu de verdade os meus sentimentos. Apenas me olhava com indulgência e doçura e fazia planos para mim. Ah, eu a odiava. É terrível dizer isso, eu sei, mas eu a odiava!

– Na verdade – disse Philip –, a maioria das garotas passa por uma fase em que odeiam suas próprias mães. Isso é de fato bastante comum.

– Eu a odiava porque ela estava sempre certa – disse Hester. – É tão horrível quando uma pessoa está sempre certa. Faz você se sentir cada vez mais insignificante. Oh, Philip, tudo está tão horrível! O que eu vou fazer? O que posso fazer?

– Case-se com seu belo jovem – disse Philip – e sossegue. Seja a boa esposinha do médico. Ou isso não é magnífico o suficiente para você?

– Ele não quer mais se casar comigo – disse Hester com pesar.

– Você tem certeza? Ele disse isso? Ou você está imaginando?

– Ele acha que eu matei mamãe.

– Ah – disse Philip, e fez uma breve pausa. – E você matou?

Ela se virou de repente.

– Por que você está me perguntando isso? Por quê?

– Achei que seria interessante saber – disse Philip. – Para a família, quero dizer. Não para comunicar às autoridades.

– Se a tivesse matado, você acha que eu contaria a você? – perguntou Hester.

– Seria muito mais prudente não contar – concordou Philip.

– Ele me disse que sabia que eu tinha matado mamãe – disse Hester. – Ele disse que se eu apenas admitisse, se eu confessasse isso a ele, tudo ficaria bem, nós nos casaríamos, ele cuidaria de mim. Ele disse que... Que não deixaria isso nos afastar.

Philip assobiou.

– Hum, muito bem – ele disse.

– De que adianta? – perguntou Hester. – De que adianta dizer a ele que não fui eu? Ele não acreditaria em mim, acreditaria?

– Ele tem que acreditar – disse Philip –, se você disser isso.

– Eu não a matei – disse Hester. – Você entende? Eu não matei mamãe. Não fui eu, não fui eu – ela se interrompeu. – Isso não parece convincente.

– A verdade muitas vezes não parece convincente – Philip a alentou.

– Nós não sabemos – disse Hester. – Ninguém sabe. Nós ficamos *olhando* uns para os outros. Mary olha para mim. E Kirsten. Ela é tão gentil comigo, tão protetora. Ela também acha que fui eu. O que eu posso fazer? Seria melhor, muito melhor, ir até o cabo e me jogar no rio...

– Pelo amor de Deus, Hester, não seja boba. Há outras coisas que você pode fazer.

– Que outras coisas? O que pode haver? Eu perdi tudo. Como eu posso seguir vivendo dia após dia? – ela olhou para Philip. – Você pensa que eu sou louca, desequilibrada. Bem, talvez eu tenha mesmo matado ela. Talvez isto seja o remorso me atormentando. Talvez eu não consiga esquecer... *Aqui* – ela pôs a mão teatralmente sobre o coração.

– Não seja estúpida – disse Philip. Estendeu um dos braços e puxou-a de encontro a si.

Hester caiu sobre sua cadeira. Ele a beijou.

– Você precisa é de um marido, minha querida – ele disse. – Não aquele solene e imbecil, Donald Craig, com sua cabeça cheia de psicologia e conversa fiada. Você é boba e estúpida e... incrivelmente adorável, Hester.

A porta se abriu. Mary Durrant estava parada na soleira da porta, com o olhar confuso. Hester levantou-se com esforço, e Philip sorriu com timidez para a esposa.

– Eu estava tentando animar um pouco a Hester, querida – ele disse.

– Ah – disse Mary.

Ela entrou com cautela, pousando a bandeja sobre uma pequena mesa. Depois arrastou a mesa para perto dele. Não olhou para Hester. Os olhos de Hester se moviam incertos do marido para a mulher.

– Bem – ela disse – talvez seja melhor eu ir... Ir para... – ela não terminou a frase.

Ela saiu da sala e fechou porta.

– Hester não está nada bem – disse Philip. – Está pensando em se matar. Eu estava tentando dissuadi-la – acrescentou.

Mary não respondeu.

Esticou a mão na direção dela. Ela se afastou.

– Polly, você está braba? Braba de verdade?

Ela não respondeu.

– É porque eu a beijei, não é? Ora, Polly, não vá ficar com ciúme por conta de um beijinho inocente. Ela estava tão adorável e tão frágil... E de repente eu senti... Bem, senti que seria divertido voltar a ser um rapaz alegre e flertar de vez em quando. Vamos, Polly, me dê um beijo. Beije-me e vamos fazer as pazes.

Mary Durrant disse:

– Sua sopa vai esfriar.

Ela entrou no quarto e fechou a porta atrás de si.

CAPÍTULO 18

– Há uma moça no andar de baixo querendo falar com o senhor.

– Uma moça? – Calgary pareceu surpreso. Não imaginava quem pudesse ter vindo visitá-lo. Olhou para o trabalho espalhado sobre a mesa e franziu o cenho. A voz do porteiro soou de novo, um pouco mais baixa.

– Uma moça muito jovem, senhor, muito bonita.

– Bem. Mande-a subir, então.

Calgary deixou escapar um leve sorriso. A declaração do porteiro, assim como o tom suave e discreto em que ele a tinha feito, excitou seu senso de humor. Ele se perguntou quem teria vindo vê-lo. E ficou completamente atônito quando sua campainha soou e, ao abrir a porta, deparou-se com Hester Argyle.

– É você! – a exclamação veio com total surpresa. – Entre, entre – ele disse. Ele a conduziu para dentro e fechou a porta.

De uma forma estranha, a impressão que teve dela foi praticamente a mesma que teve da primeira vez que a viu. Estava vestida de modo pouco convencional para os padrões londrinos. Estava sem chapéu, os cabelos negros escorridos ao redor do rosto de maneira desordenada. O pesado casaco de tweed revelava a saia verde-escura e o suéter que estavam por baixo. Ela parecia estar chegando esbaforida de uma longa caminhada pelo ancoradouro.

– Por favor – disse Hester –, por favor, o senhor tem que me ajudar.

– Ajudá-la? – ele ficou surpreso. – Como? É claro que eu vou ajudá-la se puder.

– Eu não sabia o que fazer – disse Hester –, não sabia a quem recorrer. Mas alguém tem que me ajudar. Não posso continuar assim, e o senhor é a pessoa certa. Foi o senhor quem começou com isso.

– Você está em apuros? Algum problema grave?

– Todos nós estamos em apuros – disse Hester. – Mas as pessoas são tão egoístas, não é? Quero dizer, estou pensando apenas em mim mesma.

– Sente-se, minha querida – ele disse num tom carinhoso.

Tirou os papéis de cima de uma cadeira e fez sentar. Então, foi até o armário no canto da sala.

– Você precisa tomar uma taça de vinho – ele disse. – Uma taça de xerez. Está bem para você?

– Se o senhor quiser. Não faz diferença.

– Está muito frio e úmido lá fora. Você precisa beber alguma coisa.

Ele se virou, empunhando a garrafa e a taça. Hester estava afundada na cadeira. Tinha uma espécie de charme desajeitado que o comoveu por seu completo desmazelo.

– Não se preocupe – ele disse gentilmente, enquanto punha o copo ao seu lado e servia a bebida. – As coisas nunca são tão ruins quanto parecem.

– As pessoas dizem isso, mas não é verdade – disse Hester. – Às vezes elas são piores do que parecem.

Tomou um gole do vinho e então disse, num tom acusatório:

– Estávamos bem até o senhor aparecer. Estávamos muito bem. E então, e então tudo começou.

– Não vou fingir – disse Arthur Calgary – que não sei do que a senhorita está falando. Fiquei muito surpreso na primeira vez que você me disse isso, mas agora eu compreendo melhor o que a minha... minha informação deve ter causado a vocês.

– Contanto que nós pensássemos que tinha sido Jacko... – disse Hester, e depois se calou.

– Eu sei, Hester, eu sei. Mas a senhorita tem que ver o que há por trás disso. Vocês estavam vivendo numa situação segura apenas em aparência. Não era algo real, era apenas um faz de conta, uma fantasia... uma encenação. Às vezes isso dá uma falsa sensação de segurança, mas não é, nem nunca poderia ser, segurança de fato.

– O senhor está dizendo – disse Hester – que é preciso ter coragem, que não é bom se aferrar a alguma coisa só porque é cômodo? – ela fez uma pausa, e então disse: – *O senhor* teve coragem! Agora eu percebo. Para ir pessoalmente nos dizer o que sabia. Sem saber como iríamos nos sentir, como reagiríamos. Foi corajoso da sua parte. Eu admiro isso porque, o senhor sabe, eu não sou muito corajosa.

– Conte-me – disse Calgary com gentileza –, conte-me qual é o problema agora. É algo específico, não é?

– Eu tive um sonho – disse Hester. – Tem alguém... Um homem... Um médico...

– Muito bem – disse Calgary. – Vocês são amigos ou, talvez, mais que amigos?

– Eu achava – disse Hester – que nós éramos mais que amigos... E ele também achava. Mas agora que tudo isso veio à tona...

– Sim? – disse Calgary.

– Ele acha que fui eu – disse Hester. Falava de maneira afobada. – Ou talvez não ache que tenha sido eu, mas não tem certeza. Ele não tem como ter certeza. Ele acha... Eu sei que ele acha... que eu sou a pessoa que mais se encaixa no papel de protagonista do crime. Talvez eu seja. Talvez todos nós pensemos isso uns dos outros. E eu pensei, alguém tem que nos ajudar nessa confusão em que estamos metidos, e eu pensei no senhor por causa do sonho. Eu estava perdida e não consegui encontrar Don. Ele havia me deixado e havia uma espécie de desfiladeiro... Um abismo. Sim, esta é a palavra certa. Um abismo. Soa tão profundo, não é? Tão profundo e tão... Tão intransponível. E o senhor estava lá, do outro lado, e estendeu suas mãos e disse: "Eu quero ajudá-la" – ela suspirou profundamente. – Então decidi procurá-lo. Vim correndo até aqui porque o senhor tem que nos ajudar. Se o senhor não nos ajudar, não sei o que vai acontecer. O senhor *precisa* nos ajudar. Foi o senhor quem trouxe tudo isso. Talvez o senhor diga que isso não lhe diz mais respeito. Que uma vez que nos contou a verdade sobre o que aconteceu não é mais da sua conta. O senhor vai dizer que...

– Não – interrompeu Calgary –, eu não vou dizer nada disso. Isso me diz respeito, Hester. Concordo com você. Quando se começa uma coisa assim, é preciso ir até o final. Penso exatamente como a senhorita.

– Oh! – o rosto de Hester recuperou a cor. De repente, como costumava ocorrer com ela, pareceu linda. – Então eu não estou sozinha! – ela disse. – *Há* alguém para me ajudar.

– Sim, minha querida, há alguém... Se servir de alguma coisa. Até agora eu não tive muita serventia, mas estou tentando, nunca parei de tentar ajudar – ele se sentou e puxou a cadeira para perto dela. – Agora me conte tudo o que está acontecendo. As coisas estão muito ruins?

– Foi um de nós – disse Hester. – Todos sabemos disso. Quando falamos com o sr. Marshall, fingimos acreditar que tinha sido alguém de fora, mas ele sabia que não era verdade. Foi um de nós.

– E o seu jovem... como ele se chama?

– Don. Donald Craig. Ele é médico.

– Don acha que foi você?

– Ele receia que sim – disse Hester. Entrelaçou as mãos num gesto dramático. Ela olhou para ele. – Talvez o senhor também ache que fui eu.

– Oh, não – disse Calgary –, não, eu sei que você é inocente.

– O senhor fala como se tivesse certeza.

– Eu tenho certeza – disse Calgary.

– Mas por quê? Como o senhor pode ter tanta certeza?

– Por causa do que você me disse depois que eu contei tudo a vocês. Você se lembra? O que você me disse sobre inocência. Você não poderia ter dito aquilo, não poderia ter se sentido daquela maneira, se não fosse inocente.

– Ah! – gritou Hester. – Ah, que alívio! Saber que tem alguém que realmente pensa assim.

– Então, agora – disse Calgary –, podemos discutir o assunto com calma, não podemos?

– Sim – disse Hester. – Agora é diferente.

– Só por curiosidade – disse Calgary – e tendo em mente que você sabe o que penso sobre isso, por que alguém poderia pensar por um instante sequer que você teria matado a sua mãe adotiva?

– Eu poderia ter feito isso – disse Hester. – Muitas vezes tive vontade. Às vezes se pode ficar louco de raiva. Pode se sentir tão inútil, tão... tão impotente. Mamãe era sempre tão calma e altiva e sempre sabia o que fazer, estava sempre certa sobre tudo. Às vezes eu pensava: "Ah, eu gostaria de matá-la" – ela olhou para ele. – O senhor entende? O senhor nunca se sentiu assim quando era jovem?

As últimas palavras causaram em Calgary uma aflição repentina, a mesma aflição que sentiu quando Micky disse a ele no hotel em Drymouth: "O senhor envelheceu!" "Quando era jovem"? Parece que faz tanto tempo assim, Hester? Ele remeteu sua mente ao passado. Lembrou-se de quando tinha nove anos e estava conversando com outro menino da mesma idade nos jardins da escola preparatória, pensando com ingenuidade em qual seria a melhor maneira de se livrar do sr. Warborough, seu professor do colégio. Recordou a raiva que o havia consumido quando o sr. Warborough fez um comentário particularmente sarcástico. Aquilo, pensou, era o que Hester sentia. Mas o que quer que fosse que ele e o jovem – qual era mesmo o nome dele? Porch, sim, o nome do menino era Porch – ainda que ele e o jovem Porch tenham deliberado e planejado, nunca partiram para uma ação concreta para dar cabo do sr. Warborough.

– Você sabe – ele disse a Hester –, você já deveria ter superado esses sentimentos há alguns anos. Eu posso entender, é claro.

– É que mamãe surtia esse efeito em mim – disse Hester. – Agora estou começando a ver que a culpa era minha. Sinto que se ela apenas tivesse vivido mais um pouco, vivido até que eu estivesse um pouco mais crescida, um pouco mais sossegada, que... que nós teríamos sido amigas de alguma maneira. Que eu teria ficado feliz com sua ajuda e seus conselhos. Mas... Mas do jeito que as coisas eram eu não podia suportar, porque me sentia tão inútil, tão idiota. Tudo o que eu fazia dava errado, e eu podia ver com meus próprios olhos que as coisas que eu fazia eram estúpidas. Que as fazia apenas porque queria me rebelar, queria provar que eu era eu mesma. E eu não era *ninguém*. Eu era fluida. Sim, esta é a palavra – disse Hester. – Esta é a palavra exata. Fluida. Nunca ficava por muito tempo com a mesma forma. Ficava apenas experimentando formas... formas de outras pessoas que eu admirava. Eu achava que se eu fugisse e entrasse para o teatro e tivesse um caso com alguém, que...

– Que se sentiria você mesma ou, de qualquer forma, se sentiria alguém.

– Sim – disse Hester. – É isso mesmo. E agora eu vejo que estava me comportando como uma criança tola. Mas o senhor não sabe como eu gostaria que mamãe estivesse viva agora, dr. Calgary. Porque é tão injusto... Injusto com ela. Ela fez tanto por nós, nos deu tanto. Nós não demos nada de volta. E agora é tarde demais – ela fez uma pausa. – É por isso – ela disse, com vigor repentinamente renovado – que estou determinada a deixar de ser boba e infantil. E o senhor vai me ajudar, não vai?

– Eu já disse, farei qualquer coisa para ajudar você.

Ela lançou-lhe um sorriso rápido e gracioso.

– Conte-me – ele disse – exatamente o que vem acontecendo.

– Exatamente o que eu pensei que aconteceria – disse Hester. – Nós ficamos olhando uns para os outros e imaginando quem teria sido, mas não sabemos. Papai olha para Gwenda e pensa que talvez tenha sido ela. Ela olha para o papai e fica em dúvida. Eu acho que eles não vão mais se casar. Esse negócio estragou tudo. E Tina acha que Micky tem alguma coisa a ver com a história. Não consigo imaginar por quê, já que ele não estava lá naquela noite. E Kirsten acha que fui eu e tenta me proteger. E Mary, minha irmã mais velha que o senhor não conhece, Mary acha que foi Kirsten.

– E quem você acha que foi, Hester?

– Eu? – Hester pareceu surpresa.

– Sim, você – disse Calgary. – Eu acho que é muito importante saber disso.

Hester esticou as mãos.

– Eu não sei – resmungou. – Eu simplesmente não sei. Eu tenho... é uma coisa horrível de se dizer, mas eu tenho medo de todos eles. É como se atrás de cada rosto tivesse outro rosto. Um rosto sinistro, que eu não conheço. Não tenho certeza de que papai esteja sendo ele mesmo, e Kirsten fica dizendo que eu não devo confiar em ninguém, nem mesmo nela. Olho para Mary e é como se eu não soubesse nada sobre ela. E Gwenda... sempre gostei da Gwenda. Fiquei feliz quando soube que ela e papai iam se casar. Mas agora tenho dúvidas em relação a Gwenda. Ela me parece outra pessoa, cruel e... e vingativa. Eu não sei mais quem é quem. Há um terrível sentimento de infelicidade.

– Sim – disse Calgary –, posso imaginar.

– Há tanta tristeza – disse Hester – que eu acho que posso sentir a tristeza do assassino. E acho que é a pior de todas... O senhor acha que isso é possível?

– Acho que é possível – disse Calgary –, mas tenho dúvidas. Não sou nenhum especialista, é claro. Mas não sei se um assassino pode sentir tristeza de verdade.

– Por que não? Imagino que deva ser terrível saber que você matou alguém.

– Sim – disse Calgary –, é algo terrível, portanto acredito que haja dois tipos distintos de assassino. Ou é uma pessoa para quem *não foi* terrível matar alguém, o tipo de pessoa que diz a si mesmo: "Bem, é claro que é uma pena que eu tenha tido que fazer isso, mas era necessário para o meu próprio bem-estar. Afinal de contas, não é culpa minha. Eu precisava fazer isso." Ou então...

– Sim – disse Hester –, qual é o outro tipo de assassino?

– Veja bem, isto é apenas uma suposição, mas acho que se você fosse o que chama de o outro tipo de assassino, não conseguiria viver com a infelicidade causada pelo que você fez. Teria que confessar ou teria que reescrever a história para si mesmo. Pondo a culpa em outra pessoa, dizendo: "Eu nunca teria feito uma coisa dessas se isso ou aquilo não tivesse acontecido". Ou: "Não sou realmente um assassino porque não tive a intenção de fazer isso. Aconteceu. Então na verdade foi o destino, eu não tive culpa." Você entende o que estou tentando dizer?

– Sim – disse Hester –, e acho muito interessante – ela apertou os olhos. – Estou tentando pensar...

– Sim, Hester – disse Calgary –, pense. Pense bem, porque para que eu possa ajudá-la, tenho que ver as coisas através do seu ponto de vista.

– Micky detestava mamãe – disse Hester vagarosamente. – Sempre detestou... não sei por quê. Eu acho que Tina a amava. Gwenda não gostava dela. Kirsten era muito fiel à mamãe, embora nem sempre concordasse com as coisas que ela fazia. Papai... – ela ficou em silêncio durante um longo tempo.

– Sim? – Calgary instigou-a.

– Papai voltou a ficar distante – disse Hester. – Logo após a morte de mamãe ele estava bem diferente. Não estava tão... como posso dizer... tão arredio. Ele estava mais humano, mais vivo. Mas agora ele voltou a se isolar em algum lugar sombrio de sua mente, onde nada parece tocá-lo. Não sei o que ele sentia por mamãe na verdade. Creio que ele a amava quando se casou com ela. Eles nunca brigavam, mas eu não sei o que ele sentia por ela. Oh... – suas mãos voltaram a gesticular – é impossível saber o que as pessoas sentem, não é? Quero dizer, o que se passa em suas mentes, atrás das palavras gentis do dia a dia? Podem estar loucas de ódio ou amor ou desespero, e ninguém teria como *saber*. É assustador... Oh, dr. Calgary, é assustador!

Ele segurou suas mãos.

– Você não é mais uma criança – ele disse. – Apenas crianças ficam apavoradas. Você é uma adulta, Hester. Você é uma mulher – ele soltou as mãos dela e disse, em tom objetivo: – Há algum lugar em que você possa ficar em Londres?

Hester pareceu um pouco desnorteada.

– Acho que sim. Não sei. Mamãe costumava ficar no Curtis's.

– Bem, é um ótimo hotel, muito discreto. Se eu fosse você, iria lá e reservaria um quarto.

– Farei tudo o que o senhor disser – disse Hester.

– Boa menina – disse Calgary. – Que horas são? – olhou para o relógio. – Nossa, já são quase sete horas. Acho que você deve ir agora e reservar o quarto, e eu passo lá por volta das quinze para as oito e pego você para jantar. O que você acha?

– Me parece ótimo – disse Hester. – O senhor está falando sério?

– Sim – disse Calgary –, estou falando sério.

– Mas e depois? O que vai acontecer? Eu não posso ficar hospedada no Curtis's para sempre, posso?

– Seu horizonte parece ser sempre pautado pelo infinito – disse Calgary.

– O senhor está zombando de mim? – perguntou, desconfiada.

– Só um pouquinho – ele disse e sorriu.

Ela hesitou um pouco, e então sorriu também.

– Creio que estava sendo dramática de novo – ela confidenciou.

– Suspeito que esse seja um hábito seu – disse Calgary.

– É por isso que pensei que me sairia bem no palco – disse Hester. – Mas isso não aconteceu. Eu não era boa o suficiente. Era uma péssima atriz.

– Você vai ter todo o drama que quiser na vida real – disse Calgary. – Agora eu vou colocá-la num táxi, minha querida, e você vai para o Curtis's. E vai lavar o rosto e escovar os cabelos – continuou. – Trouxe alguma bagagem?

– Ah, sim. Trouxe uma sacola com o suficiente para passar uma noite.

– Ótimo – ele sorriu. – Não se preocupe, Hester. Nós acharemos uma saída.

CAPÍTULO 19

I

– Eu quero falar com você, Kirsty – disse Philip.

– Sim, pode falar, Philip.

Kirsten Lindstrom interrompeu seu serviço. Ela acabara de trazer um cesto de roupas limpas e as estava guardando na cômoda.

– Quero falar com você sobre todo esse negócio – disse Philip. – Você não se importa, não é?

– Já se falou demais – disse Kirsten. – É isso que eu penso.

– Mas seria bom, não seria – disse Philip –, se chegássemos a uma conclusão entre nós. Você sabe o que está acontecendo neste momento, não sabe?

– Está tudo dando errado – disse Kirsten.

– Você acha que Leo e Gwenda ainda vão se casar?

– Por que não?

– Diversos motivos – disse Philip. – Primeiro, porque sendo Leo Argyle um homem inteligente, ele sabe que uma união entre ele e Gwenda vai dar aos detetives o que eles querem. Um bom motivo para o assassinato de sua esposa. Ou, talvez, porque Leo suspeite que Gwenda seja a assassina. E sendo ele um homem sensível, não deve querer que sua segunda esposa seja a mulher que matou a primeira. O que você me diz disso? – ele acrescentou.

— Nada – disse Kirsten. – O que eu deveria dizer?
— Você não está querendo se comprometer, não é, Kirsty?
— Não entendo o que você quer dizer.
— Quem você está acobertando, Kirsten?
— Não estou "acobertando" ninguém, como você diz. Eu acho que deveria haver menos conversa, e também acho que as pessoas não deveriam ficar nesta casa. Não faz bem para elas. Acho que você, Philip, deveria ir para casa com a sua mulher, para sua própria casa.
— Ah, você acha mesmo? E por que, você poderia me explicar?
— Você fica fazendo perguntas – disse Kirsten. – Fica tentando desvendar as coisas. E a sua mulher não quer que você faça isso. Ela é mais sábia do que você. Você pode acabar descobrindo algo que não queria descobrir, ou que ela não queria que você descobrisse. Melhor ir para casa, Philip. Você deve ir para casa o quanto antes.
— Eu não quero ir para casa – disse Philip, parecendo um menininho petulante.
— Você está agindo como uma criança – disse Kirsten. – As crianças dizem "não quero fazer isso, não quero fazer aquilo", mas os que sabem mais sobre a vida, que veem mais claramente o que está acontecendo, têm de persuadi-las a fazer o que não querem fazer.
— Então este é o seu conceito de persuadir? – disse Philip. – Dar ordens?
— Não, eu não estou lhe dando ordens. Estou apenas lhe dando um conselho – suspirou. – Eu daria o mesmo conselho a todos os outros. Micky deveria voltar para o seu trabalho, assim como Tina voltou para a sua biblioteca. Fico feliz que Hester tenha partido. É bom que ela esteja em um lugar onde não seja constantemente lembrada de tudo o que aconteceu.
— Sim – disse Philip –, neste ponto concordo com você. Você está certa em relação a Hester. E quanto a você, Kirsten? Você também não deveria ir embora?
— Sim – disse Kirsten com um suspiro. – Eu também deveria ir embora.
— E por que não vai?
— Você não entenderia. É tarde demais para eu ir embora.
Philip fitou-a pensativamente. Então disse:
— Há tantas variações, não é mesmo... variações sobre um mesmo tema. Leo pensa que foi Gwenda, Gwenda pensa que foi Leo. Tina sabe de alguma coisa que a faz suspeitar de alguém. Micky sabe quem foi, mas está pouco ligando. Mary acha que foi Hester – ele fez uma pausa, depois prosseguiu. – Mas a verdade, Kirsty, é que essas são apenas variações sobre o mesmo tema, como eu havia dito. Nós sabemos muito bem quem foi, não sabemos, Kirsty. Você e eu?

Ela lhe lançou um olhar rápido, apavorado.

– Era isso que eu pensava – disse Philip triunfante.

– Do que você está falando? – disse Kirsten. – O que está tentando dizer?

– Eu *não sei* de fato quem foi – disse Philip. – Mas *você sabe*. Não se trata de uma desconfiança, você realmente *sabe*. Estou certo, não é mesmo?

Kirsten marchou até a porta, abriu-a, e então se virou e disse:

– Isso não é uma coisa agradável de se dizer, mas direi assim mesmo. Você é um tolo, Philip. O que está tentando fazer é algo perigoso. Você entende o que é o perigo. Você era piloto. Desafiou a morte em seus voos. Você não vê que, se chegar perto da verdade, estará correndo tanto perigo quanto corria na guerra?

– E você, Kirsty? Se você sabe a verdade, não está em perigo também?

– Eu sei me cuidar – disse Kirsten num tom austero. – Posso me defender sozinha. Mas você, Philip, você é um pobre inválido. Pense nisso! Além do quê – ela acrescentou –, não ando por aí expondo minhas opiniões. Contento-me em deixar as coisas como estão... porque realmente acredito que assim é melhor para todo mundo. Se todos fossem embora cuidar de suas próprias vidas, não haveria mais problemas. Se me perguntarem, darei meu parecer oficial. Direi que foi Jacko.

– Jacko? – Philip encarou-a.

– Por que não? Jacko era esperto. Jacko podia planejar qualquer coisa e ter certeza de que não iria sofrer as consequências. Ele fez isso muitas vezes quando criança. E afinal de contas, forjar um álibi... Isso não acontece todos os dias?

– Ele não poderia ter forjado este. O dr. Calgary...

– Dr. Calgary, dr. Calgary – disse Kirsten com impaciência –, só porque ele é famoso, porque tem um nome conhecido? Você diz "dr. Calgary" como se ele fosse um deus! Mas deixe-me dizer uma coisa. Quando alguém sofre um golpe como ele sofreu, pode muito bem confundir os dias, os horários, os lugares!

Philip olhou para ela, a cabeça um pouco inclinada.

– Então essa é a sua versão – ele disse. – *E* você vai seguir com ela. É uma tentativa honrável. Mas nem mesmo você acredita nisso, não é, Kirsty?

– Já alertei você – disse Kirsten –, não posso fazer mais do que isso.

Saiu caminhando, depois se virou de novo para dizer, naquele tom de voz objetivo que lhe era peculiar:

– Diga a Mary que eu guardei as roupas limpas na segunda gaveta.

Philip deu um leve sorriso diante do anticlímax, e o sorriso extinguiu-se lentamente...

Seu entusiasmo interior cresceu. Sentia que estava chegando muito perto. Seu experimento com Kirsten havia sido altamente satisfatório, mas ele estava certo de que não conseguiria tirar mais nada dela. Sua preocupação em relação a ele o irritava. O fato de ser aleijado não significava que era tão vulnerável quanto ela pensava. Ele também podia se defender, e, por Deus, ele não era sempre atendido? Mary quase nunca saía de seu lado.

Pegou uma folha de papel e começou a escrever. Breves anotações, nomes, pontos de interrogação... Um ponto sensível a ser investigado...

De súbito, ele balançou a cabeça e escreveu: *Tina*...

Pensou um pouco...

Então pegou outra folha de papel.

Quando Mary entrou, ele sequer tirou os olhos da folha.

– O que você está fazendo, Philip?

– Escrevendo uma carta.

– Para Hester?

– Hester? Não. Nem mesmo sei onde ela está hospedada. Ela enviou um cartão postal a Kirsty que dizia Londres no verso, mais nada.

Ele deu uma risada.

– Acho que você está com ciúmes, Polly. Não está?

Seus olhos, frios e azuis, olharam fixamente para os dele.

– Talvez.

Ele se sentiu um pouco constrangido.

– Para quem você está escrevendo? – ela deu mais um passo na direção dele.

– Para o promotor público – disse Philip com animação, embora um calafrio de raiva tenha percorrido sua espinha. O sujeito não podia sequer escrever uma carta sem ser interrogado?

Então viu o rosto dela e abrandou-se.

– Estou brincando, Polly. Estou escrevendo para Tina.

– Para Tina? Por quê?

– Tina é o meu próximo alvo. Aonde você vai, Polly?

– Vou ao banheiro – disse Mary, e saiu da sala.

Ele riu. Ao banheiro, como na noite do crime... Riu de novo ao lembrar da conversa que haviam tido sobre isso.

II

– Vamos, meu filho – disse o inspetor Huish, animado. – Conte-me o que houve.

Master Cyril Green suspirou profundamente. Antes que pudesse dizer qualquer coisa, sua mãe interveio.

— Como o senhor vê, sr. Huish, não notei nada na época. O senhor sabe como são essas crianças. Sempre falando e pensando em espaçonaves e coisas do gênero. E ele chega em casa e me diz "Mãe, eu vi um Sputnik, aterrissou aqui". Bem, quero dizer, antes disso eram os discos voadores. Sempre tem alguma coisa. São esses malditos russos que ficam pondo coisas na cabeça deles.

O inspetor Huish suspirou e pensou em como tudo seria mais fácil se as mães não insistissem em acompanhar os filhos e em falar por eles.

— Vamos, Cyril — ele disse —, você foi para casa e disse à sua mãe que tinha visto uma espécie de Sputnik russo, não foi isso?

— Eu ainda não sabia das coisas naquela época — disse Cyril. — Eu ainda era uma criança. Isso foi dois anos atrás. Agora sei das coisas, claro.

— Depois foram os carros *bubble* — a mãe interrompeu —, que eram novidade na época. Não tinha nenhum nas redondezas, então, naturalmente, quando ele viu aquele carro vermelho, não se deu conta de que era apenas um carro normal. E então, na manhã seguinte, quando soubemos que a sra. Argyle tinha sido morta, Cyril me disse, "Mãe, foram os russos, eles vieram naquele Sputnik e devem ter entrado e matado a sra. Argyle". "Não diga bobagens", eu falei a ele. Então, no final da tarde, soubemos que o próprio filho dela havia sido preso pelo crime.

O inspetor Huish voltou a se dirigir pacientemente a Cyril.

— Isso foi no início da noite, não foi? A que horas, você se lembra?

— Eu já tinha tomado meu chá — disse Cyril, esforçando-se para lembrar — e minha mãe estava no instituto, então dei uma saída com os garotos, e nós brincamos um pouco para aqueles lados da estrada nova.

— Gostaria de saber o que você estava fazendo lá — sua mãe interrompeu.

O chefe de polícia Good, que havia trazido essa promissora evidência, interveio. Ele sabia muito bem o que Cyril e os garotos estavam fazendo por aquelas bandas. O desaparecimento de alguns crisântemos havia sido acintosamente noticiado por diversos moradores da área, e ele sabia muito bem que os maus-elementos da cidade encorajavam os jovens a fornecê-los as flores que eles mesmos vendiam. Mas esse não era o momento de investigar antigos casos de delinquência, Good bem sabia. Ele disse com severidade:

— Garotos são garotos, sra. Green, gostam de aprontar.

— Sim — disse Cyril —, estávamos fazendo umas brincadeiras, só isso. E foi lá que eu vi. "Nossa", eu disse, "o que é isso?" Agora eu sei, é claro. Não sou mais uma criancinha idiota. Era apenas um desses carros *bubble*. Era vermelho.

— E a hora? — disse o inspetor Huish com paciência.

— Bem, como eu disse, tinha tomado o meu chá e ido até lá com os garotos. Ouvi o relógio soar e "nossa", pensei, "a mãe deve estar chegando e vai ficar brava se eu não estiver em casa". Então fui para casa. Eu disse a ela que achava que tinha visto o satélite russo. Ela disse que era tudo mentira, mas não era. Só que, é claro, agora eu sei das coisas, entende?

O inspetor Huish disse que entendia. Depois de mais algumas perguntas ele dispensou a sra. Green e seu filho. O chefe de polícia Good, que os observava, tinha no rosto uma expressão satisfeita, típica de um jovem membro do batalhão que julgava ter demonstrado inteligência e esperava que isso fosse contar a seu favor.

– Acaba de me ocorrer – disse o chefe Good –, aquilo que o garoto disse sobre os russos terem matado a sra. Argyle. Pensei comigo mesmo: "Isso pode significar alguma coisa".

– E significa – disse o inspetor. – A srta. Tina Argyle tem um carrinho *bubble* vermelho. Parece que vou ter que fazer mais algumas perguntas a ela.

III

– A senhorita esteve na casa naquela noite, srta. Argyle?

Tina olhou para o inspetor. Suas mãos repousavam tranquilas em seu colo, e seus olhos, escuros e alertas, não diziam nada.

– Faz tanto tempo – ela disse –, realmente não consigo lembrar.

– Seu carro foi visto lá – disse Huish.

– Foi?

– Por favor, srta. Argyle. Quando nós lhe perguntamos o que tinha feito naquela noite, a senhorita disse que tinha ido para a sua casa e ficado lá a noite toda. Fez o jantar e ficou ouvindo músicas. Bem, isso não é verdade. Pouco antes das sete horas seu carro foi visto na rua, muito perto de Sunny Point. O que a senhorita estava fazendo lá?

Ela não respondeu. Huish esperou alguns instantes e então falou de novo:

– A senhorita entrou na casa, srta. Argyle?

– Não – disse Tina.

– Mas esteve lá?

– O senhor é quem está dizendo isso.

– Não sou eu quem está dizendo. Nós temos provas de que a senhorita esteve lá.

Tina suspirou.

– Sim – ela disse –, fui até lá aquela noite.

– Mas a senhorita diz que não entrou na casa?

– Não, não entrei na casa.

– O que fez, então?

– Voltei para Redmyn. Depois, como já disse, fiz o jantar e escutei músicas no gramofone.

– Por que a senhorita dirigiu até lá e não entrou na casa?

– Eu mudei de ideia – disse Tina.

– O que a fez mudar de ideia, srta. Argyle?

– Quando cheguei lá, não tive vontade de entrar.

– Por causa de alguma coisa que viu ou ouviu?

Ela não respondeu.

– Ouça, srta. Argyle. Essa foi a noite em que sua mãe foi assassinada. Ela foi morta entre sete e sete e meia daquela noite. A senhorita estava lá, seu carro estava lá, pouco antes das sete. Quanto tempo ficou por lá nós não sabemos. É possível que tenha ficado por um bom algum tempo. Pode ser que tenha entrado na casa. A senhorita tem uma chave, suponho.

– Sim – disse Tina –, eu tenho a chave.

– Talvez a senhorita tenha entrado na casa. Talvez tenha ido até a sala e encontrado sua mãe morta. Ou talvez...

Tina levantou a cabeça.

– Ou talvez a tenha matado? É isso que o senhor quer dizer, inspetor Huish?

– Essa é uma das possibilidades – disse Huish –, mas acho mais provável, srta. Argyle, que outra pessoa tenha cometido o assassinato. E se for assim, acho que a senhorita sabe quem é o assassino, ou ao menos tem uma forte suspeita.

– Eu não entrei na casa – disse Tina.

– Então viu ou ouviu alguma coisa. Viu alguém entrar ou sair da casa. Alguém, talvez, de quem os outros não sabiam da presença. Era o seu irmão Michael, srta. Argyle?

Tina disse:

– Eu não vi ninguém.

– Mas ouviu alguma coisa – disse Huish com astúcia. – O que a senhorita ouviu, srta. Argyle?

– Eu já disse, simplesmente mudei de ideia.

– Perdoe-me, srta. Argyle, mas eu não acredito nisso. Por que a senhorita viria de Redmyn para visitar sua família e daria meia-volta sem nem mesmo vê-los? Algo a fez mudar de ideia. Algo que a senhorita viu ou ouviu – ele se inclinou para frente. – Eu acho, srta. Argyle, que sabe quem matou sua mãe.

Ela sacudiu a cabeça devagar.

– A senhorita sabe de *alguma coisa* – disse Huish. – Alguma coisa que está determinada a esconder. Mas pense, srta. Argyle, pense bem. A senhorita percebe que está condenando a sua família? Quer que todos eles permaneçam sob suspeita? Porque é isso que vai acontecer a não ser que a verdade seja descoberta. A pessoa que matou a sua mãe não merece ser protegida. É isso, não é? A senhorita está protegendo alguém.

Mais uma vez os olhos escuros e opacos de Tina encontraram os dele.

– Eu não sei de nada – disse Tina. – Não ouvi nada e não vi nada. Eu apenas... mudei de ideia.

CAPÍTULO 20

I

Calgary e Huish olharam um para o outro. Calgary contemplou o que lhe parecia um dos homens mais deprimidos e melancólicos que já vira. Parecia tão profundamente desiludido que Calgary só pôde supor que a carreira do inspetor Huish não havia sido nada além de uma longa sequência de fracassos. Ficou surpreso ao descobrir mais tarde que o inspetor havia sido muito bem-sucedido na carreira. Huish viu um homem magro, de ombros encolhidos, precocemente grisalho, um rosto delicado e um sorriso muito atraente.

– É provável que o senhor não saiba quem eu sou – disse Calgary.

– Ah, nós já o conhecemos, dr. Calgary – disse Huish. – O senhor é a carta na manga que arruinou o caso Argyle – um sorriso inesperado moveu os contornos de sua boca.

– O senhor não deve ter grande estima por mim, neste caso – disse Calgary.

– Isso é muito comum – disse o inspetor Huish. – Parecia um caso encerrado, todos assim pensavam. Mas essas coisas acontecem – continuou. – São provações, como dizia minha velha mãe. Não levamos a mal, dr. Calgary. Afinal de contas, estamos do lado da justiça, não é verdade?

– Sempre acreditei nisso e seguirei acreditando – disse Calgary. – A ninguém negaremos justiça – murmurou em voz baixa.

– A Carta Magna – disse o inspetor Huish.

– Sim – disse Calgary –, citada para mim pela srta. Tina Argyle.

O inspetor Huish levantou as sobrancelhas.

– O senhor me surpreende. Aquela moça, devo dizer, não me pareceu interessada em ajudar a justiça a funcionar.

– Por que o senhor está dizendo isso? – perguntou Calgary.

– Francamente – disse Huish –, ela sonegou informações. Não há dúvidas em relação a isso.

– Por quê? – perguntou Calgary.

– Bem, é uma questão de família – disse Huish. – Os familiares protegem uns aos outros. Mas por que o senhor queria me ver?

– Eu busco informações.

– Sobre o caso Argyle?

– Sim. Sei que deve lhe parecer que estou me intrometendo num assunto que não me diz respeito...

– Bem, lhe diz respeito de certa forma, não é?

– Ah, o senhor está certo. Sim, sinto-me responsável. Responsável por ter causado tantos problemas.

– Não se pode fazer uma omelete sem quebrar os ovos, dizem os franceses.

– Quero saber de algumas coisas – disse Calgary.

– Por exemplo...?

– Queria mais informações sobre Jacko Argyle.

– Sobre *Jacko* Argyle. Bem, não esperava que o senhor fosse dizer isso.

– Ele tem péssimos antecedentes, sei disso – disse Calgary. – Gostaria de saber alguns detalhes.

– Bem, isso é bastante simples – disse Huish. – Ele foi preso duas vezes, mas ficou em liberdade condicional. Em outra ocasião, por desvio de fundos, escapou só porque conseguiu repor o dinheiro a tempo.

– Um delinquente juvenil, de fato? – perguntou Calgary.

– Isso mesmo – disse Huish. – Não um assassino, como o senhor mesmo deixou claro, mas uma série de outras coisas. Nada, veja bem, em grande escala. Ele não tinha inteligência nem coragem suficientes para armar um grande golpe. É um criminoso de pequeno porte. Roubava de caixas registradoras, tirava dinheiro de mulheres por meio de adulação.

– E ele era muito bom nisso – disse Calgary –, em seduzir mulheres para lhes tomar dinheiro.

– Esse é um ramo de ação seguro – disse o inspetor Huish. – As mulheres enamoravam-se dele com muita facilidade. Ele normalmente procurava mulheres de meia-idade ou já idosas. O senhor ficaria surpreso com a ingenuidade desse tipo de mulher. Ele fazia uma bela encenação. Fazia com que acreditassem que ele estava perdidamente apaixonado. As mulheres acreditam em qualquer coisa.

– E então? – perguntou Calgary.

Huish encolheu os ombros.

– Bem, cedo ou tarde elas caíam em si. Mas não prestavam queixa. Não queriam que todo o mundo soubesse que foram enganadas. Sim, é um ramo de ação bastante seguro.

– Alguma vez houve chantagem? – perguntou Calgary.

– Não que tenhamos conhecimento – disse Huish. – Veja bem, não acho que tenha sido o caso. Ao menos não chantagem de fato. Algumas alusões, talvez. Cartas. Cartas insidiosas. Coisas que seus maridos não gostariam de descobrir. O suficiente para mantê-las de boca fechada.

– Entendo – disse Calgary.

– Era apenas isso que o senhor queria saber? – perguntou Huish.

– Há um membro da família Argyle que ainda não conheço – disse Calgary. – A filha mais velha.

– Ah, a sra. Durrant.

– Eu fui até sua casa, mas não a encontrei. Disseram-me que ela e o marido estavam viajando.

– Estão em Sunny Point.

– Ainda estão lá?

– Sim. Ele quis ficar. O sr. Durrant – acrescentou Huish – está fazendo uma espécie de investigação, pelo que sei.

– Ele é aleijado, não é?

– Sim, poliomielite. Muito triste. Não tem muito o que fazer, o pobre sujeito. É por isso que está tão avidamente interessado nessa história. Acha que está prestes a descobrir alguma coisa.

– E está? – perguntou Calgary.

Huish encolheu os ombros.

– Pode ser que sim – ele disse. – Ele tem mais chance do que nós. Conhece a família; além do quê, é um homem bastante intuitivo e inteligente.

– O senhor acha que ele vai chegar a algum lugar?

– Possivelmente – disse Huish –, mas não vai *nos* contar nada se conseguir. Ficará entre eles.

– O senhor sabe quem é o culpado, inspetor?

– O senhor não deve me fazer perguntas desse tipo, dr. Calgary.

– Então o senhor sabe?

– Você pode achar que sabe alguma coisa – disse Huish devagar –, mas se não tem provas, não há nada que se possa fazer, não é verdade?

– E o senhor acha que não conseguirá as provas de que precisa?

– Oh! Nós somos muito pacientes – disse Huish. – Continuaremos tentando.

– O que acontecerá a eles se vocês não tiverem sucesso? – perguntou Calgary, inclinando-se para frente. – O senhor já pensou nisso?

Huish olhou para ele.

– Essa é a sua preocupação, não é?

– Eles *têm* que saber – disse Calgary. – Aconteça o que acontecer, eles precisam *saber*.

– O senhor não acha que eles já sabem?

Calgary sacudiu a cabeça.

– Não – ele disse lentamente –, e isso é o mais trágico.

II

– Ah – disse Maureen Clegg –, é o senhor de novo!

– Sinto muitíssimo por incomodar a senhora – disse Calgary.

– Oh, mas o senhor não está me incomodando, de maneira nenhuma. Entre. Hoje é meu dia de folga.

Calgary já sabia disso, e essa era a razão de sua visita.

– Joe já está chegando – disse Maureen. – Não vi mais nada sobre Jacko nos jornais. Quer dizer, desde que disseram que ele havia ganhado o indulto, e algo sobre uma pergunta ter sido feita no Parlamento, e depois quando disseram que estava claro que ele não era culpado. Mas não saiu mais nada sobre o que a polícia anda fazendo ou quem é o verdadeiro culpado. Será que eles vão descobrir?

– A senhora ainda não tem nenhuma ideia acerca do assunto?

– Bem, na verdade não – disse Maureen. – No entanto, não ficaria surpresa se tivesse sido o outro irmão. Ele é muito estranho e mal-humorado. Joe às vezes o vê dirigindo por aí, mostrando carros para os clientes. Trabalha para o Grupo Bence. É bastante atraente, mas muito mal-humorado, pelo que sei. Joe ouviu rumores de que ele vai para a Pérsia ou algo assim e me pareceu estranho, o senhor não acha?

– Não sei por que isso pareceria estranho, sra. Clegg.

– Bem, é um daqueles lugares em que a polícia não pode pegar ninguém, não é mesmo?

– A senhora acha que ele está fugindo?

– Talvez ele ache que seja preciso.

– Creio que esse é o tipo de comentário que as pessoas costumam fazer – disse Arthur Calgary.

– Tem uma série de rumores circulando – disse Maureen. – Dizem que o marido e a secretária estavam mancomunados. Mas se tivesse sido o marido, acho que seria mais provável que ele a tivesse envenenado. É o que costumam fazer, não é?

– Bem, a senhora vê mais filmes do que eu, sra. Clegg.

– Eu não fico olhando para a tela – disse Maureen. – Quando se trabalha no cinema, se acaba ficando entediado com os filmes. Olha, lá vem o Joe.

Joe Clegg também ficou surpreso ao ver Calgary e não pareceu muito contente. Conversaram um pouco e então Calgary chegou ao propósito de sua visita.

– Vocês poderiam fazer a gentileza – ele disse – de me dar o nome e o endereço de uma pessoa?

Anotou com cuidado as informações em sua caderneta.

III

Tinha aproximadamente cinquenta anos, pensou, uma mulher gorda e desajeitada que, sem dúvida, nunca havia sido bonita. Não obstante, seus olhos castanhos eram belos e delicados.

– Bem, para falar a verdade, dr. Calgary – ela estava irresoluta, perturbada. – Bem, de verdade, tenho certeza de que não sei...

Ele se inclinou para frente, fazendo o máximo para afastar a relutância da mulher, para acalmá-la, para fazê-la sentir toda a força de sua empatia.

– Já faz tanto tempo – ela disse. – Não quero me lembrar dessas... dessas coisas.

– Entendo – disse Calgary – e garanto à senhora que nada do que me disser será revelado.

– Mas o senhor diz que quer escrever um livro sobre isso, não é?

– O livro será apenas para ilustrar um tipo específico de personalidade – disse Calgary. – Interessante apenas do ponto de vista médico ou psicológico. Não citarei nomes. Apenas sr. A., sra. B., esse tipo de coisa.

– O senhor esteve na Antártica, não é mesmo? – ela perguntou de súbito.

Ele ficou surpreso com a maneira abrupta com que ela havia mudado de assunto.

– Sim – ele disse –, fui com a expedição Heyes Bentley.

Seu rosto se encheu de cor. Ela pareceu mais jovial. Por um breve instante, pôde ver a garota que ela fora um dia.

– Eu costumava ler sobre isso... Sempre fui fascinada por qualquer coisa que tivesse a ver com os polos. Foi um norueguês, não foi, Amundsen, o primeiro a chegar até lá? Acho que os polos são muito mais interessantes do que o Everest ou qualquer um desses satélites, ou viagens à Lua ou coisas desse tipo.

Aproveitou a oportunidade e começou a falar sobre a expedição. Seu pitoresco interesse por investigações polares era algo curioso. Por fim, ela disse com um suspiro:

– É maravilhoso ouvir alguém que realmente esteve lá falar sobre o assunto – ela continuou. – O senhor quer que eu lhe fale sobre Jackie?

– Sim.

– Não vai usar meu nome ou algo assim?

– É claro que não. Já disse. Você sabe como essas coisas são feitas: sra. M., lady Y. Esse tipo de coisa.

– Sim, sim, já li esse tipo de livro... E acho que foi, como o senhor disse, pato... pato...

– Patológico – ele disse.

– Sim, Jackie era definitivamente um caso patológico. Ele era tão gentil – ela disse. – Era maravilhoso. Era impossível não acreditar em cada palavra do que ele dizia.

– É provável que ele também acreditasse – disse Calgary.

– "Eu tenho idade para ser sua mãe", eu costumava dizer a ele, e ele dizia que não gostava de garotas. Dizia que elas eram cruas demais. Dizia que as mulheres maduras e experientes eram as que o atraíam.

– Ele estava apaixonado pela senhora?

– Dizia que estava. Parecia estar... – seus lábios tremeram. – E o tempo todo, ao que parece, ele só estava interessado no dinheiro.

– Não necessariamente – disse Calgary, tentando parecer sincero. – É possível que ele tenha se sentido genuinamente atraído pela senhora. Só que... Ele tinha uma falha de caráter, não podia evitar.

Seu rosto patético e envelhecido iluminou-se de leve.

– Sim – ela disse –, é bom pensar dessa maneira. Nós costumávamos fazer planos; iríamos juntos para a França, ou para a Itália, se os negócios dele dessem certo. Só precisava de algum investimento, ele dizia.

O discurso de sempre, pensou Calgary, e se perguntou quantas mulheres ingênuas teriam caído no conto.

– Eu não sei o que me deu – ela disse. – Teria feito qualquer coisa por ele... *qualquer coisa*.

– Imagino que sim – disse Calgary.

– E acredito que – ela disse com amargura – eu não era a única.

Calgary se levantou.

– Foi muito gentil da sua parte me contar essas coisas – ele disse.

– Ele está morto agora... Mas nunca hei de esquecê-lo. Aquela carinha linda! O jeito que ele ria, mesmo quando estava triste. Ah, ele tinha algo de especial. Não era de todo mau, estou certa de que ele não era *de todo* mau.

Ela o olhou com uma nota de melancolia.

Mas para isso Calgary não tinha uma resposta.

CAPÍTULO 21

Nada indicava a Philip Durrant que aquele dia seria diferente de qualquer outro.

Ele não tinha a mais vaga ideia de que aquele dia determinaria seu futuro de modo definitivo.

Acordou sentindo-se disposto e de bom humor. O ameno sol de outono brilhava em sua janela. Kirsten trouxe uma mensagem que o fez ficar ainda mais animado.

– Tina vem para o chá – ele disse a Mary quando ela entrou com a bandeja do café da manhã.

– Ela vem? Ah, sim, é claro, é sua tarde de folga, não é?

Mary pareceu preocupada.

– Qual é o problema, Polly?

– Nada.

Tirou a casca do ovo para ele. Imediatamente, sentiu-se irritado.

– Eu ainda posso usar as mãos, Polly.

– Oh, pensei que poderia lhe poupar esforço.

– Quantos anos você acha que eu tenho? Seis?

Ela pareceu um pouco surpresa. Então disse, de forma abrupta:

– Hester volta para casa hoje.

– É mesmo? – ele falou de maneira vaga, pois sua mente estava ocupada com seus planos acerca de Tina. Então notou a expressão no rosto da esposa.

– Por Deus, Polly, você acha que tenho uma paixão secreta por essa garota?

Ela virou a cabeça para o lado.

– Você está sempre dizendo como ela é encantadora.

– E é. Se você quiser um belo corpo e uma personalidade sinistra – ele acrescentou, cáustico: – Mas não sou exatamente o tipo sedutor, sou?

– Talvez você quisesse ser.

– Não seja ridícula, Polly. Não sabia que você tinha essa veia ciumenta.

– Você não sabe nada sobre mim.

Ele estava prestes a retrucar, mas parou. Percebeu, com certa surpresa, que talvez, de fato, não soubesse mesmo muito sobre Mary.

Ela continuou:

– Eu quero você só para mim, só para mim. Não quero que haja mais ninguém no mundo, só eu e você.

– Nós não teríamos sobre o que conversar, Polly.

Ele falou de modo bem-humorado, mas sentiu-se incomodado.

De súbito, brilho da manhã pareceu se ofuscar.

– Vamos para casa, Philip, por favor, vamos para casa – ela disse.

– Muito em breve nós iremos, mas não agora. As coisas estão indo bem. Como disse, Tina virá hoje à tarde – ele prosseguiu, na tentativa de guiar a mente da esposa para outro assunto. – Tenho grandes expectativas em relação a Tina.

– Em que sentido?

– Tina sabe de alguma coisa.

– Você diz... sobre o assassinato?

– Sim.

– Mas como ela pode saber? Ela nem mesmo estava aqui naquela noite.

– Não estou certo disso. Acho que ela *estava*. É curioso como pequenas coisas surgem para ajudar. Aquela diarista, sra. Narracot, aquela alta, me disse uma coisa.

– O que ela disse?

– Uma fofoca que está correndo pela cidade. Não me lembro o nome, acho que é Ernie... não, é Cyril. Ele teve que ir com sua mãe à delegacia, falar sobre algo que havia visto na noite em que a pobre sra. Argyle foi morta.

– O que ele viu?

– Bem, quanto a isso a sra. Narracot foi bastante vaga. Não tinha conseguido descobrir ainda. Mas é fácil de imaginar, não é, Polly? Cyril não estava dentro de casa, logo ele deve ter visto alguma coisa na rua. Isso nos deixa duas possibilidades. Ou ele viu Micky, ou viu Tina. Meu palpite é que Tina veio até aqui naquela noite.

– Se fosse o caso, ela teria dito.

– Não necessariamente. Está na cara que Tina sabe de alguma coisa que não quis contar. Digamos que ela tenha vindo até aqui naquela noite. Talvez tenha entrado na casa e encontrado sua mãe morta.

– E foi embora sem dizer nada? Bobagem.

– Ela pode ter tido suas razões... Talvez tenha visto ou ouvido alguma coisa que a fizeram crer que ela sabia quem era o assassino.

– Ela não gostava muito de Jacko. Tenho certeza de que não iria querer protegê-lo.

– Então é possível que não fosse de Jacko que ela suspeitava... Mas depois, quando Jacko foi preso, ela pensou que suas suspeitas estavam equivocadas. Como havia dito que não estava aqui, teve que manter sua versão. Mas agora as coisas são diferentes.

Mary disse com impaciência:

– Você fica imaginando coisas, Philip. Inventa um monte de coisas que não têm como ser verdade.

– É muito provável que sejam verdade. Vou tentar fazer com que Tina me conte o que sabe.

– Não acredito que ela saiba de alguma coisa. Você acha mesmo que ela sabe quem foi?

– Não iria tão longe. Acho que ela viu, ou ouviu, alguma coisa. E quero descobrir o que é.

– Tina não vai lhe contar se não quiser.

– Concordo com você. E ela sabe guardar segredos. Seu rosto é traiçoeiro. Nunca revela nada. Mas ela não sabe mentir. Você mente muito melhor que ela, por exemplo... Meu método será o da suposição. Transformarei minha suposição numa pergunta. E ela responderá sim ou não. Depois você sabe o que vai acontecer? Há três opções. Ou ela vai dizer que sim, e tudo estará resolvido; ou vai dizer que não, e como não sabe mentir, vou saber se ela terá dito a verdade ou não; ou pode ainda se recusar a responder e colocar sua carapuça, e isso, Polly, será o mesmo que dizer sim. Ora, Polly, você precisa admitir que tenho chance descobrir algo usando essa técnica.

– Oh, deixe isso pra lá, Phill! Deixe isso pra lá! Esse assunto vai aquietar-se e logo será esquecido.

– Não. Esse caso tem que ser esclarecido. Caso contrário, veremos Hester se atirando pela janela e Kirsten tendo colapsos nervosos. Leo já está tão frio que parece uma estalactite. E a pobre Gwenda está a ponto de aceitar um posto na Rodésia.

– O que importa o que vai acontecer com eles?

– Ninguém importa a não ser nós dois, é isso que você quer dizer?

O rosto de Philip estava austero e cheio de fúria, e isso deixou Mary alarmada. Nunca tinha visto seu marido daquele jeito.

Ela o encarou, como a provocá-lo.

– Por que eu deveria me importar com outras pessoas? – ela perguntou.

– Você nunca se importou, não é mesmo?

– Não sei o que você quer dizer com isso.

Philip deu um suspiro profundo e exasperado. Empurrou a bandeja do café da manhã para o lado.

– Leve isso embora. Não quero mais comer.

– Mas Philip...

Ele fez um gesto impaciente. Mary pegou a bandeja e saiu do quarto. Philip empurrou sua cadeira de rodas até a escrivaninha. Ficou olhado pela janela, com a caneta na mão. Sentiu-se curiosamente oprimido. Há poucos instantes, estava cheio de entusiasmo. Agora, sentia-se inquieto e apreensivo.

Mas em seguida se revigorou. Encheu duas folhas de papel com rapidez. Depois, recostou-se e refletiu.

Era plausível. Era possível. Mas ele não estava plenamente satisfeito. Será que estava mesmo no caminho certo? Não tinha certeza. Motivo. Era isso que estava faltando. Tinha algum elemento que o havia escapado.

Suspirou com impaciência. Mal podia esperar pela chegada de Tina. Se ao menos isso pudesse ser esclarecido. Apenas entre eles. Tudo ficaria bem. Uma vez que eles *soubessem...* todos ficariam livres. Livres daquela atmosfera opressiva de suspeita e desespero. Eles poderiam, com exceção de um, seguir suas vidas. Ele e Mary iriam para casa e...

Sua mente paralisou. O entusiasmo esmoreceu novamente. Ele se deparou com seu próprio problema. *Ele não queria ir para casa...* Pensou na perfeita organização, nas tapeçarias impecáveis, na prataria resplandecente. Nada além de uma gaiola limpa e iluminada! E ele, dentro da gaiola, preso à sua cadeira de rodas, cercado pelos cuidados zelosos de sua esposa.

Sua esposa... Quando pensava na esposa, parecia ver duas pessoas diferentes. Uma era a garota com quem havia se casado, loira, olhos azuis, gentil e reservada. Essa era a garota que ele havia amado, a garota que o olhava com uma expressão adoravelmente confusa diante de suas provocações. Essa era Polly. Mas havia uma outra Mary: rígida, impetuosa, fria. Uma Mary que não se importava com ninguém ao não ser ela mesma. Mesmo ele só tinha importância porque pertencia a ela.

Um trecho de um verso francês lhe veio à mente.

"*Venus tout entière à as Proie attaché...*"

E essa Mary ele não amava. Atrás dos olhos azuis daquela Mary estava uma estranha... uma estranha sobre quem ele nada sabia.

E então riu de si mesmo. Estava ficando nervoso e agitado como todos os outros. Lembrou-se de sua sogra falando com ele sobre Mary. Sobre a doce menininha loira de Nova York. Sobre o momento em que ela havia se abraçado na sra. Argyle e dito: "Eu quero ficar com você. Não quero deixá-la *nunca mais!*"

Havia sentimento nessas palavras, não havia? Ainda assim... como aquilo lhe soava como algo típico de Mary. Era possível alguém mudar tanto depois de adulta? Por que era tão difícil para Mary, quase impossível, demonstrar seus sentimentos?

Ainda que naquela ocasião... De súbito, seu raciocínio foi interrompido. Ou seria de fato muito simples? Não era sentimento... apenas calculismo. O fim que justifica os meios. Uma demonstração de afeto deliberadamente fabricada. Do que Mary não seria capaz para conseguir o que queria?

Seria capaz de quase tudo, pensou... E chocou-se diante do próprio pensamento.

Largou a caneta e se dirigiu com fúria até o quarto ao lado. Foi até a penteadeira, pegou uma escova e penteou os cabelos para trás. Seu próprio rosto lhe parecia estranho.

Quem sou eu, pensou, e para onde vou? Pensamentos que nunca antes tinham lhe ocorrido... Empurrou sua cadeira para perto da janela e olhou para o lado de fora.

Lá em baixo, uma das diaristas estava em frente à janela da cozinha e falava com alguém que estava do lado de dentro. As vozes, marcadas pelo sotaque do dialeto local, chegavam suaves até ele...

Com os olhos desfocados, permaneceu durante alguns instantes numa espécie de estado de transe.

Um barulho vindo do quarto ao lado o despertou de suas preocupações. Conduziu sua cadeira de rodas até a porta que conectava os dois ambientes.

Gwenda Vaughan estava parada diante da escrivaninha. Ela se virou na direção de Philip, que ficou surpreso com o aspecto exausto e selvagem de seu rosto sob a luz da manhã.

– Olá, Gwenda.

– Bom dia, Philip. Leo achou que você poderia gostar de ler o *Illustrated London News*.

– Ah, obrigado.

– Este quarto é muito agradável – disse Gwenda, olhando à sua volta. – Acho que eu nunca tinha entrado aqui antes.

– Uma suíte de primeira, não é? – disse Philip. – Afastada de todos os outros quartos. Ideal para inválidos e casais em lua de mel.

Assim que terminou a frase, se arrependeu de ter dito as três últimas palavras. O rosto de Gwenda estremeceu.

– Tenho que seguir com meus afazeres – ela disse, de maneira vaga.

– A secretária perfeita.

– Nem mesmo isso eu sou hoje em dia. Cometo erros.

– Errar é humano, não é? – ele acrescentou de propósito: – Quando você e Leo vão se casar?

– Provavelmente nunca.

– Isso sim seria um grande erro – disse Philip.

– Leo acha que o casamento poderia levar a polícia a... interpretações desfavoráveis...

Ela falou com amargura.

– Deixe isso pra lá, Gwenda. Às vezes é preciso correr riscos.

– Eu estou disposta a correr riscos – disse Gwenda. – Nunca me importei em correr riscos. Estou disposta a apostar na felicidade. Mas Leo...

– Sim? Leo...?

– Leo – disse Gwenda – provavelmente morrerá da mesma forma que viveu a vida inteira, como o marido de Rachel Argyle.

A raiva e a amargura presentes no olhar de Gwenda o alarmaram.

– É como se ela ainda estivesse viva – disse Gwenda. – Ela está *aqui*, nesta casa. O tempo todo...

CAPÍTULO 22

I

Tina estacionou seu carro no gramado ao lado do muro do cemitério. Removeu cuidadosamente o papel que envolvia as flores que trazia consigo, então entrou pelos portões do cemitério e seguiu pelo caminho principal. Ela não gostava do novo cemitério. Gostaria que a sra. Argyle tivesse sido enterrada no antigo, que ficava em volta da igreja. Parecia haver uma paz de outros tempos naquele lugar, uma paz difícil de se encontrar nos dias de hoje. Os arbustos, as pedras cobertas de musgos. Neste cemitério, tão novo e bem planejado, a calçada e os pequenos caminhos adjacentes cintilavam; tudo parecia tão plano e massificado quanto os produtos de um supermercado.

O túmulo da sra. Argyle estava bem cuidado. Tinha uma borda quadrada, de mármore, que circundava o interior feito de pedaços de granito, e uma cruz de granito erguia-se na parte posterior.

Tina, empunhando seus cravos, curvou-se para ler a inscrição. "Dedicado à memória de Rachel Louise Argyle." Abaixo lia-se o seguinte texto:

"Seus filhos se erguerão para dizer-lhe abençoada."

Tina ouviu passos atrás de si e se virou, assustada.

– Micky!

– Eu vi seu carro. Segui você. Ao menos... Eu ia vir aqui de qualquer maneira.

– Você ia vir aqui? Por quê?

– Não sei. Apenas para dizer adeus, talvez.

– Dizer adeus... a ela?

Ele assentiu com a cabeça.

– Sim. Aceitei aquele trabalho na companhia de petróleo. Me mudo em três semanas.

– E veio aqui se despedir de mamãe antes de partir?

– Sim. Talvez para agradecê-la e para pedir desculpas.

– Pedir desculpa pelo quê, Micky?

– Não vou pedir desculpas por tê-la matado, se é isso que você está tentando sugerir. Você achou que eu a tinha matado, Tina?

– Eu não tinha certeza.

– Você ainda não tem certeza, não é? Quer dizer, não adianta eu falar para você que não fui eu.

– Você veio pedir desculpas pelo quê?

– Ela fez muito por mim – disse Micky com brandura. – E eu nunca fui nem um pouco grato a ela. Ressentia-me com tudo que ela fazia. Nunca lhe disse uma palavra carinhosa, nunca olhei para ela com afeto. Me arrependo agora de não ter feito isso.

– Quando você deixou de odiá-la? Depois que ela morreu?

– Sim. Acho que sim.

– Não era ela que você odiava de verdade, era?

– Não... Não. Você estava certa em relação a isso. Era a minha mãe verdadeira. Porque eu a amava. Porque eu a amava, e ela não ligava a mínima para mim.

– E agora você não está mais zangado com isso?

– Não. Acho que ela não podia evitar. Afinal, não se pode mudar a natureza das pessoas. Ela era uma pessoa alegre e radiante. Gostava demais dos homens e da bebida, e era gentil com os filhos quando tinha vontade. Nunca deixaria que ninguém machucasse seus filhos. Então ela não se importava comigo, e daí? Durante todos esses anos, me recusei a enxergar a realidade. Agora aceitei – ele estendeu a mão. – Dê-me apenas um dos seus cravos, por favor, Tina? – pegou o cravo das mãos dela e, curvando-se, repousou-o sobre o túmulo, logo abaixo da inscrição. – Aqui está, mamãe – ele disse. – Eu fui um péssimo filho para a senhora, e não acho que a senhora tenha sido uma mãe muito adequada para mim. Mas suas intenções foram boas – ele olhou para Tina. – Foi um bom pedido de desculpas?

– Acho que sim – disse Tina.

Ela curvou-se e pôs ali seu ramalhete de cravos.

– Você costuma vir aqui trazer flores?

– Venho aqui uma vez por ano – disse Tina.

– Minha pequena Tina – disse Micky.

Eles se viraram e andaram juntos pelo caminho do cemitério.

– Eu não a matei, Tina – disse Micky. – Juro que não a matei. Quero que acredite em mim.

– Eu estive lá naquela noite – disse Tina.

Ele se virou de repente.

– Você esteve lá? Em Sunny Point?

– Sim. Eu estava pensando em deixar meu emprego. Queria pedir a opinião de papai e mamãe sobre o assunto.

– Bem – disse Micky –, continue.

Ela não disse nada. Micky segurou seu braço e a sacudiu.

– Continue, Tina – ele disse. – Você tem que me contar.

– Eu não contei isso a ninguém – disse Tina.

– Continue – disse Micky de novo.

– Eu fui até lá. Não levei o carro até o portão. Você sabe que há um lugar na metade do caminho onde é mais fácil de fazer a volta.

Micky acenou com a cabeça.

– Deixei o carro ali e caminhei em direção a casa. Estava me sentindo insegura. Você sabe como era difícil de falar com mamãe em certo sentido. Quer dizer, ela sempre tinha seus próprios conceitos. Eu queria apresentar o assunto da forma mais clara possível. E então fiquei caminhando por ali, de um lado para o outro, pensando em como iria falar.

– Isso foi a que horas?

– Não sei – disse Tina. – Não consigo mais lembrar. Eu... Nunca liguei muito para o tempo.

– Pois é, minha querida – disse Micky. – Você tem sempre esse ar de quem desfruta de um ócio infinito.

– Eu estava sob as árvores – disse Tina – caminhando lentamente...

– Como uma gatinha – disse Micky com carinho.

– Quando ouvi.

– Ouviu o quê?

– Duas pessoas cochichando.

– Sim? – Micky sentiu o corpo se contrair. – O que eles diziam?

– Um deles disse: "Entre sete e sete e meia. Este é o horário. Agora lembre-se disso para não estragar tudo. Entre sete e sete e meia." A outra pessoa sussurrou: "Você pode confiar em mim", e então a primeira voz disse: "E depois disso, meu bem, tudo será perfeito".

Houve um momento de silêncio, e então Micky disse:

– Bem... Por que você escondeu isso?

– Porque eu não sabia – disse Tina –, não sabia quem estava falando.

– Mas claro! Era homem ou mulher?

– Não sei – disse Tina. – Veja, quando duas pessoas estão sussurrando, você não consegue escutar a *voz* delas. É apenas... Bem, apenas um sussurro. Eu acho, é claro, que era um homem e uma mulher, porque...

– Por causa do que disseram?

– Sim, mas eu não sabia quem eram eles.

– Você pensou – disse Micky – que poderiam ser papai e Gwenda?

– É possível, não é? – disse Tina. – É possível que ele estivesse dizendo a Gwenda sair dali e voltar entre as sete e as sete e meia, ou que ela estivesse mandando papai descer por volta desse horário.

– E se fosse papai e Gwenda, você não ia querer entregá-los à polícia. É isso?

– Se eu tivesse certeza – disse Tina. – Mas não tenho certeza. Pode não ter sido eles. Pode ter sido... Hester e outra pessoa? Pode até mesmo ter sido Mary, mas não Philip. Não, Philip não, é claro.

– Quando você diz Hester e outra pessoa, quem acha que é a outra pessoa?

– Não sei.

– Você não o viu? Não viu o homem?

– Não – disse Tina. – Não o vi.

– Tina, acho que você está mentindo. Era um homem, não era?

– Eu voltei – disse Tina – em direção ao carro, e então avistei alguém do outro lado da rua, caminhando muito rápido. Era apenas um vulto na escuridão. E então eu pensei... Eu pensei ouvir um carro arrancando no final da rua.

– Você pensou que fosse *eu*... – disse Micky.

– Eu não sabia – disse Tina. – *Poderia* ter sido você. O homem tinha mais ou menos sua altura e seu tamanho.

Eles chegaram junto ao pequeno carro de Tina.

– Vamos, Tina – disse Micky –, entre. Eu vou com você. Nós vamos até Sunny Point.

– Mas, Micky...

– Não adianta nada dizer a você que não fui eu, adianta? O que mais posso dizer? Vamos, me leve até Sunny Point.

– O que você vai fazer, Micky?

– Por que você acha que vou fazer alguma coisa? Você não ia para Sunny Point de qualquer maneira?

– Sim – disse Tina –, eu ia. Recebi uma carta de Philip.

Deu a partida no carro. Micky, sentado ao seu lado, mantinha o corpo muito ereto e rígido.

– Philip escreveu para você, então? O que ele disse?

– Ele me pediu para ir até lá. Queria me ver. Ele sabe que hoje é o meu dia de folga.

– Ah. Ele disse por que queria vê-la?

– Ele disse que queria me fazer uma pergunta e que esperava que lhe desse a resposta. Disse que não precisaria lhe dizer nada. Só teria que dizer sim ou não. Ele disse que manteria minha resposta em segredo, fosse ela qual fosse.

– Então ele suspeita de alguma coisa – disse Micky. – Interessante.

O caminho até Sunny Point era bastante curto. Quando eles chegaram lá, Micky disse:

– Vá entrando, Tina. Eu vou dar uma caminhada pelo jardim, pensar um pouco. Vá ter sua conversa com Philip.

Tina disse:

– Você não pretende... Você não faria uma coisa dessas...

Micky deu uma risada.

– O que? Me jogar do mirador? Ora, por favor, Tina, você me conhece melhor do que isso.

– Às vezes – disse Tina – acho que é impossível conhecer de fato outra pessoa.

Virou-se de costas para ele e caminhou lentamente em direção a casa. Micky a observava, a cabeça projetada para a frente e as mãos enfiadas nos bolsos. Trazia o rosto anuviado. Então caminhou ao redor da residência, observando-a pensativamente. Todas as suas memórias de infância lhe voltaram à mente. Lá estava a velha árvore de magnólia. Ela a havia escalado incontáveis vezes e entrado e saído pela janela adjacente. Lá estava o pequeno pedaço de terra que ele dizia ser seu próprio jardim. Não que ele gostasse muito de plantas. Sempre preferiu brincar despedaçando seus brinquedos eletrônicos. "Seu moleque demolidor", pensou, com lânguido deleite.

Bem, as pessoas não mudam.

II

Ao entrar na casa, Tina se deparou com Mary no hall de entrada. Mary pareceu surpresa ao vê-la.

– Tina! Você veio de Redmyn?

– Sim – disse Tina. – Você não sabia que eu vinha?

– Tinha esquecido – disse Mary. – Acho que Philip chegou a comentar comigo.

Virou-se de costas.

– Vou até a cozinha – ela disse – ver se o Ovomaltine está pronto. Philip gosta de beber antes de dormir. Kirsten acaba de levar uma xícara de café para ele. Ele prefere café do que chá. Diz que chá lhe causa indigestão.

– Por que você o trata como um inválido, Mary? – disse Tina. – Ele não é realmente inválido.

Havia um traço de fria raiva no olhar de Mary.

– Quando você tiver um marido, Tina – ela disse –, saberá como os maridos gostam de ser tratados.

Tina disse com doçura:

– Me desculpe.

– Se apenas nós pudéssemos ir embora desta casa – disse Mary. – É tão *ruim* para Philip estar aqui. E Hester voltará hoje – acrescentou.

– Hester? – Tina pareceu surpresa. – Mesmo? Por quê?

– Como eu vou saber? Ela ligou ontem à noite e disse que viria. Não sei em qual trem ela vai chegar. Suponho que seja no expresso, como de costume. Alguém vai ter que ir buscá-la em Drymouth.

Mary desapareceu pelo corredor que levava à cozinha. Tina hesitou por um instante e então subiu as escadas. Quando chegou ao andar de cima, a primeira porta à sua direita se abriu e Hester saiu de dentro dela. Ficou chocada ao ver Tina.

– Hester! Tinha ouvido dizer que você chegaria hoje, mas não sabia que já estava aqui.

– O dr. Calgary me trouxe – disse Hester. – Subi direto para o meu quarto. Acho que ninguém sabe que eu cheguei.

– O dr. Calgary também está aqui?

– Não. Ele me deixou aqui e seguiu para Drymouth. Queria visitar alguém lá.

– Mary não sabe que você chegou.

– Mary nunca sabe de nada – disse Hester. – Ela e Philip se isolam de tudo o que acontece. Acho que papai e Gwenda estão na biblioteca. Tudo parece continuar como antes.

– Por que haveria de ser diferente?

– Não sei – disse Hester, num tom incerto. – Apenas imaginava que tudo estaria de algum modo diferente.

Passou por Tina e desceu as escadas. Tina passou pela biblioteca e seguiu até o fim do corredor, onde ficava a suíte ocupada pelos Durrants. Kirsten Lindstrom, que estava parada diante da porta de Philip empunhando uma bandeja, virou a cabeça rapidamente.

– Oh, Tina, você me deu um susto – ela disse. – Vim trazer um café e alguns biscoitos para Philip.

Ela ergueu a mão para bater na porta. Tina ficou ao seu lado.

Kirsten esperou alguns instantes, abriu a porta e entrou no quarto. Ela estava um pouco à frente de Tina, e seu corpo alto e ossudo bloqueava a visão da jovem. Os braços de Kirsten cederam e a bandeja se espatifou no chão, despedaçando xícara e pratos.

– Oh, não – gritou Kirsten –, oh, *não*!

Tina disse:

– Philip?

Ela passou por Kirsten e foi até a escrivaninha, onde estava a cadeira de Philip Durrant. Ele devia estar escrevendo, supôs. Havia uma caneta esferográfica ao lado de sua mão direita, mas sua cabeça estava virada e caída para frente numa posição curiosa. E perto do pescoço ela viu algo que parecia um losango vermelho manchando a gola de sua camisa branca.

– Ele foi morto – disse Kirsten. – Ele foi morto... esfaqueado. Ali, na parte logo abaixo da cabeça. Uma facada ali é fatal.

Ela acrescentou, a voz cada vez mais alta.

– Eu o avisei. Fiz tudo o que pude. Mas ele parecia uma criança, gostando de brincar com fogo... sem perceber que podia se queimar.

Parecia um pesadelo, pensou Tina. Ela ficou ali, quieta ao lado de Philip, olhando para ele, enquanto Kirsten levantava sua cabeça débil e tentava inutilmente sentir seu pulso. O que será que ele queria perguntar a ela? O que quer que fosse, não poderia mais perguntar. Sem perceber, a mente de Tina estava captando e registrando vários detalhes. Ele estivera escrevendo, sim. A caneta estava ali, mas não havia nenhuma folha de papel diante dele. Nada escrito. Quem o matou havia levado o que ele estava escrevendo. Ela disse, calma e mecanicamente:

– Precisamos contar aos outros.

– Sim, sim, nós precisamos encontrá-los. Precisamos contar ao seu pai.

Lado a lado, as duas mulheres foram em direção à porta. O braço de Kirsten envolveu Tina. Os olhos de Tina se voltaram na direção da bandeja e das louças quebradas.

– Isso não importa – disse Kirsten. – Pode ser recolhido depois.

Tina deu um passo em falso, e o braço de Kirsten a conteve.

– Tenha cuidado, você vai cair.

Elas seguiram pelo corredor. A porta da biblioteca estava aberta. Leo e Gwenda saíram para o corredor. Tina disse, em sua voz clara e suave:

– Philip foi morto. Esfaqueado.

Parecia um pesadelo, pensou Tina. As exclamações horrorizadas de seu pai, e Gwenda cruzando por ela, indo em direção a Philip... Em direção a Philip, que estava morto. Kirsten largou-a e desceu correndo as escadas.

– Eu tenho que contar à Mary. É preciso dar-lhe a notícia com cuidado. Pobre Mary. Será um choque terrível.

Tina a seguiu devagar. A atmosfera lhe parecia mais confusa e onírica do que nunca. Sentia uma dor estranha lhe invadindo o peito. Para onde ela estava indo? Ela não sabia. Nada era real. Cruzou a porta da frente, que estava aberta. Foi então que viu Micky saindo de trás da casa. Seus passos a estiveram conduzindo nesta direção o tempo todo. Ela correu de encontro a ele.

– Micky – ela disse. – Oh, Micky!

Os braços dele estavam abertos, e Tina deixou que ele a envolvesse.

– Está tudo bem – disse Micky. – Eu estou aqui.

Tina estremeceu em seus braços. Caiu no chão, no mesmo instante em que Hester saía correndo da casa.

– Ela desmaiou – disse Micky, sem saber o que fazer. – Nunca vi Tina desmaiar antes.

– É o choque – disse Hester.

– Como assim, choque?

– Philip foi assassinado – disse Hester. – Você não sabia?

– Como eu poderia saber? Quando? Como?

– Há apenas alguns instantes.

Olhou-a fixamente. Então, pegou Tina nos braços. Com Hester ao seu lado, levou Tina até a antessala da sra. Argyle e deitou-a no sofá.

– Ligue para o dr. Craig – ele disse.

– Ali está seu carro – disse Hester, olhando pela janela. – Papai o chamou por causa de Philip. Eu... – ela olhou em volta. – Eu não quero vê-lo.

Saiu correndo do quarto e subiu as escadas.

Donald saiu do carro e entrou pela porta da frente, que seguia aberta. Kirsten veio da cozinha para recebê-lo.

– Boa tarde, miss Lindstrom. O que aconteceu? O sr. Argyle me disse que Philip Durrant está morto. *Morto.*

– É verdade – disse Kisten.

– O sr. Argyle já ligou para a polícia?

– Não sei.

– Existe alguma possibilidade de ele estar apenas ferido? – disse Don. Ele virou-se para pegar sua maleta médica que estava no carro.

– Não – disse Kirsten. Sua voz estava monótona e cansada. – Ele está morto. Tenho certeza disso. Foi esfaqueado... Aqui.

Pôs a mão na parte de trás da própria cabeça.

Micky saiu em direção ao corredor.

– Don, é melhor você dar uma olhada em Tina – ele disse. – Ela está desmaiada.

– Tina? Oh, sim, ela é a... A que mora em Redmyn, não é? Onde ela está?

– Está ali dentro.

– Só vou dar uma olhada nela antes de ir lá para cima – disse Don.

Quando estava entrando na sala, disse a Kirsten por sobre o ombro:

– Mantenha-a aquecida. Dê a ela um chá bem quente ou um café assim que ela aparecer. Você sabe como são essas coisas...

Kirsten assentiu com a cabeça.

– Kirsty! – Mary Durrant vinha lentamente pelo corredor. Kirsten foi ao encontro dela. Micky encarou-a sem saber como agir.

— Não é verdade — Mary falou em voz alta e dissonante. — Não é *verdade*! É uma mentira que vocês inventaram. Ela estava bem quando eu o deixei há poucos instantes. Estava muito bem. Estava escrevendo. Eu disse a ele para não escrever. Eu *disse* a ele. Por que foi fazer isso? Por que tem de ser tão teimoso? Por que não foi embora desta casa quando lhe pedi?

Kirsten consolou-a e a reconfortou, fez o máximo que podia para que ela relaxasse.

Donald Craig saiu da sala de estar.

— Quem disse que a garota havia desmaiado? — ele perguntou.

Micky encarou-o.

— Mas ela realmente desmaiou — ele disse.

— Onde ela estava quando desmaiou?

— Estava comigo... Ela saiu da casa e caminhou na minha direção. Então... ela simplesmente desfaleceu.

— Ah, ela desfaleceu? Sim, é claro que desfaleceu — disse Donald Craig num tom severo. Ele se dirigiu rapidamente ao telefone. — Preciso de uma ambulância — ele disse. — Imediatamente.

— Uma ambulância? — Micky e Kirsten o olharam fixamente. Mary não pareceu ter escutado.

— Sim — Donald discava com fúria. — A garota não desmaiou — ele disse. — Ela foi esfaqueada. Você ouviu? Esfaqueada nas costas. Temos que levá-la ao hospital agora mesmo.

CAPÍTULO 23

I

Em seu quarto de hotel, Arthur Calgary leu diversas vezes suas anotações.

De tempos em tempos, balançava a cabeça.

Sim... Ele estava no caminho certo agora. Para começar, havia cometido o erro de se concentrar na sra. Argyle. Em nove entre dez casos, esse teria sido o procedimento correto. Mas este era o décimo caso.

O tempo todo havia sentido a presença de um fator desconhecido. Se ele conseguisse isolar e identificar este fator, o caso estaria resolvido. Em suas tentativas, havia focado toda a atenção na sra. Argyle. Mas a sra. Argyle, ele agora percebia, não era realmente importante. *Qualquer* vítima, em certo sentido, teria servido.

Ela havia deslocado seu ponto de vista para o momento onde tudo havia começado. E isso o havia levado de volta a Jacko.

Não apenas Jacko, o jovem sentenciado injustamente por um crime que não cometera, mas Jacko, o ser humano por trás disso. Seria Jacko, nas palavras da antiga doutrina calvinista, "um navio condenado à destruição"? Ela havia tido todas as oportunidades na vida, não havia? A opinião do dr. MacMaster, de qualquer forma, era a de que Jacko era uma daquelas pessoas que tinham nascido para o crime. Nenhum meio em que vivesse poderia tê-lo salvo. Será que isso era verdade? Leo Argyle falava sobre ele de maneira indulgente, com pena. Como ele havia dito? "Um desajuste da natureza." Ele havia aceitado a versão da psicologia moderna. Um doente, não um criminoso. O que Hester havia dito? Objetivamente, que Jacko sempre havia sido terrível.

Uma declaração simples e infantil. E o que Kirsten Lindstrom havia dito? Jacko era perverso! Perverso! Tina havia dito: "Nunca gostei dele ou confiei nele". Então todos concordavam em termos gerais, não era verdade? Somente no caso de sua viúva que os termos haviam deixado de ser gerais e passado a ser particulares. Maureen Clegg tinha seu próprio ponto de vista sobre Jacko. Deixara-se levar por seu charme e se arrependia disso. Agora, mais uma vez casada e protegida, repetia as opiniões do marido. Ela havia dado a Calgary um relatório sincero sobre alguns dos esquemas suspeitos de Jacko, e os métodos através dos quais ele havia conseguido dinheiro. *Dinheiro*...

Essa palavra parecia dançar em letras gigantes na mente cansada de Arthur Calgary. Dinheiro! Dinheiro! Dinheiro! Como um *leitmotiv* em uma ópera, pensou. O dinheiro da sra. Argyle! Dinheiro posto em fundos! Dinheiro posto em uma aplicação! Os rendimentos deixados para seu marido! Dinheiro tirado do banco! Dinheiro na gaveta da escrivaninha! Hester correndo para seu carro sem dinheiro na bolsa, pedindo duas libras para Kirsten Lindstrom. Dinheiro encontrado na posse de Jacko, dinheiro que sua mãe jurou que nunca havia dado.

Havia um padrão aí, um padrão composto de detalhes insignificantes sobre dinheiro.

E certamente, dentro desse padrão, o fator desconhecido estava ficando cada vez mais claro.

Olhou para o relógio. Havia prometido a Hester que ligaria em um horário combinado pelos dois. Tirou o telefone do gancho e pediu o número.

Em poucos instantes, ouviu sua voz, clara, um tanto infantil.

– Hester. Você está bem?

– Oh, sim, *eu* estou bem.

Ele levou um momento para compreender a implicação daquela palavra acentuada.

– O que aconteceu?

– Philip foi morto.

– Philip? Philip Durrant?

Calgary parecia incrédulo.

– Sim. E tem Tina, também... Pelo menos ela não está morta ainda. Está no hospital.

– Conte-me o que aconteceu.

Hester contou a ele. Calgary interrogou-a de forma minuciosa, até que tivesse todos os fatos.

Então disse com austeridade:

– Espere, Hester, vou até aí. Chegarei em... – olhou para o relógio – em uma hora. Tenho que ver o inspetor Huish primeiro.

II

– O que o senhor quer saber exatamente, dr. Calgary? – perguntou o inspetor Huish, mas antes que Calgary pudesse dizer qualquer coisa, o telefone sobre a mesa de Huish tocou e ele atendeu. – Sim, sim, é ele mesmo. Só um momento. – Pegou um pedaço de papel e uma caneta e se preparou para escrever. – Sim. Pode falar. Sim. O quê? Como se escreve essa última palavra? Ah, claro. Sim, não parece fazer muito sentido ainda, não é? Certo. Mais alguma coisa? Certo. Obrigado – ele desligou o aparelho. – Era do hospital.

– Tina? – perguntou Calgary.

O inspetor fez que sim com a cabeça.

– Ela recobrou a consciência por alguns minutos.

– Ela disse alguma coisa? – perguntou Calgary.

– Não vejo por que eu deveria contar isso ao senhor, dr. Calgary.

– Estou pedindo para o senhor me contar – disse Calgary – porque acho que posso ajudá-lo no caso.

Huish, com um ar pensativo, olhou para ele.

– O senhor está indo a fundo neste assunto, não é mesmo, dr. Calgary? – ele disse.

–Sim. Veja, eu me sinto responsável pela reabertura do caso. Sinto-me responsável inclusive por essas duas tragédias. A garota vai sobreviver?

– Eles acham que sim – disse Huish. – A lâmina não atingiu o coração. Mas é uma situação de risco – ele sacudiu a cabeça. – É sempre o mesmo problema. As pessoas não acreditam que o assassino é perigoso. Parece uma coisa estranha de dizer, mas é verdade. Todos sabiam que entre eles havia um assassino. Deveriam ter contado o que sabiam. A única coisa prudente a fazer se há um assassino por perto é contar à polícia tudo o que se sabe *imediatamente*. Bem, eles não contaram. Esconderam as coisas de mim. Philip Durrant era um bom sujeito, um sujeito inteligente; mas via o negócio todo como uma espécie de jogo. Ele ficou escarafunchando, armando ciladas para as pessoas. E descobriu alguma coisa, ou pensou ter descoberto alguma coisa. E mais alguém pensou que ele descobrira alguma coisa. Resultado: recebo um telefonema dizendo que ele foi morto, esfaqueado na parte de trás do pescoço, na nuca. É isso que dá ficar mexendo com esse tipo de coisa sem entender os riscos – pigarreou.

– E a garota? – perguntou Calgary.

– A garota sabia de alguma coisa – disse Huish. – Alguma coisa que não queria contar. Na minha opinião – ele disse –, ela estava apaixonada pelo sujeito.

– O senhor está falando de... Micky?

– Sim. Eu diria, também, que Micky gostava dela, em certo sentido. Mas gostar de alguém não é o suficiente quando você está louco de medo. O que quer que ela soubesse era provavelmente mais grave do que ela pensava. É por isso que depois que encontrou Durrant morto e foi correndo para os seus braços, ele aproveitou a oportunidade e a esfaqueou.

– Isso é apenas uma suposição sua, não é inspetor Huish?

– Não é bem uma suposição, dr. Calgary. A faca estava no bolso dele.

– A faca usada para cometer os crimes?

– Sim. Havia sangue nela. Vamos fazer os testes, mas será o sangue da garota, sem dúvida. Da garota e de Philip Durrant!

– Mas... Não pode ser.

– Quem disse que não pode ser?

– Hester. Falei com ela no telefone e ela me contou tudo o que aconteceu.

– Contou, é? Bem, os fatos são muito simples. Mary Durrant desceu para a cozinha, deixando seu marido vivo, às dez para as quatro. Naquele momento estavam na casa Leo Argyle e Gwenda Vaughan na biblioteca, Hester Argyle em seu quarto no primeiro andar, e Kirsten Lindstrom na cozinha. Pouco depois das quatro horas, Micky e Tina chegaram. Micky ficou no jardim e Tina entrou e subiu as escadas, logo atrás de Kirsten, que acabara de subir levando café e biscoitos para Philip. Tina parou para falar com Hester, depois seguiu e juntou-se a miss Lindstrom, e as duas encontraram Philip morto.

– E durante todo esse tempo Micky estava no jardim. Seguramente este é um álibi perfeito, não?

– O que o senhor não sabe, dr. Calgary, é que há uma enorme árvore de magnólia junto a casa, ao lado. As crianças costumavam subir nela. Especialmente Micky. Ele costumava entrar e sair da casa dessa maneira. Ele poderia ter trepado na árvore, ido até o quarto de Durrant, esfaqueado o sujeito, voltado e saído pelo mesmo lugar por onde entrou. Oh, uma fração de segundo a mais e tudo estaria perdido, mas é impressionante o que a audácia pode fazer com uma pessoa. E ele estava desesperado. Tinha que evitar a qualquer custo que Tina e Durrant se encontrassem. Para estar seguro, ele precisava matar os dois.

Calgary pensou por alguns instantes.

– O senhor disse a pouco, inspetor, que Tina havia recobrado a consciência. Ela não conseguiu dizer exatamente quem a apunhalou?

– Ela não foi muito coerente – disse Huish lentamente. – Na verdade, não estou certo de que ela estava consciente no sentido exato do termo.

Deu um sorriso cansado.

– Está bem, dr. Calgary, vou lhe contar exatamente o que ela disse. Primeiro, ela disse um nome. *Micky...*

– Ela o acusou, então – disse Calgary.

– É o que parece – disse Huish. – O resto das coisas que ela disse não fazia sentido. É um bastante esquisito.

– O que ela disse?

Huish olhou para o bloco em sua frente.

– "Micky." Então uma pausa. Então: "A xícara estava vazia..." Então outra pausa e: "A pomba no mastro"– ele olhou para Calgary. – O senhor consegue entender isso?

– Não – disse Calgary. Balançou a cabeça e disse num tom reflexivo: – A pomba no mastro... Que coisa estranha para se dizer.

– Não há pombas ou mastros até onde sabemos – disse Huish. – Mas significava algo para ela em sua própria mente. Mas veja, pode não ter nada a ver com o assassinato. Só Deus sabe por onde estaria vagando sua consciência.

Calgary ficou em silêncio por um momento. Refletia sobre o que tinha acabado de ouvir. Ele disse:

– Vocês prenderam Micky?

– Ele está sob custódia. Será acusado oficialmente dentro de 24 horas.

Huish olhou com curiosidade para Calgary.

– Me parece que esse rapaz, Micky, não era a *sua* resposta para a questão.

– Não – disse Calgary. – Não, Micky não era a minha resposta. Mesmo agora... Eu não sei – ele se levantou. – Ainda acho que estou certo – ele disse –, mas ainda não tenho o suficiente para que o senhor acredite em mim. Preciso ir até lá de novo. Preciso vê-los.

– Bem – disse Huish –, tenha cuidado, dr. Calgary. A propósito, qual é a *sua* hipótese?

– Faria algum sentido para o senhor – disse Calgary – se eu lhe dissesse que acredito que foi um crime passional?

Huish ergueu as sobrancelhas.

– A passionalidade pode assumir várias formas, dr. Calgary – ele disse. – Ódio, avareza, ganância, medo.

– Quando eu disse crime passional – disse Calgary – quis dizer no sentido mais usual do termo.

– Se o senhor está se referindo a Gwenda Vaughan e Leo Argyle – disse Huish –, é o mesmo que nós sempre pensamos, mas não parece encaixar.

– É mais complicado do que isso – disse Arthur Calgary.

Já estava anoitecendo novamente quando Arthur Calgary chegou em Sunny Point. Aquela noite se parecia muito com a primeira noite em que ele havia estado lá. Viper's Point, pensou, antes de tocar a campainha.

Mais uma vez os eventos pareciam se repetir. Foi Hester quem abriu a porta. Havia a mesma rebeldia em seu rosto, o mesmo ar desesperadamente dramático. Atrás dela, pôde ver, como à primeira vez, a figura atenta, desconfiada, de Kirsten Lindstrom. Era a história se repetindo.

Então as semelhanças se dissiparam. A suspeita e o desespero desapareceram do rosto de Hester, que se abriu num sorriso amável, acolhedor.

– É *você* – ela disse. – Ah, que bom que você veio!

Ele segurou suas mãos.

– Quero ver o seu pai, Hester. Ele está na biblioteca?

– Sim, sim, ele está lá com Gwenda.

Kirsten Lindstrom se aproximou deles.

– Por que o senhor veio aqui de novo? – ela disse num tom acusatório. – Olhe o transtorno que o senhor causou da outra vez! Veja o que aconteceu conosco! A vida de Hester arruinada, a vida do sr. Argyle arruinada, e duas mortes. Duas! Philip Durrant e a pequena Tina. E é tudo culpa *sua*, tudo culpa sua!

– Tina ainda não está morta – disse Calgary – e eu tenho algo a fazer aqui que não posso deixar de fazer.

– O que o senhor tem a fazer? – Kirsten ainda estava bloqueando a passagem para a escadaria.

– Tenho que terminar o que comecei – disse Calgary.

Ele pôs a mão em seu ombro e moveu-a delicadamente para o lado. Subiu as escadas e Hester o seguiu. Voltou o pescoço e disse a Kirsten por sobre o ombro:

– Venha também, miss Lindstrom, eu gostaria que todos vocês estivessem presentes.

Na biblioteca, Leo Argyle estava sentado à escrivaninha. Gwenda Vaughan estava ajoelhada em frente à lareira, os olhos fixos no fogo. Eles ergueram os olhos, surpresos.

– Desculpem-me aparecer assim sem avisar – disse Calgary –, mas como estava dizendo para miss Kirsten e Hester, vim terminar o que comecei – ele olhou em volta. – A sra. Durrant ainda está na casa? Eu gostaria que ela estivesse presente também.

– Acho que ela está deitada – disse Leo. – Ela... Ela está sofrendo muito com tudo isso.

– Eu gostaria que estivesse presente mesmo assim – ele olhou para Kirsten. – Talvez a senhora pudesse ir buscá-la.

– Pode ser que ela não queira vir – disse Kirsten com obstinação.

– Diga a ela que há coisas sobre a morte do marido que talvez ela não saiba – disse Calgary.

– Oh, por favor, Kirsty – disse Hester. – Não seja tão desconfiada e protetora. Não sei o que o dr. Calgary vai dizer, mas todos nós temos que estar presentes.

– Como queira – disse Kirsten.

Ela saiu da biblioteca.

– Sente-se – disse Leo. Ele indicou uma cadeira do outro lado da lareira, e Calgary se sentou.

– Eu devo dizer que neste momento eu gostaria que o senhor nunca tivesse vindo até aqui, dr. Calgary – disse Leo.

– Isso é muito injusto – disse Hester, tomada de fúria. – O que o senhor está dizendo é terrivelmente injusto.

– Eu sei como o senhor deve estar se sentido – disse Calgary. – Acredito que no seu lugar eu me sentiria da mesma forma. Cheguei a compartilhar sua opinião por um curto período, mas, depois de refletir, vejo que não poderia ter feito as coisas de maneira diferente.

Kirsten voltou a entrar na biblioteca.

– Mary está a caminho – ela disse.

Todos aguardaram em silêncio e, em poucos instantes, Mary Durrant entrou na biblioteca. Calgary olhou-a com interesse, já que era a primeira vez que a via. Ela parecia calma e composta, bem-vestida, os cabelos arrumados. Mas seu rosto estava inexpressivo, parecendo uma máscara, e seus gestos lembravam os de um sonâmbulo.

Leo fez as apresentações. Ela inclinou de leve a cabeça, em saudação.

– Obrigada por ter vindo, sra. Durrant – disse Calgary. – Achei que a senhora deveria ouvir o que tenho a dizer.

– Como queira – disse Mary. – Mas nada que o senhor ou qualquer outra pessoa diga poderá trazer o meu Philip de volta.

Ela se afastou um pouco deles e se sentou numa cadeira perto da janela. Calgary olhou à sua volta.

– Primeiro deixem-me dizer isto: quando estive aqui da primeira vez, quando disse a vocês que poderia limpar o nome de Jacko, a reação de vocês à notícia deixou-me confuso. Agora eu entendo. Mas o que mais me impressionou foi o que esta menina aqui – ele olhou para Hester – me disse quando eu estava indo embora. Ela me disse que o importante não era o culpado, mas sim o inocente. Há uma frase no Livro de Jó que descreve isso: *A desgraça do inocente*. Em consequência da minha notícia, isso é o que todos vocês têm sofrido. Os inocentes não devem sofrer e não podem sofrer, e é para acabar com o sofrimento dos inocentes que eu estou aqui, para dizer o que tenho a dizer.

Fez uma pausa por alguns instantes, mas ninguém falou. Em seu tom de voz tranquilo e um pouco pedante, Arthur Calgary prosseguiu.

– Quando vim aqui pela primeira vez, não foi, como eu pensava, para lhes trazer notícias boas. Vocês haviam aceitado a culpa de Jacko. Estavam todos, digamos, *satisfeitos* com ela. Era a melhor solução que podia haver para o caso do assassinato da sra. Argyle.

– Não lhe parece que é um modo um tanto rude de colocar as coisas? – perguntou Leo.

– Não – disse Calgary –, é a verdade. O fato de Jacko ser o criminoso era satisfatório para vocês já que não havia possibilidade de algum estranho ter cometido o crime, e porque, no caso de Jacko, vocês poderiam encontrar as desculpas necessárias. Ele era um desastre, um doente mental, não era responsável por suas ações, um jovem delinquente! Todas as frases que podemos usar hoje em dia para justificar a culpa de alguém como ele. O senhor mesmo disse, sr. Argyle, que não o culpava. Disse que a mãe dele, a vítima, não o teria culpado – ele olhou para Kirsten Lindstrom. – *A senhora* o culpava. A senhora disse com todas as letras que ele era perverso. Este é o termo que a senhora usou. "Jacko é perverso", a senhora disse.

– Talvez – disse Kirsten Lindstrom. – Talvez, sim, talvez eu tenha dito isso. E era verdade.

– Sim, era verdade. Ele *era* perverso. Se não houvesse sido perverso, nada disso teria acontecido. Ainda assim – disse Calgary –, a senhora sabia muito bem que a prova apresentada por mim o inocentava do crime em questão.

Kirsten disse:

– Nem sempre é possível acreditar em provas. O senhor teve uma concussão. Eu sei muito bem o que uma concussão faz com as pessoas. Elas não se lembram das coisas de maneira clara.

– Então essa ainda continua sendo a sua explicação? – disse Calgary. – A senhora ainda acha que Jacko cometeu de fato o crime e que de alguma maneira conseguiu forjar um álibi? É isso?

– Eu não sei os detalhes. Sim, algo assim. Ainda acho que foi ele. Todo o sofrimento por que passamos e as mortes, sim, essas mortes terríveis, tudo isso foi culpa *dele*. Tudo culpa de Jacko!

Hester exclamou:

– Mas Kirsten, você sempre foi tão devotada a Jacko.

– Talvez – disse Kirsten –, sim, talvez. Mas ainda acho que ele era perverso.

– Nesse ponto eu concordo com a senhora – disse Calgary –, mas de resto a senhora está errada. Com ou sem concussão, minha memória está perfeitamente clara. Na noite em que a sra. Argyle morreu, eu dei uma carona a Jacko na hora declarada. Não há nenhuma possibilidade, e repito essas palavras firmemente, não há nenhuma possibilidade de que Jacko Argyle tenha matado sua mãe adotiva naquela noite. Seu álibi, nesse sentido, é verdadeiro.

Leo moveu-se na cadeira parecendo inquieto. Calgary continuou:

– Vocês acham que estou apenas repetindo o que já havia dito antes? Não exatamente. Há outros pontos a serem considerados. Um deles é a informação que me foi dada pelo inspetor Huish de que Jacko estava muito seguro e convicto quando apresentou seu álibi. Ele tinha tudo na ponta da língua, os horários, o *lugar, quase como se soubesse que poderia precisar dele*. Isso se enquadra à perfeição com a conversa que tive sobre ele com o dr. MacMaster, que tem uma vasta experiência em casos de delinquência juvenil. Ele disse que não ficara muito surpreso com o fato de Jacko ter disposição natural para o assassinato, mas estava surpreso que ele tivesse de fato cometido um. Disse que o tipo de crime que julgava Jacko capaz de cometer era um em que ele assumisse o papel de mentor, instigando *outra pessoa* a cometer o assassinato. Então cheguei ao ponto em que me fiz a seguinte pergunta: Jacko sabia que um crime seria cometido naquela noite? Sabia que precisaria de um álibi e saiu, de modo deliberado, para consegui-lo? Em caso afirmativo, *outra pessoa* teria de matar a sra. Argyle, *mas* Jacko sabia que ela seria morta, e é possível por isso afirmar que foi ele o instigador do crime.

Ele disse para Kirsten Lindstrom:

– *A senhora ainda acha isso, não acha? Ainda acha, ou quer continuar achando?* A senhora acha que foi Jacko quem a matou, *e não a senhora*... A senhora acha que ele a influenciou, que a levou a fazer isso. Portanto, quer que toda a culpa seja *dele*!

– Eu? – disse Kirsten Lindstrom. – Eu? O que o senhor está dizendo?

– Estou dizendo que há apenas uma pessoa nesta casa que se encaixa no papel de cúmplice de Jacko Argyle, e essa pessoa é a *senhora*, miss Lindstrom. Jacko tem um histórico em relação a esse tipo de coisa. Era conhecido por inspirar paixões em mulheres de meia-idade. Usava esse poder de maneira deliberada. Ele tinha o dom de fazer com que essas mulheres acreditassem nele – Calgary inclinou-se para frente. – Ele fez amor com a senhora, não fez? – ele disse suavemente. – Ele a levou a crer que iria se casar com a senhora, que depois que tudo estivesse terminado, e ele tivesse mais controle sobre o dinheiro de sua mãe, vocês iriam se casar e fugir para algum lugar. Foi isso o que aconteceu, não foi?

Kirsten olhou fixamente para ele. Ela não disse uma palavra. Era como se estivesse paralisada.

– Foi feito de maneira cruel, impiedosa e premeditada – disse Arthur Calgary. – Ele veio até aqui naquela noite, desesperado por dinheiro, atormentado pela possibilidade de ser preso e condenado. A sra. Argyle se recusou a dar dinheiro a ele. Diante da recusa dela, ele recorreu à senhora.

– O senhor acha – disse Kirsten Lindstrom –, o senhor acha que eu teria roubado o dinheiro da sra. Argyle para dar a ele em vez de usar o meu próprio dinheiro?

– Não – disse Calgary –, a senhora teria dado a ele o seu próprio dinheiro, se tivesse algum. Mas creio que a senhora não tinha... A senhora tinha um bom rendimento por conta do pecúlio que a sra. Argyle lhe havia garantido. Mas creio que ele já havia secado tudo isso. Então ele estava desesperado naquela noite, e quando a sra. Argyle subiu para falar com o marido na biblioteca, a senhora foi até o lado de fora da casa, onde ele a estava esperando, e ele lhe disse o que a senhora tinha que fazer. Primeiro, teria que dar o dinheiro a ele, e então, antes que o roubo pudesse ser descoberto, a sra. Argyle teria que ser morta. Porque ela não iria ocultar o roubo. Ele disse que seria fácil. A senhora teria apenas que abrir as gavetas para que parecesse que um assaltante havia invadido a casa e a golpeado na cabeça. Seria indolor, ele disse. Ela não sentiria nada. Ele iria conseguir um álibi para si, então a senhora teria que tomar cuidado para que tudo fosse feito na hora certa, entre sete e sete e meia da noite.

– Não é verdade – disse Kirsten. O corpo dela começara a tremer. – O senhor está louco dizendo uma coisa dessas.

Contudo, não havia indignação em sua voz. Estranhamente, ela falava num tom monótono e mecânico.

– Mesmo que fosse verdade o que o senhor diz – acrescentou –, acha que eu ia deixá-lo ser acusado de assassinato?

– Oh, sim – disse Calgary. – Afinal de contas, ele havia lhe dito que teria um álibi. A senhora esperava, talvez, que ele fosse preso e em seguida provasse sua inocência. Era tudo parte do plano.

– Mas quando ele não pôde provar sua inocência – disse Kirsten –, o senhor não acha que eu o teria salvado?

– Talvez – disse Calgary –, talvez... Não fosse por um detalhe. Na manhã seguinte ao crime, *a esposa de Jacko apareceu aqui*. A senhora não sabia que ele era casado. A garota teve que repetir a afirmação duas ou três vezes antes que a senhora pudesse acreditar. Naquele momento, seu mundo desabou. A senhora passou a ver Jacko como ele realmente era. Cruel, calculista, desprovido de qualquer afeto pela senhora. A senhora deu-se conta do que ele a havia convencido a fazer.

Inesperadamente, Kirsten Lindstom começou a falar. As palavras saíam de maneira apressada e incoerente.

– Eu o amava... Eu o amava com todas as minhas forças. Eu fui uma idiota, uma velha ingênua e ridícula. Ele me fez pensar que... ele me fez acreditar. Ele disse que não gostava de garotas. Ele disse... Eu não posso contar todas as coisas que ele disse. Eu o amava. Juro que o amava. E então aquela criança tola, afetada, chegou aqui, aquela coisinha vulgar. Eu vi que era tudo mentira, tudo pura perversão, perversão... perversão *dele*, não minha.

– Naquela noite em que estive aqui – disse Calgary –, a senhora estava com medo, não estava? Estava com medo do que iria acontecer. Temia pelos outros. Por Hester, que a senhora amava. Por Leo, de quem gostava muito. Talvez a senhora tenha visto um pouco do que essa situação poderia causar a eles. Mas, acima de tudo, a senhora temia por *si mesma*. E a senhora vê o que esse medo a levou a fazer... A senhora tem mais duas mortes nas mãos agora.

– O senhor está dizendo que eu matei Philip e Tina?

– É claro que a senhora matou Philip e tentou matar Tina – disse Calgary. – A moça recobrou a consciência.

Os ombros de Kirsten cederam ao peso do desespero.

– Então ela disse que eu a apunhalei. Eu achava que ela nem havia percebido. Eu estava louca, é claro. Estava fora de mim naquele momento, aterrorizada. Estavam chegando tão perto... Tão perto.

– Devo contar o que Tina disse quando recobrou a consciência? – disse Calgary. – Ela disse: "A xícara estava vazia". Eu soube de imediato o que ela quisera dizer com isso. A senhora fingiu estar levando uma xícara de café para Philip Durrant, mas na verdade a senhora já o havia apunhalado e estava *saindo* do quarto quando ouviu Tina se aproximar. Então a senhora deu meia-volta e fingiu que estava *entrando* com a bandeja. Em seguida, ainda que estivesse bastante perturbada devido ao choque provocado pela morte de Philip, ela notou automaticamente que a xícara que havia caído no chão estava vazia e que não havia deixado mancha de café.

Hester exclamou:

– Mas não é possível que Kirsten a tenha apunhalado! Tina desceu as escadas e foi encontrar Micky. Ela estava bem.

— Minha cara menina – disse Calgary –, pessoas que foram apunhaladas podem caminhar quarteirões sem perceber o que lhes aconteceu! No estado de choque em que Tina se encontrava, ela não deve ter sentido praticamente nada. Uma picada, um leve incômodo talvez – ele olhou mais uma vez para Kirsten. – E mais tarde você colocou a faca no bolso de Micky. Essa foi a maior de suas maldades.

Kirsten jogou as mãos para alto, como a suplicar.

— Eu não pude evitar... o cerco estava se fechando... Todos estavam prestes a descobrir. Philip estava chegando muito perto e Tina... Tina deve ter ouvido minha conversa com Jacko aquela noite do lado de fora da cozinha. Todos estavam prestes a saber... Eu queria me proteger. Queria... *ninguém nunca está protegido* – ela baixou as mãos. – Eu não queria matar Tina. Quanto a Philip...

Mary Durrant se levantou. Caminhou devagar na direção de Kirsten, mas com crescente determinação.

— Você matou Philip? – ela disse. – *Você* matou Philip.

Como uma tigresa, subitamente se lançou sobre a mulher. Foi Gwenda que, compreendendo rápido a situação, pôs-se de pé num salto e a segurou. Calgary uniu-se a ela e juntos os dois conseguiram contê-la.

— Foi você... Foi você! – gritou Mary Durrant.

Kirsten Lindstrom olhou para ela.

— O que *ele* tinha a ver com a história? – ela perguntou. – Por que ficava bisbilhotando e fazendo perguntas? *Ele* não estava ameaçado. Não era uma questão de vida ou morte para *ele*. Era apenas um divertimento.

Virou-se de costas e caminhou lentamente em direção à porta. Saiu da peça, sem olhar para trás.

— Detenham-na – gritou Hester. – Ah, temos que detê-la.

Leo Argyle disse:

— Deixa-a ir, Hester.

— Mas... Ela vai se matar.

— Duvido que faça isso – disse Calgary.

— Ela foi nossa fiel amiga por tanto tempo – disse Leo. – Fiel, dedicada... E agora isso!

— O senhor acha que ela vai se entregar? – disse Gwenda.

— É bem mais provável – disse Calgary – que ela vá até a estação mais próxima e pegue um trem para Londres. Mas, certamente, ela não conseguirá escapar. Será encontrada.

— Nossa querida Kirsten – disse Leo outra vez. Sua voz estava trêmula. – Tão fiel, tão bondosa.

Gwenda pegou seu braço e o sacudiu de leve.

– Como pode dizer isso, Leo, como pode? Pense em tudo o que ela nos fez... Em como nos fez sofrer!

– Eu sei – disse Leo –, mas ela também sofria. Acho que era o sofrimento *dela* que sentíamos nesta casa.

– E teríamos sofrido o resto da vida – disse Gwenda –, se dependesse dela! Se não fosse pelo dr. Calgary... – ela olhou-o agradecida.

– Finalmente – disse Calgary – pude ajudar em alguma coisa, ainda que tarde demais.

– Tarde demais – disse Mary com amargura. – Tarde demais! Oh, por que não pensamos nisso. Por que não *adivinhamos*? – ela virou-se para Hester num tom acusatório. – Eu achava que tinha sido *você*. Sempre achei.

– *Ele* não achava – disse Hester. Ela olhou para Calgary.

Mary Durrant disse em voz baixa:

– Eu quero morrer.

– Minha querida – disse Leo –, como eu gostaria de poder ajudá-la.

– Ninguém pode me ajudar – disse Mary. – Tudo isso é culpa de Philip. Ele quis ficar aqui, mexer com essa história. Cavou a própria cova – ela olhou em volta. – Nenhum de vocês é capaz de entender.

Ela saiu da biblioteca.

Calgary e Hester seguiram-na. Quando cruzaram a porta, Calgary olhou para trás e viu o braço de Leo passar por sobre os ombros de Gwenda.

– Ela me avisou – disse Hester, com os olhos arregalados. – Ela me disse desde o início para não confiar nela, para ter tanto medo dela quanto tinha dos outros.

– Esqueça isso, minha querida – disse Calgary. – É isso que você deve fazer agora. *Esquecer*. Vocês estão livres agora. Os inocentes não estão mais sob a sombra da culpa.

– E Tina? Vai ficar bem? Não vai morrer?

– Acho que ela não vai morrer. – disse Calgary. – Ela está apaixonada por Micky, não está?

– É possível que esteja – disse Hester, surpresa. – Nunca tinha pensado nisso. Eles sempre tiveram uma relação de irmãos, é claro. Mas não são irmãos de verdade.

– A propósito, Hester, você sabe o que Tina quis dizer com "A pomba no mastro"?

– Pomba no mastro? – Hester franziu a testa. – Espere um pouco. Soa muito familiar. "A pomba no mastro, quando partíamos sem deixar rastro. Lamentava e lamentava e lamentava."* É isso?

– Pode ser – disse Calgary.

---

* No original: *The Dove on the mast, as we sailed fast. Did mourn and mourn and mourn.* (N.T.)

– É uma canção – disse Hester. – Uma espécie de canção de ninar. Kirsten costumava cantá-la para nós. Só me lembro de umas partes. "Meu amor estava em minha mão direita"*, então há um pedaço que não lembro, e, "Ó donzela amada, eu não estou aqui. Eu não tenho lugar, em parte alguma, Não tenho mais morada, em terra ou no mar, Apenas no teu coração."

– É isso – disse Calgary. – Sim, sim, é isso...

– Talvez eles se casem – disse Hester –, quando Tina se recuperar, e então ela poderá ir para o Kuwait com ele. Tina sempre quis morar num lugar onde fosse quente. É muito quente no Golfo Pérsico.

– Quente demais, eu diria – disse Calgary.

– Nenhum lugar é quente demais para Tina – Hester afirmou.

– E agora você será feliz, minha querida – disse Calgary, segurando sua mão. Ele esforçou-se para sorrir. – Vai se casar com seu jovem médico e sossegar e não terá mais essas ideias loucas e essas angústias terríveis.

– Casar com *Don*? – disse Hester num tom de voz surpreso. – É claro que não vou me casar com *Don*.

– Mas você o ama.

– Não, acho que não o amo, realmente... Eu apenas achava que o amava. Mas ele não acreditou em mim. Ele não *sabia* que eu era inocente – ela olhou para Calgary. – *Você* sabia! Acho que gostaria de me casar com você.

– Mas, Hester, eu sou muito mais velho. Você não pode...

– Isto é, se você me quiser – disse Hester com um súbito ar de dúvida.

– Oh, é claro que eu quero! – disse Arthur Calgary.

---

* No original: *My Love stood at my right hand.* (N.T.)

O Cavalo Amarelo

Tradução de Rogério Bettoni

*Para John e Helen Mildmay White.
Muito obrigada por me darem a oportunidade
de ver a justiça sendo feita*

PREFÁCIO

Sinto que existem dois métodos de encarar o estranho caso do Cavalo Amarelo. Apesar do que disse o Rei, é difícil chegar à simplicidade. Não se pode, por assim dizer, "começar pelo começo, chegar ao fim e parar", pois nem sempre sabemos onde está o começo.

Para o historiador, esta é a dificuldade: saber de que ponto deve-se começar a relatar uma história.

Neste caso, podemos começar no momento em que o padre Gorman saiu da casa paroquial para visitar uma moribunda. Ou, antes disso, numa certa noite em Chelsea.

Como sou eu que escrevo a maior parte da narrativa, talvez deva começar nesse momento.

Mark Easterbrook

CAPÍTULO 1

Narrativa de Mark Easterbrook

I

A máquina de expresso atrás de mim sibilou como uma serpente ameaçada. O barulho que fez trazia essa impressão sinistra, para não dizer diabólica. Pensei que talvez a maioria dos sons que fazemos carregue um significado: o grito assustador e raivoso dos aviões a jato enquanto rasgam o céu; o estrondo aterrador do metrô quando se aproxima da saída de um túnel; as carretas que passam pela estrada e chacoalham os alicerces das casas... até os mínimos ruídos domésticos da vida moderna, por mais benéficos que sejam, trazem consigo uma espécie de alerta: lavadoras de louça, geladeiras, panelas de pressão, aspiradores de pó.

"Cuidado", parecem dizer. "Sou um gênio ao seu dispor, mas se não conseguir me controlar..."

Um mundo perigoso, nada mais.

Mexi a xícara espumante e senti o aroma agradável.

– Deseja mais alguma coisa? Um sanduíche de bacon com banana?

Me pareceu uma combinação estranha. Bananas eu associava à minha infância, ou flambadas com açúcar e rum. Bacon, na minha cabeça, tinha uma ligação muito forte com ovos. Mas, quando em Chelsea, faça como os chelseanos. Resolvi aceitar o sanduíche de banana com bacon.

Apesar de morar havia três meses em Chelsea, continuava sendo um estranho no bairro. Eu estava escrevendo um livro sobre certos aspectos da arquitetura mongol, e para isso não faria diferença morar em Hampstead, Bloomsbury, Streatham ou Chelsea. Eu não precisava conhecer muito do que me cercava, exceto o necessário para exercer o ofício; além disso, não tinha interesse em conhecer a vizinhança. Vivia em um mundo só meu.

Nessa noite em especial, no entanto, senti aquela repulsa que os escritores bem conhecem.

A arquitetura mongol, os imperadores mongóis, o estilo de vida mongol e todos os problemas fascinantes que ele suscitava; de repente tudo virou um monte de cinzas. O que significavam? O que eu queria escrever sobre tudo isso?

Voltei várias páginas, reli o que tinha escrito. Tudo me parecia discrepante e ruim, uma escrita pobre, desprovida de interesse. Estava certo o sujeito (Henry Ford?) que disse que a "história é uma grande mentira".

Empurrei o manuscrito com certa repulsa, levantei-me e olhei o relógio: quase onze horas da noite. Tentei lembrar se eu tinha jantado... pelos sinais do meu corpo, achei que não. Sim, lembrei-me de ter almoçado no Athenaeum. Mas já fazia algum tempo.

Fui até a geladeira e encontrei um resto de bife ressecado, que não me despertou o menor apetite. Foi então que caminhei até a King's Road, acabei entrando em uma cafeteria chamada Luigi, cujo letreiro escrito em neon vermelho brilhava do lado de fora da janela, e agora apreciava um sanduíche de banana com bacon enquanto pensava nos sinistros significados dos ruídos da vida moderna e seus efeitos.

Os barulhos tinham algo em comum com as memórias da minha infância sobre pantomima. O senhor dos mares surgindo de repente envolto em nuvens de fumaça. Alçapões e janelas que exalavam os poderes malignos do inferno, desafiando e afrontando uma boa fada, que sacudia uma varinha esquisita e recitava, em um tom de voz monótono, palavras enfadonhas sobre o triunfo do bem. Em seguida, cantava a inevitável "canção do momento", que nada tinha a ver com a história daquela pantomima.

De repente veio-me a ideia de que o mal talvez fosse necessariamente mais comovente do que o bem. Ele *tinha* de aparecer, chocar, desafiar! Era a instabilidade atacando a estabilidade. E eu achava que a estabilidade sempre venceria no final. A estabilidade pode sobreviver à trivialidade da boa fada; a voz monótona, os versos rimados, até a irrelevância do refrão das canções do momento. Talvez parecessem armas fracas, mas elas sempre venciam no final. E a pantomima acabaria sempre da mesma forma: o elenco surge em ordem descendente de idade, sendo que a boa fada, exibindo a virtude cristã da humildade, procura não ser nem a primeira, nem a última, e sim estar lá pelo meio, caminhando lado a lado do seu último oponente, que já não aparenta ser o demônio que cospe fogo e cheira a enxofre, e sim um homem de calças vermelhas.

Escutei a máquina de expresso sibilar de novo. Levantei a mão pedindo mais uma xícara e olhei ao redor. Minha irmã sempre me acusava de não observar nem perceber o que acontecia à minha volta. "Você vive num mundo próprio", dizia ela, acusando-me. Agora, consciente do fato, comecei a observar o desenrolar das coisas. Era quase impossível não ler nos jornais, todos os dias, uma nota ou outra sobre a clientela das cafeterias de Chelsea; era a chance que eu tinha de fazer minha própria avaliação da vida contemporânea.

Estava bem escuro na cafeteria, o que dificultava a visão. Quase todos os clientes eram jovens. A julgar pela aparência, diria que fazem parte de uma nova geração nada convencional. As garotas tinham a aparência suja, mas todas me parecem assim hoje. Também achei que estavam agasalhadas demais. Percebi isso algumas semanas antes quando saí para jantar com uns amigos.

A garota sentada perto de mim devia ter uns vinte anos. O restaurante estava quente, mas ela usava uma blusa de lã amarela, saia e meias de lã pretas e o suor escorria pelo rosto e pingava no prato. Ela fedia a suor misturado com lã e cabelo sem lavar. Meus amigos a acharam muito atraente, mas eu não! Minha única reação foi a vontade de jogá-la em uma banheira de água quente e mandar que se esfregasse com um sabonete! Isso só mostra o quanto eu estava alheio ao momento. Talvez porque morei no exterior durante muito tempo. Lembro-me com prazer das mulheres indianas, do movimento ritmado de seus corpos enquanto caminhavam, da beleza e da graciosidade dos cabelos negros anelados, das cores vivas dos sáris...

Fui tirado desses pensamentos agradáveis pelo barulho, que aumentou. Duas jovens sentadas na mesa ao lado começaram a discutir. Os rapazes que estavam com elas tentaram em vão apaziguar os ânimos.

De repente, começaram os gritos. Uma delas deu um tapa no rosto da outra; esta puxou a primeira da cadeira e a briga se transformou em uma troca de insultos histérica. Uma era ruiva, de cabelos desgrenhados; a outra, loura de cabelos lisos.

Não entendi o motivo da briga, só as ofensas. As outras mesas gritavam e vaiavam.

– Isso mesmo! Acabe com ela, Lou!

O proprietário do bar, acho que Luigi, um sujeito esguio, de costeletas e aparência italiana, veio separar a briga falando com um sotaque típico da periferia londrina.

– Chega, parem com isso! Já pra rua! A polícia está chegando, parem, já disse!

Mas a loura pegou a ruiva pelos cabelos e puxou enquanto gritava com raiva:

– Sua puta, roubando homem dos outros!

– Puta é você!

Luigi e os dois acompanhantes, envergonhados, apartaram a briga. Havia vários tufos de cabelo ruivo entre os dedos da loura. Ela levantou a mão sorridente e soltou os fios no chão.

Um policial vestido de azul abriu a porta, parou na entrada e botou ordem na casa majestosamente:

– Mas o que está havendo aqui?

Imediatamente, formou-se uma barreira diante do inimigo.

– Só estávamos nos divertindo – disse um dos rapazes.

– Só amigos se divertindo, nada de mais – disse Luigi, enquanto empurrava com o pé os tufos de cabelo para debaixo da mesa mais próxima. As adversárias se olharam e trocaram um sorrisinho falso.

O policial olhou ao redor, desconfiado.

– Já estávamos indo embora – disse a loura, com uma voz suave. – Venha, Doug.

Coincidentemente, várias pessoas também foram saindo sob o olhar ameaçador do policial. Os olhos dele diziam que deixaria passar dessa vez, mas que ficaria atento, e se afastou devagar.

O rapaz que estava com a ruiva pagou a conta.

– Está tudo bem? – perguntou Luigi para ela, que arrumava um lenço na cabeça. – Lou fez muito mal em arrancar seus cabelos desse jeito.

– Não doeu – respondeu ela, com um sorriso. – Desculpe a bagunça, Luigi.

Todos foram saindo, e o bar ficou praticamente vazio. Procurei dinheiro trocado no bolso.

– Muito bacana essa moça – disse Luigi em tom de aprovação enquanto a porta se fechava. Pegou uma vassoura e varreu os tufos de cabelo ruivo para trás do balcão.

– Deve ter doído – disse eu.

– Eu teria gritado, se fosse comigo – admitiu Luigi. – Mas ela é muito bacana, a Tommy.

– Você a conhece bem?

– Ela vem aqui quase todas as noites. Tuckerton, o nome dela, Thomasina Tuckerton. Mas todos a chamamos de Tommy Tucker. É podre de rica. Herdou uma fortuna do pai e o que fez? Veio para Chelsea, mora numa espelunca a meio caminho da Wandsworth Bridge e anda por aí com esse bando fazendo sempre a mesma coisa. Não sei como, mas quase todos eles têm grana. Podiam morar onde quisessem, ficar nos hotéis mais caros, mas parece que a curtição é viver desse jeito. Vá entender!

– Você faria diferente?

– Claro, eu tenho a cabeça no lugar – disse Luigi. – Mas seja como for, meu lucro vem do dinheiro deles.

Levantei-me para sair enquanto perguntava qual fora o motivo da briga.

– Tommy começou a se encontrar com o namorado da outra. Não acho que o sujeito valha uma briga dessas.

– Não é o que a outra pensa – disse eu.

– Ah, mas Lou é muito romântica – disse Luigi, querendo justificar.

Não era bem o que eu considerava um romance, mas preferi não dizer nada.

II

Mais ou menos uma semana depois, meus olhos se depararam com uma nota de falecimento no *The Times*.

TUCKERTON. Faleceu no dia 2 de outubro no Hospital de Fallowfield, Amberley. Thomasina Ann, 20 anos, filha única do falecido Thomas Tuckerton, de Carrington Park, Amberley, Surrey. Funeral particular. Pede-se não enviar flores.

III

Nada de flores para a pobre Tommy Tucker, e nada de se divertir mais nas noites de Chelsea. De repente, fui tomado por uma efêmera compaixão pelas Tommy Tuckers de hoje. Mas acabei me perguntando como sabia que minha visão quanto a elas era correta. Quem era eu para dizer que a vida delas era um desperdício? Talvez o desperdício fosse a *minha* vida, de um intelectual imerso em livros, isolado do mundo. Vida de segunda mão. Sejamos honestos, será que *eu* estava aproveitando a vida? Não estava acostumado a essa ideia. A verdade é que eu não queria esse estilo de vida. Mas será que não devia tê-lo? Fiquei com a dúvida, desconhecida e não muito bem-vinda.

Tirei Tommy Tucker da cabeça e comecei a olhar a correspondência.

A principal vinha da minha prima Rhoda Despard, pedindo-me um favor. Resolvi fazê-lo, pois não estava no clima de trabalho aquela manhã e precisava de uma boa desculpa para procrastinar.

Fui até a King's Road, parei um táxi e pedi que me levasse à casa de uma amiga, a sra. Ariadne Oliver, famosa escritora de romances policiais.

Milly, a eficiente governanta, cuidava para que a sra. Oliver não fosse incomodada por adversidades. Ergui as sobrancelhas em sinal de dúvida, ao que Milly anuiu de maneira incisiva:

– É melhor subir imediatamente, sr. Mark – disse. – Ela está com um humor péssimo hoje. Talvez sua presença ajude-a a melhorar.

Subi dois lances de escadas, bati levemente na porta e entrei sem receber ordem. O escritório da sra. Oliver era amplo, decorado com papéis de parede de pássaros exóticos aninhados em uma vegetação tropical. A sra. Oliver, aparentemente beirando a insanidade, andava de um lado para outro, resmungando sozinha. Virou a cabeça para mim rapidamente, sem muito interesse, e continuou andando. Olhava perdidamente pelas paredes, às vezes para o lado de fora da janela, e em alguns momentos fechava os olhos no que parecia ser um espasmo de dor profunda.

– Mas por que – perguntou a sra. Oliver ao universo –, por que o idiota não diz de uma vez que *viu* a cacatua? Seria impossível não vê-la! Mas *se* ele disser, acabará com tudo. Deve ter um jeito... deve ter...

Ela suspirava, passava os dedos pelos cabelos curtos e grisalhos e apertava-os de maneira frenética. De repente, fixou o olhar em mim e disse:

– Olá, Mark. Estou ficando louca. – E continuou reclamando. – E tem também a Monica. Quanto melhor a trato, mais irritante ela fica... que garota estúpida e presunçosa, essa Monica. Monica... Não, acho que escolhi o nome errado. Nancy? Não seria melhor Joan? Ou Anne, que também é muito comum. Susan? Conheci uma Susan. Lucia? *Lucia*? Acho que consigo *imaginar* uma Lucia. Cabelos ruivos, gola rulê, meias pretas... sim, meias-calças pretas.

Esse lampejo de alegria logo foi ofuscado pelo problema da cacatua, e a sra. Oliver voltou a andar de um lado pelo outro, distraída, pegando coisas ao léu sobre a mesa e depois colocando-as em outro lugar. Colocou com cuidado o estojo dos óculos dentro de uma caixa envernizada, onde já tinha um leque chinês, deu um longo suspiro e disse:

– Que bom que é você!

– Obrigado.

– Podia ser qualquer pessoa, uma dessas imbecis querendo que eu monte um bazar, ou o representante do seguro-saúde que Milly não quer contratar de jeito nenhum, ou o encanador, mas aí seria muita sorte, não? Ou ainda alguém querendo me entrevistar, fazendo as mesmas perguntas de sempre. Por que começou a escrever, quantos livros já publicou, você ganha muito dinheiro? etc. etc. Nunca sei o que responder e fico me sentindo uma idiota. Não que algo disso importe, mas acho que estou enlouquecendo com essa coisa da cacatua.

– Não está tomando forma? – eu disse amavelmente. – Acho melhor eu ir embora.

– Não, não vá! De qualquer modo, você me distrai.

Aceitei o ambíguo elogio.

– Quer um cigarro? – perguntou ela com uma vaga receptividade. – Deve ter em algum lugar. Olhe na tampa da máquina de escrever.

– Eu tenho, obrigado. Quer um? Ah, esqueci, você não fuma.

– Nem bebo – disse a sra. Oliver. – Mas gostaria. Como aqueles detetives norte-americanos que sempre têm uma garrafa de uísque na gaveta. Parece resolver todos os problemas. Sabe, Mark, realmente não entendo como alguém pode sair impune de um assassinato na vida real. Sinto que a partir do momento em que se comete um assassinato, tudo fica muito óbvio.

– Que nada, você mesma já resolveu vários deles.

— No mínimo 55 – disse a sra. Oliver. – A parte do assassinato é simples e fácil, difícil é encobrir o crime. Digo, qual o motivo para ser qualquer outra pessoa, *menos* você? O criminoso chama muita atenção.

— Não no texto publicado – disse eu.

— E isso me custa muito caro – disse a sra. Oliver, misteriosamente. – Diga o que quiser, mas não é fácil colocar cinco ou seis pessoas no mesmo lugar em que outra é assassinada, sendo que todas as cinco ou seis tinham um motivo para cometer o crime, a não ser que a vítima seja extremamente desagradável e ninguém se importe se ela foi morta ou não, nem se importe com quem cometeu o crime.

— Entendo o que quer dizer – disse eu. – Mas se já conseguiu lidar tão bem com 55 crimes, conseguirá fazer mais uma vez.

— É o que vivo repetindo para mim mesma e nunca consigo acreditar, por isso estou tão agoniada – disse ela, puxando violentamente os cabelos depois de agarrá-los mais uma vez.

— Pare! – gritei. – Vai acabar arrancando o próprio cabelo!

— Claro que não – disse a sra. Oliver. – Meu cabelo é forte. Se bem que, quando tive uma febre altíssima por causa do sarampo, aos catorze anos, meu cabelo caiu todo aqui na frente. Uma vergonha. E demorou seis meses para crescer de novo. Foi terrível, adolescentes se importam muito com esse tipo de coisa. Pensei nisso ontem quando fui visitar Mary Delafontaine na clínica. O cabelo dela estava caindo igualzinho ao meu. Ela disse que teria de comprar peruca quando melhorasse. Acho que não deve crescer muito quando chegamos aos sessenta.

— Outro dia vi uma moça arrancar os cabelos de outra – disse eu. Sabia que na minha voz havia uma pitada de orgulho por ter presenciado um acontecimento real.

— Tem frequentado bons lugares ultimamente, não? – perguntou a sra. Oliver.

— Eu estava numa cafeteria em Chelsea.

— Sei, *Chelsea* – respondeu ela. – Acho que tudo acontece em Chelsea. Beatniks, sputniks, geração beat. Não costumo escrever muito sobre quem mora lá porque tenho medo de não dar muito certo. É mais seguro nos limitarmos ao que conhecemos.

— Por exemplo?

— Gente que viaja em cruzeiros e fica em hotéis, ou o que acontece em hospitais, conselhos municipais, feirinhas, festivais de música... ou ainda moças fazendo compras, faxineiras, encontros de senhoras, rapazes e garotas que viajam o mundo, vendedoras – e interrompeu a fala, sem fôlego.

— É, parece ser uma gama bem ampla de opções – eu disse.

— Mesmo assim, preciso vivenciar uma dessas cafeterias em Chelsea, você devia me levar – disse ela, desejosa.

— Quando quiser. Hoje à noite?

— Não, hoje não. Estou muito ocupada, ou escrevendo ou preocupada por não conseguir escrever. Isso é o que mais cansa em ser escritora, é tudo muito cansativo, exceto aquele momento quando você sabe que teve uma ideia maravilhosa e mal consegue esperar para começar. Diga, Mark, você acha possível matar alguém por controle remoto?

— O que quer dizer com controle remoto? Apertar um botão e disparar um raio mortal?

— Não, nada de ficção científica. Acho que... – ela parou, incerta do que diria. – Na verdade, falo de magia negra.

— Bonecos com alfinetes?

— Não, esses bonecos são ultrapassados – disse ela, com desdém. – Mas coisas estranhas acontecem, como na África ou nas Índias Ocidentais. As pessoas sempre contam algo sobre como os nativos se encolhem e morrem. Feitiços, vodus... você sabe do que estou falando.

Disse a ela que grande parte dessas coisas era atribuída ao poder da sugestão. Dizem à vítima que a morte foi decretada pelo xamã e o subconsciente dá conta do resto.

A sra. Oliver bufou.

— Se alguém viesse me dizer que meu destino era deitar e morrer, eu teria o maior prazer em contrariar suas expectativas!

Eu ri.

— Você tem séculos de um bom sangue cético e ocidental correndo nas veias. Não há predisposição para isso.

— Mas você acha que *pode* acontecer? – perguntou ela.

— Não sei o suficiente sobre o assunto para poder avaliar. Mas por que está tão interessada? Sua próxima obra-prima será *Assassinato por sugestão*?

— Não, na verdade não. O bom e velho veneno de rato ou arsênico já é o suficiente para mim. Ou uma faca sem corte. E se possível *sem* armas de fogo, são traiçoeiras demais. Mas você não veio aqui para falar das minhas histórias.

— Sinceramente, não. O fato é que minha prima Rhoda Despard está organizando uma quermesse na igreja e...

— Não, de novo não! – disse a sra. Oliver. – Sabe o que houve da última vez? Organizei uma brincadeira, caça ao assassino, e a primeira coisa que aconteceu foi encontrarem um *cadáver de verdade*. Nunca superei isso!

— Não é uma caça ao assassino. Ela quer montar uma barraca para você vender e autografar seus livros.

– Bem – disse ela, um pouco desconfiada –, acho que seria ótimo. Não terei de montar a barraca, nem falar besteiras, muito menos usar chapéu, certo?

Garanti que ela não teria de fazer nada disso, e completei tentando persuadi-la:

– E só seria durante uma ou duas horas. Depois disso haverá uma partida de críquete... ou uma apresentação de dança infantil, ou um concurso de fantasias...

Do nada, a sra. Oliver me interrompeu com um grito:

– É isso! Uma *bola de críquete*! Mas é claro! Ele vê a bola passando do lado de fora da janela, a bola o distrai, é por isso que ele não fala da cacatua! Você veio numa hora excelente, Mark. Você foi maravilhoso!

– Não entendi...

– Mas eu entendi! – disse ela. – É muito complicado e não quero perder tempo explicando. Foi ótimo encontrá-lo, mas adoraria que você fosse embora agora mesmo.

– Claro. E sobre a quermesse...

– Vou pensar no assunto, pode deixar. Agora, onde é que eu enfiei meus óculos? Não entendo, as coisas simplesmente desaparecem...

CAPÍTULO 2

I

A sra. Gerahty abriu a porta da casa paroquial com a rispidez de costume. Parecia mais uma manobra triunfante de quem luta para abrir uma porta e diz "dessa vez eu consegui" do que o gesto receptivo de quem atende a campainha.

– E então, o que quer? – perguntou ela de maneira áspera.

Havia um garoto de aparência simplória parado na porta, cuja presença não percebemos ou de quem não nos lembramos com facilidade; um garoto como todos os outros. Estava resfriado, pois fungava.

– É aqui que mora o padre?

– Padre Gorman, você quer dizer?

– Estão procurando por ele – disse o garoto.

– Quem, onde e por quê?

– Rua Benthall, número 23. A sra. Coppins me mandou até aqui, uma mulher está morrendo. Aqui é igreja, não é? A mulher falou que vigário não serve.

A sra. Gerahty confirmou o que o garoto perguntara, pediu que ficasse parado onde estava e voltou para dentro da paróquia. Alguns minutos depois, um padre alto e já de idade saiu carregando uma pequena valise de couro na mão.

– Eu sou o padre Gorman – disse ele. – Rua Benthall? Perto dos trilhos da estação, não é?

– Isso mesmo, nem um passo a mais.

Os dois saíram juntos, mas o padre seguiu na frente a passos largos.

– Sra. Coppins o nome dela, é isso?

– Essa é a dona da casa, que aluga os quartos. Quem mandou chamar foi uma inquilina de nome Davis, acho eu.

– Davis? Deixe-me pensar... não me lembro.

– Ela é do seu grupo com certeza. Católica, quero dizer. Disse que vigário não servia.

O padre concordou com a cabeça. Os dois chegaram à Rua Benthall algum tempo depois. O garoto apontou uma casa alta e lúgubre junto a outras casas altas e lúgubres.

– É essa daí.

– Você vai entrar?

– Não moro aí, não. A sra. Coppins me deu uns trocados para passar o recado.

– Entendo. Qual é o seu nome?

– Mike Potter.

– Obrigado, Mike.

– De nada – disse Mike, e saiu assobiando sem se abalar com a iminência da morte de alguém.

A porta da casa se abriu e a sra. Coppins, uma mulher robusta, de pele rosada, parou na entrada e, entusiasmada, deu boas-vindas ao visitante.

– Vamos, entre. Ela está péssima, eu diria. Devia estar no hospital, não aqui. Já liguei pra lá, mas sabe Deus quando virão. A minha cunhada esperou seis horas quando quebrou a perna. Uma desgraça, isso sim. Saúde pública, ora essa! Tomam nosso dinheiro e, quando precisamos do serviço, onde está?

Enquanto falava, ela subia as escadas na frente do padre.

– O que há de errado com ela?

– Ela disse que era gripe. Estava melhor, e resolveu sair de casa. Estava péssima quando chegou ontem à noite. Eu a trouxe para a cama, ela não quis comer, não quis que chamasse o médico. Hoje de manhã estava queimando em febre. Acho que chegou aos pulmões.

– Pneumonia?

A sra. Coppins, sem fôlego àquela altura, pareceu concordar emitindo um som parecido com o de uma chaleira. Abriu uma porta com um movimento rápido e saiu do caminho para que o padre Gorman entrasse.

– Trouxemos o reverendo. *Agora* vai ficar tudo bem! – disse ela, num tom de voz forçadamente alegre, e saiu.

O padre Gorman se aproximou. O quarto, mobiliado em estilo vitoriano antigo, estava limpo e arrumado. Na cama, perto da janela, uma mulher virou a cabeça com dificuldade. Era nítido que estava doente.

– Você veio! Não tenho muito tempo... – disse ela, ofegante. – Que maldade... eu preciso... não posso morrer desse jeito! Preciso me confessar... é repugnante, repugnante... – Os olhos dela viravam entreabertos.

Em tom monótono, palavras desconexas saíam dos lábios dela.

O padre Gorman chegou perto da cama e começou a falar o de sempre. Palavras de autoridade e tranquilidade, de inspiração e de fé. A paz instalou-se no quarto e o sofrimento se esvaiu dos olhos atormentados dela.

Quando terminou de pregar, a moribunda falou novamente.

– É preciso detê-los... você vai conseguir...

– Farei o que for necessário. Confie em mim – disse ele, confortando-a.

Pouco tempo depois, um médico e uma ambulância chegaram ao mesmo tempo. A sra. Coppins recebeu-os com uma alegria sombria.

– Tarde demais, como sempre! – disse. – Ela morreu.

II

O padre Gorman voltou caminhando enquanto o crepúsculo se aproximava. A neblina noturna se formava muito rápido. Ele parou por um momento e franziu a testa. Que história extraordinária... seria fruto do delírio e da febre alta? *Parte* dela era verdade, com certeza, mas até que ponto? De qualquer modo, seria importante tomar nota de alguns nomes enquanto ainda estavam frescos na memória. A reunião dos associados de São Francisco aconteceria quando ele voltasse. Virou rapidamente e entrou em uma cafeteria, pediu uma xícara de café e se sentou. Bateu com as mãos abertas no bolso da batina e percebeu que, para variar, a sra. Gerahty não havia costurado o forro conforme ele pedira. A caderneta, um lápis e algumas moedas que carregava escorregaram para dentro do forro. Conseguiu alcançar umas moedas e o lápis, mas a caderneta não valia tanto esforço. O café chegou e ele pediu um pedaço de papel.

– Esse serve?

Ele anuiu com a cabeça, apanhou o pedaço de papel de embrulho e começou a escrever. Os *nomes*, era importante não se esquecer dos nomes, coisa de que ele nunca se lembrava.

A porta da cafeteria se abriu e três rapazes com trajes do início do século XX entraram e se sentaram fazendo barulho.

O padre terminou as anotações. Dobrou o pedaço de papel e, quando estava prestes a colocá-lo no bolso, lembrou-se do buraco no forro. Então, fez o que costumava fazer: colocou o papel dobrado dentro do sapato.

Um homem entrou em silêncio e sentou-se num canto distante. O padre Gorman, por educação, tomou um ou dois goles do café fraco, pediu a conta e pagou. Em seguida, levantou-se e saiu.

O homem que acabara de entrar pareceu mudar de ideia. Olhou o relógio como se tivesse perdido a hora, levantou-se apressado e saiu.

A neblina estava se formando rapidamente, e o padre Gorman aumentou o ritmo dos passos. Ele conhecia bem o bairro. Pegou um atalho virando numa rua que passava perto dos trilhos. Talvez tivesse percebido os passos atrás de si, mas não se importou. Afinal, por que se importaria?

A pancada do cassetete o pegou totalmente desprevenido. Ele inclinou o corpo para frente e caiu.

III

O dr. Corrigan, assobiando a canção irlandesa "Father O'Flynn", entrou na sala do inspetor Lejeune e foi direto ao ponto:

– Já terminei com o padre – disse ele.

– E o resultado?

– Vamos deixar os detalhes técnicos para o legista. A pancada foi certeira, provavelmente morreu na hora. Quem fez o serviço quis ter certeza da morte, um crime sórdido.

– É verdade – disse Lejeune.

Lejeune era um sujeito robusto, tinha cabelos escuros e olhos acinzentados. Parecia muito tranquilo, mas seus gestos às vezes eram surpreendentemente rápidos, traindo sua origem huguenote.

– Mais sórdido do que o necessário para um roubo – disse ele.

– E foi roubo? – perguntou o médico.

– Supomos que sim. Os bolsos estavam revirados, e o forro da batina, rasgado.

– Não era para tanto – disse Corrigan. – A maioria desses padres é mais pobre do que rato de paróquia.

– Eles arrebentaram a cabeça dele, para garantir – ponderou Lejeune. – Eu só queria saber *por quê*.

– Há duas possibilidades – disse Corrigan. – A primeira é que o crime tenha sido cometido por um delinquente cruel que simplesmente adora violência. Há muitos deles por aí, uma lástima.

– E a segunda?

O médico encolheu os ombros.

– Alguém não gostava do padre. Improvável?

Lejeune negou com a cabeça.

– Muito improvável. Ele era uma pessoa conhecida, todos gostavam dele. Não tinha inimigos, até onde sabemos. E roubo também é improvável. A não ser...

– A não ser o quê? – perguntou Corrigan. – Quer dizer que a polícia já tem uma pista?

– Ele tinha algo que não foi levado. Estava no sapato, aliás.

Corrigan assobiou.

– Parece história de espionagem.

Lejeune sorriu.

– É muito mais simples do que isso. O bolso dele estava furado. O sargento Pine conversou com a empregada, que parece ser meio desleixada. Não mantinha as roupas em ordem como deveria. Ela disse que de vez em quando o padre Gorman enfiava um papel ou uma carta dentro do sapato para evitar que deslizasse para dentro do forro da batina.

– E o assassino não sabia disso?

– Jamais pensaria nisso! Quer dizer, supondo que ele quisesse o pedaço de papel e não uma quantidade miserável de moedinhas.

– E o que tinha no papel?

Lejeune esticou o braço até a gaveta e dela tirou um pedaço de papel fino e amassado.

– Só uma lista de nomes – disse ele.

Curioso, Corrigan olhou o papel.

Ormerod
Sandford
Parkinson
Hesketh-Dubois
Shaw
Harmondsworth
Tuckerton
Corrigan?
Delafontaine?

Ele franziu a testa.

– Estou vendo que *meu nome* está na lista.

– E os outros nomes te dizem alguma coisa? – perguntou o inspetor.

– Nenhum deles.

– Você não conhecia o padre Gorman?

– Não.

– Então não poderá nos ajudar.

– Alguma ideia do que significa essa lista?

Lejeune não respondeu diretamente.

– Um garoto chamou o padre Gorman mais ou menos às sete da noite. Disse que uma mulher estava morrendo e queria um padre. O padre Gorman foi vê-la.

– Onde, você sabe?

– Sim. Não foi preciso muito para checar a informação. Número 23 da Rua Benthall, na casa de uma mulher chamada Coppins. A doente era a sra. Davis. O padre chegou lá às sete e quinze e ficou com ela durante meia hora, mais ou menos. A sra. Davis morreu assim que a ambulância chegou para levá-la ao hospital.

– Entendo.

– Sabemos que após isso o padre Gorman esteve no Tony's Place, uma cafeteria bem simples. Um local muito decente, nada suspeito, serve refeições ruins e costuma ficar vazio. O padre Gorman pediu uma xícara de café. Aparentemente procurou algo nos bolsos, não encontrou o que queria e pediu para Tony, o proprietário, um pedaço de papel. Este – apontou ele com o dedo – é o pedaço de papel.

– E depois?

– Quando Tony trouxe o café, o padre estava escrevendo. Ele saiu em seguida; mal havia tocado no café (também, pudera), mas não sem antes terminar a lista e colocá-la no sapato.

– Tinha mais alguém no local?

– Três rapazes de estilo *Teddy Boy* entraram e sentaram-se numa mesa, e um homem mais velho sentou-se em outra. O mais velho foi embora sem pedir nada.

– Ele estava seguindo o padre?

– Talvez. Tony não viu quando ele saiu, nem como ele era. Disse que o sujeito era discreto e respeitável, um tipo comum. Altura mediana, disse ele, sobretudo azul-marinho... ou talvez marrom. Pele não muito clara, mas também não muito escura. Aparentemente, nenhum motivo para estar envolvido com tudo isso, mas nunca se sabe. Ele ainda não se apresentou para dizer que esteve no Tony's, mas a investigação mal começou. Estamos pedindo para que as pessoas que viram o padre entre quinze para as oito e oito e quinze entrem em contato conosco. Até agora, só duas pessoas responderam: uma mulher e um farmacêutico que trabalha lá perto. Vou falar com eles agora. O corpo do padre foi encontrado às oito e quinze por dois garotos na Rua West, conhece? Fica perto dos trilhos, parece mais um beco. E o resto você já sabe.

Corrigan confirmou com a cabeça e bateu com o dedo no papel.

– E o que pensa sobre isso?

– Acho que é importante – disse Lejeune.

– A mulher contou a ele alguma coisa antes de morrer e ele anotou esses nomes no papel assim que conseguiu, antes de esquecê-los. A questão é: ele teria feito isso se estivesse sob juramento de confissão?

– Talvez não fosse realmente um segredo – disse Lejeune. – Por exemplo, e se esses nomes tiverem alguma ligação com chantagem, digamos?

– Isso é o que você acha?

– Não tenho nada em mente ainda, é só uma hipótese. Essas pessoas estavam sendo chantageadas, e a moribunda era a chantagista ou sabia algo sobre a chantagem. Eu diria que ela estava arrependida e quis se confessar para se redimir. O padre Gorman assumiu a responsabilidade.

– E?

– E daí que todo o resto são só hipóteses – disse Lejeune. – Pode ser que houvesse extorsão e alguém não concordasse com a interrupção do pagamento. Essa pessoa sabia que a sra. Davis estava morrendo e mandara chamar o padre. O resto já sabemos.

– Fico me perguntando... – disse Corrigan, examinando de novo o papel. – Por que você acha que há uma interrogação nos dois últimos nomes?

– Talvez o padre Gorman não tivesse certeza se os nomes estavam corretos.

– Poderia ser Mulligan em vez de Corrigan – assentiu o médico com um sorriso. – É bem provável. Mas Delafontaine não é o tipo de nome de que a gente se esquece, se é que me entende. É estranho que não haja endereço algum – disse ele, passando os olhos mais uma vez na lista.

– Parkinson, há muitas pessoas com esse nome. Sandford é comum. Hesketh-Dubois é um nome difícil, não deve haver muitos.

De repente o médico inclinou o corpo para frente e pegou o catálogo telefônico sobre a mesa.

– Vamos ver: letra H... Hesket, sra. A... John e Cia., Plumbers... Sir Isidore. Aqui, Hesketh-Dubois, lady. Praça Ellesmere, 49, SW1. E se ligarmos para lá?

– Dizendo o quê?

– Na hora saberemos – disse o dr. Corrigan, descontraído.

– Então ligue – disse Lejeune.

– O quê? – disse Corrigan, olhando para ele.

– Então ligue – repetiu Lejeune, também em tom descontraído. – Qual o motivo do espanto? – perguntou o inspetor, pegando o telefone. – Preciso de uma ligação externa. Número? – perguntou, olhando para Corrigan.

– Grosvenor 64578.

Lejeune repetiu o número e passou o telefone para Corrigan.

– Divirta-se – disse ele.

Ligeiramente confuso, Corrigan olhou para ele e esperou. O telefone tocou durante algum tempo até que alguém atendeu e disse, com respiração ofegante:

– Grosvenor 64578.

– É da casa de lady Hesketh-Dubois?

– Bem... sim, diria que sim.

O dr. Corrigan ignorou a hesitação.

– Poderia falar com ela, por gentileza?

– Não, infelizmente não. Lady Hesketh-Dubois faleceu em abril.

– Ah! – surpreso, dr. Corrigan ignorou a pergunta "Quem está falando?", gentilmente recolocou o telefone no gancho e olhou friamente para o inspetor Lejeune.

– Foi por isso que você queria que eu ligasse.

Lejeune sorriu maliciosamente.

– A gente realmente não ignora o que é óbvio – disse ele.

– Em abril – disse Corrigan, pensativo. – Há cinco meses que a chantagem, ou seja lá o que for, não a incomoda mais. E por acaso ela cometeu suicídio?

– Não. Morreu devido a um tumor no cérebro.

– Então agora comecemos de novo – disse Corrigan, olhando a lista.

Lejeune deu um suspiro.

– Ainda não sabemos se a lista tem algo a ver com isso – disse ele. – Talvez seja simplesmente mais um ataque numa noite nebulosa, e a esperança remota de encontrarmos o criminoso, a não ser que tenhamos sorte.

– Você se importa se eu continuar analisando essa lista? – perguntou o dr. Corrigan.

– Vá em frente. Desejo toda a sorte do mundo.

– Você está insinuando que *eu* não vou ir além do que *você* já foi. Não confie tanto nisso. Vou me concentrar neste Corrigan, sr., sra. ou srta. Corrigan, com um grande ponto de interrogação.

CAPÍTULO 3

I

— Realmente, sr. Lejeune, acho que não tenho mais nada para dizer! Já disse tudo o que sabia para o sargento. Eu *não sei* quem era a sra. Davis ou de onde ela vinha. Ela esteve comigo durante seis meses, pagava o aluguel em dia e parecia uma pessoa bastante respeitável. Não sei em que mais posso lhe ajudar.

A sra. Coppins parou um momento para respirar e olhou para Lejeune com certo desagrado. Ele respondeu com um sorriso gentil e triste, sabendo por experiência que teria algum efeito.

— Não é que eu não queira ajudar – acrescentou ela.

— Obrigado. É disso que precisamos, ajuda. As mulheres sabem, e sentem, na verdade, muito mais do que os homens conseguem sentir.

Foi uma artimanha, e funcionou.

— Ah, como gostaria que meu marido ouvisse isso – disse a sra. Coppins. – Sempre tão petulante e grosseiro. Vivia bufando e dizendo que eu "achava saber das coisas quando na verdade não sabia nada de concreto". E em noventa por cento das vezes eu estava certa.

— É por isso que eu gostaria de saber o que acha da sra. Davis. Ela era infeliz?

— Não, eu diria que não. Ela parecia ser muito prática. Metódica, como se levasse a vida conforme planejou. Acho que ela trabalhava com uma dessas empresas de pesquisa de mercado. Ia de casa em casa perguntando qual o sabão em pó ou a farinha que usávamos, qual era a despesa semanal e como era dividida. Para mim isso é o mesmo que bisbilhotar os outros, não entendo por que o governo quer saber tanto! O resultado das pesquisas é sempre algo óbvio que as pessoas já sabiam, mas parece que há uma onda disso atualmente. E, se quer saber, acho que a sra. Davis fazia muito bem o trabalho. Ela tinha um jeito agradável, não era intrometida, era prática e impessoal.

— A senhora sabe o nome da empresa em que ela trabalhava?

— Não, infelizmente não sei.

— Alguma vez ela falou em parentes...?

— Não. Concluí que era viúva e tinha perdido o marido há muitos anos. Ele era inválido, mas ela nunca entrava nesse assunto.

— Ela disse de onde era?

— Não sei se era londrina. Devia ser do norte do país.

— E não acha que havia algum mistério em relação a ela?

Enquanto falava, Lejeune desconfiou de que talvez a sra. Coppins fosse sugestionável, mas ela não se deixou levar pela pergunta.

– Bem, acho que não. Pelo menos nunca senti isso em relação a algo que ela tenha *dito*. A única coisa que me faria desconfiar seria a mala, de qualidade, mas velha. As iniciais foram repintadas. J.D., Jessie Davis. Mas o D estava pintado por cima de outra coisa, um H., talvez. Mas também podia ser um A. Mesmo assim, não liguei muito pra isso na época. Hoje é tão fácil comprar uma mala de segunda mão, é natural que ela tenha alterado as iniciais. Ela não tinha muita coisa, só aquela mala.

Lejeune sabia disso. Curiosamente, a falecida tinha pouca coisa. Não guardava cartas, nem fotografias. Aparentemente não tinha seguro-saúde, caderneta de banco ou talão de cheques. Suas roupas eram de qualidade e novas.

– Ela parecia uma mulher feliz? – perguntou ele.

– Acho que sim.

Ele reagiu ao tom de dúvida na voz dela.

– A senhora *acha*?

– Bem, nunca parei para pensar nisso, não é? Acho que tinha um bom salário, um bom emprego e estava satisfeita com a vida que levava. Não era do tipo que falava demais. Mas é claro, quando ficou doente...

– O que houve? – interrompeu ele.

– Primeiro ela ficou aborrecida. Quando ficou gripada, quero dizer. Disse que atrapalharia todo o cronograma, perderia reuniões e coisas do tipo. Mas sabe como é gripe quando vem, não é? Ela ficou de repouso, preparou chá e tomou aspirina. Eu sugeri que chamássemos um médico, mas ela disse que não, que para curar uma gripe bastava ficar de repouso, aquecida, e que eu não chegasse perto para não pegar também. Assim que ficou um pouco melhor, fiz uma sopa com torradas para ela. E arroz doce. A gripe a deixou muito debilitada, é claro, mas não mais do que o comum. Ficou muito abatida depois da febre, todo mundo tem isso. Ela se sentou perto da lareira um dia e disse: "Queria não ter tanto tempo para *pensar*. Não gosto disso. Pensar me deixa pra baixo".

Lejeune continuava prestando bastante atenção, e a sra. Coppins se entusiasmou com a fala.

– Levei até umas revistas, mas ela não parecia bem para se concentrar na leitura. Uma vez ela me disse que "se as coisas não são o que deveriam ser, é melhor que a gente não saiba, não é?", e eu disse "mas é claro, querida". Então ela disse: "Acho que *nunca* tive certeza. Sempre agi de maneira muito honesta e correta. Não posso me envergonhar *de nada*". Eu respondi: "Mas é claro que não, querida". Mas fiquei pensando com meus botões se ela não descobrira algum negócio suspeito com as finanças na empresa em que trabalhava, algo que não tivesse a ver com ela.

— Talvez — concordou Lejeune.

— De qualquer maneira, ela melhorou quase totalmente e voltou a trabalhar. Eu disse que ela precisava de mais repouso, que tirasse mais um ou dois dias de folga. E veja como eu estava certa, na segunda noite ela voltou com uma febre altíssima, mal conseguiu subir as escadas. Disse mais uma vez que ela precisava de um médico, mas ela não quis. Até que foi piorando, ficou com um olhar apático, o rosto queimando como fogo e a respiração péssima. No dia seguinte à noite, juntando forças para pronunciar as palavras, ela me disse: "Preciso de um padre, rápido, antes que seja tarde demais". E não servia o vigário, tinha de ser um padre católico. Não sabia que ela era católica, nunca vi crucifixo ou algo do tipo com ela.

Mas havia um crucifixo escondido no fundo da mala. Lejeune nada disse e continuou escutando.

— Vi o menino Mike na rua e pedi que corresse para chamar o padre Gorman na igreja de São Domingos. E liguei para o médico e para a ambulância, e não disse nada a ela.

— A senhora subiu com o padre quando ele chegou?

— Sim, e deixei os dois a sós.

— Ele ou ela disse alguma coisa?

— Não me lembro. Eu estava falando na hora, tentando animá-la, disse que o padre chegara e que ficaria tudo bem, mas me lembro de, ao fechar a porta, ter ouvido ela falar algo sobre maldade. Sim, e também falou sobre um cavalo, ou corrida de cavalos, acho. Eu mesma faço umas apostinhas de vez em quando, mas ouvi dizer que há muita gente desonesta nesse ramo.

— Maldade — repetiu Lejeune, paralisado pela palavra.

— Os católicos precisam se confessar antes de morrer, não é? Acho que foi isso.

Lejeune não tinha dúvidas de que era isso mesmo, mas sua imaginação foi tomada pela palavra que ela usou. Maldade!...

Há algo de especial nessa maldade, pensou ele. Afinal, o padre, que sabia a respeito, fora seguido e golpeado até a morte...

II

Os outros três inquilinos nada tinham a acrescentar. Dois deles, um bancário e um idoso que trabalhava numa sapataria, moravam lá havia três anos. E ainda uma moça de 22 anos, que morava lá havia pouco tempo e trabalhava numa loja de departamentos da vizinhança. Todos os três mal conheciam a sra. Davis de vista.

A mulher que confirmou ter visto o padre Gorman naquela noite não tinha nada de útil a dizer. Era católica, frequentava a igreja de São Domingos e conhecia o padre Gorman de vista. Vira o padre pegar a Rua Benthall e entrar no Tony's Place cerca de dez para as oito. Nada além disso.

Já o sr. Osborne, proprietário da farmácia na esquina da Rua Barton, tinha uma informação melhor. Ele era um homem baixo, de meia-idade, careca, usava óculos e tinha o rosto redondo e ingênuo.

— Boa noite, inspetor. Por favor, entre – disse ele, levantando uma parte do balcão antiquado.

Lejeune entrou e atravessou um cômodo, onde um jovem todo de branco manipulava frascos de medicamentos com a rapidez de um malabarista, depois passou por uma arcada e entrou em uma salinha onde havia duas poltronas, uma mesa e uma escrivaninha. O sr. Osborne fechou discretamente a cortina da arcada atrás de si e sentou-se em uma das poltronas, gesticulando para que Lejeune se sentasse na outra. Ele inclinou o corpo para frente; seus olhos brilhavam de encantamento.

— Acredito que *talvez* eu possa lhe ajudar. Aquele dia não foi muito movimentado: pouca coisa para fazer, pois o clima não colaborou muito. Minha balconista estava atendendo. Às quintas-feiras sempre ficamos abertos até as oito. A neblina começava a aparecer e tinha pouca gente na rua. Para confirmar a previsão do tempo, fui até a porta para ver se a neblina já estava muito densa. Fiquei lá durante algum tempo, pois minha balconista conseguia se virar sozinha com a venda de cremes, sais de banho e outros cosméticos. Foi quando vi o padre Gorman passando do outro lado da rua. Eu conheço bem a fisionomia dele. Um horror esse assassinato, atacar alguém tão bem quisto como ele. Ele ia em direção à Rua West, a próxima rua à esquerda antes dos trilhos, como sabe. Logo depois, atrás dele, havia outro homem. Não me passou pela cabeça que houvesse algo errado, mas acontece que esse homem parou de repente, bem em frente à minha porta. Fiquei pensando no motivo de ele ter parado, daí percebi que o padre Gorman, um pouco mais à frente, diminuiu o passo. Ele não chegou a parar, mas foi como se estivesse tão concentrado que se esqueceu de que estava andando. Então ele voltou a andar normalmente e o outro homem continuou bem rápido. Imaginei que pudesse ser algum conhecido que queria alcançá-lo para falar com ele.

— Mas o padre podia estar sendo seguido?

— Agora tenho certeza de que era isso, mas não foi o que pensei na hora. Com a neblina aumentando, eu os perdi de vista quase imediatamente.

— Pode descrever esse sujeito?

O tom da pergunta foi de descrença, pois Lejeune não achou que fosse ouvir uma descrição relevante. Mas o sr. Osborne era bem diferente do proprietário do Tony's Place.

– Sim, acho que sim – disse ele, complacente. – Ele era alto...

– Muito alto?

– Um metro e oitenta, pelo menos. Talvez até mais alto, e era muito magro. Tinha os ombros caídos e um pomo de adão bem marcado. Tinha o nariz pontudo, cabelo comprido e grisalho e usava um chapéu. Obviamente não vi a cor dos olhos, pois o vi de perfil. Devia ter uns cinquenta anos, digo isso por causa do andar. Os jovens andam de uma maneira muito diferente.

Lejeune fez uma imagem mental da distância de um lado a outro da rua, olhou de novo para o sr. Osborne e ficou pensando, pensando muito...

Uma descrição como essa dada pelo farmacêutico poderia significar duas coisas. A primeira é que a imaginação dele devia ser muito fértil; o que Lejeune já conhecia muito bem, principalmente em relação às mulheres. Elas montam um retrato fantasioso de como acham que deveria ser um assassino. Esses retratos, no entanto, geralmente contêm detalhes sem dúvida espúrios, como olhos vidrados, sobrancelhas grossas, queixos salientes, ferocidade animal. Mas a descrição dada pelo sr. Osborne parecia a descrição de uma pessoa real. Então era possível que ele fosse o caso de uma testemunha em um milhão, um observador bastante detalhista, que não se deixa levar pelo que vê.

Lejeune pensou mais uma vez na distância de um lado a outro da rua e olhou ponderadamente para o farmacêutico, perguntando:

– Você acha que reconheceria esse homem se o visse de novo?

– Claro que sim – disse o sr. Osborne com extrema confiança. – Jamais me esqueço de um rosto, é um dos meus hobbies. Sempre digo que, se um desses assassinos de esposas comprasse um vidro de arsênico na minha farmácia, eu seria o primeiro a reconhecê-lo no tribunal. Ainda torço para que isso aconteça um dia.

– E ainda não aconteceu?

– Infelizmente, não – disse o sr. Osborne, descrente. – E agora é mais improvável ainda. Estou vendendo a farmácia. Recebi uma oferta alta e vou me mudar para Bournemouth.

– Parece ter sido um grande negócio.

– É um lugar conceituado – disse o sr. Osborne, com uma pitada de orgulho na voz. – Há quase cem anos estamos aqui. Meu avô e meu pai foram os donos antes de mim. Um negócio de família já bem tradicional, eu diria. Mas, quando era garoto, não via dessa forma. Eu queria muito ser ator, assim como vários garotos da época. Tinha certeza de que podia atuar. Meu pai não tentou me impedir, disse que eu tentasse até ver aonde dava. "Vai descobrir que não é um sir Henry Irving", dizia ele. E como estava certo! Um cara muito sábio, meu pai. Fiz peças de teatro durante um ano e meio e acabei voltando para a farmácia. Um tempo depois, passei a me orgulhar do trabalho. Sempre tivemos produtos de excelente qualidade. Mas hoje... – lamentou, balançando a cabeça –, o ofício de farmacêutico é decepcionante, com todos esses cosméticos e loções. Precisamos vender, porque metade do lucro vem dessa porcaria. Pó de arroz, batom, cremes para o rosto, xampus e *nécessaires*. Eu nem toco nessas coisas, tenho uma balconista que cuida de tudo. Ter uma farmácia hoje é muito diferente de antigamente. Mas tenho um bom dinheiro guardado, recebi uma oferta maravilhosa e consegui um ótimo desconto em um lindo chalé perto de Bournemouth.

Ele continuou:

– Aposente-se enquanto puder aproveitar a vida. Esse é meu lema. Eu tenho muitos hobbies. Gosto de borboletas, por exemplo. Gosto de ver os pássaros. E de jardinagem, tenho vários livros sobre como montar um jardim. E nem falei das viagens, pretendo embarcar num desses cruzeiros e conhecer outros países antes que seja tarde demais.

Lejeune se levantou.

– Bem, desejo-lhe toda a sorte do mundo – disse ele. – E se antes de partir o senhor encontrar com aquele sujeito...

– Pode deixar que aviso imediatamente, sr. Lejeune. Pode contar comigo, será um prazer. Como disse, guardo muito bem o rosto das pessoas. Vou ficar "de olho", como dizem. Pode mesmo contar comigo.

CAPÍTULO 4

Narrativa de Mark Easterbrook

I

Chovia torrencialmente quando eu e minha amiga Hermia Redcliffe saímos do Old Vic, onde fomos assistir a uma apresentação de *Macbeth*. Enquanto atravessávamos a rua até chegar aonde eu tinha estacionado o carro, Hermia comentou injustamente que sempre chovia quando havia apresentação no Old Vic.

– Simplesmente acontece!

Discordei dela e disse que, ao contrário de um relógio de sol, ela só se lembrava dos dias chuvosos.

– Sempre tive sorte na casa de ópera de Glyndebourne – continuou Hermia, enquanto eu pisava na embreagem. – Só posso dizer que era tudo perfeito: a música, os canteiros de flores, principalmente os de flores brancas.

Falamos sobre Glyndebourne e seus festivais de música durante algum tempo, até que Hermia comentou:

– Vamos tomar café em Dover?

– Dover? Mas que excelente ideia! Acho que podemos ir ao Fantasie. Precisamos de uma boa refeição e de uma bebida após tanto sangue e tristeza em *Macbeth*. Shakespeare sempre me deixa faminto.

– Concordo, e Wagner também. Nunca fico satisfeita com os sanduíches de salmão em Covent Garden durante os intervalos. E eu falei em Dover porque é nessa direção que você está dirigindo.

– Eu precisava fazer a volta – expliquei.

– Mas você já fez a volta, faz um tempinho que estamos na nova estrada de Kent... ou essa é a nova?

Dei uma olhada no ambiente e percebi que Hermia, como sempre, estava certa.

– Eu sempre me perco aqui – disse eu, pedindo desculpas.

– Mas é confuso – concordou Hermia. – Dê a volta pela Waterloo Station.

Depois de passar a ponte Westminster, voltamos a falar da produção de *Macbeth* que acabáramos de ver. Minha amiga Hermia Redcliffe era uma mulher bonita, de 28 anos. Numa descrição extrema, diria que tinha uma beleza grega impecável, com cabelos castanho-escuros encaracolados na nuca. Minha irmã sempre se referia a ela como "a namorada do Mark", enfatizando as aspas de uma maneira que me incomodava profundamente.

Chegamos ao Fantasie e fomos bem recebidos com uma pequena mesa perto de uma parede coberta com veludo vermelho. O restaurante é merecidamente conhecido, e as mesas ficam bem próximas umas das outras. Quando nos sentamos, o casal ao lado nos cumprimentou alegremente. David Ardingly era professor de história em Oxford. Ele nos apresentou sua companheira, uma moça muito bonita, de penteado moderno, repicado e cheio de detalhes, que dava uma forma incomum a sua cabeça. É estranho dizer, mas lhe caía bem. Ela tinha olhos azuis enormes e mantinha a boca semiaberta na maior parte do tempo. E era extremamente boba, como costumavam ser todas as namoradas de David. Ele, um jovem notavelmente inteligente, só se sentia à vontade com garotas estúpidas.

– Esta é Poppy, meu bichinho de estimação – disse ele. – Estes são Mark e Hermia. Eles são muito sérios e ilustres, não os decepcione! Nós acabamos de assistir *Do it for Kicks*, foi adorável. Aposto que vocês foram assistir Shakespeare ou Ibsen.

– *Macbeth*, no Old Vic – disse Hermia.

– E o que acharam da produção de Batterson?

– Eu adorei – disse Hermia. – Achei a iluminação interessante e nunca vi a cena do banquete ser tão bem representada.

– E o que acharam das bruxas?

– Medonhas, como sempre – disse Hermia.

David concordou.

– O elemento de pantomima parece incorporado a essa cena – disse ele. – Todas saltitando e se comportando como um rei maligno de três caras. Ficamos com a sensação de que a boa fada iria aparecer vestida de branco, cheia de lantejoulas, dizendo em voz monótona:

*O mal não triunfará. No fim,
É Macbeth quem estará louco!*

Todos rimos, mas David, que saca as coisas muito rápido, me olhou fixamente.

– O que houve? – perguntou ele.

– Nada. É que outro dia eu estava pensando sobre o mal e reis malignos na pantomima. Claro, e boas fadas também.

– Onde?

– Ah, em uma cafeteria em Chelsea.

– Mas como você é moderno, Mark, vive na área de Chelsea! Onde herdeiras de meia-calça se casam com interesseiros tarados. É lá que Poppy deveria estar, não é, docinho?

Os olhos de Poppy ficaram mais arregalados do que já eram.

– Eu odeio Chelsea! – protestou. – Gosto *muito mais* do Fantasie, a comida é maravilhosa.

– Que bom, Poppy. De qualquer jeito, você não é rica o bastante para morar em Chelsea. Mark, fale mais sobre *Macbeth* e as terríveis bruxas. Eu sei como retrataria as bruxas se estivesse na direção.

David havia sido um membro de destaque da Oxford University Drama Society.

– E como seria?

– Minhas bruxas seriam bastante comuns. Mulheres velhas, quietas e maliciosas. Como as bruxas do interior.

– Mas hoje não existem mais bruxas – disse Poppy, olhando para ele.

– Você diz isso porque é uma moça londrina. Em cada cidadezinha da zona rural inglesa há uma bruxa. Há sempre uma velha sra. Black morando numa cabana no topo da montanha, a quem os meninos não devem incomodar e que recebe ovos e bolos de presente com frequência. Isso porque – disse ele, gesticulando com o dedo – se ela se irrita com você, suas vacas param de dar leite, você perde a colheita de batatas ou seu filho torce o pé. Embora ninguém diga com clareza, *todo mundo sabe* que não se deve ir contra a sra. Black.

— Você está brincando – disse Poppy fazendo careta.

— Não estou, não. Estou falando a verdade, não é, Mark?

— É claro que toda essa superstição foi extinta com a educação – disse Hermia, ceticamente.

— Não na zona rural. O que diz disso, Mark?

— Acho que talvez você esteja certo – disse eu, calmamente. – Embora não tenha tanta certeza. Nunca morei na zona rural.

— Não consigo entender como seriam suas bruxas representadas como velhinhas comuns – disse Hermia, voltando para a observação feita por David. – Com certeza elas precisam de uma atmosfera sobrenatural.

— Ah, mas veja bem – disse David. – Eu prefiro a loucura. É assustador uma pessoa que vocifera e anda torto, com os cabelos desgrenhados feito palha, e que *parece* louca. Lembro-me de uma vez em que fui dar um recado para um médico numa instituição psiquiátrica; enquanto esperava numa sala, vi uma senhora bebericando um copo de leite. Ela fez um comentário sobre o clima e de repente inclinou o corpo para frente e perguntou, com voz doce: "É sua criança que está enterrada ali atrás da lareira?". Depois balançou a cabeça e disse: "Exatamente às 12h10. Todos os dias, no mesmo horário. Finja que não viu o sangue". Foi a forma trivial como ela disse que me causou arrepios.

— Tinha mesmo alguém enterrado atrás da lareira? – quis saber Poppy.

David a ignorou e prosseguiu:

— Veja o exemplo das médiuns. Entram em transe, em salas escuras, comunicam-se com os mortos. Logo depois se levantam, arrumam o cabelo e vão para casa preparar mais um jantar com bife e fritas. São mulheres comuns como qualquer outra.

— Então sua ideia de bruxas – disse eu – resume-se a três velhinhas escocesas e videntes, que praticam sua arte em segredo, murmurando feitiços em volta de um caldeirão e evocando espíritos, mas que continuam sendo três velhinhas comuns. É, pode ser que funcione.

— Isso se você conseguir alguém que represente dessa forma – disse Hermia, ironicamente.

— Faz sentido o que você diz – admitiu David. – Qualquer sinal de insanidade no roteiro já é motivo para os atores se entregarem ao máximo. O mesmo acontece com mortes repentinas. Os atores não podem simplesmente cair no palco de repente. Eles precisam gemer, cambalear, revirar os olhos, engasgar, segurar no peito, segurar a cabeça e encenar perfeitamente a morte.

Falando em encenações, o que você achou do *Macbeth* de Fielding? Os críticos ficaram bem divididos.

— Eu achei ótimo – disse Hermia. – A cena com o médico, depois da cena de sonambulismo: "Não podes ministrar remédio a um cérebro doente". Ele deixou claro o que eu nunca tinha pensado antes, que ele queria mesmo que o médico matasse sua esposa, embora ainda a amasse! Mostrou a luta entre o medo e o amor. Para mim a frase "devia ter morrido mais tarde" foi uma das coisas mais comoventes que já vi.

— Shakespeare ficaria surpreso se visse as suas peças encenadas hoje – disse eu com ironia.

— Acho que a companhia de teatro Burbage já o traiu bastante nesse aspecto – disse David.

— Os autores sempre se surpreendem com o que os produtores fazem de suas peças – murmurou Hermia.

— Não foi um sujeito chamado Bacon que realmente escreveu as peças de Shakespeare? – perguntou Poppy.

— Não, essa teoria já está bastante ultrapassada – disse David, gentilmente. – E o que *você sabe* sobre o Bacon?

— Ele inventou a pólvora – disse Poppy, triunfante.

— Entende agora por que eu amo essa garota? – disse David. – As coisas que ela sabe são sempre surpreendentes. Não misture Francis Bacon com Roger Bacon, meu amor.

— Eu achei interessante o fato de Fielding ter interpretado o papel do terceiro assassino – disse Hermia. – Alguém já havia feito isso?

— Eu acredito que sim – disse David. – Como deveria ser cômodo naquela época ter um assassino à mão sempre que se precisasse de um servicinho. Engraçado seria fazer isso hoje.

— Mas isso é feito – disse Hermia. – Gângsteres, capangas ou sei lá que outro nome se dá. Estou falando de Chicago e tudo o mais.

— Ah – disse David. – Mas eu não estava falando de gângsteres, chantagistas ou barões do crime, e sim de pessoas comuns que querem se livrar de alguém. Tipo um rival de negócios... ou uma tia rica e já bem velhinha... ou um marido desagradável que sempre atrapalha os planos. Seria ótimo ligar para uma Harrods e dizer: "Por favor, preciso de dois assassinos".

Todos nós rimos.

— Mas *é possível* fazer isso, não é mesmo? – disse Poppy.

Os olhos voltaram-se para ela.

— Como assim, meu docinho? – perguntou David.

— Digo, as pessoas podem fazer isso se quiserem... Gente como nós, como você mesmo disse. Mas deve ser muito caro.

Os olhos inocentes de Poppy estavam arregalados, e os lábios, entreabertos.

– O que você *quer* dizer? – perguntou David, curioso.

Poppy parecia confusa.

– Acho que acabei misturando as coisas. Eu estava falando do Cavalo Amarelo, esse tipo de coisa.

– Cavalo *amarelo*? Que cavalo amarelo?

Poppy corou e baixou os olhos.

– Estou sendo uma idiota! É só algo que me disseram, mas devo ter entendido errado.

– Está linda a sobremesa, não querem? – disse David gentilmente.

II

Uma das coisas mais estranhas da vida, como se sabe, é quando você ouve falar de uma coisa e ela volta a aparecer vinte e quatro horas depois. Um exemplo disso aconteceu na manhã seguinte.

Meu telefone tocou e eu atendi.

– Flaxman, 73841.

Escutei do outro lado da linha uma espécie de suspiro. Em seguida, uma voz ofegante, porém incisiva, disse:

– Pensei no assunto e decidi que vou.

– Maravilha! – eu disse, tentando ganhar tempo. – É... você é...

– Afinal – disse a voz –, um raio nunca cai duas vezes no mesmo lugar.

– Tem certeza de que ligou para o número certo?

– Claro que tenho. Você é Mark Easterbrook, não é?

– Já sei! – disse eu. – Sra. Oliver.

– Oh – disse a voz, surpresa. – Você ainda não sabia quem era? Nem percebi! Liguei para falar da quermesse, vou autografar os livros, se Rhoda quiser.

– Muito gentil da sua parte. Com certeza eles vão hospedá-la.

– Não vão fazer muito alarde, não é? – perguntou a sra. Oliver, apreensiva. – Você sabe como é, as pessoas vindo até mim perguntando se estou escrevendo alguma coisa quando na verdade elas estão vendo que estou tomando refrigerante ou suco de tomate em vez de escrever. E dizem que gostam dos meus livros, o que naturalmente é agradável, mas eu nunca sei o que responder. Se digo que fiquei feliz com o elogio, as pessoas entendem que fiquei feliz em conhecê-las e que estou me despedindo. Quase uma frase feita. Sim, eu sei que é. Você acha que eles não irão querer que eu vá beber alguma coisa no Cavalo Cor-de-Rosa?

– Cavalo *cor-de-rosa*?

– Ou Cavalo Amarelo... o pub. Sou péssima para pubs. Eu até bebo cerveja, em último caso, mas me pesa demais o estômago.

– O que você quer dizer exatamente com cavalo amarelo?

– Há um pub com esse nome na cidade, não? Ou é Cavalo Cor-de-Rosa mesmo? Acho que me confundi, devo estar imaginando coisas.

– E como vai a cacatua? – perguntei.

– Cacatua? – perguntou a sra. Oliver, atônita.

– E a bola de críquete?

– Francamente – disse a sra. Oliver, muito séria. – Acho que você deve estar louco, de ressaca ou algo do tipo. Falando em cavalo cor-de-rosa, cacatua, bola de críquete... – e desligou o telefone.

Eu ainda estava pensando no Cavalo Amarelo quando o telefone tocou de novo. Desta vez era o sr. Soames White, advogado ilustre que ligou para me lembrar de que, segundo o testamento da minha madrinha, lady Hesketh-Dubois, eu tinha o direito de escolher três dos seus quadros.

– Nenhum deles é extraordinariamente valioso, é claro – disse o sr. Soames White em um tom melancólico e derrotista. – Mas sei que em algum momento você demonstrou admirar os quadros da falecida.

– Ela tinha umas aquarelas com cenas indígenas muito charmosas – disse eu. – Acho que você já me escreveu falando disso, mas devo ter esquecido.

– Exatamente – disse o sr. Soames White. – Mas o inventário já foi concedido, e os executores, nos quais me incluo, estão organizando a distribuição dos bens da casa dela em Londres. Você *poderia* dar uma passada na Praça Ellesmere assim que possível?

– Vou agora mesmo – respondi.

Não parecia ser uma manhã muito agradável para o trabalho.

III

Ao sair do nº 49 da Praça Ellesmere carregando embaixo do braço as três aquarelas que escolhi, trombei em alguém que subia as escadas da porta da frente. Pedi desculpas, fui desculpado e estava prestes a chamar um táxi que passava quando tive um estalo e me virei bruscamente, perguntando:

– Corrigan?

– Sim... e você é... Mark Easterbrook!

Jim Corrigan e eu tínhamos sido amigos em Oxford, e acho que não nos víamos havia quinze anos ou mais.

– Sabia que o conhecia, mas não sabia de onde – disse Corrigan. – Li alguns artigos seus e gostei bastante.

– E você? Continuou dedicado à pesquisa, como pretendia fazer?

Corrigan suspirou.

– Nem tanto. É um trabalho caro para ser feito por conta própria. A não ser quando a gente consegue um milionário disposto a financiar a pesquisa, ou algum apoiador mais maleável.

– O assunto era parasitas no fígado, não era?

– Que memória! Na verdade, abandonei esse tema. Agora pesquiso as propriedades das secreções de glândulas mandarianas; talvez nunca tenha ouvido falar! Têm alguma ligação com os humores, mas aparentemente não servem para nada!

Ele falava com o entusiasmo de um cientista.

– Qual é sua ideia, então?

– Bem – continuou Corrigan, um tanto desanimado. – Minha teoria é que elas influenciam o comportamento. Grosso modo, elas agem mais ou menos como o fluido dos freios de um carro. Quando não há fluido, os freios não funcionam. Nos seres humanos, uma deficiência nessas secreções *poderia*, acredito, fazer de você um criminoso.

Dei um assobio.

– E o que acontece com o pecado original?

– Não tenho a menor ideia – disse o dr. Corrigan. – Os padres é que não vão gostar muito disso. Mas infelizmente não encontrei ninguém que se interessasse pela minha teoria. Então estou trabalhando como médico forense na zona noroeste. Um trabalho muito interessante, vemos vários tipos de criminosos. Mas não vou ficar aborrecendo-o com esse assunto, a não ser que queira almoçar comigo!

– Eu adoraria. Mas você estava indo para lá – disse eu, apontando com a cabeça em direção à casa atrás de Corrigan.

– Não exatamente – disse Corrigan. – Eu estava chegando de penetra.

– Não tem ninguém lá, só o vigia.

– Foi o que imaginei. Eu queria tentar descobrir algo sobre lady Hesketh-Dubois.

– Ouso dizer que posso lhe contar mais a respeito dela do que um vigia. Ela era minha madrinha.

– Ela era? Que sorte. Onde podemos almoçar? Há um restaurantezinho na Praça Lowndes, nada extraordinário, mas eles fazem uma sopa especial com frutos do mar.

Após nos acomodarmos no pequeno restaurante, um jovem pálido usando calças de marinheiro em estilo francês levou até a mesa um caldeirão de sopa fumegante.

– Deliciosa – disse eu, provando a sopa. – E então, Corrigan, o que quer saber sobre a velha senhora? E, a propósito, por quê?

– O porquê é uma longa história – disse meu amigo. – Primeiro me diga, que tipo de senhora ela era?

Refleti um pouco.

– Ela era um tipo à moda antiga – disse eu. – Vitoriana. Viúva de um ex-governador de uma ilha desconhecida. Era rica e gostava do conforto que tinha. Viajava para o exterior no inverno, indo a Estoril e lugares do tipo. A casa dela é medonha, cheia de móveis vitorianos e do pior e mais rebuscado tipo de prataria vitoriana. Ela não tinha filhos, mas cuidava de um casal de poodles razoavelmente bem-comportados e gostava muito deles. Era teimosa, uma conservadora convicta. Gentil, porém tirana, e bastante apegada a velhos hábitos. O que mais quer saber?

– Não sei muito bem – disse Corrigan. – Você acha que existe a possibilidade de ela já ter sido chantageada?

– *Chantageada*? – perguntei, cheio de espanto. – Não consigo imaginar algo mais improvável. Por que pergunta?

Foi então que soube das circunstâncias do assassinato do padre Gorman. Repousei a colher no prato e perguntei:

– Essa lista de nomes, você está com ela?

– Com a original, não. Mas copiei os nomes, veja só.

Examinei o papel que ele tirou do bolso.

– Parkinson? Conheço duas pessoas com esse nome. O Arthur, que entrou para a Marinha, e há um Henry Parkinson em um dos sacerdócios. Ormerod? Há um comandante da cavalaria chamado Ormerod. Sandford? Nosso diretor, quando eu era garoto, chamava-se Sandford. Não conheço nenhum Harmondsworth. Tuckerton... – fiz uma pausa. – Não seria Thomasina Tuckerton?

Curioso, Corrigan olhou para mim.

– Pode ser, pelo que sei. Quem é ela, e o que faz?

– Agora, nada. Li nos jornais que ela morreu na semana passada.

– Então não ajuda muito.

Continuei lendo a lista.

– Shaw. Conheço um dentista chamado Shaw, e também Jerome Shaw... Delafontaine, ouvi esse nome recentemente, mas não me lembro onde. Corrigan... seria você, por acaso?

– Sinceramente, espero que não. Tenho a sensação de que não é bom ter o nome nessa lista.

– Talvez. E por que acha que há chantagem envolvida nisso?

– Quem sugeriu isso foi o inspetor Lejeune. Parecia a possibilidade mais provável. Mas há muitas outras. Pode ser uma lista de traficantes, viciados, agentes secretos. Pode ser qualquer coisa, na verdade. Só há uma certeza: essa lista era tão importante que provocou um assassinato.

– Você sempre se interessa por esse lado policial do seu trabalho? – perguntei, curioso.

Ele balançou a cabeça.

– Não exatamente. Interesso-me pelo *caráter* criminoso. Histórico, criação e, claro, a saúde das glândulas!

– Então por que o interesse nessa lista de nomes?

– Adoraria saber – disse Corrigan, lentamente. – Talvez por ter visto meu nome na lista. Em defesa dos Corrigan! Um Corrigan em socorro de outro Corrigan!

– Socorro? Então você definitivamente acha que essa é uma lista de vítimas, e *não* de malfeitores. Mas e se fosse *as duas coisas*?

– É, você pode estar certo. Estranho também eu ser tão positivo. Talvez seja só uma sensação, ou talvez tenha algo a ver com o padre Gorman. Eu não o via com muita frequência, mas ele era um bom sujeito, respeitado por todos e amado pela congregação. Fazia o tipo bom militante convicto. Não consigo parar de pensar que essa lista, para ele, era uma questão de vida ou morte...

– A polícia não está chegando a lugar algum?

– Está, sim, mas é um longo trabalho. Verificar aqui, acolá, bem como os antecedentes da mulher que o chamou naquela noite.

– Quem era ela?

– Aparentemente, não há mistério sobre essa viúva. Havíamos desconfiado de que o marido dela poderia ter alguma ligação com corridas de cavalos, mas não parece ser o caso. Ela trabalhava com pesquisa de consumo para uma pequena empresa comercial, que tem boa reputação e não apresenta nada de errado. No entanto, eles quase nada sabem sobre ela. Ela veio de Lancashire, norte da Inglaterra. O detalhe mais estranho é que ela tinha pouquíssimas coisas.

Encolhi os ombros.

– Vivemos em um mundo individualista, em que se carrega apenas o necessário; isso é mais comum do que imaginamos.

– Sim, é verdade.

– Mas então você resolveu dar uma mãozinha?

– Só estou bisbilhotando. Hesketh-Dubois é um nome incomum. Se eu pudesse descobrir um pouco sobre ela... – ele parou de falar antes de terminar a frase. – Mas, pelo que você disse, acho que lá nada encontraremos.

– Ela não era viciada, nem traficante – assegurei. – Muito menos agente secreta. Ela levava uma vida inocente demais para ser alvo de chantagem.

Não consigo imaginar em que tipo de lista ela estaria. Ela guardava suas joias no banco, então é improvável que fosse alvo de assalto.

– E você sabe da existência de outra pessoa com o nome Hesketh-Dubois? Filhos, talvez?

– Ela não tinha filhos. Mas acho que tinha um sobrinho e uma sobrinha, sem o sobrenome dela. O marido era filho único.

Em um tom amargo, Corrigan disse que eu tinha ajudado bastante. Olhou para o relógio, disse alegremente que precisava fazer uma autópsia e então saímos.

Voltei para casa pensativo, não consegui me concentrar no trabalho e, por impulso, acabei telefonando para David Ardingly.

– David? É o Mark. Sabe aquela moça que conheci com você outro dia, Poppy? Qual é o sobrenome dela?

– Está querendo roubar minha garota, não é?

David parecia estar se divertindo.

– Você já tem muitas – respondi. – Pode muito bem abrir mão de uma delas.

– E você já tem uma mulher de peso, meu velho. Achei que você namorava firme com ela.

"Namorar firme." Que expressão repulsiva! Mas parei para pensar e, ainda tomado pela perspicácia dele, concluí que ele tinha descrito muito bem minha relação com Hermia. Por que raios eu me sentiria deprimido? Afinal de contas, sempre tive a sensação de que eu e Hermia nos casaríamos um dia... Eu gostava dela mais do que tudo. Tínhamos tanto em comum.

Sem motivo algum, senti uma vontade terrível de bocejar. Nosso futuro desenhou-se em minha frente. Eu e Hermia indo a peças de teatro importantes, isso sim valeria a pena. Conversaríamos sobre arte, sobre música. Sem dúvida, Hermia era a companhia perfeita.

Mas sem um pingo de diversão, disse o diabinho zombeteiro lá no fundo do inconsciente. Tomei um choque.

– Dormiu? – perguntou David.

– Claro que não. Para dizer a verdade, achei sua amiga Poppy bem revigorante.

– Boa palavra. E ela é, mas é preciso ir com calma. O nome dela é Pamela Stirling, ela trabalha em uma daquelas floriculturas com ares artísticos em Mayfair. Você sabe do tipo que estou falando, três galhos secos, uma tulipa com as pétalas presas e uma folha de louro pintada. Caríssimas.

Ele me deu o endereço.

– Chame-a para sair e divirta-se – disse ele, em tom amigável. – Vai se sentir muito bem. Ela é praticamente uma toupeira, não sabe de nada e vai acreditar em tudo que você disser. Mas não tenha falsas esperanças, a moça é pura.

E desligou o telefone.

IV

Passei pelo portão da Estudos Florais Ltda. com um pouco de receio. Quase fui derrubado pelo forte aroma de gardênia. Fiquei confuso quando vi tantas moças usando um uniforme verde-claro, todas parecidas com Poppy. Custei a identificá-la. Ela estava escrevendo um endereço com certa dificuldade, em dúvida quanto à grafia de Fortescue Crescent. Depois de alguma dificuldade em dar o troco correto à nota de cinco libras que recebeu, consegui me aproximar.

– Sou o amigo de David Ardingly – disse eu, lembrando-a.

– Ah, *sim*! – concordou Poppy, calorosa, enquanto os olhos vagos passavam por mim.

– Quero lhe perguntar uma coisa. – Eu estava apreensivo. – Mas acho melhor aproveitar e comprar algumas flores.

Como um robô pré-programado, ela disse:

– As rosas estão adoráveis, fresquinhas.

– Vou querer as amarelas – disse eu. Havia rosas em toda parte. – Quanto custa?

– Bem baratinho – disse Poppy com uma voz doce e persuasiva. – Cinco xelins cada.

Engoli seco e pedi meia dúzia de rosas.

– Posso acrescentar algumas dessas folhas especiais?

Olhei duvidosamente para as folhas especiais, que pareciam em avançado estágio de decomposição. Achei melhor escolher alguns ramos de aspargo-de-jardim, o que naturalmente não agradou Poppy.

– Quero lhe perguntar uma coisa – reiterei enquanto Poppy, desajeitada, decorava as rosas com os ramos que pedi. – Naquela noite, você mencionou algo chamado Cavalo Amarelo.

Com um violento sobressalto, Poppy derrubou as rosas e os ramos no chão.

– Poderia me falar mais a respeito?

Poppy se agachou para pegar as flores e se recompôs em seguida.

– O que você disse? – perguntou ela.

– Eu queria saber a respeito do Cavalo Amarelo.

– Cavalo amarelo? Como assim?

– Foi o que você mencionou naquela noite.

– Tenho certeza de que nunca disse isso! Nunca ouvi falar de cavalo amarelo.

– Alguém falou sobre isso com você. Quem foi?

Poppy respirou fundo e disse num só fôlego:

– Não tenho a menor ideia do que está falando. E eu não tenho permissão para conversar com clientes... – ela enrolou um papel em volta das flores. – São 35 xelins, senhor.

Depois de me devolver o troco, virou-se rapidamente para atender outra pessoa. Notei que as mãos dela tremiam levemente.

Saí da loja devagar. Após andar um pouco percebi que, além de me cobrar errado, ela tinha me devolvido troco a mais. A pouca habilidade matemática dela, antes, tinha me causado prejuízo. Olhei mais uma vez para o rosto dela, adorável e inexpressivo, e seus olhos grandes e azuis. Havia algo naqueles olhos...

– Medo – pensei comigo mesmo. – Ela estava com medo... Mas por quê? *Por quê?*

CAPÍTULO 5

Narrativa de Mark Easterbrook

I

– Que alívio pensar que deu tudo certo! – suspirou a sra. Oliver.

Foi um instante de relaxamento. A quermesse de Rhoda acontecera com as preocupações de todas as quermesses: a forte ansiedade por causa do tempo, que no início da manhã estava instável; as longas e acaloradas discussões para decidir se as barracas seriam montadas ao ar livre ou dentro do galpão e sob a grande tenda; as diferentes opiniões a respeito da distribuição dos chás, das barracas de comidas etc. Tudo resolvido com diplomacia por Rhoda. Ninguém sabia como seria o comportamento de seus cães, encantadores, mas indisciplinados, que deveriam estar obviamente presos na casa, mas fugiam o tempo todo.

A quermesse foi aberta de maneira graciosa com a chegada de uma divertida e fútil celebridade da região, vestida com uma profusão de peles, que disse algumas palavras comoventes sobre o problema dos refugiados, o que deixou todos confusos, pois o objetivo da quermesse era a restauração da torre da igreja. A barraca do jogo das argolas fez um grande sucesso. Houve os problemas usuais com o troco, além de um pandemônio na hora do chá, quando todos quiseram invadir a tenda ao mesmo tempo.

Por fim, a abençoada chegada da noite, quando ainda aconteciam as apresentações de dança local no galpão. Estavam previstas uma queima de fogos e uma fogueira, mas os familiares já tinham ido para casa e agora faziam uma refeição simples na sala de jantar, entregues a uma daquelas conversas sem propósito em que todos estão preocupados em passar as próprias ideias e quase não prestam atenção às ideias dos outros. Tudo era desarticulado e cômodo. Os cães, soltos e felizes, roíam ossos embaixo da mesa.

— Esta quermesse rendeu mais do que a do ano passado, em prol das crianças – disse Rhoda, deleitando-se.

— Para mim é inacreditável que Michael Brent tenha encontrado o tesouro enterrado pelo terceiro ano consecutivo – disse a srta. Macalister, a governanta escocesa que cuidava das crianças. – Será que alguém diz a ele onde está o tesouro?

— Lady Brookbank ganhou o porco – disse Rhoda. – Acho que ela não queria, pois ficou terrivelmente envergonhada.

Na festa estavam minha prima Rhoda com o marido, o coronel Despard, a srta. Macalister, uma jovem ruiva chamada Ginger, a sra. Oliver e o reverendo Caleb Dane Calthrop com sua esposa. O reverendo era um senhor charmoso, estudioso, cujo maior prazer era declamar citações dos clássicos. Embora suas citações fossem muitas vezes embaraçosas e servissem para encerrar a conversa, aquele era o momento apropriado para elas. Era difícil entender o sonoro latim do reverendo, e o prazer de declamar uma citação apropriada era todo dele.

— Como diz Horácio... – disse ele, olhando ao redor da mesa.

Houve uma pausa, como de costume.

— Acho que a sra. Horsefall trapaceou com a garrafa de champanhe – disse Ginger, pensativa. – Quem ganhou foi a sobrinha dela!

A sra. Dane Calthrop, uma mulher desconcertante e de olhos claros, analisava ponderadamente a sra. Oliver, quando perguntou de maneira abrupta:

— E você, o que esperava nessa quermesse?

— Um assassinato ou algo que o valha!

A sra. Dane Calthrop parecia interessada.

— Mas por que isso?

— Nada demais. Muito improvável que acontecesse de novo. Houve um assassinato na última quermesse em que estive.

— Entendo. E isso a incomodou?

— Muito.

O reverendo, dessa vez, citou em grego.

Após a pausa, a srta. Macalister duvidou da honestidade da rifa que deu como prêmio um pato vivo.

– Muito generoso por parte do velho Lugg, do Armas do Rei, nos mandar doze dúzias de cerveja para a barraca do jogo das argolas – disse Despard.

– Armas do rei? – perguntei categoricamente.

– Nosso bar local, querido – disse Rhoda.

– Não há outro pub nas redondezas? O Cavalo Amarelo, acho eu – perguntei, voltando-me para a sra. Oliver.

Quase ninguém reagiu à pergunta, conforme eu esperava. O rosto de quem se virou para mim era vago e desinteressado.

– O Cavalo Amarelo não é um pub – disse Rhoda. – Quero dizer, *não mais*.

– Ele *já foi* uma hospedaria – disse Despard. – Diria que lá pelos idos do século XVI. Hoje é só uma casa comum. Sempre achei que eles deviam ter mudado o nome.

– Claro que *não*! – exclamou Ginger. – Um nome como Paisagem do Campo ou Recanto da Pedra seria extremamente bobo. Acho que Cavalo Amarelo é *muito mais* requintado, e no hall elas mantêm uma antiga e linda placa emoldurada.

– Elas quem? – perguntei.

– Pertence a Thyrza Grey – disse Rhoda. – Será que você a viu hoje? Uma mulher alta, de cabelo curto e grisalho.

– Ela é muito misteriosa – disse Despard. – É envolvida com espiritualismo, transes, magia, coisas desse tipo. Mas nada de magia negra.

De repente, Ginger deu uma gargalhada.

– Desculpe-me – disse ela. – Acabei de imaginar a srta. Grey vestida de Madame de Montespan em um altar de veludo negro.

– Ginger! – disse Rhoda. – Não fale assim na frente do reverendo.

– Desculpe-me, sr. Dane Calthrop.

– Não há de quê – disse o reverendo, sorrindo. – Como dizem os antigos... – continuou ele, completando com uma citação em grego.

Após um respeitoso silêncio de apreciação, ataquei novamente.

– Ainda quero saber quem são "elas". Srta. Grey e quem mais?

– Uma amiga mora com ela, Sybil Stamfordis. Acredito que seja uma médium. Você já deve tê-la visto por aí, anda cheia de pérolas e escaravelhos. De vez em quando veste sári, e mal posso imaginar o porquê, pois ela nunca esteve na Índia...

– E não se esqueça da Bella – disse a sra. Dane Calthrop. – É a cozinheira. Ela é bruxa, veio do vilarejo de Little Dunning, onde tinha fama de praticar feitiçarias. Coisa de família, a mãe dela também era bruxa. – Ela falava de modo prosaico.

– Você fala como se acreditasse em bruxaria, sra. Dane Calthrop – disse eu.

– Mas é claro! Nada há de secreto ou misterioso nisso. É tudo muito trivial, uma herança de família. Quando somos crianças, dizem para não implicar com o gato das bruxas, e de vez em quando elas ganham um pedaço de queijo ou um pote de doce caseiro.

Olhei para ela com uma sombra de dúvida. Parecia que ela falava muito sério.

– Sybil nos ajudou hoje lendo a sorte – disse Rhoda. – Ela estava na tenda verde. E ela é boa nisso.

– Minha sorte foi adorável – disse Ginger. – Ela viu dinheiro na minha mão, um homem bonito que virá do exterior, dois maridos e seis filhos. Muito generoso!

– Vi a filha de Curtis saindo da barraca dando gargalhadas – disse Rhoda. – E, depois disso, foi muito evasiva com o namorado. Falou que ele deve parar de pensar que é o rei da cocada preta.

– Pobre Tom – disse o marido dela. – Ele respondeu alguma coisa?

– Ah, sim. "Nem vou te dizer qual foi a *minha* sorte, querida Mebbe, você não ia gostar nem um pouco", disse ele.

– Bem feito pra ela!

– A sra. Parker não ficou nada satisfeita – disse Ginger, rindo. – "Quanta bobagem, não acreditem nessa tolice", disse ela. Mas aí a sra. Cripps levantou a voz e disse, "Você sabe tanto quanto eu, Lizzie, que a srta. Stamfordis vê coisas que os outros não veem, e a srta. Grey sabe o dia em que as pessoas vão morrer, sem errar nunquinha! Às vezes fico até arrepiada". A sra. Parker disse: "Mas com a morte é diferente, isso é um dom!", e a sra. Cripps respondeu: "Não interessa, eu jamais ofenderia aquelas três, de jeito nenhum!".

– Que emocionante, eu adoraria conhecê-las! – disse a sra. Oliver, desejosa.

– Nós a levaremos lá amanhã – prometeu o coronel Despard. – Vale mesmo a pena conhecer a velha hospedaria. Elas fizeram um belo trabalho, conseguiram mantê-la confortável sem tirar as características originais.

– Amanhã pela manhã eu telefono para Thyrza – disse Rhoda.

Tenho de admitir que fui para a cama com uma leve sensação de desalento.

O Cavalo Amarelo que assomava em minha mente como símbolo de algo desconhecido e sinistro não era nada daquilo.

A não ser, é claro, que houvesse outro Cavalo Amarelo.

Pensei nessa hipótese antes de cair no sono.

II

No dia seguinte, domingo, pairava uma sensação de descanso pós-festa. No gramado, a tenda e as barracas sacudiam com a brisa leve, esperando para serem removidas pelos fornecedores no alvorecer do dia. Na segunda-feira, todos começaríamos a avaliar os prejuízos e a organizar as coisas. Mas Rhoda tinha decidido que hoje seria melhor passar o maior tempo possível fora de casa.

Fomos à igreja e ouvimos respeitosamente o sábio sermão do sr. Dane Calthrop sobre um trecho de Isaías que parecia tratar mais da história da Pérsia do que de religião.

– Almoçaremos com o sr. Venables – explicou Rhoda quando saímos da igreja. – Você vai gostar dele, Mark, ele é um homem muito interessante. Já fez de tudo e esteve em todos os lugares. Conhece coisas fora do comum! Comprou a casa de Priors Court há cerca de três anos, e as melhorias devem ter custado uma fortuna. Teve poliomielite, por isso anda de cadeira de rodas, o que deve ser muito triste para ele, pois viajava bastante. É claro que ele nada no dinheiro, como disse, tendo em vista as maravilhas que fez na casa, uma completa ruína caindo aos pedaços. Agora está repleta de coisas das mais suntuosas. Acho que o maior interesse dele hoje são os leilões.

Fomos de carro até Priors Court, que ficava a poucos quilômetros de distância. Ao chegarmos, nosso anfitrião nos recebeu no hall.

– Muita gentileza vocês terem vindo – disse ele, entusiasmado. – Devem estar exaustos por causa da quermesse. Foi um grande sucesso, Rhoda.

O sr. Venables tinha uns cinquenta anos, o rosto magro e o nariz adunco feito o de um falcão, o que lhe conferia um ar de arrogância. O colarinho da camisa dele tinha a forma de asas abertas, ligeiramente antiquado.

Rhoda nos apresentou, e o sr. Venables sorriu para a sra. Oliver.

– Eu a conheci ontem, profissionalmente – disse ele. – Comprei seis livros autografados, já tenho seis presentes de Natal. Muito bom o seu trabalho, sra. Oliver. Não pare de escrever, é sempre um prazer ler os seus livros. – Ele abriu um sorriso para Ginger. – E *você* quase me deixou com um pato vivo na mão, minha jovem! – Em seguida, olhou para mim. – Gostei muito do seu artigo na revista do mês passado – disse ele.

– Foi um prazer enorme tê-lo conosco na quermesse, sr. Venables – disse Rhoda. – Depois daquele cheque generoso que o senhor nos enviou, não imaginei que estaria lá em pessoa.

– Eu gosto desse tipo de coisa. Faz parte da vida rural inglesa, não é mesmo? Voltei para casa segurando uma boneca horrorosa de plástico que ganhei na barraquinha, e Sybil fez uma previsão esplêndida do meu futuro, embora nada realista: eu usava um turbante de ouropel e carregava no pescoço uma tonelada de colares egípcios falsos.

— Sybil é adorável – disse o coronel Despard. – Vamos até lá hoje à tarde tomar um chá com Thyrza. É um lugar antigo e interessante.

— O Cavalo Amarelo? Sim. Eu preferiria que continuasse sendo uma hospedaria. Sempre achei que aquele lugar tinha uma história misteriosa e perversa. Estamos longe demais do mar para que tenha sido usado por contrabandistas. Talvez tenha sido refúgio para ladrões de estrada, ou viajantes ricos que passavam uma noite por lá e depois desapareciam. De certa forma, parece-me um final muito insípido ter se tornado a residência de três solteironas.

— Ora, eu *nunca* penso nelas dessa maneira! – exclamou Rhoda. – Sybil Stamfordis, com seus sáris e escaravelhos, sempre vendo a aura das pessoas, ela, sim, *é* muito ridícula. Já Thyrza é imponente, não acha? Parece que ela sabe exatamente o que pensamos. Ela não *diz* que é vidente, mas todo mundo diz que ela é.

— E Bella está longe de ser uma solteirona, ela enterrou dois maridos – acrescentou o coronel Despard.

— Sinto muito, sinceramente – disse Venables, às gargalhadas.

— Há também as interpretações sinistras da morte dos vizinhos – continuou Despard. – Dizem que os vizinhos a contrariaram e que bastou o olhar dela para que adoecessem e morressem.

— Mas é claro, eu tinha me esquecido. Ela é a bruxa?

— É o que diz a sra. Dane Calthrop.

— Interessante essa coisa de bruxaria – disse Venables, pensativo. – Há variações dela no mundo inteiro, lembro-me de quando fui à África Oriental...

Ele falou com alegria e tranquilidade sobre o assunto. Falou dos curandeiros na África, dos cultos pouco conhecidos de Bornéu, e prometeu que, após o almoço, mostraria para nós algumas máscaras de feiticeiros da África Ocidental.

— Tem de tudo nesta casa – disse Rhoda, dando uma risada.

— Bem... – ele encolheu os ombros. – Já que não podemos ver todas as coisas, faço o possível para tê-las por perto.

Por um momento apenas, seu tom de voz demonstrou uma súbita amargura. Em seguida, voltou o rosto rapidamente para baixo, olhando suas pernas paralisadas.

— "*De tantas coisas o mundo é tão cheio*" – citou ele. – Acho que essa sempre foi minha ruína. Há tanta coisa que quero ver e conhecer! Mas já fiz muito nessa vida, e ainda hoje ela me proporciona muito conforto.

— Por que logo *aqui*? – perguntou de repente a sra. Oliver.

Os outros estavam um pouco embaraçados por sentirem um clima trágico no ar. A sra. Oliver, no entanto, permaneceu impassível. Ela perguntou porque queria saber. E sua sincera curiosidade trouxe de volta a atmosfera alegre que reinava antes.

Venables olhou para ela sem entender.

– Digo, por que veio morar aqui nessa região? – perguntou novamente a sra. Oliver. – Um lugar tão distante do centro das coisas. Tem amigos aqui?

– Não. Já que quer saber, escolhi morar aqui exatamente por *não ter* amigos aqui.

Um tênue sorriso de ironia brotou nos lábios dele.

Eu me perguntei até que ponto ele tinha sido afetado pela incapacidade física. Será que a perda dos movimentos, a perda da liberdade de explorar o mundo amargurava tão profundamente sua alma? Ou ele conseguira se adaptar às novas circunstâncias com uma relativa serenidade, uma verdadeira grandeza de espírito?

Como se tivesse lido meus pensamentos, Venables disse:

– Você questiona no seu artigo o significado do termo "grandeza", comparando os diferentes significados ligados à palavra, no Ocidente e no Oriente. Mas o que todos queremos dizer hoje, na Inglaterra, quando usamos a expressão "um grande homem"?

– Grandeza intelectual, certamente – disse eu –, além de força moral, não é?

Ele olhou para mim com os olhos radiantes.

– Então não existem homens maus que possam ser descritos como grandes? – perguntou ele.

– É claro que existem! – exclamou Rhoda. – Napoleão, Hitler, e outros tantos. Todos eram grandes homens.

– Por causa do efeito que produziram? – disse Despard. – Me pergunto se ficaríamos impressionados se tivéssemos conhecido-os pessoalmente.

Ginger inclinou o corpo para frente e passou a mão nos cabelos ruivos.

– É uma ideia interessante – disse ela. – Será que não eram sujeitos patéticos e diminutos? Empertigados, dissimulados, deslocados e determinados a *ser* alguém, mesmo que tivessem o mundo a seus pés?

– Não, não – disse Rhoda veementemente. – Eles jamais teriam os resultados que tiveram se fossem assim.

– Tenho minhas dúvidas – disse a sra. Oliver. – Afinal, a mais estúpida das crianças pode facilmente incendiar uma casa.

– Ora, ora – disse Venables. – Não posso continuar subestimando o mal dessa maneira como se ele não existisse. O mal *existe* e é poderoso, muitas vezes mais poderoso do que o bem. É preciso reconhecê-lo e combatê-lo, do contrário... – ele estendeu as mãos –, afundamos na escuridão.

– É claro que fui educada para acreditar no diabo – disse a sra. Oliver, desculpando-se. – Mas ele *sempre* me pareceu uma imbecilidade, retratado com chifres, rabo e coisas do tipo, fazendo travessuras por aí como se fosse um péssimo ator. É claro que de vez em quando coloco um criminoso brilhante nas minhas histórias e os leitores adoram, mas é cada vez mais difícil retratá-los! Eu os descrevo como pessoas impressionantes, mas quando chega no final da história eles sempre parecem um tanto *inadequados* e funcionam como uma espécie de anticlímax. É muito mais fácil escrever sobre o banqueiro que desfalcou as contas, ou sobre o marido que quer se livrar da esposa para se casar com a babá. É muito mais *natural*, quero dizer.

Todos riram, e a sra. Oliver disse, desculpando-se:

– Sei que não me expressei muito bem, mas vocês entenderam o que quero dizer?

Todos disseram entender exatamente o que ela quis dizer.

CAPÍTULO 6

Narrativa de Mark Easterbrook

Já passava das quatro da tarde quando saímos de Priors Court. Depois de um almoço particularmente delicioso, Venables nos levou para conhecer a mansão. Foi um prazer imenso para ele nos mostrar o verdadeiro tesouro que guardava aquela casa.

– Ele deve estar nadando no dinheiro – eu disse quando finalmente partimos. – Aquelas jades, a escultura africana, sem falar da porcelana de Meissen e Bow. Você tem sorte de ter um vizinho como ele.

– E você acha que não sabemos disso? – disse Rhoda. – A maioria das pessoas aqui é bastante gentil, mas pouco transparente. Em comparação, o sr. Venables tem uma positividade exótica.

– Como ele ganha dinheiro? – perguntou a sra. Oliver. – Ou será que sempre foi rico?

De maneira irônica, Despard observou que hoje ninguém mais pode se gabar por ter uma grande herança, pois os impostos e juros tomam conta de tudo.

– Soube que ele começou a vida como estivador, mas parece muito improvável – continuou Despard. – Ele nunca fala da juventude ou da família. – Virou-se para a sra. Oliver e disse: – Um bom mistério para suas histórias.

A sra. Oliver dizia que as pessoas sempre lhe ofereciam coisas que ela não queria...

O Cavalo Amarelo era uma construção em estilo enxaimel (genuína, e não uma imitação). Ficava recuada em relação à rua. Nos fundos havia um jardim murado, o que lhe dava uma agradável aparência de velho mundo.

Fiquei desapontado, na verdade, e confessei.

– Não é sinistra como eu pensava – reclamei. – Não tem esse clima.

– Não dirá o mesmo quando entrar – disse Ginger.

Saímos do carro e caminhamos até a porta, que se abriu assim que nos aproximamos.

A srta. Thyrza Grey estava parada na entrada, uma figura alta, de aparência levemente masculina, vestida com um casaco escocês e saia. Ela tinha o cabelo grisalho e malcuidado, testa alta, nariz largo e aduncо e olhos azuis-claros penetrantes.

– Finalmente vocês chegaram – ela disse com uma voz grave e amável. – Achei que estavam perdidos.

Percebi a presença de um rosto surgindo por trás dos ombros dela, diretamente das sombras do hall escuro. Um rosto estranho, meio disforme, parecido com uma massa modelada por uma criança em um estúdio de escultura. Pensei ser o tipo de rosto que costumamos ver no meio da multidão de uma primitiva pintura italiana ou flamenga.

Rhoda nos apresentou e disse que almoçáramos com o sr. Venables na Priors Court.

– Ah! – disse a srta. Grey. – Isso explica tudo! Todo aquele luxo que ele tem, a cozinheira italiana e os tesouros reunidos na casa. Pobre homem, ele precisa de alguma coisa para se alegrar. Mas venham, vamos entrando. Temos muito orgulho da nossa casinha. É do século XV, com algo do século XIV.

O hall era humilde e escuro, com uma escada em caracol para o andar de cima. Havia uma ampla lareira e um quadro na parede acima dela.

– A velha plaqueta – disse a srta. Grey ao perceber meu olhar. – Não dá para ver muito com essa luz. O Cavalo Amarelo.

– Vou limpá-la para você, conforme combinamos – disse Ginger. – Terá uma surpresa com o resultado.

– Tenho certo receio – disse Thyrza Grey, sem rodeios. – E se você estragá-la?

– Mas é claro que não vou estragá-la, é meu trabalho – disse Ginger, indignada. Depois explicou para mim: – Trabalho nas galerias de Londres. É divertidíssimo.

– É difícil nos acostumarmos à restauração de quadros como é feita hoje – disse Thyrza. – Suspiro toda vez que entro na National Gallery. Parece que todos os quadros tomaram um banho de detergente.

– Não é possível que prefira os quadros escuros e amarelados – protestou Ginger. Ela olhou com atenção para a plaqueta. – Muita coisa vai surgir com a limpeza. Talvez até tenha um cavaleiro que não conseguimos ver.

Aproximei-me dela para olhar o quadro. Era uma pintura tosca sem mérito algum, exceto a sujeira e a velhice. A figura amarela de um garanhão resplandecente em relação ao fundo escuro e impreciso.

– Ei, Sybil – gritou Thyrza. – As visitas estão criticando nosso Cavalo, veja só que impertinência.

A srta. Sybil Stamfordis passou por uma porta e se juntou a nós.

Ela era uma mulher alta e esbelta, tinha o cabelo grisalho e oleoso, o sorriso afetado e boca de peixe. Estava usando um sári verde-esmeralda brilhante, que em nada melhorava sua aparência. Sua voz era lânguida e trêmula.

– Nosso preciosíssimo Cavalo – disse ela. – Nós nos apaixonamos por essa plaqueta assim que a vimos. Acho que ela nos influenciou a comprar a casa. Você não acha, Thyrza? Mas venham, vamos entrar.

Ela nos levou para um cômodo pequeno, onde provavelmente funcionava o bar. A mobília era coberta com tecido chita e em estilo Chippendale; tratava-se da sala de estar em estilo rústico, cheia de crisântemos.

Depois elas nos levaram para ver o jardim, que devia ser bem charmoso no verão, e voltamos para dentro da casa, onde a mesa de chá já estava posta com sanduíches e biscoitos caseiros. Quando nos sentamos, a velha que eu havia visto por um momento no hall entrou carregando um bule de prata. Ela usava um avental verde-escuro liso. A impressão de que a cabeça dela tinha sido feita com massa de modelar por uma criança foi confirmada quando olhei melhor para ela. Seu rosto era primitivo e inexpressivo, mas não entendi por que me pareceu sinistro.

De repente, senti raiva de mim mesmo. Todos esses absurdos sobre uma antiga hospedaria e três mulheres de meia-idade!

– Obrigado, Bella – disse Thyrza.

– Precisa de mais alguma coisa?

A voz dela era quase um murmúrio.

– Não, obrigada.

Bella saiu em direção à porta. Ela não olhou para ninguém, mas, antes de sair, levantou os olhos para mim de relance. Alguma coisa naquele olhar me paralisou, embora fosse difícil descrever exatamente o quê. Havia malícia naquele olhar, além de uma curiosa sensação de intimidade. Senti que, sem fazer esforço, e também sem curiosidade, ela sabia exatamente o que se passava na minha cabeça.

Thyrza Grey percebeu minha reação.

– Bella é desconcertante, não é, sr. Easterbrook? – disse ela, tranquila. – Percebi como ela olhou para você.

– Ela é daqui, não é? – perguntei, educadamente, esforçando-me para parecer interessado.

– Sim. E ouso dizer que alguém deve ter lhe contado que ela é a feiticeira da região.

Sybil Stamfordis mexeu nos colares.

– Pode confessar, sr... sr...

– Easterbrook.

– Easterbrook. Tenho certeza de que todos acham que praticamos bruxaria. Pode falar. Nossa reputação é grande, sabe?

– E talvez com razão – disse Thyrza. Ela parecia se divertir. – Sybil tem alguns dons.

Sybil suspirou agradavelmente.

– Sempre tive interesse no oculto – murmurou ela. – Quando criança já havia percebido que eu tinha poderes nada comuns. A psicografia surgiu naturalmente, eu sequer imaginava o que era aquilo! Simplesmente me sentava com uma caneta na mão, sem imaginar o que estava acontecendo. E é claro, sempre fui muito sensível. Uma vez desmaiei tomando chá na casa de uma amiga. Algo terrível tinha acontecido naquela sala... Eu sabia! Depois tivemos a explicação: vinte e cinco anos antes houvera um assassinato ali!

Ela balançava a cabeça e olhava para nós com grande satisfação.

– Muito interessante – disse o coronel Despard, com elegante aversão.

– Aconteceram coisas sinistras *nesta casa* – disse Sybil, misteriosa. – Mas tomamos as atitudes necessárias. Os espíritos obsessores já foram libertados.

– Vocês fizeram algum tipo de limpeza espiritual? – sugeri.

Sybil olhou para mim, ligeiramente em dúvida.

– Que adorável a cor do seu sári – disse Rhoda.

Sybil ficou animada.

– Sim, comprei quando estive na Índia. Tive uma época ótima lá. Pratiquei ioga e coisas do tipo. Mas não conseguia deixar de considerar tudo muito sofisticado, bem distante do natural e do primitivo. Acho que devemos voltar aos primórdios, aos poderes primitivos. Sou uma das poucas mulheres daqui que já esteve no Haiti, e lá, sim, temos contato com as fontes originárias do oculto, um tanto distorcidas e corrompidas, obviamente. Mas a raiz da questão está lá.

"Aprendi muito, principalmente quando me disseram que eu tinha irmãs gêmeas um pouco mais velhas do que eu. Disseram-me que a criança que nasce logo depois de gêmeos tem poderes especiais. Eles tinham todo um arsenal relacionado à morte, caveiras e ossos em cruz, e ferramentas usadas por coveiros, como pá, picareta e enxada. Eles se vestem como agentes funerários, com roupas pretas e cartola.

"O Grande Mestre é Baron Samedi, e ele evoca o deus Legba, que 'remove todas as barreiras'. Expia-se a morte para causar a morte. Estranho, não?

"Vejam só isso – Sybil se levantou e pegou um objeto na soleira da janela. – Este é meu Asson. Uma cabaça seca com uma série de contas. Estão vendo essas pontinhas? É chocalho de cascavel seco."

Olhamos educadamente, mas sem entusiasmo.

Sybil chacoalhou seu horrendo brinquedo delicadamente.

– Bem interessante – disse Despard, de modo cortês.

– Eu poderia contar muito mais...

Nesse momento, me distraí. As palavras começaram a ficar nebulosas à medida que Sybil exprimia seu conhecimento de magia e feitiçaria, falando sobre Mestre Encruzilhada, *Coa*, família Guidé.

Virei a cabeça e percebi que Thyrza me olhava de um jeito estranho.

– Você não acredita em nada disso, não é mesmo? – murmurou ela. – Você está errado. É *impossível* tudo isso ser explicado como se fosse superstição, medo ou fanatismo religioso. Existem verdades e poderes elementares. Sempre existiram e sempre existirão.

– Eu não contestaria isso – disse eu.

– Sábio homem. Venha ver minha biblioteca.

Passamos pelas janelas francesas, entramos em um jardim e passamos pela lateral da casa.

– Montamos a biblioteca nos antigos estábulos – explicou ela.

Os estábulos e as dependências externas foram reconstruídos como um único e amplo cômodo. Uma parede inteira estava repleta de livros. Passei os olhos neles e logo exclamei:

– Há obras muito raras aqui, srta. Grey. Este aqui é o original do *Malleus Maleficorum*? Uau, quantos tesouros.

– É verdade, tenho mesmo alguns tesouros.

– Este Grimório também é muito raro. – Fui retirando os exemplares das prateleiras. Não entendi o clima de satisfação silente com que Thyrza me observava.

Coloquei de volta na estante o *Sadducismus Triumphatus* quando Thyrza me disse:

– É muito bom conhecer alguém que saiba apreciar nossos tesouros. A maioria das pessoas ou boceja ou fica boquiaberta.

– Você deve conhecer praticamente tudo sobre magia e bruxaria – disse eu. – De onde vem seu interesse pelo assunto?

– Difícil dizer, vem de muito tempo... Sabe quando olhamos para uma coisa sem a menor pretensão e, de repente, somos tomados por ela? É um estudo fascinante. As coisas em que as pessoas acreditam e as tolices que fazem por conta disso!

Eu ri.

– Isso me reconforta. Fico feliz por saber que não acredita em tudo o que lê.

– Você não deve me julgar tendo como base a pobre da Sybil. Eu percebi o seu olhar de superioridade, mas você estava errado. Ela é ingênua em muitos aspectos. Ela pega a feitiçaria, a demonologia, a magia negra e mistura tudo em uma gloriosa torta de ocultismo, mas ela tem o poder.

– O poder?

– Não sei de qual outra forma podemos chamar isso... *Há* pessoas que podem ser uma ponte viva entre nosso mundo e o mundo de poderes misteriosos. Sybil é uma delas, uma médium de primeiríssima qualidade. Nunca praticou a mediunidade por dinheiro. Mas seu dom é bastante excepcional. Quando eu, ela e Bella...

– Bella?

– Sim, Bella também tem seus poderes. Todas nós temos poderes, mas em diferentes escalas. Como grupo...

Ela interrompeu a fala de repente.

– Feiticeiras Ltda.? – sugeri, sorrindo.

– Podemos dizer que sim.

Olhei para o livro que estava em minhas mãos.

– Nostradamus?

– Nostradamus.

Eu perguntei tranquilamente:

– Você acredita *mesmo* nisso, não é?

– Eu não *acredito*. Eu *sei* – disse ela, triunfante.

Eu olhei para ela.

– Mas como? De que maneira? Por que razão?

Ela esticou o braço em direção às estantes.

– Uma grande bobagem tudo isso! Obras das mais ridículas! Mas esqueça-se de todas as superstições e preconceitos de época e verá que a base *é real*! A forma vai sendo aprimorada para impressionar as pessoas.

– Não entendi.

– Veja bem, meu querido, *por que* as pessoas, no decorrer de tantas eras, procuravam necromantes, feiticeiros e curandeiras? Por dois motivos apenas. Só existem duas coisas que as pessoas querem desesperadamente, a ponto de correrem o risco de serem condenadas. A poção do amor e o cálice de veneno.

– Ah!

– Tão simples, não é mesmo? Amor... e morte. A poção do amor para ganhar a quem se ama, a missa negra para segurar a quem se ama. Toma-se um gole em noite de lua cheia, recita-se o nome de demônios ou espíritos.

Desenha-se figuras no chão ou na parede. Tudo um jogo de cena. A verdade é o afrodisíaco da poção.

– E a morte? – perguntei.

– Morte? – ela deu uma risadinha estranha, deixando-me sem graça. – Você se interessa *muito* pela morte?

– Quem não se interessa? – disse eu, ligeiramente.

– Tenho minhas dúvidas. – Ela olhou para mim de forma penetrante e sutil, desconcertando-me. – Morte. Sempre houve uma negociação maior em relação à morte do que há em relação à poção do amor. E mesmo assim, tudo era muito rudimentar antigamente! Pense nos Bórgias e em suas famosas poções secretas. Você sabe o que eles *realmente* usavam? Arsênico branco comum! O mesmo que qualquer esposa assassina de fundo de quintal. Mas progredimos muito desde essa época. A ciência ampliou nossas fronteiras.

– Você fala de venenos que não deixam vestígios? – minha voz era cética.

– Venenos! Que coisa *vieux jeu*.* Coisa de criança. Hoje temos novas possibilidades.

– E quais seriam?

– A *mente*. O conhecimento do que a mente *é*, do que ela *pode* fazer e do que podemos *induzi-la* a fazer.

– Por favor, continue. Isso é muito interessante.

– O princípio é bem conhecido. Os curandeiros já faziam uso dele há séculos em comunidades primitivas. Não é preciso matar a vítima. Basta *mandá-la morrer*.

– Sugestão? Mas só funciona quando a vítima acredita nisso.

– Não funciona com os mais esclarecidos, você quer dizer – disse ela, corrigindo-me. – Às vezes funciona. Mas a questão não é essa. Nós fomos muito além dos curandeiros, e quem nos abriu caminho foram os psicólogos. O desejo de morte está aí, em todos nós. O trabalho é feito em cima disso, do desejo de morte!

– É uma ideia interessante – disse eu, sem demonstrar interesse científico. – Influenciar o sujeito a cometer suicídio, é isso mesmo?

– Não, você ainda não entendeu. Já ouviu falar em doenças traumáticas?

– É claro.

– As pessoas que têm um desejo inconsciente de não voltar ao trabalho acabam desenvolvendo enfermidades reais. Elas não se fingem de doentes, elas têm doenças reais, apresentam sintomas e sentem dor. Isso tem desafiado os médicos há muito tempo.

– Estou começando a entender o que quer dizer – disse eu, lentamente.

---

* Antiquado, fora de moda. Em francês no original. (N.T.)

– Para destruir o sujeito, é preciso exercer o poder nesse eu inconsciente e secreto. O desejo de morte que existe em todos nós deve ser estimulado e fortalecido. – Ela foi ficando cada vez mais entusiasmada. – Esse eu que procura a morte acaba induzindo uma doença *real*. Você deseja adoecer, deseja morrer e, assim, adoece e morre.

Ela ergueu a cabeça, triunfante. De repente, senti-me frio. Tudo uma grande bobagem, é claro. Essa mulher era um tanto maluca, no entanto...

Do nada, Thyrza Grey começou a rir.

– Você não acredita em mim, não é?

– É uma teoria fascinante, srta. Grey, e admito que tem muito a ver com a pesquisa moderna. Mas de que maneira esse desejo de morte que todos temos seria estimulado?

– Isso não conto, é meu segredo! Há meios de se comunicar sem ter contato. Basta pensar em ondas de rádio, radares, televisão. Os experimentos no campo da percepção extrassensorial não avançaram como era de se esperar porque os pesquisadores não perceberam o princípio mais básico e simples. Pode-se ter uma experiência desse tipo por acidente, mas quando descobrimos *como* ela funciona, podemos repeti-la o tempo todo...

– *Você* consegue fazer isso?

Ela não me respondeu imediatamente. Depois disse, distanciando-se:

– Sr. Easterbrook, não me peça para revelar todos os meus segredos.

Ela saiu em direção ao jardim e eu a segui.

– Por que me contou todas essas coisas? – perguntei.

– Você entende meus livros. Às vezes precisamos conversar com alguém. E, além disso...

– Sim?

– Passou pela minha cabeça, e Bella sentiu a mesma coisa, que talvez você *precise de nós*.

– *Precisar de vocês?*

– Bella acha que você veio até aqui para nos encontrar. Ela quase nunca erra.

– E por que eu desejaria "encontrar vocês", como você mesma disse?

– Isso eu não sei – disse Thyrza Grey, suavemente. – Ainda.

CAPÍTULO 7

Narrativa de Mark Easterbrook

I

— Então aí estão vocês! Estávamos nos perguntando onde vocês estariam. – Rhoda passou pela porta aberta e os outros vieram atrás dela. Ela olhou ao redor. – É aqui que vocês realizam as *sessões*, não é?

— Você está muito bem informada – disse Thyrza Grey, rindo de maneira debochada. – Nos vilarejos, as pessoas sabem muito mais da nossa vida do que nós mesmos. Temos uma reputação esplêndida e sinistra, pelo que ouvi dizer. Se fosse há cem anos, aqui teria uma fossa, um poço ou uma pira funerária. Minha tia-bisavó, ou talvez tataravó, foi queimada como bruxa, acho que na Irlanda. Que épocas, não é mesmo?

— Sempre achei que você fosse escocesa.

— Por parte de pai, e dele herdei a vidência. Irlandesa por parte de mãe. Sybil é nossa pitonisa, sua origem é grega. E Bella representa os antigos ingleses.

— Um coquetel humano *macabro* – observou o coronel Despard.

— Não me diga!

— Que divertido! – disse Ginger.

Thyrza olhou para ela de soslaio.

— Sim, de certa forma é divertido – ela se voltou para a sra. Oliver. – Você deveria escrever um livro sobre um assassinato com magia negra. Posso dar várias informações a respeito.

A sra. Oliver piscou os olhos e parecia sem graça.

— Só escrevo sobre assassinatos bem simples – falou ela, desolada, como se dissesse "só cozinho o mais trivial". – Escrevo sobre pessoas que querem tirar outras do caminho e tentam passar como espertas – acrescentou.

— Para mim elas são sempre espertas – disse o coronel Despard. Ele olhou para o relógio e disse: – Rhoda, eu acho que...

— Sim, está na hora de irmos. É mais tarde do que imaginava.

Agradecemos e fomos nos retirando. Não passamos por dentro da casa: saímos por um portão lateral.

— Vocês têm muitas aves – comentou o coronel Despard, olhando para um cercado de tela.

— Detesto galinhas – disse Ginger. – O cacarejar delas é irritante.

— A maioria é de galos – disse Bella, que tinha acabado de passar pela porta de trás.

— Galos brancos – eu disse.

– São para o consumo? – perguntou Despard.

– São inúteis para nós – disse Bella.

Ela abriu a boca formando uma longa linha curva em contraste com a desproporção do seu rosto. Tinha um olhar astuto e intencional.

– É a Bella quem cuida deles – disse Thyrza Grey calmamente.

Nós nos despedimos, e Sybil Stamfordis apareceu na porta da frente para acompanhar os convidados até a saída.

– Não gostei daquela mulher – disse a sra. Oliver após sairmos. – Não gostei dela *nem um pouco*.

– Não leve a velha Thyrza tão a sério – disse Despard, com indulgência. – Ela adora falar todas aquelas coisas para ver o efeito que terão sobre nós.

– Não estou falando dela, essa mulher sem escrúpulos e oportunista. Ela não é tão perigosa quanto a outra.

– Quem, Bella? Ela é bem misteriosa, tenho de admitir.

– Também não estou falando dela. Estou falando de Sybil. Ela *parece* ingênua, cheia de colares e roupas e toda aquela conversa sobre feitiçaria e reencarnações que nos contou. (Por que será que a cozinheira e a velha e feia camponesa não reencarnam? As pessoas sempre dizem que são a reencarnação da princesa egípcia ou dos belos escravos babilônios. Muito duvidoso.) Mas, apesar da aparente estupidez, tive o tempo inteiro a sensação de que ela realmente pode *fazer* coisas estranhas acontecerem. O que quero dizer é que ela poderia ser usada para o que quer que seja simplesmente por ser tola demais. Acho que vocês não entenderam – disse ela, de forma patética.

– Eu entendi – disse Ginger. – E acho que você está certa.

– Acho que deveríamos ir a uma das sessões – disse Rhoda, ansiosa. – Deve ser bem divertido.

– Não, você não vai – disse Despard, incisivo. – Não vou deixar que se envolva com essas coisas.

Eles começaram a discutir entre risadas, e eu só me manifestei quando ouvi a sra. Oliver perguntar sobre o horário do trem na manhã seguinte.

– A sra. pode voltar de carro comigo – disse eu.

A sra. Oliver pareceu em dúvida.

– Não, acho melhor eu voltar mesmo de trem...

– Qual é o problema? Você já andou de carro comigo, sou o mais confiável dos motoristas.

– Não é isso, Mark. É que amanhã preciso ir a um funeral, não posso chegar tarde à cidade – ela suspirou. – Eu *detesto* funerais.

– E você tem mesmo de ir?

– Acho que sim, nesse caso. Mary Delafontaine era uma velha amiga, e acho que ela *gostaria* que eu fosse.

– Claro! – exclamei. – Delafontaine, é claro.

Os outros olharam surpresos para mim.

– Desculpem-me – disse eu. – Só estou tentando me lembrar onde ouvi o nome Delafontaine recentemente. Foi você, não foi? – disse eu, olhando para a sra. Oliver. – Você disse que tinha ido visitá-la em uma clínica.

– Disse? É bem provável.

– Ela morreu de quê?

A sra. Oliver franziu a testa.

– Neuropatia tóxica, ou algo assim.

Ginger olhava para mim curiosa. Seu olhar era agudo e penetrante.

Quando saímos do carro, eu disse abruptamente:

– Acho que vou dar uma volta. Comi demais no almoço e no chá. Preciso queimar umas calorias.

Saí rapidamente, antes que alguém se oferecesse para me acompanhar. Eu queria muito ficar sozinho com minhas ideias.

Do que se tratava tudo isso? Deixe-me ver se consigo esclarecer um pouco as coisas. Tudo começou com aquela observação espantosa de Poppy, dizendo que deveríamos procurar o Cavalo Amarelo se quiséssemos nos livrar de alguém.

Depois disso, houve o meu encontro com Jim Corrigan e a lista de "nomes" ligada à morte do padre Gorman. Na lista estavam os nomes de Hesketh-Dubois e de Tuckerton, que me remeteu àquela noite na cafeteria Luigi. Também havia o nome de Delafontaine, levemente familiar. A sra. Oliver mencionou esse nome, relacionando-o a uma amiga doente que acabara de morrer.

Em seguida, por uma razão que ainda não está clara, procurei Poppy na floricultura. Ela negou veementemente saber de qualquer lugar chamado Cavalo Amarelo. E o mais impressionante é que ela estava com medo.

Hoje conheci Thyrza Grey.

Com certeza o Cavalo Amarelo e as senhoras que moram na casa são uma coisa e a lista de nomes é outra totalmente independente. Mas por que será que eu insistia em relacioná-los na minha mente? Por que cheguei a pensar que pudesse haver uma conexão entre as duas coisas?

A srta. Delafontaine supostamente vivia em Londres. A casa de Thomasina Tuckerton ficava em Surrey. Ninguém daquela lista parecia ter ligação com o pequeno vilarejo de Much Deeping. A não ser que...

Nesse momento, eu estava chegando perto do Armas do Rei, um pub autêntico, de boa reputação e uma placa novinha em que se lia "Servimos almoço, chá e jantar".

Empurrei a porta e entrei. O bar, que ainda estava fechado, ficava à esquerda, e à direita havia uma sala de espera minúscula fedendo a fumaça. Na ponta da escada havia uma placa: *Escritório*. Na porta do escritório havia uma janela de vidro hermeticamente fechada, onde havia um cartão impresso: "Toque a campainha". O lugar inteiro tinha o clima deserto de um pub naquela hora específica do dia. Em uma prateleira ao lado da janela do escritório havia um livro de registro de visitantes, desgastado pelo uso. Abri o livro e passei as páginas. Não havia muitos registros, talvez cinco ou seis entradas por semana, a maioria em uma única noite. Voltei as páginas prestando atenção nos nomes.

Fechei o livro pouco depois. O lugar continuava vazio. Nada havia para perguntar naquele momento, então saí de novo e senti a umidade da tarde.

Seria apenas coincidência que uma pessoa chamada Sandford e outra chamada Parkinson tivessem passado pelo Armas do Rei no último ano? Esses nomes estavam na lista de Corrigan. Tudo bem, não eram nomes incomuns. Mas eu me lembro de outro nome, Martin Digby. Ele era sobrinho-neto da mulher que eu sempre chamei de tia Min, lady Hesketh-Dubois.

Continuei caminhando sem saber aonde estava indo. Queria muito conversar com alguém. Com Jim Corrigan. David Ardingly. Ou com Hermia, que era calma e tinha bom senso. Eu sempre ficava sozinho com meus pensamentos caóticos, e dessa vez não queria ficar sozinho. O que eu queria, com toda sinceridade, era conversar com alguém que me ajudasse a entender as coisas que passavam na minha mente.

Após caminhar mais ou menos durante meia hora por ruas lamacentas, cheguei ao portão do vicariato, subi por um caminho mal cuidado e apertei a campainha enferrujada na lateral da porta de entrada.

II

– Está com defeito – disse a sra. Dane Calthrop, que apareceu na porta feito um gênio, do nada.

Eu já tinha imaginado.

– Já foi consertada duas vezes – disse a sra. Dane Calthrop. – Mas nunca dura muito tempo. Por isso preciso ficar alerta no caso de ser algo importante. O que deseja é importante, não é?

– Sim, é importante sim... Para mim, quero dizer.

– Foi o que quis dizer... – ela olhou para mim, pensativa. – E pelo visto parece grave. Quem você procura, o vigário?

– Eu... não tenho certeza.

Eu procurava o vigário, mas naquele momento, de uma maneira inesperada, fiquei em dúvida e sem saber o porquê. Mas a sra. Dane Calthrop disse-me na mesma hora:

– Meu marido é um homem muito bom – disse ela. – Além de ser o vigário, digo. E isso costuma dificultar as coisas. Você sabe, as pessoas boas não entendem o mal – ela fez uma pausa e em seguida disse, rapidamente: – Acho melhor que seja *eu*.

Um leve sorriso brotou nos meus lábios.

– É você quem trata das questões relativas ao mal? – perguntei.

– Sim, sou eu. É importante em uma paróquia conhecer os vários pecados que acontecem.

– Mas não é o seu marido quem trata dos pecados? A tarefa oficial dele, quero dizer.

– O perdão dos pecados – disse ela, corrigindo-me. – Ele pode dar a absolvição. Eu não posso, mas – disse ela com a maior alegria – posso organizar e classificar os pecados para ele. Quando as pessoas sabem dos próprios pecados, fica mais fácil evitar que os outros sejam prejudicados. Não podemos ajudar as próprias pessoas. *Eu* não posso, quero dizer. Só Deus pode exigir o arrependimento, talvez você não saiba. Poucas pessoas sabem disso atualmente.

– Não posso competir com seu conhecimento – disse eu. – Mas gostaria muito de evitar que algumas pessoas sejam prejudicadas.

Ela olhou rapidamente para mim.

– Então é isso mesmo... é melhor você entrar, para ficarmos mais à vontade.

A sala de estar do vicariato era ampla e decadente. Ela recebia a sombra de um matagal vitoriano gigantesco que ninguém parecia ter energia para podar. Mas a luz fraca não era sombria, pelo contrário, era reconfortante. Todas as cadeiras já gastas davam a impressão de terem sido muito usadas no decorrer dos anos. Na chaminé da lareira havia um relógio grande que tique-taqueava com uma regularidade intensa e confortável. Aquele era o espaço onde havia tempo para conversar, para dizer o que se queria, para relaxar das preocupações geradas pelo dia que brilhava lá fora.

Senti que ali, naquele lugar, moças de olhos arregalados que descobriram, entre lágrimas, que seriam mães confiaram seus problemas à sra. Dane Calthrop e receberam bons e ortodoxos conselhos; ali, parentes furiosos desabafaram ressentimentos em relação a outros parentes; ali, mães explicaram que o filho não era uma pessoa ruim, apenas eufórico demais, e que mandá-lo para um reformatório era uma ideia absurda. Ali, maridos e esposas revelaram suas dificuldades matrimoniais.

E ali estava eu, Mark Easterbrook, estudioso, escritor, um homem do mundo, de frente para uma mulher madura, grisalha e de olhos claros, pronta para acolher meus problemas. Por quê? Não sei. Eu só tinha a segurança estranha de que ela era a pessoa certa.

– Acabamos de tomar chá com Thyrza Grey – comecei.

Não tive dificuldade em explicar as coisas para a sra. Dane Calthrop. Sua atenção era contagiante.

– Entendo. O senhor ficou espantado? Também acho que é muito difícil lidar com aquelas três, elas são muito prepotentes. Na minha experiência, quem tem o dom de verdade não fica ostentando por aí. Elas poderiam ficar quietas quanto a isso. Agem como se seus pecados não fossem de fato ruins, e por isso querem falar sobre eles o tempo todo. O pecado é uma coisinha tão ignóbil e ordinária, e as pessoas têm necessidade de transformá-lo em algo grandioso e importante. As feiticeiras locais costumam ser velhas palermas e maldosas que gostam de assustar as pessoas e obter as coisas sem esforço, o que não é difícil. Quando as galinhas de uma senhora morrem, basta anuir com a cabeça e dizer em tom misterioso: "Ah, mas o filho dela mexeu com minha gata terça-feira passada". Bella Webb *poderia* ser uma bruxa desse tipo, mas também *poderia* ser algo mais do que isso... algo que perdura desde os tempos mais remotos e que agora aparece aqui e ali nas cidades rurais. É assustador quando isso acontece porque, além do desejo de impressionar, há uma malevolência real. Sybil Stamfordis é uma das mulheres mais tolas que já conheci, mas ela é uma médium de verdade, seja lá o que isso signifique. Sobre Thyrza, não sei dizer... O que ela lhe disse? Algo que o deixou perturbado, suponho.

– Sua experiência é realmente grandiosa, sra. Dane Calthrop. A senhora diria, por tudo que já viu e conheceu, que um ser humano pode ser destruído à distância, por outro ser humano, sem conexão visível?

A sra. Dane Calthrop arregalou os olhos.

– Quando você diz destruído, você se refere à morte? Um fato plenamente físico?

– Sim.

– Eu diria que isso é uma grande bobagem – disse a sra. Dane Calthrop, de maneira firme.

– Ah! – disse eu, aliviado.

– Mas é claro que eu poderia estar errada – disse a sra. Dane Calthrop. – Meu pai dizia que aeronaves eram uma besteira, e provavelmente meu bisavô tenha dito que estradas de ferro eram uma besteira. Mas os dois estavam certos, pois naquela época ambas eram impossíveis. Mas hoje não são mais. O que Thyrza faz, ativa um raio da morte ou algo do tipo? Ou as três desenham pentagramas e desejam a morte?

Eu sorri.

– As coisas começam a fazer sentido – falei. – Acho que aquela mulher me hipnotizou.

– Ah, não – disse a sra. Dane Calthrop. – Você não faz o tipo sugestionável. Deve ter sido outra coisa, algo que aconteceu *antes*.

– A senhora está certa. – Então, da maneira mais simplificada possível, contei a ela sobre o assassinato do padre Gorman e de como ouvi falar do Cavalo Amarelo no clube noturno. Tirei do bolso a lista com os nomes que copiei do papel que o dr. Corrigan me mostrara.

A sra. Dane Calthrop olhou a lista, franzindo a testa.

– Entendo... – disse ela. – Mas essas pessoas... o que elas têm em comum?

– Não sabemos ainda. Pode ter alguma coisa a ver com chantagem... ou tráfico.

– Bobagem – disse a sra. Dane Calthrop. – Não é isso que lhe preocupa. Você acredita mesmo é que *todos estejam mortos*, não é isso?

Dei um suspiro profundo.

– Sim – respondi. – É nisso que acredito. Acontece que eu não *sei* se é verdade. Três pessoas estão mortas: Minnie Hesketh-Dubois, Thomasina Tuckerton e Mary Delafontaine. Todas as três morreram de causas naturais, exatamente o que Thyrza Grey diz ser possível.

– Então quer dizer que ela *afirma* ter feito isso?

– Não, não. Ela não falou de ninguém especificamente, mas explicou o que acredita ser uma possibilidade científica.

– O que, a julgar pelas aparências, é uma bobagem – disse a sra. Dane Calthrop, pensativa.

– Eu sei. Se não fosse pela curiosa menção que me fizeram do Cavalo Amarelo, eu teria sido apenas educado e rido disso tudo.

– Sim – disse a sra. Dane Calthrop, contemplativa. – O Cavalo Amarelo. Muito sugestivo.

Ela ficou em silêncio por um momento. Depois, levantou a cabeça.

– É muito ruim que isso esteja acontecendo – disse ela. – É preciso deter o que quer que esteja por trás. Mas você já sabe disso.

– Sim, eu sei... mas o que podemos fazer?

– Isso você terá de descobrir. E não há tempo a perder – a sra. Dane Calthrop pôs-se imediatamente de pé, cheia de energia. – Você tem de se dedicar a esse caso imediatamente – refletiu ela. – Não há amigo que possa lhe ajudar?

Pensei. Jim Corrigan? Ocupado demais, com tempo de menos, e provavelmente já tinha feito tudo o que podia. David Ardingly não acreditaria em nenhuma palavra. Hermia? Sim, poderia ser. Uma mulher de mente sã e de uma lógica admirável. Se eu conseguisse convencê-la, seria uma torre de força. Afinal de contas, eu e ela... quero dizer, eu tinha alguém. Hermia era a pessoa certa.

– Pensou em alguém? Ótimo.

A sra. Dane Calthrop era rápida e metódica.

– Ficarei de olho nas três bruxas, mas ainda sinto que a resposta não está realmente com elas. Sabe quando ouvimos Sybil falar um tanto de sandices sobre os mistérios do Egito e as profecias dos textos das pirâmides? Tudo o que ela diz não passa de uma lenga-lenga, mas as pirâmides, os textos e os mistérios dos templos realmente existem. Sinto que Thyrza Grey sabe de algo, descobriu algo ou ouviu falar de algo e agora usa isso num emaranhado louco para engrandecer sua própria importância e controle dos poderes ocultos. As pessoas se orgulham demais da maldade. Não é estranho que as pessoas nunca se orgulhem de ser boas? Nisso consiste a humildade cristã, acredito. As pessoas nem sabem que são boas.

Ela ficou em silêncio por um momento, e disse:

– Precisamos de uma *ligação* qualquer. Uma ligação entre um desses nomes e o Cavalo Amarelo. Algo tangível.

CAPÍTULO 8

O inspetor Lejeune levantou a cabeça ao escutar o assobio da canção "Father O'Flynn" no corredor. Dr. Corrigan entrou na sala.

– Desculpe desagradar a todos, mas o motorista daquele Jaguar não estava bêbado... – disse Corrigan. – O que o policial Ellis sentiu no hálito do motorista deve ter sido halitose, ou então está imaginando coisas.

Mas Lejeune, naquele momento, não estava interessado na amostra diária dos delitos dos motoristas.

– Venha cá, dê uma olhada nisto – disse ele.

Corrigan pegou a carta que lhe foi entregue. A caligrafia era elegante e pequena. No cabeçalho, lia-se Everest, Glendower Close, Bournemouth.

Prezado Inspetor Lejeune,
O senhor pediu que eu entrasse em contato caso visse o homem que seguia o padre Gorman na noite em que foi assassinado. Fiquei de olhos abertos na vizinhança durante todo esse tempo, mas nunca o vi.

Ontem, no entanto, fui a uma quermesse em um vilarejo a cerca de trinta quilômetros daqui. Eu queria me encontrar com a sra. Oliver, a famosa escritora de romances policiais, que autografaria seus livros no evento. Sou um leitor assíduo de histórias de detetive e estava bem curioso para vê-la pessoalmente.

O que vi, para minha surpresa, foi o homem que lhe descrevi, o mesmo que passou na porta da minha loja na noite do assassinato do padre Gorman. É provável que ele tenha se envolvido em algum acidente, pois estava usando uma cadeira de rodas. Tentei descobrir discretamente quem ele era, e parece que o sobrenome dele é Venables. Ele mora em Priors Court, Much Deeping. Dizem que é um homem de recursos financeiros consideráveis.

Espero que esses detalhes possam servi-lo de alguma maneira,
Atenciosamente,
Zachariah Osborne

– E então? – disse Lejeune.

– Parece muito improvável – disse Corrigan, desanimado.

– Ao que parece, talvez. Mas não tenho tanta certeza...

– Não acho que esse sr. Osborne conseguiria ver um rosto com tamanha nitidez numa noite de neblina como aquela. Suspeito que seja apenas uma semelhança casual. Você sabe como são as pessoas: ligam do país inteiro dizendo terem visto uma pessoa desaparecida, e nove em dez vezes não há semelhança sequer com o retrato falado.

– Osborne não é desse tipo – disse Lejeune.

– E de que tipo ele é?

– Ele é um químico inteligente e respeitável, antiquado, quase uma caricatura, e é um grande observador. Um dos sonhos da vida dele é ir aos tribunais identificar uma esposa assassina que tenha comprado arsênico na sua farmácia.

Corrigan riu.

– Nesse caso, trata-se de um exemplo claro de devaneio.

– Talvez.

Corrigan olhou para ele com curiosidade.

– Então você acha que ele pode ter razão? O que vai fazer a respeito?

– Não há mal algum em fazer algumas perguntas a esse tal de Venables, que mora em Priors Court, Much Deeping.

CAPÍTULO 9

Narrativa de Mark Easterbrook

I

— Quanta coisa incrível acontece no campo! – disse Hermia alegremente.

Tínhamos acabado de jantar. Na nossa frente havia um bule de café.

Olhei para ela. Não era exatamente aquilo que esperava que ela dissesse. Passara os últimos quinze minutos contando-lhe minha história, a qual ela ouviu atenta e com interesse. Mas a resposta não era mesmo o que eu esperava. O tom da voz dela era indulgente: não parecia nem chocada nem impressionada.

— Quem diz que o campo é monótono e que as cidades são cheias de emoção não sabe do que está falando – continuou ela. – As últimas bruxas se refugiaram em cabanas em ruínas, missas negras são celebradas por jovens decadentes em mansões remotas. A superstição corre solta em lugares isolados, solteironas de meia-idade sacodem falsos escaravelhos, realizam sessões espíritas e seguram canetas de maneira lúgubre sobre folhas de papel branco. Seria possível escrever uma série bem interessante de artigos sobre o assunto. Por que você não tenta?

— Acho que você não entendeu nada do que eu disse, Hermia.

— É claro que *entendi*, Mark. Achei tudo *extremamente* interessante. É uma página arrancada da história, todas as tradições perdidas e esquecidas da Idade Média.

— Não estou interessado nos termos históricos da questão – disse eu, irritado. – Estou interessado nos fatos, em um pedaço de papel com uma lista de nomes. Eu sei o que aconteceu com algumas dessas pessoas. Mas o que aconteceu ou acontecerá com o resto?

— Você não está tomado demais pela emoção?

— Não – disse eu, obstinado. – Acho que não. Parece ser uma ameaça real. E não sou o único que pensa assim A esposa do vigário concorda comigo.

— Oh, a esposa do vigário! – disse Hermia, desdenhosa.

— Não fale dela desse jeito! Ela é uma mulher extraordinária. Isso tudo é *real*, Hermia.

Hermia deu de ombros.

— Talvez.

— Mas você não acha que seja, não é?

— Eu acho, Mark, que você está imaginando coisas. Ouso até dizer que aquelas três solteironas são bem autênticas em acreditar nisso tudo. Tenho certeza de que são solteironas asquerosas!

– Mas não exatamente sinistras?

– Ora, Mark, como *poderiam ser*?

Fiquei em silêncio por um momento. Minha mente titubeava, indo da luz às trevas e de volta à luz. O Cavalo Amarelo representava as trevas, e Hermia, a luz. Eu enxergava uma luz clara e perceptível, uma lâmpada presa no bocal iluminando todos os cantos escuros. Não havia absolutamente nada lá, apenas os objetos cotidianos que geralmente encontramos nos quartos. Mesmo assim, a luz de Hermia, por mais clara que fosse, era uma luz *artificial*...

Minha mente girou novamente, resoluta e obstinada.

– Quero examinar tudo isso, Hermia. Entender exatamente o que está acontecendo.

– Eu concordo, acho que deve mesmo fazer isso. Seria bem interessante. Na verdade, seria bem divertido.

– Mas não tem nada de divertido! – disse eu, secamente. E continuei: – Quero saber se você vai me ajudar, Hermia.

– Ajudá-lo? Como?

– Ajudar na investigação. Esclarecer o que está havendo.

– Mas Mark, meu querido, eu estou terrivelmente ocupada nesse momento. Estou escrevendo um artigo para o jornal, há a pesquisa sobre Bizâncio. Além disso, eu prometi a dois alunos que...

A voz dela era tão razoável e sensível que eu mal consegui prestar atenção.

– Eu entendo – disse eu. – Você já tem afazeres demais.

– Exato. – Hermia ficou visivelmente feliz com minha anuência. Ela sorriu para mim, e mais uma vez eu fui tomado por sua expressão de indulgência, feito uma mãe que observa o filho concentrado em um novo brinquedo.

Mas que coisa, eu não era um garotinho. Eu não procurava uma mãe, e certamente não esse tipo de mãe. Minha mãe tinha sido encantadora e imprestável, e todos à sua volta, inclusive eu, adoravam cuidar dela.

Olhei friamente para Hermia do outro lado da mesa.

Tão bonita, tão madura, tão intelectual e culta! E ao mesmo tempo tão... como posso dizer... tão enfadonha!

II

Tentei entrar em contato com Jim Corrigan na manhã seguinte, em vão. No entanto, deixei uma mensagem dizendo que estaria em casa entre seis e sete horas da noite, caso ele quisesse aparecer para tomarmos uma bebida. Eu sabia que ele era um sujeito ocupado e fiquei em dúvida se conseguiria responder a um convite de última hora, mas ele apareceu pontualmente às seis e cinquenta. Enquanto eu lhe servia um uísque, ele andava pela sala olhando os quadros e os livros. Por fim, observou que não se importaria em ser um imperador mongol em vez de um médico legista sobrecarregado de trabalho.

– Embora esses imperadores – disse ele enquanto se sentava em uma poltrona – sofressem muito com as mulheres. Pelo menos desse problema eu escapei.

– Então você não é casado?

– De jeito nenhum. Nem você, a julgar pela confortável bagunça em que vive. Uma esposa colocaria tudo em ordem num piscar de olhos.

Eu disse que não considerava as mulheres tão ruins quanto ele. Segurando meu copo, sentei-me diante dele.

– Você deve estar se perguntando por que eu queria vê-lo com tanta urgência. A verdade é que aconteceu algo que provavelmente tem uma ligação direta com o que discutimos na última vez em que nos vimos.

– Do que falávamos mesmo? Ah, sim, o caso do padre Gorman.

– Sim. Mas, antes disso, o nome Cavalo Amarelo te diz alguma coisa?

– Cavalo *amarelo... cavalo* amarelo... Não, acho que não. Por quê?

– Porque sinto que é possível haver nisso uma ligação com a lista de nomes que você me mostrou. Eu estive no interior com alguns amigos, em um lugar chamado Much Deeping, e eles me levaram a um lugar onde já funcionou um pub. Chama-se Cavalo Amarelo.

– Ei, calma lá! Much Deeping? Isso fica perto de Bournemouth?

– Fica a uns 25 quilômetros de Bournemouth.

– E por acaso você conheceu um sujeito chamado Venables?

– Sim.

– Conheceu? – Corrigan endireitou o corpo, entusiasmado. – Você tem mesmo o dom de aparecer nos lugares certos! Me diga, como ele é?

– É um homem notabilíssimo.

– É mesmo? Notável em que sentido?

– Principalmente pela personalidade forte. Embora esteja incapacitado por conta de uma poliomielite.

– O quê?

– Ele teve poliomielite há alguns anos. Está paralisado da cintura para baixo.

Corrigan afundou o corpo na poltrona com um olhar de indignação.

– Mas então é isso! Achei que era bom demais para ser verdade.

– O que quer dizer?

– Você precisa conhecer o inspetor Lejeune – disse Corrigan. – Ele vai se interessar pelo que você disse. Quando Gorman foi assassinado, Lejeune procurou pelas pessoas que o viram naquela noite. A maioria das respostas foi inútil, como sempre. Mas um homem chamado Osborne tinha uma farmácia naquela região. Ele disse ter visto Gorman passando na porta da farmácia naquela noite, e também um sujeito passando logo depois do padre. Naturalmente, ele não imaginou maldade alguma naquele momento. O que importa é que ele conseguiu descrever esse sujeito em detalhes, o suficiente para reconhecê-lo caso o encontrasse de novo. Há alguns dias, Lejeune recebeu uma carta de Osborne, que se aposentou e hoje mora em Bournemouth. Ele foi a uma quermesse na região e viu o sujeito lá, em uma cadeira de rodas. Osborne perguntou quem era e disseram-lhe que se chamava Venables.

Ele olhou para mim interrogativamente. Eu anuí com a cabeça.

– Muito bem – disse eu. – Era Venables, sim, ele estava na quermesse. Mas não pode ser o mesmo sujeito que seguiu o padre Gorman em Paddington. É fisicamente impossível. Osborne se enganou.

– Osborne o descreveu em detalhes. Cerca de um metro e oitenta de altura de altura, nariz adunco e um pomo de adão proeminente. Certo?

– Certo, a descrição se encaixa. Mas dá na mesma.

– Eu sei. O sr. Osborne não é necessariamente tão bom em reconhecer as pessoas quanto pensa que é. Certamente ele se confundiu por uma semelhança casual. Mas é estranho ver você falando exatamente da mesma região, e de um cavalo amarelo ou coisa do tipo. O que é esse cavalo amarelo? Conte-me.

– Você não vai acreditar – alertei-o. – Eu mesmo não acredito.

– Vamos, comece.

Relatei a conversa que tive com Thyrza Grey. A reação dele foi imediata.

– Mas que baboseira mais estúpida!

– Você também acha?

– É claro! O que há com você, Mark? Galos brancos, suponho, para fazer sacrifícios! Uma médium, uma feiticeira local e uma solteirona de meia-idade que solta raios mortais. Que loucura, meu caro.

– Sim, é loucura – disse eu, decisivo.

– Qual é, pare de concordar comigo, Mark. Quando age assim, você dá a impressão de que há algo mais por trás disso. Você *não acredita* que haja, acredita?

– Deixe-me perguntar-lhe uma coisa antes. É sobre todos termos uma pulsão ou um desejo secreto de morte. Existe alguma verdade científica nisso?

Corrigan hesitou por um momento e disse:

– Eu não sou psiquiatra. Mas, cá entre nós, acho que grande parte dos psiquiatras é meio amalucada de tanto elucubrar teorias. Eles vão longe demais. Posso afirmar que a polícia não gosta de testemunhas que se dizem especialistas e sempre defendem o assassino, justificando por que o sujeito matou a inofensiva senhora por causa do dinheiro no cofre.

– Você prefere sua teoria das glândulas?

Ele sorriu ironicamente.

– Tudo bem, tudo bem. Admito que também sou teórico. Mas há uma boa razão física por trás da minha teoria, só falta eu chegar até ela. Agora, falar em subconsciente? Faça-me o favor!

– Você não acredita?

– É claro que *acredito*. Mas esses caras vão longe demais. É claro que existe o tal desejo inconsciente de morte, mas não chega nem perto do que eles dizem ser.

– Mas ele *existe*, certo? – insisti.

– Acho que você devia comprar um bom livro de psicologia e se inteirar do assunto.

– Thyrza Grey diz que sabe tudo o que é preciso saber.

– Thyrza Grey – bufou ele. – O que uma solteirona inexperiente, morando no campo, sabe sobre psicologia?

– Ela diz saber muito.

– Como eu disse antes, baboseira!

– Isso é o que as pessoas sempre dizem sobre qualquer descoberta que não esteja de acordo com as ideias reconhecidas. Quando foi descoberto que sapos contorciam as pernas...

Ele me interrompeu.

– Então quer dizer que você caiu feito um patinho na história dela?

– De jeito nenhum – disse eu. – Eu só queria saber se o que ela diz tem alguma base científica.

Corrigan bufou.

– Base científica? Qual é!

– Tudo bem, eu só queria confirmar.

– Só falta você dizer que ela é a Mulher da Caixa.

– Mulher da Caixa?

– Mais uma dessas histórias extraordinárias que surgem de tempos em tempos, vindas de Nostradamus ou Mãe Shipton.* As pessoas acreditam em qualquer coisa.

– Bom, mas você já teve algum progresso com a lista de nomes?

– O pessoal está trabalhando muito, mas essas coisas exigem tempo e rotina. Não é fácil rastrear ou identificar sobrenomes sem endereço ou primeiros nomes.

---

* Mother Shipton (c. 1488-1561): profetisa inglesa. (N.T.)

– Vejamos por outro ângulo, e eu aposto que estou certo nisso. Em um período relativamente curto, digamos que de um ano e meio para cá, todos os nomes da lista apareceram em uma certidão de óbito. Estou certo?

Ele me olhou estranho.

– Se quer mesmo saber... sim, você está certo.

– Então é isso que os nomes têm em comum. A morte.

– Mas isso não quer dizer tanta coisa assim, Mark. Você tem ideia de quantas pessoas morrem todos os dias nas Ilhas Britânicas? E alguns daqueles nomes são muito comuns, o que não ajuda muito.

– Delafontaine – disse eu. – Mary Delafontaine. Não é um nome muito comum. Pelo que sei, o funeral dela foi terça-feira passada.

Ele me olhou de soslaio.

– Como você sabe disso? Aposto que leu nos jornais.

– Soube por meio de uma amiga dela.

– Nada há nada duvidoso com a morte dela, posso garantir isso. Aliás, nenhuma das mortes que a polícia investigou é questionável. Seria suspeito se fossem "acidentes". Mas todas as mortes foram perfeitamente normais: pneumonia, hemorragia cerebral, tumor no cérebro, cálculo na vesícula, um caso de poliomielite, nada suspeito.

Concordei com a cabeça.

– Nada de acidentes – disse eu. – Nada de envenenamentos, e sim doenças comuns que levaram à morte. Exatamente como afirma Thyrza Grey.

– Você está realmente sugerindo que aquela mulher é capaz de provocar a morte por pneumonia em alguém que ela nunca viu, a quilômetros de distância?

– Não estou *sugerindo* nada. *Ela* fez isso. É algo fora do comum e *adoraria* pensar que é impossível. Mas há fatores curiosos nisso. A menção ao Cavalo Amarelo, junto com a eliminação de pessoas indesejadas. Há um lugar chamado Cavalo Amarelo, e a mulher que mora lá praticamente se vangloria dos efeitos possíveis de sua atuação. Naquela região mora um sujeito reconhecido categoricamente como o homem que seguia o padre Gorman na noite em que ele foi morto, na mesma noite em que foi atender ao chamado de uma moribunda que falou de uma "grande maldade". Não acha que são muitas coincidências?

– Aquele homem não pode ser o Venables, pois segundo você mesmo, ele está paralisado há anos.

– Não seria possível, do ponto de vista médico, que a paralisia fosse falsa?

– Claro que não. Mesmo que fosse, os membros já estariam atrofiados.

— Isso com certeza parece dirimir a questão — admiti com um suspiro. — Uma pena. Se houvesse uma organização... não sei muito bem como denominar... uma organização especializada na "eliminação" de pessoas, Venables seria o chefe. As coisas que ele tem em casa representam uma riqueza inestimável. De onde vem tanto dinheiro?

Fiz uma pausa, e prossegui:

— Todas essas pessoas que morreram naturalmente de uma ou outra causa... alguém lucrou com a morte delas?

— Sempre há alguém que lucra com a morte, em maior ou menor grau. Não havia circunstâncias suspeitas, se é isso o que quer saber.

— Não sei não...

— Lady Hesketh-Dubois, como você deve saber, deixou para um sobrinho e uma sobrinha cerca de cinquenta mil. O sobrinho mora no Canadá, e a sobrinha é casada e mora no norte da Inglaterra. O dinheiro veio a calhar para os dois. Thomasina Tuckerton herdou uma fortuna gigantesca do pai. Se ela morresse solteira antes de completar 21 anos, a herança passaria automaticamente para a madrasta, que parece uma criatura bem honesta. Temos ainda a tal sra. Delafontaine, cuja herança ficou para uma prima...

— Ah é? E essa prima?

— Mora no Quênia com o marido.

— Todos maravilhosamente ausentes — comentei.

Corrigan olhou para mim, nervoso.

— Dos três Sandford que bateram as botas, um deles deixou uma esposa muito mais nova do que ele, a qual logo se casou de novo. O falecido Sandford era católico romano, jamais daria o divórcio. Um sujeito chamado Sidney Harmondsworth, que morreu de hemorragia cerebral, era suspeito na Scotland Yard de ganhar dinheiro praticando chantagem. Acredito que vários figurões da sociedade devem estar aliviados pelo desaparecimento dele.

— Você está dizendo que todas as mortes foram *convenientes*. E Corrigan?

Corrigan sorriu.

— Corrigan é um nome comum. Várias pessoas com esse nome morreram, mas, até onde sabemos, ninguém tirou vantagem de nenhuma das mortes.

— Isso resolve a questão. *Você* é a próxima vítima em potencial. Tome cuidado.

— Pode deixar. E não pense que a Bruxa de Endor vai me derrubar com uma úlcera ou com uma gripe espanhola. Não sou tão sensível assim.

— Ouça, Jim. Eu quero investigar as coisas que Thyrza Grey diz. Você vai me ajudar?

— Não, não vou. Não consigo entender como um sujeito estudado como você pode se deixar levar por uma baboseira dessas.

Eu suspirei.

– Será que você pode usar outra palavra? Já estou cansado dessa.

– Conversa fiada, se você preferir.

– Também não gosto muito.

– Mark, como você é teimoso!

– Alguém precisa ser! – respondi.

CAPÍTULO 10

Glendower Close era um lugar novíssimo. Estendia-se em um semicírculo irregular e ao fundo os pedreiros ainda trabalhavam. No centro havia um portão com o nome Everest escrito em uma placa.

O inspetor Lejeune logo reconheceu o sr. Zachariah Osborne, que, agachado, plantava mudas na beirada do jardim. Ele abriu o portão e entrou. O sr. Osborne virou-se para ver quem havia entrado na sua propriedade. Ao reconhecer o visitante, seu rosto ficou ainda mais corado, pois fora tomado por uma onda de satisfação. O sr. Osborne, morando no campo, procurava exatamente a mesma coisa de quando morava em Londres. Usava botas resistentes e camisa de manga comprida, mas esses trajes caseiros não diminuíam o mérito de sua aparência asseada. Gotas de suor despontavam do brilho de sua careca, gotas que ele secou com um lenço antes de se aproximar do visitante.

– Inspetor Lejeune! – exclamou ele, agradavelmente. – Mas que honra recebê-lo! De verdade, senhor! Recebi sua resposta à minha carta, mas não imaginava tê-lo aqui pessoalmente. Seja bem-vindo à minha modesta morada, bem-vindo a Everest. Talvez o nome lhe seja uma surpresa... sempre tive grande interesse no Himalaia, acompanhei todos os detalhes da expedição ao Everest. Grande conquista para o nosso país! Sir Edmund Hillary, que homem notável, quanta resistência! Como nunca passei por algo parecido, aprecio a coragem de quem se aventura a escalar e desbravar montanhas ou navegar por mares congelados para descobrir os segredos dos polos. Mas venha, entre e tome alguma coisa comigo.

O sr. Osborne conduziu Lejeune até um pequeno chalé extremamente limpo, mas mobilhado de maneira bem simples.

– Ainda não terminei – explicou o sr. Osborne. – Vou ao comércio local sempre que possível e vejo ótimas ofertas, pagando um quarto do que pagaria nas lojas. Então, o que quer beber? Uma taça de xerez? Cerveja? Uma xícara de chá? Posso ferver a água num instante.

Lejeune disse que preferia uma cerveja.

– Aqui está – disse o sr. Osborne ao retornar com duas canecas de alumínio cheias até a borda. – Sente-se e descanse, descanse sempre. Everest. Hahaha. O nome da minha propriedade tem duplo sentido. Adoro essas piadinhas.*

Depois dessas amenidades introdutórias, o sr. Osborne inclinou-se para frente, confiante.

– A informação que lhe dei foi útil?

Lejeune agiu com a maior cautela possível.

– Não da maneira que esperávamos.

– Mas que pena! Então suponho que não há razão para que o cavalheiro que seguia o padre Gorman fosse necessariamente o assassino. Seria mesmo esperar demais. E esse sr. Venables é um sujeito muito rico e respeitado na região, frequentando sempre os melhores círculos.

– Acontece que a pessoa que o senhor viu naquela noite não pode ter sido o sr. Venables – disse Lejeune.

– Ah, mas era ele, sim. Tenho certeza absoluta. Eu *nunca* me confundo quando se trata do rosto das pessoas.

– Acho que dessa vez o senhor se confundiu – disse Lejeune, gentilmente. – Veja bem, o sr. Venables teve poliomielite. Ele está paralisado da cintura para baixo há três anos.

– Pólio! – esbravejou o sr. Osborne. – Que pena... isso parece pôr um ponto final na questão. Mas... com todo respeito, inspetor Lejeune, espero que o senhor não se ofenda. Ele é mesmo paralítico? Quer dizer, há algum laudo médico que comprove isso?

– Sim, sr. Osborne. O sr. Venables é paciente de sir William Dugdale, da rua Harley, um médico reconhecido.

– Sim, ele é membro da Academia Real de Medicina de Londres. Um nome muito conhecido. Pelo jeito errei feio nesse caso. Mas eu tinha tanta certeza! Desculpe incomodá-lo por nada.

– Não fique chateado – disse Lejeune imediatamente. – Sua informação ainda é muito valiosa. O homem que o senhor viu deve se parecer bastante com o sr. Venables, e como o sr. Venables tem uma aparência incomum, essa informação é a mais valiosa que temos. Pouquíssimas pessoas correspondem a essa descrição.

– É verdade – animou-se o sr. Osborne. – Um criminoso que se parece com o sr. Venables. Certamente não deve haver muitos. E os arquivos da Scotland Yard...

Ele olhou esperançoso para o inspetor.

– Talvez não seja tão simples – disse Lejeune. – Talvez ele não tenha ficha na polícia. Além disso, como o senhor mesmo disse há pouco, não há

---

* Trocadilho com "descanse sempre" – "ever rest", em inglês. (N.T.)

motivos suficientes para presumir que esse sujeito tenha ligação com o ataque ao padre Gorman.

O sr. Osborne pareceu desapontado de novo.

– Por favor, me perdoe. Acho que acabei me enganando... Eu gostaria tanto de ser útil para solucionar um caso de assassinato... E posso lhe garantir que eu seria impassível no meu testemunho, não mudaria de opinião por nada nesse mundo.

Lejeune ficou em silêncio, analisando o anfitrião, até que o sr. Osborne reagiu ao olhar do inspetor.

– Sim?

– Sr. Osborne, *por que* o senhor não mudaria de opinião por nada nesse mundo?

O sr. Osborne pareceu surpreso com a pergunta.

– Porque eu tenho tanta certeza... ah, é claro, entendo o que quer dizer, pois não se tratava do mesmo homem. Eu não teria motivo para ter certeza... mas mesmo assim tenho!

Lejeune inclinou-se para frente.

– Você deve estar se perguntando por que eu vim até aqui, já que tenho evidências médicas de que o homem que o senhor viu não poderia ser o sr. Venables.

– Exato. Então, inspetor Lejeune, por que veio até aqui?

– Eu vim porque sua convicção me impressiona – disse Lejeune. – Eu quero saber no que exatamente se baseia sua certeza. Lembre-se de que havia muita neblina naquela noite. Eu estive na farmácia, parei na porta onde o senhor estava e olhei para o outro lado da rua. Sinto que no meio da neblina seria muito difícil identificar alguém com clareza naquela distância.

– O senhor tem razão, mas só até certo ponto. A neblina ainda estava *se formando*, ou seja, a rua ainda estava clara em determinados pontos. E foi num ponto mais claro no meio da neblina que avistei com tanta clareza o padre Gorman do outro lado da rua, e logo depois o homem que o seguia. Além disso, quando o homem passava exatamente diante de mim, ele pegou o isqueiro e acendeu um cigarro. Naquele momento pude ver nitidamente o seu perfil, o nariz, o queixo, o pomo de adão bem pronunciado. Um homem de feições chamativas, foi o que pensei. Era a primeira vez que o via, e tinha certeza de que o teria identificado se ele já tivesse entrado na minha farmácia. Entende?

O sr. Osborne parou de falar.

– Sim, entendo – disse Lejeune, pensativo.

– Um irmão? – sugeriu o sr. Osborne, esperançoso. – Um irmão gêmeo, talvez. Isso, sim, solucionaria o caso.

– O caso dos irmãos gêmeos? – Lejeune sorriu e balançou a cabeça. – Funciona muito bem na ficção. Mas na vida real... – Ele balançou de novo a cabeça. – Não acontece, entende? Isso simplesmente não acontece.

– Suponho que não. Mas poderia ser apenas um irmão, alguém com semelhança familiar... – O sr. Osborne parecia ansioso.

– Pelo que sabemos, o sr. Venables não tem irmãos – disse Lejeune, com cuidado.

– Pelo que sabem? – O sr. Osborne repetiu as palavras.

– Ele é estrangeiro, apesar da nacionalidade britânica. Chegou à Inglaterra com os pais quando tinha onze anos de idade.

– Você não sabe muito sobre ele, então? Digo, sobre a família dele?

– Não – disse Lejeune, pensativo. – A maneira mais fácil de obter informações sobre o sr. Venables é perguntar diretamente para ele, e não temos motivo para isso.

As palavras de Lejeune eram ponderadas. Havia como descobrir as coisas de outra maneira, mas ele não tinha a menor intenção de dizer isso ao sr. Osborne.

– Então, se não fosse pelo laudo médico – disse Lejeune, pondo-se de pé –, você teria certeza de que era o mesmo homem?

– Absoluta – disse o sr. Osborne, também colocando-se de pé. – Memorizar o rosto das pessoas é um hobby – disse ele, dando uma risada. – Já surpreendi muitos clientes por conta disso, quando perguntava se já tinham melhorado da asma ou quando dizia que me lembrava da receita assinada pelo dr. Hargreaves. As pessoas ficavam admiradas, e a farmácia tinha um bom retorno. As pessoas gostam de ser lembradas, por mais que com nomes eu não fosse tão bom. Comecei a tomar gosto por isso desde cedo. Se há pessoas que conseguem, por que não eu? Acaba ficando automático depois de um tempo, quase não é preciso fazer esforço.

Lejeune suspirou.

– Eu adoraria ter uma testemunha como você – disse ele. – Identificar as pessoas é um negócio delicado. A maioria das pessoas não diz nada de útil, atendo-se a coisas como "Acho que é alto. Loiro, mas não tão loiro, um rosto comum e olhos azuis. Ou verdes, talvez castanhos. Usava uma capa de chuva cinza, ou talvez azul-escura."

O sr. Osborne riu.

– E isso não ajuda mesmo.

– Francamente, uma testemunha como o senhor é uma dádiva de Deus.

O sr. Osborne parecia contente.

– É um dom – disse ele, modestamente. – Mas veja bem, eu desenvolvi o meu dom. Sabe aquela brincadeira de festas infantis, quando vários objetos são colocados em uma bandeja e você tem alguns minutos para memorizá-los? Eu sempre adivinho cem por cento dos objetos, e as pessoas se surpreendem com isso. "Que maravilha", dizem elas. Não há maravilha alguma nisso, é um talento que vem com a prática – disse ele, rindo. – Também costumo ser um ótimo ilusionista e divirto bastante as crianças nas festas de Natal. Desculpe-me, sr. Lejeune, o que tem guardado no bolso do casaco? – Ele inclinou-se para frente e "tirou" um pequeno cinzeiro do bolso. – Ora, ora, e pensar ainda que o senhor é membro de destaque do corpo policial!

Ele e Lejeune riram entusiasmados. Depois, o sr. Osborne deu um suspiro.

– O lugar onde moro é um bom lugar, senhor. Os vizinhos são agradáveis e amigáveis. É a vida que procuro ter há anos, mas devo admitir, sr. Lejeune, que sinto falta de ter meu próprio negócio. Sinto falta das pessoas entrando e saindo o tempo todo, dos tipos diferentes para analisar. Esperei muito para ter meu pedaço de terra, e tenho vários atrativos aqui. Borboletas, como lhe disse, além de observar pássaros de vez em quando. Não imaginei que sentiria tanta falta do elemento humano no meu dia a dia.

"Tenho planos modestos de viajar para o exterior. Bem, eu estive na França durante um fim de semana. Uma viagem interessante, eu diria, mas sinto profundamente que a Inglaterra é o bastante para mim. Para começar, não me interesso pela culinária estrangeira. Pelo que vejo, eles não têm a menor ideia de como preparar ovos com bacon."

Ele suspirou novamente.

– Veja só como é a natureza humana. Eu não via a hora de me aposentar, e agora estou pensando em comprar parte de uma farmácia aqui em Bournemouth. Nada que me prenda ao trabalho o tempo inteiro, mas só para que eu me sinta um pouco mais útil e envolvido nas coisas novamente. Deve acontecer o mesmo com você quando se aposentar. Fazemos planos para o futuro, mas, quando chega o momento, sentimos falta da vida que ficou para trás.

Lejeune sorriu.

– A vida de um policial não é romântica e empolgante como se pensa, sr. Osborne. O senhor tem uma visão superficial do crime. A maior parte do que vivemos é uma rotina banal. Nem sempre estamos perseguindo criminosos ou seguindo pistas misteriosas. De fato, nosso trabalho pode ser bem maçante.

O sr. Osborne não parecia convencido.

– O senhor sabe disso melhor do que eu – disse ele. – Sinto muito não ter conseguido ajudá-lo. Se houver algo mais que eu possa fazer, a qualquer hora...

– Eu entro em contato caso precisemos – prometeu Lejeune.

— Senti que aquele dia na quermesse era uma grande oportunidade... – murmurou Osborne em tom de tristeza.

— Eu sei. Uma pena que o laudo médico seja tão contundente. Não podemos passar por cima disso, não é mesmo?

— Bem – O sr. Osborne deixou a palavra no ar, mas Lejeune não percebeu e foi saindo altivamente. O sr. Osborne parou no portão para observá-lo.

— Laudo médico... – disse ele. – Francamente! Se ele soubesse metade do que sei sobre os médicos! Quanta inocência, francamente.

CAPÍTULO 11

Narrativa de Mark Easterbrook

I

Primeiro, Hermia. Agora, Corrigan.

Então quer dizer que eu estava fazendo papel de ridículo?

Para mim, toda aquela baboseira era verdade. A impostora da Thyrza Grey tinha me convencido sobre um monte de coisas sem sentido. Eu era um crédulo, um idiota supersticioso!

Resolvi esquecer esse negócio maldito por completo. Afinal, o que isso tinha a ver comigo? No entanto, em meio a uma névoa de desilusão, ouvi a voz insistente da sra. Dane Calthrop: "Você TEM de fazer alguma coisa". Muito fácil falar desse jeito. "Você precisa de alguém para ajudá-lo".

Pedi ajuda a Hermia, pedi ajuda a Corrigan. Nenhum dos dois me deu ouvidos, e não havia mais ninguém.

A não ser que...

Fiquei sentado por um momento, pensando na ideia.

De impulso, peguei o telefone e liguei para a sra. Oliver.

— Alô. É Mark Easterbrook quem fala.

— Pois não?

— Qual é mesmo o nome daquela moça que estava hospedada conosco durante a quermesse?

— Deixe-me lembrar... Sim, claro, o nome dela é Ginger.

— Sim, disso me lembro. Mas qual é o sobrenome dela?

— Ah, isso não sei. Hoje é difícil ouvirmos o sobrenome das pessoas. E aquela foi a primeira vez que a vi. – Houve uma leve pausa, e a sra. Oliver disse: – Ligue para Rhoda e pergunte a ela.

Não gostei da ideia. Eu me sentia um tanto envergonhado em fazer isso.

– Não posso fazer isso – disse eu.

– É simples – disse a sra. Oliver, incentivando-me. – Diga apenas que perdeu o endereço dela, que não consegue se lembrar do sobrenome e que prometeu enviar um dos seus livros a ela, o nome de um lugar que venda caviar mais barato, devolver um lenço que ela te emprestou para assoar o nariz, o endereço de uma amiga rica que quer restaurar um quadro. Alguma dessas desculpas serve? Posso pensar em várias, se precisar de mais alguma.

– Essas já bastam, perfeitamente – garanti.

Desliguei o telefone, disquei o número 100 e logo estava falando com Rhoda.

– Ginger? – disse Rhoda. – Ah, ela mora na Calgary Place, 45. Espere um momento, vou te dar o telefone. – Ela se distanciou do aparelho e voltou um momento depois. – O telefone é 35987. Anotou?

– Sim, obrigado. E qual é o nome dela?

– O nome dela? Ah, sim, o *sobrenome* dela. Corrigan. Katherine Corrigan. O que você disse?

– Nada. Obrigado, Rhoda.

Que coincidência. Corrigan. Duas pessoas de nome Corrigan. Talvez fosse uma mulher.

Liguei para o número 35987.

II

Ginger sentou-se na minha frente em uma mesa no Cacatua Branca, onde nos encontramos para tomar uma bebida. Ela estava com a mesma aparência agradável de quando nos encontramos em Much Deeping: o cabelo ruivo meio despenteado, o rosto sardento envolvente e os olhos verdes alertas. Ela usava um traje típico londrino composto de calça justa, blusa de jérsei e meias pretas de lã, mas continuava sendo a mesma Ginger, aquela que muito me agradava.

– Tive um trabalho enorme para encontrá-la – disse eu. – Não sabia seu nome, seu endereço, muito menos seu telefone. Estou com um problema.

– É o que minha diarista sempre diz. Geralmente significa que preciso comprar outra esponja, escova para o carpete ou algo do tipo.

– Dessa vez você não precisa comprar nada – garanti a ela.

E contei a história. Gastei menos tempo do que quando contei para Hermia, pois Ginger já conhecia o Cavalo Amarelo e suas residentes. Desviei os olhos dela quando terminei de contar, pois não queria ver sua reação.

Não queria ver um sorriso indulgente, muito menos uma incredulidade nua e crua. A história inteira parecia mais idiota do que antes. Ninguém (exceto a sra. Dane Calthrop) conseguia sentir o que eu sentia. Fiquei desenhando figuras na toalha de plástico com a ponta do garfo.

O tom de voz de Ginger foi enérgico.

– Isso é tudo?

– Sim, é tudo – respondi.

– E o que você vai fazer a respeito?

– *Você acha* que devo fazer algo a respeito?

– Mas é claro que sim! *Alguém* tem de fazer alguma coisa! Você não pode deixar que uma organização continue liquidando as pessoas e não fazer *nada*.

– Mas o que posso fazer?

Eu seria capaz de pular no pescoço dela e abraçá-la.

Ela franziu a testa enquanto tomava seu Pernod. Fui tomado por uma onda de calor. Não estava mais sozinho.

Em seguida ela disse ponderadamente:

– Você precisa descobrir o que isso tudo significa.

– Concordo. Mas como?

– Acho que há um ou dois caminhos a seguir. E eu posso ajudá-lo.

– Sério? E o seu trabalho?

– Tenho bastante tempo no meu horário de folga – disse ela, franzindo a testa mais uma vez enquanto pensava. – Essa garota com quem você encontrou no Old Vic, essa tal de Poppy. Ela deve saber de alguma coisa, para dizer o que disse...

– Sim, mas ela ficou assustada e se esquivou quando tentei perguntar. Estava com medo. Definitivamente, acho que ela não dirá nada.

– Eu posso ajudar nisso – disse Ginger, confiante. – Ela diria para mim coisas que não diria para você. Você consegue marcar um encontro entre nós? Eu, você, ela e o amigo? Pense em um espetáculo, um jantar, algo assim. – Ela pareceu titubear um pouco. – Ou seria muito caro?

Garanti a ela que eu podia arcar com as despesas.

– Quanto a você – Ginger pensou por um momento e disse, com tranquilidade: – Acho que o melhor a fazer é começar com Thomasina Tuckerton.

– Mas como? Ela morreu.

– E, se você estiver certo, alguém queria vê-la morta! E conseguiu fazer isso por meio do Cavalo Amarelo. Parece haver duas possibilidades. A madrasta ou a moça com quem ela brigou na cafeteria do Luigi por ter roubado seu namorado. Talvez ela fosse se casar com ele. Se ela estivesse realmente apaixonada pelo rapaz, não seria nada agradável nem para a madrasta, nem para a moça. Qualquer uma das duas pode ter procurado o Cavalo Amarelo. Precisamos encontrar as pistas. Qual era mesmo o nome da garota, você se lembra?

– Acho que era Lou.

– Cabelo louro e escorrido, altura mediana e seios fartos?

Concordei com a descrição.

– Acho que sei quem é. Lou Ellis. Ela tem muito dinheiro.

– Não parecia que tinha.

– Não parece, mas tem. De qualquer modo, ela teria dinheiro para pagar os serviços do Cavalo Amarelo. Duvido que façam algo de graça.

– Não consigo nem imaginar que fariam.

– Você fica por conta da madrasta, pois tem mais jeito para isso do que eu. Vá atrás dela.

– Mas eu nem sei onde ela mora.

– Luigi sabe alguma coisa sobre a casa de Thomasina. Acho que ele deve saber pelo menos em que região ela mora. Depois, basta pesquisar mais algumas referências. Espere! Mas como somos idiotas, você viu o comunicado da morte dela no *The Times*. Basta ir até lá e procurar nos arquivos.

– Preciso de um pretexto para procurar a madrasta – disse eu, pensativo.

Ginger disse que isso não seria difícil.

– Você não é uma pessoa qualquer – disse ela. – É historiador, conferencista, um homem de títulos. A sra. Tuckerton ficará impressionada e felicíssima por conhecê-lo.

– E o pretexto?

– Você pode estar interessado em algo na casa dela – sugeriu Ginger vagamente. – Se for uma casa antiga, com certeza você encontrará uma desculpa.

– Isso não tem a ver com minha especialidade – respondi.

– Mas ela jamais saberá disso – disse Ginger. – As pessoas acham que tudo que tenha mais de cem anos de idade é de interesse dos historiadores e arqueólogos. E que tal um quadro? Lá deve haver quadros antigos. Enfim, marque um horário, vá até a casa dela, bajule-a bastante e diga que conheceu a filha dela, ou enteada, fale que ficou muito triste etc... Lá pelas tantas, cite o Cavalo Amarelo. Se quiser, seja um pouco sinistro.

– E depois?

– Depois você observa a reação dela. Se você mencionar o Cavalo Amarelo e ela tiver culpa no cartório, duvido que não deixe transparecer um sinal qualquer.

– E se ela deixar transparecer, o que faço?

– Mais importante do que isso é sabermos se estamos no caminho certo. Quando tivermos *certeza* disso, poderemos continuar a todo vapor.

Ela balançou a cabeça, pensativa.

– Há mais uma coisa. Por que você acha que Thyrza Grey te contou aquilo tudo? Por que foi tão aberta com você?

– A resposta mais óbvia seria: porque ela não bate muito bem da cabeça.

– Não é isso o que quero dizer. O que estou tentando entender é porque ela falou exatamente *com você*. Fico pensando se há algum tipo de ligação nisso.

– Ligação com o quê?

– Espere um pouco, preciso colocar minhas ideias em ordem.

Esperei. Ginger balançou a cabeça duas vezes enfaticamente, e prosseguiu:

– Suponha que fosse mais ou menos assim. Poppy sabe tudo sobre o Cavalo Amarelo, de maneira vaga, não por conhecimento próprio, mas por ter ouvido falar. Ela parece ser o tipo de garota em cuja conversa ninguém presta muita atenção, mas ela capta muito mais coisas do que as pessoas pensam que capta. Palermas costumam ser assim. Digamos que naquele dia, enquanto falava com você, alguém escutou a conversa e a repreendeu. No dia seguinte você chega fazendo perguntas, ela está assustada e por isso não diz nada. E o fato de você questioná-la também chegou ao ouvido dos outros... Que razão você teria para questioná-la? Você não é da polícia. A razão mais *provável* é que você seja um possível *cliente*.

– Mas com certeza...

– É o mais lógico. Você ouviu rumores e quer descobrir mais a respeito porque tem lá seus propósitos; depois aparece na quermesse em Much Deeping, é levado ao Cavalo Amarclo, supostamente porque pediu que alguém te levasse lá, e o que acontece? Thyrza Grey vem direto com seu papo de vendedora!

– Acho que é uma possibilidade – cogitei. – Você acha que ela tem o poder para fazer o que diz, Ginger?

– Eu diria que não. Mas coisas estranhas *acontecem*. Principalmente quando envolvem hipnose. Sabe, se diz para uma pessoa morder um pedaço de vela às quatro da tarde do dia seguinte e a pessoa obedece sem saber *por quê*. Coisas desse tipo. E há quem use caixas elétricas, onde colocamos uma gota de sangue, para prever se teremos câncer dali a dois anos. Tudo parece muito falso, mas talvez não seja tanto assim. Quanto a Thyrza, *eu* não acho que seja verdade, mas tenho um medo terrível de que seja.

– Exatamente – disse eu, em tom sombrio. – Você explicou muito bem.

– Vou insistir um pouco com a Lou – disse Ginger, pensativa. – Sei de vários lugares onde posso encontrá-la por acaso. Luigi também deve saber alguma coisa. Mas antes devemos entrar em contato com a Poppy.

O encontro com Poppy foi arranjado com facilidade. David estaria livre dali a três noites. Marcamos de nos encontrar em um show e ele chegou acompanhado de Poppy. Depois, fomos jantar no Fantasie e percebi que Ginger e Poppy, após passarem horas retocando a maquiagem, reapareceram como grandes amigas. Seguindo as instruções de Ginger, não falamos em nenhum assunto controverso durante a noite. Quando finalmente partimos, levei Ginger em casa.

– Não tenho quase nada para contar – disse ela, alegremente. – Estive com Lou, e o homem por quem elas brigaram chama-se Gene Pleydon. Um sujeito detestável, se quer saber, e muito promíscuo. As mulheres o adoram. Ele estava tentando conquistar Lou quando Tommy apareceu no caminho. Lou diz que ele não estava nem aí para ela, que só estava interessado no dinheiro, mas acho que ela queria se convencer disso. De qualquer modo, ele descartou Lou como se fosse um lixo, o que naturalmente a deixou aborrecida. Segundo o que diz, aquela briguinha não passou de um ataque histérico das duas.

– Ataque histérico? Ela arrancou o cabelo de Tommy!

– Só estou te contando o que Lou me disse.

– Ela não se incomodou em te contar essas coisas, não é?

– Ah, as mulheres adoram falar de seus casos para as outras. De qualquer modo, Lou agora tem outro namorado. Outro traste, eu diria, mas ela está louca por ele. Por isso não me parece que ela seja cliente do Cavalo Amarelo. Eu até falei do lugar, mas ela não esboçou a mínima reação. Acho que podemos tirá-la da nossa lista. Luigi também não levou a briga a sério, mas acha que Tommy estava mesmo apaixonada por Gene, e que Gene estava interessado nela. O que você conseguiu com a madrasta?

– Ela estava viajando, deve voltar amanhã. Escrevi uma carta para ela, digo, pedi que minha secretária escrevesse marcando um horário de visita.

– Ótimo. Estamos indo bem. Espero que nada dê errado.

– Se é que vamos chegar a algum lugar!

– Em algum lugar, chegaremos – disse Ginger, entusiasmada. – A propósito, vamos voltar ao começo disso tudo. A teoria é de que o padre Gorman foi morto depois de ter sido chamado por uma moribunda, e que ele foi assassinado devido ao que ela lhe disse ou lhe confessou. O que aconteceu com essa mulher? Ela morreu? E quem era ela? Deve haver alguma pista aí.

– Sim, ela morreu. Não sei muito sobre ela. Acho que se chamava Davis.

– E será que conseguimos descobrir algo mais?

– Verei o que posso fazer.

– Se pudermos verificar a história dela, talvez consigamos descobrir como ela soube o que sabia.

– Entendo.

Na manhã seguinte, telefonei para Jim Corrigan e perguntei sobre Davis.

– Veja só, avançamos um pouco nas investigações, mas não muito. O nome verdadeiro dela não era Davis, por isso demoramos para descobrir quem ela era. Espere um momento, eu anotei algumas coisas... Encontrei. O nome dela era Archer, e o marido dela era um ladrãozinho de quinta categoria. Ela o abandonou e voltou a usar o nome de solteira.

– Que tipo de ladrãozinho ele era? E onde ele está agora?

– Era insignificante. Roubava objetos em lojas de departamento, umas ninharias aqui, outras ali. Teve várias passagens pela polícia. Onde ele está agora? Está morto.

– O que não ajuda muito.

– Não mesmo. A empresa em que a sra. Davis trabalhava quando morreu, a R.C.C. (Reações Classificadas dos Clientes), aparentemente nada sabia sobre o histórico dela.

Agradeci e desliguei o telefone.

CAPÍTULO 12

Narrativa de Mark Easterbrook

Três dias depois, Ginger me telefonou.

– Tenho uma coisa para contar – disse ela. – Um nome e um endereço. Anote aí.

Peguei meu caderno de anotações.

– Pode falar.

– O nome é Bradley e o endereço é Municipal Square Buildings, 78, Birmingham.

– Tá, mas o que é isso?

– E eu vou saber? E tenho minhas dúvidas se Poppy sabe o que é.

– Poppy? Então esse é...

– Sim. Encarreguei-me dela nesses últimos dias. Eu disse que conseguiria arrancar algo dela, se eu tentasse. Depois de amaciá-la um pouco, foi fácil.

– Mas como você começou toda a história? – perguntei, curioso.

Ginger riu.

– Coisa de mulheres, você não entenderia. As mulheres realmente não se importam em abrir o jogo para outras mulheres.

– Trabalham em equipe, por assim dizer?

– Pode-se dizer que sim. De qualquer modo, almoçamos juntas e falei um pouco sobre minha vida amorosa e seus vários obstáculos: homem casado com esposa complicada, católico, não vai se separar, transformou a própria vida num inferno, já que a esposa era inválida e sofria com dores insuportáveis, e provavelmente demoraria anos para morrer. Seria muito melhor se ela *morresse*. Disse que seria uma boa ideia tentar o Cavalo Amarelo, mas que não sabia muito bem por onde começar, e perguntei se seria caro demais. Poppy disse que sim, que devia ser bem caro, pois ouviu dizer que cobravam o olho da cara. Eu disse que tinha uma herança a receber, e tenho mesmo, sabe, de um tio-avô muito querido que eu odiaria se morresse, mas o fato veio a calhar. Perguntei se por acaso eles aceitariam receber depois e qual seria o procedimento para entrar em contato com eles. Poppy me deu o nome e o endereço e disse que era preciso ir lá primeiro para fechar o negócio.

– Isso é fantástico! – disse eu.

– Sim.

Ficamos em silêncio por um momento, até que eu disse, incrédulo:

– Ela falou sobre o assunto abertamente? Não pareceu assustada?

Ginger respondeu impaciente:

– Você não entende. Contar para mim não importa. E, além disso, Mark, se o que pensamos for verdade, o negócio precisa de uma propaganda, não precisa? Quer dizer, eles precisam de novos "clientes" o tempo todo.

– Somos malucos de acreditar numa coisa dessas.

– Tudo bem, somos malucos. Você vai até Birmingham se encontrar com o sr. Bradley?

– Sim – disse eu. – Vou atrás do sr. Bradley. Se é que ele existe.

Era difícil acreditar que ele existia. Mas eu estava errado. Sim, ele existia. Municipal Square Buildings era uma enorme colmeia de escritórios. O número 78 ficava no terceiro andar. Na porta de vidro esmerilhado havia uma inscrição pintada de maneira impecável: *C. R. Bradley, AGENTE*. Embaixo, em letras menores: *Entre*.

Entrei.

Havia uma sala pequena, vazia, e uma porta entreaberta escrito *SOMENTE PESSOAS AUTORIZADAS*. Escutei uma voz vinda lá de dentro:

– Pode entrar, por favor.

A sala de dentro era maior. Tinha uma mesa, uma ou duas poltronas confortáveis, um telefone, uma pilha de caixas de arquivo. Atrás de uma mesa estava sentado o sr. Bradley, um homem baixo, de pele escura e olhos astutos também escuros. Ele estava vestido com um terno preto, transparecendo ser um representante exímio da respeitabilidade.

– Por favor, feche a porta – disse ele, educadamente. – Sente-se. A poltrona é bastante confortável. Aceita um cigarro? Não? E então, no que posso ajudá-lo?

Olhei para ele sem saber por onde começar. Não fazia a menor ideia do que dizer. Acho que foi o mero desespero que me fez ir de ataque com a frase que disse. Ou talvez aqueles olhos redondos e brilhantes.

– Quanto custa? – perguntei.

Tive o prazer de ver que ele ficou um pouco surpreso, mas não como deveria. Ele não previa, como eu teria previsto no lugar dele, que um sujeito não muito bem da cabeça fosse adentrar no seu escritório daquela maneira.

Ele levantou as sobrancelhas.

– Ora, ora – disse ele. – O senhor não perde tempo, não é mesmo?

Continuei fiel à minha posição.

– E qual a resposta?

Ele balançou a cabeça devagar, demonstrando uma leve reprovação.

– Não é assim que resolvemos as coisas. Devemos seguir o procedimento correto.

Eu encolhi os ombros.

– Como preferir. E qual é o procedimento correto?

– Ainda não nos apresentamos, não é? Eu não sei seu nome.

– Nesse momento, não sei se tenho vontade de dizê-lo – respondi.

– Cautela.

– Cautela.

– Uma qualidade admirável, embora nem sempre praticável. Agora me diga, quem o mandou até mim? Temos algum amigo em comum?

– Também não posso dizê-lo. Uma amiga minha conhece alguém que conhece um amigo ou amiga sua.

O sr. Bradley balançou a cabeça, consentindo.

– A maioria dos meus clientes aparece assim – disse ele. – Alguns problemas são bem... delicados. Você conhece minha profissão, acredito.

Ele não tinha intenção alguma de esperar minha resposta e se apressou em responder por si próprio.

– Sou agente de turfe – disse ele. – Presumo que o senhor se interesse por... cavalos?

Ele fez uma breve pausa antes de dizer a última palavra.

– Não costumo apostar em corridas – disse eu, sem me comprometer.

– Os cavalos oferecem muitas possibilidades. Corrida, caça, montaria. O que me interessa é a possibilidade esportiva. Apostar. – Ele fez uma breve pausa e perguntou de maneira informal, quase informal demais:

– O senhor tem algum cavalo específico em mente?

Encolhi os ombros e fui direto ao ponto.

– Um cavalo amarelo...

– Ah, muito bem, excelente. E o senhor, se é que posso dizer dessa maneira, parece estar mais interessado em um cavalo *negro*. Haha, mas não fique nervoso, não há motivos para isso.

– Isso é o que *você* diz – disse eu, em um tom meio rude.

O sr. Bradley passou a agir de maneira mais afável e tranquilizante.

– Entendo bem o que sente. Mas posso lhe garantir que não há motivos para ansiedade. Na verdade sou advogado, mas, é claro, tive meu diploma cassado – acrescentou ele, de maneira quase sedutora. – Do contrário, não estaria aqui. Mas lhe garanto que conheço bem meu ofício, e o que quer que eu lhe recomende, é perfeitamente legal e honesto. Os homens podem apostar no que quiserem, se vai chover ou não amanhã, se os russos vão mandar um astronauta à lua, ou se a esposa terá gêmeos. Você pode muito bem apostar se a sra. Fulana morrerá antes do Natal ou se a sra. Beltrana viverá cem anos. Você está apostando no seu julgamento, na sua intuição, ou o que seja. Nada mais simples do que isso.

Tive a sensação de estar sendo tranquilizado por um médico antes de entrar para uma cirurgia. O modo como o sr. Bradley acalmava seus "pacientes" era perfeito.

Eu disse lentamente:

– Eu realmente não entendo como funciona o Cavalo Amarelo.

– E isso o preocupa? Sim, preocupa bastante as pessoas. Há mais coisas entre o céu e a terra, Horácio etc. etc. Francamente, eu mesmo não entendo. Mas tem resultados, e os mais maravilhosos resultados.

– Poderia me falar mais sobre isso?

A essa altura, eu já tinha estabelecido meu papel: cauteloso, ansioso e assustado. Obviamente, essa era uma atitude com a qual o sr. Bradley tinha de lidar com frequência.

– O senhor conhece o lugar, pelo menos?

Tomei uma decisão rápida. Não seria sábio mentir.

– Eu... bem... sim, alguns amigos me levaram lá...

– Um velho pub bem charmoso. Há muito interesse histórico naquele lugar. Elas fizeram maravilhas na restauração. Então o senhor conheceu minha amiga, a srta. Grey, suponho?

– Sim, é claro. Uma mulher extraordinária.

– É verdade, não é? Você a definiu bem. Uma mulher extraordinária. E com poderes extraordinários.

– As coisas que ela diz! Não seriam... assim... impossíveis?

– Exato. Essa é a questão. As coisas que ela diz que sabe e que é capaz de fazer são *impossíveis*! Qualquer pessoa diria isso. Em um tribunal de justiça, por exemplo...

Os olhos redondos e brilhantes do sr. Bradley fitavam diretamente os meus. Ele repetiu as palavras, enfatizando-as.

– Em um tribunal de justiça, por exemplo, isso tudo seria ridicularizado! Se aquela mulher ficasse de pé e confessasse um assassinato pelo poder do pensamento, poder da vontade ou qualquer nome sem sentido que quisesse usar, a confissão jamais seria aceita! Mesmo que sua declaração fosse verdadeira (na qual, obviamente, homens inteligentes como eu ou você não acreditamos sequer por um momento!), ela não seria aceita legalmente. Um assassinato por força do pensamento não é assassinato aos olhos da lei. Não faz o menor sentido! E é nisso que consiste a beleza da coisa, como o senhor mesmo pode constatar se pensar por um momento.

Interpretei aquilo como se eu estivesse sendo tranquilizado. Assassinato cometido por poderes ocultos não era assassinato segundo o tribunal de justiça inglês. Se eu contratasse um gângster para cometer um assassinato com um cassetete ou uma faca, eu seria julgado como cúmplice por ter conspirado junto com ele. Mas se eu contratasse Thyrza Grey para usar magia negra, a magia negra não seria aceita como prova. Nisso consistia, segundo o sr. Bradley, a magia da coisa.

Todo o meu ceticismo veio à tona em forma de protesto. Exclamei vigorosamente:

– Mas que maldição, isso é fantástico! – gritei. – Não acredito. É impossível.

– Eu concordo, realmente concordo. Thyrza Grey é uma mulher extraordinária, e certamente tem poderes extraordinários, mas *não podemos* acreditar nas coisas que ela afirma. Como você mesmo disse, é fantástico demais. Na era em que vivemos, não podemos admitir que alguém possa emitir ondas de pensamento ou algo do tipo, por si só ou por meio de um médium, sentado numa cabana na Inglaterra e provocar a doença e a morte de uma pessoa em Capri ou outro lugar qualquer.

– Mas *é isso* o que ela diz fazer?

– Sim. Não há dúvidas de que ela *tem* poderes. Ela é escocesa, e a vidência é uma peculiaridade desse povo. A vidência realmente existe. O que acredito sem a menor sombra de dúvidas é o seguinte – ele inclinou o corpo para frente, gesticulando com o dedo indicador –: Thyrza Grey consegue prever quando alguém morrerá. É um dom. E ela tem esse dom.

Ele encostou de novo na poltrona, observando-me.

– Pensemos numa situação hipotética. Suponha que você ou alguém queira muito saber quando, digamos, a tia-avó Eliza vai morrer. Precisamos admitir que é útil saber uma coisa dessas. Não há nada de atípico nisso, nada de errado, é só uma questão de conveniência para se planejar. Será que em novembro próximo receberemos uma boa quantia em dinheiro? Se soubéssemos disso, certamente poderíamos tomar decisões valiosas. A morte não passa de uma questão incerta. Afinal, a velha e querida Eliza poderia viver, sendo cuidada pelos médicos, por mais dez anos. É óbvio que você gosta da sua velha tia, mas imagine como seria útil *saber*...

Ele fez uma pausa e inclinou-se mais um pouco para frente.

– É aí que *eu* entro. Sou o homem das apostas. E apostarei em qualquer coisa, naturalmente de acordo com meus próprios termos. Você me procura porque naturalmente não quer apostar na morte da velha senhora, pois seria repugnante levando-se em conta seus mais nobres sentimentos. Então fazemos desse jeito: você aposta determinada quantia que a tia Eliza estará forte e cheia de saúde até o próximo Natal, e eu aposto que não.

Seus olhos redondos me observavam.

– Não há nada contra isso, correto? É simples, podemos até discutir o assunto. Eu digo que a tia Eliza está na fila da morte, e você diz que não. Elaboramos um contrato, assinamos e eu lhe dou um prazo. Digo que dali a duas semanas o serviço funerário da tia Eliza estará pronto, e você diz que não. Se você acertar, *eu* pago a aposta. Se você errar, *você* me paga!

Olhei para ele tentando imaginar os sentimentos de um homem que quer uma senhora rica fora do caminho. Preferi então pensar em um chantagista, pois é mais fácil se ver nessa situação. Pensei em alguém que estivesse me sugando há anos e eu não suportasse mais, a ponto de querer sua morte. Eu não seria capaz de matá-lo, mas faria qualquer coisa para vê-lo morto...

Representando meu papel com bastante confiança, falei com uma voz rouca:

– Quais são os termos?

O jeito de agir do sr. Bradley mudou rapidamente. Agora ele estava alegre, quase brincalhão.

– É aqui que nós entramos, não é? Ou melhor, que você entra, hahaha. Você me perguntou quanto? Fico realmente surpreso, nunca vi alguém ir direto ao ponto tão rápido.

– Quais são os termos?

– Depende de vários fatores, principalmente da quantia que está em jogo. Em alguns casos, depende de quanto o cliente tem disponível. No caso de um marido inconveniente, um chantagista ou algo assim, dependeria de quanto o cliente pudesse pagar. Quero deixar bem claro que não faço apostas com clientes pobres, exceto quando se trata de um exemplo parecido com o que dei. Nesse caso, dependeria da fortuna deixada pela tia Eliza. Os termos são um acordo mútuo, pois nós dois queremos lucrar com isso, não é mesmo? De qualquer maneira, as apostas ficam mais ou menos na margem de quinhentos para um.

– Quinhentos para um? É uma margem bem alta.

– Minha aposta também é muito alta. Se tia Eliza já estivesse com o pé na cova, você saberia disso e naturalmente não viria me procurar. Profetizar a morte de alguém dentro de duas semanas requer riscos muito altos. Cinco mil libras contra cem não é tão fora do comum assim.

– E se você perder?

O sr. Bradley encolheu os ombros.

– Seria muito ruim. Eu pagaria a aposta.

– Se eu perder, eu pago. E se eu não pagar?

O sr. Bradley encostou na poltrona e disse, com os olhos entreabertos:

– Eu não aconselharia esse tipo de comportamento – disse ele calmamente. – Não mesmo.

Apesar do tom suave, senti um arrepio atravessando meu corpo. Ele não fez uma ameaça direta, mas ela estava lá.

Eu me levantei e disse:

– Eu... eu preciso pensar no assunto.

O sr. Bradley recobrou seu modo agradável e cortês de ser.

– Certamente, precisa pensar. Não se apresse. Se decidir fechar o negócio, volte e discutiremos todos os pormenores. Pense bem e leve o tempo que precisar.

Saí do escritório com as palavras ecoando na minha cabeça: "o tempo que precisar...".

CAPÍTULO 13

Narrativa de Mark Easterbrook

Encarei a tarefa de entrevistar a sra. Tuckerton com a maior relutância. Instigado por Ginger a questioná-la, eu não tinha a menor convicção de que era o melhor a ser feito. Para começar, não me sentia apto a realizar a tarefa que tinha proposto a mim mesmo. Tinha dúvidas se conseguiria produzir a reação necessária, e tinha plena consciência de que talvez não conseguisse disfarçar o suficiente.

Ginger, com uma eficiência absurda que demonstrava quando necessário, tinha me passado as orientações pelo telefone.

– É simples. A casa foi construída por Nash e tem um estilo que não se costuma atribuir a ele. Foi uma das poucas vezes que ele liberou a imaginação e se permitiu construir algo em estilo gótico.

– E por que eu gostaria de vê-la?

— Porque está pensando em escrever um artigo ou um livro sobre as influências que causam digressões no estilo de um arquiteto. Ou algo assim.

— Para mim, soa falso demais – disse eu.

— Bobagem – disse Ginger seriamente. – Quando se trata de assuntos eruditos ou artísticos, as teorias mais inacreditáveis são propostas e escritas, com a maior seriedade, pelas pessoas mais improváveis. Eu seria capaz de citar capítulos e capítulos de besteiras.

— É por essa razão que você cumpriria a tarefa muito melhor do que eu.

— É aí que você se engana – disse Ginger. – A sra. Tuckerton pode muito bem procurar alguma referência sua e ficar impressionada com seus títulos, o que não aconteceria se fosse comigo.

Continuei hesitante, embora temporariamente sem armas.

Quando voltei do meu inacreditável encontro com o sr. Bradley, Ginger e eu juntamos nossas ideias. Ela estava mais incrédula do que eu. No entanto, meu resultado lhe propiciou uma satisfação diferente.

— Isso põe um fim ao fato de estarmos ou não imaginando coisas – disse ela. – Agora sabemos que *existe* uma organização para tirar pessoas indesejadas do caminho.

— Usando meios sobrenaturais!

— Como você é conservador! Tenho certeza de que o que o desencoraja são aquelas bugigangas e falsos escaravelhos que Sybil usa. E mesmo que o sr. Bradley tivesse se apresentado como um curandeiro ou um pseudoastrólogo, você não teria se convencido. Mas como ele se mostrou um escroque dos mais desagradáveis, ou pelo menos foi essa a impressão que você me deu...

— Quase isso – disse eu.

— Então tudo se encaixa. Por mais estúpido que pareça, aquelas mulheres do Cavalo Amarelo têm nas mãos algo *que funciona*.

— Se você está tão convencida disso, por que procurar a sra. Tuckerton?

— Para ter uma comprovação a mais – disse Ginger. – Nós sabemos o que Thyrza Grey *diz* ser capaz de fazer. Sabemos um pouco sobre três vítimas. Agora precisamos descobrir mais coisas pelo ângulo do cliente.

— E se a sra. Tuckerton não mostrar sinal de que foi uma cliente?

— Daí teremos de investigar em outro lugar.

— É claro, tenho certeza de que vou enfiar os pés pelas mãos – disse eu, em tom de tristeza.

Ginger disse que eu precisava ser mais otimista.

Até que me vi diante da entrada do Carraway Park. Certamente nada tinha a ver com minha ideia preconcebida de uma casa projetada por Nash. Em muitos aspectos, tratava-se quase de um castelo de proporções modestas. Ginger tinha prometido me conseguir um livro recente sobre a arquitetura de Nash, mas, como a obra não chegou a tempo, fui até lá sem as instruções adequadas.

Toquei a campainha e um homem de aparência desleixada, usando um casaco de alpaca, abriu a porta.

– Sr. Easterbrook? – disse ele. – A sra. Tuckerton está lhe esperando.

Ele me levou até uma sala de visitas muito bem mobiliada, que me causou uma impressão desagradável. Tudo naquele lugar era muito caro, mas escolhido sem o menor critério. Seria uma sala de proporções mais agradáveis se fosse mais simples. Havia um ou dois quadros bonitos e vários horrorosos. Havia muito brocado amarelo. Não tive tempo para fazer outras considerações, pois fui interrompido pela chegada da sra. Tuckerton. Levantei-me com dificuldade depois de ter me afundado em um sofá revestido por um brilhante brocado amarelo.

Não sei exatamente o que eu esperava, mas acabei tendo uma inversão de sensações. Nada encontrei de sinistro; o que vi foi uma mulher de meia-idade totalmente comum. Não era uma mulher muito interessante, tampouco, pensei, agradável. Os lábios, apesar de uma generosa camada de batom, eram finos e carrancudos. O queixo quase não aparecia. Os olhos, azuis-claros, davam a impressão de que ela estimava o preço de tudo ao seu redor. Era o tipo de mulher que não dava gorjeta aos recepcionistas e atendentes. Podemos encontrar muitas mulheres como ela, mas vestidas com roupas não tão caras e com bem menos maquiagem.

– Sr. Easterbrook? – ela estava visivelmente contente com minha visita, e chegou até a se entusiasmar um pouco. – Estou *tão* feliz em conhecê-lo. Simpatizo por estar interessado nessa casa. É claro que eu sei que ela foi construída por John Nash, meu marido me contou, mas jamais imaginei que ela pudesse ser do interesse de alguém como *o senhor*!

– Veja bem, sra. Tuckerton, não é bem o estilo de arquitetura dele, e isso a torna tão interessante para... é...

Ela me salvou do problema que seria continuar a frase.

– Não quero parecer uma estúpida, afinal, não entendo de arquitetura e arqueologia. Espero que o senhor não se importe com minha ignorância...

Eu não me importava nem um pouco. Na verdade, eu adorava.

– Mas é claro que tudo isso é muito interessante – disse a sra. Tuckerton.

Eu disse que nós, ao contrário, éramos muito tediosos e enfadonhos quando tratávamos do nosso assunto de especialidade.

A sra. Tuckerton disse ter *certeza* de que isso não era verdade, e perguntou se eu preferiria tomar um chá antes de ver a casa ou visitar a casa e tomar o chá depois.

Eu não esperava tomar o chá da tarde, pois nosso encontro havia sido marcado para as três e meia, e disse que poderíamos visitar a casa antes. Ela foi conduzindo a visita, conversando animada na maior parte do tempo, o que me desobrigava de fazer quaisquer juízos arquitetônicos.

Foi sorte eu ter aparecido naquela hora, disse ela, pois a casa estava pronta para ser vendida.

– Ela ficou grande demais pra mim depois que meu marido morreu – disse ela, acrescentando que já tinha um comprador em vista, embora os corretores tivessem anunciado a venda somente há uma semana. – Eu não gostaria que você a visitasse quando estivesse vazia. Acho que se quisermos realmente apreciar uma casa, ela precisa estar habitada, não acha, sr. Easterbrook?

Eu preferia a casa vazia e sem mobília, mas naturalmente não pude dizer isso. Perguntei se ela continuaria na vizinhança.

– Sinceramente, ainda não sei. Devo fazer algumas viagens antes, tomar um pouco de sol. Detesto esse clima miserável. Na verdade, acho que passarei o inverno no Egito. Estive lá há dois anos, é um país maravilhoso, e suspeito que o senhor saiba *tudo* sobre o lugar.

Eu nada sabia sobre o Egito e disse isso a ela.

– O senhor deve estar sendo modesto – disse ela, alegre e vagamente. – Esta é a sala de jantar. É octogonal. Não é assim que se diz? Sem ângulos retos.

Respondi que ela estava certíssima e elogiei a simetria.

Assim que a visita terminou, voltamos para a sala de visitas e a sra. Tuckerton deu o sinal para que fosse servido o chá, que em seguida foi trazido pelo criado de aparência malcuidada. Percebi que o vultoso bule vitoriano de prata precisava ser polido.

A sra. Tuckerton suspirou quando o criado saiu da sala.

– Depois que meu marido morreu, o casal que trabalhava com ele há quase vinte anos insistiu em deixar a casa. Eles disseram que estavam se aposentando, mas pouco tempo depois eu soube que arrumaram outro emprego, com um salário bem alto. Acho um absurdo pagar salários tão altos assim. O senhor não faz ideia do que eles economizam com moradia e alimentação, sem falar nos serviços de lavanderia!

Sim, eu não estava enganado. Os olhos azuis, os lábios firmes, a cobiça fazia parte dela.

Não foi difícil fazer a sra. Tuckerton falar. Ela gostava de falar, principalmente de si própria. Enquanto ouvia com atenção, e de vez em quando dizia algo estimulando-a, soube bastante sobre a sra. Tuckerton. Na verdade, soube mais do que ela estava ciente de ter me contado.

Soube que ela se casara com Thomas Tuckerton, um viúvo, cinco anos atrás. Ela era "muito, muito mais nova do que ele". Eles se conheceram em um hotel à beira-mar onde ela trabalhava na sala de *bridge*. Ela nem percebeu que tinha deixado escapar essa informação. Ele tinha uma filha que estudava em um colégio interno nas redondezas.

– É tão difícil um homem saber o que fazer quando leva uma garota para passear – disse ela. – Pobre Thomas, ele era tão solitário... sua primeira esposa morrera havia alguns anos e ele sentia muita falta dela.

A sra. Tuckerton continuou pintando o quadro de si própria. Uma mulher graciosa e gentil, com pena de um velho solitário. Havia a saúde dele, que piorava, e a devoção dela.

– Ainda que, obviamente, nos últimos anos da doença dele, eu não pudesse ter *nenhum* amigo.

Será que ela tinha alguns amigos que o sr. Thomas Tuckerton considerava indesejáveis? Isso explicaria os termos do testamento dele.

Ginger conseguira uma cópia do testamento no cartório da Somerset House.

Ele deixou a herança para os antigos empregados, para um casal de afilhados e uma renda mensal para a esposa, uma boa renda, mas não muito generosa. Quantia suficiente para que ela usufruísse durante a vida. O restante da fortuna, que atingia a marca dos seis dígitos, ele deixou para a filha, Thomasina Ann, que receberia a herança quando completasse 21 anos ou se casasse. Se ela morresse solteira antes de completar 21 anos, o dinheiro ficaria com a madrasta. Parecia que a família não tinha mais ninguém.

A recompensa era grande, pensei comigo, e a sra. Tuckerton gostava de dinheiro. Ela transparecia isso o tempo inteiro. Eu tinha certeza de que ela não tinha dinheiro antes de se casar com o viúvo, e talvez a grana tivesse lhe subido à cabeça. Vivendo tolhida diante da invalidez do marido, acho que ela mal conseguiu esperar a hora de se ver livre, ainda jovem, e rica, para dar vazão a seus sonhos mais extraordinários.

O testamento, provavelmente, foi uma decepção. Ela devia ter sonhado com uma renda mais do que modesta, pois planejava viagens caras, cruzeiros luxuosos, roupas, joias, ou talvez o mero prazer do dinheiro em si, rendendo no banco.

Entretanto, quem receberia todo o dinheiro seria a garota, ela é que seria a herdeira opulenta. A garota que, muito provavelmente, não gostava da madrasta e demonstrava isso com a crueldade e a negligência da juventude. A garota seria rica, a não ser que...

A não ser que...? Isso já não bastava para eu acreditar que essa criatura loura e falsa, que bradava frases feitas com tanta loquacidade, fosse capaz de contratar os serviços do Cavalo Amarelo para que uma garota morresse?

Não, eu não podia acreditar nisso...

No entanto, eu precisava cumprir com a minha tarefa e disse abruptamente:

– Acho que conheci sua filha, digo, sua enteada, certa vez.

Ela olhou para mim com uma leve surpresa, embora sem demonstrar muito interesse.

– Thomasina? É mesmo?

– Sim, em Chelsea.

– Ah, Chelsea. Sim, pode ser que sim... – ela suspirou. – Essas garotas de hoje são tão difíceis. Parecem incontroláveis. Ela contrariava muito o pai dela, e eu não podia fazer *nada* a respeito, é claro, pois nunca me escutava – ela suspirou mais uma vez. – Ela já era crescida, sabe, quando eu e o pai dela nos casamos. Uma madrasta... – ela balançou a cabeça.

– É uma posição sempre muito delicada – disse eu, compassivamente.

– Eu abri várias concessões, fiz tudo o que podia.

– Tenho certeza que sim.

– Mas foi inútil. É claro que Tom não a deixava ser rude comigo, mas ela extrapolava todos os limites possíveis. E tornou a própria vida algo impossível. Para mim foi um alívio quando ela insistiu em sair de casa, mas eu entendi também como Tom se sentiu. Ela enturmou-se com um grupo bem desagradável.

– É... foi o que pensei.

– Pobre Thomasina – disse a sra. Tuckerton. Ela mexeu no cabelo para arrumar um cacho solto e, em seguida, olhou para mim. – Ah, mas talvez o senhor não saiba. Ela faleceu mês passado. Teve encefalite, uma morte repentina. É uma doença que ataca jovens, acredito... tão triste!

– Sabia que ela tinha morrido – eu disse.

Levantei-me.

– Muito obrigado, sra. Tuckerton, de verdade, por me mostrar sua casa.

Apertei as mãos dela, despedindo-me. Depois, enquanto saía, olhei para trás.

– Por sinal – disse eu –, acho que a senhora conhece o Cavalo Amarelo, não conhece?

Não houve dúvida na reação dela. Pânico, puro pânico, foi o que surgiu naqueles olhos azuis. De repente o rosto dela ficou pálido e assustado por detrás da maquiagem.

A voz dela saiu estridente e alta:

– Cavalo amarelo? O que quer dizer com cavalo amarelo? Não sei nada sobre cavalo amarelo.

Deixei que uma leve surpresa transparecesse dos meus olhos.

– Ah, me perdoe! É um velho pub muito interessante em Much Deeping. Estive lá outro dia e acabei conhecendo o lugar. Foi reformado de uma maneira bastante charmosa, mantendo o clima antigo. Eu podia *jurar* que seu nome fora mencionado lá, mas talvez tenha sido sua enteada que esteve lá, ou alguém que tenha o mesmo nome. – Fiz uma pausa. – O lugar tem certa... reputação.

Gostei da minha deixa. Em um dos espelhos na parede, pude ver o rosto da sra. Tuckerton refletido, me olhando por trás. Ela estava muito, muito assustada, e pude imaginar exatamente como ela estaria dali a alguns anos... Não foi uma visão agradável.

CAPÍTULO 14

Narrativa de Mark Easterbrook

I

– Agora, sim, temos certeza – disse Ginger.

– Já tínhamos certeza.

– Mais ou menos. Mas agora o assunto está encerrado.

Fiquei em silêncio por alguns momentos. Imaginei a sra. Tuckerton viajando até Birmingham, entrando no Municipal Square Buildings, encontrando o sr. Bradley. Imaginei a apreensão nervosa dela e como ele reafirmava a própria bondade. Imaginei o jeito habilidoso dele de realçar a ausência de risco na jogada. (Ele deve ter realçado isso bastante com a sra. Tuckerton.) Pude imaginá-la indo embora, sem se comprometer, deixando a ideia criar raízes na sua mente. Talvez tenha ido visitar a enteada, ou a enteada tenha ido passar um fim de semana com ela. Talvez tenham conversado sobre um possível casamento. E o tempo inteiro a ideia do DINHEIRO, não pouco dinheiro ou ninharia, mas montes de dinheiro, dinheiro grande, uma quantia que possibilitaria a realização de qualquer coisa. E tudo ficaria com a garota degenerada e grosseira que cambaleava pelos bares de Chelsea, usando jeans e suéteres desleixados, acompanhada dos amigos indesejáveis e igualmente degenerados. Por que uma garota como ela, que não era e jamais seria boa, deveria herdar aquela bela quantia de dinheiro?

E depois mais uma visita a Birmingham. Mais cautelosa e tranquila. Por fim, a discussão dos termos. Sorri involuntariamente. É provável que o sr. Bradley tenha renegociado o contrato, pois ela deve ter se mostrado uma regateadora de primeira. Por fim, com os termos acordados e um documento devidamente assinado, o que mais aconteceu?

Foi aí que minha imaginação parou. Era isso que não sabíamos.

Saí do meu estado meditativo e vi que Ginger me observava. Ela perguntou:

– Já conseguiu entender tudo?

– Como você sabia o que eu estava fazendo?

– Estou começando a entender como sua mente funciona. Você estava recapitulando os acontecimentos, não estava? Seguindo os passos dela até Birmingham e durante a negociação?

– Sim. Mas fui interrompido bruscamente. A partir do momento em que ela acerta tudo em Birmingham... *o que acontece depois?*

Olhamos um para o outro.

– Mais cedo ou mais tarde – disse Ginger – *alguém* tem de descobrir o que exatamente acontece no Cavalo Amarelo.

– Mas como?

– Não sei... Não vai ser fácil. Ninguém que já esteve lá, ou já executou o procedimento, vai querer contar. Ao mesmo tempo, elas são as únicas pessoas que *podem* contar. É difícil...

– Será que podemos procurar a polícia? – sugeri.

– Sim. Afinal, agora temos algo mais definido. O suficiente para agir, não acha?

Balancei a cabeça em dúvida.

– Evidência de uma intenção. Mas será que isso é suficiente? Esse desejo de morte é algo sem sentido. Ah – disse eu, prevendo que seria interrompido –, talvez não seja sem sentido, mas é o que vai *parecer* para a justiça. Não temos nem ideia de como acontece.

– Então, precisamos descobrir. Mas como?

– Teremos de ver, ou ouvir, com os próprios olhos e ouvidos. Não há como se esconder naquele antigo estábulo, e suponho que seja ali que aconteça o processo, ou o que quer que seja.

Ginger sentou-se com o corpo ereto e jogou os cabelos para trás.

– Só há uma maneira de descobrir o que realmente acontece. Você precisa ser um cliente *real*.

Olhei bem nos olhos dela.

– Um cliente real?

– Sim. Eu ou você, não importa. Precisamos querer tirar alguém do caminho. Um de nós precisa procurar Bradley e fechar negócio.

– Não estou gostando disso – disse eu, acentuadamente.

– Por quê?

– Bem, porque abre possibilidades perigosas.
– Para nós?
– Talvez. Estou pensando em quem seria a vítima. Precisamos ter uma vítima, um nome verdadeiro. Não pode ser invenção, pois eles podem verificar, e é quase certo que façam isso, não acha?

Ginger pensou por um momento e assentiu com a cabeça.
– Sim. A vítima tem de ser uma pessoa real, com um endereço real.
– É isso que não me cheira bem – disse eu.
– E precisamos ter uma boa razão para querer se livrar da pessoa.

Ficamos em silêncio por um momento, considerando esse aspecto da situação.
– E a pessoa, seja quem for, precisa concordar – disse eu, calmamente. – E isso é pedir demais.
– Precisamos acertar os mínimos detalhes – disse Ginger, pensando na questão. – Mas acho que você estava totalmente certo no que disse outro dia. O ponto fraco disso tudo é eles estarem em uma situação delicada. O negócio precisa ser secreto, mas nem tanto, pois eles precisam arrumar clientes que ouçam falar do que fazem.
– O que me intriga é a polícia não ter ouvido falar deles – disse eu. – Afinal de contas, ela costuma saber quais atividades criminosas andam acontecendo por aí.
– Sim, mas eu acho que isso se dá por ser uma atividade *amadora*, em todos os sentidos da palavra. Não é algo profissional, não há criminosos profissionais contratados ou envolvidos. Não é como contratar um matador para aniquilar as pessoas. É tudo... *discreto*.

Eu disse que Ginger talvez tivesse razão.

Ela prosseguiu:
– Suponha que eu, ou você (teremos de pensar nas duas possibilidades), estejamos desesperados para nos ver livres de alguém. Quem seria essa pessoa? Há meu velho tio Mervyn, de quem eu receberei uma bolada quando ele bater as botas. Um primo na Austrália e eu somos os únicos que restaram da família. Então há um motivo aí. Mas como ele já passa dos setenta e está meio gagá, seria muito mais sensato que eu esperasse sua morte por causas naturais, a não ser que eu estivesse desesperada por dinheiro, o que seria difícil de fingir. Além disso, ele é muito querido, e sendo gagá ou não, ele adora a vida e eu não gostaria de privá-lo nem um minuto de viver, ou até arriscar que algo de ruim acontecesse com ele. E você? Tem algum parente de quem possa herdar alguma herança?

Balancei a cabeça.
– Não, ninguém.

— Que droga. E se inventássemos uma chantagem? Isso daria um trabalho danado. E você não é tão vulnerável assim. Se você fosse do Parlamento, do Ministério das Relações Exteriores ou um ministro promissor, seria diferente. O mesmo acontece comigo. Se fosse há cinquenta anos seria fácil, poderíamos arrumar umas cartas comprometedoras, ou fotografias, mas quem se importa com isso hoje? O sujeito pode ser um duque e não estar nem se lixando caso esse tipo de informação venha a público. No que mais podemos pensar? Bigamia? – Ela olhou para mim com um olhar de reprovação. – Que pena você não ter se casado. Poderíamos tramar algo em relação a isso se você o fosse.

Alguma coisa na minha expressão deve ter me denunciado. Ginger foi rápida.

— Me desculpe – disse ela. – Toquei em um assunto delicado?

— Não – respondi. – Não é delicado. Foi há tanto tempo, duvido que alguém se lembre.

— Você já foi casado?

— Sim, na época da faculdade. Nós mantínhamos o casamento em segredo. Minha família não teria aceitado. Além disso, eu nem tinha idade para me casar. Nós mentíamos a nossa idade.

Fiquei em silêncio por alguns minutos, revivendo o passado.

— Não ia durar – disse eu, calmamente. – Hoje eu sei disso. Ela era linda, sabia como ser agradável, mas...

— O que aconteceu?

— Fomos à Itália durante as férias e houve um acidente de carro. Ela morreu na hora.

— E você?

— Eu não estava no carro... ela estava com um amigo.

Ginger olhou de súbito para mim. Acho que ela entendeu o que tinha acontecido. O choque da minha descoberta de que a garota com quem eu tinha me casado não era fiel.

Ginger voltou às questões práticas.

— Vocês se casaram na Inglaterra?

— Sim. No cartório de Peterborough.

— Mas ela morreu na Itália?

— Sim.

— Então não há registros da morte dela na Inglaterra?

— Não.

— Então, o que mais você quer? É o que queríamos! Não poderia ser mais simples! Você ama desesperadamente uma mulher com quem quer se casar, mas *não sabe* se sua esposa ainda está viva. Você partiu há anos e nunca mais teve notícias dela, então, como poderia se arriscar? Enquanto está pensando no assunto, de repente ela reaparece do nada, se recusa a dar o divórcio e ainda ameaça contar tudo para a sua namorada.

– Mas quem seria minha nova namorada? – perguntei, levemente confuso. – Você?

Ginger parecia em choque.

– Claro que não! Eu não faço bem o tipo, seria mais provável que eu nem pensasse em casamento. Mas e aquela morena majestosa com quem você costuma sair? Você sabe muito bem a quem me refiro, ela sim faz o tipo perfeito. Muito ilustre e séria.

– Hermia Redcliffe?

– Exato, acertou na mosca.

– Quem te contou sobre ela?

– Poppy, é claro. Ela também é rica, não é?

– Ela é bastante rica. Mas realmente...

– Tudo bem, tudo bem. Não estou dizendo que você se casaria com ela por dinheiro, você não é desse tipo. Mas quem tem a mente suja como Bradley certamente acreditaria nisso. Muito bem, vejamos o plano. Você está prestes a pedir Hermia em casamento quando a indesejada esposa ressurge do passado. Ela chega a Londres e as coisas só pioram. Você exige o divórcio e ela não aceita. Uma mulher vingativa. Até que você ouve falar do Cavalo Amarelo. Aposto que Thyrza e aquela tola camponesa da Bella pensarão que foi esse o motivo da sua visita. Elas acreditam que você tentou se aproximar e que por isso Thyrza foi tão aberta com você. Tudo não passava de uma propaganda.

– Suponho que sim – disse eu, relembrando o que aconteceu naquele dia.

– E o fato de logo depois você ter procurado Bradley se encaixa perfeitamente. Você está de mãos atadas. É um cliente em potencial...

Ela fez uma pausa triunfante. Havia algo na fala dela, mas não descobri o que era.

– Eu ainda acho que eles investigarão com muito cuidado – disse eu.

– Com certeza – concordou Ginger.

– Tudo bem em inventar uma esposa fictícia que ressurge do passado, mas eles vão querer *detalhes*, saber onde ela mora, essas coisas. E quando eu tentar me esquivar...

– Você não vai precisar se esquivar. Para que as coisas funcionem perfeitamente, a esposa tem de estar lá... e ela estará! Está preparado? – disse Ginger. – Pois, então, *eu sou sua esposa!*

II

Olhei para ela. Sendo mais específico, arregalei os olhos. Espantei-me por ela não ter dado gargalhadas ao ver minha expressão.

Eu ainda estava me recuperando quando ela começou a falar de novo.

– Não há motivo para o espanto – disse ela. – Não estou te pedindo em casamento!

Recuperei minha voz.

– Você não faz ideia do que está dizendo.

– É claro que faço. Estou sugerindo algo perfeitamente possível, além de ter a vantagem de não colocarmos em perigo uma pessoa inocente.

– Mas estamos colocando você em perigo.

– Mas isso é problema meu.

– Não, não é. Além do mais, não conseguiríamos mentir por muito tempo.

– Conseguiríamos, sim. Já pensei nisso. Eu me hospedo em um flat mobiliado e levo comigo uma ou duas malas com etiquetas de viagem. Alugo o quarto no nome da sra. Easterbrook, e quem ousaria dizer que não sou a sra. Easterbrook?

– Qualquer um que te conheça.

– Quem me conhece não vai me ver. Estarei afastada do trabalho, doente. Pinto o cabelo, aliás, sua esposa, era loira ou morena? Não que isso importe muito...

– Morena, cabelos pretos – disse eu, mecanicamente.

– Ótimo, detesto descoloração. Mudo minhas roupas, me maquio bastante, nem meus amigos íntimos me reconheceriam. E como você não teve uma esposa em evidência nos últimos quinze anos, ninguém vai perceber que eu *não sou* ela. Por que alguém do Cavalo Amarelo teria dúvidas de que eu sou quem afirmo ser? Se você está preparado para fazer uma aposta altíssima de que eu sou sua mulher, não são eles que duvidarão da minha legitimidade. Você é um cliente genuíno, não tem ligação alguma com a polícia. Eles podem se certificar do casamento procurando registros no cartório da Somerset House. Podem procurar saber da sua amizade com Hermia e tudo o mais, então para quê ter dúvidas?

– Você não está percebendo os riscos e as dificuldades envolvidas.

– Riscos, mas que inferno! – disse Ginger. – Eu vou adorar ajudá-lo a arrancar míseras cem libras ou o que quer que seja daquele vigarista do Bradley.

Olhei para ela. Eu gostava muito dela. O cabelo ruivo, as sardas, a coragem. Mas não podia deixar que corresse tais riscos.

– Não posso aceitar isso, Ginger – disse eu. – Imagine se alguma coisa acontecer...

– Comigo?

– Sim.

– Mas isso não é problema meu?

– Não. Fui eu que a envolvi nisso tudo.

Ela anuiu com a cabeça, pensativa.

– É, sei que sim. Mas não importa quem se envolveu primeiro. Agora estamos os dois metidos nisso e *precisamos* fazer alguma coisa. Estou falando sério, Mark. Não estou levando tudo como uma grande brincadeira. Se o que acreditamos ser verdade for de fato verdade, é algo brutal e doentio que *precisa parar*! Veja bem, não se trata de assassinatos sangrentos por ódio ou ciúmes, muito menos por cobiça, a debilidade humana de matar para lucrar arriscando a própria pele. São assassinatos como um *negócio*, e sequer querem saber quem é a vítima. Isso se tudo for verdade.

Ela olhou para mim em um momento de dúvida.

– É verdade – disse eu. – E é por isso que tenho medo.

Ginger encostou os cotovelos na mesa e começou a argumentar.

Discutimos o assunto do início ao fim, de trás para frente, repetindo tudo o que já tínhamos conversado enquanto os ponteiros do relógio no consolo da lareira moviam-se lentamente.

Por fim, Ginger recapitulou.

– Então é isso. Já estou precavida, e isso vale por dois. *Eu sei* o que estarão tentando fazer comigo. E não acredito por um segundo sequer que conseguirão fazê-lo. Se existe mesmo esse "desejo de morte", o meu é pouco desenvolvido. Sou uma mulher saudável. E não acho que eu vá desenvolver cálculos biliares ou meningite só porque a velha Thyrza desenhou pentagramas no chão, porque Sybil entrou em transe, ou seja lá o que essas mulheres fazem.

– Bella sacrifica galos brancos, acredito – disse eu, pensativo.

– E você deve admitir que é uma tapeação da pior espécie!

– Não sabemos o que acontece *de fato* – salientei.

– Não. E por isso é importante descobrir. Você acredita mesmo que eu, em um apartamento em Londres, possa desenvolver uma doença fatal por causa do que aquelas mulheres fazem no velho estábulo do Cavalo Amarelo? *Duvido!*

– Não, não posso acreditar – disse eu. Mas acrescentei: – No entanto, acredito...

Nós nos entreolhamos.

– Esse é o seu ponto fraco – disse Ginger.

— Veja só – disse eu. – Vamos inverter as coisas. Ficarei em Londres. Você será a cliente, nós bolamos um plano e...

Ginger balançou a cabeça negativamente.

— Não, Mark – disse ela. – Não vai funcionar se for assim, por diversas razões. A mais importante é que já sou conhecida no Cavalo Amarelo como uma pessoa muito despreocupada. Elas poderiam obter todas as informações a meu respeito com Rhoda. Você já está na posição ideal, é um cliente nervoso que está tentando tomar uma decisão e não conseguiu se comprometer ainda. Tem de ser assim.

— Não gosto disso. Não gosto de imaginar você sozinha em um lugar qualquer, usando nome falso, sem ninguém para cuidar de você. Acho que antes de embarcarmos nessa, deveríamos ir à polícia, agora mesmo, antes de tentarmos qualquer coisa.

— Concordo – disse Ginger, tranquilamente. – Na verdade, acho que é isso o que você deve fazer, pois já tem o que é preciso para começar. Mas quem procurar? Scotland Yard?

— Não – disse eu. – Acho que o inspetor Lejeune é a melhor alternativa.

CAPÍTULO 15

Narrativa de Mark Easterbrook

À primeira vista, tive uma excelente impressão do inspetor Lejeune. Ele tinha um ar competente natural. Além disso, considerava-o um sujeito imaginativo, o tipo de homem que adoraria levar em consideração possibilidades incomuns.

Ele disse:

— O dr. Corrigan me avisou que o senhor viria me procurar. Ele ficou muito interessado neste caso desde o início. O padre Gorman, obviamente, era muito conhecido e respeitado na região. E agora o senhor diz ter informações especiais sobre esse caso?

— Sim, sobre um lugar chamado Cavalo Amarelo – disse eu.

— Que fica em um vilarejo chamado Much Deeping?

— Sim.

— Fale mais a respeito.

Contei a ele sobre a primeira vez que ouvi o nome do lugar, no Fantasie. Contei da visita que fiz a Rhoda e sobre como fui apresentado às "três irmãs sobrenaturais". Relatei, com a maior precisão que pude, a conversa que tive com Thyrza Grey naquela tarde.

— E o senhor ficou impressionado com o que ela disse?

Fiquei sem graça.

– Bem, na verdade, não. Digo, eu não levei muito a sério...

– Não mesmo, sr. Easterbrook? Pois eu acho que sim.

– Bem, acho que o senhor tem razão. A gente só não consegue admitir o quanto se é crédulo.

Lejeune sorriu.

– Mas você omitiu alguma coisa, não? Quando esteve em Much Deeping, já estava interessado no Cavalo Amarelo. Por quê?

– Acho que o fato de a garota parecer tão assustada.

– A garota da floricultura?

– Sim. Ela deixou escapar o nome do Cavalo Amarelo de um modo muito casual. O fato de ter ficado assustada só corroborou a existência de algo assustador. Depois eu me encontrei com o dr. Corrigan, e ele me contou sobre a lista dos nomes. Eu já tinha ouvido falar de duas pessoas, que já estavam mortas. Um terceiro nome soava familiar, e descobri que essa pessoa também estava morta.

– E seria a sra. Delafontaine?

– Sim.

– Continue.

– Acabei me convencendo de que deveria descobrir mais sobre isso tudo.

– E começou a investigar. Como?

Contei para ele sobre minha visita à sra. Tuckerton. Por fim, cheguei ao sr. Bradley e ao Municipal Square Buildings, em Birmingham.

Agora eu tinha toda a atenção dele. Ele repetiu o nome.

– Bradley – disse ele. – Então Bradley está metido nisso?

– O senhor o conhece?

– Sim, sabemos tudo sobre o sr. Bradley. Ele já nos deu muito problema. É um sujeito esperto, faz tudo de modo que não possamos pegá-lo. Conhece todos os expedientes e truques do sistema legal e sempre anda na linha. É o tipo de cara apto a escrever um manual como "Cem maneiras de escapar da lei". Mas assassinato, ainda mais extorsão organizada, é algo que não imaginava fazer parte das atividades dele.

– Agora que lhe contei sobre a conversa que tive com ele, há como agir de alguma maneira?

Lejeune balançou a cabeça lentamente.

– Não, não há nada que possamos fazer. Para começar, não houve testemunhas da conversa. Só havia vocês dois na sala, e ele pode negar tudo, se quiser! Além disso, ele estava certo quando disse que podemos apostar no que quisermos. Ele aposta que alguém não vai morrer e perde. Que crime há nisso? A não ser que possamos ligá-lo com o crime em questão, o que não seria nada fácil.

Ele deu de ombros quando parou de falar. Fez uma breve pausa e prosseguiu:

– Por acaso você cruzou com um homem chamado Venables enquanto esteve em Much Deeping?

– Sim – disse eu. – Levaram-me para almoçar com ele um dia.

– Ah! E qual foi a impressão que teve dele?

– Uma impressão muito forte. É um homem de grande personalidade. Um inválido.

– Sim. Paralisado pela pólio.

– Só se move com cadeira de rodas. Mas a incapacidade parece ter aumentado sua determinação pela vida e o prazer de viver.

– Diga-me tudo o que puder sobre ele.

Descrevi a casa de Venables, os tesouros artísticos e a diversidade de seus interesses.

– É uma pena – disse Lejeune.

– O que é uma pena?

– Que Venables seja paralítico – disse ele, secamente.

– Desculpe-me, mas o senhor tem certeza de que ele é paralítico? Ele não poderia estar fingindo?

– Temos certeza de que ele é paralítico na mesma medida em que temos certeza de todo o resto. O médico dele é sir William Dugdale, da rua Harley, um homem acima de qualquer suspeita. Sir William nos assegurou que os membros de Venables se atrofiaram. O sr. Osborne afirma que viu Venables passando pela rua naquela noite. Mas ele estava errado.

– Entendo.

– Como disse, é uma pena, pois se existe mesmo uma organização que cuida de assassinatos, Venables seria o tipo de homem capaz de planejar isso.

– Sim, foi exatamente o que pensei.

Lejeune traçou círculos entrelaçados sobre a mesa com a ponta do dedo. Em seguida, levantou a cabeça e olhou direto nos meus olhos.

– Vamos juntar as informações que temos com as novidades que você trouxe. Parece razoavelmente correto que haja alguma agência ou organização especializada no que podemos chamar de eliminação de pessoas indesejadas. Não há nada de grosseiro nessa organização. Eles não contratam bandidos ou pistoleiros... Não há nada que prove que as vítimas não tiveram mortes perfeitamente naturais. Devo dizer que além das três mortes que você mencionou, temos informações muito vagas sobre as outras. Todas foram mortes por causas naturais, mas houve quem se beneficiasse com elas. Mas não há evidências, veja só.

"É uma organização inteligente e diabólica, sr. Easterbrook. A pessoa que bolou essa organização é esperta e pensou em todos os detalhes. E só temos alguns nomes esparsos. Sabe Deus quantas mortes mais foram causadas, ou o quanto a organização é conhecida por aí. Só obtivemos essa lista de nomes acidentalmente, revelada por uma mulher que sabia que estava morrendo e queria partir em paz."

Ele balançou a cabeça com raiva e prosseguiu:

– Essa mulher, Thyrza Grey, você disse que ela se vangloriou dos poderes que tem! Ela pode fazer isso na maior impunidade. Podemos acusá-la de assassinato, jogá-la no banco dos réus, proclamar aos céus e ao júri que ela aniquilou pessoas com o poder da mente ou tramando feitiços e, mesmo assim, ela não seria condenada segundo a lei. Ela jamais se aproximou das pessoas que morreram, sequer mandou chocolate envenenado para as vítimas pelo correio ou algo parecido. Segundo o que ela mesma diz, ela simplesmente se senta e usa telepatia! Ora, o tribunal daria gargalhadas disso tudo!

Eu murmurei:

– Mas os anjos não riem, tampouco membro algum da Alta Corte Celestial.

– O que é isso?

– Desculpe, é uma citação de "A hora imortal".

– Bom, isso é verdade. Os demônios no Inferno estão gargalhando, mas não o Guardião dos Céus. É um troço *diabólico*, sr. Easterbrook.

– Sim – disse eu. – É uma palavra que não usamos muito atualmente. Mas é a única que cabe nesse caso. É por isso que...

– Sim?

Lejeune olhou para mim de modo interrogativo.

Eu falei rapidamente:

– Acho que existe uma chance de descobrirmos mais a respeito disso tudo. Eu e uma amiga bolamos um plano. Talvez o senhor ache uma idiotice...

– Deixe que eu tire minhas próprias conclusões.

– Primeiro, concluí por tudo o que disse que o senhor tem certeza da existência dessa organização e de que ela funciona, não é?

– Certamente funciona.

– Mas o senhor não sabe *como* funciona, certo? Nós conhecemos os primeiros passos. O sujeito a quem se chama de cliente ouve falar da organização, começa a pesquisar sobre o assunto, é enviado ao sr. Bradley, em Birmingham, e decide dar continuidade ao assunto. É feito uma espécie de acordo com Bradley e depois o cliente é enviado ao Cavalo Amarelo, ao menos creio que seja assim. Mas não sabemos o que acontece *depois disso*. O que será que realmente acontece no Cavalo Amarelo? Alguém precisa descobrir!

– Prossiga.

– Afinal, não podemos seguir adiante enquanto não soubermos exatamente o que Thyrza Grey faz. O médico legista, Jim Corrigan, diz que isso tudo é conversa fiada, mas será mesmo, inspetor Lejeune?

Lejeune suspirou.

– Você sabe que eu responderia o mesmo que qualquer pessoa sensata: "Sim, é pura conversa fiada". Mas agora estou falando extraoficialmente. Coisas muito estranhas aconteceram nos últimos cem anos. Você acha que há setenta anos alguém acreditaria ser possível ouvir as doze badaladas do Big Ben saindo de uma televisão, e, depois de ter ouvido, ouvir de novo com os mesmos ouvidos, através da janela, as badaladas ecoando do próprio relógio, sem mistério? Acontece que o Big Ben toca somente *uma vez*, não duas, e a pessoa escuta o mesmo som por dois tipos de ondas diferentes! Você acreditaria ser possível conversar com alguém em Nova York, sentado na sua sala de jantar, simplesmente através de um fio de telefone? Há tanta coisa que antes era inconcebível e hoje até uma criança sabe como funciona!

– Em outras palavras, tudo é possível?

– É isso o que quero dizer. Se você me perguntar se Thyrza Grey pode matar alguém virando os olhos, entrando em transe ou projetando sua vontade, eu diria que não. Mas não sei, não dá para se ter certeza. E se ela descobriu algo inusitado?

– Sim – disse eu. – O sobrenatural parece sobrenatural. Mas a ciência de amanhã é o sobrenatural de hoje.

– Veja bem, nossa conversa não é oficial – alertou-me Lejeune.

– O que você diz faz muito sentido. E a minha resposta é que alguém precisa ir até lá e ver o que realmente acontece. Essa é minha proposta: pagar para ver.

Lejeune olhou para mim.

– O caminho já está aberto – disse eu.

Tranquilizei-me e contei para ele todo o plano que eu e minha amiga tínhamos arquitetado.

Ele ouviu franzindo a testa e mordendo o lábio inferior.

– Sr. Easterbrook, eu entendo sua ideia. As circunstâncias, digamos assim, já lhe deram o livre acesso. Mas não sei se o senhor entende plenamente que sua proposta pode ser perigosa, pois essas pessoas são perigosas. Pode ser ruim para você, e certamente será pior para sua amiga.

– Eu sei – disse –, eu sei... Discutimos o assunto uma centena de vezes. Não gosto de tê-la no papel que pretende representar. Mas ela está absolutamente decidida. Que droga, ela quer fazer isso!

Lejeune disse, inesperadamente:

– Ela é ruiva, não é mesmo?

– Sim – disse eu, surpreso com a pergunta.

– Jamais discuta com uma ruiva – disse Lejeune. – Eu que o diga!

Fiquei me perguntando se a esposa dele era ruiva.

CAPÍTULO 16

Narrativa de Mark Easterbrook

Não senti nem uma pitada de nervosismo durante o meu segundo encontro com Bradley. Na verdade, até gostei.

– Coloque-se no lugar de quem contrata o serviço – pediu-me Ginger antes que eu partisse, e foi exatamente isso o que fiz.

O sr. Bradley me recebeu com um sorriso de boas-vindas.

– Mas que prazer em vê-lo – disse ele, estendendo a mão rechonchuda. – Então você andou pensando no seu probleminha, não é? Como eu disse, sem pressa, a seu tempo.

– É exatamente isso o que não pode acontecer – disse eu. – Quero dizer, a situação é meio urgente...

Bradley olhou para mim. Ele notou o meu nervosismo, o modo como eu evitava os olhos dele, a falta de jeito com as mãos enquanto tirava o chapéu.

– Ora, ora – disse ele. – Vejamos o que podemos fazer. Você quer apostar em alguma coisa, é isso? Nada como uma emoção esportiva para esquecer os problemas.

– A situação é a seguinte – disse eu, interrompendo as palavras no ar.

Deixei que Bradley conduzisse a conversa.

– Vejo que você está nervoso – disse ele. – Cautela. Aprecio sua cautela. Jamais diga algo que sua mãe não gostaria de ouvir. Talvez você ache que tem um grampo no meu escritório, seria isso?

Não entendi e deixei que a incompreensão transparecesse no meu rosto.

– É uma gíria para microfone – explicou ele. – Gravadores, essas coisas. Não, você tem a minha palavra de honra de que não há nada disso aqui. Nossa conversa não será gravada de maneira alguma. E se não acredita em mim – a sinceridade dele era bastante envolvente –, tem todo o direito de escolher onde quer que nossa conversa se desenrole: um restaurante, um banco de espera de uma estação de metrô, que tal?

Eu disse que preferia que fosse ali mesmo.

– Muito sensato. Não valeria a pena conversarmos em outro lugar. Nenhum de nós dirá uma palavra sequer que, no linguajar da lei, pudesse "ser usada contra nós". Comece falando do que te preocupa. Você me considera um sujeito compreensivo e sente que seria bom me contar o que está acontecendo. Tenho muita experiência e talvez eu possa aconselhá-lo. Uma dor partilhada é uma dor pela metade, como dizem. Podemos fazer assim?

Concordamos que assim seria e comecei a contar minha história.

O sr. Bradley agia com muita destreza. Fez perguntas quando necessário, me tranquilizou quando abordávamos detalhes mais delicados. Ele era tão bom que não tive dificuldade alguma em contar para ele sobre minha paixão de juventude por Doreen e nosso casamento secreto.

– Acontece com frequência – disse ele, balançando a cabeça. – Com muita frequência. É compreensível: um jovem cheio de ideais, uma garota genuinamente bela. E antes até de pensarem em casamento, já estavam casados. E o que aconteceu depois?

Continuei contando a história.

Nessa parte eu evitei os detalhes, propositalmente. O homem que eu tentava representar não entraria em detalhes sórdidos. Retratei apenas um quadro de decepção, o retrato de um jovem tolo que percebe que foi tolo.

Deixei que ele presumisse a existência de uma briga final. Se Bradley entendesse que minha jovem esposa havia se mandado com outro cara, ou que havia a perspectiva de outro homem, já estava de bom tamanho.

– Mas você sabe – disse eu, ansioso –, embora ela não fosse bem o que eu pensava, ela era uma garota muito doce. Jamais imaginei que ela seria assim... digo, que se comportaria assim.

– E o que exatamente ela fez?

Expliquei a ele que a minha "esposa" voltara.

– E o que você achou que tinha acontecido com ela?

– Acho que algo extraordinário, na verdade *não pensei em nada*. Achei que talvez estivesse morta.

Bradley balançou a cabeça negativamente.

– Puro devaneio. *Por que* ela estaria morta?

– Ela nunca escreveu, nem nunca deu sinal. Nunca ouvi falar dela.

– A verdade é que você queria esquecê-la.

O advogadozinho de olhos arregalados tinha acabado de agir como psicólogo.

– Sim – disse eu, em tom de agradecimento. – O senhor entende? Não é como se eu quisesse me casar com outra pessoa.

– Mas agora você quer, não é isso?

– Bem... – disse eu, demonstrando certa relutância.

Admiti, envergonhado, que sim, que ultimamente eu *tinha* pensado em me casar...

Mas mantive os pés no chão e me recusei terminantemente a dar quaisquer detalhes sobre a garota em questão. Eu não a colocaria no meio disso e não diria uma palavra sobre ela.

Acho que, mais uma vez, minha reação foi correta. Ele não insistiu. Em vez disso, ele disse:

– Extremamente natural, meu caro. Você teve uma experiência desagradável no passado. Agora, encontrou alguém que, sem dúvida, é apropriada para você. Uma pessoa capaz de compartilhar dos seus gostos literários e do seu modo de vida. Uma verdadeira companheira.

Foi quando percebi que ele sabia sobre Hermia. Teria sido fácil. Quaisquer perguntas sobre mim revelariam o fato de que eu só tinha uma amiga próxima. Bradley, desde que recebeu minha carta marcando uma reunião, deve ter descoberto tudo a meu respeito e tudo sobre Hermia. Ele tinha todas as informações.

– E quanto ao divórcio? – perguntou ele. – Não seria a solução natural?

– Não há como cogitar o divórcio – disse eu. – Ela... minha esposa... não quer ouvir falar nessa palavra.

– Oh, meu caro, e qual a atitude dela perante a isso?

– Ela... ela quer voltar para mim. Ela é irracional. Sabe que existe outra pessoa, mas...

– Está jogando sujo... entendo... Parece não haver outra saída, a não ser... Mas ela é muito jovem...

– Ela viverá anos! – disse eu, amargamente.

– Ah, mas nunca se sabe, sr. Easterbrook. Ela morava no exterior, é isso?

– Isso é o que ela diz. Não sei por onde esteve.

– Pode ter sido no Oriente. Você sabe, nesses lugares as pessoas costumam contrair alguma bactéria que fica inativa anos a fio. Depois, quando menos se espera, ela se manifesta! Conheço dois ou três casos do tipo. Talvez sua esposa seja um deles. Se isso for aliviá-lo – ele fez uma pausa –, podemos fazer uma aposta!

Eu balancei a cabeça.

– Ela vai viver anos.

– Bem, as probabilidades estão a seu favor, devo admitir... Mas façamos uma aposta. Aposto 150 mil libras contra cem que ela passa dessa para uma melhor antes do Natal. O que acha?

– Antes disso! Tem de ser antes disso. Eu não posso esperar. É que existem algumas coisas...

Fui incoerente de propósito. Não sei se ele deduziu que a relação entre eu e Hermia tinha ficado mais séria e eu não podia me dar ao luxo de esperar, ou se minha "esposa" tinha ameaçado procurar Hermia e criar problemas. Ele pode ter imaginado que outro homem fosse pedir Hermia em casamento. Não me interessa o que ele pensou. Eu só quis salientar que havia urgência.

– Vamos mexer na aposta, então – disse ele. – Aposto 180 mil libras contra cem que sua esposa morre em um mês. Essa é minha intuição.

Achei que era a hora de barganhar, e foi isso o que fiz. Protestei dizendo que não tinha tanto dinheiro, e Bradley foi esperto. Ele sabia, de uma forma ou de outra, exatamente a quantia que eu poderia gastar em uma emergência. Ele sabia que Hermia tinha dinheiro, e a prova disso foi a alusão de que mais tarde, quando eu estivesse casado, eu nem sentiria a perda da aposta. Além do mais, minha urgência o deixou em uma posição delicada. Ele não cederia.

Por fim, a fantástica aposta foi aceita e fechada.

Assinei uma espécie de nota promissória. Fui incapaz de entender tantas expressões legais naquela fraseologia toda. Na verdade, tive minhas dúvidas da validade legal do documento.

– Tem alguma validade legal? – perguntei.

– Não acredito – disse o sr. Bradley, mostrando sua dentadura de primeiríssima qualidade – que algum dia isso seja colocado à prova. – O sorriso dele não foi muito agradável. – Aposta é aposta. Se o sujeito não paga...

Eu olhei para ele.

– Eu não aconselharia essa atitude, de modo algum – disse ele, tranquilamente. – Não gostamos de caloteiros.

– Eu não sou caloteiro – disse eu.

– Tenho certeza disso, sr. Easterbrook. Agora, vamos aos detalhes. A sra. Easterbrook mora em Londres. Onde, exatamente?

– É preciso mesmo saber?

– Preciso de todos os detalhes, e o próximo passo será marcar um encontro com a srta. Grey. O senhor se lembra dela?

Disse que sim, é claro que me lembrava.

– Uma mulher incrível. Realmente, uma mulher incrível e cheia de dons. Ela vai precisar de um objeto pessoal da sua esposa, como uma luva, um lenço, algo assim.

– Mas para quê? Faça-me o favor...

– Eu sei, eu sei. Eu lhe entendo, mas não me pergunte *para quê*. Eu não tenho a menor ideia. A srta. Grey tem seus segredos.

– Mas o que acontece? O que ela *faz*?

– Você precisa acreditar em mim, sr. Easterbrook, quando digo que não tenho a menor ideia do que ela faz. Eu não sei e, além do mais, *eu não quero saber*. Melhor que seja assim.

Ele fez uma pausa e prosseguiu, em um tom de voz quase paterno:

– Meu conselho é o seguinte, sr. Easterbrook. Faça uma visita à sua esposa. Tranquilize-a, deixe-a pensar que talvez você queira uma reconciliação. Sugiro que viajem durante algumas semanas. Daí, quando o senhor voltar...

– Daí?

– O senhor irá a Much Deeping levando consigo uma peça de roupa dela. – Ele fez uma pausa, pensativo. – Deixe-me ver... Acho que o senhor mencionou da outra vez que tem amigos ou parentes naquela região?

– Sim, uma prima.

– Isso facilita as coisas. Sua prima pode hospedá-lo por um ou dois dias.

– O que as pessoas costumam fazer? Ficam na pousada local?

– Acho que sim... ou voltam de carro para Bournemouth. Sei pouco sobre esses pormenores.

– E o que minha prima vai pensar disso?

– Diga que está curioso em relação às mulheres do Cavalo Amarelo e que quer participar de uma sessão. Não há como ser mais fácil, pois a srta. Grey e sua amiga médium costumam realizar essas sessões. Você sabe como são os espiritualistas. Portanto, diga que tudo não faz o menor sentido, mas que mesmo assim tem interesse em participar. É só isso, sr. Easterbrook, nada mais simples.

– E... e depois disso?

Ele balançou a cabeça, sorrindo.

– Isso é tudo o que posso dizer. Na verdade, é tudo o que sei. A srta. Thyrza Grey ficará a cargo de tudo. Não se esqueça de levar uma luva ou um lenço. Depois, sugiro que o senhor faça uma viagem. A Riviera Italiana é muito agradável nessa época do ano. Tire uma ou duas semanas de folga.

Eu disse que não queria viajar, que queria ficar na Inglaterra.

– Tudo bem, então, mas aconselho terminantemente que o senhor *não fique* em Londres.

– Por que não?

O sr. Bradley olhou para mim em tom de reprovação.

– Só podemos garantir a segurança total do cliente *se* ele obedecer às ordens – disse ele.

– E que tal Bournemouth?

– Sim, Bournemouth seria adequado. Hospede-se em um hotel, faça amizades e seja visto na companhia delas. O objetivo é que você leve uma vida irrepreensível. Se o senhor se cansar de Bournemouth, pode ir até Torquay.

Ele falou com a amabilidade de um agente de viagens.

Mais uma vez, tive de apertar sua mão rechonchuda.

CAPÍTULO 17

Narrativa de Mark Easterbrook

I

— Você vai mesmo participar de uma sessão com a Thyrza? – perguntou Rhoda.

— Por que não?

— Nunca soube do seu interesse por esse tipo de coisa, Mark.

— Não tenho tanto interesse assim – disse eu, sinceramente. – Mas aquelas três formam um grupo muito estranho. Estou curioso para ver o que acontece por lá.

Não foi fácil explicar nesse tom desinteressado. De soslaio, percebi que Hugh Despard me olhava pensativo. Ele era um homem inteligente, vivera uma vida cheia de aventuras, era do tipo que tem um sexto sentido para o perigo. Acho que ele sentiu essa presença naquele momento e percebeu que havia algo mais em jogo do que a mera curiosidade.

— Então eu irei com você – disse Rhoda, alegrando-se. – Eu sempre quis ir.

— Você não vai a lugar algum, Rhoda! – gritou Despard.

— Mas eu não acredito nessas coisas, Hugh. Você sabe que não acredito. Só para me divertir um pouco.

— Esse tipo de coisa não é diversão – disse Despard. – Deve haver algo de verdadeiro nisso, acho muito provável. E não tem um efeito bom sobre as pessoas que vão até lá por "mera curiosidade".

— Então terá de dissuadir Mark também.

— Mark não é responsabilidade minha – disse Despard.

No entanto, ele me lançou mais uma vez aquele olhar de lado, prolongado. Ele sabia que eu tinha um propósito, eu tinha certeza disso.

Rhoda ficou aborrecida, mas acabou abandonando a ideia. Quando encontramos Thyrza Grey por acaso no vilarejo, naquela mesma manhã, a própria Thyrza foi direto ao assunto.

— Olá, sr. Easterbrook, estamos esperando sua visita esta noite. Espero que o senhor goste. Sybil é uma médium extraordinária, mas nunca se sabe de antemão quais serão os resultados. Portanto, não se decepcione. Só peço que mantenha a mente aberta. Os curiosos honestos são sempre bem-vindos, mas uma presença frívola e zombeteira é muito ruim.

— Eu também queria ir – disse Rhoda. – Mas Hugh é muito preconceituoso, você sabe que ele morre de medo.

— Eu não poderia recebê-la – disse Thyrza. – Só podemos ter uma pessoa de fora.

Ela olhou para mim.

– O senhor deveria vir e fazer uma leve refeição conosco antes de iniciarmos – disse ela. – Não comemos nada pesado antes de uma sessão. Que tal às sete? Ótimo, estaremos esperando.

Ela anuiu com a cabeça, sorriu e saiu a passos largos. Eu estava tão absorto nos meus pensamentos enquanto olhava para ela que não entendi o que Rhoda estava dizendo.

– O que disse, Rhoda?

– Você anda muito estranho ultimamente, Mark. Desde que chegou aqui. Está acontecendo alguma coisa?

– Não, é claro que não. O que poderia haver de errado?

– Você teve um bloqueio criativo e não consegue continuar o livro?

– Que livro? – Eu me esqueci completamente do livro por um momento. Depois disse apressado: – Ah, sim, o livro. Está indo.

– Acho que você está apaixonado – disse Rhoda, acusando-me. – Sim, então é isso! O efeito da paixão é horrível sobre os homens, parece desorientá-los. Já com as mulheres acontece o oposto, sentem-se nas alturas, parecem radiantes e duas vezes mais belas do que são. Engraçado, não é mesmo, como a paixão pode favorecer tanto as mulheres e fazer os homens parecerem carneirinhos adoentados.

– Ah, obrigado – disse eu.

– Oh, não fique zangado, Mark. Eu acho excelente e fico encantada. Ela é uma mulher muito bacana.

– Quem?

– Hermia Redcliffe, é claro. Você deve achar que não sei nada de nada, mas há séculos tenho observado vocês. Ela é a pessoa certa para você: bonita, inteligente, nada mais apropriado.

– Esse é o comentário mais malicioso que já ouvi da sua parte – disse eu. Rhoda olhou para mim.

– De certa forma – disse ela.

Ela se virou e disse que precisava ir ao açougue. Eu disse que precisava conversar com o vigário.

– Mas não é para marcar a data do casamento – disse eu, antes que ela fizesse qualquer comentário.

II

Ir ao vigário era como chegar em casa.

A porta da frente estava aberta de modo hospitaleiro, e quando dei o primeiro passo, pude sentir que um peso se esvaía dos meus ombros.

A sra. Dane Calthrop passou por uma porta nos fundos do hall carregando um enorme balde de plástico verde, por alguma razão que me era inconcebível.

– Olá, é você – disse ela. – Já o esperava.

Ela me entregou o balde. Eu não tinha a menor ideia do que fazer com ele e continuei parado, demonstrando surpresa.

– Do lado de fora, na escada – disse a sra. Calthrop de modo impaciente, como se eu tivesse obrigação de saber onde colocar o balde.

Obedeci. Depois a segui até a mesma sala decadente onde nos sentamos da outra vez. O fogo da lareira estava quase se apagando, mas a sra. Dane Calthrop remexeu a brasa e colocou mais lenha para queimar. Depois, fez um gesto para que eu me sentasse, acomodou-se e se virou para mim com um olhar impaciente.

– E então? – perguntou ela. – O que você fez?

A julgar pelo vigor dela, eu diria que estávamos prestes a perder o trem.

– A senhora me disse para fazer alguma coisa, e é o que estou fazendo.

– Ótimo. Mas o quê?

Contei toda a história para ela. De maneira implícita, acabei falando de coisas que nem eu sabia muito bem.

– Hoje à noite? – disse a sra. Dane Calthrop, pensativa.

– Sim.

Ela ficou em silêncio por um momento, obviamente pensando. Não pude me conter e acabei soltando:

– Não gosto disso. Deus, não estou gostando disso.

– E deveria?

Isso, é claro, eu não podia responder.

– Estou com muito medo do que possa acontecer com ela.

Ela olhou para mim gentilmente.

– A senhora não sabe – disse eu – como ela é corajosa. Se elas conseguirem machucá-la de alguma maneira...

A sra. Dane Calthrop disse em um tom ameno:

– Eu realmente não imagino *como* elas poderiam machucá-la desse jeito.

– Mas elas já fizeram mal a outras pessoas.

– Pelo menos é o que parece... – disse ela, descontente.

– Vai ficar tudo bem. Nós tomamos todas as precauções. Ela não vai sofrer dano algum.

– Mas é exatamente isso o que essas pessoas dizem ser capazes de fazer – salientou a sra. Dane Calthrop. – Elas afirmam ter o poder de agir no corpo através da mente, provocando doenças e enfermidades. É muito interessante se for verdade, mas é pavoroso! E elas precisam ser detidas, já falamos sobre isso.

– Mas ela é a única que está correndo todo o risco – murmurei.

– Alguém tem que assumir o risco – disse a sra. Dane Calthrop calmamente. – Você está de orgulho ferido por não ter sido você e precisa admitir isso. Ginger é a pessoa ideal para o papel que está representando. É uma mulher equilibrada e inteligente, você não vai se decepcionar.

– Não estou preocupado com isso!

– Então não há com o que se preocupar. Ela não será prejudicada. Não fuja do seu propósito. E, se ela morrer, será por uma boa causa.

– Deus meu, a senhora é cruel!

– Alguém precisa ser – disse a sra. Dane Calthrop. – Pense sempre no pior. Você não faz ideia de como isso equilibra os nervos. Você já começa com a certeza de que não pode ser pior do que imaginava.

Ela balançou a cabeça para mim, reafirmando-se.

– Talvez a senhora esteja certa – disse eu, em tom de dúvida.

A sra. Dane Calthrop disse que, com toda certeza, estava certa. Eu comecei a me ocupar dos detalhes.

– A senhora tem telefone?

– Sim, é claro.

Expliquei a ela o que queria fazer.

– Após o encontro de hoje, precisarei manter contato com Ginger, telefonando para ela todos os dias. Eu posso usar o telefone daqui?

– É claro. Há muita gente na casa de Rhoda, você precisa do mínimo de privacidade.

– Devo passar alguns dias na casa de Rhoda. Depois talvez eu vá para Bournemouth, pois não devo voltar para Londres.

– Não adianta ficar planejando agora – disse a sra. Dane Calthrop. – Concentre-se em hoje à noite.

– Hoje à noite... – disse eu, levantando-me. Em seguida, acabei pedindo algo fora de propósito. – Reze por mim... por nós – disse eu.

– Naturalmente que sim – disse a sra. Dane Calthrop, surpresa com o meu pedido.

Quando passei pela porta de entrada, fui tomado de uma súbita curiosidade.

– E o balde, para que serve?

– O balde? Ah, é para as crianças colherem frutinhas no cercado... para a igreja. É um balde horroroso, mas muito prático.

Olhei em volta admirando a riqueza e a beleza do outono.

– Anjos e mensageiros de Deus, defendei-nos! – disse eu.

– Amém – disse a sra. Dane Calthrop.

III

Fui recebido no Cavalo Amarelo de um modo extremamente convencional. Não sei que tipo de atmosfera eu esperava, mas não era aquela.

Thyrza Grey abriu a porta usando um vestido de algodão, preto e liso.

– Que bom que chegou – disse ela em tom profissional. – O jantar já está quase servido.

Nada poderia ser mais prosaico e ordinário...

Percebi que, no fundo da sala enfeitada, a mesa já estava posta para uma refeição simples. Bella nos serviu sopa, omelete e queijo. Ela estava usando um vestido preto de lã e, mais do que nunca, parecia ter vindo de uma comunidade italiana primitiva. Sybil passava uma impressão mais exótica. Ela estava usando um vestido longo e colorido, com uma estampa imitando penas de pavão e detalhes dourados. Não estava usando colares, mas dois braceletes dourados e pesados tilintavam nos pulsos. Ela comeu apenas uma porçãozinha de omelete, falou pouco e nos tratou como se estivesse em outra dimensão, talvez para me impressionar. Na verdade, não me impressionou nem um pouco. O efeito foi teatral e surreal.

Thyrza Grey foi a responsável por conduzir a conversa, fazendo comentários rápidos sobre os acontecimentos locais. Nesta noite, ela agiu como uma típica solteirona inglesa do interior: agradável, eficiente, interessada apenas no que acontece ao seu redor.

Pensei comigo que eu devia ser totalmente maluco. O que havia para temer ali? Até Bella nada parecia além de uma velha camponesa tola, como centenas de outras mulheres desse tipo, sem conhecimentos ou perspectivas mais amplas do mundo.

Relembrei a conversa que tivera com a sra. Dane Calthrop, que me pareceu absurda. Deixamos a imaginação tão à solta que acreditamos sabe-se lá Deus em quê. A ideia de que Ginger, com os cabelos tingidos e nome falso, corria algum perigo nas mãos dessas três mulheres comuns era certamente ridícula.

Quando o jantar acabou, Thyrza disse, reflexiva:

– Não tomaremos café. Não podemos ter estímulos demais. – Ela se levantou. – Sybil?

– Sim – disse Sybil, deixando que o rosto mostrasse claramente o que ela achava ser uma expressão sobrenatural e de arrebatamento. – Já sei, devo me PREPARAR...

Bella começou a retirar a mesa. Caminhei até onde a velha plaqueta ficava pendurada. Thyrza me seguiu.

– Não dá para ver nada com essa luz – disse ela.

Era bem verdade. A imagem amarela e apagada contra a sujeira incrustada do painel mal podia ser identificada como um cavalo. A iluminação da sala era mantida por lâmpadas elétricas fracas que emanavam dos abajures de velino.

– Aquela moça ruiva, qual é mesmo o nome dela? Ginger alguma coisa, que esteve aqui da outra vez e disse que poderia restaurar a plaqueta – disse Thyrza. – Mas acho que ela nem deve se lembrar disso. – Em seguida, acrescentou informalmente: – Acho que ela trabalha em alguma galeria em Londres.

Tive uma sensação estranha ao ouvir Thyrza mencionar o nome de Ginger com tanta casualidade.

– O resultado pode ser interessante – disse eu, olhando para a imagem.

– A pintura nem é boa – disse Thyrza. – É só uma mistura de cal. Mas combina com o lugar, e certamente tem mais de trezentos anos.

– Estou pronta.

Olhamos rapidamente para trás. Bella estava acenando no meio da penumbra.

– Está na hora – disse Thyrza, rápida e naturalmente.

Fui atrás dela em direção ao antigo estábulo.

Como disse anteriormente, não havia ligação dos estábulos com a casa. A noite estava escura e encoberta, sem estrelas. Deixamos a escuridão de fora para trás e entramos em um longo cômodo iluminado.

Durante a noite, parecia outro lugar. Durante o dia, tive a impressão de ser uma agradável biblioteca. Agora, havia se transformado em algo mais. Havia lâmpadas, mas não estavam ligadas. A iluminação era fria e indireta, e se espalhava levemente pelo balcão. No meio do chão havia uma espécie de cama suspensa ou um divã, coberto por um tecido roxo bordado com vários símbolos cabalísticos.

Percebi que no fundo do cômodo havia um pequeno braseiro, e junto a ele uma grande bacia de cobre; uma bacia velha, a julgar pela aparência.

Do outro lado, quase encostada na parede, havia uma cadeira rústica de carvalho até a qual Thyrza me conduziu.

– Sente-se – disse ela.

Obedeci. O jeito de Thyrza havia mudado. O estranho é que eu não consegui identificar exatamente em quê. Não era algo como o ocultismo fajuto de Sybil. Era como se as cortinas da vida cotidiana tivessem sido levantadas. Por trás, havia uma mulher real, que exibia trejeitos parecidos com os de um cirurgião que se aproxima da mesa de operação para realizar um procedimento difícil e perigoso. A impressão ficou mais forte quando ela se dirigiu a um armário e tirou dele uma espécie de jaleco comprido, que sob a luz parecia ser feito de um tecido metalizado. Ela vestiu um par de luvas que mais pareciam uma malha à prova de balas.

– Preciso tomar minhas precauções – disse ela.

A frase soou um tanto sinistra.

Depois, ela se aproximou de mim com um tom de voz contundente:

– Preciso enfatizar, sr. Easterbrook, a necessidade de que você permaneça absolutamente estático onde está. Não saia dessa cadeira, pode não ser seguro. Isso aqui não é brincadeira de criança. Estou lidando com forças que são perigosas para quem não sabe conduzi-las! – Ela fez uma pausa e perguntou: – Você trouxe o que lhe foi pedido?

Sem dizer uma palavra, tirei do bolso um par de luvas de camurça marrom e entreguei para ela.

Ela pegou as luvas e caminhou até uma luminária de metal com cabo retorcido. Ligou a luz e levantou as luvas na frente da lâmpada, cuja cor era estranha e transformou o marrom brilhante do tecido em cinza comum.

Ela desligou a lâmpada e balançou a cabeça, concordando.

– Muito bem – disse ela. – As vibrações de quem as usa são bem fortes.

Ela colocou as luvas em cima do que parecia ser um aparelho de rádio, no fundo do cômodo. Depois aumentou um pouco o tom de voz e disse:

– Bella. Sybil. Estamos prontas.

Sybil foi a primeira. Por cima do vestido de pavão ela usava uma longa capa preta, a qual deixou deslizar pelo corpo com um gesto dramático. A capa caiu no chão e parecia formar uma mancha de tinta escura. Ela se aproximou.

– Espero que dê tudo certo – disse ela. – Nunca se sabe. Por favor, sr. Easterbrook, procure não ser cético. Isso dificulta as coisas.

– O sr. Easterbrook não veio aqui para zombar de nós – disse Thyrza.

Percebi um tom sinistro na voz dela.

Sybil se deitou no divã vermelho. Thyrza se inclinou sobre ela, arrumando as roupas.

– Está confortável? – perguntou ela, solícita.

– Sim, querida, obrigada.

Thyrza apagou algumas luzes. Em seguida, ela puxou uma espécie de dossel sobre rodas e o posicionou na frente do divã, provocando uma forte sombra em Sybil, posicionada no meio da penumbra.

– Muita luz prejudica o transe – disse ela. – Acho que estamos prontas. Bella?

Bella saiu das sombras. As duas mulheres se aproximaram de mim. Com a mão esquerda, Thyrza tomou a mão direita de Bella; com a direita, tomou minha mão esquerda. Bella, por sua vez, tomou minha mão direita. A mão de Thyrza era seca e dura, a de Bela era fria e magra; senti como se tivesse uma lesma na minha mão, o que me provocou arrepios.

Thyrza deve ter apertado um botão em algum lugar, pois surgiu uma música leve vinda do teto. Reconheci a melodia, era a marcha funeral de Mendelssohn.

– *Mise-en-scène* – pensei comigo mesmo, desdenhosamente. – Que baita espetáculo de ilusionismo! – Eu estava sendo frio e crítico, mas ao mesmo tempo senti uma tensão pairando no ar.

A música parou e houve uma longa espera. Só se ouvia o som da nossa respiração. A de Bella era levemente ofegante; a de Sybil, profunda e contínua.

De repente, Sybil falou, mas não com a própria voz. Era uma voz masculina e gutural, com sotaque estrangeiro, bem diferente do seu tom delicado.

– Estou aqui – disse a voz.

Elas soltaram minhas mãos. Bella desapareceu nas sombras.

– Boa noite. Macandal?

– Sim, sou Macandal.

Thyrza se aproximou do divã e afastou o dossel. O rosto de Sybil foi tomado por uma luz fraca. Ela parecia estar em sono profundo, e seu rosto, em repouso, parecia bem diferente.

As rugas desapareceram e ela parecia mais jovem. Eu seria capaz de dizer que ela estava bonita.

Thyrza disse:

– Está preparado, Macandal, para se submeter ao meu desejo e à minha vontade?

A voz, profunda, respondeu:

– Sim, estou.

– Promete proteger o corpo de Dossu, que você habita, de todo mal físico? Dedicará sua força vital ao meu propósito, para que o meu propósito possa ser realizado por meio dela?

– Sim.

– Destinará este corpo para que a morte, ao passar por ele, obedecendo às leis naturais, possa atingir o corpo da receptora?

– O morto é enviado para provocar a morte. Que assim seja.

Thyrza deu um passo para trás. Bella se aproximou e suspendeu um crucifixo. Thyrza o colocou, invertido, sobre o peito de Sybil. Depois, Bella trouxe um pequeno frasco verde, do qual Thyrza despejou uma ou duas gotas sobre a testa de Sybil e fez um traço com o dedo. Percebi que era o sinal da cruz, também invertido.

Ela disse para mim, brevemente:

– Água benta da igreja católica de Garsington.

A voz dela estava normal, o que deveria ter quebrado o feitiço; mas, em vez disso, só tornou todo o procedimento mais alarmante.

Por fim, ela pegou aquele horroroso chocalho que vimos no outro dia. Sacudiu-o três vezes, depois o envolveu nas mãos de Sybil.

Ela deu um passo para trás e disse:

– Tudo pronto.

Bella repetiu as mesmas palavras:

– Tudo pronto.

Thyrza se voltou para mim e disse, com a voz baixa:

– Acho que você não está tão impressionado assim com o ritual, não é? Alguns visitantes ficam. Talvez para você isso não passe de uma asneira... Mas não se iluda. Os rituais, um padrão de palavras e expressões santificado pelo tempo e pelo uso, têm um efeito sobre o espírito humano. O que causa as histerias em massa? Não sabemos exatamente. Mas é um fenômeno que existe. Essas práticas antigas têm seu papel – um papel necessário, acredito.

Bella, que tinha saído do velho estábulo, acabara de retornar trazendo um galo branco. Ele estava vivo, lutando para se libertar.

Com um giz branco na mão, ela se ajoelhou e pôs-se a desenhar símbolos no chão, em volta do braseiro e da bacia de cobre. Ela colocou o galo no centro da bacia e ele ficou estático.

Ela desenhou mais símbolos, entoando cantos com uma voz baixa e gutural. As palavras eram incompreensíveis, mas quando ela se ajoelhava e inclinava o corpo, era claro que se entregava a um êxtase obsceno.

Olhando para mim, Thyrza disse:

– Você não acredita, não é? É um ritual muito, muito antigo. O feitiço da morte segundo velhas receitas passadas de mãe para filha.

Não pude entender Thyrza. Ela nada fez para estimular o efeito que o desempenho pavoroso de Bella poderia ter causado nos meus sentidos. Ela parecia ter assumido, de propósito, o papel de comentarista.

Bella esticou os braços e voltou as mãos abertas para o braseiro, e uma chama cintilante surgiu. Ela salpicou alguma coisa sobre o fogo e um aroma forte e enjoativo encheu o ar.

– Estamos prontas – disse Thyrza.

O cirurgião, como imaginei, pegou o bisturi...

Ela caminhou até o que eu supunha ser um rádio antigo. Quando o abriu, percebi que se tratava de um aparelho elétrico um pouco mais complexo, sobre rodas. Ela o arrastou lentamente e com cuidado, colocando-o perto do divã. Inclinou o corpo e ajustou os controles, murmurando consigo mesma:

– Bússola, norte-nordeste... graus... é isto.

Pegou as luvas e as colocou em uma posição específica, acendendo ao lado delas uma pequena lâmpada violeta.

Foi quando disse para a figura inerte no divã:

– Sybil Diana Helen, você está livre de seu invólucro mortal, protegido e resguardado pelo espírito Macandal. Está livre para se encontrar com a dona destas luvas. Como todos os seres humanos, ela caminha para a morte. Não há satisfação final exceto a morte. Somente a morte é a solução de todos os problemas. Somente a morte concede a verdadeira paz. Esta é a certeza dos grandes sábios. Lembre-se de Macbeth: "Tranquilo dorme, agora, depois das febris convulsões da vida". Lembre-se do êxtase de Tristão e Isolda. Amor e morte. Amor e morte. Mas a morte é mais...

As palavras ressoavam, ecoavam, repetiam-se. A grande máquina, parecida com uma caixa, começou a emitir um zumbido baixinho e as lâmpadas brilharam. Eu senti um arrebatamento e uma empolgação, sensações que não pude mais disfarçar. Thyrza, com seus poderes à flor da pele, mantinha totalmente prostrada aquela figura no divã, usando-a. Thyrza a usava para um objetivo definido. Percebi vagamente que a sra. Oliver não temia Thyrza, mas sim Sybil, que aparentava ser uma tola. Sybil tinha um poder, um dom natural que nada tinha a ver com a mente ou com o intelecto; era um poder físico, o poder de se separar do corpo. Uma vez separada, sua mente não mais lhe pertencia, e sim à Thyrza. E Thyrza estava usando essa possessão temporária.

Mas e a caixa, onde entra nessa história?

De repente, todo o meu medo foi direcionado para a caixa! Qual era o segredo diabólico daquela caixa? Será que gerava algum tipo de força que atuava nas células cerebrais? E, assim, o cérebro, seria condicionado?

A voz de Thyrza fez-se novamente ouvida:

– O ponto fraco... sempre há um ponto fraco nas profundezas da carne... A força vem pela fraqueza, a força e a paz da morte... Rumo à morte, rumo à morte lenta e natural. O verdadeiro caminho, o natural. Os tecidos do corpo obedecem à mente... Controle-os, controle-os... Rumo à morte... Morte, a Vencedora morte... Morte, breve, muito em breve... Morte... Morte... MORTE!

O tom de voz dela foi subindo até chegar ao grito... e, logo depois, Bella também soltou um grito animalesco. Quando ela se levantou, vi o brilho da faca e ouvi o grito seco do galo... o sangue escorria na bacia de cobre. Bella veio correndo, ergueu a bacia e gritou:

– Sangue... *sangue*... SANGUE!

Thyrza tirou de repente as luvas da máquina e as entregou a Bella. Após mergulhá-las no sangue, Bella as devolveu para Thyrza, que as recolocou na máquina.

Bella clamou novamente com uma voz arrebatadora:

– *Sangue... sangue... sangue...*

Ela começou a correr em volta do braseiro, depois se jogou no chão, contorcendo-se. O braseiro soltou centelhas de fogo e se apagou.

Eu senti um enjoo terrível. Com a visão turva, segurei o braço da cadeira e senti a cabeça girando...

Escutei um clique da máquina parando de funcionar. Depois, escutei a voz clara e serena de Thyrza:

– A magia antiga e a magia nova. O conhecimento antigo da fé, o conhecimento novo da ciência. Juntos, prevalecerão...

CAPÍTULO 18

Narrativa de Mark Easterbrook

– E então, como foi? – perguntou Rhoda, curiosa, na mesa de café da manhã.

– Nada de mais – disse eu, demonstrando indiferença.

Senti um desconforto ao perceber que Despard olhou para mim. Um sujeito observador.

– Elas desenharam pentagramas no chão?

– Vários.

– E galo branco, tinha algum?

– Tinha. Foi o momento em que Bella brincou e se divertiu.

– E os transes?

– Transes também.

Rhoda parecia decepcionada.

– Então parece que não foi tão interessante – disse ela, ressentida.

Eu disse que tudo tinha sido mais do mesmo. Fosse como fosse, matei minha curiosidade.

Quando Rhoda foi para a cozinha, Despard me perguntou:

– Você ficou abalado, não é?

– Bem...

Eu estava tenso, tentando minimizar a impressão daquilo tudo, mas não era fácil enganar Despard.

– De certa forma, foi... um tanto brutal – disse eu, lentamente.

Ele assentiu com a cabeça.

– A gente não acredita muito, principalmente por sermos racionais – disse Despard. – Mas essas coisas têm um efeito. Presenciei muito disso na África Oriental. Os curandeiros de lá têm um domínio terrível sobre as pessoas, e admito que há muitas coisas estranhas que acontecem e que não têm explicação.

– Mortes?

– Também. Se o sujeito descobre que foi marcado para morrer, ele morre.

– Poder da sugestão, suponho.

– Possivelmente.

– Mas isso não é o suficiente para resolver a questão?

– Não exatamente. Há casos dificílimos que nenhuma das banais teorias científicas consegue explicar. Geralmente não funciona com pessoas mais esclarecidas, embora eu conheça alguns casos. Se a crença corre no seu sangue, então acontece! – disse ele, deixando-me pensativo.

– Concordo que para nem tudo há uma explicação – disse eu, ponderadamente. – Coisas estranhas acontecem até na nossa região. Certa vez eu estava em um hospital em Londres quando chegou uma histérica, reclamando de dores terríveis nos ossos, no braço etc. Ninguém conseguia explicar, mas suspeitavam de que ela fosse neurótica. O médico disse que o braço ficaria curado depois que passassem um vergalhão incandescente no braço dela. E você acha que ela topou se submeter ao tratamento? Sim, ela topou.

"A moça virou a cabeça para o outro lado e cerrou os olhos. O médico pegou um bastão de vidro, mergulhou na água gelada e passou no braço da moça. Ela gritou de tanta dor. 'Vai ficar tudo bem', disse ele. 'Espero que sim, pois foi terrível. Me queimou', disse ela. O estranho não foi ela acreditar que tinha sido queimada, e sim o fato de o braço realmente ter queimado. O braço dela estava cheio de bolhas onde o bastão encostou."

– E ela ficou curada? – perguntou Despard, curioso.

– Sim. A nevrite, ou o que seja, nunca mais apareceu. Ela só precisou de tratamento para as queimaduras.

– Extraordinário – disse Despard. – Realmente incrível, não?

– O médico ficou perplexo.

– Aposto que sim... – Despard olhou para mim, curioso. – Por que você tanto quis ir àquela sessão de ontem?

Encolhi os ombros.

– Aquelas três me intrigam. Eu queria ver o tipo de espetáculo que ofereciam.

Despard não disse mais nada. Não acho que ele tenha acreditado em mim. Como eu disse, ele era um sujeito observador.

Logo em seguida, fui até o vicariato. A porta estava aberta, mas parecia não haver ninguém em casa.

Entrei na saleta onde ficava o telefone e liguei para Ginger.

– Alô?
– Ginger!
– Ah, é você! O que aconteceu?
– Está tudo bem?
– É claro que sim, por que não estaria?

Uma sensação de alívio tomou conta de mim.

Ginger estava bem; senti um bem-estar enorme com seu jeito provocante, que me era familiar. Como pude acreditar que aquele monte de asneiras machucaria uma criatura tão sadia como Ginger?

– Achei que talvez você tivesse tido algum pesadelo – disse eu, sem convicção.

– Não, não tive. Achei que teria também, mas acordei normalmente e nada de especial me aconteceu. Fico quase indignada porque nada aconteceu comigo...

Eu ri.

– Mas continue, me conte – disse Ginger. – Como foi o procedimento?

– Nada muito fora do comum. Sybil se deitou em um divã vermelho e entrou em transe.

Ginger deu uma gargalhada.

– Ela entrou em transe? Que coisa maravilhosa! O divã era de veludo e ela estava nua?

– Sybil não é uma Madame de Montespan. E não era magia negra. Na verdade, Sybil usava bastante roupa, um vestido azul com estampa de pavão e vários símbolos bordados.

– Parece mesmo do estilo de Sybil. E Bella, o que fez?

– Bella foi brutal. Ela matou um galo branco, depois mergulhou suas luvas no sangue.

– Que nojo... e o que mais?

– Várias coisas – disse eu.

Achei que estava me saindo bem, e prossegui:

– Thyrza fez todos os truques concebíveis. Evocou um espírito, acho que o nome era Macandal. Houve entoações e luzes coloridas. A maioria das pessoas ficaria bastante impressionada, tremeria nas bases de medo.

– E você, ficou assustado?

– Bella me assustou um pouco – disse eu. – Ela estava com uma faca asquerosa e cheguei a pensar que talvez ela me fizesse de segunda vítima, depois de matar o galo.

Ginger persistiu:

– Você não teve medo?

– Esse tipo de coisa não me influencia.

– Então, por que você ficou tão aliviado ao saber que eu estava bem?

– Ora, porque... – eu parei de falar.

– Tudo bem – disse Ginger, amavelmente. – Não precisa responder. E também não precisa esconder suas sensações. *Alguma coisa* te impressionou.

– Acho que foi só porque elas, digo, Thyrza, parecia muito confiante no resultado.

– Confiante de que tudo que me relatou pode realmente *matar* alguém?

Ginger estava incrédula.

– É tolice – concordei.

– Bella também estava confiante?

Parei para pensar, e disse:

– Acho que Bella só estava se divertindo matando o galo e afundando numa espécie de orgia de maus desejos. Ouvi-la gemendo "Sangue... sangue..." foi realmente estranho.

– Eu adoraria ter assistido – disse Ginger, arrependida.

– Queria mesmo que tivesse assistido – disse eu. – Francamente, tudo não passou de um espetáculo.

– E você está bem, não está? – perguntou Ginger.

– Como assim, se estou bem?

– Você não parecia quando me ligou, mas agora está.

Ela estava certa. Ouvir aquela voz alegre de sempre foi maravilhoso para mim. No fundo, eu tirei o chapéu para Thyrza Grey. Por mais falso que pudesse parecer, o ritual encheu minha cabeça de dúvidas e apreensão. Mas agora, nada mais importava. Ginger estava bem e não teve pesadelos.

– E o que fazemos agora? – perguntou Ginger. – Devo ficar quieta mais uma ou duas semanas?

– Se quiser ganhar cem libras do sr. Bradley, sim.

– Que seja a última coisa que tenhamos de fazer... vai continuar hospedado na casa de Rhoda?

– Por alguns dias. Depois vou para Bournemouth. Você pode me ligar todos os dias, ou melhor, eu ligo. Agora estou no vicariato.

– E como está a sra. Dane Calthrop?

– Em plena forma. Contei tudo para ela, por sinal.

– Eu achei que contaria. Então, até logo. A rotina será enfadonha na próxima quinzena. Trouxe trabalho para terminar e vários livros que sempre quis ler, mas nunca tive tempo.

– O que você disse na galeria?

– Disse que estava fazendo um cruzeiro.

– E você queria estar viajando?

– Não necessariamente – disse Ginger. A voz dela estava um pouco estranha.

– Recebeu alguma visita suspeita?

– Nada além do previsto. O leiteiro, o medidor de gás, uma mulher perguntando as marcas de cosméticos que eu usava, um sujeito pedindo minha assinatura numa petição para abolir bombas nucleares e uma mulher pedindo uma contribuição para portadores de deficiência. Ah, e os porteiros, é claro. São muito prestativos. Um deles trocou uma lâmpada para mim.

– A princípio tudo inofensivo – comentei.

– E o que você esperava?

– Realmente, não sei.

Acho que eu esperava lidar com algo de concreto.

Mas as vítimas do Cavalo Amarelo morreram por livre vontade... Não, a palavra *livre* não é a mais apropriada. Por um processo que eu não entendia, cresceram nelas as sementes da fraqueza.

Eu sugeri que talvez o medidor de gás fosse um impostor, mas Ginger retrucou:

– O crachá dele era autêntico – disse ela. – Eu pedi as credenciais! É só o sujeito que sobe na escada, olha o medidor e faz as anotações. Um sujeito honesto, não tocaria nos canos, nem no aquecedor. Posso garantir que ele não forjou um vazamento de gás no meu quarto.

Não, o Cavalo Amarelo não provoca acidentes concretos como vazamentos de gás.

– Ah, tive mais uma visita – disse Ginger. – Seu amigo, o dr. Corrigan. Ele é gentil.

– Suponho que Lejeune tenha pedido para ele procurá-la.

– Ele parecia se sentir no dever de cuidar de alguém com o mesmo sobrenome. Viva os Corrigan!

Desliguei o telefone, aliviado. Voltei para a casa de Rhoda e a encontrei no gramado, passando uma espécie de unguento em um dos cães.

– O veterinário acabou de sair – disse ela. – Disse que é uma doença de pele, acho que é muito contagiosa. Não quero que as crianças peguem, nem os outros cães.

– Ou os adultos – sugeri.

– Ah, geralmente quem pega são as crianças. Ainda bem que ficarão na escola o dia todo... fique quieta, Sheila!

"Essa doença faz o pelo cair – continuou ela. – Deixa buracos no pelo, mas depois cresce de novo."

Anuí com a cabeça e ofereci ajuda, mas ela recusou. Concordei e saí andando.

Sempre pensei que o mau daquela região era nunca haver mais de três direções para caminhar. Em Much Deeping, podemos pegar o caminho para Garsington, para Long Cottenham ou subir a Shadhanger Lane até chegar à estrada Londres-Bournemouth, a três quilômetros dali.

Até o dia seguinte, no horário do almoço, examinara as estradas de Garsington e Long Cottenham. A próxima seria a Shadhanger Lane.

Enquanto caminhava, fui tomado por uma ideia. A entrada de Priors Court ficava na Shadhanger Lane. Por que não visitar o sr. Venables?

Quanto mais eu pensava, mais tinha vontade de visitá-lo. Não poderia haver nada de suspeito nisso. Rhoda havia me levado até lá da última vez em que estive na casa dela. Nada mais natural do que ligar e perguntar se ele poderia me mostrar novamente algum objeto específico que não tive tempo de ver ou apreciar naquela ocasião.

O fato de o farmacêutico (Qual era mesmo o nome dele? Odgen? Osborne) tê-lo reconhecido era, no mínimo, interessante. É certo que, segundo Lejeune, era praticamente impossível que Venables fosse o mesmo homem devido à sua incapacidade, mas me intrigava a ideia de que ele pudesse ter errado e se referido a outra pessoa da vizinhança, alguém que tivesse características muito parecidas.

Venables tinha algo misterioso, pude sentir isso na primeira vez em que o encontrei. Certamente era inteligentíssimo. Além disso... que palavra posso usar para me referir a ele? Ardiloso, talvez. Predatório. Destrutivo. Talvez um homem esperto demais para cometer um assassinato, e esperto o suficiente para organizar muito bem um assassinato, se quisesse.

Pelo que eu sabia do caso, seria perfeitamente possível encaixar Venables dentro dele. O mestre por trás da cena. Mas o farmacêutico, Osborne, dissera ter *visto Venables andando em uma rua de Londres.* Como isso era impossível, a identificação era inútil, e o fato de Venables viver nos arredores do Cavalo Amarelo nada significava.

Mesmo assim, achei que seria bom ver o sr. Venables mais uma vez. Quando cheguei ao portão de Priors Court, entrei e subi meio quilômetro de um caminho sinuoso.

O mesmo criado abriu a porta e disse que o sr. Venables estava em casa. Ao pedir que eu aguardasse no hall, ele disse que "o sr. Venables nem sempre está bem para receber visitas" e saiu. Alguns instantes depois, ele voltou e disse que o sr. Venables estava muito contente com a minha chegada.

Venables me deu as boas-vindas de modo extremamente cordial, conduzindo a cadeira de rodas e me cumprimentando como um velho amigo.

– Muito gentil você ter me procurado, meu caro. Soube que você estava na região e iria ligar esta tarde para Rhoda, convidando-os para almoçar ou jantar.

Pedi desculpas por ter aparecido daquela maneira, mas disse que agi por impulso: saí para caminhar, passei pelo portão e resolvi entrar.

– Na verdade, eu adoraria ver mais uma vez suas miniaturas mongóis – disse eu. – Não tive tempo para vê-las com cuidado naquele dia.

– É claro. Fico feliz em saber que gostou delas. Têm detalhes refinados.

Após isso, nossa conversa foi totalmente técnica. Devo admitir que gostei muito de olhar mais de perto tantas coisas maravilhosas que ele tinha.

O chá foi servido e ele insistiu para que eu tomasse.

Chá não é uma das minhas bebidas prediletas, mas eu gostei do chá esfumaçado da China e das delicadas xícaras em que foi servido. Havia torradas quentes com anchova na manteiga e bolo de ameixa feito à moda antiga, o que me lembrou da infância, quando eu tomava chá com a minha avó.

– Caseiro – disse eu, aprovando.

– Com certeza! Jamais compramos bolos prontos nesta casa.

– Sua cozinheira é maravilhosa. Você não acha difícil manter uma equipe de empregados no campo, tão longe das coisas como aqui?

Venables deu de ombros.

– Tenho de estar com os melhores, e insisto nisso. Obviamente, alguém tem de pagá-los. Eu pago.

Toda sua arrogância natural acabara de ser demonstrada. Eu disse, em um tom seco:

– Ter uma fortuna suficiente para isso certamente resolve muitos problemas.

– Mas tudo depende do que se quer na vida. O que importa é saber se seus desejos são fortes o bastante. Muitas pessoas fazem dinheiro sem ter noção do que querem obter com o dinheiro. E o resultado é ficarem presas no que chamo de máquina de fazer dinheiro. Tornam-se escravos. Vão para o escritório muito cedo e saem muito tarde, nunca têm tempo para *apreciar*. E o que ganham em troca? Carros maiores, casas mais amplas, governantas ou esposas mais caras, e eu diria até dores de cabeça maiores.

Ele inclinou o corpo para frente.

– O objetivo supremo da maioria dos homens ricos é este: simplesmente *ganhar* dinheiro. Reinvesti-lo em empreendimentos maiores para fazer mais dinheiro. E *para quê?* Será que em algum momento eles param para se perguntar o motivo? Eles não sabem.

– E quanto a você?

– Eu... – ele sorriu. – Eu sabia o que eu queria. O ócio infinito para contemplar as belezas desse mundo, naturais e artificiais. Como apreciá-las em seu ambiente natural foi algo que me foi negado nos últimos anos, eu as trouxe até mim, belezas do mundo inteiro.

— Mas antes disso é preciso ter dinheiro.

— Sim, é preciso planejar a própria vitória, e isso requer muito esforço. Mas hoje realmente não há necessidade de servir a qualquer sórdido aprendizado.

— Não entendi.

— O mundo está mudando, Easterbrook. Sempre mudou, mas hoje a mudança é mais rápida. O tempo está correndo mais rápido e é preciso tirar vantagem disso.

— Um mundo em mutação... – disse eu, pensativo.

— Ele abre mais perspectivas.

— Sabe, acho que você está falando com um sujeito que tem uma visão realmente oposta, voltada para o passado, e não para o futuro – disse eu, desanimado.

Venables deu de ombros.

— Futuro? Quem pode prevê-lo? Eu falo do hoje, do agora, do momento atual! Não levo mais nada em consideração. As novas técnicas estão aí para serem usadas. Já temos máquinas que podem responder certas questões em segundos, se comparadas a horas ou dias de trabalho humano.

— Você fala de computadores? Inteligência artificial?

— Coisas desse tipo.

— Acha que tomarão o lugar dos homens?

— Dos *homens*, sim. Dos homens, individualmente, que não passam de simples peças de uma engrenagem maior. Mas do Homem, não. Sempre haverá o Homem que controla, que pensa, que elabora as questões para a máquina responder.

Balancei a cabeça, em dúvida.

— Você fala do Super-Homem? – disse eu, um tanto zombador.

— E por que não, Easterbrook? Por que não? Lembre-se de que sabemos, ou estamos começando a saber, alguma coisa sobre o Homem como animal. A prática do que chamam incorretamente de "lavagem cerebral" abriu possibilidades extremamente interessantes nessa direção. A *mente* do homem, e não só o corpo, responde a certos estímulos.

— Uma doutrina perigosa – eu disse.

— Perigosa?

— Perigosa para os sábios.

Venables deu de ombros.

— A vida é perigosa. Nós, que fomos criados em um dos bolsinhos da civilização, nos esquecemos disso. Porque a civilização não passa disso, Easterbrook: grupinhos de homens aqui e ali, homens que se juntaram para ter mútua proteção e que por isso conseguem enganar e controlar a natureza.

Eles venceram a selva, mas a vitória é temporária. A qualquer momento, a selva vai assumir o controle de novo. Cidades que um dia tiveram orgulho de ser o que eram hoje são apenas um monte de terra coberto de vegetação e de pobres cabanas dos homens que conseguiram sobreviver, nada mais. Viver é sempre perigoso, jamais se esqueça disso. No final, talvez, a vida seja destruída não só por forças naturais, mas também pelas nossas próprias mãos. Estamos muito perto disso...

– Isso não se pode negar, é claro. Mas estou interessado na sua teoria do poder sobre a mente.

– Ah, isso... – de repente, Venables pareceu constrangido. – Acho que exagerei um pouco.

Achei interessante o constrangimento e o retraimento dele nessa última frase. Venables vivia muito sozinho. E quem vive sozinho tem necessidade de conversar com alguém, quem quer que seja. Venables conversou comigo, e talvez não de maneira sábia.

– O Super-Homem – disse eu. – Você já tentou me convencer a respeito de uma versão moderna dessa ideia, não é?

– Nada há de novo nisso, é claro. A fórmula do Super-Homem é antiga. Filosofias inteiras foram construídas tendo essa ideia como base.

– Sim... mas me parece que o seu Super-Homem é diferente... Um homem que poderia usar o poder *sem* que ninguém soubesse.

Olhei para ele enquanto falava. Ele sorriu.

– Você está me atribuindo esse papel, Easterbrook? Seria ótimo se fosse verdade. Mas é preciso que alguma coisa compense... *isso*!

Ele colocou as mãos sobre uma manta que cobria as pernas e pude sentir uma amargura repentina na sua voz.

– Não lhe darei minha compaixão – disse eu. – Compaixão é pouco para um homem como você. Mas digamos que *se* eu estivesse pensando nesse personagem, um homem capaz de transformar um desastre imprevisto em triunfo, você se encaixaria nele perfeitamente, na minha opinião.

Ele riu levemente.

– Você está me lisonjeando.

Ele estava satisfeito, isso pude perceber.

– Não – disse eu. – Já conheci gente o bastante na minha vida para reconhecer um homem incomum e cheio de dons quando o encontro.

Fiquei com medo de ir longe demais. Mas é possível mesmo ir longe demais quando se trata de lisonja? Que pensamento deprimente! É preciso levá-lo a sério e evitar a armadilha.

– Fico me perguntando o que realmente o levou a dizer essas coisas. Tudo isso aqui? – disse ele, fazendo um gesto com a mão ao redor da sala.

— Isso é a prova de que você é um homem rico, um comprador sábio de muito bom gosto – disse eu. – Mas acho que há algo mais aí do que a simples posse. Você se propõe a adquirir coisas belas e interessantes, e deu pistas de que nada foi comprado por meio do trabalho.

— Exatamente, Easterbrook, exatamente. Como disse, só os tolos trabalham. O segredo de todo sucesso é simples, mas é preciso refletir sobre ele: basta pensar nele e colocá-lo em prática para que aconteça!

Olhei para ele. Algo simples, tão simples quanto a eliminação de pessoas indesejadas? Satisfazer uma necessidade. Uma ação executada sem perigo para ninguém, exceto para a vítima. Uma ação planejada pelo sr. Venables sentado na cadeira de rodas, exibindo seu grande nariz adunco mais parecido com o bico de uma ave de rapina e seu pomo de adão, movimentando-se para cima e para baixo. Mas executada por quem? Thyrza Grey?

Olhei para ele e disse:

— Toda essa conversa sobre força do pensamento me lembra algo que a velha srta. Grey me disse.

— Ah, a querida Thyrza! – O tom de voz dele era suave e complacente (ou será que vi uma leve piscada nos olhos dele?). – Dizem tantas bobagens aquelas duas! E o pior é que realmente acreditam naquilo, sabia? Você esteve lá em uma daquelas ridículas sessões? Tenho certeza de que elas insistiriam para que você fosse.

Hesitei por um instante enquanto decidia como agir.

— Sim – disse eu. – Fui a uma sessão.

— E o que achou? Uma grande bobagem, suponho. Ou ficou impressionado?

Evitei olhar nos olhos dele e me esforcei ao máximo para parecer constrangido.

— Eu... bem... é claro que não acreditei. Elas parecem muito confiantes, mas... – Olhei para o relógio. – Não fazia ideia de que estava tão tarde, preciso ir. Minha prima deve estar preocupada.

— Diga que esteve distraindo um inválido durante uma tarde banal. Dê lembranças a Rhoda, logo devo preparar mais um almoço para nós. Amanhã vou a Londres para uma liquidação interessante na Sotheby's; são peças francesas de marfim feitas na Idade Média. Um requinte! Tenho certeza de que gostará delas, caso eu consiga comprá-las.

Despedimo-nos cordialmente. Será mesmo que percebi uma piscadela maliciosa e distraída nos olhos dele quando falei sobre a sessão de Thyrza? Achava que sim, mas não tinha certeza. Acho que dessa vez eu estava imaginando coisas.

CAPÍTULO 19

Narrativa de Mark Easterbrook

Saí da casa dele no final da tarde. Já estava escuro, e como o céu estava encoberto, desci a estrada sinuosa em zigue-zague. Em determinado momento, olhei para trás e vi as janelas da casa, iluminadas, e acabei saindo das pedras, pisando na grama e trombando com alguém que vinha na direção oposta.

Nós nos desculpamos. Era um homem baixo e robusto, cuja voz era grave e profunda, levemente pegajosa e pedante.

– Sinto muito...

– Não foi nada. A culpa foi minha, não se preocupe...

– É a primeira vez que passo por aqui, por isso não sei muito bem onde estou andando – expliquei. – Eu deveria ter trazido uma lanterna.

– Com licença – disse o estranho, tirando uma lanterna do bolso. Ele ligou a lanterna e me entregou. Com a luz, percebi que ele era um homem de meia-idade, com um rosto redondo e angelical, bigode preto e óculos. Usava uma capa de chuva cara e tinha uma aparência de extremo respeito. Pensei em perguntar por que ele não usava a lanterna em vez de dá-la para mim.

– Ah, agora entendi – disse eu, tolamente. – Saí do caminho.

Voltei para as pedras e ofereci a lanterna de volta.

– Agora consigo me localizar.

– Pode ficar com ela até chegar ao portão.

– Mas você está subindo para a casa?

– Não. Estou indo para o mesmo lugar que você, estou descendo. Depois vou até o ponto de ônibus, estou voltando para Bournemouth.

– Entendi – disse eu, e começamos a descer a ladeira, lado a lado. Ele parecia um pouco constrangido e perguntou-me se eu também iria para o ponto de ônibus. Eu disse que ficaria na vizinhança.

Houve mais uma pausa e pude sentir o constrangimento dele aumentando. Ele fazia o tipo que não gostava de se sentir numa posição artificial.

– O senhor estava visitando o sr. Venables? – perguntou ele, limpando a garganta.

– Sim, estava. Achei que o senhor também ia para lá.

– Não, não. Na verdade... – disse ele, fazendo uma pausa. – eu moro em Bournemouth, ou pertinho de lá. Acabei de me mudar para um chalé.

Tive a sensação de recentemente ter ouvido falar de um chalé em Bournemouth. Enquanto eu tentava lembrar, ele ficava cada vez mais constrangido, até que se pôs a falar.

– Você deve achar bem estranho, na verdade até *eu* acho estranho, encontrar alguém perambulando em propriedade alheia sem ter muita familiaridade com o dono da casa. É difícil explicar, mas posso lhe garantir que tenho meus motivos. Embora eu tenha me instalado em Bournemouth há pouco tempo, sou bem conhecido por lá e vários moradores bastante respeitáveis podem atestar a meu respeito. Na verdade, sou farmacêutico e vendi uma farmácia antiga que tinha em Londres, pois me aposentei e acabei vindo para cá, um lugar que considero muito, muito agradável.

Tudo se esclareceu para mim. Eu achei que sabia quem era aquele homem. Ele continuou seu discurso.

– Meu nome é Osborne, Zachariah Osborne. Como disse, eu tenho, quer dizer, eu tinha um comércio em Londres, na rua Barton, Paddington Green. Uma região excelente na época do meu pai, mas que hoje está radicalmente mudada, infelizmente. Decaiu bastante.

Ele suspirou e balançou a cabeça. Em seguida, resumiu:

– Esta casa é do sr. Venables, não é? Suponho que... ele é seu amigo?

– Não chega a tanto – disse eu, intencionalmente. – É a segunda vez que o vejo. Da primeira, almocei na casa dele com alguns amigos meus.

– Ah, sim... entendi.

Chegamos ao portão de entrada e o atravessamos. O sr. Osborne parou, indeciso, e eu lhe devolvi a lanterna.

– Obrigado – disse eu.

– Não há de quê. Eu... – ele fez uma pausa, e disparou a falar. – Eu não quero que o senhor pense que... quero dizer, teoricamente, é claro que sou um intruso. Não, eu lhe garanto que não se trata de mera curiosidade. Talvez minha posição lhe pareça das mais peculiares e sujeita a má interpretação. Eu realmente gostaria de... de... esclarecer a situação.

Eu esperei. Parecia ser a melhor coisa a fazer. Minha curiosidade foi aguçada e eu queria saber do que se tratava.

O sr. Osborne ficou em silêncio por um instante e decidiu falar:

– Eu realmente gostaria de explicar para o senhor...?

– Easterbrook. Mark Easterbrook.

– Sr. Easterbrook. Como disse, seria maravilhoso poder explicar meu estranho comportamento. O senhor teria um tempinho? Daqui até a estrada principal são só cinco minutos, e há uma pequena cafeteria muito boa no posto perto do ponto de ônibus. O senhor tomaria um café comigo?

Aceitei o convite. Subimos juntos a alameda. O sr. Osborne, bem menos angustiado, falava confortavelmente das amenidades de Bournemouth, do clima excelente, dos shows e de como as pessoas que moravam lá eram gentis.

Chegamos à estrada principal. O posto ficava na esquina do ponto de ônibus. Havia uma pequena cafeteria, limpa e vazia, exceto por um jovem casal sentado no canto. Nós nos sentamos e o sr. Osborne pediu café e biscoitos para nós dois. Depois, ele inclinou o corpo sobre a mesa e desabafou.

– Tudo começou com um caso que o senhor deve ter visto nos jornais há algum tempo. Não chegou a virar manchete de capa, se for esta a expressão correta. Diz respeito a um padre católico da região onde eu tinha minha farmácia, em Londres. Certa noite, ele foi atacado e assassinado, algo horrível. Hoje volta e meia acontece algo assim. Eu acredito que ele era um bom homem, embora eu não seja católico. De qualquer modo, preciso lhe explicar onde entra meu interesse nesse caso. A polícia anunciou que queria conversar com quem tivesse visto o padre Gorman na noite do crime. Por acaso, eu estava parado na porta do meu estabelecimento naquela noite, por volta das oito horas, e vi o padre Gorman passando. Depois dele, bem próximo, vi um sujeito cuja aparência era incomum o bastante para chamar minha atenção. Na hora, obviamente, eu não pensei em nada, mas como sou um sujeito observador, sr. Easterbrook, tenho o hábito de registrar a aparência das pessoas. É quase um hobby, e muitas pessoas que vinham à minha farmácia se surpreendiam por eu lembrar, por exemplo, a receita pela qual haviam me procurado para manipular meses antes. As pessoas gostam de ser lembradas, sabe? E acabei descobrindo que memorizar o rosto das pessoas era uma boa tática para os negócios. De qualquer modo, descrevi para a polícia o sujeito que vi. Eles me agradeceram e ficou por isso mesmo.

"Agora vem a parte surpreendente da história. Há cerca de dez dias, fui a uma quermesse no vilarejo do outro lado da alameda que acabamos de subir e, para minha surpresa, eu vi o mesmo homem que mencionei. Ele devia ter sofrido um acidente, ao menos foi o que pensei, pois usava uma cadeira de rodas. Informei-me e descobri que o nome dele era Venables, que era rico e morava aqui. Após um ou dois dias remoendo a questão, escrevi para o detetive para quem dei meu depoimento, o inspetor Lejeune. Ele veio até Bournemouth me visitar. No entanto, pareceu não acreditar que Venables fosse o mesmo homem que vi na noite do assassinato. Ele me disse que o sr. Venables era paralítico há alguns anos por conta da pólio, e que eu devia ter me confundido devido à semelhança."

O sr. Osborne interrompeu de repente a fala. Mexi o líquido amarelo na minha frente e tomei um pouco. Ele acrescentou três torrões de açúcar na própria xícara.

– Bem, isso parece pôr um fim à questão.

– Sim, sim... – disse o sr. Osborne em um nítido tom de insatisfação. Em seguida, ele inclinou o corpo mais uma vez. Sua careca brilhou sob a lâmpada e seu olhar, por trás dos óculos, tinha um ar obcecado.

– Deixe eu lhe contar uma história. Quando eu era garoto, sr. Easterbrook, um farmacêutico amigo do meu pai foi chamado para depor no caso de Jean Paul Marigot. O senhor deve se lembrar: ele envenenou a esposa com arsênico. O amigo do meu pai identificou o sujeito no tribunal como o homem que deu um nome falso no registro de compra do veneno. Marigot foi condenado e enforcado. Isso me impressionou muito, eu tinha nove anos na época, uma idade muito suscetível. Tive esperanças de que eu também, um dia, fosse participar de uma *cause célèbre* como o instrumento de justiça para a condenação de um assassino. Talvez tenha sido aí que comecei a memorizar o rosto das pessoas. Devo confessar, sr. Easterbrook, embora pareça ridículo, que durante muitos e muitos anos eu pensei na probabilidade de algum homem, determinado a matar a esposa, entrar na minha farmácia para comprar o que fosse preciso.

– Ah, algo como uma segunda Madeleine Smith* – sugeri.

– Exatamente. Ainda bem que nunca aconteceu – disse o sr. Osborne, suspirando. – Ou, se aconteceu, a pessoa nunca foi descoberta. Eu diria que isso ocorre com uma frequência maior do que imaginamos. Portanto, essa identificação, embora não fosse o que eu esperava, abriu a última possibilidade que eu tinha para testemunhar em um caso de assassinato.

O rosto dele se iluminou, como uma criança satisfeita.

– Deve ter sido decepcionante para o senhor – disse eu, compassivamente.

– Sim. – Mais uma vez, a voz do sr. Osborne carregava uma nota de descontentamento.

– Sou um sujeito teimoso, sr. Easterbrook. Os dias foram passando e a certeza de que *eu* estava certo só aumentou. O homem que vi *era* Venables e ninguém mais. Ah! – ele levantou a mão em protesto, interrompendo o que eu estava prestes a falar. – Eu sei. As circunstâncias colaboravam para o meu engano. Eu estava um pouco distante, mas a polícia não levou em consideração que eu estudei o reconhecimento de rostos. Não se trata apenas dos traços, do nariz acentuado, do pomo de adão; há ainda a postura da cabeça, o ângulo do pescoço em relação aos ombros. Eu tentei admitir que estava errado, mas continuei com a sensação de que *estava certo*. A polícia disse que era impossível. Mas *será mesmo* impossível? Isso é o que não paro de me perguntar.

– Com certeza, com uma invalidez daquele tipo...

Ele interrompeu minha fala balançando o dedo indicador.

– Sim, eu sei, mas a experiência que tenho no serviço de saúde... Bem, você ficaria surpreso se soubesse do que as pessoas são capazes e como escapam

---

* Madeleine Smith (1835-1928), de Glasgow, Escócia, foi julgada em 1857 por ter envenenado o amante com arsênico. O caso ficou famoso e inspirou adaptações na literatura, no teatro e no cinema. (N.T.)

impunes. Não quero dizer que os médicos são ingênuos ou que esta é uma falsa doença que a polícia logo vai descobrir. Mas há meios que os farmacêuticos conhecem mais do que os médicos. Certas drogas, por exemplo, ou preparados aparentemente inofensivos podem induzir febres, erupções cutâneas e irritações na pele, secura na garganta e até aumentar a secreção...

– Mas dificilmente atrofiar os membros – salientei.

– Tudo bem, tudo bem. Mas quem disse que os membros do sr. Venables são atrofiados?

– O médico, acredito.

– Tudo bem. Mas eu tentei obter informações a esse respeito. O médico do sr. Venables está em Londres, trabalha na rua Harley. Sim, é verdade que ele se consultou com o médico local quando chegou aqui. Mas esse médico se aposentou e hoje mora no exterior. O novo médico *nunca esteve com o sr. Venables*, o qual vai até a rua Harley uma vez por mês.

Olhei para ele, curioso.

– Mas até aí não vejo brecha para... para...

– O senhor não sabe as coisas que sei – disse o sr. Osborne. – Darei um exemplo simples. A sra. H. recebeu benefícios do seguro durante um ano em três lugares diferentes, em um como sra. H, no outro como sra. C e no terceiro como sra. T., usando três cartões que conseguiu com outras senhoras.

– Não entendi...

– Imagine que o sr. Venables conheça um homem pobre, vítima de paralisia, e lhe faça uma proposta – disse ele, balançando agitadamente o indicador. – Digamos que o homem, de maneira geral, se pareça com o sr. Venables. O paralítico verdadeiro, passando-se por Venables, chama um especialista, é examinado e obtém um laudo atestando sua condição. Depois, o sr. Venables passa a residir na região. O médico local quer logo se aposentar. Mais uma vez, o paralítico verdadeiro chama o médico e é examinado. Eis o resultado! O sr. Venables tem um laudo oficial como vítima de pólio e membros atrofiados. Depois é visto na localidade (quando visto) em uma cadeira de rodas etc.

– Os empregados dele saberiam – disse eu, retrucando. – Principalmente o criado particular.

– Mas e se eles formarem uma gangue? Simples, não? Talvez haja a participação de outros empregados também.

– Mas *por quê*?

– Ah – disse o sr. Osborne. – Essa é outra questão. Acho que você riria da minha teoria. Mas aí está um álibi muito bem forjado para alguém que precisa de um álibi. O sujeito poderia estar aqui, ali, em qualquer lugar e ninguém saberia. Alguém o viu caminhando em Paddington? Impossível! Afinal, ele é um inválido inútil que mora no campo etc. – O sr. Osborne fez uma pausa e olhou para o relógio. – Está na hora do meu ônibus, preciso ir. Fiquei remoendo isso, sabe? Pensando se haveria algum modo de provar. Resolvi vir até aqui, pois tenho tido bastante tempo disponível. Às vezes até sinto falta da farmácia. Então, resolvi entrar e, sem exagero, espionar um pouco. Sei que não é uma atitude muito legal. Mas se for esse o jeito de chegar à verdade, de esclarecer o crime... E se, por exemplo, eu pegasse o sr. Venables caminhando tranquilamente no jardim? Além disso, imaginei que, se eles não tivessem fechado as cortinas, o que se costuma fazer uma hora mais tarde no horário de verão, eu poderia dar uma espiadinha. Ele poderia estar perambulando na biblioteca sem imaginar que alguém o espionasse. Afinal, por que imaginaria? Ninguém suspeita dele, pelo que eu saiba.

– Por que o senhor tem tanta certeza de que o homem que viu era Venables?

– *Eu sei* que era o Venables! – disse ele, levantando-se. – Meu ônibus chegou. Prazer em conhecê-lo, sr. Easterbrook. Agora tenho uma preocupação a menos, depois de explicar o que estava fazendo em Priors Court. O senhor deve estar achando tudo um absurdo.

– Talvez não – disse eu. – Mas o senhor não disse o que acha que o sr. Venables está tramando.

O sr. Osborne parecia constrangido e um pouco sem graça.

– Você vai rir, tenho certeza. Todos sabem que ele é rico, mas parece que ninguém sabe *de onde vem o dinheiro dele*. O que penso é o seguinte: ele é um desses chefões do crime sobre os quais lemos por aí. Você sabe, ele planeja tudo e há uma gangue a cargo da execução. Pode parecer uma tolice, mas...

O ônibus parou e o sr. Venables correu para pegá-lo.

Desci a alameda pensativo... a teoria do sr. Osborne era um tanto fantasiosa, mas tive de admitir que talvez ele tivesse razão.

CAPÍTULO 20

Narrativa de Mark Easterbrook

I

Telefonei para Ginger de manhã e disse que, no dia seguinte, eu iria para Bournemouth.

– Encontrei um hotel bem bacana chamado Parque dos Veados, sabe-se lá por quê! Tem várias saídas bem discretas. Eu posso ir até Londres, na surdina, visitá-la.

– Acho que você não deveria. Mas também acharia maravilhoso se viesse. Aqui está uma chatice, você não faz ideia! Se não puder vir, posso dar uma fugida e encontrá-lo em algum lugar.

De repente, percebi alguma coisa.

– Ginger! Sua voz... está diferente.

– Que nada! Está tudo bem, não se preocupe.

– E a sua *voz*?

– Tive só uma dor de garganta, nada de mais.

– Ginger!

– Mark, qualquer um pode ter uma dor de garganta. Acho que estou começando a ficar resfriada, ou então é gripe.

– Gripe? Ginger, não me enrole. Você está bem ou não?

– Não seja exagerado, está tudo bem.

– Diga exatamente o que está sentindo. Você acha que vai ficar gripada?

– Sim, talvez... Meu corpo está doendo um pouco, essas coisas.

– E a temperatura?

– Um pouquinho de febre...

Sentei-me e senti um arrepio gelado atravessar o meu corpo. Eu estava apavorado e sabia que, por mais que Ginger se recusasse a admitir, ela também estava apavorada.

Ela voltou a falar:

– Mark, não entre em pânico. Você *está* em pânico e não há motivo para isso.

– Talvez não. Mas tomaremos todas as precauções. Ligue para o seu médico e peça para ele visitá-la. Agora.

– Tudo bem... Mas ele vai achar que estou procurando pelo em ovo.

– Não interessa, ligue! E depois me dê notícias.

Quando desliguei, permaneci sentado contemplando o telefone preto. Pânico, eu não iria me deixar tomar pelo pânico... As pessoas costumam pegar gripe nessa época do ano... o médico confirmaria isso, e talvez fosse mesmo só um resfriado.

Veio à mente a imagem de Sybil usando o vestido com estampa de pavão, bordado com símbolos malignos. Escutei a voz de Thyrza, determinada, controladora... No chão riscado de giz, Bella evocando espíritos do mal, erguendo um galo branco que se debatia...

Absurdo, tudo isso é absurdo... É claro que é uma superstição absurda...

E a caixa? Não parava de lembrar dela. A caixa não representava a superstição humana, mas uma possibilidade científica... Mas não era possível, não podia ser possível que...

Quando a sra. Dane Calthrop chegou e me viu olhando para o telefone, perguntou na mesma hora:

– O que aconteceu?

– Ginger não está muito bem... – disse eu.

Eu queria que ela dissesse que tudo era uma besteira, que me tranquilizasse. Não foi o que ela fez.

– Nada bom – disse ela. – É, isso não é nada bom.

– Não é possível! – gritei. – Não é possível que elas consigam fazer o que dizem serem capazes.

– Não é?

– Você não acredita... não pode acreditar...

– Mark, meu querido – disse a sra. Dane Calthrop –, tanto você quanto Ginger estavam conscientes do risco, do contrário não teriam feito o que fizeram.

– E o fato de acreditarmos só piora as coisas, pois aumenta a possibilidade!

– Mas você não chega a *acreditar*... você só reconhece que, como alguma evidência, talvez você acredite.

– Evidência? Mas que evidência?

– Ginger estar adoecendo é uma evidência – disse a sra. Dane Calthrop.

Tive ódio dela. Levantei a voz, enfurecido.

– Por que você é tão pessimista?! Ela só está resfriada ou algo do tipo. Por que você continua acreditando no pior?

– Porque, se for o pior, é preciso enfrentá-lo... Não podemos esperar que seja tarde demais para abrir os olhos para a realidade.

– Você acredita que essa feitiçaria ridícula *funciona*? Os transes, as palavras, os sacrifícios e esse monte de truques?

– *Às vezes* funciona – disse a sra. Dane Calthrop. – É isso que precisamos admitir. Grande parte do ritual é uma encenação para criar o clima. Mas no meio da encenação deve haver algo real, algo que *funcione*.

– Algo comprovado, de cunho científico?

– Algo assim. Veja bem, as pessoas descobrem coisas novas o tempo todo, coisas assustadoras. Uma variação desse novo conhecimento poderia ser adaptada por uma pessoa sem escrúpulos para que sirva aos próprios objetivos. O pai de Thyrza era físico...

– *Como*? Como é que é? A maldita caixa! Será que podemos examiná-la? Talvez se a polícia...

– É improvável que a polícia consiga um mandado de busca e apreensão com o pouco de informação que temos.

– E se eu fosse até lá e destruísse a máquina?

A sra. Dane Calthrop balançou a cabeça.

– Pelo que você me disse, o dano foi feito naquela noite, se é que houve algum.

Abaixei a cabeça apoiando-a nas mãos e lamentei:

– Acho que jamais deveríamos ter entrado nessa.

– Seus motivos são nobres – disse a sra. Dane Calthrop, com firmeza. – E o que foi feito, está feito. Teremos mais informações quando Ginger der notícias. Ela deve ligar para a casa de Rhoda, acredito.

Percebi a indireta.

– É melhor eu ir embora.

– Estou sendo ríspida – disse a sra. Dane Calthrop, de repente, enquanto eu saía. – Eu sei que estou sendo ríspida. Estamos nos deixando levar por uma encenação. Sinto que estamos pensando do jeito que querem que pensemos.

Talvez ela estivesse certa. Mas eu não conseguia pensar de outro jeito.

Ginger me telefonou duas horas depois.

– O médico parecia confuso, mas disse que provavelmente é uma gripe – disse ela. – Tem muita gente ficando gripada. Ele recomendou repouso e enviará alguns medicamentos. Minha febre está bem alta, mas deve ser mesmo uma gripe, não é?

Por trás de sua voz rouca e corajosa havia um tom de desespero.

– Vai ficar tudo bem – disse eu, tentando animá-la. – Ouviu? Vai ficar tudo bem. Você está se sentindo muito mal?

– Estou com febre, tudo dói, meus pés e minha pele. Não consigo encostar em nada e... estou queimando de tão quente.

– É a febre, minha querida. Veja bem, estou indo para aí agora. E não me retruque.

– Tudo bem, fico feliz por você vir, Mark. Preciso admitir que não sou tão corajosa quanto pensava...

II

Liguei para Lejeune.

– A srta. Corrigan está doente – disse eu.

– O quê?

– Isso mesmo, ela está doente. O médico disse que talvez seja gripe. Pode ser que sim, mas pode ser que não. Não sei o que podemos fazer. Só me passa pela cabeça conseguir algum tipo de especialista.

– Que tipo de especialista?

– Um psiquiatra, psicanalista, psicólogo, psico qualquer coisa! Alguém que entenda de autossugestão, hipnose, lavagem cerebral... Existe gente que trabalha com isso?

— Sim, com certeza. Há um ou dois especialistas. Acho que você está certíssimo. Pode ser gripe, mas também pode ser uma doença psicológica da qual pouco se sabe. Meu Deus, Easterbrook, talvez seja isso o que esperávamos!

Coloquei o fone no gancho. Talvez estivéssemos descobrindo algo sobre armas psicológicas, mas naquele momento minha única preocupação era Ginger, valente e assustada. Nós dois não acreditávamos... ou será que acreditávamos? Não, é claro que não. Para nós era tudo uma brincadeira de polícia e ladrão. Mas agora a brincadeira ficara séria demais.

O Cavalo Amarelo começava a dar sinais de que era verdadeiro.

Segurei a cabeça com as mãos e lamentei.

CAPÍTULO 21

Narrativa de Mark Easterbrook

I

Duvido que consiga me esquecer dos acontecimentos dos dias posteriores. Tenho a sensação de que tudo não passou de um caleidoscópio confuso, sem sequência ou forma. Ginger foi levada para uma clínica particular, e eu só podia vê-la nos horários de visita.

O médico dela agiu com arrogância diante da situação toda. Ele não conseguia entender o estardalhaço que fizemos. O diagnóstico dele era claro: gripe seguida de broncopneumonia e complicações por conta de sintomas não tão comuns, mas que, segundo ele, "volta e meia aconteciam. Não há caso 'típico'. Além disso, algumas pessoas não reagem a antibióticos".

Mas tudo o que ele dizia era verdade. Ginger estava com broncopneumonia, não havia nada de misterioso nisso. Só que ela estava mal.

Conversei com um psicólogo. Ele parecia um passarinho, apoiando o corpo para cima e para baixo na ponta dos pés e com os olhos brilhando por trás das lentes grossas.

Ele me fez diversas perguntas. Metade delas eu não entendi, embora tivessem um propósito, pois ele anuía com a cabeça quando eu respondia. Agiu sabiamente não querendo se comprometer e fez alguns comentários pontuais no que acredito ser o jargão da área. Tentou algumas formas de hipnose em Ginger, mas parecia consenso geral o fato de que ninguém me diria muita coisa. Talvez porque nada houvesse a ser dito.

Evitei amigos e conhecidos, por mais que minha solidão fosse insuportável.

Por fim, no auge do desespero, liguei para a floricultura e convidei Poppy para jantar. Ela adorou a ideia.

Levei-a ao Fantasie. Poppy tagarelou alegre e feliz, e achei a companhia dela bem agradável. Mas eu não a havia convidado por isso. Após deixá-la mais à vontade por conta da comida e, principalmente, da bebida, comecei uma sondagem cuidadosa. Era possível que Poppy soubesse de alguma coisa sem ter plena consciência do que sabia. Perguntei se ela se lembrava da minha amiga Ginger. "É claro", disse ela, abrindo seus grandes olhos azuis e perguntando o que ela estava fazendo atualmente.

– Ela está muito doente – disse eu.

– Que pena! – disse Poppy, passando uma impressão não muito preocupada.

– Ela se envolveu numa baita confusão – disse eu. – Acho que ela pediu seu conselho sobre o assunto, o Cavalo Amarelo. Pagou uma fortuna.

– Ah! – exclamou Poppy, de olhos arregalados. – Então foi *você*!

Fiquei um momento sem entender. Depois ficou claro que Poppy me identificou como o "homem" cuja esposa inválida era um obstáculo à felicidade de Ginger. Ela ficou tão entusiasmada pela revelação de nossa vida amorosa que quase não se alarmou com a revelação do Cavalo Amarelo.

Ela respirou fundo, entusiasmada.

– Funcionou?

– Alguma coisa deu errado – disse eu. – O tiro saiu pela culatra.

– Que tiro? – perguntou Poppy, desorientada.

Percebi que o uso de metáforas não era o mais indicado em uma conversa com Poppy.

– Parece que o efeito voltou-se contra Ginger. Você já viu isso acontecer alguma vez?

Não, ela nunca tinha visto.

– É claro que você sabe o que eles fazem no Cavalo Amarelo, em Much Deeping, não sabe?

– Eu não sabia onde era, só sabia que era no campo.

– Ginger não me disse muito bem o que é feito lá...

Esperei cuidadosamente.

– São raios, não é? – disse Poppy, de maneira vaga. – Algo assim. Raios do espaço cósmico. Como os russos!

Concluí que agora Poppy valia-se da sua limitada imaginação.

– Alguma coisa assim – concordei. – Mas para Ginger ter ficado doente desse jeito deve ser algo muito perigoso.

– Mas era para a sua mulher adoecer e morrer, não era?

– Sim – respondi, aceitando o papel que Ginger e Poppy imputaram a mim. – Mas parece que o feitiço virou contra o feiticeiro.

– Você quer dizer que... – Poppy fez um intenso esforço mental. – Como quando tomamos um choque em um fio desencapado?

– Exatamente – disse eu. – Isso mesmo. Você sabe se isso já aconteceu antes?

– Bem, não exatamente assim...

– Como, então?

– Bom, quando a pessoa não paga depois do serviço. Aconteceu com um conhecido meu. – A voz dela baixou para um tom mais carregado. – Ele morreu no metrô. Caiu da plataforma na frente do trem.

– Deve ter sido um acidente.

– Não! – disse Poppy, chocada com meu palpite. – Foram ELES.

Coloquei mais champanhe na taça de Poppy. Diante de mim estava alguém que podia ser útil caso eu conseguisse arrancar dela os fatos dissociados que flutuavam no que ela chamava de cérebro. Ela ouvia falar algumas coisas, assimilava metade delas, misturava tudo e ninguém se precavia ao falar as coisas perto dela porque, afinal, tratava-se da Poppy.

Foi terrível perceber que eu não sabia o que perguntar. Se eu dissesse uma coisa errada, ela se fecharia como um túmulo e se faria de desentendida.

– Minha esposa – disse eu – continua inválida e não sofreu mal algum.

– Que pena – disse Poppy, compassiva, bebericando champanhe.

– O que devo fazer agora?

Acho que ela não sabia.

– Veja bem, foi Ginger quem cuidou de tudo. Existe alguém a quem eu possa recorrer?

– Há um lugar em Birmingham – disse Poppy, em dúvida.

– Esse lugar já fechou – disse eu. – Você conhece mais alguém que possa saber de alguma coisa?

– Talvez Eileen Brandon, mas não tenho certeza.

A inclusão de um nome totalmente novo na história me surpreendeu. Perguntei quem era Eileen Brandon.

– Ela é terrível – disse Poppy. – Uma tola. Faz permanente no cabelo e *nunca* usa salto. Ela é o fim. – Para explicar um pouco mais, ela acrescentou: – Estudamos juntas, mas ela era tola demais. Mas sabia muito de geografia.

– E o que ela tem a ver com o Cavalo Amarelo?

– Na verdade, nada. Foi só uma ideia que ela teve, e depois pediu demissão.

– Pediu demissão de onde? – perguntei, confuso.

– Do emprego que tinha no R.C.C.

– Que R.C.C.?

– Não sei com certeza, a sigla é R.C.C. Tem algo a ver com consumo, reação ou pesquisa de consumidores. Algo pequeno.

– E Eileen Brandon trabalhava para eles? O que ela fazia?

– Perguntava para as pessoas que marcas usavam de pasta de dente, fogão a gás ou esponjas. Um trabalho deprimente e desinteressante, afinal, quem se importa com isso?

– Supostamente, o R.C.C. – senti uma leve pontada de entusiasmo.

Foi uma funcionária de uma associação dessas que recebeu a visita do padre Gorman na noite do crime. E, é claro, alguém que trabalha com isso ligou para Ginger no flat...

Havia uma ligação aí.

– Por que ela pediu demissão? Ela estava entediada?

– Acho que não. Eles pagavam bem. Acho que ela viu que o trabalho não era bem o que ela pensava.

– Ela imaginou que o trabalho tivesse alguma conexão com o Cavalo Amarelo? Foi isso?

– Não sei. Alguma coisa assim... De qualquer modo, ela trabalha em uma cafeteria na estrada de Tottenham Court.

– Me passe o endereço.

– Ela não faz seu tipo.

– Não quero sair com ela – disse eu, com brutalidade. – Eu quero informações sobre pesquisa de consumidores. Estou querendo comprar umas ações nesse tipo de negócio.

– Ah, entendi – disse Poppy, satisfeita com minha explicação.

Nada mais havia para arrancar dela, então, depois que terminamos o champanhe, eu a levei em casa e a agradeci pela noite adorável.

II

Tentei telefonar para Lejeune na manhã seguinte, mas não tive sucesso. No entanto, acabei conseguindo falar com Jim Corrigan.

– E aquele psicólogo espertinho que você me indicou, Corrigan? O que ele disse sobre Ginger?

– Várias coisas. Mas acredito, Mark, que ele esteja muito confuso. E você sabe, pneumonia é uma doença comum. Não há mistério nisso.

– Sim – disse eu. – E várias pessoas que conhecemos, cujos nomes estavam naquela lista, morreram de broncopneumonia, gastroenterite, paralisia bulbar, tumor no cérebro, epilepsia, febre paratifoide e outras doenças bastante conhecidas.

– Eu sei como você se sente... Mas o que posso fazer?

— Ela piorou, não é?
— Bem... sim...
— Então *precisamos* fazer alguma coisa.
— Mas o quê?
— Tenho algumas ideias. Podemos ir a Much Deeping, procurar Thyrza e forçá-la, ameaçando acabar com ela, a reverter o feitiço, ou o que quer que seja...
— É... talvez dê certo.
— Ou eu posso procurar Venables...
Corrigan disse rapidamente:
— Venables? Mas nós o descartamos. Como seria possível ele ter ligação com isso? Ele é paralítico.
— Imagino. Eu posso ir até lá e arrancar aquela manta que ele usa para cobrir as pernas e ver se a paralisia é verdadeira ou falsa.
— Mas já examinamos isso e...
— Espere. Eu conversei com aquele farmacêutico, Osborne, em Much Deeping. Deixe-me contar para você o que ele me disse.
Contei a teoria de Osborne sobre a falsa identidade de Venables.
— Mas esse sujeito está obcecado — disse Corrigan. — É do tipo que não admite estar errado.
— Mas diga-me, Corrigan, não é possível que ele esteja certo?
Após uma pausa, Corrigan disse, calmamente:
— Sim. Preciso admitir que é *possível*... mas isso implicaria em várias pessoas envolvidas, e ele teria de pagar muito caro para tê-las do seu lado.
— E qual o problema? Ele nada no dinheiro, não é mesmo? Lejeune descobriu de onde vem tanto dinheiro?
— Não, não exatamente... Devo reconhecer que há algo de estranho com aquele sujeito. Ele tem um passado obscuro. Todo o dinheiro foi muito bem contabilizado, mas para checar tudo precisaríamos de anos de investigação. A polícia já fez isso antes, quando buscava provas contra um vigarista que cobria seus atos por meio de uma complexa rede. O setor do governo responsável pelos impostos está no encalço de Venables há algum tempo. Mas ele é esperto. Você acha que ele é o mandante?
— Sim, acho que ele planeja tudo.
— Talvez. Ele parece ter inteligência o suficiente para isso. Mas não acho que ele mesmo seria capaz de fazer algo tão cruel como matar o padre Gorman.
— Ele faria se a urgência fosse grande. O padre Gorman precisava ser silenciado antes que passasse adiante o que soube a respeito das atividades do Cavalo Amarelo. Além disso...

Parei de repente.

– Ei? Tem alguém aí?

– Sim, eu estava pensando... Foi só uma ideia que me passou pela cabeça.

– O que foi?

– Ainda não está muito claro... Acho que só há uma maneira de obter a verdadeira segurança. Preciso pensar melhor e, além disso, está na minha hora. Tenho um encontro em uma cafeteria.

– Não sabia que frequentava as cafeterias de Chelsea.

– Não frequento. Por sinal, a cafeteria aonde vou fica na estrada de Tottenham Court.

Desliguei o telefone e olhei o relógio.

Estava passando pela porta quando o telefone tocou.

Hesitei em atender. Provavelmente era Jim Corrigan, ligando de volta para saber mais sobre a ideia que tive. Eu não queria falar com ele de novo.

Fui saindo pela porta enquanto o telefone tocava insistentemente.

É claro, podia ser do hospital... Ginger...

Eu não podia arriscar. Atravessei a sala correndo e arranquei o fone do gancho.

– Alô?

– Alô, Mark, é você?

– Sim, quem é?

– Sou eu, é claro – disse a voz, em reprovação. – Ouça, preciso lhe dizer uma coisa.

– Ah, é você! – disse eu, reconhecendo a voz da sra. Oliver. – Eu estou com muita pressa, preciso sair. Ligo para você mais tarde.

– Não, não – disse a sra. Oliver, decisiva. – É importante, você precisa me escutar agora.

– Tudo bem, mas fale rápido... tenho um encontro.

– Ora! – disse a sra. Oliver. – Todo mundo se atrasa para os encontros, só aumenta a expectativa.

– É que eu realmente...

– Escute, Mark. É importante. Tenho certeza de que é importante, tem de ser!

Contive minha impaciência o máximo que pude, olhando para o relógio.

– E então?

– Milly, minha empregada, está com amigdalite. Ela estava péssima e foi para a casa da irmã, no interior...

Cerrei os dentes.

– Sinto muitíssimo, mas eu realmente...

– Escute. Ainda nem comecei. Onde eu estava mesmo? Ah, sim. Milly foi para o interior e eu liguei para uma agência que costumo procurar, a Regência. Sempre achei esse nome ridículo, como o nome de alguns cinemas...

– Eu realmente preciso...

– E pedi para me enviarem alguém. Eles disseram o de sempre, que seria muito difícil nesse momento, mas que fariam o possível...

Nunca tinha visto minha amiga Ariadne Oliver tão exasperada.

– ... daí hoje de manhã chegou uma mulher aqui, e adivinhe quem era?

– Não faço a menor ideia. Veja só...

– Uma mulher chamada Edith Binns. Nome engraçado, não é? E *você* a conhece.

– Não, não conheço nenhuma Edith Binns.

– Mas você a conhece e a viu há pouquíssimo tempo. Ela trabalhou com a sua madrinha, lady Hesketh-Dubois.

– Ah, sim!

– Então, ela o viu quando você foi pegar os quadros.

– Olha, a conversa está ótima e espero que corra tudo bem com ela na sua casa. Ela parece muito confiável, honesta e tudo mais. Tia Min dizia isso. Mas agora eu realmente...

– Quer fazer o favor de esperar? Ainda não terminei. Ela se sentou e falou várias coisas sobre lady Hesketh-Dubois, sobre a doença dela, esse tipo de coisa, as empregadas adoram falar de doença e morte.

– O que ela disse?

– Me chamou a atenção ela ter dito mais ou menos assim: "Pobrezinha, sofreu tanto. Dizem que aquela coisa horrorosa cresceu no cérebro dela, e ela estava muito saudável antes disso. Fiquei com muita pena de vê-la internada na clínica e de ver todo aquele lindo cabelo branco, que ela tonalizava de quinze em quinze dias, caindo inteirinho no travesseiro. Caía aos montes". Daí, Mark, eu me lembrei de Mary Delafontaine, minha amiga. *O cabelo dela caiu.* E me lembrei de que você me disse ter visto certa vez duas moças brigando em Chelsea, e que uma delas arrancou um tufo de cabelo da outra. Cabelo não sai com tanta facilidade assim, Mark. Tente arrancar pela raiz um pouco do seu cabelo para você ver. Não é natural, Mark, que todas essas pessoas percam cabelo pela raiz. Não é natural. Deve ser uma doença nova, acho que isso quer dizer *alguma coisa*.

Segurei firme o telefone e minha cabeça começou a girar. De repente, vários pedaços de informação começaram a se juntar. Rhoda e os cães no jardim, um artigo que li em uma revista de medicina em Nova York... é claro! Mas é claro!

Me dei conta de que a sra. Oliver ainda tagarelava alegremente.

– Deus a abençoe – eu disse. – A senhora é maravilhosa!

Coloquei o telefone do gancho e o retirei novamente. Disquei e dessa vez tive a sorte de ser atendido por Lejeune do outro lado da linha.

– Ouça – disse eu. – Ginger está perdendo tufos de cabelo?

– Sim, acredito que sim. Suponho que seja a febre.

– Febre uma ova – disse eu. – Tanto Ginger quanto todas as outras pessoas foram envenenadas com tálio. Deus, faça com que ainda dê tempo...

CAPÍTULO 22

Narrativa de Mark Easterbrook

I

— Ainda temos tempo? Ela vai sobreviver?

Eu sentava e levantava o tempo inteiro. Não conseguia ficar quieto.

Lejeune estava sentado, observando-me. Ele era paciente e gentil.

– Estamos fazendo tudo o que é possível.

A mesma velha resposta, que não serviu para me consolar.

– Você sabe como tratar envenenamento por tálio?

– Não é muito comum. Mas tentaremos o possível. Ela vai se recuperar.

Olhei para ele. Não consegui ter certeza de que ele acreditava no que dizia. Será que estava tentando me reconfortar?

– De qualquer modo, já foi verificado que é mesmo tálio.

– Sim, eles já confirmaram isso.

– Eis a verdade por trás do Cavalo Amarelo. Veneno. Nada de bruxaria, hipnose ou raios mortais, mas simplesmente envenenamento! E ela esfregou essas coisas na minha cara, maldita! Deve ter rido de mim o tempo inteiro.

– De quem você está falando?

– Thyrza Grey. Na primeira vez em que fui tomar chá na casa dela, ela falou sobre a família Bórgias e suas "poções raras que não deixam vestígios", e tudo o mais. "Arsênico branco comum", disse ela. Simples assim. Toda aquela encenação, o transe, os galos brancos, o braseiro, os pentagramas, o vodu e o crucifixo invertido, tudo para alimentar a superstição nua e crua. E a caixa era apenas um elemento a mais para tapear a mente contemporânea. Hoje não acreditamos tanto em espíritos, bruxas e feitiços, mas somos bastante crédulos quando se trata de "raio", "ondas" e fenômenos psicológicos. Aposto que nada tem naquela caixa além de lâmpadas coloridas e válvulas barulhentas. Afinal, convivemos com o medo de um vazamento radioativo e tudo o mais que pudermos ser suscetíveis ao discurso científico. O Cavalo Amarelo era uma farsa, um pretexto para distrair a atenção do que realmente importava. O fascinante estava no fato de tudo ser muito seguro para elas. Thyrza Grey podia ostentar os poderes ocultos que detinha e controlava. Jamais seria levada ao tribunal por assassinato e a caixa seria considerada inofensiva em uma inspeção. A justiça diria que tudo não passava de um absurdo impossível, é claro, pois tudo não passava disso mesmo.

– Você acha que as três estão de fato envolvidas? – perguntou Lejeune.

– Eu não diria isso. Acho que a crença de Bella na bruxaria é genuína. Ela acredita nos próprios poderes e se regozija com eles. O mesmo vale para Sybil. Ela tem o dom genuíno da mediunidade, entra em transe e parece não saber o que acontece. Ela acredita em tudo o que Thyrza diz.

– Então Thyrza é quem comanda as outras?

Eu disse calmamente:

– No que se refere ao Cavalo Amarelo, sim. Mas ela não é o *cérebro* da organização. O verdadeiro cérebro trabalha nos bastidores. Ele planeja e organiza. É tudo lindamente concatenado, entende? Cada um tem a sua função e não interfere no trabalho do outro. Bradley cuida do lado financeiro e legal. Ele não sabe o que acontece além disso. E é pago tão generosamente quanto Thyrza, é claro.

– Parece que você conhece muito bem o esquema – disse Lejeune, em um tom seco.

– Não, ainda não. Mas sabemos o básico. É o que acontece há séculos, pura e simplesmente envenenamento. A velha fórmula da morte com veneno.

– O que te fez pensar em tálio?

– De repente, várias coisas se juntaram. Tudo começou quando vi aquela cena em Chelsea: os cabelos de uma moça sendo arrancados por outra moça. E ela disse: "Nem doeu!". Não imaginei que fosse presunção, era um fato. Não doeu mesmo.

"Li um artigo sobre envenenamento com tálio quando estive nos Estados Unidos. Vários trabalhadores de uma fábrica morreram, um após o outro. E as mortes foram registradas como tendo várias causas. Lembro-me perfeitamente de que entre elas havia febre paratifoide, apoplexia, neuropatia alcóolica, paralisia bulbar, epilepsia, gastroenterite etc. Depois houve o caso de uma mulher que envenenou várias pessoas. Os diagnósticos incluíam tumor cerebral, encefalite e pneumonia lobar. Acho que os sintomas variam bastante, e começam com diarreia e vômito, ou há um estágio de intoxicação, quando a vítima tem dores no corpo, depois é diagnosticada com polineurite, febre reumática ou pólio... um dos pacientes recebeu um respirador artificial. Às vezes há pigmentação da pele."

– Você fala com a autoridade de um médico!

– Claro, andei pesquisando bastante. Mas apesar desses variados sintomas e diagnósticos, há algo que sempre acontece, mais cedo ou mais tarde: *queda de cabelo*. O tálio já foi usado para depilação durante uma época, principalmente em crianças com infecções cutâneas. Depois, descobriu-se que era perigoso. Mas costuma ser usado como medicamento, em doses mínimas, calculadas de acordo com o peso do paciente, e hoje é principalmente usado como veneno de ratos. É insípido, solúvel e fácil de comprar. Veja como é difícil de levantar suspeitas.

Lejeune anuiu com a cabeça.

– Exatamente – disse ele. – Daí a insistência do Cavalo Amarelo em manter o assassino distante da vítima. Ninguém suspeitaria de um delito, pois a parte interessada não tinha acesso à bebida ou à comida da vítima. Não haveria registro de compra de tálio ou de outro veneno. Eis a perfeição da organização. O trabalho sujo é feito por alguém que não tem conexão alguma com a vítima. Alguém, acredito, que aparecia só de vez em quando.

Ele fez uma pausa.

– Tem ideia de quem seja?

– Tenho uma suspeita. Há um fator comum que parece fazer parte de todos os casos: uma mulher aparentemente inofensiva aparece com um questionário, fazendo uma pesquisa doméstica.

– Você acha que essa mulher é quem deixa o veneno para a vítima? Como amostra de um produto?

– Não acho que seja tão simples – disse eu calmamente. – Suspeito de que a mulher seja de boa índole, mas, de alguma maneira, esteja envolvida. Acho que conseguiremos descobrir algo se conversarmos com uma mulher chamada Eileen Brandon, que trabalha em uma cafeteria na estrada de Tottenham Court.

II

Eileen Brandon foi descrita com precisão por Poppy, embora ela tenha se deixado levar pelo próprio ponto de vista. O cabelo de Eileen não parecia um crisântemo, nem um ninho de passarinhos desgrenhado. Ela tinha os cabelos pretos e ondulados, usava o mínimo de maquiagem e sapatos comuns, baixos. Ela nos contou que o marido dela morrera em um acidente de carro e a deixara com dois filhos pequenos. Antes de trabalhar na cafeteria, ela havia trabalhado durante um ano numa empresa chamada Reações Classificadas dos Clientes. Ela pediu demissão porque não gostava muito do que fazia.

– Por que não gostava do trabalho, sra. Brandon?

Lejeune fez a pergunta. Ela olhou para ele.

– O senhor é inspetor da polícia, não é mesmo?

– Exatamente, sra. Brandon.

– E acha que há alguma coisa errada com a empresa?

– Estamos investigando. A senhora suspeita de algo? Foi por isso que pediu demissão?

– Não posso afirmar nada com precisão, nada mesmo.

– Entendemos, naturalmente. Essa investigação é confidencial.

– Entendo. Mas realmente não posso dizer muito.

– A senhora pode nos dizer por que quis pedir demissão.

– Comecei a desconfiar de que aconteciam coisas na empresa que eu não sabia.

– A senhora quer dizer que a pesquisa não era verdadeira?

– Mais ou menos isso. Tive a sensação de que não era um negócio real e suspeitei de que, por trás das pesquisas, havia outro objetivo. Mas ainda não sei que objetivo era esse.

Lejeune perguntou que tipo de trabalho ela fazia exatamente. Ela recebia uma lista com o nome de algumas pessoas na vizinhança, e sua função era visitá-las, fazer determinadas perguntas e anotar as respostas.

– E por que achou que havia algo de errado nisso?

– Porque as perguntas não pareciam seguir uma linha específica de pesquisa. Pareciam despropositadas e aleatórias. Como se fosse um disfarce para algo mais.

– E você tem ideia do que poderia ser esse algo mais?

– Não. Isso é o que me deixou confusa.

Ela fez uma pequena pausa, e disse, em dúvida:

– Certa vez fiquei me perguntando se tudo não passava de uma organização cujos objetivos fossem assaltos, ou a coleta de informações prévias, por assim dizer. Mas acho que não era o caso, pois nunca me pediram para descrever em detalhes como eram os cômodos ou as portas e janelas etc., nem pediam informações de quando os moradores estariam fora de casa.

– Que tipo de produtos eram abordados nas perguntas?

– Variava. Ia de produtos alimentícios, como cereais, misturas para bolo, até barra de sabão e detergente. Também havia perguntas sobre cosméticos, cremes faciais, batom etc. Podia ser também sobre remédios e medicamentos, marcas de analgésicos, pastilha para tosse, tranquilizantes, estimulantes, gargarejos, antissépticos bucais, remédio para indigestão etc.

– Alguma vez lhe pediram para levar amostras desses produtos? – perguntou Lejeune, em um tom informal.

– Não, nunca me pediram.

– Você só fazia perguntas e anotava as respostas?

– Sim.

– E qual era a finalidade dessas pesquisas?

– Isso é o que parecia estranho. Nunca soubemos exatamente. Supostamente, as pesquisas repassavam informações para fábricas, mas para mim era uma forma muito amadora de se fazer isso. Nada era sistemático.

– Você acha possível que, entre as perguntas que fazia, houvesse uma ou algumas delas que fossem o verdadeiro objetivo da empresa, e que as outras eram usadas para disfarçar?

Ela pensou na pergunta, franziu a testa e anuiu com a cabeça.

– Sim – disse ela. – Isso explicaria a escolha aleatória, mas não faço a menor ideia de quais perguntas eram as importantes.

Lejeune olhou diretamente para ela.

– Deve haver mais alguma coisa que a senhora não nos contou – disse ele, gentilmente.

– Essa é a grande questão! Eu senti que havia algo errado com a organização como um todo. Então conversei com outra mulher, a sra. Davis...

– A senhora conversou com a sra. Davis? E então?

A voz de Lejeune continuava praticamente inalterada.

– Ela também não estava nada feliz.

– E por quê?

– Ela ouviu alguma coisa sem querer.

– O que ela ouviu?

– Eu disse que não poderia ser muito precisa. Ela não contou com detalhes, mas disse que, pelo que tinha escutado, a organização era uma espécie de fraude. "Não é o que parece ser", foi o que ela me disse. Depois acrescentou: "Tudo bem, mas isso não tem nada a ver conosco. Eles pagam bem e não pedem para fazermos nada contra a lei, então acho que não devemos nos preocupar com isso".

– E foi só isso?

– Não sei o que ela quis dizer, mas ela também falou que às vezes se sentia uma Maria Tifoide. Na época, não entendi o que quis dizer.

Lejeune tirou um pedaço de papel do bolso e entregou para ela.

– Por acaso você se lembra de algum nome dessa lista?

– Acho difícil eu me lembrar... – ela pegou o papel. – Conheci tantas pessoas... – Ela fez uma pausa enquanto olhava a lista, e disse:

– Ormerod.

– Você se lembra de Ormerod?

– Não. Mas a sra. Davis o mencionou uma vez. Ele morreu de repente, não é? Hemorragia cerebral. Ela ficou muito chateada, e disse para mim: "Ele estava na minha lista há quinze dias. Parecia com ótima disposição". Foi depois disso que ela fez o comentário sobre Maria Tifoide. Ela disse: "Parece que todas as pessoas que visito morrem simplesmente depois de olhar pra mim!". Em seguida ela riu e disse que era coincidência. Ela não parecia gostar muito. Apesar disso, disse que não ia se preocupar.

– Só isso?

– Bem...

– Diga.

– Foi algum tempo depois. Eu não a via já há algum tempo. Um dia, nos encontramos em um restaurante no Soho. Eu disse a ela que tinha saído da R.C.C. e arrumado outro emprego. Ela me perguntou o motivo da saída e eu disse que estava incomodada, sem saber o que estava acontecendo. Foi então que ela me disse: "Você foi sábia. Mas eles pagam bem por poucas horas de trabalho. E, afinal de contas, a gente precisa arriscar nessa vida. Eu nunca fui uma mulher de sorte e por que deveria me importar com o que acontece com as outras pessoas?". Então eu disse: "Não entendo do que está falando. O que há de errado na empresa?". Ela disse: "Não sei ao certo, mas outro dia reconheci uma pessoa saindo de uma casa com uma caixa de ferramentas. Adoraria saber o que ele fazia por lá". Ela também me perguntou se eu já tinha cruzado com uma mulher que dirigia um pub chamado Cavalo Amarelo. Eu perguntei o que o Cavalo Amarelo tinha a ver com a história.

– E o que ela disse?

– Ela riu e disse: "Leia a Bíblia". Não tenho ideia do que ela quis dizer. Essa foi a última vez que a vi. Não sei onde ela está agora, se continua trabalhando na R.C.C. ou se já saiu de lá.

– A sra. Davis morreu – disse Lejeune.

Eileen Brandon pareceu assustada.

– Morreu? Mas... como?

– Pneumonia, há dois meses.

– Ah, entendo. Que pena.

– Há algo mais que a senhora possa nos dizer, sra. Brandon?

– Acho que não. Já ouvi outras pessoas mencionarem esse lugar, o Cavalo Amarelo, mas quando perguntamos do que se trata, elas se calam imediatamente. Parecem assustadas, sabe?

Parecia que ela estava incomodada.

– Eu não quero me envolver em nada que seja perigoso, inspetor Lejeune. Tenho duas crianças pequenas. Honestamente, não sei mais o que pode lhe ser útil.

Ele olhou diretamente para ela, anuiu com a cabeça e se despediu.

– Isso nos leva um pouco mais além – disse Lejeune, depois que Eileen Brandon foi embora. – A sra. Davis sabia demais. Tentou fechar os olhos para o significado do que estava acontecendo, mas deve ter suspeitado muito do negócio. De repente, adoeceu, e quando estava morrendo, pediu a visita de um padre e contou a ele do que suspeitava. A pergunta é: será que ela sabia demais? Aquela lista, suponho, tinha o nome das pessoas que ela visitou durante o trabalho e que depois morreram. Por isso o comentário sobre a Maria Tifoide. A verdadeira questão é: quem ela "reconheceu" saindo de uma casa sem motivo aparente, fingindo ser um trabalhador qualquer? Essa deve ter sido a informação que a colocou em perigo. Se ela o reconheceu, ele também deve tê-la reconhecido, e provavelmente ele percebeu que *ela* o reconheceu. Se ela deu essa informação específica ao padre Gorman, era crucial que o padre fosse aniquilado de uma vez antes de passar a informação adiante.

Ele olhou para mim.

– Você concorda, não é mesmo? Acho que foi exatamente isso o que aconteceu.

– Sim – respondi. – Concordo.

– E você tem alguma ideia de quem seja esse homem?

– Tenho uma suspeita, mas...

– Eu sei. Não temos prova de nada.

Ele ficou em silêncio por um momento, e se levantou.

– Mas nós o pegaremos – disse ele. – Não tem erro. Depois que descobrirmos quem é, teremos como pegá-lo. Tentaremos todas as possibilidades.

CAPÍTULO 23

Narrativa de Mark Easterbrook

Mais ou menos três semanas depois, um carro parou na porta de entrada de Priors Court.

Quatro homens saíram do carro. Eu era um deles. Junto comigo estavam o inspetor Lejeune e o sargento Lee. O quarto homem era o sr. Osborne, que mal conseguia conter a satisfação e empolgação em participar do negócio.

– Você entendeu, não é? Fique de bico calado – disse Lejeune para o sr. Osborne.

– Sim, entendi, inspetor. Pode confiar em mim. Não vou abrir a boca.

– Tome cuidado.

– Para mim, é um grande privilégio, embora eu não entenda muito bem...

Mas ninguém tinha entrado em detalhes naquele momento.

Lejeune tocou a campainha e perguntou pelo sr. Venables.

Como uma comitiva, nós quatro fomos levados para dentro da casa.

Se Venables estava surpreso com a nossa visita, ele não demonstrou. Seu modo de agir foi extremamente cortês. Enquanto ele movimentava a cadeira um pouco para trás para ampliar o círculo ao seu redor, pensei mais uma vez como sua aparência era inconfundível. O pomo de adão subindo e descendo no meio do colarinho, o perfil acentuado, com um nariz curvado feito ave de rapina.

– Que bom vê-lo mais uma vez, Easterbrook. Parece que você tem passado bastante tempo nessa região.

Havia um tom de malícia na voz dele. Em seguida, voltou a falar:

– E o senhor é o inspetor Lejeune, não é mesmo? Devo confessar que isso aguça minha curiosidade. Essa região é tão pacífica, tão livre de crimes. E mesmo assim recebo uma ligação do inspetor! Em que posso lhe ajudar?

Lejeune estava muito tranquilo e foi delicado:

– Acredito que o senhor possa nos ajudar em uma investigação, sr. Venables.

– Imaginei que pudesse ser isso mesmo. Então, como posso ajudar?

– No dia 7 de outubro, um padre chamado Gorman foi assassinado na rua West, em Paddington. Soube que o senhor esteve naquela região no mesmo dia, entre 19h45 e 20h15 da noite, e quero saber se o senhor viu algo que possa ter a ver com o caso.

– Eu estava mesmo naquela região? Acho que não, tenho minhas dúvidas quanto a isso. Pelo que me lembro, nunca passei nessa região de Londres. E, se não me falha a memória, eu sequer estava em Londres nessa época. Vou a Londres só de vez em quando para visitar alguma liquidação, e também para fazer meus exames de rotina.

– Acredito que o senhor se consulte com sir. William Dugdale, da rua Harley.

O sr. Venables olhou para ele friamente.

– O senhor está muito bem informado, inspetor.

– Não tão bem quanto gostaria. De qualquer modo, estou decepcionado porque o senhor não pode me ajudar da forma que eu gostaria. Mas sinto-me na obrigação de explicar-lhe os fatos ligados à morte do padre Gorman.

– Certamente, se assim quiser. Nunca ouvi falar desse nome.

– O padre Gorman foi chamado naquela noite enevoada para visitar uma mulher na vizinhança, que estava prestes a morrer. Ela estava envolvida com uma organização criminosa, num primeiro momento sem saber, mas após certos acontecimentos ela começou a suspeitar da questão. Trata-se de uma organização especializada na eliminação de pessoas indesejadas, e por um pagamento bastante considerável, obviamente.

– Isso não é novidade – murmurou Venables. – Nos Estados Unidos...

– Ah, mas há algumas novidades nessa organização em especial. Para começar, as mortes eram provocadas aparentemente por meios psicológicos. O "desejo de morte", que supostamente faz parte de todo ser humano, seria estimulado...

– De modo que a vítima obedientemente cometesse suicídio? Parece muito bom para ser verdade, inspetor, se é que posso falar isso.

– Não suicídio, sr. Venables. A pessoa em questão morre de causas perfeitamente naturais.

– Ah, mas o que é isso? O senhor acredita mesmo nisso? É uma atitude bastante atípica da nossa força policial, tão obstinada e realista.

– Parece que o centro de operações dessa organização é um lugar chamado Cavalo Amarelo.

– Ah, *agora sim* começo a entender. Então é isso que o traz a essa agradável área rural, minha amiga Thyrza Grey e seus disparates! Jamais saberei se ela acredita ou não naquilo tudo. Mas é um verdadeiro disparate. Ela tem uma amiga médium e uma cozinheira, a feiticeira local (para mim, é muita coragem comer o que ela oferece, vai que tenha cicuta?). E as três senhoras ganharam uma reputação e tanto. Nada muito apropriado, é claro, mas não me diga que a Scotland Yard, ou seja lá de onde vocês são, leva isso tudo a sério?

– Na verdade, levamos muito a sério, sr. Venables.

– O senhor realmente acredita que Thyrza profere feitiços, que Sybil entra em transe e que Bella faz magia negra, e que o resultado seja a morte de outra pessoa?

– Não, não, sr. Venables, a causa da morte é muito mais simples do que isso. – Ele silenciou por um momento. – As pessoas morrem envenenadas por tálio.

Houve uma breve pausa...

– *O que* o senhor disse?

– Envenenamento... por sais de tálio. De maneira simples e direta. Só que o envenenamento precisava ser encoberto, e a melhor maneira de fazer isso seria por meio de uma organização espiritualista e pseudocientífica, com um jargão moderno e reforçado por velhas superstições. Algo maquinado para distrair a atenção do simples fato da administração do veneno.

– Tálio – disse o sr. Venables, franzindo a testa. – Acho que nunca ouvi falar disso.

– Não? É muito usado em veneno de rato e costumava ser usado para depilação em crianças com infecções cutâneas. Pode ser comprado facilmente. A propósito, há um pacotinho guardado na estufa.

– Na *estufa*? Improvável.

– Está lá, sim. Já pegamos inclusive uma amostra.

De repente, Venables ficou levemente agitado.

– Alguém deve ter colocado isso lá. Não sei nada sobre isso, absolutamente nada!

– Será mesmo? O senhor é um homem rico, não é, sr. Venables?

– E o que isso tem a ver com a conversa?

– Acredito que o Imposto de Renda andou fazendo algumas perguntas embaraçosas, não é? Em relação à sua fonte de renda, quero dizer.

– O mal de se viver na Inglaterra, sem dúvida, é o nosso sistema de impostos. Tenho pensado seriamente em me mudar para Bermudas.

– Não acho que o senhor irá para Bermudas tão cedo, sr. Venables.

– Isso é uma ameaça, inspetor? Por que se for...

– Não, não, sr. Venables. É só modo de dizer. O senhor quer saber como funcionava toda essa operação fraudulenta?

– Com toda certeza.

– É algo muito bem organizado. Os detalhes financeiros são resolvidos por um advogado proibido de exercer suas funções, o sr. Bradley. Ele tem um escritório em Birmingham. Os possíveis clientes o procuram lá e fecham um negócio. Quer dizer, é feita uma aposta de que alguém morrerá em um determinado período de tempo... o sr. Bradley, que é aficionado por apostas, geralmente é pessimista no seu prognóstico. O cliente geralmente tem mais esperanças. Quando o sr. Bradley ganha a aposta, o dinheiro deve ser pago imediatamente... do contrário, é provável que aconteça algo muito desagradável. O sr. Bradley só faz isso: uma aposta. Simples, não é?

"Depois disso, o cliente visita o Cavalo Amarelo. A srta. Thyrza Grey monta um espetáculo junto com as amigas, o que geralmente deixa a pessoa impressionada, exatamente como o planejado.

"Vejamos agora o que realmente acontece nos bastidores.

"As funcionárias dessas empresas de pesquisa do consumidor que existem por aí recebem as instruções para percorrer determinada região com um questionário de perguntas como: Qual sua marca de pão predileta? Quais são os cosméticos que usa? Que medicamentos usa, como tônicos, sedativos etc.? Hoje as pessoas estão condicionadas a responder questionários e quase nunca reclamam.

"Aí vem a última etapa. Simples, ousada, bem-sucedida! A única ação realizada em pessoa por quem planejou todo o esquema. Ele pode ser um sujeito vestido com o uniforme de porteiro de um hotel, ou o responsável pela medição do consumo de gás e de eletricidade. Pode ser o encanador, o eletricista ou um prestador de serviços desse tipo. Seja lá o que for, ele estará munido do que parecem ser credenciais verdadeiras, no caso de a vítima solicitá-las, pois a maioria das pessoas não faz isso. Seu verdadeiro objetivo é simples: substituir um produto que ele leva consigo por outro que a vítima usa (uma informação obtida por conta dos questionários). Ele pode consertar o encanamento, examinar os medidores ou testar a pressão da água, mas seu verdadeiro objetivo é esse. Cumprida a tarefa, ele vai embora e nunca mais é visto naquela região.

"Talvez nada aconteça durante alguns dias. Mas, mais cedo ou mais tarde, a vítima apresenta sintomas de uma doença. O médico aparece, mas não há motivo para suspeitar de algo fora do comum. Ele pergunta que tipo de comida ou bebida o paciente ingeriu, mas é improvável que suspeite dos produtos cotidianos que o paciente consome há anos.

"O senhor percebe a perfeição do esquema, sr. Venables? A única pessoa que sabe *o que o chefe da organização realmente faz* é o próprio chefe da organização. *Não é possível denunciá-lo.*"

– Então como é que o senhor sabe tanta coisa? – perguntou o sr. Venables, amigavelmente.

– Há maneiras de termos certeza quando suspeitamos de alguém.

– É mesmo? Que maneiras?

– Não precisamos explorar todas elas. Mas há câmeras, por exemplo. Hoje temos uma série de dispositivos disponíveis. Podemos pegar alguém sem que a pessoa suspeite. Temos excelentes fotografias, por exemplo, de um recepcionista uniformizado, de um medidor de gás, e assim por diante. E ainda há artifícios como falsos bigodes, dentes postiços etc., mas o nosso suspeito foi facilmente identificado, primeiro pelo sr. Mark Easterbrook, depois pela srta. Katherine Corrigan, e também por uma mulher chamada Edith Binns. O reconhecimento é algo interessante, sr. Venables. Por exemplo, esse cavalheiro aqui, o sr. Osborne, é capaz de jurar que viu o senhor seguindo o padre Gorman na rua Barton na noite de 7 de outubro por volta das oito da noite.

– E eu o vi *mesmo*! – disse o sr. Osborne, inclinando o corpo para frente, empolgado. – Eu o descrevi em detalhes.

– Talvez com detalhes até demais – disse Lejeune. – E sabe por quê? Porque você *não viu* o sr. Venables naquela noite quando estava parado na porta da farmácia. *Na verdade, você não estava parado lá*. Você mesmo estava do outro lado da rua, seguindo o padre Gorman até que ele virou na rua West, e você se aproximou dele *e o matou...*

– O quê? – disse o sr. Zachariah Osborne.

Deve ter sido ridículo. *Era* ridículo. O queixo caído, os olhos vidrados...

— Deixe-me apresentá-lo, sr. Venables, ao sr. Zachariah Osborne, farmacêutico, antigo morador da rua Barton, em Paddington. Você ficará interessado nele quando eu disser que o sr. Osborne, que temos observado há algum tempo, foi burro o suficiente para colocar um pacotinho de sais de tálio na sua estufa. Sem saber da sua deficiência, ele se divertiu colocando o senhor como vilão da história; e por ser um sujeito muito obstinado, além de muito estúpido, recusou-se a admitir que cometeu um erro grosseiro.

— Estúpido? Como ousa me chamar de *estúpido*? Se você soubesse do que fiz, ou do que posso fazer... eu...

Osborne balançou a cabeça e balbuciou de raiva.

Lejeune deu um resumo cuidadoso do sr. Osborne. Tive a sensação de estar diante de um peixe que acabara de morder o anzol.

— Você não deveria ter tentado ser tão esperto, entende? — disse ele, em tom de reprovação. — Afinal de contas, se tivesse continuado lá, sentado na sua farmácia, e me deixado em paz, eu não estaria aqui agora para lembrá-lo de que tudo o que disser poderá ser usado...

Foi nesse momento que o sr. Osborne começou a gritar.

CAPÍTULO 24

Narrativa de Mark Easterbrook

—Veja bem, Lejeune, há várias coisas que quero saber.

Depois de cumpridas as formalidades, fiquei a sós com Lejeune. Nós nos sentamos com duas canecas de cerveja diante de nós.

— Sim, sr. Easterbrook? Acho que foi uma grande surpresa para você.

— Com toda certeza. Eu estava focado em Venables. Você não me deu pistas!

— Eu não podia me dar a esse luxo, sr. Easterbrook. É preciso guardar essas informações a sete chaves, são complicadas. Mas a verdade é que não sabíamos muito para onde ir. Foi por isso que tivemos de montar o espetáculo daquela maneira, com o apoio de Venables. Tivemos de induzir Osborne ao erro e pegá-lo de repente, na esperança de que ele caísse feito um patinho. E funcionou.

— Ele é maluco? — perguntei.

— Eu diria que, nesse momento, já passou do limite da loucura. Ele nem sempre foi assim, é claro, mas matar pessoas é algo que transforma o ser humano. Faz o assassino se sentir maior e mais poderoso do que a vida, do que o verdadeiro Todo-poderoso, quando na verdade não passa de um asqueroso que acaba de ser descoberto. E quando esse fato lhe é apresentado de repente, o ego simplesmente não suporta. A pessoa grita, discursa e se vangloria do quanto é esperta por ter feito o que fez. Você viu como ele reagiu.

Anuí com a cabeça.

– Então Venables fazia parte da encenação que você montou? – disse eu. – Ele gostou da ideia de cooperar?

– Ele ficou contente, acredito – disse Lejeune. – Além do mais, ele foi impertinente o bastante para dizer que uma mão lava a outra.

– O que ele quis dizer com isso?

– Bem, eu não deveria estar contando, é uma informação confidencial – disse Lejeune. – Há cerca de oito anos, houve uma epidemia de assaltos a bancos. A mesma técnica era usada em todos os assaltos. E eles conseguiam se livrar! Os ataques eram planejados cuidadosamente por alguém que não se envolvia na operação real, e esse cara fugiu com muito dinheiro. Tivemos algumas suspeitas de quem ele era, mas nada que se pudesse provar. Ele era esperto demais, principalmente na questão financeira, e mais esperto ainda por nunca mais fazer outro assalto. Não vou dizer mais nada. Ele era um vigarista, mas não era um assassino. Ninguém morreu.

Lembrei-me na mesma hora de Zachariah Osborne.

– Vocês sempre suspeitaram de Osborne? – perguntei. – Desde o início?

– Bem, ele chamou a atenção para si próprio – disse Lejeune. – Como eu disse, se ele tivesse ficado quieto no canto dele, jamais sonharíamos em suspeitar que o sr. Zachariah Osborne, um farmacêutico respeitável, tinha algo a ver com o caso. Mas é engraçado, pois é exatamente isso o que os assassinos fazem. Eles ficam lá, quietos, seguros em casa. Mas, sei lá por que, não conseguem ficar de bico calado.

– O desejo pela morte – sugeri. – Uma variável do tema de Thyrza Grey.

– Quanto mais rápido você esquecer da srta. Thyrza Grey e de tudo o que ela lhe disse, melhor – disse Lejeune em um tom severo. Em seguida, prosseguiu, pensativo: – Bom... Acho que uma explicação possível é a solidão, sabe? Você sabe que é um camarada esperto, mas não tem com quem compartilhar isso.

– Você não me contou quando começou a suspeitar dele – disse eu.

– Bem, desde quando ele começou a falar mentiras. Pedimos para que as pessoas que tivessem visto o padre Gorman naquela noite entrassem em contato conosco. O sr. Osborne entrou em contato, e a declaração que deu era nitidamente falsa. Ele disse ter visto alguém seguindo o padre Gorman e deu as características do homem, mas era impossível ele ter visto de fato o sujeito numa noite de neblina. Talvez ele conseguisse ver o nariz adunco, mas o pomo de adão já era demais. É claro, foi uma mentira bem inocente. O sr. Osborne só queria se sentir importante. Há muitas pessoas assim. Acontece que isso só voltou minha atenção para ele, um sujeito bastante curioso. Do nada, ele começou a me contar várias coisas sobre si, o que também não foi sábio. Descreveu-se como um homem que sempre quis ser mais importante do que era. Ele não estava feliz em cuidar do velho negócio que herdou do pai. Saiu de casa e tentou ganhar a vida nos palcos, mas obviamente não conseguiu. Suponho que isso tenha acontecido porque ele não obedecia à produção, não aceitava que lhe dissessem como deveria representar um papel! É provável que estivesse sendo sincero quando disse que seu sonho era ser testemunha em um tribunal, identificando com sucesso um comprador de veneno na sua farmácia. Acho que o raciocínio dele ia por aí. É claro, não sabemos quando ele teve a ideia de se tornar um grande criminoso, um sujeito esperto o suficiente para não ser julgado pela justiça.

"Mas tudo isso são conjecturas. Voltando um pouco. A descrição que Osborne deu do homem que viu naquela noite era interessante. Obviamente se tratava da descrição de uma pessoa real com quem ele se encontrara uma vez. É extremamente difícil, sabe, fazer a descrição de alguém. Olhos, nariz, queixo, postura e tudo o mais. Se você tentar, verá que, inconscientemente, está descrevendo alguém com quem se deparou em algum lugar, como um ônibus ou trem. Era nítido que Osborne estava descrevendo uma pessoa de características incomuns. Eu diria que um dia ele viu Venables sentado no carro em Bournemouth e ficou surpreso com a aparência dele; se foi algo assim que aconteceu, ele não teria como perceber que ele era paralítico.

"Outro detalhe que despertou meu interesse por Osborne foi o fato de ele ser farmacêutico. Imaginei que a lista que tínhamos pudesse ter alguma ligação com o tráfico de drogas em algum lugar. Na verdade, não era nada disso, e eu teria me esquecido dele se o próprio sr. Osborne não estivesse tão determinado a continuar com a encenação. Veja bem, ele queria saber exatamente o que fazíamos, por isso escreveu para dizer que viu o homem em questão em uma quermesse em Much Deeping. Ele ainda não sabia que o sr. Venables era paralítico. Quando descobriu, não teve a inteligência para se calar. Esse foi o erro dele, um erro típico dos criminosos. Ele não seria capaz de admitir por um momento sequer que estava errado. Como um completo idiota, continuou teimando em sugerir todo tipo de teoria absurda. Fiz uma visita muito interessante a ele em seu chalé em Bournemouth. O nome do chalé era uma boa pista. Everest. Na sala tinha uma foto do monte Everest. Ele me contou que tinha muito interesse na exploração do Himalaia. Era o tipo de piada barata de que ele gostava: "ever rest", descanso eterno. Essa era a profissão dele, o negócio dele. Ele dava às pessoas o descanso eterno em troco de um pagamento apropriado. Precisamos reconhecer o mérito dessa ideia, pois todo o esquema era muito inteligente. Bradley em Birmingham. Thyrza Grey executando sessões em Much Deeping. Ninguém suspeitaria de que o sr. Osborne tivesse ligação com Thyrza Grey, com Bradley, muito menos com as vítimas. A verdadeira mecânica de todo o esquema era uma brincadeira de farmacêutico. Como eu disse, se o sr. Osborne tivesse ficado calado..."

– Mas o que ele faz com o dinheiro? – perguntei. – Afinal de contas, ele supostamente fazia isso por dinheiro, não?

– Sim, ele fazia por dinheiro. Sem dúvida ele tinha grandes planos futuros, viagens para o exterior, diversão, queria ser rico, uma pessoa importante. Mas é claro que ele não era a pessoa que imaginava ser. Acho que sua noção de poder ficou maior com os assassinatos. Livrar-se das pessoas o intoxicou, e, além disso, ele vai adorar estar no banco dos réus, você vai ver. O centro das atenções, com todos os olhares voltados para ele.

– Mas o que ele *faz* com o dinheiro? – perguntei.

– Ah, isso é muito simples – disse Lejeune –, embora eu não saiba o que teria pensado se não tivesse percebido como ele mobiliava o chalé. Ele era um sovina, é claro. Adorava dinheiro e queria dinheiro, mas não para gastar. O chalé tinha pouquíssima mobília, e tudo comprado em liquidações baratas. Ele não gostava de gastar, ele só queria *ter*.

– Então ele colocava tudo no banco?

– Não – disse Lejeune. – Acho que encontraremos o dinheiro em algum lugar no assoalho do chalé.

Tanto eu quanto Lejeune ficamos em silêncio durante alguns minutos enquanto eu lembrava-me da estranha criatura que era Zachariah Osborne.

– Corrigan – disse Lejeune, pensativo – diria que Osborne fez tudo isso por causa de alguma glândula no baço, no pâncreas ou por conta do funcionamento excessivo de algum órgão, nunca consigo me lembrar qual. Sou um homem simples, acho que ele não passa de um cara mau... o que me deixa transtornado. Aliás, o que sempre me deixa assim é o fato de um homem ser tão esperto e, ao mesmo tempo, tão idiota.

– As pessoas imaginam os grandes mestres como uma figura maligna, sinistra e grandiosa – disse eu.

Lejeune balançou a cabeça.

– Não é bem assim – disse ele. – O mal não é uma coisa sobre-humana, e sim uma coisa *abaixo* de qualquer humanidade. O criminoso quer ser importante, mas nunca o será, porque jamais deixará de ser menos do que um homem.

CAPÍTULO 25

Narrativa de Mark Easterbrook

I

Em Much Deeping, tudo estava reconfortantemente normal.
Rhoda cuidava dos cães, acho que dessa vez dando vermífugos. Ela levantou a cabeça quando cheguei e me perguntou se eu queria ajudá-la. Disse que não poderia no momento e perguntei onde estava Ginger.
– Ela foi ao Cavalo Amarelo.
– *O quê?*
– Disse que tinha uma coisa para fazer lá.
– Mas a casa está vazia.
– Eu sei.
– Ela vai ficar exausta, ainda não se recuperou o bastante.
– Não se preocupe à toa, Mark. Ela está ótima. Você viu o novo livro da sra. Oliver? Chama-se *A cacatua branca*. Está em cima da mesa.
– Deus abençoe a sra. Oliver. E também Edith Binns.
– Quem é Edith Binns?
– Ela identificou uma fotografia. Além disso, foi uma fiel empregada da minha madrinha.
– Nada do que você diz parece ter sentido. O que há de errado com você?

Eu não respondi e saí a caminho do Cavalo Amarelo.
Antes de chegar lá, encontrei a sra. Dane Calthrop, que me cumprimentou com entusiasmo.
– Eu sabia desde o início que estava sendo estúpida – disse ela. – Mas não entendia como. Sabia que estava me deixando levar por um truque barato.
Ela estendeu o braço em direção à hospedaria, vazia e tranquila sob a luz do final do outono.
– A maldade nunca esteve lá, não da forma como imaginávamos. Nada de pactos com o demônio, nada de magia negra e maligna. Apenas truques baratos a troco de dinheiro, desprezando completamente a vida humana. Essa é a verdadeira maldade. Nada grandioso, e sim desprezível e mesquinho.
– Você e o inspetor Lejeune parecem ter a mesma visão das coisas.
– Eu gosto dele – disse a sra. Dane Calthrop. – Vamos até o Cavalo Amarelo encontrar Ginger.
– O que ela está fazendo lá?
– Limpando alguma coisa.

Atravessamos a entrada baixa e sentimos um cheiro forte de terebintina no ar. Ginger estava mexendo com panos e garrafas e levantou a cabeça quando entramos. Ela ainda estava pálida e magra, com um lenço em volta da cabeça para cobrir os lugares onde o cabelo ainda não tinha nascido de novo. Uma imagem um pouco distante da Ginger que eu conhecia.

– *Ela* está ótima – disse a sra. Dane Calthrop, lendo meus pensamentos, como sempre.

– Vejam! – disse Ginger, triunfante, mostrando a velha plaqueta na qual estava trabalhando.

A fuligem do tempo havia sido removida, a figura de um cavaleiro sobre o cavalo agora era plenamente visível. Um esqueleto sorridente com ossos reluzentes.

A sra. Dane Calthrop falou atrás de mim com um tom de voz profundo e sonoro.

– Apocalipse, Capítulo seis, Versículo oito: "E vi aparecer um cavalo amarelo. Seu nome era Morte, e o mundo dos mortos o acompanhava...".

Ficamos em silêncio por um momento, até que a sra. Dane Calthrop, que não hesitava em ser áspera, disse:

– Então é isso! – Seu tom de voz tinha a intensidade de quem acaba de jogar alguma coisa no lixo. – Preciso ir embora. Tenho de participar do encontro de mães.

Ela parou na porta, acenou com a cabeça para Ginger e disse, do nada:
– Você será uma ótima mãe.

Por alguma razão, o rosto de Ginger enrubesceu...
– Você quer isso mesmo, Ginger? – disse eu.
– Quero o quê? Ser uma boa mãe?
– Você sabe o que quero dizer.
– Talvez... mas antes prefiro receber uma proposta mais concreta.
E foi essa a proposta que fiz a ela.

II

Após algum tempo, Ginger perguntou:
– Tem certeza de que não quer se casar com Hermia?
– Deus me livre! – disse eu. – Nem me lembrava dela.
Tirei uma carta do bolso.
– Recebi esta carta dela há três dias, perguntando se eu queria acompanhá-la ao Old Vic para assistir *Trabalhos de amor perdidos*.
Ginger pegou a carta da minha mão, rasgando-a.
– Se quiser voltar ao Old Vic algum dia – disse ela, incisiva –, terá de ser comigo.

SOBRE A AUTORA

AGATHA CHRISTIE (1890-1976) é a autora mais publicada de todos os tempos, superada apenas por Shakespeare e pela Bíblia. Em uma carreira que durou mais de cinquenta anos, escreveu 66 romances de mistério, 163 contos, dezenove peças, uma série de poemas, dois livros autobiográficos, além de seis romances sob o pseudônimo de Mary Westmacott. Dois dos personagens que criou, o engenhoso detetive belga Hercule Poirot e a irrepreensível e implacável Miss Jane Marple, tornaram-se mundialmente famosos. Os livros da autora venderam mais de dois bilhões de exemplares em inglês, e sua obra foi traduzida para mais de cinquenta línguas. Grande parte da sua produção literária foi adaptada com sucesso para o teatro, o cinema e a tevê. *A ratoeira*, de sua autoria, é a peça que mais tempo ficou em cartaz, desde sua estreia, em Londres, em 1952. A autora colecionou diversos prêmios ainda em vida, e sua obra conquistou uma imensa legião de fãs. Ela é a única escritora de mistério a alcançar também fama internacional como dramaturga e foi a primeira pessoa a ser homenageada com o Grandmaster Award, em 1954, concedido pela prestigiosa associação Mystery Writers of America. Em 1971, recebeu o título de Dama da Ordem do Império Britânico.

Agatha Mary Clarissa Miller nasceu em 15 de setembro de 1890 em Torquay, Inglaterra. Seu pai, Frederick, era um americano extrovertido que trabalhava como corretor da Bolsa, e sua mãe, Clara, era uma inglesa tímida. Agatha, a caçula de três irmãos, estudou basicamente em casa, com tutores. Também teve aulas de canto e piano, mas devido ao temperamento introvertido não seguiu carreira artística. O pai de Agatha morreu quando ela tinha onze anos, o que a aproximou da mãe, com quem fez várias viagens. A paixão por conhecer o mundo acompanharia a escritora até o final da vida.

Em 1912, Agatha conheceu Archibald Christie, seu primeiro esposo, um aviador. Eles se casaram na véspera do Natal de 1914 e tiveram uma única filha, Rosalind, em 1919. A carreira literária de Agatha – uma fã dos livros de suspense do escritor inglês Graham Greene – começou depois que sua irmã a desafiou a escrever um romance. Passaram-se alguns anos até que o primeiro livro da escritora fosse publicado. *O misterioso caso de Styles* (1920), escrito próximo ao fim da Primeira Guerra Mundial, teve uma boa acolhida da crítica. Nesse romance aconteceu a primeira aparição de Hercule Poirot, o detetive que estava destinado a se tornar o personagem mais popular da ficção policial desde Sherlock Holmes. Protagonista de 33 romances e mais de cinquenta contos da autora, o detetive belga foi o único personagem a ter o obituário publicado pelo *The New York Times*.

Em 1926, dois acontecimentos marcaram a vida de Agatha Christie: a sua mãe morreu, e Archie a deixou por outra mulher. É dessa época também um dos fatos mais nebulosos da biografia da autora: logo depois da separação, ela ficou desaparecida durante onze dias. Entre as hipóteses figuram um surto de amnésia, um choque nervoso e até uma grande jogada publicitária. Também em 1926, a autora escreveu sua obra-prima, *O assassinato de Roger Ackroyd*. Este foi seu primeiro livro a ser adaptado para o teatro – sob o nome *Álibi* – e a fazer um estrondoso sucesso nos teatros ingleses. Em 1927, Miss Marple estreou como personagem no conto "The Tuesday Night Club".

Em uma de suas viagens ao Oriente Médio, Agatha conheceu o arqueólogo Max Mallowan, com quem se casou em 1930. A escritora passou a acompanhar o marido em expedições arqueológicas e nessas viagens colheu material para seus livros, muitas vezes ambientados em cenários exóticos. Após uma carreira de sucesso, Agatha Christie morreu em 12 de janeiro de 1976.